PARIS

2010

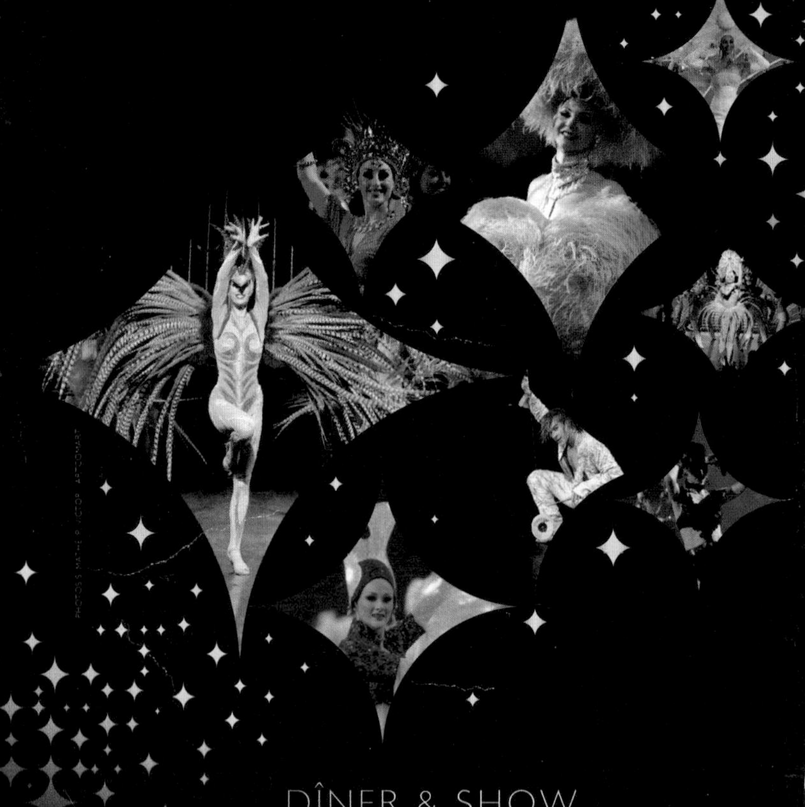

EDITION

Régie Publicitaire : Claude Mailleret, Isabelle d'Assigny, Agnès Hamelin, Alexandre Gervais

Auteurs : Julie Ejzenberg, Claire Delbos avec Marion Grégoire, Michel Doussot, Coline Lemeunier, Olivier de Puineuf, Jean-Paul Labourdette, Dominique Auzias, Valérie Kuhn, Delphine Cohen et Dany Ygouf

PUBLICITE / COMMUNICATION

Directeur Commercial : Olivier Azpiroz assisté de Michel Granseigne, Victor Correia et Delphine Sauvage.

Chefs de publicité Régie Nationale : Caroline Gentelet, Aurélien Miltenberger, Oriane de Salaberry, Stéphanie Bertrand, Elodie Bellair.

Régie publicitaire Internationale : Karine Virot assistée de Camille Esmieu et Virginie Boscredon

Directrice Web et Nouvelles Technologies : Hélène Genin assistée de Mathilde Balitout et Mélanie Argouarc'h

DIFFUSION ET PROMOTION

Directeur des Ventes : Eric Martin assisté d'Antoine Reydellet et Nathalie Goncalves

Responsable de la Diffusion : Bénédicte Moulet

Responsable des ventes hors réseaux : Jean-Pierre Ghez

Gestion Clientèle : Nathalie Thénaud assistée d'Isabelle Rebière

Responsable informatique : Pascal Le Goff

Responsable Relations Presse-Partenariats : Jean-Mary Marchal

ADMINISTRATION

Gérant : Jean-Paul Labourdette

Directeur Administratif et Financier : Gérard Brodin

Directrice des Ressources Humaines : Dina Bourdeau assistée de Sandrine Delée et Sandra Morais

Responsable Comptabilité : Isabelle Bafourd assistée de Bérénice Baumont, Elisabeth Correia et Angélique Helmlinger.

Recouvrement : Fabien Bonnan, Sandra Brijlall

Standard : Lucile Lavergne

FABRICATION

Directeur Editorial France : Florent Brisard

Responsables collection : Romain David, Emmanuelle Henry, Julie Bagros et Marc Delaunay

Studio : Jacky Lagrave

Responsable production Maquettes : Nathalie Thénaud assistée d'Isabelle Rebière

Photothèque : Henri Berlemont

Cartographie : Jean-Baptiste Neny

Création maquettes et montage : Sandrine Mecking, Alexandra Botzké

Couverture : Le Palais du Luxembourg © Martine Coquilleau - Fotolia.com

Impression : Deprez, Ruitz

LE PETIT FUTÉ PARIS 2010

28e édition

Dépôt légal : 3e trimestre 2009
Le Petit Futé a été fondé par Dominique Auzias.
Il est édité par Les Nouvelles Editions de l'Université
18, rue des Volontaires - 75015 Paris.
Tél. 01 53 69 70 00 - Fax 01 42 73 15 24
Internet : www.petitfute.com
SARL au capital de 600 000 € - RC PARIS B 309 769 966

Bienvenue à Paris

© Patrick Hermans - Fotolia.com

Ce guide a été fabriqué chez un imprimeur bénéficiant du label IMPRIM'VERT.
Cette démarche implique le respect de nombreux critères contribuant à préserver l'environnement.

Métro et Tramway

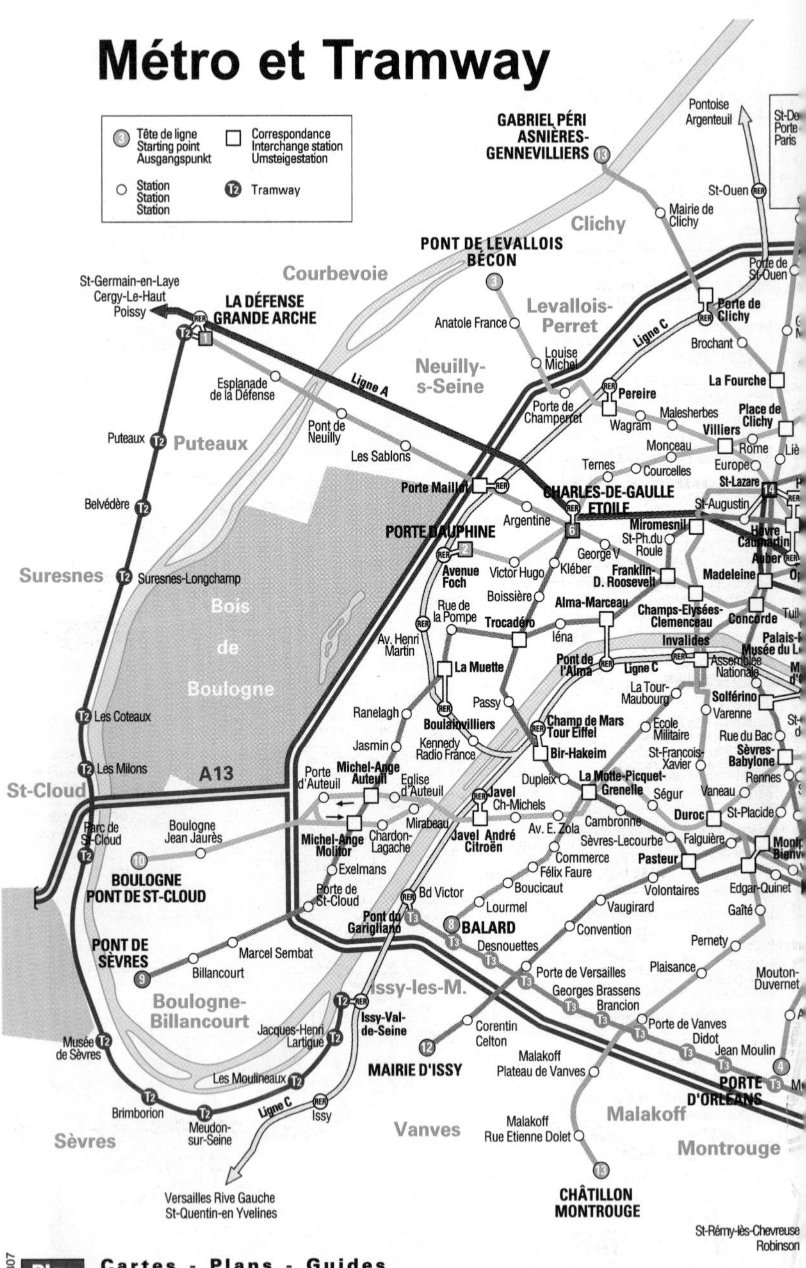

E-23253-0807

Cartes - Plans - Guides
40 - 48, rue des Meuniers
93108 MONTREUIL CEDEX (FRANCE)
Tél.: 33 (0)1 49 88 92 10 - Fax : 33 (0)1 49 88 92 09
www.blayfoldex.com

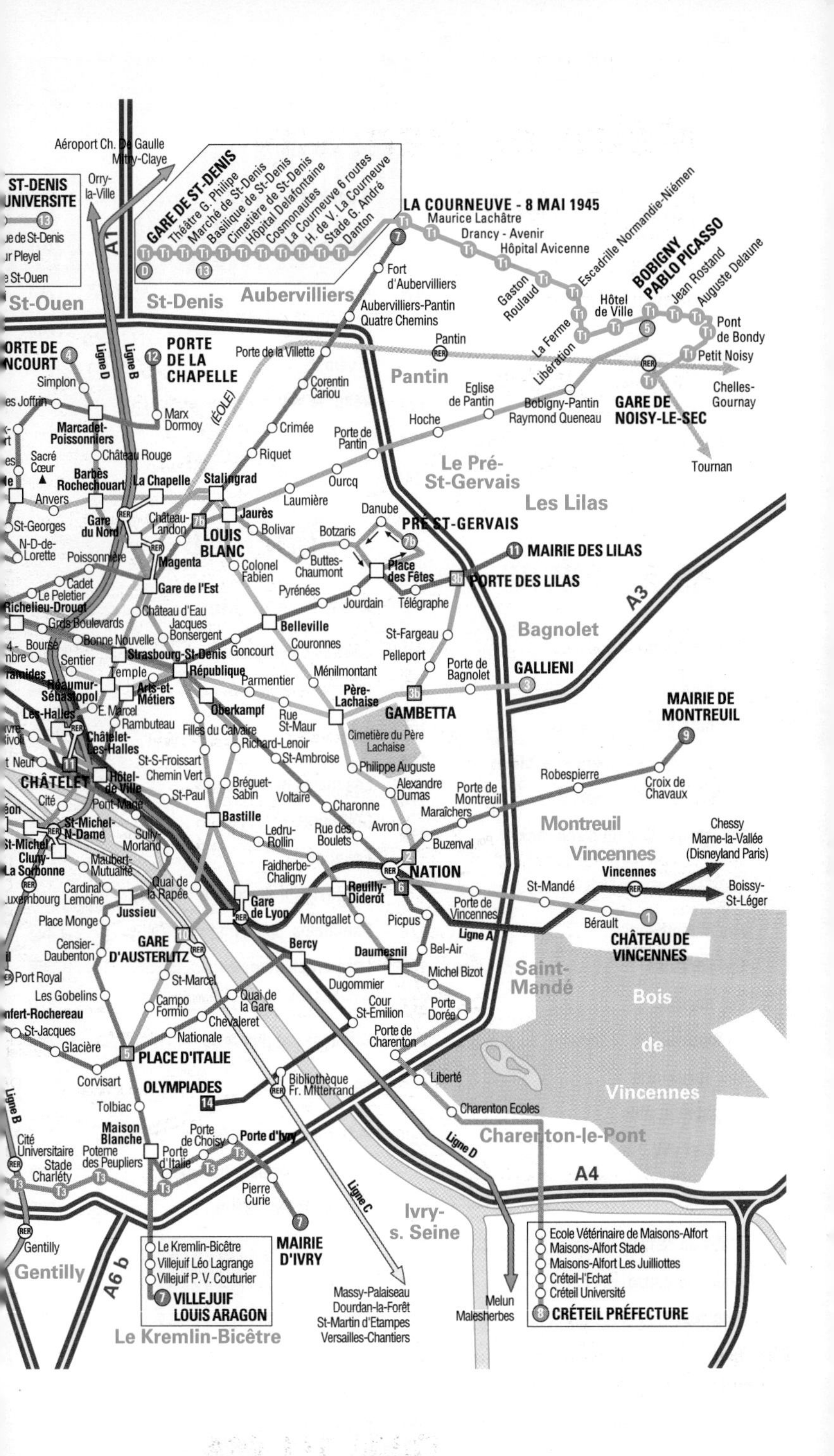

Aéroport Ch. De Gaulle
Mitry-Claye
Orry-la-Ville
ST-DENIS UNIVERSITE
GARE DE ST-DENIS
Théâtre G. Philipe
Marché de St-Denis
Basilique de St-Denis
Cimetière de St-Denis
Hôpital Delafontaine
Cosmonautes
La Courneuve 6 routes
H. de V. La Courneuve
Stade G. André
Danton
LA COURNEUVE - 8 MAI 1945
Maurice Lachâtre
Drancy - Avenir
Hôpital Avicenne
Gaston Roulaud
Escadrille Normandie-Niémen
La Ferme
Libération
Hôtel de Ville
BOBIGNY PABLO PICASSO
Jean Rostand
Auguste Delaune
Pont de Bondy
Petit Noisy
GARE DE NOISY-LE-SEC
Chelles-Gournay
Tournan
Fort d'Aubervilliers
Aubervilliers-Pantin Quatre Chemins
St-Ouen
St-Denis
Aubervilliers
A1
Ligne D
Ligne B
PORTE DE LA CHAPELLE
Porte de la Villette
Pantin
Corentin Cariou
Crimée
Riquet
Marx Dormoy
(ÉOLE)
Eglise de Pantin
Bobigny-Pantin Raymond Queneau
Hoche
Porte de Pantin
Ourcq
Laumière
Le Pré-St-Gervais
Les Lilas
Simplon
Marcadet-Poissonniers
Château Rouge
Sacré Cœur
Barbès Rochechouart
La Chapelle
Stalingrad
Anvers
Gare du Nord
Château-Landon
Jaurès
LOUIS BLANC
Bolivar
Botzaris
Danube
PRÉ ST-GERVAIS
Buttes-Chaumont
Place des Fêtes
MAIRIE DES LILAS
PORTE DES LILAS
St-Georges
N-D-de-Lorette
Poissonnière
Magenta
Gare de l'Est
Colonel Fabien
Pyrénées
Jourdain
Télégraphe
Cadet
Le Peletier
Richelieu-Drouot
Château d'Eau
Jacques Bonsergent
Belleville
Couronnes
St-Fargeau
Pelleport
Porte de Bagnolet
Bagnolet
GALLIENI
A3
Grds Boulevards
Bonne Nouvelle
Bourse
Sentier
Strasbourg-St-Denis
Goncourt
République
Temple
Parmentier
Ménilmontant
Réaumur-Sébastopol
Arts-et-Métiers
Oberkampf
Père-Lachaise
GAMBETTA
MAIRIE DE MONTREUIL
Les Halles
E. Marcel
Rambuteau
Filles du Calvaire
Rue St-Maur
Cimetière du Père Lachaise
Châtelet-Les-Halles
Richard-Lenoir
St-Ambroise
St-S-Froissart
Chemin Vert
Philippe Auguste
CHÂTELET
Hôtel-de-Ville
Bréguet-Sabin
Alexandre Dumas
Robespierre
Croix de Chavaux
Cité
Pont-Marie
St-Paul
Voltaire
Charonne
Porte de Montreuil
Maraîchers
Montreuil
St-Michel-N-Dame
Bastille
Ledru-Rollin
Rue des Boulets
Avron
Buzenval
Chessy Marne-la-Vallée (Disneyland Paris)
St-Michel
Cluny-La Sorbonne
Sully-Morland
Maubert-Mutualité
Faidherbe-Chaligny
NATION
Vincennes
Cardinal Lemoine
Quai de la Rapée
Reuilly-Diderot
St-Mandé
Boissy-St-Léger
Jussieu
Gare de Lyon
Porte de Vincennes
Bérault
Place Monge
Montgallet
Picpus
Ligne A
CHÂTEAU DE VINCENNES
Censier-Daubenton
GARE D'AUSTERLITZ
Bercy
Daumesnil
Bel-Air
Port Royal
St-Marcel
Dugommier
Michel Bizot
Saint-Mandé
Les Gobelins
Campo Formio
Quai de la Gare
Cour St-Emilion
Porte Dorée
Bois de Vincennes
Denfert-Rochereau
Chevaleret
St-Jacques
Nationale
Porte de Charenton
Glacière
PLACE D'ITALIE
Corvisart
Bibliothèque Fr. Mitterrand
Liberté
OLYMPIADES
Tolbiac
Charenton Ecoles
Maison Blanche
Porte de Choisy
Porte d'Ivry
Ligne D
Charenton-le-Pont
Cité Universitaire
Poterne des Peupliers
Stade Charléty
Porte d'Italie
A4
Pierre Curie
Ligne C
Ivry-s. Seine
Gentilly
MAIRIE D'IVRY
Le Kremlin-Bicêtre
Villejuif Léo Lagrange
Villejuif P. V. Couturier
VILLEJUIF LOUIS ARAGON
A6 b
Massy-Palaiseau
Dourdan-la-Forêt
St-Martin d'Etampes
Versailles-Chantiers
Melun
Malesherbes
Ecole Vétérinaire de Maisons-Alfort
Maisons-Alfort Stade
Maisons-Alfort Les Juilliottes
Créteil-l'Echat
Créteil Université
CRÉTEIL PRÉFECTURE

Sommaire

RESTAURANTS

Restaurants par arrondissement............. 10

Autour de Paris.................123

Petite couronne.......................123

Grande couronne 134

SE DÉTENDRE

Sorties............................140

Les bars 140

Les bars à Musique «Live» 157

Les cabarets et dîners-spectacles 164

Les clubs et discothèques 170

Billard, bowling ou black-jack ? 176

Culture et loisirs...............178

Les bibliothèques.....................178

Les librairies.........................180

Les musées 191

La musique...........................211

Les beaux-arts........................215

La photographie......................216

Vidéo et dvd 220

Sports............................222

Clubs de remise en forme 222

Cours de danse.......................224

Piscines..............................226

Tennis 229

Jogging..............................231

Toutes disciplines.....................234

S'équiper.............................239

Découvrir Paris.................244

À pied 244

En bateau 244

À vélo 245

Vélib : le vélo en libre-service ! 249

SHOPPING

Grands magasins...............253

Centres commerciaux 253

Grandes enseignes....................254

Beauté...........................256

Les mains et les ongles...............256

Coiffeurs 257

Épilation 260

Les instituts de beauté................261

Hammams, spas, massages 263

Les parapharmacies...................269

Parfumeries et cosmétiques 270

Tatouages et piercings 272

Mode.............................273

Prêt-à-porter pour femmes 273

Prêt-à-porter pour hommes............283

Prêt-à-porter enfants..................289

Sacs..................................290

Accessoires...........................293

Chaussures...........................296

Lingerie..............................304

Cuirs et fourrures.....................306

Entretien 308

Dépôts-ventes 309
Optique 314

Cadeaux 320

Les bijoux et montres 320
Les carteries et papeteries 327
Les fleuristes 330
Les gadgets 334
Les jeux et jouets 336
Tabac 338

Produits gourmands 341

Becs sucrés 341
Cafés, thés et tisanes 345
Épiceries 348
Fromages et autres produits laitiers 353
Fruits et légumes 355
Pains, viennoiseries et pâtisseries 356
Poissons, fruits de mer et caviar 365
Produits bio 367
Traiteurs 369
Viandes, volailles, gibiers et tripes 370
Vins et alcools 374

Maison 378

Aménagement 378
Ameublement 378
Arts de la table 390
Balcon et jardin 392
Bricolage 394
Chambres et salons 401
Cuisine et salle de bains 408
Décoration 412
Électroménager 422
Déménagement 424
Dépannage et réparation 426
Location de matériel 430
Matériaux et revêtements 431

Multimédia 436

Enseignes généralistes 436
Informatique 436
Téléphonie 438
HI-FI, Vidéo 439

Auto, moto 442

Auto 442
Moto et deux-roues 446

PARIS PRATIQUE

Hôtels et hébergement 450

Auberges et hôtels pour jeunes 450
Chambres d'hôtes 452
Centrale de réservation 454
Hôtels 454
Palaces mythiques 496

S'informer 500

La presse 500
Les radios 505
Les chaînes de télévision 514

Transports 515

Les transports en commun 515
Les transports particuliers 516
Insolites 518

Index 522

RESTAURANTS

Restaurants

1er ARRONDISSEMENT

LE 1 PLACE VENDOME
1, place Vendôme
✆01 55 04 55 00

Site Internet: www.hoteldevendome.com – M° Tuileries. Ouvert 7j/7 midi et soir. Formule du midi à 44 €, le soir à 49 €. A la carte environ 70 €.

Dès que l'on pénètre dans le restaurant, on est surpris par les fauteuils tapissés pied-de-poule, agrémentés de coussins roses... Une décoration légèrement féminine pourtant imaginée par un designer italien. Les hommes ne semblent guère gênés par cette petite touche qui confère un côté tendance mais pas du tout ostentatoire. Le gris domine et la salle est parfaite pour des repas tranquilles, les tables étant bien espacées. La carte est courte mais bien mise en musique par le jeune chef Nicolas Rucheton. Elle évolue au gré du marché: le foie gras peut être accompagné subtilement de pêches légèrement pochées au vin, le pavé de bœuf fait le beau devant les petits légumes de saison cuits juste comme il faut. Et que dire des desserts, sinon que l'on a envie de tous les goûter.

L'ABSINTHE
24, place du Marché-Saint-Honoré
✆01 49 26 90 04

Site Internet: www.restaurantabsinthe.com – M° Tuileries ou Pyramides. Fermé le samedi midi et le dimanche. Menus: 31 € et 39 €. A la carte environ 48 €.

La place du Marché-Saint-Honoré regorge de restaurants et trouver une table n'est pas un problème tant l'offre est pléthorique. Mais s'il ne fallait en garder qu'un, ce serait assurément cet Absinthe que l'on considère comme le seul restaurant digne de ce nom de la place. Il ne date pas d'hier, le sourire et la convivialité du personnel ne sont pas feints, la pétulance de Caroline Rostang illumine l'adresse et le chef, Michel Rostang, continue de son 17e arrondissement de le surveiller du coin de l'œil. Ceci explique donc cela. Oui, mais il faut ajouter que le niveau culinaire est à la hauteur de nos attentes, ne serait-ce qu'avec le «Staub» du jour mitonné et mijoté, comme la blanquette de veau à l'ancienne le mardi ou le gratin de macaronis au homard le samedi. De quoi réclamer son rond de serviette et faire de cette adresse sa cantine. Sauf qu'à la longue, on finirait par se lasser. Heureusement, il y a la carte et elle regorge de jolies créations, comme le pressé de queue de bœuf braisée et foie gras, les fines escalopes de quasi de veau juste saisies et champignons des bois, sans oublier le cheese cake au citron vert, à se damner, et son sablé spéculoos. Nous pourrions continuer à vous énumérer les plats tant ils ouvrent l'appétit, mais nous pensons que vous avez compris à quel point nous apprécions cette adresse.

ATELIER MOLIERE
34, rue de Richelieu
✆01 42 60 59 66

M° Pyramides. Fermé le dimanche et le lundi. A la carte, environ de 15 € à 30 €. Salon de thé aux beaux jours.

En lieu et place des Boucholeurs, cet Atelier Molière a rapidement enchanté les papilles des employés des bureaux voisins et des habitants du quartier, le soir surtout, pour celles et ceux qui vont en vacances en Corse et qui sont nostalgiques de l'île de Beauté. Attention, il ne s'agit nullement d'un restaurant corse, mais il y a de quoi, dans les solides et les liquides, s'approprier les parfums de Sartène, comme ceux de Bonifacio, et profiter des produits frais de saison. Un verre de muscat-du-cap-corse pour se mettre dans l'ambiance, mais si vous voulez revenir sur le continent, pas de soucis, à vous la terrine de foie gras et son chutney, le magret de canard ou la pièce de bœuf. Les charcuteries corses sont à tomber, comme le caprice du jour, en l'occurrence une tarte au fromage de chèvre légèrement sucrée que des zestes de citron viennent contrer en apportant leur acidité.

AU CHIEN QUI FUME
33, rue du Pont-Neuf
✆01 42 36 07 42

Site Internet: www.au-chien-qui-fume.com – M° Châtelet, Pont-Neuf. Ouvert tous les jours, midi et soir. Menus de 21,90 € à 38,90 €.

Fondée en 1740, cette brasserie des Halles est aujourd'hui une institution pour tous les Parisiens. Aux temps des mornes bistrots lounges et branchés, voilà une adresse grouillante de vie: personnel alerte, clientèle loquace et enjouée, vraie cuisine de brasserie que l'on savoure sans cacher son plaisir. Un petit bout de Paris qu'adorent aussi les touristes. A la carte, des plats traditionnels et quelques variations de saison: cassolette d'escargots aux pleurotes et crème d'ail, soupe à l'oignon gratinée, soupe de poisson maison, tartare maison, gigotins de veau au marsala et risotto de Parmesan... Les desserts sont faits maison: charlotte aux poires et pain d'épice caramélisé à l'orgeat, profiteroles, tarte Tatin, mille-feuille à l'écorce d'orange. Outre le menu Bazil, vous pourrez choisir le menu complet qui vous propose une dégustation de 16 huîtres ou une assiette de l'écailler, et un dessert. Une bonne adresse culinaire dans une maison presque «culte».

L'AUTOBUS IMPERIAL
14, rue Mondétour
✆01 42 36 00 18
M° Les Halles. Fermé le dimanche. Menus de 15,50€ à 19,50€ – au déjeuner –, 26€ et 32€ – au dîner.
Le chef est désormais aux commandes de cet Autobus, mais la double casquette de chef et de propriétaire n'a heureusement pas eu de conséquence côté cuisine. Il s'en sort toujours aussi bien avec des plats qui se démarquent par rapport aux adresses voisines. Certains pourraient cataloguer la cuisine de bistrotière, d'autres iront jusqu'à dire qu'elle frôle le gastro. Nous dirons au contraire qu'elle se situe entre les deux et ce ne sont pas les ravioles de brocolis, crevettes poêlées et jus à la mélisse qui diront le contraire et encore moins le parmentier au jambon confit. Deux exemples qui prouvent que le chef sait naviguer entre deux répertoires. Le cadre, quant à lui, reste définitivement enjôleur.

CA'D'ORO (ITALIEN)
54, rue de l'Arbre-Sec
✆01 40 20 97 79
M° Louvre-Rivoli ou Les Halles. Ouvert tous les jours, midi et soir. Menu : 16€ – au déjeuner. A la carte, environ de 40€ à 50€.
Pour prendre la mesure de cet endroit, il faut emprunter un long couloir étroit qui donne sur une salle splendide, toute de pierre et de bois. Là, au milieu des miroirs, des tableaux, des peintures murales, des poutres apparentes et des colonnades en pierre, vous êtes au cœur du Ca'd'Oro. Installez-vous et, en attendant de passer commande, grignotez des fagolosi – biscuits apéritifs en forme de bâtonnets – et des petits croûtons à l'ail, à la tomate et au fromage. Le ton est donné ! Les amateurs de pâtes ne seront assurément pas déçus. En savourant, par exemple, des papardelles cardinales – pâtes larges aux cèpes et au jambon – ou en dégustant leur misto di ravioli, ils se diront que le plaisir d'une telle dégustation valait bien les vingt minutes d'attente.

LE BAR A MANGER
13, rue des Lavandières-Sainte-Opportune
✆01 42 21 01 72
Site Internet : http://baramanger.canalblog.com – M° Châtelet. Fermé le dimanche. Menus : 13€, 15€ et 18€ – au déjeuner – et 30€ – au dîner. A la carte, environ de 32€ – au déjeuner – à 34€ – au dîner.
Du gris souris, du bois, quelques pierres apparentes, un mobilier contemporain, quelques touches de vert et de verdure, ce Bar à Manger, «Bam» pour les intimes, possède le charme d'une adresse bien dans son époque qui a su mêler hier et aujourd'hui sans dénaturer le lieu. La cuisine est comme l'endroit, elle pioche dans le passé pour y trouver des bases, et regarde vers le futur en y ajoutant une note personnelle composée d'accords improbables sur le papier mais délicats en bouche. Et cerise sur le gâteau, Bam change sa carte toutes les semaines, de quoi nous rendre accros aux créations en continu. Nous gardons un excellent souvenir d'un déjeuner pris sur la mezzanine – attention à la tête pour les plus grands –, ravioles de légumes et consommé de bœuf d'un côté, soupe de haricots coco et huile de sésame de l'autre. Petite respiration et l'on attaque la blanquette de veau aux abricots secs et riz sauvage qui résume parfaitement le positionnement culinaire, un zeste de nostalgie mélangé à une pincée de vision du futur. Tarte Tatin poire et ananas pour conclure, le tout pour 18€. Avouez que ça donne envie !

CAFE MARLY
93, rue de Rivoli
✆01 49 26 06 60
M° Palais-Royal-Musée-du-Louvre. Ouvert tous les jours, midi et soir. A la carte environ de 50€ à 60€.
Situé juste en face de la Pyramide du Louvre, le Café Marly est un restaurant chic et branché. Le décor mélange classicisme – salle typée Napoléon III – et modernité – fauteuils et tables tendances –, le service se veut raffiné, et la cuisine proposée est légère, inventive et décalée. Craquez comme les nombreux people qui investissent le lieu pour une crème de potiron ou un tartare de thon sur une purée d'avocat, et poursuivez avec des pennes à la tomate et terminez par l'éclair au chocolat. D'ailleurs ici, les habitués ne jurent que par ce dessert.

CAFE RENARD
Jardin des Tuileries
✆01 42 96 50 56
Site Internet : www.caferenard.com – M° Concorde ou Tuileries. Ouvert tous les jours, midi et soir. Menu : 13,90€ – au déjeuner. A la carte, environ de 15€ à 25€.
Quoi de plus merveilleux que de déambuler dans les allées du jardin des Tuileries, pour une causerie entre amis ou en amoureux. On y déjeune entre copines le temps d'une pause shopping, ou on y dîne les beaux soirs d'été. La carte du Café Renard a forcément quelque chose pour vous, des salades de saumon, tomates et crevettes décortiquées, des lasagnes à la bolognaise, des carpaccios de bœuf, une entrecôte ou un pavé de dorade. Les becs sucrés choisiront entre les gaufres, les crêpes, la tarte au citron, la crème brûlée, les glaces et les sorbets. Une adresse champêtre au cœur de la ville, à prix doux, que l'on fréquente avant tout pour la douceur de sa situation.

CHEZ ELHAM (IRANIEN)
11, rue de La-Reynie ✆ 01 48 04 38 90
M° Châtelet — Les-Halles ou Hôtel-de-Ville. Ouvert tous les jours de 12h à 15h et de 19h à 23h30 sauf le mercredi à midi. Formules à partir de 10 €. A la carte environ 22 €.
Dans une courte rue calme du quartier Beaubourg, ce restaurant iranien joue la discrétion mais la cuisine qu'il propose est assez plaisante et ressemble de très près à ce qu'on peut consommer en Iran, notamment les ragoûts de légumes ou aux herbes – khoreche ghormesabzi –, l'étonnant riz sucré au poulet, groseilles, zeste d'oranges, amandes et safran – chirine polo – à faire passer avec un délicieux et rafraîchissant dough, la boisson nationale à base de yaourt et d'eau gazeuse parsemée de fines herbes et de poudre de pétales de fleurs. Dès les beaux jours, la terrasse est bien tranquille et agréable pour regarder défiler les belles gens du quartier. Accueil courtois et souriant. Mersi – merci, en farsi –…

CHEZ KATY (MAROCAIN)
17, rue Jean-Jacques-Rousseau
✆ 01 45 08 40 10
M° Les Halles. Fermé le dimanche. Menus : 14,95 € et 22 €. A la carte, comptez de 20 € à 30 €.
Au cœur du quartier Châtelet, poussez les portes de Chez Katy et pénétrez dans un univers typiquement marocain où vous pourrez découvrir toute une ribambelle de spécialités, tajines, grillades… Le menu Marrakech vous permettra de choisir une entrée – brick à l'œuf, salade de lentilles ou la soupe traditionnelle marocaine, la harira – et un couscous – poulet, kefta ou merguez – avant de terminer par un dessert marocain ou non. Si vous voulez déguster une bonne pastilla, pensez à le préciser à la réservation, ou la veille, pour plus de sûreté. Et si l'envie vous prend de déguster un des meilleurs couscous de la capitale, n'allez pas plus loin !

CHEZ VONG (CHINOIS)
10, rue de la Grande-Truanderie
✆ 01 40 39 99 89
M° Etienne-Marcel ou Les Halles. Fermé le dimanche. Menu : 24 €. A la carte, environ de 75 € à 85 €.
L'accueil chaleureux et l'authenticité de la cuisine de cette adresse font de cet endroit un lieu magique et envoûtant, romantique et raffiné. Les bois et les sculptures anciennes, les céramiques peintes et les tables magnifiquement dressées achèvent de vous convaincre dans un décor de cave gothique : vous avez changé d'époque et de pays. La cuisine est essentiellement chinoise, même si quelques plats vietnamiens y sont proposés. Parmi les spécialités de la maison, la fondue chinoise, le canard laqué à la pékinoise ou la poularde de Bresse laquée et, en dessert, la glace coco en beignet à déguster en compagnie de fins gourmets.

COMPTOIR DE LA GASTRONOMIE
34, rue Montmartre
✆ 01 42 33 31 32
Site Internet : www.comptoir-gastronomie.com – M° Les Halles ou Etienne-Marcel. Epicerie : lundi de 9h à 20h, mardi au samedi de 6h à 20h. Restaurant : lundi au jeudi de 12h à 23h, vendredi et samedi de 12h à 24h. Entrées de 8 € à 16 € plats de 16 € à 21 € desserts de 7 € à 10,50 €.
Une boutique qui existe depuis 1894 et un restaurant plus récent. La carte est organisée en deux parties entre les produits de saison d'un côté et une carte classique que l'on retrouve tout au long de l'année. Les produits de la carte classique sont vendus à la boutique, on pourra donc se régaler d'assiettes de foie gras, de carpaccio, de parmentier de confit de canard ou encore de cassoulet. En saison, le thon mi-cuit en croûte d'épice, sauce curry et lait de coco devrait vous amener agréablement vers une tarte Tatin à l'ananas, mangue et passion ou encore un mi-cuit au chocolat glace vanille et crème café. Nombreuses salades, gourmandes ou adaptées aux végétariens comme la salade du jardin, 100 % légumes. Dégustation d'œufs de saumon et de caviar.

AUX DELICES DE MANON
400, rue Saint-Honoré
✆ 01 42 60 83 03
Site Internet : http://delicesdemanon.com – M° Concorde. Fermé le dimanche. Formules à 15 € et 23 €.
Restaurant, boulangerie, pâtisserie, salons de thé et traiteur, les Délices de Manon déclinent les plaisirs de la table sous toutes ses formes et à toute heure au cœur d'un Paris historique, sur les lieux mêmes où vécut Robespierre. Chacun choisira entre la première salle, élégante avec ses tables rondes en aluminium brossé, et la deuxième, plus douce avec ses tons pastel ! Au petit déjeuner, on vient prendre son café au bar accompagné de croustillantes viennoiseries. A l'heure du déjeuner, on se régale de salades de saison, de poissons frais et de bien d'autres petits plats que l'on pourra aussi emporter. Plus tard dans la journée, les gourmands viennent tous goûter aux fameuses pâtisseries.

AU DIABLE DES LOMBARDS
64, rue des Lombards ✆ 01 42 33 81 84
Site Internet : www.diable.com – M° Châtelet. Ouvert tous les jours, midi et soir. Menu : 12,90 € – au déjeuner. A la carte, environ de 25 € à 40 €. Brunch tous les jours de 17,50 € à 23 €.
Le Diable des Lombards est un lieu branché, connu et reconnu pour sa régularité. Ce restaurant américain a gardé son cadre d'origine – un ancien centre de location de diables pour les commerçants des Halles ; il est très haut de plafond et unique, avec son bar immense et sa mezzanine. Les formules brunch sont proposées tous les jours jusqu'à 18h : un bon moyen d'entamer la journée par un repas

complet en semaine comme le week-end pour les clubber's et les lève-tard. La carte très complète propose : pâtes, salades, clubs sandwichs, plats variés, burger's pour combler les gourmands. Pour finir, que dire d'un apple-pie, cheese-cake ou brownie, le tout fait maison et à des prix très raisonnables. Le Diable, c'est aussi un bar avec happy-hour et tapas tous les soirs à l'heure de l'apéro et aussi des vidéos musicales diffusées sur des écrans répartis dans tout l'établissement. Un lieu très convivial et accueillant avec une terrasse verrière qui s'ouvre totalement aux beaux jours !

LE FIRST
234, rue de Rivoli ✆ 01 44 77 10 40
Site Internet : www.lefirstrestaurant.com – M° Concorde ou Tuileries. Ouvert tous les jours, midi et soir. Menus : 29 € et 32 € – au déjeuner – 55 € et 75 €.
Discrètement installé sous les arcades de l'historique hôtel Westin, Le First a pour écrin une salle dont la décoration, signée Jacques Garcia, est d'une élégance masculine des plus réussies, rehaussée de matières douces et soyeuses : moquette imprimée de feuillages, lances argentées, habile jeu de miroirs et de rideaux, des éclairages très bien réglés. Le tout confère à la pièce une réelle atmosphère de boudoir contemporain très agréable, et plus encore le soir. Côté cuisine, changement de chef depuis quelques mois avec l'arrivée de Gilles Grasteau passé chez Dalloyau et Lenôtre. Très vite, il a su imposer son style audacieux sans être ostentatoire. Ce chef aime les condiments, les huiles, les herbes qu'il distille avec parcimonie dans chacune de ses créations. C'est le cas du persil plat et de l'huile essentielle de menthe poivrée qu'il appose aux côtés d'un velouté de chou rave à la crème de soja. Ou encore du citron confit qui se prélasse au bras d'un filet d'agneau poêlé et des épices qui se glissent avec une poire conférence, pour escorter un macaron à la noisette torréfiée et une crème glacée à la truffe noire. Si l'adresse est discrète, la cuisine et le décor gagnent à être connus.

CHEZ FLOTTES
2, rue Cambon ✆ 01 42 60 80 89
Site Internet : www.flottes.fr – M° Concorde. Ouvert tous les jours. Menus : 23,50 € et 29 €. A la carte, compter de 30 € à 60 €.
Cette mythique brasserie est connue pour ses spécialités aveyronnaises, mais pas seulement. Si vous n'avez pas très envie de salade auvergnate, de filet de bœuf de Salers ou de saucisse et son aligot, n'ayez crainte, cette maison, avec sa verrière Art Déco et sa terrasse, a d'autres atouts culinaires à vous proposer, comme le carpaccio de tomates, sorbet et chèvre, les escargots de Bourgogne, le carré d'agneau, le foie de veau au vinaigre de xérès ou une rimbambelle de pâtes dont les pennes aux légumes de saison. Les desserts font partie de l'inventaire des classiques propres aux brasseries et vous retrouverez donc avec plaisir la pêche Melba, la crème brûlée, les crêpes Suzette ou la crème caramel.

GAMBINO (ITALIEN)
6, rue Gomboust ✆ 01 42 60 12 70
M° Pyramides Fermé le samedi midi, le dimanche et le lundi. A la carte, compter de 25 € à 30 €.
En moins d'un an, ce restaurant a conquis les alentours de la place du Marché-Saint-Honoré. Si l'accueil, souriant et décontracté, n'est pas étranger à son succès, la vaste salle du rez-de-chaussée, très chaleureuse avec ses boiseries sombres, séduit tout autant. A l'étage, l'ambiance est plus intimiste. Autre aspect sympathique, la carte change tous les jours. Les assortiments d'antipastis sont proposés en permanence, mais moins attendu est le carpaccio de bresaola, noix toastées, pecorino pepato et mascarpone, qui ouvrent délicieusement l'appétit. A faire suivre d'un plat de pâtes, copieusement servi, comme ces gnocchetti sardi au speck, asperges croquantes et tomates cerises et ces tortellinis aux cèpes et à la crème de truffes. Au déjeuner, les belles salades plaisent, et autorisent de se laisser tenter par un tiramisu ou une panna cotta. Quoiqu'en matière de desserts légers, la maison ne soit pas en reste, avec la digestive mousse glacée à la mandarine et le carpaccio d'ananas sorbet citron que les clientes déjà fidèles de l'établissement plébiscitent.

AU GOURMAND
17, rue Molière
✆ 01 42 96 22 19
Site Internet : www.augourmand.fr – M° Pyramides. Fermé samedi midi, dimanche et lundi midi. Menus : 30 € et 36 €. A la carte, environ de 52 € à 67 €.
C'est toujours un plaisir de rendre visite à Hervé de Libouton et à Christophe Courgeau car on sait que le temps de gourmandise passé chez eux sera de qualité. Christophe est un garçon méticuleux, pointilleux, limite maniaque. Chacune de ses assiettes est tirée à quatre épingles, et c'est le petit doigt sur la couture qu'elles se présentent dans cette salle au décor théâtral. Hervé prend alors le relais pour détailler les créations de son compère. Ici, de belles asperges gratinées au Parmesan, quelques dés de Serrano, des olives de Nice et un œuf de poule mollet que l'on perce pour voir le jaune s'échapper dans l'assiette et se mêler à la farandole de saveurs qui patientent. Là, vous avez de classiques noix de Saint-Jacques dorées, servies avec un jus de truffes et des légumes de Joël Thiebault, le talentueux maraîcher chez qui de nombreux chefs se rendent pour se fournir en légumes. Et enfin, un somptueux soufflé à la rhubarbe vanillée, quelques fraises et un sorbet fromage blanc. Ces deux-là n'ont rien perdu de leur entrain et de leur plaisir de vous recevoir. Ne manquez pas cette adresse !

JOE ALLEN (AMERICAIN)
30, rue Pierre-Lescot ✆ 01 42 36 70 13
Site Internet: www.joeallenparis.com – M° Etienne-Marcel. Ouvert tous les jours de 12h à minuit. Formules à partir de 13 €. A la carte environ 40 €.
Murs de briques, affiches de cinéma, photos noir et blanc : on se croirait dans le Brooklyn des années soixante. Et ça tombe bien, car ici, dans cette institution qui porte le nom du propriétaire, on donne depuis 1972 dans la cuisine américaine 100 % «stars and stripes», sur fond de jazz ou de country selon les soirs. C'est sans doute le lieu le plus New-Yorkais de Paris. Le cosmopolitisme de la société et les particularismes des différents états se retrouvent sur la carte. Poulet rôti sauce barbecue pommes au four et coslaw, hamburger et des salades (petites ou grandes en fonction des appétits) comme la Caesar ou celle à base d'épinards. La petite terrasse ombragée est bien appréciable en été.

KAI (JAPONAIS)
18, rue du Louvre ✆ 01 40 15 01 99
M° Louvre-Rivoli. Fermé le dimanche midi et le lundi. Menus : 42 € – au déjeuner –, 69 €, 70 € et 135 €. A la carte, environ de 75 € à 85 €.
Un discret calicot signale l'entrée de ce restaurant, où Yoshikazu Kitada s'est établi après avoir assuré le succès de Yen. Des murs uniformément beiges, un plafond tressé de bambous, des amaryllis sobrement posées dans des soliflores composent le décor, élégant et immédiatement chaleureux. Le sourire du maître des lieux laisse augurer du moment délicieux à venir, soit autour de la grande table d'hôtes en bois blond, soit en tête à tête. Le rare fondant d'un thon à peine saisi et sauce aux pignons, l'aciduler d'un risotto de homard à l'ail, la délicatesse des légumes finement coupés – ohitashi –, la suavité du chawanmushi, un petit pot d'œuf battu à la vapeur au foie gras poêlé, l'ultra légèreté des tempuras de crevettes et petits légumes, la tendreté du filet de bœuf grillé au charbon… Tous les plats concourent à exercer la sensualité, qu'éveille également le goût particulier du saké. Les pâtisseries et glaces de Pierre Hermé concluent idéalement ce repas d'exception.

LE LAMFÉ
7 rue des Prouvaires ✆ 01 45 08 04 10
Site Internet : lamfe.fr M° Châtelet – Les-Halles. Fermé le dimanche. A midi, formule rapide – 18,90 € – composée d'un mesclun de salade verte accompagné de copeaux de Cantal et d'un faux-filet de Salers (220 gr) avec ses frites maison. Formule à volonté, composée d'un carpaccio de bœuf du terroir – 18,50 €.
Laurent Pallo, le maître des lieux, passionné, talentueux et ambitieux, a fait de ce bistrot chic un incontournable du quartier historique des Halles. Il apporte donc un soin remarquable aux viandes nobles et délicates qu'il propose et insiste tout particulièrement sur la fraîcheur et la saisonnalité de ses produits. Ici la viande est goûteuse, de race et d'origine contrôlée.
Preuve de la spécialité de l'endroit, son nom appartient à l'argot des bouchers – "Lamfé" signifiant "femme". Pour commencer, toute l'équipe vous suggère entre autres entrées, les inévitables os à moelle ou soupe à l'oignon gratinée, la tartine de chèvre chaud au basilic ou la poêlée de champignons frais de saison – pleurotes, girolles… – ainsi qu'un croustillant de camembert au thym ou, plus frais, les salades originales aux noms évocateurs. Et sans oublier le foie gras des Landes manufacturé sur place – une des références du quartier. Pour continuer, un vaste choix de viandes classiques – une belle entrecôte, un tartare ou l'énorme côte de bœuf pour deux personnes – accompagnées des frites maison, mais aussi des abats – le pavé de foie de veau français saisi comme il se doit, ou le beau rognon entier. Les vins sélectionnés directement auprès des producteurs-récoltants sont bien choisis et proposés à des prix très compétitifs. Enfin un large choix de desserts ne laissera pas indifférent les gourmands ! Lorsqu'il fait beau, installez-vous en terrasse…

LESCURE
7, rue Mondovi ✆ 01 42 60 18 91
M° Concorde. Fermé le samedi et le dimanche. Menu : 23,50 €. A la carte, environ de 25 € à 35 €.
Fondé en 1919 par le grand-père maternel de Denis Lascaud, actuel propriétaire des lieux, ce petit restaurant de poche est une ode à la cuisine de nos terroirs de France ! Depuis 1977, Denis perpétue la tradition familiale en cuisine et a transmis sa passion et son savoir-faire à son fils, Laurent, qui en est aujourd'hui le chef. Les fidèles des lieux se retrouvent dans l'ambiance intimiste de ce restaurant aux allures de petite auberge provinciale, avec sa table d'hôtes au fond de la salle. Au programme, du solide et du bon, du vrai : poule au pot, bœuf bourguignon, maquereaux marinés au vin blanc, boudin aux châtaignes, rognons. Des plats faits maison, tout comme les desserts – crème caramel, riz au lait et compagnie. Et vous savez quoi ? Bien que les plats soient généreux, on trouve encore une petite place pour finir sur le sucré !

LITTLE GEORGETTE
9, impasse Gomboust ✆ 01 40 20 09 28
M° Pyramides. Fermé le dimanche soir, le lundi soir et le mardi soir. A la carte, environ de 20 € à 30 €. Brunch le dimanche midi à 24 €.
Au fond d'une impasse à deux enjambées de la place du Marché-Saint-Honoré, une équipe féminine a réaménagé cette ancienne crêperie pour la transformer en un lieu de gourmandise tout de bleu pétard et de blanc vêtu. Au programme,

des plateaux thématiques qui portent des noms aussi farfelus que rigolos comme «Georgette ne s'en fiche pas des Oméga 3» ou «Chicken Run après Georgette». Le premier privilégie le poisson avec carpaccio de saumon, tartare de saumon fumé à l'aneth, cassolette de supions légèrement pimentés à la tomate et effilochée de morue en brandade. Le second rend hommage aux volatiles avec une salade de mâche au foie gras, des noddles à la coriandre, du poulet aux citrons confits, un parmentier de canard aux écorces d'orange et un feuilleté de poulet aux oignons caramélisés. C'est simple comme bonjour, ça ne se prend pas au sérieux et c'est au final rudement original.

LE LOUCHEBEM

31, rue Berger ✆ 01 42 33 12 99

Site Internet : www.le-louchebem.fr M° Châtelet – Les-Halles. Fermé le dimanche. Menu : 13,90 €. A la carte, compter 30 €.

La rôtisserie historique des Halles est le point de ralliement de tous les amateurs de viande. L'établissement s'est fait connaître avec ses entrecôtes de 400 grammes, son steak tartare de 450 grammes, excusez du peu, et surtout avec la fameuse assiette du rôtisseur composée d'un assortiment de trois viandes – cuisse de bœuf, jambon et gigot d'agneau – servies à volonté avec trois sauces et une purée de pommes de terre. A noter également, l'aiguillette à la ficelle cuite dans un bouillon de bœuf pendant vingt minutes et accompagnée des traditionnels légumes du pot-au-feu. Le tout à savourer en terrasse avec vue imprenable sur le jardin des Halles.

MUSCADE

36, rue de Montpensier

67, galerie de Montpensier ✆ 01 42 97 51 36

Site Internet : www.muscade-palais-royal.com – M° Palais-Royal. Fermé dimanche soir et lundi. A la carte, environ de 35 € à 45 €.

Muscade est surtout réputé pour son salon de thé et ses chocolats chauds à la cannelle ou à la noix de muscade et les pâtisseries imaginées par la maîtresse des lieux. Mais c'est un bonheur que d'y déjeuner ou d'y dîner, dans la salle tout en damier noir et blanc. La carte met en avant des produits frais de qualité, traités avec tous les égards : démarrez par le croustillant de fromage à l'aneth et au saumon fumé sauvage ou une salade de lentilles vertes du Puy avec haddock et sauce au gorgonzola, poursuivez avec un savoureux gratin de pennes frais au brocoli ou le pavé de cabillaud à l'ail confit et pomme roseval. Concluez par des muffins aux myrtilles, une tarte orange chocolat, une pastilla aux figues ou des macarons au chocolat, avant de vous offrir une balade dans les jardins du Palais Royal.

NODAIWA (JAPONAIS)

272, rue Saint-Honoré ✆ 01 42 86 03 42

M° Palais-Royal. Fermé le dimanche. Menus : 28 € – au déjeuner –, 25 € et 39 € – au dîner. A la carte, comptez de 35 € à 40 €.

Ouvert en 1996, ce restaurant est l'antenne parisienne du célèbre établissement du même nom tenu à Tokyo par la même famille depuis cinq générations. Il se démarque en proposant des spécialités raffinées autour de l'unagi, l'anguille grillée, dont il s'est fait la spécialité. En sauce, fumée, en sushi… le chef joue sa partition sur tous les tons culinaires. Mais sa grande réussite reste la recette kabayaki, dont la préparation demande un tournemain hérité des ancêtres. L'anguille est levée en filet, mise en brochette, grillée sur la braise, cuite à la vapeur, lit-on sur le site Internet du restaurant. Ensuite, les brochettes sont plongées à plusieurs reprises dans une sauce spéciale, et grillées à nouveau sur la braise. Ce travail donne à l'anguille tout son moelleux et son raffinement. Cette sauce spéciale à base de soja, élément indissociable de la tradition culinaire japonaise, en accentue encore la subtilité du goût.

CHEZ PAULINE

5, rue Villedo ✆ 01 42 96 20 70

Site Internet : www.chezpauline.com – M° Pyramides. Fermé le samedi midi et le dimanche. A la carte, environ de 55 € à 77 €.

Située à deux pas du Palais Royal, cette brasserie à la façade pittoresque toute de bois vêtue, est tenue depuis un demi-siècle par la famille Génin, cuisiniers de pères en fils. Le décor chic composé de miroirs, de banquettes de cuir rouge, de belle vaisselle, de mobilier d'époque crée un cachet atypique mais remarqué. Sans jouer des coudes ni hurler pour s'échanger quelques secrets, on y déguste une cuisine généreuse et traditionnelle qui se décline en grands classiques que sont la salade de haricots verts et foie gras, la douzaine d'escargots au beurre de persillade, le filet de bœuf au poivre, pommes grenaille sautées, la sole meunière, le soufflé au grand-marnier et le gros baba, qui pour une fois n'est pas au rhum mais au cognac.

PHARAMOND
24, rue de la Grande-Truanderie
✆01 40 28 45 18
Site Internet: www.pharamond.fr – M° Etienne-Marcel. Fermé le dimanche et le lundi. Menu: 29€. A la carte, environ de 40€ à 80€.
Whaou ! Fait-on en entrant dans ce restaurant, d'une beauté à couper le souffle. Inscrit à l'Inventaire des Monuments historiques en 1998, classé en 1989, le Pharamond est un bijou de frises végétales et de grands miroirs. Dans ces murs, on sert depuis l'arrivée de la famille Pharamond en 1832, qui voulait faire découvrir les tripes à la mode de Caen aux Parisiens. Evidemment les produits tripiers sont ici toujours à l'honneur avec notamment les rognons de veau, l'onglet à l'échalote, et merveille parmi les merveilles, la somptueuse bouchée à la reine copieusement garnie de ris de veau sous un feuilletage croustillant à souhait. Mais si vous n'aimez pas les produits tripiers, n'ayez crainte, vous pourrez vous rabattre sur une assiette de saumon fumé, une côte de bœuf ou une tranche de boudin noir. Les crêpes Suzette servies pour deux permettent de terminer agréablement le repas avant de rejoindre la terrasse pour y prendre un café avec une madeleine.

AU PIED DE COCHON
6, rue Coquillière ✆01 40 13 77 00
Site Internet: www.pieddecochon.com – M° Les Halles. Ouvert tous les jours 24h/24. Menus formules à partir de 18,50€.
La brasserie parisienne dans toute sa splendeur. Ouverte depuis 1946, elle n'a jamais fermé ses portes et accueille à tour de bras de jour comme de nuit, les affamés pour un moment de partage autour des grands classiques de brasserie comme le plateau d'huîtres ou de fruits de mer, la soupe à l'oignon et évidemment les incontournables pieds de cochon grillés à la béarnaise ou farcis périgourdine. La tentation de Saint-Antoine – une assiette 100 % cochon avec queue, oreilles, museau, pieds de cochon –, la côte de cochon ou le jarret de porc complètent parfaitement le tableau avant que les crêpes Suzette ne fassent leur entrée.

PIERRE AU PALAIS ROYAL
10, rue Richelieu ✆01 42 96 09 17
Site Internet: www.pierreaupalaisroyal.com – M° Palais-Royal ou Pyramides. Fermé samedi midi et dimanche. Menus: 33€ – au déjeuner – et 39€.
Eric Sertour est un maître de maison adorable et abordable. Passionné, il vante comme personne la cuisine de son chef, les produits qu'il déniche, les vins qu'il goûte. C'est un bavard qui sait ouvrir l'appétit. Il peut vous parler des huîtres, du foie gras, du boudin noir de Christian Parra ou de la vanille bourbon. En le poussant un peu dans ses retranchements, Eric serait même capable de vous faire une tirade sur la qualité de son persil. On aime bien le taquiner et il nous le rend bien dans son restaurant où le décor noir et blanc de la salle contraste avec le bar de l'entrée calé dans son jus de l'époque. En cuisine, Pascal mitonne admirablement le tartare de thon en gaspacho avec sa glace à la moutarde de Meaux, la quenelle de brochet aux champignons, sans oublier le gigot d'agneau persillé du Quercy confit aux haricots. Pour les vins, laissez-vous conseiller par Eric qui sortira de son chapeau la bouteille qui va bien.

PINXO
9, rue d'Alger ✆01 40 20 72 00
Site Internet: www.pinxo.fr – M° Pyramides ou Tuileries. Ouvert tous les jours, midi et soir. Menu: 32€. A la carte, environ de 37€ à 58€.
Dans la région d'origine d'Alain Dutournier, l'Aquitaine, pincher signifie pincer voire chiper dans l'assiette. Malicieusement, c'est ce qu'il a souhaité dans son annexe chic et contemporaine, que chacun puisse picorer dans son assiette, mais aussi dans celle de son voisin et inversement. Et pour y arriver, il a imaginé avec son chef de systématiquement proposer les mets estampillés Sud-Ouest en trois portions, histoire de pouvoir être chipés plus facilement et que le partage soit à l'honneur. Alors que diriez-vous de partager des chipirons au pied de cochon, mogettes et chorizo. A moins que vous ne préfériez la grande assiette de vieux jambon, tartines grillées, tomate et huile d'olive. J'en connais en revanche qui ne voudront pas que la moindre fourchette ne s'approche de leurs rouelles de boudin noir charnu. Dans ce cas, à vous de garder pour vous les parfums et les saveurs des figues rôties cloutées de gingembre et le croquant aux noix. Il faut parfois savoir se faire respecter.

LA POULE AU POT
9, rue Vauvilliers ✆01 42 36 32 96
Site Internet : www.lapouleaupot.fr. Ouvert tous les jours de 19h à 5h du matin. Menu : 33 €. A la carte, compter de 37 à 67 €.
Il est des lieux que tout amoureux de la bonne chair se doit de connaître. Celui-ci en fait partie. Et il en est passé du monde sur ces banquettes en trente-cinq ans, depuis que Paul Racat a repris cet établissement datant de 1935. Est-il encore vraiment nécessaire de présenter ce bistrot parisien, tant sa réputation a fait le tour de la planète, grâce évidemment à sa fameuse… Poule au pot Henry IV. Ainsi Stan Getz, Sinatra, les Stones, Prince, Coluche, Jeanne Moreau ou encore Dany Boon ont festoyé ici régulièrement après un concert ou un spectacle. Le livre d'or, ouvert en 1980 par Bernard Lavilliers, témoigne du passage des plus grands. Mais bien plus que des artistes, M. Paul Racat, fervent défenseur des produits et de la gastronomie française, préfère nous parler de sa cuisine. Œufs cocottes au foie gras, escargots de Bourgogne, entrecôte avec l'os à

moelle, Saint-Jacques flambées au whisky, crème brûlée à l'ancienne ou la tarte des demoiselles Tatin. Comme il le résume : « En ces lieux où se réunissent les témoignages les plus divers, partageons le même appétit ».

QUAI QUAI
74, quai des Orfèvres ✆ 01 46 33 69 75
M° Pont-Neuf. Fermé le dimanche et le lundi. Menus : 17 € et 21,50 €. A la carte, environ de 35 € à 45 €.
Indifféremment, on entre par le quai des Orfèvres ou par la place Dauphine. Côté quai, une salle toute de bois vêtue, du sol au plafond. Même les murs sont recouverts d'anciennes portes en bois. Côté rue, une ambiance plus cosy vous attend dans des tons vert et marron. Mais quel que soit le côté choisi, la carte reste la même pour tous les convives. Au programme, une popote de potes avec quelques plats de notre enfance, comme l'incontournable bœuf bourguignon ou le filet de bœuf et ses pommes de terre écrasées au persil. Auparavant, on aura pris soin de mettre les papilles en éveil avec des classiques œufs mayonnaises aux herbes ou une terrine de jarret de veau aux poireaux. L'ambiance bon enfant incite à prolonger l'instant, et comme la carte propose une brioche perdue ou une tarte au chocolat, on ne se fait pas prier pour les déguster.

ROUGE SAINT-HONORE
34, place du Marché-Saint-Honoré
✆ 01 42 61 16 09
Site Internet : www.les-ptits-resto-rouges.com – M° Pyramides ou Tuileries. Ouvert tous les jours, midi et soir. Menu : 17 €. Brunch le dimanche : 20,80 €.
Rouge Saint-Honoré est une adresse double, à la fois restaurant et épicerie, entièrement dédiée à la promotion des tomates oubliées et des légumes du potager ! Avec sa terrasse – chauffée l'hiver – et son intérieur chaleureux et moderne où l'on retrouve un décor d'épicerie de campagne, c'est une adresse très agréable, et nous aussi, on veut sauvegarder ces beaux et bons légumes. Alors on s'attable gaiement, et on savoure : des tomates, confites, en compotées, en soupes glacées, en dessert. On débute notre déjeuner par une terrine de chèvre aux tomates confites, délicieuse, et on poursuit par un dos de lieu, sauce aux écrevisses et petits légumes. Et comme l'appétit vient en mangeant et que l'intitulé intrigue nos papilles, on craque pour un fondant au chocolat servi avec une confiture tomate réglisse. Cependant, la tarte au citron a tout de même son mot à dire.

LE SAUT DU LOUP
Musée des Arts décoratifs
107, rue de Rivoli ✆ 01 42 25 49 55
Site Internet : www.lesautduloup.com – M° Palais-Royal, Musée-du-Louvre ou Tuileries. Ouvert tous les jours, midi et soir. A la carte, environ de 31 € à 61 €.
C'est d'abord une perspective inédite sur les jardins du Carrousel et les façades du Louvre qu'offre ce restaurant à l'allure de cantine chic, tout en déclinaisons de gris chat, perle et souris répondant parfois à la couleur du ciel de Paris. Une échappée visuelle bienvenue pour s'extraire des conversations des voisins, un peu trop portées par l'acoustique de la salle, et pour apprécier les assiettes un peu décalées ou régressives mais plutôt bien tournées comme le clafoutis de petits pois et jambon au Boursin ou le cappuccino de patates aux truffes, cacao comme saupoudré. La suite peut vous amener à voyager à l'instar de l'épais morceau de thon, juste cuit, légumes au wok et sauce satay ou les grosses gambas et le risotto safrané. Le faux tiramisu aux fraises et à la rhubarbe et son sablé breton viennent agréablement conclure le repas, mais il est depuis peu largement concurrencé par les desserts de la maison Ladurée. Et là, parfois notre cœur balance.

SUBITO (ITALIEN)
33, rue Danielle-Casanova ✆ 01 49 26 01 66
M° Opéra. Fermé le dimanche. Menu : 12,90 € – au déjeuner. A la carte, environ de 20 € à 30 €.
Dans ce lieu de restauration rapide, une tavola calda, comme on dit de l'autre côté des Alpes, on déguste, au choix, du petit déjeuner au dîner, entre autres spécialités, des gnocchis au pesto, des tortellis au torchon, un émincé de bœuf aux pommes de terre sautées, mais également des pâtes de toutes sortes, des salades, de succulents risottos, des focaccias et des sandwichs variés avant de pointer le doigt vers un dessert, et pourquoi pas une glace. Musique le jeudi et formation musicale le vendredi. Le plus : si vous organisez un cocktail, une réception ou un événement, n'hésitez pas à faire appel à leur service traiteur qui a su ravir certains noms prestigieux comme Van Cleef ou Yves Saint Laurent.

A LA TOUR DE MONTLHÉRY
5, rue des Prouvaires ✆ 01 42 36 21 82
M° Les Halles ou Louvre-Rivoli. Ouvert jusqu'à 5h du matin ; fermé le samedi et le dimanche. A la carte, environ de 45 € à 60 €.
Restaurant des plus pittoresques de Paris, et bien connu des couche-tard, cet établissement existe depuis des lustres et traverse les époques sans presque rien changer. Banquettes en cuir, nappes à carreaux et ardoises aux murs, le bistrot «institution» des Halles est ouvert de jour comme de nuit et propose une cuisine bien franchouillarde, copieuse et sans complexes. A la carte, vous trouverez donc côtes de bœuf, tripes ou rognons et quelques spécialités qui font la réputation de la maison, comme le haricot mouton, le pot-au-feu cassoulet ou le haddock au beurre blanc. Inutile de s'attarder aux entrées, les plats sont ici copieux et sont rarement terminés. Une ambiance vraiment décalée où se croise la terre entière, à toute heure.

LES III O
37 bis, rue de Montpensier
✆01 40 20 03 02
M° Bourse ou Palais-Royal. Fermé tous les midis, le lundi et le dimanche. Menu : 45 €.
Auparavant, cet établissement se nommait Les Trois Oliviers et offrait une cuisine très inspirée du Sud-Est de la France, inventive et raffinée. Le patron, décomplexé, a révolutionné son établissement pour rendre le cadre plus chic, avec un plancher en chêne brut, des tables en ardoise, des banquettes en cuir d'autruche, une salle tamisée comptant trente couverts choyés… Et surtout, il est passé en cuisine, pour «s'amuser», dit-il, avec des produits beaux et nobles : foie gras, truffe noire, Saint-Jacques… Parmi les spécialités de la maison, le homard Rossini à la truffe noire, flambé en salle. Pour vous accueillir, un petit verre lumineux vous sera offert en guise d'amuse-bouche. Puis un autre, aux saveurs différentes entre le plat et le dessert – cet hiver, on servait parfois des billes de tequila à la rose et au cactus… Une adresse à découvrir, qui a sacrément pris du galon.

LE VINO'S
29, rue d'Argenteuil
✆01 42 97 52 43
M° Pyramides. Fermé tous les midis et le dimanche. Menu : 43 €. A la carte, environ de 45 € à 55 €.
Le Vino's, c'est, pour certains, avant tout un surprenant et superbe bar à vins, tenu par un Japonais. Vous pourrez bien sûr vous installer devant le grand comptoir de dégustation, mais aussi vous asseoir autour d'une table aux assises confortables, comme les grands fauteuils noirs. Et dans la chaleur d'une douce lumière tamisée et de quelques accords de jazz, vous dégusterez une cuisine raffinée, à la mesure de la clientèle des lieux ! Un bijou d'adresse, où l'on se délecte de très bons vins et d'un joli choix de terumi yoshimura, ainsi que de plats français traités avec les meilleurs égards…

2e ARRONDISSEMENT

LES ALCHIMISTES
16, rue Favart
✆01 42 96 69 86
Site Internet : www.les-alchimistes.com – M° Richelieu-Drouot ou Bourse. Fermé le samedi midi et le dimanche. Menu : 29 €. A la carte, environ de 40 € à 45 €
Ce restaurant qui a pour voisin le célèbre Opéra-comique continue de séduire et les changements récents de propriétaire et de chef n'ont pas chassé les habitués… bien au contraire. Ils continuent de se presser dans ce lieu classé monument historique où les photos des plus grandes célébrités d'hier et d'aujourd'hui ornent quelques pans de murs. Depuis quelques mois, c'est David Hembert qui officie en cuisine et qui a su imposer son style mêlant tradition et inventivité. Le gratin de macaronis au foie gras et artichauts, la déclinaison d'agneau pommes châteaux rôtis au romarin et le mille-feuilles pistache framboises forment le menu idéal pour les habitués comme pour ceux qui viendraient ici pour la première fois.

L'ANTICHAMBRE (ITALIEN)
4, rue Port-Mahon
✆01 42 66 59 52
M° Opéra. Fermé samedi midi et dimanche. Menus : 22 € et 27 € – au déjeuner. A la carte, environ de 35 € à 45 €.
A deux pas de l'Opéra et de la place Gaillon, un restaurant élégant à la décoration baroque qui joue, dans deux salles, la carte des saveurs italiennes. Elaborées sur la base de produits venus d'Italie, toutes les préparations sont élégamment présentées. La mozzarella, la ricotta, le basilic, les aubergines, le mascarpone, la roquette, le vinaigre balsamique et les huiles d'olive sont fidèles au poste. Cet inventaire «d'Italia» se retrouve dans des tagliolinis à la truffe ou aux côtés d'un filet de bar poêlé et de sa ratatouille de légumes. Pour le dessert, le conseil d'Aldo Elia, le chef : fraises caramélisées à la menthe ou crêpes aux trois chocolats…

BISTROT VOLNAY
8, rue Volney
✆01 42 61 06 65
M° Opéra. Fermé le samedi midi et le dimanche. Menus : 24 €, 32 € et 38 €.
Fermé depuis des lustres, Le Volnay retrouve le sourire grâce à un duo féminin, Magali, la blonde et Delphine, la brune. La salle a entièrement été refaite mais le bar années 1930 a été conservé. Un bar autour duquel certains convives se pressent pour la formule, plat en cocotte, verre de vin et café. Les autres prennent place autour des tables pour se régaler d'une cuisine mitonnée par un ancien chef de chez Thierry Breton. Et il assure ce jeune trentenaire, avec une somptueuse terrine de jarret de veau au foie gras, un roulé de veau du Limousin braisé et un petit pot de chocolat et sa marmelade de prunes et tuile au piment d'Espelette. La carte des vins est à tomber et proposée à des prix très légers. Il ne nous reste plus qu'à espérer que vous et moi ayons un jour le droit à notre plaque émaillée, à notre nom gravée sur le bar. Certains l'ont déjà, pourquoi pas nous ?

BISTROT VIVIENNE
4, rue des Petits-Champs
✆01 49 27 00 50
M° Bourse ou Palais-Royal. Fermé le dimanche. A la carte, environ de 40 € à 45 €.
Le Bistrot Vivienne est idéalement situé, dans l'une des plus belles galeries de Paris tout proche

des jardins du Palais-Royal. Avec sa terrasse à moitié sur rue et l'autre moitié sous verrière dans la galerie, c'est un endroit qu'il faut absolument découvrir. Au menu, une cuisine de marché et des plats plutôt traditionnels, mais qui ont su associer quelques traits exotiques, et ce filet de dorade thaï. Sinon, filet de bœuf au poivre ou foie gras côtoient le classique moelleux au chocolat. Installée sur de jolies banquettes rouges au milieu d'un cadre plutôt bourgeois fait de grands miroirs, la clientèle se compose de businessmen et de commerçants du quartier à midi, mais devient plus éclectique le soir. La galerie alors éclairée devient un endroit des plus poétiques.

CHEZ CLEMENT OPERA
17, boulevard des Capucines
✆ 01 53 43 82 00

Site Internet: www.chezclement.com – M° Opéra. Petit déjeuner dès 8h. Service continu 7j/7. Formule à 14€, menu à 23€. Plateaux de fruits de mer Clément à partir de 28€. Carte aux environs de 30€.

Irrésistiblement douillet et romantique, chez Clément Opéra vous plonge dans une véritable maison bourgeoise du XVIIIe siècle. Ses hauts fauteuils tapissés, ses pierres apparentes et sa grande horloge à bascule sauront vous détendre après la course effrénée que vous aurez faite dans les grands magasins juste à proximité du restaurant. Les salles se succèdent et ne se ressemblent pas, un petit coin épicerie évoque notamment les cuisines de nos grands-mères et rappelle de tendres souvenirs. Les plats du rôtisseur à 19,50€, spécialités de Chez Clément, comportent 4 viandes ou 4 poissons et sont accompagnés de purée maison au beurre ou de véritables pommes Pont-Neuf.

DIVINAMENTE ITALIANO (ITALIEN)
28, rue Notre-Dame-des-Victoires
✆ 01 47 03 38 41

M° Bourse Fermé le samedi midi et le dimanche. Menu : 22 €. A la carte, compter de 35 à 45 €.

Inès, la Sicilienne et Raffaella, originaire de Modène ont ouvert ce restaurant italien à deux pas de la Bourse. Moderne, ce nouveau lieu dédié aux saveurs transalpines, a de l'allure avec cette omniprésence du velours rouge, ce plancher de bois clair et ce mélange de verre et de métal. Elles ont du goût ces deux jolies femmes et ont à cœur de partager leur passion pour les produits de la botte. A table, on retrouve outre une très belle sélection de vins, les classiques penne aux aubergines et à la ricotta salée ou le gratin d'aubergines mais aussi quelques créations plus personnelles comme les mezzanelle aux gambas, courgettes et safran ou le carpaccio de bœuf d'Aoste à l'huile de noix . Les fromages valent le détour mais si êtes des aficionados du tiramisu, n'ayez crainte, ces deux jolies Italiennes n'ont pas oublié de le mettre à la carte. A noter le soir, l'apéritif dînatoire à la Milanaise autour de 10 € avec un verre de vin.

DALVA
48, rue d'Argout
✆ 01 42 36 02 11

Site Internet: www.dalvarestaurant.fr – M° Etienne-Marcel, Louvre-Rivoli, Sentier. Fermé le dimanche. Menus: 14€ et 18€ – au déjeuner. A la carte, environ 24€.

Nombre de restaurants sont implantés autour des rues Montmartre et Montorgueil, mais si l'en est un qui peut s'attribuer une mention spéciale, il s'agit bien du Dalva. Dans un joli cadre fait de casiers à bouteilles, de bois, de tentures dans des tons de rouge, beige et chêne foncé, on s'installe confortablement pour déguster une cuisine du marché dont le choix change toutes les semaines. Terrine de pot-au-feu aux radis blancs, rillettes de maquereau fumé aux fruits secs, parmentier de confit de canard avec mesclun, filet de dorade au pistou, piperade de légumes, muffin aux poires, panna cotta à la fleur d'oranger sont autant d'exemples qui participent à la réputation bistrotière de ce restaurant, doté de quelques tables en terrasse pour les beaux jours.

DROUANT
16-18, place Gaillon
✆ 01 42 65 15 16

Site Internet: www.drouant.com – M° Pyramides ou Quatre-Septembre. Ouvert tous les jours, midi et soir. Menus: 20€ et 43€. A la carte, environ de 68€ à 90€.

L'expression «se mettre en quatre» colle parfaitement au duo Antony Clémot et Antoine Westermann, qui ont l'art et la manière de sortir des sentiers battus en proposant dans une seule assiette non pas une entrée mais quatre, un plat mais quatre, un dessert mais quatre, tous articulés autour d'une thématique. On sort des schémas traditionnels en «becquetant» façon tapas chic ou comment apprécier un chef par le biais de douze mini-créations qui résument adroitement tout son talent. Evidemment, l'objectif est le partage et il serait dommage de prendre le même plat. C'est tout l'intérêt de la formule. L'un opte pour les entrées «Légumes» – soupe de carottes à l'orange, salade tiède de pommes de terre aux truffes fraîches, betteraves crues et cuites façon grecque et tartine de légumes confits – pendant que l'autre jette son dévolu sur les entrées «Quatre coins du monde» – bouillon de perles du Japon, sot-l'y-laisse rôtis à l'orientale et hommos, acras de morue et tartelette à l'italienne. Une fois les plats sous les yeux, à vous de jouer à «je te fais goûter celui-ci et tu me fais goûter celui-là». Et ce jeu gourmand se poursuit avec les viandes et les poissons, puis avec les desserts thématisés en chocolats, glaces et sorbets, grands classiques ou fruits.

LA FONTAINE GAILLON
Place Gaillon ✆01 47 42 63 22
Site Internet : www.la-fontaine-gaillon.com – M° Opéra ou Quatre-Septembre. Fermé samedi et dimanche. Menu : 41 € – au déjeuner. A la carte, environ de 75 € à 90 €.
La Fontaine Gaillon est un lieu chargé d'Histoire, d'acquisition princière en restauration prestigieuse, de grands noms français ont marqué le lieu de leur âme aristocratique dans cet hôtel construit au XVIIe siècle. Aujourd'hui, c'est un restaurant tout aussi grandiose, gardien de ces souvenirs que l'on flaire à travers les cinq salons du lieu ou lorsque l'on est assis à la jolie terrasse. La cuisine change au fil des saisons et du marché quotidien, tous les produits sont délicatement sélectionnés. On déguste une pressée de queue de bœuf à la vanille, une nage de petite marée au safran, puis un crumble aux abricots et amandes, fraîcheur absolue, raffinement invincible. La carte des vins accompagne l'endroit, et ose même quelques producteurs étrangers qui viennent, somme toute, du bassin méditerranéen. Un endroit à découvrir une fois dans sa vie.

GALLOPIN
48, rue Notre-Dame-des-Victoires
✆01 42 36 45 38
Site Internet : www.brasseriegallopin.com – M° Bourse. Ouvert tous les jours, midi et soir. Menus : de 18,50 € à 35,50 €. A la carte, environ de 40 € à 45 €.
Fondée fin XIXe siècle, cette brasserie n'a presque pas changé sa déco, et c'est un magnifique endroit à découvrir. Premier bar américain à Paris, il fut un des premiers à proposer des cocktails, ce qui n'est pas passé inaperçu dans la capitale. Aujourd'hui, vu son emplacement proche de la Bourse, c'est le rendez-vous des financiers et autres hommes d'affaires, mais aussi de ceux qui souhaitent simplement bien manger. Feuilleté de Saint-Jacques rôties aux épinards frais, émulsion à l'ail doux, homard du Canada «vivant» rôti en coque au beurre salé, riz basmati nature et beurre blanc «selon arrivage», tartare de bœuf cru ou cuit haché à la commande et préparé selon votre goût sur glace pommes frites et salade verte ou chateaubriand poêlé sauce aux deux poivres, flambé à la fine champagne... Ici, on n'est jamais déçu.

UN JOUR A PEYRASSOL
13, rue Vivienne ✆01 42 60 12 92
Site Internet : www.unjourapeyrassol.com – M° Bourse. Fermé le samedi et le dimanche. Menu : 18,50 € – au déjeuner. A la carte, environ de 32 € à 64 €.
Le domaine viticole provençal «La Commanderie de Peyrassol» a eu la bonne idée il y a quelques années d'ouvrir, à deux pas de la Bourse, une boutique et un restaurant. Dans la première, on trouve toutes les saveurs de la Provence, des huiles, des vinaigres mais aussi des conserves et évidemment de la truffe puisque côté restaurant, c'est le concept défendu par la Commanderie de Peyrassol, sauf dans la formule du déjeuner. Si vous aimez la melanosporum, bienvenue dans ce restaurant qui rappelle l'ambiance du château du domaine avec moult pierres apparentes, bois et fer. Dans l'assiette, des œufs brouillés à la truffe, des pommes de terre à la crème de truffe, une tartine de lamelles de truffes et huile d'olive ou des gnocchis à la crème de truffe. Pour aller jusqu'au bout de la dégustation, on opte pour une part de brie truffé que l'on accompagne évidemment d'un vin du domaine classé en AOC Côtes-de-Provence.

LIZA (LIBANAIS)
14, rue de la Banque ✆01 55 35 00 66
Site Internet : www.restaurant-liza.com – M° Bourse. Fermé le samedi midi et le dimanche soir. Menus : 18 € et 23 € – au déjeuner – et 42 € – au dîner. A la carte, environ de 45 € à 55 €.
C'est un Libanais de quartier qui ne ressemble en rien à ses compatriotes. On y est reçu comme dans une maison contemporaine, dans un cadre épuré et plutôt féminin, où dominent le blanc, la nacre et le bleu ciel. Le menu est dans le ton, fin et recherché, concocté à partir des meilleures cuisines libanaises : mézzés, kebbé grillé et sauce à la betterave, agneau confit aux cinq épices, topinambours à l'ail, sauté de calamars à l'ail et à

la coriandre, fromage poêlé au sésame – halloum – et confiture de coing, beignet de yaourt à la fleur d'oranger et sorbet d'orange amère... La carte change tous les mois et recèle de jolies surprises. Envie de snacker ? Rendez-vous tous les midis de la semaine à la boulangerie mitoyenne, où sont élaborés quotidiennement clubs-sandwichs au pain libanais – à base de blé concassé – garnis d'agneau confit – awarma – ou de fromage frais salé et manouchés fourrés – pastrami, légumes, etc. A déguster sur place, au comptoir ou en salle, ou à emporter, avec un verre d'onctueux yaourt ou de citronnade à la fleur d'oranger, et un pot de glace au halva ou à la rose.

MOMO NO KI (JAPONAIS)
68, passage Choiseul ✆ 01 42 96 48 37
M° Bourse. Fermé le samedi et le dimanche. Menus : 9€ et 12€.
Dans cette nouvelle cantine japonaise au nom signifiant «l'arbre à pêches» et au décor très fonctionnel – inox et bois –, qui détonne dans le passage Choiseul, on vient se restaurer de spécialités panées uniquement, que l'on nomme tonkatsu. Les gambas, le poulet, les crevettes, le filet de porc gascon, les légumes, tout, ici, est frit et croustillant, et accompagné de sauce bulldog épicée ou de sauce miso plus douce.

OSTERIA RUGGERA (ITALIEN)
35, rue Tiquetonne ✆ 01 40 26 13 91
Site Internet : www.restaurant-osteriaruggera-paris.com – M° Etienne-Marcel. Fermé le samedi midi, le dimanche midi et le lundi. A la carte, de 30€ à 47€.
Ce sont les céramiques aux couleurs vives, en provenance de l'atelier Desimone de Palerme, qui attirent d'abord le regard. Le sourire du jeune patron fait le reste. Une fois installé à table, on a le choix entre spécialités siciliennes et modenaises – la région où est produit le vinaigre balsamique, et dont la maison propose les meilleurs crus –, cuisinées de façon traditionnelle et familiale par un cuisinier sarde tout aussi juvénile que le reste de l'équipe. Cœurs d'artichauts crus aux copeaux de Parmesan, rouleaux d'aubergines jambon de Parme et mozzarella, gnocchis frais aux noix et gorgonzola, émincé de faux-filet avec roquette assaisonnée et Parmesan contentent largement l'appétit, mais il ne faut pas faire l'impasse sur les desserts, particulièrement inspirés, comme ce flan de crème cuite parfumée à la vanille et colis de fruits rouges et le gâteau moka à l'italienne qui appelle le café.

RACINES
8, passage des Panoramas
✆ 01 40 13 06 41
M° Grands-Boulevards. Fermé le samedi et le dimanche. A la carte, environ de 35€ à 50€.
Le tatoué, Pierre Jancou, l'ancien patron du bar à vins La Crémerie dans le 6e arrondissement a réussi son coup en venant poser sa popote de potes et ses vins naturels dans ce passage. A chaque service, une vingtaine de gourmets s'y donnent rendez-vous pour apprécier une cuisine ménagère mitonnée avec des produits de grande qualité, comme les viandes du célèbre boucher Desnoyers installé dans le 14e. Avant d'attaquer le solide, on fait un tour dans les casiers pour dénicher la dive bouteille qui accompagnera l'assiette de charcuteries qui comprend une savoureuse ventrèche de cochon, la terrine d'agneau et de tomates, si bonne qu'on aimerait finir le plat, la côte de veau, sa purée et sa tombée d'épinards ou le parrmentier de boudin noir servi dans sa cocotte Staub. Les propositions changent régulièrement pour le plus grand bonheur des habitués qui aimeraient obtenir un rond de serviette à leur nom pour être certains d'être prioritaires.

RANI MAHAL (INDIEN)
9, rue Saint-Augustin ✆ 01 42 97 53 24
Site Internet : www.rani-mahal.com – M° Quatre-Septembre. Ouvert du lundi au samedi de 12h à 14h30 et de 19h30 à 23h30. Formules déjeuner 10,50 Ä et 15 Ä. Le soir entre 18 Ä et 23 Ä.
Dans un décor feutré, le restaurant vous accueille chaleureusement et vous propose de nombreuses spécialités du nord et de l'Inde. Le chef, qui officie en coulisses de ce « Palais de la reine », tient à choisir ses produits lui-même pour un maximum de fraîcheur. Ses préparations au curry – poulet, agneau, poisson – ses nombreuses grillades ou ses tandooris font honneur à son exigence, et n'oublient pas les nôtres ! Une adresse charmante qui trace son petit bonhomme de chemin...

RATATOUILLE
168, rue Montmartre ✆ 01 40 13 08 80
Site Internet : www.ratatouille-paris.fr – M° Bourse ou Grands-Boulevards. Fermé le dimanche. A la carte, environ de 25,50€ à 48€.
Un restaurant sur deux étages très lumineux en plein Paris : on croirait rêver et c'est pourtant possible ! L'espace est si confortable que l'intimité de chacun est préservée. C'est idéal pour un dîner en amoureux dans des coins tranquilles, les alcôves notamment, ou pour un repas convivial entre amis. Mais que ce soit au rez-de-chaussée ou sur la mezzanine, libre à vous ensuite de composer votre repas en picorant dans les propositions estampillées «bistrot» ou dans les «gastro». Ainsi, vous pouvez débuter par un tartare de saumon suivi d'un risotto aux crevettes et cresson pour finir par la crème brûlée. Vous aurez donc tapé dans une entrée bistrot, pris un plat gastro et terminé par un dessert bistrot. Le contraire maintenant, crémeux de courges et ses chips de betteraves – gastro –, pièce du boucher sauce béarnaise – bistrot – et enfin, ratatouille de fruits frais et glace bergamote – gastro. Maintenant que vous connaissez le principe, à vous de jouer.

SPIRIT CAFE (THAILANDAIS)
11, rue Rameau ✆01 42 96 29 00
Site Internet : www.spiritcafe.fr Ouvert tous les jours. Menu : 11 €. A la carte, compter de 20 à 25 €. Brunch le dimanche : 16 €. Happy Hour de 17h à 22h.
Dans un décor à la fois moderne et chaleureux, le Spirit Café vous emmène au cœur de la Thaïlande. Subtil mariage des saveurs de la Chine, de la Malaisie, de l'Inde et du Vietnam, la cuisine Thaïlandaise est raffinée. Laissez-vous guider par le personnel qui saura vous dire si tel ou tel plat est plus ou moins piquant. Le choix proposé est large et varié, de la brochette de bœuf à la citronnelle au délice de mangue au riz gluant en passant par le filet de poisson au basilic, le bœuf au curry rouge et le pâté thaï aux crevettes. Spirit Café est aussi l'endroit idéal pour prendre un verre, les cocktails sont à goûter absolument..

SUR UN ARBRE PERCHE
1, rue du Quatre-Septembre ✆01 42 96 97 01
Site Internet: www.surunarbreperche.com – M° Bourse. Fermé le samedi midi et le dimanche. Menu: 21€ – au déjeuner. A la carte, environ de 35€ à 58€.
Juste à côté de la Bourse, ce petit restaurant a clairement joué la carte du romantisme en invitant ses clients à déjeuner à l'intérieur de jolies cabanes hautes perchées, avec balançoires en guise de fauteuils, jolis salons façon sofas et immenses coussins. Ambiance cocooning et nid douillet. Avant de passer à table, optez pour un massage shiatsu, il vous faudra bien ça pour choisir entre les intitulés de la carte. Première étape: l'entrée, frivolité de saumon façon gravelax, caviar d'Aquitaine, mini-blinis de ratte, œuf coque bio et fine crème acidulé, à faire suivre d'un wok de gambas, et pour finir sur une note légère, le cappuccino aux perles de tapioca à la poire du Japon.

LE TAMBOUR
41, rue Montmartre ✆01 42 33 06 90
Site Internet: http://restaurantletambour.com – M° Châtelet ou Etienne-Marcel. Fermé le dimanche midi et le lundi midi. A la carte, environ de 20€ à 30€.
Cuisine traditionnelle des Halles, on trouve sur la carte du Tambour tout ce qu'il y a de plus classique pour un bistrot: pieds de porc panés, andouillettes, jarrets de porc au vin rouge, pièces de bœuf. Franchouillard et bon vivant, on se plaît à passer du temps dans cet endroit au charme désuet, fait de vieux plans de métro, de panneaux en tout genre, de pancartes et de bouquins. Et attention, ce n'est pas parce que vous êtes dans un bistrot qu'il faut demander au patron un verre de «pinard» ou lui dire que vous avez bien «bouffé», vous vous ferez enguirlander: ici, on ne sert pas les cochons, sophistication de la jolie rue Montmartre tout de granit blanc refaite oblige!

TERRE ET SOLEIL
20, rue Tiquetonne ✆01 42 33 64 22
Fermé le lundi midi et le dimanche. Menus : 12, 15 et 17,50 € au déjeuner. A la carte, compter 30 €.
Terre et Soleil s'inscrit dans la tradition culinaire italienne en proposant de nombreuses spécialités transalpines avec leur touche personnelle. Des calamars et encre de seiche, des galetti aux gambas et coulis de crustacés ou des cavatapi aux figues et au foie gras, chacun retrouvera un brin de soleil dans son assiette et des parfums qui fleurent bon le Sud. Cuisine familiale et excellent accueil : Terre et Soleil est un passage obligé si vous flânez dans le quartier Montorgueil.

TIR BOUCHON
22, rue Tiquetonne ✆01 42 21 95 51
Site Internet : www.le-tirbouchon.com Ouvert tous les jours midi et soir sauf le samedi midi. Brunch le dimanche. Menus : 11 et 20 € au déjeuner, 28 € au dîner. A la carte, compter de 30 à 40 €..
Le Tir Bouchon est une halte sympathique si vous badaudez autour de la rue Montorgueil, dans ce quartier qui fait la part belle aux accros du shopping. Ici, on y découvre une carte qui sent bon la fraîcheur : croustillant de chèvre aux pommes, grosses crevettes au basilic, filet de bar rôti à la badiane ou rognons d'agneau à l'ancienne... c'est un délicieux mélange de saveurs qui trône dans l'assiette. Le cadre du restaurant est charmant, avec une décoration relativement moderne mais chaleureuse avec des néons suspendus pour l'éclairage, de la tommette au sol, des miroirs piqués, des nappes blanches, et une jolie terrasse tranquille lors des beaux jours.
Nouveau : jeudi, vendredi et samedi, le Tir-Bouchon est ouvert jusqu'à l'aube.

LE VAUDEVILLE
29, rue Vivienne ✆01 40 20 04 62
M° Bourse. Ouvert tous les jours, midi et soir. Menus: 24,50€ et 31,50€. A la carte, environ de 45€ à 55€.
Le Vaudeville est une de ces brasseries à la déco vertigineuse et enivrante, qui fut d'ailleurs édifiée pendant les années vingt, pour nous arriver à notre époque quasi intacte. Dans ce spectacle, l'on dîne d'une très bonne cuisine, à l'image de la petite terrine de caille au foie gras et noisettes pour commencer, puis d'une tranche de morue fraîche à la plancha ou de la «belle tête de veau», spécialité de la maison, ou pourquoi pas d'une escalope de foie gras de canard, pour finir par un baba au vieux rhum ambré et crème Chantilly. La cuisine est en quelque sorte traditionnelle pour coller à l'esprit brasserie, mais la sophistication ambiante n'aurait pas pu ne pas être aussi dans l'assiette, pour un mariage du meilleur goût.

LE VERSANCE
16, rue Feydeau ✆01 45 08 00 08
Site Internet: www.leversance.fr – M° Grands-

Boulevards. Fermé le samedi midi, le dimanche et le lundi. Menus: 32 € et 38 € – au déjeuner. A la carte, environ de 51 € à 73 €.
Le Versance, c'est un endroit simple et raffiné, fait de nappes blanches, de beige et du ton naturel des poutres de bois foncé apparentes qui sillonnent le plafond, une déco certainement contemporaine, mais pas design. Le temps s'est d'ailleurs un peu arrêté dans ce lieu feutré pour laisser place à une grande cuisine signée Samuel Cavagnis: velouté de châtaignes et ses brisures, œuf à la neige à la cardamome, filet de saint-pierre juste saisi, chou chinois, joue de porc confite sur son mendiant, lard croquant et crémeux caramel, cristalline de pomme granny et sa pulpe. C'est à chaque fois un sans-faute et la clientèle continue en toute logique de répondre présente.

3e ARRONDISSEMENT

404 (MAROCAIN)
69, rue des Grandvilliers ✆ 01 42 74 57 81
M° Arts-et-Métiers. Ouvert tous les jours, midi et soir. Menus: 17 € – au déjeuner – et 50 € – au dîner.
On ne vient pas chez les frères Mazouz uniquement pour la cuisine, parfumée, délicieuse, tout droit sortie de la vallée des Roses, ou pour le cadre, très stylé, de riad aménagé dans un ancien hôtel particulier. Amateurs de cuisine familiale marocaine et amie des people s'y pressent pour avoir le plaisir de déguster un couscous ou un tajine à deux tables de célébrités habituées des lieux… Les prix étant devenus plus raisonnables, la réservation est plus que jamais impérative.

L'AIGRE DOUX (IRAKIEN)
59, rue des Grandvilliers ✆ 01 42 71 44 54
M° Arts-et-Métiers. Ouvert du lundi au vendredi de 12h à 14h30 et de 19h30 à 22h, samedi le soir uniquement. Formules à partir de 8 €. Menu du soir 15 €.
Ce tout petit restaurant est le seul, à Paris, à se balader entre Tigre et Euphrate, les deux fleuves nourriciers qui entourent la Mésopotamie antique. Coté déco, une devanture pas vraiment folichonne et à l'intérieur du classique: grosse poutre et pierres apparentes, deux trois petits tableaux orientaux accrochés au mur, histoire de dire qu'on est d'ailleurs… Aigre doux, c'est un peu la saveur de la cuisine irakienne, un agréable métissage entre traditions perses et libanaises. La carte change tous les jours. Les viandes sont préparées avec de l'aubergine, du poivron, des herbes aromatiques ou des fruits façon tajine. L'ardoise, sur laquelle on découvre le Délice de Bagdad, un pain fourré de viande, de légumes et de fromage, est alléchante dans ce quartier un peu sinistré en ce qui concerne l'assiette… Le service est aux petits oignons, les portions généreuses et les prix ignorent l'inflation.

L'AMBASSADE D'AUVERGNE
22, rue du Grenier-Saint-Lazare
✆ 01 42 72 31 22
Site Internet: www.ambassade-auvergne.com – M° Rambuteau. Ouvert tous les jours, midi et soir. Menu: 30 €. A la carte, environ de 30 € à 50 €.
Le meilleur des terroirs aveyronnais et auvergnat se bouscule à la sortie des cuisines de cette Ambassade. Des spécialités qui vous seront servies dans un décor diablement rustique. Vous risquez bien de vous y sentir comme chez des amis, et pourrez même être tentés de relever vos manches pour vous régaler d'un velouté de cèpes au chèvre frais, d'une saucisse de Parlan et son aligot, d'un poulet fermier d'Auvergne et sa crème de morilles ou d'un jarret de veau du Ségala braisé et ses légumes fanes. Evidemment, on ne fait pas l'impasse sur l'assortiment de fromages et encore moins sur la gourmandise au chocolat praliné.

LA BRICIOLA (ITALIEN)
64, rue Charlot ✆ 01 42 77 34 10
M° Filles-du-Calvaire. Fermé le dimanche. A la carte, environ de 25 € à 35 €.
Après la Maria Luisa dans le 10e et la Madonnina, Giovanni pose son savoir-faire italien dans cet arrondissement, dans les murs de l'ancien Amisphère. Dans la salle, le Marais chic, les bobos du canal Saint-Martin conversent sur le croustillant de la pâte et s'émerveillent pour les pizzas «bianche», les blanches sans sauce tomate surtout celle au gorgonzola, roquette et tomates cerise. La bouche pleine, on parle avec les mains comme là-bas pour dire tout le bien que l'on pense de l'assiette de charcuteries et pour louer la fraîcheur de la bruschetta aux tomates, basilic, mozzarella et jambon de Parme. On regrette, faute de temps, faute de place, de ne pas pouvoir goûter la «diavola» au saucisson pimenté de Naples. C'est promis, on reviendra.

CAFE DES TECHNIQUES
60, rue Réaumur ✆ 01 53 01 82 83
Site Internet: http://cafedestechniques.com/restaurant – M° Arts-et-Métiers. Fermé le lundi. A la carte, environ de 15 € à 20 €. Brunch le dimanche: 18 € – entrée au musée incluse.
Accessible aux visiteurs du musée, aux étudiants du conservatoire mais aussi aux gastronomes avertis, le Café des Techniques est au cœur même du musée des Arts et Métiers. Paniers vapeurs du maraîcher, de la mer ou de la terre, soupes, assiettes composées ou sandwichs, la carte est assez simple, mais offre surtout le luxe de pouvoir profiter de l'immense terrasse installée aux pieds de la statue de Denis Papin, l'inventeur de la machine à vapeur. Décidément, de vapeur il en est toujours question.

LE CARRE DES VOSGES
15, rue Saint-Gilles
✆ 01 42 71 22 21
Site Internet : www.lecarredesvosges.fr – M° Chemin-Vert. Fermé le samedi midi, le dimanche et le lundi midi. Menus : 23 € et 29 € – au déjeuner – et 40 €.
Marc Ouvray qui a travaillé chez de nombreux étoilés Michelin est désormais bien installé dans ce quartier et sa cuisine ravit le plus grand nombre par son raffinement. Au déjeuner comme au dîner, Marc fourmille d'idées sans jamais oublier de se renouveler. A n'en pas douter, sa formule déjeuner doit satisfaire les employés et les hommes d'affaires du quartier. Mais en ce qui nous concerne, c'est le menu du dîner que nous avons testé et c'était un sans-faute : bisque de langoustines, crème d'estragon, gratin de cabillaud, fruits de mer et duxelle de champignons, fricassée de pintade de Challans, embeurrée de choux verts. Et pour terminer, vacherin fermier et ananas rôti piqué à la vanille, tombée de menthe et glace vanille. Le tout pour 40 €, histoire de rappeler qu'ici, on ne se moque pas du client.

LE CHICHAW'AS (MAROCAIN)
30, rue Debelleyme ✆ 01 48 87 40 47
Site Internet : chichawas.com – M° Filles-du-Calvaire. Ouvert tous les jours de 12h à 15h et de 19h à 1h. Formule 15 €. A la carte environ de 15 € à 30 €.
Le Chichawa's a remplacé le Chicha Café – loi sur le tabac oblige- sans toutefois changer de cuisine et de chef. Hamid Saadi, fils d'un officier de la garde royale marocaine et de la cuisinière d'un des plus beaux palais du roi Mohamed V, le palais Jamaï de Fès, prépare tous les jours une cuisine royale dans un décor digne des mille et une nuits, nimbé d'une lumière tamisée. Les plats traditionnels de la cuisine marocaine, savoureuse et épicée, sont apportés sur des plateaux de cuivre ciselés. Des saveurs sucrées salées titillent les papilles. Quelques originalités méritent aussi le détour, comme la salade chichaoua, le tagine de poulet Kidra au citron et olives ou le couscous fassi. Brunch à la Marocaine le dimanche à 23 € : crêpes à la marocaine, M'Sammen et Baghrir sont au menu.

LES ENFANTS-ROUGES
9, rue de Beauce et 90, rue des Archives
✆ 01 48 87 80 61
M° Temple. Fermé le dimanche, le lundi, le mardi soir et le mercredi soir. Menu : 32 €.
Cadre rétro et charmant pour ce petit restaurant aux airs de bistrot situé à deux pas du marché des Enfants-Rouges, le plus ancien des marchés parisiens. Autant que pour les plats inscrits à la craie sur l'ardoise, on vient ici pour profiter des centaines de bouteilles sélectionnées par Dany. D'ailleurs au bar, ça cause, ça cause, avec Dany et Michel, et en salle, ça cause aussi entre tablées, bien décidées à ne pas s'en aller comme ça. Les premiers verres dégustés, on passe volontiers à table, pour commander pâté de campagne servi avec une confiture de tomate verte, un plat du jour, un jambon persillé de Bourgogne, un paleron de bœuf... Une excellente adresse qui ne désemplit pas.

L'ESTAMINET DES ENFANTS-ROUGES
39, rue de Bretagne
✆ 01 42 72 28 12
M° Filles-du-Calvaire. A la carte, environ de 20 € à 25 €. Brunch le dimanche : 20 €.
Buvez nature, mangez fermier, tel est le slogan de ce petit restaurant planqué dans le marché des Enfants-Rouges. Calme et reposant, car éloigné de l'agitation de la rue de Bretagne, ce restaurant permet de picorer en toute simplicité des soupes, celle à la patate douce curry et lait de coco nous a séduits, ou des plats du jour, le boudin était tout simplement délicieux. Une adresse à la bonne franquette que l'on fréquente aussi les mois en «bre» quand les ostréiculteurs viennent faire déguster leurs huîtres.

GLOU
101, rue Vieille-du-Temple
✆ 01 42 74 44 32
M° Saint-Sébastien-Froissart ou Rambuteau. Fermé le mardi. Formule déjeuner : 17 €. A la carte, environ de 27 € à 48 €.
Julien Fouin, ancien rédacteur en chef du magazine de cuisine Régal, a quitté le monde de la presse pour nous faire partager son amour du beau et du bon produit. Dans son restaurant en longueur avec pierres ou briques rouges apparentes, tables hautes et tables d'hôtes, il mise avec brio sur une carte courte qui fait la part belle à quelques trouvailles de nos terroirs. Les huîtres d'Utah Beach côtoient le thon blanc «non menacé» et fumé de l'île d'Yeu, la saucisse de Morteau se présente aux bras de lentilles blondes de Saint-Flour avant que n'entrent en scène le Salers de «chez lui» ou le bleu d'Auvergne de Nouailles. C'est une popote de potes, pour ripailleurs de bon aloi qui n'ont pas envie de s'encombrer de chichis et encore moins de frou-frou. Au Glou, on va à l'essentiel, le produit et le vin, car la carte est ici maligne. On sort des sentiers battus grâce à une sélection rigoureuse qui nous fait traverser tous les vignobles français en nous incitant à nous arrêter chez des vignerons qui ne font pas exactement comme les autres.

GOURMETS D'AFRIQUE (AFRICAIN)
21, boulevard Saint-Martin
✆ 01 42 76 02 07
Site Internet : www.gourmetsdafrique.com – M° République. Ouvert tous les jours, midi et soir. Menus : de 20 € à 40 €.
Depuis sa création en 1988, ce restaurant n'a cessé de mériter la reconnaissance des professionnels et des habitués. A la carte, des spécialités africaines,

comme le poulet braisé, le poulet dg, le ndolé, le mafé, le yassa, une salade d'ignames aux harengs, des acras de morue, des makalas... Et si vous hésitez, le choix est peut-être plus simple au buffet – à volonté.

LA GUIRLANDE DE JULIE
25, place des Vosges ✆01 48 87 94 07
M° Chemin-Vert ou Saint-Paul. Ouvert tous les jours, midi et soir. A la carte, environ de 45€ à 55€.
La Guirlande de Julie – référence au Recueil de Madrigaux que le duc de Montausier fit composer par les beaux esprits, et dont une partie est adressée à Julie-Lucines d'Angennes dont il était épris – offre une terrasse atypique à Paris sous les arcades de la place des Vosges, au soleil du matin au soir ! A l'intérieur, mobilier bourgeois, vaisselle précieuse et bouquet de roses sur chaque table donnent le ton ! Le chef aux commandes de la cuisine sort des merveilles : tatin de foie gras aux poires, gâteau de tourteau émulsion au lait de coco pour commencer, turbot grillé à la plancha sabayon à l'huile d'olive et au safran ou pigeon rôti au jus à la cannelle et artichauts caramélisés pour continuer. Le soufflé au grand-marnier est une merveille !

HALL 1900
64, rue Rambuteau ✆01 48 87 58 67
Site Internet : www.hall1900bistrotcorse.com – M° Rambuteau. Ouvert tous les jours, midi et soir. A la carte, environ de 30€ à 50€.
Cet ancien pub s'est mué il y a quelques années en un charmant bistrot où l'ambiance est détendue et le cadre agréable. Situé à l'angle de deux rues, il est ouvert sur deux côtés et sa terrasse est un plus non négligeable. On vient ici pour prendre tout simplement un verre, au comptoir du bar central, ou bien pour déguster quelques plats aux accents corses, mais pas que. Rien de tel qu'une omelette au brocciu et menthe fraîche, des tagliatelles au fromage corse et coppa grillée, ou un agneau de lait aux herbes du maquis. En dessert, on testera le traditionnel fiadone, le délice au chocolat et aux noisettes. Et pour les envies de fraîcheur, rien de tel qu'une bonne glace artisanale au myrte ou encore à la châtaigne, le tout accompagné de bons vins... de Corse comme ceux de Patrimonio pour ne citer qu'eux.

HEUREUX COMME ALEXANDRE
2 impasse Berthaud ✆01 48 87 88 22
Site Internet : www.heureuxcommealexandre.com – M° Rambuteau. Ouvert tous les jours, midi et soir. Formule à 15€.
Nous sommes heureux d'apprendre qu'Alexandre a ouvert également une 3e adresse à Paris, à Beaubourg. La formule est la même dans les trois restaurants et c'est tant mieux ! On y savoure d'excellentes fondues et pierrades et on adore la formule au prix unique de 15€ comprenant salade à volonté en entrée, une fondue ou une pierrade accompagnée de pommes de terre sautées «maison» à volonté également, et en dessert... une sucette ! Au déjeuner, dans la formule à 15€ le café et le 1/4 de vin sont offerts. Vous pourrez choisir entre la fondue bourguignonne (avec de la viande) ou la fondue savoyarde (avec du fromage) et bien sûr, la pierrade. Il y a un grand choix de vin en bouteille mais également en demi ou en quart. Alexandre, soucieux de votre bien être, respecte une charte de qualité selon la sélection, la traçabilité et la fraîcheur des produits, pour vous satisfaire au mieux. **Autres adresses :** 13 rue du Pot de Fer (5e) • 24, rue de la Parcheminerie (5e)

INNAMORATI CAFFE
57, rue Charlot ✆01 48 04 88 28
M° Temple Ouvert tous les jours, midi et soir, sauf le lundi midi. Formules le midi à 15 € – plat, verre de vin et café – et à 20 €. Le soir, menu à 25 et 30 € Comptez 35 € à la carte.
Petits gosiers, préparez votre estomac ! C'est que « générosité » est bien le maître mot de cet italien d'ici... Mais voilà, c'est tellement bon que même les plus inquiets viennent facilement à bout de leurs assiettes. Et pour cause : quelle belle cuisine italienne ! Boulettes à la printanière – cèpes, asperges, tomates cerise, marmite de boulettes de truffes, tagliatelles au foie gras, (excellent) veau farci à la coppa et mozzarella aux asperges. Inventivité, produits de haute qualité... Que dire ? Les desserts sont du même accabit. L'accueil, particulièrement sympa et chaleureux, participe au plaisir de ce repas aux accents d'Italie. On est bien prêt, à la fin, de venir assister aux cours de cuisine que dispense Salvator entre les services du midi et ceux du soir – sur réservation. Plus qu'une valeur sûre...

CHEZ JANOU
2, rue Roger-Verlhomme
✆01 42 72 28 41
Site Internet : www.chezjanou.com – M° Chemin-Vert ou Bastille. Ouvert tous les jours, midi et soir. Menu : 14,50€ – au déjeuner. A la carte environ 30€ à 35€.
A deux pas de la place des Vosges, ce bistrot provençal est devenu une véritable institution dans le quartier. Spécialiste du pastis – quatre-vingt-cinq variétés sont proposées – à consommer avec modération, le restaurant vous emmène le temps d'un repas dans l'ambiance du Sud. Oliviers, affiches de Marcel Pagnol... tout ça sent bon la Provence. Pour déjeuner ou dîner au calme, réservez en deuxième partie de soirée, privilégiez la terrasse ouverte été comme hiver et laissez-vous tenter par le petit chèvre rôti au romarin, le carpaccio de thon, le bar grillé au pistou, la brandade de morue ou les rougets à la tapenade avant un fromage blanc de brebis au miel. Tendez l'oreille, vous les entendez les cigales ?

CHEZ JENNY
39, boulevard du Temple
✆01 44 54 39 00
Site Internet : www.chez-jenny.com – M° République. Ouvert tous les jours, midi et soir. Menus formules à partir de 14,80 €.
Depuis sa création en 1932, on ne peut que se féliciter de l'existence d'un haut lieu de la gastronomie alsacienne, respectant l'ambiance et la tradition d'une bonne brasserie populaire. Le cadre est exceptionnel : on passe de salle en salle ne sachant où porter le regard devant ce véritable petit musée local, décoré par le marqueteur Charles Spindler dont on retrouve les œuvres au fil des différents salons. A table, on se régale de spécialités du terroir, choucroutes variées en tête, que l'on accompagne de bons vins issus des sept cépages d'Alsace. On peut aussi opter pour un beau plateau de fruits de mer, car la maison dispose d'un large banc de l'écailler.

LE MURANO
13, boulevard du Temple ✆01 42 71 20 00
Site Internet : www.muranoresort.com – M° République ou Oberkampf. Ouvert tous les jours, midi et soir. A la carte, environ de 50 € à 60 €. Brunch le dimanche à 47 €.
Ce temple du design et de la branchitude n'est pas qu'un hôtel avec gadgets dernier cri : DVD, téléphone sans fil, écrans plasma, système de reconnaissance digitale à chaque chambre… Passée la sublime entrée et son immense canapé de cuir blanc, ce long feu de cheminée flamboyant, vous pénétrez dans le bar le plus tendance de la capitale avant de rejoindre la grande salle aux lumières changeantes. La cuisine désormais orchestrée par un nouveau chef, William Rollet, très orientée world-food, compte de nombreuses préparations au wok, des mélanges sucrés-salés et quelques plats régressifs comme les coquillettes aux truffes et jambon ibérique ou le chocolat frappé comme un milk-shake et mousse de lait.

LE PAMPHLET
38, rue Debelleyme ✆01 42 72 39 24
M° Filles-du-Calvaire. Fermé samedi midi, dimanche et lundi midi. Menu : 35 €.
Alain Carrère, le Béarnais, de retour depuis quelques mois dans ses murs après de longs mois de travaux, a retrouvé ses repères et rebâti une carte qui lui ressemble, à savoir composée de nombreux clins d'œil à son Sud-Ouest. Mais il sait aussi mitonner les beaux produits de notre pays comme le homard breton qu'il accompagne de pommes de terre et d'un jus de crustacés à l'estragon d'une élégante finesse. Alain est aussi à l'aise avec la viande qu'avec le poisson. On peut le suivre les yeux fermés quand il met en avant une sole dorée au beurre salé, comme on peut lui faire confiance quand il se lance dans la réalisation d'un jarret de cochon et foie gras. Accueil délicieux et cadre raffiné avec des poutres et des pierres apparentes comme souvent dans cette partie du Marais.

LE PETIT CURIEUX
16, rue des Filles-du-Calvaire
✆01 42 74 65 79
M° Filles-du-Calvaire. Fermé samedi et dimanche. Menus : 15 € et 19 € – au déjeuner –, 20 € et 25 € – au dîner.
Une adresse que l'on a envie de pousser du coude pour qu'elle vive ou survive parce que deux couverts à l'heure du déjeuner sur vingt-deux possibles, quand les brasseries voisines font le plein, ça ne peut pas durer. Ce serait mauvais, on comprendrait. Mais quand ça tient la route, que les prix sont serrés – 15 € au déjeuner – et que les vins sont judicieusement choisis – richaud, zusslin ou puig –, il n'y a pas de raison que ce ne soit pas complet. En attendant ce moment, on ne peut que vous inciter à pousser la porte de ce bistrot et goûter la cuisine de Marc. Après une onctueuse crème de sardines servie en amuse-bouche, on file vers les filets de sardines au vinaigre et basilic. C'est vivifiant, ça claque sur la langue. Y'aurait du rab qu'on en reprendrait. Ensuite, dos de porcelet caramélisé au sirop d'érable et purée de manioc, le tout servi avec un verre de touraine cuvée P'tit Tannique Coule Bien de Thierry Puzelat. Pour finir, le tiramisu arrive dans son bocal à foie gras. Souple comme un cabri, il fond en bouche et appelle naturellement le café.

LE PETIT DAKAR (SENEGALAIS)
6, rue Elzévir ✆01 44 59 34 74
M° Saint-Paul. Ouvert du mardi au samedi de 12h30 à 14h30 et de 19h30 à 23h. Formule déjeuner entrée + plat ou plat + dessert 15 €. A la carte environ 21 €.
Au coeur du Marais, la rue Elzévir est sans doute la rue la plus sénégalaise de Paris. Après rendu visite à la boutique africaine de la CSAO (Compagnie du Sénégal et de l'Afrique de l'Ouest) située juste en face, on vient s'attabler au Petit Dakar. Comme tous les bâtiments de cette rue, l'immeuble est classé au patrimoine mondial de l'Unesco. A l'intérieur, les murs badigeonnés d'orange et le mobilier coloré contrastent. Le salon qui donne sur cour rend hommage au boxeur sénégalais des années vingt, Battling Siki : photographies et fresques, rien n'y manque. Côté cuisine, la carte est réduite, mais les portions sont bien servies : pastels (chaussons) de poisson, mafé, poulet yassa, tiep bou dien, assiette de gambas ou poisson braisé. L'accueil est adorable et c'est l'une des «cantines» africaines de Youssou n'Dour.

LE RECONFORT
37, rue de Poitou ✆01 49 96 09 60
M° Saint-Sébastien-Froissart. Fermé le samedi midi et le dimanche midi. Menu : 16 € – au déjeuner. A la carte, environ de 30 € à 35 €.

Le menu, présenté dans de vieilles éditions de romans à l'eau de rose, vous propose une cuisine moderne et riche en saveurs. Après le clafoutis au bacon et champignons rôtis au chèvre ou le foie gras de canard maison en entrée, enchaînez avec la lotte rôtie au beurre d'ail ou la pastilla d'agneau, et ne faites pas l'impasse sur la divine purée maison à l'huile d'olive et aux olives concassées. En dessert, tentez la surprenante glace au gingembre ou le pink tiramisu à la framboise et à la griotte. Et, si c'est complet, filez au Beau Lounge juste à côté, il appartient au même propriétaire.

LE TEMPLE
87, rue de Turbigo
✆ 01 42 72 30 76
M° Temple. Ouvert tous les jours, midi et soir. Service continu de 12h à 23h. Menu : 13 € – au déjeuner. A la carte, environ 25 €.
Bienvenue en Corse ou plus précisément, bienvenue chez Rolande Susini originaire d'Ajaccio et de Sartène qui n'a pas son pareil pour nous parler de l'île de Beauté. Chez elle, évidemment, avec un chef corse, elle ne met en avant que les saveurs insulaires et en jouant la carte des grands classiques. Au menu, une assiette de charcuterie, des cannelonis au brocciu, de la figatelle, des tripes Corses bien moins connus que les Normandes mais bien plus spécifiques et délicieuses sans oublier le civet de sanglier et l'incontournable gâteau à la châtaigne qui vient clôturer ce festival. A noter, une particularité appréciable : les groupes sont acceptés jusqu'à 50 personnes. Idéal pour un anniversaire, par exemple…

XATO (ESPAGNOL)
19, rue des Commines
✆ 01 40 27 00 83
M° Filles-du-Calvaire. Fermé dimanche et lundi. Menus : 15 € et 19 €.
S'initier à la cuisine ibérique à Paris n'est pas chose facile tant le nombre d'adresses dignes de ce nom se compte sur les doigts d'une main. Il faut bien souvent faire le grand écart entre un étoilé respectable comme Fogon et un bar à tapas gentillet. Heureusement, Xato – prononcer Tchato – est arrivé avec ses petits prix et ses saveurs bien senties. Dans un décor moderne fait de rouge, de noir et de blanc, qui ne rappelle pas forcément les bodegas, Maria séduit ses premiers clients avec les grands classiques espagnols, comme le pan con tomate, la tortilla de patatas, gambas al ajillo – omelette de pommes de terre, gambas à l'ail –, les œufs brouillés au boudin noir et pignons de pin et un espuma de crème catalane, smoothies de fruits. Des débuts prometteurs qui offrent une nouvelle alternative aux aficionados de saveurs espagnoles.

4e ARRONDISSEMENT

L'AREA (LIBAN, BRÉSIL)
10 rue des Tournelles
✆ 01 42 72 96 50
Site Internet : www.lareaforever.com – M° Bastille Ouvert du mardi au dimanche jusqu'à 2h. Le Brunch de Lydie, le dimanche de midi à 15h. A la carte, compter entre 20 et 30 €.
Unique, à coup sûr, l'Area l'est. D'abord parce qu'Edouard et Lydie sont les seuls à pouvoir présenter une double carte libanaise et brésilenne, excellentes toutes les deux. Et pour cause : après le Liban et le Brésil, le maître des lieux a posé ces valises dans cette petite rue calme du Marais, à deux pas de la remuante place de la Bastille. Unique, surtout, parce que l'on trouve ici quelque chose que la clientèle d'habitués ne démentira pas : gaieté, décontraction, chaleur humaine… C'est que l'accueil et la générosité n'y sont pas des arguments de vente – comme trop souvent – mais une réelle façon de vivre : tout le monde, à l'Aréa, trouve sa place, et tant mieux si l'on se parle d'un peu plus près. Dans l'assiette, le Liban est simplement exquis : hoummos, moutabal, taboulé, rakakat entre autres pour l'entrée, chich taouk, chich kafta, grillades ou fassouleh (ce fameux cassoulet made in Beyrouth), pour la suite. Portions généreuses, saveurs parlantes. Des merveilles. Côté brésilien, vous opterez pour la feijoada nationale et bien d'autres rejouissances du même niveau. Et la soirée ne fait que commencer : un café et une caïpirinha – do Brasil ! –, en attendant que Stan, le colosse aux mains d'or, s'installe aux platines. 18 ans, maintenant que la fête et le voyage durent… Salâm ? Obrigado ?

ALIVI
27 rue du roi de Sicile
✆01 48 87 90 20
Site Internet : www.restaurant-alivi.com – M° Saint-Paul ou Hôtel-de-Ville. Ouvert tous les jours, midi et soir. Formule : 15 € – au déjeuner – Menu : 26 € – le soir. A la carte, environ entre 33 € et 49 €
Vous recherchez le charme de l'île de Beauté dans le Marais, Alain et Saveriu Cacciari se feront un plaisir de vous la faire découvrir. Vous serez bercés au rythme des chants corses dans une ambiance chaleureuse et sympathique. Le cadre aux pierres et poutres apparentes est rustique et la terrasse entourée d'oliviers est très agréable. L'équipe de L'Alivi vous fera connaître ses vins qui font la richesse de la Corse comme l'Alzipratu, le Fiumicicoli ou le Leccia. Pour apprécier toutes les saveurs insulaires, laissez-vous tenter par la Charcuterie issue du village du patron ou la Mousse de Coppa aux Poireaux. Continuez avec le millefeuille de Daurade et sa Polenta ou le filet de Loup farci au brocciu. Arrosez tout cela par la fameuse Pietra, bière Corse à la chataîgne. Et si le coeur vous en dit, terminez par un moelleux au chocolat servi avec une boule de glace au brocciu sans oublier un verre d'Acqua Vita di Corsica.

AUTOUR DU SAUMON (SCANDINAVE)
60, rue François-Miron
✆01 42 77 23 08
Site Internet : www.autourdusaumon.eu – M° Saint-Paul. Ouvert du lundi au samedi de 11h à 22h30, le dimanche jusqu'à 19h. Formules déjeuner 20 €. A la carte environ 35 €.
On sent presque les embruns charriés par le vent du Nord dans ce restaurant aux bleus océaniques. Alors, couvrez-vous et larguez les amarres sans hésitation en goûtant au passage du saumon sauvage pêché à la ligne en mer Baltique, du saumon encore d'Ecosse, des îles Shetland ou de Norvège, fumé ou mariné, du hareng, des taramas variés vendus en tube – kalles et bien sûr du caviar. Egalement service traiteur et vente à emporter. **Autres adresses :** 116, rue de la Convention 15e ✆01 45 54 31 16. M° Boucicaut – 3, avenue de Villiers 17e ✆01 40 53 89 00. M° Villiers.

BEL CANTO (ITALIEN)
72, quai de l'Hôtel-de-Ville
✆01 42 78 30 18
Site Internet : www.lebelcanto.com – M° Pont-Marie. Ouvert tous les jours uniquement au dîner. Menu : 76 €.
Insolite à Paris, mais aussi à Londres et à Neuilly-sur-Seine, le Bel Canto est un restaurant de dîners lyriques où tous les serveurs sont des chanteurs – ténor, baryton, soprano... – et interprètent les plus grands airs de Verdi, Mozart ou Puccini... De la joie et de la bonne humeur au programme, avec dans l'assiette une cuisine aux influences italiennes. Vous commencerez selon la saison par une tarte fine de chèvre et basilic, effeuillé de jambon de Parme ou par une salade Opéra à base de roquette, pointes d'asperges et copeaux de Grana. Quant au plat, vous opterez soit pour un risotto crémeux aux écrevisses, infusion de crustacés, bouquet de roquette ou pour un dos de cabillaud au beurre citronné, poêlée de fenouil braisé. Pour finir, et toujours en musique, laissez-vous séduire par un bavarois aux fruits rouge saveur barbe à papa, et n'oubliez pas d'applaudir les serveurs et le contenu de vos assiettes.

BENOIT
20, rue Saint-Martin
✆01 42 72 25 76
Site Internet : www.benoit-paris.com – M° Châtelet ou Hôtel-de-Ville. Ouvert tous les jours, midi et soir. Menu : 38 € – au déjeuner. A la carte, environ de 45 € à 75 €.
Fondé en 1912, le restaurant Benoît est un bistrot parisien bien typique, tenu jusqu'en 2005 par la famille Petit avant qu'il ne passe dans le giron du chef, Alain Ducasse. Tout a été préservé et heureusement. Ce qui permet de s'encanailler avec une cuisine de bistrot, mais revue et corrigée façon Ducasse. Dans le texte et sous les papilles ça donne pour débuter, foie gras de canard confit, brioche toastée ou un sublime pâté en croûte maison. Dans la foulée, on enquille avec un sauté de ris de veau, crêtes et rognons de coq, foie gras et jus truffé, avant de craquer pour un authentique millefeuille à faire pâlir de jalousie quelques pâtissiers.

BISTROT MARGUERITE
1, place de l'Hôtel-de-Ville
✆01 42 72 00 04
M° Hôtel-de-Ville. Ouvert tous les jours, midi et soir. Menus : 16,50 € – au déjeuner – et 24,50 €. A la carte, environ de 25 € à 35 €.
Avec sa belle terrasse face à la Seine et à l'Hôtel-de-Ville, le Bistrot Marguerite bénéficie d'un cadre exceptionnel. Ce café-restaurant à la décoration très actuelle reste très classique dans sa carte : pavé d'Aubrac et aligot, saumon poché aux légumes et pistou, traditionnels confits de canard et tartare haché et préparé à la commande, pizzas, rien que du bon ! Les plus affamés pourront se régaler d'une côte de bœuf de 1 kg à se partager à deux. D'agréables desserts, comme la salade d'ananas au citron, pour terminer sur une note légère, ou la tartelette aux pommes et à la cannelle pour un final plus gourmand.

BISTROT DE L'OULETTE
38, rue des Tournelles
✆01 42 71 43 33
Site Internet : www.l-oulette.com – M° Bastille ou Chemin-Vert. Fermé le samedi midi et le dimanche. Menus : 13 € et 17 € – au déjeuner – et 26 € et 34 € – au dîner.
Annexe bistrotière du restaurant de l'Oulette, situé

au cœur de Bercy, le Bistrot de l'Oulette propose une cuisine créative, inspirée des terroirs du Sud-Ouest, en s'autorisant cependant quelques écarts picorés dans d'autres régions. Vous pourrez donc commencer par une terrine de tête de cochon aux herbes et au foie gras, mais dans la foulée vous n'êtes pas obligé de craquer pour le cassoulet. Vous pouvez, sans complexe, oser un plat plus léger comme la poêlée de supions aux épices douces. Même chose pour le dessert, direction le Sud-Ouest avec la croustade aux pommes caramélisées, granité à l'armagnac ou moins riche, la soupe de chocolat blanc et son sorbet framboise.

BOFINGER
5-7, rue de la Bastille
✆01 42 72 87 82

Site Internet: www.bofingerparis.com – M° Bastille. Ouvert tous les jours, midi et soir. Menu: 31,50 €. A la carte, environ de 45 € à 55 €.

Etablie en 1864, cette belle brasserie à la décoration Belle Epoque – marqueterie Panzani, verrière de Néret et Royer, banquettes de cuir et cuivres – est l'un des grands classiques du quartier. Première grande brasserie alsacienne de la capitale, première à servir de la bière pression à ses clients, Bofinger a su fidéliser une clientèle très parisienne. On y vient aujourd'hui avant tout pour sa choucroute de mer – lotte, saumon, haddock, quenelles, langoustines –, mais aussi pour sa bouillabaisse ou son carré d'agneau persillé, qui viennent après la salade de homard aux légumes nouveaux, et avant le tartare de fruits frais ou le sablé au beurre salé.

MA BOURGOGNE
19, place des Vosges
✆01 42 78 44 64

M° Bastille ou Chemin-Vert. Ouvert tous les jours, midi et soir. Menu: 35 €. A la carte, environ de 35 € à 45 €.

Sous les arcades de la place des Vosges, Ma Bourgogne est l'un des bistrots-bars à vins les plus célèbres de Paris. Repère de touristes avertis et de grands connaisseurs de vins, l'établissement a reçu de nombreuses récompenses. Sa carte des vins est exemplaire avec de nombreux crus du Bordelais, de Bourgogne et des Côtes-du-rhône, et chaque semaine une sélection de petits producteurs, véritables petites merveilles. Pour accompagner le divin nectar, le patron propose une cuisine de bistrot de belle qualité, avec comme spécialité le tartare et quelques classiques – tripous, andouillette, petit salé... Ce samedi midi, notre trio se régala d'un poulet fermier, d'un hachis Parmentier et d'une sole, et de vins au verre qui firent l'unanimité, et qui, de fil en aiguille, se transformèrent en bouteille...

CHEZ CLEMENT BASTILLE
21, boulevard Beaumarchais
✆01 40 29 17 00

Site Internet: www.chezclement.com – M° Bastille Service continu 7j/7. Formule à 14 €, menu à 23 €. Plateaux de fruits de mer Clément à partir de 28 €. Carte aux environs de 30 €.

L'ancien Enclos de Ninon devenu depuis mars 1998 chez Clément Bastille reste un lieu chargé d'histoire. Situé à deux pas de la place de la Bastille et de l'Opéra, ce restaurant décline différentes atmosphères. Vous vous sentirez dépaysé dans le salon des thés, et le salon Jean de La Fontaine saura vous surprendre par sa décoration insolite. Les plats du rôtisseur à 19,50 €, spécialités de Chez Clément, comportent quatre viandes ou quatre poissons et sont accompagnés de purée maison au beurre ou de véritables pommes Pont-Neuf.

LA CANAILLE
4, rue Crillon ✆01 42 78 09 71

Site Internet: www.lacanaille.fr – M° Sully-Morland. Fermé le samedi midi et le dimanche. Menus: 14,50 € et 18 € – au déjeuner –, 29,80 € – au dîner.

Ici, on aime les vins, les expos et le bien manger. Les vins justement, ce bistrot a la bonne idée de recevoir régulièrement des vignerons qui peuvent, le temps d'un repas, faire déguster leurs vins servis en harmonie avec les plats conçus par Jean-Pierre Crouzet. Dernièrement, Catherine et Pierre Breton étaient de passage avec leurs vins de Loire, vouvray, bourgueil et chinon. Et quand on connaît la qualité de leurs crus, leur attachement à produire en respectant la terre et la vigne, on se dit que décidément Jean-Pierre a du goût. Mêmes compliments pour les expositions qui se succèdent et pour l'assiette, canaille à souhait, comme en témoigne notre dernier repas, pain perdu aux courgettes, champignons, olives noires et crème de Parmesan, suivi d'un dos de lieu jaune, crème au vinaigre balsamique et tombée d'épinards, pour terminer par un cake banane et chocolat.

CHIARO DI LUNA (ITALIEN)
8, rue de Jouy ✆01 42 78 38 66

M° Saint-Paul. Ouvert tous les jours, midi et soir. Menu à 14 € – au déjeuner. A la carte, environ de 35 € à 45 €.

Qu'il est bon de flâner dans une rue et de se retrouver face au paradis italien où les saveurs se mêlent avec justesse et sensualité... La chaleur des murs épais et la vue sur un jardin, qui aurait pensé trouver ce lieu caché où l'accent italien se marie si bien avec les assiettes ? Les antipasti tous plus succulents les uns que les autres, les primi piatti, un choix impressionnant de pâtes savoureuses faites maison uniquement, et les secondi piatti, des médaillons de veau à toutes les sauces. Enfin, entre tiramisu et panna cotta, c'est la gourmandise du moment qui choisira. Raffinement et couleurs des plats ! Pour finir, le café vous sera servi dans la plus pure des galanteries avec de jolis chocolats ou ses délicats biscuits.

LE COIN DES ARTISTES
19, boulevard Bourdon ✆ 01 42 74 42 48
M° Bastille. Fermé tous les soirs sauf le dimanche et fermé le samedi midi. Menus : 15 € et 19 € – au déjeuner. A la carte, environ de 25 € à 30 €.
Ce Coin des Artistes est le bienvenu, sur ce boulevard Bourdon où dénicher une adresse digne de ce nom pour se restaurer était devenu quasiment mission impossible. On a donc affaire à un petit bistrot de quartier tout beau tout neuf qui tient les prix pour qu'ils ne s'envolent pas, et on ne va pas s'en plaindre. Pensez donc, 6 € le velouté de brocolis carottes, 7 € l'œuf en gelée au saumon, quelques € de plus pour un confit de canard et ses pommes sautées et une poignée de petite monnaie pour un très bon paris-brest. Que demander de plus ?

LES COTELETTES
4, impasse Guéménée ✆ 01 42 72 08 45
Site Internet : www.lescotelettes.com – M° Bastille ou Saint-Paul. Fermé samedi midi, dimanche et lundi. Menu : 15 € – au déjeuner. Carte : environ de 35 € à 45 €.
Un bistrot qui se niche dans une impasse qui porte le nom d'une andouille, avouez que ça donne envie de passer à table. D'ailleurs, de l'andouille, y'en a aujourd'hui ? Non, mais de l'andouillette oui, et 5A s'il vous plaît, pour Association Amicale des Amateurs d'Andouillette authentique. Voilà le mot qui sied le plus à ce bistrot… authentique. Il suffit de jeter un coup d'œil sur le mobilier, on comprend qu'ici on ne fait pas dans le lounge… et dans l'assiette non plus d'ailleurs. Harengs pommes à l'huile, fricassée de petits gris, pain perdu façon pudding… ce n'est pas révolutionnaire, mais quand c'est bien mitonné on ne se plaint pas et on en fait sa cantine dans le quartier. Vous habitez à l'autre bout de Paris ? prenez votre Véli'b, ces quelques efforts seront récompensés par un large sourire et des nourritures qui vous remettront en selle pour le retour.

LE COUDE FOU
12, rue du Bourg-Tibourg ✆ 01 42 77 15 16
Site Internet : www.lecoudefou.com – M° Hôtel-de-Ville. Ouvert tous les jours, midi et soir. Menus : 16,50 € et 19,50 € – au déjeuner – et 25 € – au dîner. A la carte, environ de 30 € à 40 €.
Une adresse de quartier dont la réputation commence à s'étendre. Le troquet est convivial, parfois un peu agité, mais l'on y est toujours bien accueilli et bien servi ! La carte oscille entre une cuisine traditionnelle et généreuse et quelques spécialités tendance. Même les grands classiques, revisités ou agrémentés d'épices, prennent un sacré coup de jeune sans être dénaturés. Ainsi le pot-au-feu du jour testé le jour de notre passage. Sur le menu, souris d'agneau, ris de veau, filet de rascasse en bouillabaisse. Le choix est vaste et varié. Dans l'assiette, la qualité et le goût sont au rendez-vous. La carte des vins est assez ingénieuse et permet aux clients de se repérer et d'apprendre davantage sur les crus qui se laissent boire avec plaisir.

LE CURIEUX - SPAGHETTI-BAR
14, rue Saint-Merri ✆ 01 42 72 75 97
Site Internet : www.curieuxspag.com – M° Hôtel-de-Ville ou Rambuteau. Ouvert tous les jours, midi et soir. Menu : 13,50 €. Brunch le samedi et le dimanche : 26 €.
C'est l'une des adresses les plus décalées du quartier avec ses murs recouverts de papiers peints plutôt étonnants, car changeants, cerise sur le gâteau. Ses grands lustres clinquants au plafond et ses objets de décoration psychédélique. Et dans les assiettes, surprise également avec une carte d'inspiration italienne, mais quelque peu détournée. Les spaghettis sont à l'honneur, comme on peut l'imaginer en lisant le nom du restaurant, mais d'autres spécialités ont aussi leur mot à dire, comme les bruschettas, notamment celle à la crème d'olives et tomates séchées, les planches de charcuteries et de fromages italiens, et aussi quelques poêlées préparées au wok dont une excellente aux légumes et poulet. S'il se passe toujours quelque chose dans l'assiette, c'est aussi globalement le cas dans la salle ou derrière le bar avec, par exemple, ce concept d'happy-hour avec une formule maxi mojito et pizza.

DANS LE NOIR
51, rue Quincampoix ✆ 01 42 77 98 04
Site : www.danslenoir.com – M° Rambuteau. Ouvert tous les soirs et au déjeuner, uniquement le samedi. Menus : 38 € et 44 €. Brunch le dimanche : 32 €.
Si vous êtes à la recherche d'expériences inédites, courez vers ce restaurant dont le concept est de plonger ses invités dans l'obscurité totale. Vous choisirez entre quatre menus : blanc pour celles et ceux qui ne veulent rien choisir et laisser leur palais deviner pour eux, vert pour les végétariens, bleu pour les amateurs de saveurs marines et rouges pour les carnivores. A vous ensuite dans le noir de deviner ce que vous avez dans l'assiette, et croyez-nous, ce n'est pas aussi simple que vous pourriez le croire, d'une part pour donner la liste des ingrédients de chaque plat, mais aussi et surtout pour porter la fourchette à votre bouche.

DELYAN
8, rue Saint-Martin ✆ 01 42 78 35 50
Site Internet : www.delyan.fr – M° Châtelet. Fermé le soir. Menus : 8,20 € et 9,20 €. A la carte, environ de 10 € à 15 €.
C'est un concept et nous, on adore. Qu'est-ce que c'est ? un bar à thés qui fête cette année son premier anniversaire. Avec un cadre qui ressemble comme deux gouttes d'eau à votre appartement, canapés, fauteuils club, bibliothèque, ce Delyan a de l'allure et l'on s'y pose facilement pour boire un thé bio – une trentaine de références –, grignoter des pâtes chaudes en sauce – tortellinis farcis à

la ricotta –, avaler une salade Kenza – dattes, noix, Parmesan, tomates cerise et laitue – idéale pour les végétariens ou Solveig – saumon, Saint-Moret, fines herbes, concombre, laitue et pommes de terre. Les cookies de Romain ou le cheesecake de Yann sont incontournables, et ils ont ce petit quelque chose qui change tout quand on les déguste en terrasse au pied de la tour Saint-Jacques enfin rénovée.

LE DOME DU MARAIS
53 bis, rue des Francs-Bourgeois
✆ 01 42 74 54 17
Site Internet : www.ledomedumarais.fr – M° Rambuteau ou Hôtel-de-Ville. Fermé le dimanche et le lundi. Menus : de 36 € à 65 €. A la carte, environ de 55 € à 65 €.

Atmosphère chic et bourgeoise au Dôme, installé dans l'ancienne chapelle du Mont-de-Piété et dont le décor plutôt insolite à Paris est un vrai bijou d'architecture. Le chef affectionne la cuisine du marché et ne travaille que les produits de saison, ce qui l'amène à faire bouger sa carte très régulièrement ! On ne peut que vous encourager à goûter la raviole fraîche aux champignons sauvages, le carrelet rôti aux noisettes, pompadour écrasées et chanterelles et le millefeuille vanillé, sorbet pruneau à l'armagnac, mais peut-être que lors de votre passage, le chef aura tout changé. N'ayez crainte, ce sera sans aucun doute aussi délicieux que lors de notre passage.

L'ENOTECA (ITALIEN)
25, rue Charles-V ✆ 01 42 78 91 44
Site Internet : www.enoteca.fr – M° Saint-Paul ou Sully-Morland. Ouvert tous les jours, midi et soir. Menus : 30 € et 45 €. A la carte, environ de 35 € à 45 €.

La carte des spécialités change toutes les semaines et propose des plats typiquement italiens, comme des fondants cannellonis à la ricotta, brocolis et tomates séchées ou encore un osso-buco de lotte à la pancetta et aux champignons des forêts. Les desserts ne sont pas mal non plus, et le tiramisu est vraiment délicieux. Mais c'est aussi – et même, pour certains, surtout ! – pour sa carte des vins italiens, très recherchée et souvent renouvelée que la place est renommée. Le service est un peu rapide, mais quelques verres de vin blanc accompagnés de porchetta à la romana vous aideront à oublier l'humeur changeante du patron.

FIN GOURMET
42, rue Saint-Louis-en-L'Ile ✆ 01 43 26 79 28
Site Internet : www.lefingourmet.fr – M° Pont-Marie ou Sully-Morland. Fermé le lundi et le mardi. Menus : 20 € – au déjeuner –, 28 € et 36 €.

David et Yohann fêtent en 2009 leur quatrième année de présence sur l'île Saint-Louis, et nous sommes ravis que leur bistrot au décor mixant contemporain et classique, tableaux de jeunes artistes côtoyant poutres apparentes, pierre de taille et cave voûtée, ait trouvé son public. La cuisine, qui marie avec goût tradition et créativité, n'utilise que des produits du marché. Les entrées, cake aux légumes et jambon Serrano, tartare de gambas marinées, avocat et piquillos, comme les plats, dos de cabillaud laqué au miel et balsamique, poêlée de champignons ou choucroute de haddock aux deux choux sont joliment exécutés. Au final, on aime la régularité de cette adresse avec un coup de cœur pour certains desserts, notamment les oreillons d'abricots poêlés aux épices et sablé à la vanille.

LE GAI MOULIN
10, rue Saint-Merri ✆ 01 48 87 06 00
Site Internet : www.le-gai-moulin.com – M° Rambuteau. Ouvert tous les jours, midi et soir. Menus : 12,90 € et 16,90 € – au déjeuner – et 21,90 € – au dîner.

Institution du Marais, Le Gai Moulin est tenu de main de maître par le désormais célèbre Christophe Moulin, également chanteur. L'adresse bien qu'exiguë, rassemble des gourmets dans une belle ambiance, tricotée par les petites phrases douces et parfois moqueuses du patron, et les tables serrées poussent à la conversation entre voisins. Côté carte, place à une cuisine classique et généreuse, avec notamment en entrée la raviole aux neuf fromages, le magret de canard à l'orange ou la paupiette de veau façon grand-mère en plat, et le fromage blanc à la crème de marron pour couronner le tout. Une adresse qui respire la bonne humeur.

MON VIEIL AMI
69, rue Saint-Louis-en l'Ile ✆ 01 40 46 01 35
Site Internet : www.mon-vieil-ami.com – M° Pont-Marie. Fermé lundi et mardi. Menu : 41 €.

Vous l'avez entendu, lu, vu, il faut manger cinq fruits et légumes par jour. Tu parles Charles, pas facile à mettre en application au quotidien, sauf chez Mon Vieil Ami qui a l'art et la manière de mettre les légumes sur la plus haute marche du podium. Alors certes, y venir tous les jours, vous ramène le kilo de fruits et de légumes vers des sommes stratosphériques et ce n'est pas le but du jeu. L'idée est plutôt de venir de temps à autre et piquer ici et là des idées au chef, Frédéric Crochet, qui cuisine comme personne les navets, les petits pois, les blettes, la rhubarbe ou le pamplemousse. Chez lui, le légume attaque d'entrée. Il ne vous propose pas une côte de cochon rôtie et jambon de Bayonne avec sa fricassée de pommes de terre grenaille. C'est l'inverse, c'est le légume qui donne le La. Si vous n'aimez pas les asperges blanches, passez à la ligne suivante. Tiens, encore des asperges, mais vertes cette fois, avec un carré d'agneau rôti, quelques fèves, tomates et olives. Mais avant, vous me mettrez une soupe froide de petits pois à la noix de muscade et gambas rôties. Et après, on s'étonne que les légumes oubliés ne le soient plus. C'est grâce à des chefs comme Frédéric Crochet, et on ne peut que le féliciter.

SAMARKAND (OUZBEK)
16, rue de Jouy ✆ 01 42 77 08 36
Site Internet : www.resto-samarkand.com – Fermé le dimanche et le lundi midi. Menus : 13,50 € au déjeuner, 25 € et 29,50 € au dîner.
Caché dans une petite rue derrière l'hôtel de ville, ce lieu incontournable des amoureux de l'Ouzbekistan a été façonné par Barbur Ismaïlov, plus grand décorateur de Tachkent, capitale de ce grand pays d'Asie centrale. Devanture bleue et tapis rappellent les medersas et les tchaikhanas – maisons de thé – de la ville de Tamerlan. Dans l'assiette, un must : les samsas, excellents beignets aux épinards ou à l'agneau. On y apprécie aussi des spécialités comme les mantis – grands raviolis à l'agneau cuits à la vapeur –, l'hanoum – lasagnes fourrées à l'agneau et aux pommes de terre – et le bibi khanum, une mousse aux fruits rouges qui vient agréablement conclure ce repas inédit. Le troisième lundi de chaque mois, le Samarkand organise des rendez-vous culturels autour de l'Asie centrale. A découvrir absolument, et sur réservation !

LES SOMMETS DE L'HIMALAYA
73, rue Saint-Martin Tel. 01 44 59 37 76.
M° Rambuteau Ouvert tous les jours de 12h à 15h et de 19h à 23h. Formules à 8,50 et 12 et 13,50 € le midi et à 15,19 et 22 € (midi et soir). A la carte environ 19 €.
Montagne magique, l'Himalaya fait rêver et ce restaurant indien tente avec un certain succès de nous y transporter au sommet avec une cuisine haute en saveurs dans laquelle les épices jouent avec justesse leur rôle. En entrée, la raita yaourt au concombre et épices et la soupe de lentilles aux épices précèdent une dizaine de currys à l'agneau ou au poulet accompagnés, au choix, d'oignons, de poivrons, de sauce tomate, d'aubergines et d'épices, de noix de coco, de raisins secs ou de légumes. Ceux au poisson ou aux crevettes sont servis avec menthe fraîche et épices, coriandre, oignons, poivrons et sauce tomate. Egalement des byrianis – plats à base de riz.

LE TASTEVIN
46, rue Saint-Louis-en-l'Ile
✆ 01 43 54 17 31
Site Internet : www.letastevin-paris.com – M° Pont-Marie ou Saint-Paul. Fermé le lundi midi. Menus : de 38 € à 67 €.
Situé au cœur de l'île Saint-Louis, Le Tastevin se niche dans une maison datée de 1620. Tenue avec une régularité sans faille depuis plus de vingt ans par la délicieuse Annick Puisieux, cette table, au décor de charme quelque peu rustique, vous sert une cuisine française traditionnelle : entrecôte flambée au thym taillée dans du bœuf de Salers avec sa moelle et ses petites pommes de terre sautées, mais aussi fricassée de langoustines, salade de foie gras ou feuilleté aux morilles. Les glaces sont évidemment fournies par le voisin Berthillon, mais vous pouvez aussi opter pour un fondant au chocolat ou des généreuses profiteroles au chocolat.

LE TRUMILOU
84, quai de l'Hôtel-de-Ville
✆ 01 42 77 63 98
M° Hôtel-de-Ville. Ouvert tous les jours, midi et soir. Menus : 16,50 et 19,50 €. A la carte, environ 30 €.
Cet établissement style «province à Paris» semble comme insensible au temps qui passe. Lustres, banquettes en moleskine rouge, casseroles en cuivre accrochées au mur, le décor est là, planté, entretenu dans son jus. On aime le côté désuet de cette table où la tradition n'a que du bon. Difficile de ne pas ouvrir les festivités avec un pounti du Cantal et de ne pas poursuivre avec une des spécialités maison : le canard aux pruneaux. Mais vous pouvez aussi sans crainte, choisir entre le carré d'agneau persillé, l'andouillette à la moutarde, la tête de veau sauce gribiche ou les ris de veau grand-mère. Que du bonheur pour les papilles. Après la crème caramel ou les œufs en neige, on en redemanderait presque. Forcément, on a une certaine tendresse pour ce genre de maison.

LA VICTOIRE SUPREME DU CŒUR
27-31, rue du Bourg-Tibourg
✆ 01 40 41 95 03
Site Internet : www.vscoeur.com – M° Hôtel-de-Ville. Ouvert tous les jours, midi et soir. Menus : 21,90 € et 27,90 €. Brunch le dimanche.
Ce véritable restaurant végétarien autrefois installé dans le 1er arrondissement a pris ses quartiers à deux pas de l'Hôtel-de-Ville. La recette reste la même : une cuisine végétarienne inventive, entièrement faite maison avec des produits frais et sans OGM. Du bavarois d'avocat safrané aux ravioles de légumes verts, du risotto aux shitakés et tofu fumé à la cocotte de seitan aux girolles avec riz au jasmin, en passant par le carpaccio d'ananas au gingembre, le choix est large. Côté boissons, à vous de choisir entre la boisson froide au thé vert miel gingembre citron vert et le jus de carottes pressé minute. Idéal pour qui veut manger sain et bien.

LE VIN DES PYRENEES
25, rue Beautreillis
✆ 01 42 72 64 94
M° Saint-Paul ou Bastille. Fermé le samedi midi. Menu : 14,50 € – au déjeuner. A la carte, environ de 35 € à 45 €. Brunch le dimanche à 26 €.
Une ambiance qui n'en démord pas, et qui croit dur comme fer que la vie est belle, même quand elle est un peu moche ! Si, si… Il faut dire qu'Olivier, à la tête d'une jolie équipe – de filles… –, dépense une énergie dingue à servir vite ceux qui sont pressés, à faire rire ceux qui en ont besoin, à retenir encore ceux qui ont envie de traîner. Sur la carte, les indéboulonnables ravioles du Royans à la crème, Parmesan et ciboulette, la côte de bœuf pour deux

personnes, et quelques nouveautés de saison, tels la cassolette de poivrons marinés, chèvre frais au thym pour commencer et le filet de bar, légumes au wok, sauce au sésame ou encore le suprême de poulet fermier, haricots verts croquants, crème de noisette. Et ce toujours servi dans la bonne humeur générale !

5e ARRONDISSEMENT

AGAPES
47 bis, rue Poliveau
✆ 01 43 31 69 20
M° Saint-Marcel. Fermé dimanche soir et lundi. Menus : de 16 € à 33 €.
Jusqu'en septembre dernier, ce restaurant aux allures d'auberge avec poutres apparentes, se nommait L'Equitable. Fin d'une époque, place aux Agapes orchestrées par Frédéric Naulleau qui a travaillé par le passé à L'Apicius de Jean-Pierre Vigato et chez Alain Senderens. Si la cuisine du chef précédent avait l'art de charmer nos papilles, celle de Frédéric l'est tout autant en surfant sur le terroir et les plats canailles qui incitent à ripailler. Escargots au lard en crépinette sur un bouillon de persil, rognons de veau et légumes, et riz au lait au caramel laitier résument parfaitement le positionnement culinaire voulu par le maître des fourneaux. Et personne ne s'en plaindra.

L'AOC
14, rue des Fossés-Saint-Bernard
✆ 01 43 54 22 52
Site Internet : www.restoaoc.com – M° Cardinal-Lemoine ou Jussieu. Fermé dimanche et lundi. Menus : 21 € – au déjeuner – et 32 €.
Après huit ans de bons et loyaux services, le décor de l'AOC a été entièrement revu. La rôtissoire est désormais mise en valeur par un mur carrelé, le plancher a remplacé le carrelage, du bois clair est venu se poser sur une partie des murs des salons, du marbre redonne du peps au bar et de larges baies vitrées apportent un peu plus de clarté. Quant à la devanture, elle passe d'une couleur crème à un gris taupe. Mais n'ayez crainte, pour le reste, rien n'a changé. Sophie et Jean-Philippe Lattron sont toujours à la barre de cette ambassade carnassière, le poisson rouge Bidule est dans son bocal et la carte fait encore la part belle aux produits de notre terroir. Comment pourrait-il en être autrement quand on sait que Jean-Philippe est fils, petit-fils et arrière-petit-fils de boucher. La viande, il connaît. Et quand il vous conseille une longe de porc Ibaïona de chez Ospital, un poulet fermier à pattes noires de Montargis, un jambon de truie des Pyrénées de Ramon Arrosagaraï ou une côte de bœuf des pâturages Irlandais, vous pouvez lui faire confiance et manger les yeux fermés. Même principe chez Sophie. Si elle vous dit que le condrieu de chez André Perret se déguste un genou à terre, vous pouvez la croire. A l'AOC, vous êtes chez des connaisseurs du solide et du liquide.

LES AROMES
26, boulevard Saint-Germain
✆ 01 43 26 73 22
M° Maubert-Mutualité. Ouvert tous les jours, midi et soir. Menu : 16 € – au déjeuner. A la carte, environ de 25 € à 35 €.
Dans un cadre aux murs de pierres crème et aux tables marron, ce restaurant a tout pour réussir. L'accueil d'abord, fort cordial et professionnel, en plus d'être souriant. La carte ensuite, qui change en fonction des marchés. Le menu du jour est très honorable, la blanquette de veau fut servie de manière tout inédite, presque à la façon d'un dessert, avec un riz rouge et des morceaux de viandes délicatement nappés d'une sauce inoubliable. Les frites accompagnant le steak traditionnel du déjeuner parisien furent, elles, sans équivalent. Les profiteroles maison se défendent tout aussi bien. Pour le reste, c'est une carte assez traditionnelle, mais l'assiette a toujours ce petit plus, en saveurs et à l'œil, qui ravit.

L'ATELIER MAITRE-ALBERT
1, rue Maître-Albert
✆ 01 56 81 30 01
Site Internet : www.ateliermaitrealbert.com – M° Maubert-Mutualité ou Saint-Michel. Fermé le samedi midi et le dimanche. A la carte, environ de 37 € à 62 €.
Cet atelier donne envie de prendre son temps. On pourrait se contenter de réserver, d'entrer, de s'asseoir, d'apprécier les chipirons farcis autour du raisin, la brochette de lotte et ses carottes fondantes et conclure par une terrine de pamplemousse et sa sauce au thé. Le moment serait agréable et le souvenir ancré pour quelques mois dans notre mémoire gustative. Mais L'Atelier dégage autre chose, incite à la flânerie du côté de la vinothèque où l'on peut passer de longues minutes à admirer les étiquettes de condrieu signé Jean-Luc Colombo ou de gevrey-chambertin de Jean-Louis Trapet. Un verre entre les mains, on décale le passage à table pour se faufiler dans le salon, rien ne presse. Le saint-romain de Joseph Drouhin mérite une certaine attention. Et puis, les parfums d'une volaille fermière rôtie et sa pomme purée viennent nous taquiner les narines. C'est un signe. Au fond de la salle, à l'opposé de la cheminée, le chef, Emmanuel Monsallier, a les yeux fixés sur la rôtissoire. Il surveille comme le lait sur le feu la cuisson du saint-pierre à la broche et ses endives à l'orange, qui elles, mitonnent dans une cocotte. Non loin de là, les bocaux des desserts du chariot d'antan attendent leur heure. C'est décidé, on va prendre notre temps.

LE BAR A HUITRES
33 rue Saint-Jacques
✆01 44 07 27 37
Site Internet : www.lebarahuitres.com – M° Cluny-La Sorbonne ou Saint-Michel Ouvert tous les jours. Menus : 18,50 € au déjeuner, 20,90 et 25,90 €. Plateaux de fruits de mer, de 34 à 99,50 €.
Le bar à huîtres propose comme son nom l'indique, une large gamme de fruits de mer et de poissons. Avec sa décoration de restaurant de bord de plage, les amoureux des saveurs iodées seront à leur place : tout est extra-frais, selon arrivage. On commande les poissons au gré de ses envies – grillés, pochés, poêlés, à la vapeur… –, les huîtres sont fantastiques et les crustacés admirables. Ouvert tard, on y dîne à toute heure et si l'on n'a pas envie de déguster sur place mais chez soi, on peut commander son plateau de fruits de mer et l'emporter. Que demander de plus ?
Autres adresses : 33 bd Beaumarchais (3e) ✆ 01 48 87 98 92 • 112 bd Montparnasse(14e) ✆ 01 43 20 71 01 • 69 av de Wagram (17e) ✆01 43 80 63 54

BARBECUE KOREAN MILAL (COREEN)
6, rue Thouin
✆01 43 29 88 88
Site Internet : www.restaurant-coreen-milal.fr – M° Cardinal-Lemoine ou Place-Monge. Fermé dimanche. Menus de 10€ à 14,50€ – au déjeuner – et de 20€ à 30€. – le soir. A la carte : Barbecue, marmite ou Bibimbap à partir de 13€
Plats chauds ou froids, relevés ou végétariens, tout est précisé et le chef s'adaptera à toutes vos envies ! Les entrées sont copieuses et les plats sont très variés. On choisit très souvent le menu Barbecue car il nous fait découvrir plusieurs saveurs et mets coréens – salade maison, raviolis grillés faits maison, galettes de soja, un plat de trois viandes ou de fruits de mer accompagnés d'un Bibimbap. Au dessert, le tiramisu au thé vert est à goûter absolument avant de terminer le repas par un Hwayo – digestif coréen – ou par une infusion coréenne aux différentes vertus. L'accueil est charmant.

BISTROT EN VILLE
75 bis, rue Monge
✆01 43 31 04 81
M° Place-Monge. Ouvert tous les jours. Menu : 14,90 € au déjeuner. A la carte, compter de 20 à 25 €.
L'ancienne Chope de Monge s'est muée en un Bistrot en Ville grâce à Philippe Lévêque, qui excusez du peu, a travaillé 18 ans aux côtés de M. Vigato à l'Apicius. La décoration colorée fait du Bistrot en Ville un abri indispensable lors des longs mois de grisaille hivernale. Formé à l'école de la fraîcheur, Philippe propose une carte où tous les plats sont préparés en fonction du marché et adaptés… à la météo ! On vous servira par exemple un pot-au-feu durant l'hiver et une salade bien fraîche aux premières canicules. L'un des succès de l'endroit est incontestablement l'assiette du Bistrot en Ville, pour les amoureux des tapas avec, au programme, beignets de crevettes, brochettes au chorizo, fritures d'éperlans… Pour les autres, club sandwich ou blanquette de veau offrent de quoi se régaler. Et, à l'heure de l'apéritif, vous opterez pour l'assiette et le pot lyonnais (15 €), que vous accompagnerez volontiers d'un vin de propriété, choisi parmi la belle sélection qu'offre la carte en la matière.

BOLLYWOOD LOUNGE (INDIEN)
57, rue Galande ✆01 43 26 25 26
Site Internet : www.bollywoodloungeparis.com – M° Cluny-La-Sorbonne ou Maubert-Mutualité. Ouvert tous les jours, midi et soir. Menus : 22€ et 25,50€.
Le Bollywood Lounge : une sorte d'ovni dans le petit monde de la restauration indienne à Paris, qui bouscule les genres avec bonheur en mélangeant tradition et tendance, et en fusionnant cuisine, musiques, danses, lumières chaudes et cocktails épicés. Installé sur un siège aussi douillet que coloré, vous voilà transporté vers un ailleurs en plein cœur de Paris pour une vraie fête des sens ! La cuisine est parfaitement maîtrisée et se veut très respectueuse d'un savoir-faire millénaire et de la diversité régionale de l'Inde, souvent méconnue. Pas d'accommodation des plats à l'occidentale, mais au contraire une invitation à la découverte des épices et des parfums originaux. On vous conseille les onctueuses brochettes d'agneau aux épices douces et à la coriandre ou encore les beignets de crevettes à la coriandre et au cumin et toutes les préparations à base de légumes et de lentilles indiennes. Le bar à cocktails peut constituer une entrée en matière, la soirée se poursuit les jeudi et vendredi soir sur des musiques et des danses traditionnelles, et les samedis avec un DJ Live. Un esprit «masala» selon le concepteur qui rencontre un vrai succès.

EL BURRO BLANCO (ESPAGNOL)
79, rue du Cardinal-Lemoine
✆01 43 25 72 53
Site Internet : www.burroblanco.fr – M° Cardinal-Lemoine. Ouvert tous les jours uniquement au dîner. Menus : 21€, 26€ et 35€.
La décoration – châles et éventails – et la musique de cet «âne blanc» transportent immédiatement en Espagne ! Dans votre assiette, les richesses culinaires se suivent plat après plat. Et quelles richesses ! Incontournables paellas, zarzuela et la noble parrillada de poisson à arroser avec l'un des alcools typiques. L'accueil est chaleureux, la promiscuité ainsi que l'ambiance bon enfant entraînent à danser le flamenco jusqu'au bout de la nuit – même si vous n'y connaissez rien ! On est sûr de ne pas s'ennuyer ! Groupe de musiciens et

de danseurs tous les soirs que l'on peut écouter en buvant un verre.

BOTEQUIM BRASILEIRO (BRESILIEN)
1, rue Berthollet
✆ 01 43 37 98 46

M° Censier-Daubenton. Fermé le dimanche midi. Menu : 22 € – au déjeuner. A la carte, environ de 35 € à 45 €.

Botequim reste plus de dix ans après son ouverture l'une des tables brésiliennes les plus fiables de la capitale. La cuisinière a ses humeurs, mais elle assure, et ses plats donnent vraiment envie de danser la samba ! Poulet aux fruits exotiques, poisson ou crevettes au lait de coco, émincé de bœuf – picandinho –, incontournable feijoada et boisson au guarana font voir du pays. Le décor subtil et coloré, mais sans folklore, et l'écran de télévision sur lequel défilent en boucle des novelas, ajoutent au plaisir de ce voyage dans l'hémisphère sud.

CAFE LE PETIT PONT
1, rue du Petit Pont
✆ 01 43 54 23 81

Site Internet : www.cafelepetitpont.com – M° ou RER Saint-Michel. Ouvert tous les jours dès 5h30 et 24h/24 le vendredi et le samedi. Happy-hours de 16h30 à 21h30. A la carte, environ 20 €.

Toujours plus grand, toujours plus beau… Il y a peu, le café Petit pont s'est octroyé la bûcherie, juste à côté, pour constituer l'Espace petit pont sur les quais de la rive gauche, avec vue exceptionnelle sur Notre Dame que l'on admire de la grande terrasse chauffée en hiver et rafraîchie en été. Et pourtant, au IXe siècle, s'élevait ici une forteresse en bois, transformée en prison par Charles VI… le lieu a bien changé ! Aujourd'hui, à toute heure, vous trouverez votre bonheur ! Déjeuner rapide, petit verre «after work», dîner en amoureux avec le piano bar en fond sonore de 18h à 21h30, et même ambiance club dès 23h avec dj… La carte, très riche, change toutes les semaines et vous propose une cuisine du monde, des viandes en arrivage direct du cantal, des bières et cocktails variés mais, aussi, un petit déjeuner buffet à volonté. Un exemple relevé lors de la rédaction de ce guide ? Une cassolette de tortellini aux quatre fromages, assiette du pêcheur et ses épinards, «mixed grill et sa pomme au four et, en dessert, un fameux crumble aux fruits. Le tout dans un décor en bois et pierre très agréable avec un éclairage coloré. Que vous cherchiez un bar à bières, une brasserie, ou une ambiance plus musicale, le Petit Pont a certainement la réponse !

CHEZ CHRISTOPHE
8, rue Descartes
✆ 01 43 26 72 49

M° Maubert-Mutualité. Fermé le mercredi et le jeudi. Menus : de 12 € à 19 € – au déjeuner. A la carte, environ de 35 € à 40 €.

Ancien chef d'un deux étoiles, Christophe le patron, qui vous accueille chaleureusement et fait la cuisine, propose des recettes fines et créatives. Soigneusement sélectionnés, et surtout d'une traçabilité infaillible, les produits se marient pour des alliances de meilleurs goûts : cochon basque, canard de Chaland, millefeuille au citron de Menton, ventrêche et boudin en nems, ris de veau meunière et purée… ravissent les papilles autour d'un verre de saumur bio. Ici, c'est toujours une cuisine de qualité et des histoires de saveurs à raconter à vos amis, car l'on peut vraiment recommander l'endroit comme étant une bonne table.

CHEZ LENA ET MIMILE
32, rue Tournefort ✆ 01 47 07 72 47

Site Internet : www.chezlenaetmimile.fr – M° Monge ou Censier-Daubenton. Fermé le dimanche et le lundi. A la carte, environ de 35 € à 45 €.

Un bistrot chic agrémenté d'une belle terrasse, cette adresse excite toutes les fines bouches. Les plats sont des plus poétiques, tels le velouté de champignons mouillette de jaune d'œuf à 68°, les Saint-Jacques en coque et bisque de crevettes grises avec légumes de Joël, le filet de bœuf au poivre flambé au cognac, et son fameux baba au rhum. Les vins sont exclusivement français. En plus d'une carte très honorable, Pierre Hermé y dépose chaque jour des desserts pour les inconditionnels de chocolat. Et d'octobre à mars, les soirs du mardi au jeudi, pour 55 €, le restaurant propose de découvrir un menu «Note à Note» composé par Christèle Gendre, selon les principes culinaires d'Hervé This, le fondateur de la gastronomie moléculaire.

AU COCO DE MER
34, boulevard Saint-Marcel ✆ 01 47 07 06 64

Site Internet : www.cocodemer.fr – M° Saint-Marcel. Ouvert du mardi au vendredi de 12h à 14h30 et de 20h à 23h30, samedi le soir uniquement et lundi le midi uniquement. Formules 23 € et 28 €. Menu découverte 30 €.

Chapelet d'îles cernées de plages de sable fin et d'eaux limpides, les Seychelles font rêver. Echappez-vous le temps d'un repas dans un joli décor de vacances qui commencent dès qu'on pose les pieds sur la petite plage de sable blanc – on regrette de ne pas avoir pris les tongues- qui sert de sol. Des couleurs chatoyantes, des peintures évocatrices et surtout des mets aux saveurs pointues, préparés avec des produits frais — les poissons et les zourites (poulpe), viennent tout juste de quitter le marché de Praslin, là où pousse exclusivement le coco de mer (la plus grosse noix au monde appelée aussi coco-fesse !). Tartare de thon frais au gingembre, assiette de hors-d'œuvre seychellois – espadon fumé, bourgeois mariné… –, cari de thon au tamarin et bourgeois grillé à la seychelloise valent le voyage. L'accueil est chaleureux, souriant et au rythme local…

LES CINQ SAVEURS D'ANADA
72, rue du Cardinal-Lemoine
✆01 43 29 58 54
Site Internet : www.anada5saveurs.com – M° Cardinal-Lemoine ou Monge. Fermé le lundi. Menu : 26,90 €. A la carte, environ de 25 € à 30 €.
Dans ce restaurant, tout est macrobiotique et végétalien : grande assiette de crudités, assiette de légumes cuits, soupe miso – pâte de soja, céréales, riz ou orge fermentée –, plat de seitan, tarte aux poires et aux amandes, gâteau au chocolat et tarte aux pommes et aux pruneaux. La cuisine est goûteuse, étonnante et exotique. Un véritable oasis de bien-être pour le corps et l'esprit, en plein Paris.

LA FOURMI AILEE
8, rue du Fouarre
✆01 43 29 40 99
M° Maubert-Mutualité. Ouvert tous les jours, midi et soir. A la carte, environ de 20 € à 30 €.
La Fourmi Ailée continue d'enchanter ses clients qui adorent son cadre de bois à l'allure d'une grande bibliothèque anglaise, et son atmosphère détendue baignée d'une lumière tamisée. Toute la journée, on y mange. Une vraie carte au moment du midi et du soir, avec jambon à l'os, canard en croûte de sel et un bon choix de salades entre autres, et une carte plus légère au moment où le service s'interrompt l'après-midi, dans laquelle on retrouve les quiches emblématiques de la maison ou un apfelstrudel aux cèpes qui se mange étonnamment en dessert. Si vous flânez sur les quais rive gauche aux abords de Notre-Dame, allez-y.

HEUREUX COMME ALEXANDRE
24, rue de la Parcheminerie
✆01 43 26 49 66
Site : www.heureuxcommealexandre.com Ouvert tous les soirs.
Le restaurant, créé il y a une vingtaine d'années, n'a pas changé sa formule, et c'est tant mieux pour nous ! On y savoure toujours d'excellentes fondues et pierrades et on adore la formule au prix unique de 15 € comprenant salade à volonté en entrée, une fondue ou une pierrade accompagnée de pommes de terre sautées « maison » à volonté également, et en dessert... une sucette ! Vous pourrez choisir entre la fondue bourguignonne (entendez avec de la viande) ou la fondue savoyarde (avec du fromage) et bien sûr, la pierrade. Il y a un grand choix de vin en bouteille mais également en demi ou en quart. Alexandre, soucieux de votre bien être, respecte une charte de qualité selon la sélection, la traçabilité et la fraîcheur des produits, pour vous satisfaire au mieux. Et si le restaurant est plein, allez faire un tour dans le même restaurant à quelques pas de celui-ci, rue du Pot de Fer.
Autres adresses : 13 rue du Pot de Fer (5e) • 2 impasse Berthaud (3e).

LEVANT & CO
24, rue Pascal ✆01 43 31 83 75
Site Internet : www.levant-co.com – M° Les Gobelins. Ouvert tous les jours jusqu'à 19h. Fermé dimanche.
Levant & Co est avant tout une épicerie fine dans laquelle on peut déjeuner : tous les jours un menu différent est proposé – sur place ou à emporter – et dîner – sur réservation uniquement.
Levant & Co est une marque innovante dans l'univers des gastronomies méditerranéennes et orientales. Elle propose des spécialités authentiques et raffinées provenant de l'Anatolie, notamment une huile d'olive grand cru ''Les Huiles du Levant" qui accompagne volontiers les légumes crus ou juste poêlés. D'autres spécialités sont proposées : des tomates séchées en fines tranches ou à l'huile d'olive et aux câpres, le sel très particulier de la mer Egée, plus d'une trentaine d'épices, les vins rouge blanc ou rosé d'Anatolie. Smyrne fournit les figues et les raisins séchés ainsi que les câpres et les olives. Les plaisirs sucrés : la douceur des lokoums à la rose ou à la pistache et différentes confitures. Enfin, il ne faut pas oublier le café turc et son rituel. Levant & Co importe les machines pour le réaliser dans les règles de l'art. Et pour aller plus loin, les ateliers de cuisine turque de Levant & Co s'adressent à tous ceux qui souhaitent s'initier à de nouvelles expériences culinaires. Les cours dispensés les jeudis soir – sur réservation – de 20h à 21h30 par Idil Levent en petit groupe de 8 personnes sont suivis d'une dégustation des plats préparés, accompagnés de boissons typiques. Levant & Co organise aussi des séjours gastronomiques en Turquie avec au programme, des balades gourmandes et des ateliers de cuisine.

LE LOUIS VINS
9, rue de la Montagne-Sainte-Geneviève
✆01 43 29 12 12
Site Internet : www.fifi.fr – M° Maubert-Mutualité. Ouvert tous les jours, midi et soir. Menus : 15 € – au déjeuner – et 24 € – au dîner.
Chaque proposition réveille les sens des plus endormis des déjeuners du dimanche... C'est bon, c'est généreux, c'est de saison ! Le menu carte, présenté à l'ardoise, varie quotidiennement, au gré du marché du chef, et fait toute l'année la part belle aux produits tripiers. L'adresse est idéale pour un bon repas, en plein dans le terroir et l'authentique. Vous hésiterez entre un savoureux pressé de joue de bœuf au foie gras, un désossé de pied de cochon pané et grillé ou une tête de veau ravigote, à moins que vous ne lorgniez du côté des grosses sardines grillées de Bretagne ou les profiteroles d'escargots aux champignons. Pour poursuivre sans fléchir, un onglet de bœuf au camembert, un suprême de poularde aux cèpes, un parmentier de lapin et son râble grillé... L'appétit vient en mangeant, surtout quand c'est aussi bon, alors ne ratez pas les figues

rôties servies avec une glace vanille, le pain perdu au caramel salé ou la soupe de pêches. Au milieu de la salle de restaurant où les discussions vont bon train, dans le bruit du ballet des couteaux et des fourchettes, trône la cave aux parois de verre. Là encore, le Louis Vins ne chipote pas et propose près de trois cents références. Les accords proposés sont toujours judicieux, qu'il s'agisse de valeurs sûres ou de jolies découvertes. On sort de table repu et réjoui.

LA METHODE
2, rue Descartes
✆ 01 43 54 22 43
M° Maubert-MutualitéOuvert tous les jours. Menu : 13,50 €. A la carte, compter 25 €.
De jour comme de nuit, ils sont nombreux à se presser dans cette illustre maison qui sait comme personne les régaler. Philippe est aux petits soins pour les lève-tôt comme pour les couche-tard à qui il vante les dernières préparations de son chef qui sont de plus en plus modernes. Pour s'en convaincre, essayez le pressé de légumes confits, mozzarella et huile d'olive ou la salade d'artichauts et foie gras, vinaigrette truffée. Cette carte a le don d'ensoleiller nos repas comme de nous faire revenir quelques années en arrière quand nous dînions chez mamie. L'exemple le plus frappant ? D'un côté, la dorade royale cuite au four, légumes provençaux et de l'autre rognons de veau, tranches de lard façon grand-mère. En revanche, pour les desserts, tout le monde s'accorde pour choisir le pain perdu brioché au caramel, raisins de corinthe.

EL PALENQUE (ARGENTIN)
5, rue de la Montagne-Sainte-Geneviève
✆ 01 43 54 08 99
M° Maubert-Mutualité. Fermé le dimanche et le lundi. Menu : 23 €. A la carte, environ de 35 € à 40 €.
Ouvert depuis 1965, El Palenque fait figure d'institution dans le domaine de la cuisine argentine. La viande importée des plaines argentines est préparée selon les règles de l'asado qui en magnifie la tendreté et le goût. Choisissez votre table en bois sous les selles de cheval, dans un cadre qui rappelle les grandes estancias d'Amérique latine. Le pisco servi en apéritif vous mettra dans l'ambiance avant de passer à la viande de bœuf Angus servie avec une purée de maïs, à laquelle El Palenque doit sa renommée. Mention particulière aux vins chiliens et argentins en nombre sur la carte. Bières blondes argentines ou cubaines.

LES PAPILLES
30, rue Gay-Lussac ✆ 01 43 25 20 79
Site Internet : www.lespapillesparis.fr – M° RER Luxembourg. Fermé le dimanche et le lundi. Menus : 22 €, 24 € et 31 €.
Eclectique, cet endroit, qui combine restaurant avec épicerie et bar à vins. Dans ce joli bistrot, la cuisine change tous les jours, et se compose en fonction des trouvailles du marché de Bertrand Bluy – grand passionné de rugby – et de son chef, Claude Ulric dit Tom. Ils privilégient donc fraîcheur et saison, et c'est une réussite. Thon rôti aux épices, velouté de potiron aux châtaignes, paleron de bœuf confit au vin rouge, cappuccino chocolat caramel. Ce qui est bien ici, c'est qu'on peut venir tous les jours, sans se lasser. On vous conseille gentiment aussi sur le meilleur vin parmi une très large sélection dans laquelle on retrouve les faugères du domaine Léon Barrai, les côtes-du-marmandais d'Elian da Ros et le collioure-de-la-rectorie. Bref, on s'occupe de tout pour que vos papilles se réjouissent chaque seconde, pour que vous ressortiez de l'endroit repus et heureux.

LE PETIT PRINCE DE PARIS
12, rue Lanneau ✆ 01 43 54 77 26
Site Internet : www.lepetitprincedeparis.fr – M° Maubert-Mutualité. Ouvert tous les jours à l'heure du déjeuner et le dimanche. Menus : 16 €, 22 € et 26 €.
Ce restaurant de nuit accueille le monde de la mode et de la fête depuis 1976. Dans une ambiance tamisée, habitués et petits nouveaux se régalent d'une cuisine française traditionnelle réalisée par Benoît Gadreau qui s'en sort avec les honneurs pour son flan de courgettes aux Saint-Jacques et pain d'épice, pour son porcelet au miel et au vin rouge, un grand classique de la maison, et pour ses trois mousses café, chocolat blanc et chocolat noir. Le restaurant organise régulièrement des soirées à thèmes.

NONNA INES (ITALIEN)
1, rue de l'Arbalète
✆ 01 43 37 23 72
M° Censier-Daubenton Ouvert du mardi au samedi de 12h à 14h et de 19h30 à 22h. Formules déjeuner à 13 € et 18 €. A la carte, environ 25 € à 28 €. Terrasse fermée chauffée l'hiver.
En hommage à leur grand-mère cuisinière, ses petites-filles ont donné son nom à leur adorable trattoria, nichée dans cette rue calme du Quartier latin, et dont la terrasse ne désemplit pas aux beaux jours. L'ambiance y est familiale jusqu'aux vieilles photos sepia affichées au-dessus du comptoir. La cuisine étant d'inspiration toscane, les pizze sont absentes des ardoises, accrochées ici et là dans la salle ocre et safran. Ici, on sert plutôt des bruschette e crostini – jambon de Parme, mozzarella. En antipasti, Laura vous propose notamment le lard blanc affiné dans les carrières de marbre de Carrare, en plat, le polpette de bœuf au basilic Parmesan. Les plats sont divinement préparés !
Une sélection de vins transalpins accompagne le repas, qu'il est recommandé de clore par la panna cotta à la vanille façon Tatin ou le tiramisu à la fleur d'oranger et pain d'épice.

RESTAURANTS

PERRAUDIN
157, rue Saint-Jacques ✆ 01 46 33 15 75
Site Internet : www.restaurant-perraudin.com – M° Luxembourg. Ouvert tous les jours. Menus : 18 € au déjeuner et 29,90 €. A la carte, compter de 30 à 40 €. Possibilité de privatiser l'une des 2 salles.
Dans un cadre typique avec d'immanquables petites tables nappées de vichy blanc et rouge, on vous accueille de façon conviviale, entre le Panthéon et le Luxembourg, si vous badaudez dans le coin et ne savez pas ou vous arrêter pour vous restaurer, voilà une bonne adresse.
Ici, c'est de la pure tradition française, perpétuée maintenant depuis nombre d'années. Perraudin est une de ces anciennes adresses parisiennes qu'il faut avoir au moins une fois dans sa vie visitée. Terrine de pot-au-feu et sa compotée d'oignons, œufs brouillés au saumon fumé, filet de bœuf au poivre vert, entrecôte beurre maître d'hôtel, magret de canard aux cèpes et bolets, riz au lait à la vanille bourbon. Bref, un régal pour les amateurs de cuisine de grand-mère.

LES PIPOS
2, rue de l'Ecole-Polytechnique
✆ 01 43 54 11 40
Site Internet : www.les-pipos.com – M° Maubert-Mutualité. Ouvert tous les jours jusqu'à 2h du matin. Fermé le dimanche. A la carte, environ 20 €.
Café historique, les Pipos portent l'appellation que l'on donne aux élèves de première année de l'Ecole Polytechnique voisine. Dans ce bar à vins tout de bois décoré, on dévore des pots de rillettes d'oie, du confit de canard, du bœuf Bourguignon, de la potée Auvergnate, du petit salé ou de l'axoa de veau. Qui dit bar à vins, dit belle cave. Elle est riche de dizaines de références venues de tous les vignobles de France. Du Pouilly de chez Blondelet au Saint-Joseph de chez Courbis en passant par le Morgon de chez Foillard et le Brouilly de chez Descombes. Un lieu de rendez-vous de toutes les générations où l'on retrouve la cuisine traditionnelle d'un Paris oublié.

LE PRE VERRE
8, rue Thénard ✆ 01 43 54 59 47
Site Internet : www.lepreverre.com – M° Maubert-Mutualité. Fermé dimanche et lundi. Menus : 13,50 € – au déjeuner – et 28,50 €. A la carte, environ 34 €.
La formule du déjeuner a augmenté d'un euro, la belle affaire. On ne va pas en vouloir aux frères Delacourcelle, Marc pour le vin, Philippe pour la cuisine, car de toute façon, cette formule reste imbattable dans le quartier pour le rapport qualité-prix. Savourer la délicate cuisine de ce duo pour cette somme, c'est un rêve et ils l'ont exaucé. Et puis, ils sont malins, titiller les papilles des habitués du déjeuner, c'est aussi les convaincre que revenir le soir pour le menu carte à 34 € ne serait pas une faute de goût. Et nous sommes joyeusement tombés dans le panneau. Le soir venu, nous voici devant un étonnant blanc-manger de céleri aux crevettes grises et une soupe de champignons, cumin et pois chiches suivis d'un pigeon rôti, galette de cochon et patate douce tellement savoureux que le supplément de 4 € est passé comme une lettre à la poste, avant de conclure par une inattendue crème brûlée aux lentilles et une banane rôtie, mangue et piment d'Espelette. Bluffant du début jusqu'à la fin.

RIBOULDINGUE
10, rue Saint-Julien-le-Pauvre
✆ 01 46 33 98 80
M° Maubert-Mutualité. Fermé le dimanche et le lundi. Menu : 27 €.
Pour les amateurs d'abats dont la cuisine française est riche en recettes, cette adresse à Paris perpétue sérieusement et de manière inventive la tradition. Cervelle d'agneau meunière câpres et ail croquant, ris de veau poilé légumes d'hiver, puis compotée de coings et glace gingembre sont le parfait exemple de ce que l'on peut déguster, à côté des immanquables tripes ou autres spécialités issues du cinquième quartier, et d'un plateau de fromages mythique. Pour ceux qui sont un peu réticents, la carte propose des plats plus traditionnels, mais laissez-vous tenter par un plat que vous n'avez jamais essayé, vous ne serez pas déçu, c'est vraiment bon ! Ici, c'est sûr, les tripes, c'est chic !

AU REFUGE DU PASSE
32, rue du Fer-à-Moulin ✆ 01 47 07 29 91
M° Censier-Daubenton. Ouvert tous les jours. Fermé samedi midi. Menu déjeuner à partir de 18 €, dîner à partir de 27 €, à la carte compter environ 35 €.
Dans une ambiance chinée de bric à brac des époques 1930 et 1940, on vous accueille ici pour vous faire découvrir des spécialités aveyronnaises et du Sud-Ouest. Cuisine traditionnelle donc, qui privilégie le terroir, on se régale de ragoût de volaille au miel, de jambonneau aux cèpes, d'une salade rocamadour au foie gras maison et jambon d'Auvergne, puis de mirabelles caramélisées et flambées... Des délices à toutes les sauces. Pas mal de plats sont servis en casseroles, une formule adaptée pour les bons appétits. L'ambiance de ce bistrot, fait de pierres et de poutres, est chaleureuse et populaire.

LE VIN SOBRE
25, rue des Feuillantines
✆ 01 43 29 00 23
M° Luxembourg. Ouvert tous les jours, midi et soir. A la carte, environ de 30 € à 40 €.
Ce bar à vins à l'allure de petit bistrot vous accueille toute la journée, au déjeuner et au dîner bien sûr, mais aussi à l'heure de l'apéro. Avec votre verre de vin choisi parmi une large sélection, vous pourrez avec vos amis grignoter de la charcuterie ou du fromage. Sinon, pendant le service, essayez

la terrine de foie gras maison, les beignets de tomates confites et leur anchoyade, les tartelettes de légumes au Parmesan, ou le moelleux au chocolat et sa glace spéculos. La terrasse est chauffée en hiver pour les irréductibles fumeurs. Le Vin Sobre organise dans l'année des rencontres avec les vignerons producteurs, se renseigner pour les dates, c'est une bonne idée pour les amateurs. Et ne ratez surtout pas l'arrivée du Beaujolais nouveau dans cet endroit. **Autre adresse :** Bistro Vin Sobre – 35, avenue Duquesne 7e.

6e ARRONDISSEMENT

L'ALCAZAR
62, rue Mazarine ✆ 01 53 10 19 99
Site Internet : www.alcazar.fr – M° Odéon. Ouvert tous les jours, midi et soir. Menus : 20 €, 26 € et 32 € – au déjeuner –, 34 € et 43 € – au dîner. A la carte, environ de 45 € à 60 €. Brunch le dimanche : 32 €.
Le restaurant de sir Terence Conran fait partie des brasseries contemporaines qui comptent aujourd'hui à Paris. Plusieurs espaces sont disponibles pour se restaurer, dont la mezzanine idéale à deux, parfaite en after-work et qui se transforme régulièrement en galerie d'art. En face, L'Aquarium, un salon privatif et la salle principale dans l'allure très branchée. Côté carte, L'Alcazar voit large et loin en mettant à disposition une carte qui oscille entre terroir français et saveurs du monde. Dans l'assiette, cela se traduit par des huîtres Gillardeau, un boudin maison aux châtaignes, un thon juste saisi et roquette, sans oublier un grand tataki de saumon au sel fumé et gingembre. Une adresse très parisienne dans l'âme et un peu m'as-tu vu !

ALLARD
41, rue Saint-André-des-Arts
Entrée au 1, rue de l'Eperon ✆ 01 43 26 48 23
M° Mabillon, Saint-Michel ou Odéon. Ouvert tous les jours, midi et soir. Menu : 32 €. A la carte, environ de 50 € à 70 €.
Plus qu'un nom, Allard est une véritable institution parisienne. Propriété depuis bientôt quinze ans des Layrac, famille de restaurateurs aveyronnais, ce bistrot rétro de 1900 ravira les amateurs de cuisine traditionnelle bourgeoise. Serveurs très courtois, tables nappées de blanc, tableaux illustrant la vie et la gastronomie d'antan, bar en zinc, carrelage et petite salle intimiste, le décor est dressé. Mais c'est surtout pour la cuisine que l'on vient ici. La carte varie au fil des saisons, mais conserve ses indémodables : saucisson chaud lyonnais, Saint-Jacques au beurre blanc, foie gras de canard, cassoulet toulousain, veau à la berrichonne, poulet de Bresse ou côte de veau forestière, pour ne citer que quelques-uns des excellents plats à la carte. La carte des vins accompagne judicieusement les menus. Surtout ne passez pas à côté du plateau de fromages de nos provinces, impressionnants et parfaitement affinés. Enfin côté desserts, goûtez donc la tarte fine chaude aux pommes !

L'ALYCASTRE
2, rue Clément ✆ 01 43 25 77 66
M° Mabillon. Fermé dimanche midi, lundi midi et mardi midi. Menus : 37 € – au déjeuner – et 45 €. Cartes : de 45 € à 55 €.
Déjà deux années que Jean-Marc Lemmery a repris l'ancien Bistrot d'Alex pour en faire un joli repaire gourmand où la fraîcheur des produits n'est pas un vain mot pour ce chef. Dans son petit deux pièces, dominé par le gris et le lilas, il laisse son ardoise passer de table en table. Tel un maître d'école, il a écrit le matin même sur cette ardoise les devoirs du jour. Vous me goûterez, heureusement pas cent fois, l'original carpaccio de gambas sauvages, salade de panais et framboises, puis le ris de veau de lait cuit en cocotte de foin, salsifis au jus, et pour la récréation sucrée, vous craquerez pour la soupe de chocolat et Chantilly aux Pimm's. Et demain ? Demain sera un autre jour, mais nous espérons qu'il y aura un cours sur les couteaux, trop rares sur les cartes parisiennes, cuits à la plancha, vinaigre de citrolino et tomates confites.

LA BASTIDE ODEON
7, rue Corneille ✆ 01 43 26 03 65
Site Internet: www.bastide-odeon.com – M° Odéon. Fermé dimanche et lundi. Menus: 26 € – au déjeuner –, 32 €, 41 € et 52 €.
Située en face du théâtre de l'Odéon, La Bastide de Gilles Ajuelos fête cette année son quinzième anniversaire, le regard toujours tourné vers une cuisine de la Riviera contemporaine que l'on goûte dans un cadre dans les tons ocre avec tomettes au sol et mobilier de bois blond. La balade gourmande est donc ensoleillée avec notamment un millefeuille aux aubergines grillées, un cœur de sucrine et artichauts poivrade à l'huile d'olive et Parmesan qui précèdent les classiques pieds et paquets d'agneau à la provençale ou une volaille fermière rôtie à l'ail confit et pommes de terre. Ça chante dans les assiettes, mais si vous préférez une chanson plus axée sur le terroir, n'hésitez pas à piocher dans le menu «cuisine du marché» où trônent l'œuf poché au céleri rave et bouillon crémeux au foie gras et le parmentier de boudin aux deux pommes et son jus au cidre que vous pourrez accompagner d'un cru de Provence, du Roussillon ou du Rhône.

LE BISTROT D'HENRI
16, rue Princesse ✆ 01 46 33 51 12
M° Mabillon. Ouvert tous les jours, midi et soir. A la carte, environ de 35 € à 40 €.
Entrer dans ce joli petit bistrot, c'est retrouver des sensations d'antan. De la décoration avec son sol carrelé noir et blanc et les boiseries au contenu de l'assiette, tout contribue à créer une ambiance chaleureuse. Un cadre rustique en plein cœur de Saint-Germain-des-Prés, le restaurant est une bonne adresse, avec un excellent rapport qualité-prix. La cuisine n'est pas en reste, avec de bonnes spécialités maison centrées sur les plats mijotés, comme chez grand-mère. Outre le large choix de viandes rouges dont le filet au poivre, il vous faut absolument goûter l'agneau de 7 heures – souris – cuit avec des pruneaux oignons et cannelle. Sans oublier les poissons, en particulier les superbes Saint-Jacques fraîches à la nage au safran, en saison. A l'heure du dessert, on craque pour la compote pomme, poire, pruneaux et cannelle !

BOUILLON RACINE
3, rue Racine ✆ 01 44 32 15 60
Site: www.bouillon-racine.com – M° Cluny-La-Sorbonne ou Odéon. Ouvert tous les jours. Menus: 15,50 et 29,90 €. A la carte, compter de 30,50 à 39,50 €.
Classé par les monuments historiques, Le Bouillon Racine a retrouvé ses lettres de noblesse grâce aux Compagnons du Devoir. De style Art nouveau, il a été créé, sur deux étages, par les frères Chartier au début du XXe siècle. Le décor est somptueux : miroirs biseautés, opalines, vitraux et lettrines dorées. Côté cuisine, le chef, Alexandra Belthoise,

mitonne des classiques. En entrée les traditionnels bouillons – de gros haricots tarbais au lard fumé, gratiné du bouillon à l'ancienne…, en plat le cochon de lait farci et rôti à la broche, pommes purée maison, la canette rôtie aux oranges, le pot au feu du bouillon ou le risotto de Saint-Jacques et Gambas… Côté dessert, ne manquez pas la gaufre fourrée à la crème brûlée parfumée au sirop d'érable, ou le café liégeois à la cruche ! Les papilles sont en éveil et les clients séduits par cette brasserie typiquement 1900 ! Tous les 1er et 3e mardis du mois, le Bouillon Racine organise des soirées live de jazz.

BOUILLON DES COLONIES
3, rue Racine ✆ 01 44 32 15 64
Site Internet : www.bouillondescolonies.com – M° Cluny-La-Sorbonne. Ouvert tous les jours ; Formule, 14,90 € au déjeuner. Menu découverte, 24,50 €. A la carte environ 35 €.
Brunch le dimanche. Ici, c'est la rencontre des voyages, de la gastronomie et de l'histoire. Décoration ethnique et gastronomie du bout du monde pour ce lieu tenu par le patron du Bouillon Racine, autre enseigne pleine d'histoire et située au même numéro. Au Bouillon des Colonies, le bouillon s'appelle Saïgon et aura un goût d'ailleurs… Au programme également, les vapeurs Cochinchine, l'assiette Afrique-Orient, le bouillon Tom-Yam, le tajine de confit d'agneau aux épices ou, encore, les crevettes sautées à la citronnelle et piments doux. Côté dessert, on se laissera tenter par la salade d'oranges et de dattes à la cannelle. Envie de voyage ?

LES BOUQUINISTES
53, quai des Grands-Augustins
✆ 01 43 25 45 94
Site Internet : www.lesbouquinistes.com – M° Odéon ou Saint-Michel. Fermé le samedi midi et le dimanche. Menus de 26 € à 75 €.
A l'angle du quai et de la rue des Grands-Augustins, ce restaurant semble jouer le rôle d'une sentinelle qui surveillerait Notre-Dame et le Pont-Neuf. Dans le rôle du maître des lieux, Cédric Jossot, avec à ses côtés le chef, Wiliams Caussimon, qui connaît tous les coins et recoins de cette maison. Ce chef a la lourde tâche de ravir les papilles d'une clientèle de galeristes et d'amateurs d'art. Les yeux emplis de couleurs, de formes, de matières, de perspectives, ils pensent se reposer. Peine perdue, le chef a concocté une carte haute en couleur, en parfums, en textures pour réveiller les cinq sens. La vue avec le homard et le tourteau en fines ravioles de betterave, l'ouïe avec ces brochettes de gambas rôties au sésame qui croustille aux côtés d'un millefeuille de légumes, l'odorat grâce aux noisettes de cabillaud, risotto crémeux au lait de coco et le toucher quand le craquelin Carambar et clémentines, glace amande se pose sur la table. Comme à la sortie d'une pâtisserie, on a simplement envie de s'en saisir et de le croquer à pleines dents. Et le goût nous direz-vous ? Présent de la première à la dernière bouchée.

LA BOUSSOLE
12, rue Guisarde ✆ 01 56 24 82 20
Site : www.la-boussole.com – M° Mabillon ou Saint-Germain-des-Prés. Ouvert tous les jours, midi et soir. Menus : 12,90 €, 18,20 € et 21,30 € – au déjeuner – et 14,90 €, 22,90 € et 26,90 € – au dîner.
Dans un cadre magique, tout en pierres et poutres apparentes, avec cave voûtée au sous-sol, La Boussole est un restaurant de cuisine française aromatisée aux saveurs et parfums du monde et mettant à l'honneur les épices du monde entier. Pour vous faire une idée de l'endroit, optez en entrée pour le tartare de saumon, céleri rémoulade au curcuma ou pour le tajine de tomates confites et mozzarella au citron. Savourez ensuite la marmite de blanc de volaille au lait de coco et gingembre ou laissez-vous tenter par un filet mignon de porc aux abricots au pain ! Concluez la partie par une crêpe farcie aux pommes caramélisées à la cannelle. Une adresse insolite, raffinée et qui vous fera voyager loin, loin, loin…

LE CAMELEON
6, rue Chevreuse ✆ 01 43 27 43 27
M° Vavin. Fermé dimanche. Menus : 25 € et 30 € – au déjeuner. A la carte, environ 50 €.
Une bise ici, une tape dans le dos là, une main sur l'épaule à la table voisine, Jean-Paul Arabian joue à merveille midi et soir son rôle de maître de maison, et c'est sans doute pour cette jovialité et cette élégance que les clients poussent la porte. A moins que ça ne soit aussi pour la cuisine. Les deux mon capitaine. Son chef joue la carte du bistrot bourgeois à coup de tartare d'huîtres et Saint-Jacques marinées au poivre vert, de foie de veau déglacé au vin, escorté d'un gratin de macaronis au Parmesan, sans oublier le canard de Challans rôti aux navets, le pain perdu et sabayon à la bière blanche ou la tarte fine aux pommes. Jean-Paul jette un coup d'œil sur ses convives, ils sont aux anges. Lui aussi.

AUX CHARPENTIERS
10, rue Mabillon ✆ 01 43 26 30 05
Site Internet : www.auxcharpentiers.fr – M° Mabillon ou Odéon. Ouvert tous les jours. Menus : 19,50 € au déjeuner et 28 € au dîner. A la carte, compter de 45 € à 50 €.
Ambiance bistrot début 1900, Aux Charpentiers a été et reste encore l'adresse préférée des hommes politiques et des journalistes du quartier de Saint-Germain. Parmi les spécialités du restaurant : la tête de veau corrézienne et son vinaigre au jus de truffes, la papillote de filet de bœuf limousin à la moelle et la célèbre blanquette de veau. Un repas délicieusement terroir vous l'aurez compris, et qui se conclut par quelques savoureux desserts : du baba au rhum aux entremets au chocolat amer, ils sont tous bons.

CHEZ CLEMENT SAINT-MICHEL
9, place Saint-André-des-Arts
✆01 56 81 32 00

Site Internet: www.chezclement.com – M° Saint-Michel. Petit-déjeuner dès 8h. Service continu 7j/7. Formule à 14€, menu à 23€. Plateaux de fruits de mer Clément à partir de 28€. Carte aux environs de 30€.

Ombragée à souhait l'été, la terrasse fait le bonheur des littéraires du quartier. A l'intérieur du restaurant, l'atmosphère est intimiste et le décor original. Vous pourrez par exemple prendre votre repas dans le salon bibliothèque ou sur une table de billard. Le charme suranné et l'esprit de Saint-Germain-des-Prés se retrouvent dans ce véritable cocon à l'esprit d'aujourd'hui. Les plats du rôtisseur à 19,50€, spécialités de Chez Clément, comportent quatre viandes ou quatre poissons et sont accompagnés de purée maison au beurre ou de véritables pommes Pont-Neuf.

LA CITROUILLE
10, rue Grégoire-de-Tours
✆01 43 29 90 41

M° Mabillon ou Odéon. Ouvert tous les jours, midi et soir. Menus: de 13€ à 18€. A la carte, environ de 25€ à 30€.

Au cœur de Saint-Germain, le décor de ce petit restaurant à l'ancienne nous séduit immédiatement. La cuisine, ici, est traditionnelle et les viandes sont délicieuses. Ce restaurant offre un très bon rapport qualité-prix, au centre de Paris. Le cadre est plaisant, le patron et le personnel sont sympathiques, alors n'hésitez pas à entrer et à profiter de la carte variée, peut-être y apercevrez-vous une Cendrillon égarée sur les coups de minuit?

COCO & CO
11, rue Bernard-Palissy
✆01 45 44 02 52

Site Internet: www.cocoandco.fr – M° Saint-Germain-des-Prés. Fermé le lundi et le mardi. A la carte, environ de 20€ à 25€.

Il fallait oser, Franklin et Céline l'ont fait, ouvrir un établissement où l'œuf est préparé de mille et une manières. Ne cherchez pas ici un os à moelle à ronger, une côte de bœuf à découper ou une saucisse à marier avec une purée, ce n'est pas le genre de la maison. Petit cocon à la décoration très féminine avec une salle au premier étage nommée «le poulailler», Coco & Co se la joue poule avec des œufs de ferme en veux-tu en voilà. Au plat, brouillé, meurette, à la coque ou en omelette, l'œuf et ses déclinaisons sont affichés sur une gigantesque ardoise qui occupe tout un pan de mur. Après quelques minutes de lecture, on opte pour une assiette de radis pour la mise en route des papilles, puis on poursuit par une omelette aux champignons ou aux courgettes, des œufs brouillés à la lavande, des œufs au plat à la ciboulette ou aux pointes d'asperges avant de revenir vers le sucré, et notamment cette part de financier qui accompagne le yaourt maison.

COCOTTE JOLIE
18, rue Dauphine ✆01 43 54 53 16

M° Mabillon. Fermé le dimanche et le undi. Menus: 17€ au déjeuner, 20 et 24€.

La richesse de la carte des boissons fait de ce lieu un très bon bar à vins. Situé près du Pont-Neuf, ce restaurant porte bien son nom : les poules perchées ça et là et les lampes à plumes donnent envie d'aller faire un tour à la ferme. La campagne peinte sur les murs et l'accueil souriant nous font prendre un grand bol d'air. Vous y dégusterez des assiettes variées comme la "gasconnade gastronomique" offrant magret fumé, gésiers et foie gras de canard maison. Pour les gourmands, voici un avant-goût des plats au menu : cassolette de chèvre chaud, pignons et salade, kangourou ou autruche sauce poivre vert et enfin le délicieux chaud-froid au chocolat. Et si vous êtes nombreux, n'hésitez pas à entrer quand même, le restaurant dispose d'une salle aux poutres apparentes à l'étage qui pourra vous accueillir.

LE COMPTOIR DU RELAIS
9, carrefour de l'Odéon ✆01 43 29 12 05

M° Odéon. Ouvert tous les jours, midi et soir. Menu: 48€ – au dîner. A la carte, environ de 35€ à 50€.

Tout a déjà été écrit sur Yves Camdeborde, le bistrotier à qui tout semble réussir. Que ce soit à l'heure du déjeuner ou du dîner, il faut croiser les doigts pour obtenir une table, et même si cette dernière vous est proposée en terrasse chauffée, ne laissez pas passer cette chance, elle ne se représentera pas de sitôt. Acceptez, la température est bien réglée, et les plus frileux peuvent quémander un plaid. Ensuite, laissez-vous bercer par la cuisine ménagère, sincère et campagnarde d'Yves. Au programme, rouelles de cochon de lait, parmentier de queue de bœuf, crème Guanaja servie dans son pot de grès ou crémeux de céleri-rave et châtaignes, souris d'agneau à la semoule et nougatine aux amandes sur une crème aux fraises des bois. Judicieuse sélection de vins au verre et ambiance bon enfant viennent compléter le tableau gourmand.

AUX 2 OLIVIERS
22, rue Vaugirard ✆01 43 26 26 45

Site Internet: www.aux2oliviers.com – M° Odéon et RER Luxembourg. Fermé le dimanche soir. Menus: 24€ et 29€.

Face aux jardins du Luxembourg se dressent les 2 Oliviers, restaurant gastronomique où l'on cultive les plaisirs d'une cuisine raffinée. Dans un décor très épuré, aux pointes vénitiennes, se reflètent avec sobriété des tables en bois vernis et des murs patinés. La carte propose de la crème de potiron au lard croustillant, une poitrine de porc laquée et sa parmentière forestière, un steak de thon poêlé, fine ratatouille et risotto crémeux, et en dessert le marbré de banane Chantilly et chocolat. Présentation soignée, service délicat, qu'attendez-vous pour y aller ?

LA CREMERIE
9, rue des Quatre-Vents ✆ 01 43 54 99 30
Site Internet : www.lacremerie.fr – M° Odéon. Fermé dimanche soir et lundi. A la carte, environ de 25 € à 30 €.
A la fois cave, épicerie et bar à vins, cette Crèmerie reçoit les bonnes âmes en mal de vins natures ou bio et de produits magnifiquement sélectionnés à grignoter sur place. Une poignée de tables, quelques chaises bistrotières et une clientèle de potes qui viennent papoter autour d'un verre de tavel ou d'un morgon de chez Foillard, de quelques huîtres d'Utah Beach, de thon fumé de l'île d'Yeu, de jambon pata negra, d'une saucisse sèche et d'un camembert du sieur Bordier. Pour rien au monde nous ne voudrions changer de crémerie, mais on regrette que l'on ne puisse pas y déjeuner en semaine et que le soir on soit obligés de partir sitôt… 22h, c'est toujours trop tôt quand on se sent bien dans un endroit.

EB'N LODGE (CAMEROUNAIS)
11, rue de la Grande-Chaumière
✆ 01 46 34 07 58
M° Vavin. Fermé le lundi. A la carte, environ de 20 € à 25 €.
Ce petit restaurant discret au décor vert amande et ébène – EBN – propose une nouvelle image de la cuisine africaine. La longue carte n'est pourtant pas exhaustive et une ardoise complète le choix au gré du marché et des envies. Pépé soupe – au poisson –, folong de crevettes, poulet bicyclette ou dg – directeur général –, n'dolé royal, soya en course – brochette de viande – ou viandes braisées sont à essayer avec l'une des « médications d'amour », des cocktails à siroter en murmurant des incantations magiques.

LES EDITEURS
4, carrefour Odéon ✆ 01 43 26 67 76
Site Internet : www.lesediteurs.fr – M° Odéon. Ouvert tous les jours, midi et soir. A la carte, environ de 36 € à 50 €. Brunch samedi et dimanche à 25,50 €.
Au carrefour de l'Odéon, on se demande si Les Editeurs est un restaurant-bibliothèque ou une bibliothèque-restaurant ? En fait c'est à la fois un café, un restaurant, un bar très lounge, un salon de thé, et effectivement une bibliothèque… Deux cents places sont réparties sur les deux étages où plus de cinq mille livres trônent sur l'ensemble des étagères. Dans un cadre élégant, vous pouvez donc, à toute heure, dévorer un roman en même temps qu'un plat ou lire la presse en savourant un cocktail. La cuisine orchestrée par Edward Cristaudo est comme la bibliothèque, riche et variée : verrine de saumon, espuma de pesto, risotto crémeux de suprême de volaille forestière, dorade royale grillée entière, purée maison ou bien encore wok de nouilles au saté, crevettes et blanc de volaille, sauce Kikkoman. Au dessert, on est ravi d'avoir choisi le sabayon d'agrumes.

L'ESPADON BLEU
25, rue des Grands-Augustins
✆ 01 46 33 00 85
Site Internet : www.jacques-cagna.com – M° Saint-Michel ou Odéon. Fermé le samedi midi, le dimanche et le lundi midi. Menus : 25 € et 32 €. A la carte, environ de 33 € à 79 €.
L'Espadon Bleu qui appartient au chef, Jacques Cagna, déjà présent dans la rue, jouit d'une très bonne réputation qui ne se dément pas. Une adresse où l'on aime se rendre d'abord pour son décor. Ici, les poutres sont colorées d'un bleu azur, les canapés rouge vif s'accordent aux jolis lustres et les murs de pierres de taille donnent un vrai cachet au restaurant. Côté cuisine, Jacques Cagna propose des plats simples finement travaillés. Tartare de thon mariné au lait de coco et citron vert ou ravioles de tourteaux et consommé de langoustines sont parfaits pour commencer. Derrière, en hommage au nom du restaurant, on choisit l'espadon grillé, son jus de viande infusé au romarin et ses aubergines au saumon fumé avant de céder à la tentation des desserts, notamment le classique clafoutis, le vacherin glacé au caramel et noix ou la salade d'oranges et de pamplemousses aux zestes d'agrumes confits.

L'EPI DUPIN
11, rue Dupin ✆ 01 42 22 64 56
Site Internet : www.epidupin.com – M° Sèvres-Babylone. Fermé samedi, dimanche et lundi midi. Menus : 19 € et 25 € – au déjeuner – et 34 €.
Dieu que le temps passe vite. François Pasteau nous a confié qu'il était en place depuis treize ans. Normal qu'il ait décidé de refaire une beauté à son Epi. Le voici donc dans son tout nouvel écrin, et franchement c'est une réussite, notamment avec cette imposante table d'hôtes pouvant accueillir jusqu'à douze convives qui n'ont même pas besoin de se serrer les coudes pour apprécier la cuisine de François. Une cuisine toujours dans l'air du temps, qu'il sait faire évoluer au gré des saisons, des produits tendance, des envies de ses clients, du style de présentation. Bref, on ne s'ennuie jamais chez François qui affiche complet tous les jours. Avec les tarifs qu'il pratique, notamment au déjeuner, une aubaine, il est difficile d'imaginer une salle vide et des cuisiniers désespérés de ne pas pouvoir préparer une friture d'éperlans, roquette sauvage et sauce tartare, une poêlée de ris d'agneau, fondue d'épinard et sauce langoustine, un lapin mariné aux herbes, polenta et chutney de courgettes et un pain perdu tiède aux framboises et glace réglisse. Qu'on se rassure, ça n'arrivera jamais. L'Epi Dupin continuera d'afficher complet.

L'EPIGRAMME
9, rue de l'Eperon ✆01 44 41 00 09
M° Odéon. Fermé le dimanche soir et le lundi. Menus: 22€ et 28€.
Un peu en retrait de l'agitation d'Odéon et du quartier Saint-Michel, cet Epigramme séduit. Déjà, à l'époque de la Forêt Noire, nous aimions cette petite salle où il fallait un peu jouer des coudes pour prendre place. Aujourd'hui, il faut toujours un chausse-pied pour s'asseoir mais c'est ce qui fait le charme de la maison désormais tenue par un ancien du Cap Vernet qui espérons, n'a pas coupé ses moustaches à l'heure où nous écrivons. D'une rare gentillesse, il vante comme personne les plats de son chef, comme la galantine de pintade, poireaux vinaigrette, les pieds, les oreilles et la poitrine de cochon façon petit salé, sans oublier le lièvre à la royale, le lapin façon porchetta dont la cuisse désossée est farcie de Parmesan et de légumes, le tout accompagné de quelques légumes oubliés. A force de les vanter ceux-là, ils vont venir par ne plus l'être… oubliés. Une adresse nickel, bien sous tous rapports qui mérite votre attention, à condition de penser à réserver. Vu le nombre de couverts, c'est mieux d'y penser à l'avance.

FOGON (ESPAGNOL)
45, quai des Grands-Augustins
✆01 43 54 31 33
Site Internet: www.fogon.fr – M° Saint-Michel. Fermé le lundi. Menus: 44€ et 49€. A la carte, environ de 55€ à 65€.
Fogon en espagnol, ça se traduit par fourneau, mais aussi indirectement par bistrot même si dans le cas présent nous sommes plus dans un gastro qu'un bistrot. Fogon à Paris est intimement lié à un homme qui nous a fait découvrir, non pas le folklore espagnol, mais la cuisine du riz. Cet homme, c'est Alberto Herraiz, qui nous invite à apprécier ses recettes à base de riz bomba qu'il mitonne avec des langoustines, du jambon ibérique ou des légumes, sans oublier, classique parmi les classiques, le riz noir à l'encre de seiche. Mais auparavant, le temps qu'Alberto surveille la cuisson minutée de son riz, laissez-vous bercer par quelques tapas dont le gaspacho, les calamars en beignets croustillants ou la salade de courges aux dés de thon. Et comme le mot tapas fait saliver, concluez par les sucrés dont un succulent beignet de banane et chocolat froid ou une tarte citron – framboise, acidulée à souhait.

J'GO
3, rue Clément ✆01 43 26 19 02
Site Internet: www.lejgo.com – M° Mabillon. Ouvert tous les jours, midi et soir. Menus: 30€ – au déjeuner – et 35€. A la carte, environ de 30€ à 40€.
Dans ce quartier très rugby, le J'Go a rapidement trouvé son public. Comme on peut s'y attendre, l'ambiance y est joyeuse et les origines Sud-Ouest des employés n'y sont pas étrangères. Avec l'accent, ils vantent le patrimoine culinaire solide et liquide de leur région. En dehors de l'heure du déjeuner, on se glisse essentiellement dans ce bistrot pour grignoter façon tapas. Ici et là, on picore du lou pastifret, l'incontournable pâté maison qui se démoule comme un Flanby, du jambon noir de Bigorre, du foie gras, et éventuellement une salade aux pommes et rocamadour. On accompagne le tout de crus locaux comme le côtes-de-duras La Pie-Colette de la famille Le Bihan ou la cuvée Chante-Coucou en côtes-du-marmandais d'Elian da Ros. Ambiance garantie les jours de match quand le grand écran est déplié.

KILALI (JAPONAIS)
3, rue des Quatre-Vents ✆01 43 25 65 64
M° Odéon. Fermé le lundi. A la carte, environ de 15€ à 25€.
«L'étincelle de lumière», avec son décor minimaliste, fait partie de ces surprises qui illuminent une journée. Cette maison de thé vert est également une galerie d'art qui repose l'esprit, éveille les sens et excite les yeux et le goût. Servies dans les règles de l'art dans de petites théières, vous pouvez réclamer autant d'infusions qu'il vous sied, sachant seulement que la deuxième est bien souvent la meilleure – c'est alors que le thé dévoile tous ses secrets! –, accompagnées de micro-douceurs colorées au goût exalté. Les plus gros appétits essaieront avec bonheur quelques plats de la carte, à base de riz et de légumes confits. Un moment d'extrême raffinement!

LAPEROUSE
51, quai des Grands-Augustins
✆01 43 26 68 04
Site Internet: www.laperouse.fr – M° Saint-Michel ou Odéon. Fermé le samedi midi et le dimanche. Menus: 35€ et 45€ – au déjeuner – et 105€ – au dîner. A la carte, environ de 90€ à 100€.
Fondé au XIXe siècle, ce restaurant est une institution à Paris. Avec sa vue unique sur la Seine et ses

nombreux petits salons privés, l'endroit, où Zola, Maupassant, Hugo et d'autres illustres personnages se donnaient rendez-vous, est un haut lieu de l'histoire gastronomique de Paris. Le restaurant propose aujourd'hui une cuisine alliant tradition et modernité, avec l'arrivée d'un nouveau chef, Samuel Benne, ancien élève d'Alain Ducasse. Au menu : caille des Dombes, bar tranché fin et mariné au citron, escalope de foie gras poêlée pour commencer, puis homard bleu, rouget et cabillaud ou poitrine de veau du Limousin, selle d'agneau de lait des Pyrénées. Le plateau de fromages comblera vos attentes, tout comme les desserts : soufflé aux châtaignes, marrons confits, mousse de lait au vieux rhum et glace vanille.

LA MAISON GEORGIENNE
3, rue du Sabot ✆ 01 45 48 50 83
Site Internet : www.lamaisongeorgienne.fr – M° Saint-Germain-des-Prés. Ouvert tous les jours, midi et soir. Menus : 19 € et 24 € – au déjeuner –, 29 € et 59 €.
Oui, il existe une gastronomie géorgienne, eh oui, elle a trouvé sa place à Paris. Dans un cadre incroyable, un hôtel particulier au cœur du quartier de Saint-Germain, on vient se régaler sur plusieurs niveaux aussi beaux les uns que les autres, de caviar d'aubergines aux noix fraîches, de tomates, concombres et fromage frais en salade façon batoumi, de raviolis à la viande ou au fromage et d'un étonnant tchatchouchouli de veau étuvé à la coriandre et sa mousseline parmentière. Et quand le sucré pointe ses gourmandises, on craque pour le médoguié, des feuilles de pain d'épice garnies de lait concentré caramélisé, saupoudrées d'éclat de noisettes.

LA MAISON DE LOZERE
4, rue Hautefeuille ✆ 01 43 54 26 64
Site Internet : www.lozere-a-paris.com – M° Saint-Michel. Fermé le dimanche et le lundi. Menus : 16,50 € et 17,80 € – au déjeuner – et 22,70 € – au dîner. A la carte, environ de 24,30 € à 48,20 €.
Annexe de l'office départemental du tourisme de la Lozère, le restaurant de La Maison de la Lozère est une adresse sympathique, bourrée de charme et d'authenticité, belle ambassadrice de la cuisine régionale. Dans un décor très terroir, avec pierres apparentes et petit mobilier rustique, vous êtes invité à déguster une cuisine 100 % régionale, avec au programme en entrée un filet de truite fumée de Langlade ou un pâté caussenard au genièvre, puis une entrecôte de bœuf de Lozère ou un carré d'agneau du Gévaudan aux gousses d'ail rôties. Pour finir cette balade en Lozère, on fait un crochet par la mousse glacée à la gentiane et son coulis de cassis. Mais à la lecture de ces spécialités, vous vous dites qu'il en manque une, l'aligot. Elle est prévue, mais uniquement le jeudi soir. Pensez-y !

MONTPARNASSE 1900
59, boulevard du Montparnasse
✆ 01 45 49 19 00
Site Internet : www.gerard-joulie.com – M° Montparnasse-Bienvenüe. Ouvert tous les jours. Menus : 26 € au déjeuner et 33 €. A la carte, compter de 35 € à 40 €.
Un décor classé d'exception, cette grande brasserie est une institution à Paris. Combien de voyageurs ont soupé ici depuis plus d'un siècle ? C'est donc dans ce lieu chargé d'Histoire, où résonnent encore des airs des années 1900 que l'on déguste des spécialités comme la choucroute royale "façon 1900", la tête de veau "vieille France" sauce gribiche, l'onglet de bœuf aux échalotes confites, de très bons poissons, des desserts succulents comme la mousse au chocolat maison servie en jatte, accompagnée d'une brioche tiède ou du baba gourmant arrosé de rhum ambré Saint-James.

PIZZA CHIC
13, rue Mézières ✆ 01 45 48 30 38
M° Saint-Sulpice. Fermé le dimanche et le lundi. A la carte, environ de 25 € à 40 €.
L'équipe de l'Altro – 6e –, de Leï – 7e – et des Cailloux – 13e – a récidivé en ouvrant comme son nom l'indique une pizzeria chic. Décor noir et blanc, miroirs, tables nappées, cette Pizza Chic est, question décor, à l'opposé des centaines de pizzerias que l'on trouve en bas de chez nous. Côté prix, ce n'est pas non plus la même histoire, 21 € la Diva au jambon cuit, aux olives et aux herbes, mais le différentiel de prix s'explique par la qualité des pizzas proposées et des produits qui les composent, tomates cerise délicieuses, mozzarella comme dans nos rêves. Mais surtout, les cuissons sont parfaites. La pâte est craquante à l'extérieur, tendre à l'intérieur. Une adresse qui donne envie d'embrasser le pizzaïolo.

POLIDOR
41, rue Monsieur-le-Prince
✆ 01 43 26 95 34
Site Internet : www.polidor.com – M° Odéon. Ouvert tous les jours, midi et soir. Menus : 22 € et 32 €. A la carte, environ de 30 € à 40 €.
Fondé en 1845, ce bistrot typique a conservé son décor d'origine. Cuisine familiale et ambiance bon enfant pour cet établissement qui a vu passer de nombreuses célébrités. Aujourd'hui, le succès ne se dément pas, et l'adresse reste une institution à Paris. Chez Polidor, ça vit, ça cause dans tous les coins tout en savourant les immuables plats du jour, boudin purée le lundi, saucisse de Montbéliard purée le mardi, bœuf mironton purée le mercredi, petit salé aux lentilles le jeudi, hachis Parmentier le vendredi, souris d'agneau confite et flageolets le samedi et le dimanche. Artistes, touristes et étudiants, des générations s'y sont nourries et ce n'est pas demain que ça va changer, d'autant que l'addition reste légère.

LA TABLE DE FES (MAROCAIN)
5, rue Sainte-Beuve ✆ 01 45 48 07 22
M° Vavin. Fermé le dimanche. A la carte, environ de 35 € à 40 €.
Cette discrète adresse marocaine, l'une des plus anciennes de Paris puisqu'elle est établie depuis 1961, n'est ouverte que pour le dîner et n'a jamais démérité. Le décor date un peu, mais là n'est pas l'essentiel... On dit souvent que la cuisine marocaine est une affaire de femmes, ce qui est ici largement démontré. Tout est fait avec beaucoup de goût, des produits les plus frais à la préparation, légère et justement épicée, des couscous et tajines de la carte. La semoule est aérienne et le bouillon soigneusement dégraissé, ce qui n'est pas sans avantager les viandes et les boulettes. Le service délicat met en valeur le souci du détail de cette table-là !

SHU (JAPONAIS)
8, rue Suger ✆ 01 46 34 25 88
M° Saint-Michel. Fermé tous les midis et le dimanche toute la journée. Menus : 38 €, 48 € et 68 €.
Attention à la porte ! Et voilà, vous ne nous écoutez pas et une bosse vient d'apparaître sur votre front. On vous avait pourtant prévenu, la porte s'ouvre côté rue et elle ne dépasse pas 1,20 m. Ensuite, attention à la marche. Voila, vous êtes arrivé dans ce temple japonisant au-dessous du niveau de la rue dans un décor très zen fait de bois clair, de poutres et pierres apparentes dans lequel sont disséminées quelques orchidées. La spécialité de la maison, les kushiagé qui se traduisent par brochettes panées. Le chef dans sa cuisine ouverte sur la salle pique des ingrédients sur des petites épingles en bambou qu'il roule ensuite dans une fine panure avant de les plonger dans un bain de friture. Plus le prix du menu s'élève, plus il y a de brochettes. Au programme, œuf de caille, foie gras miso, racine de lotus, calamars et oursins, aile de poulet, aubergines, croquettes de riz et potiron... stop, n'en jetez plus même si c'est totalement divin.

LE TEMPS PERDU
54, rue de Seine ✆ 01 46 34 12 08
Site Internet : www.le-temps-perdu.com – M° Mabillon ou Saint-Germain-des-Prés. Ouvert tous les jours, midi et soir jusqu'à 23h. Menus midi et soir, tous les jours : entrée + plat ou plat + dessert à 17,80 € et entrée + plat + dessert à 24,70 € Menu enfant à 8,50 €
Le Temps Perdu est une excellente adresse, située dans le très agréable et vivant quartier de Saint-Germain-des-Prés. Le restaurant est très chaleureux avec ses banquettes de cuir rouge, tommettes au sol, murs en pierres et poutres en bois apparentes. Un endroit comme on les aime, où l'on aime s'attabler, et c'est vrai, passer du temps. Mais jamais du temps perdu ! Suggestions et menus renouvelés quotidiennement, en plus d'une large carte qui propose notamment un grand choix d'entrées très diverses (petits artichauts campagnards marinés au basilic, chiffonnade de jambon espagnol aux pamplemousses, escargots de Bourgogne, moules marinières, tartine de chèvre rôti sur pain Poilâne....) Installés près du large bar en bois foncé, nous avons apprécié en entrée la salade de chèvre rôti et pressé de tomates sur pain croustillant, suivie d'une tranche d'espadon poêlée à la provençale (alors que la table voisine se régalait de la spécialité maison, le traditionnel coq au vin campagnard servi avec des pâtes fraîches) et pour finir la terrine de fruits rouges, crème anglaise. Ne manquez pas non plus la mousse au chocolat, les œufs en neige ou encore le crumble pommes-framboises. Aux beaux jours, les grandes portes vitrées s'ouvrent sur la rue, visez l'une des tables proches de la chaussée pour profiter de la fraîcheur et du spectacle. L'équipe est très accueillante.

LE TIMBRE
3, rue Sainte-Beuve ✆ 01 45 49 10 40
Site Internet : www.restaurantletimbre.com – M° Vavin. Fermé le dimanche et le lundi. Menus : 22 € et 26 € – au déjeuner. A la carte, environ de 35 € à 40 €.
Autant être honnêtes avec vous dès les premières lignes, ce Timbre est notre chouchou dans cet arrondissement. Petit par la taille, d'où le nom, mais grand par le talent, ce bistrot est tenu par un Anglais, Christopher Wright. Il est au four et au moulin, il cuisine, accueille, sert, débarrasse et encaisse. De A à Z et 10/10 pour tout ce qu'il fait. Christopher a opté pour une cuisine à la française qu'il maîtrise avec brio comme la terrine de campagne maison et sa confiture d'oignons, la salade de lentilles et joues de porc, la poêlée de Saint-Jacques et sa purée de panais, la daube de bœuf et ses coquillettes, sans oublier les quenelles de chocolat et leur crème au jasmin ou pour rester dans le chocolat, les deux petits pots de crème pour lesquels il est envisageable de traverser tout Paris.

VILLA MEDICI (ITALIEN)
11 bis, rue Saint-Placide ✆ 01 42 22 51 96
Site Internet : www.villa-medici.com – M° Saint-Placide ou Sèvres-Babylone. Fermé le dimanche. Menus : 13,50 € et 18 € au déjeuner, 22 € et 26,50 € au dîner. A la carte, compter de 35 € à 45 €.
Dans un espace lumineux à la décoration contemporaine, d'inspiration romaine, tentures bordeaux et tons crémeux, la Villa Medici est un excellent restaurant italien placé sous le signe de l'évasion culinaire suggérée par le patron, un Italiano vero au caractère trempé, mais joueur, et qui a su garder près de lui une équipe aussi enthousiaste qu'expérimentée. Au menu, des hors-d'œuvre qui se mêlent avec fraîcheur – tripudio mediterraneo : roquette, artichauts, jambon de Parme, tomates, mozzarella, Parmesan et fruits de saison –, des pasta et risotti – spaghetti alle vongole, pappandelle al pesto –, des viandes et des poissons fins – scaloppina al limone et capesante al balsamico – et des pizzas généreuses aux recettes originales. Les douceurs sont, elles aussi, hautes en saveur.

VAGENENDE
142, boulevard Saint-Germain
✆ 01 43 26 68 18
Site Internet : www.vagenende.fr– M° Odéon. Ouvert tous les jours. Menus : 22 et 26 €). A la carte, compter de 30 à 50 €.
Cette brasserie fondée en 1904 est un véritable dépaysement, une institution de ce quartier Saint-Germain. Une machine à remonter le temps où chacun appréciera le souci du détail et la délicatesse du service. Le décor est d'origine : des miroirs biseautés qui se reflètent à l'infini, encadrés de boiseries travaillées dans un pur style "nouilles", fait de courbes et d'arabesques. La carte traditionnelle et très variée propose de découvrir chaque jour un nouveau plat notamment la blanquette de veau le mercredi ou la brandade de morue à l'ail confit le vendredi, jour du poisson, et le fameux gigot d'agneau tranché en salle le dimanche. Le reste de la carte est comme le semainier, traditionnel, petite friture d'éperlan, sauce tartare, poulet fermier purée, escalope de saumon à l'oseille et évidemment en dessert, le baba au rhum, le chocolat Liégeois ou la mousse au chocolat.

7e ARRONDISSEMENT

L'AMI JEAN
27, rue Malar ✆ 01 47 05 86 89
Site Internet : www.amijean.eu – M° RER C : Pont-de-l'Alma. Fermé dimanche et lundi. Menu : 34 €. A la carte, environ de 45 € à 60 €.
Stéphane Jego est breton, son auberge et sa cuisine ont des accents basques. Si certains esprits chagrins pourraient se dire que ça ne colle pas, ils se tromperaient complètement. Ce repaire de gaillards de la fourchette ne désemplit pas, preuve que l'ami Stéphane a visé juste. D'autres esprits chagrins diront qu'il est difficile d'obtenir une table et que l'on mange au coude à coude. Et alors, c'est ce qui fait le double charme de la maison. Premièrement, s'y prendre à l'avance, noter en rouge dans son agenda la date des festivités et laisser les heures s'écouler avant le jour J. Deuxièmement, le coude à coude, où est le problème ? C'est ça qu'on aime dans ce genre d'endroit, la promiscuité, l'ouverture d'esprit. On ne se sent jamais seul ici, on taille le bout de gras avec le voisin italien, la voisine australienne, on partage ses émotions. C'est ça, la table. Et des émotions, l'ami Stéphane sait en donner sans tomber dans le roboratif. Essayez le râble de lapin mariné au muscadet avec une pomme de terre au beurre demi-sel et herbes, puis la queue de bœuf et sa purée ou, quand c'est la saison, le sanglier cuit à l'os et servi avec quelques girolles et une purée. Il n'y a rien ici de prétentieux, personne ne se prend au sérieux, ni le chef, ni les clients, et c'est pour cette raison que l'on revient même s'il faut parfois attendre quelques jours avant d'obtenir une table.

AUGUSTE
54, rue de Bourgogne ✆ 01 45 51 61 09
M° Varenne. Fermé le samedi et le dimanche. Menus : 35 € – au déjeuner. A la carte, environ de 60 € à 70 €.
Auguste, un hommage à Auguste Escoffier, «roi des cuisiniers et cuisinier des rois», par un jeune chef de talent, Gaël Orieux. Après avoir fait ses classes auprès de Paul Bocuse, Alain Senderens et Yannick Alléno au Meurice, Gaël Orieux s'est posé là, et depuis quelques années, la petite salle de trente couverts ne désemplit pas. Sa cuisine, excellente et raffinée, est comme une vague de fraîcheur par une chaude journée de canicule ou un rayon de soleil au milieu de l'hiver. Surprenante et réjouissante : fine gelée iodée aux huîtres creuses et bulots, rouget barbet étuvé au confit de poivrons doux, suprême de canard croisé à l'orange douce…

BELLOTA-BELLOTA (ESPAGNOL)
18, rue Jean-Nicot ✆ 01 53 59 96 96
M° La-Tour-Maubourg ou Invalides. Fermé le dimanche et le lundi. A la carte, environ de 45 € à 50 €.
Bellota, c'est le nom donné aux glands que l'on donne à manger aux porcs à pattes noires, élevés en liberté pour leurs jabugos. Seconde adresse parisienne ouverte par l'importateur Byzance, Bellota-Bellota est l'un des endroits les plus sûrs pour déguster des produits espagnols qui fleurent bon l'authenticité. Il ne s'agit pas vraiment d'un restaurant, mais d'un espace dégustation dans l'arrière-salle d'une boutique où l'on trouve, outre des jambons finement découpés, des fromages, des préparations de poissons, des confitures de tomate et des vins servis au verre.

LE BISTROT DU 7e
56, boulevard de La-Tour-Maubourg
✆ 01 45 51 93 08
Métro : ligne 8 La-Tour-Maubourg. Ouvert tous les jours, midi et soir sauf le samedi et le dimanche midi. Formules déjeuner : 15 € ou 20 €. Menu au dîner : 20 €. Repas à la carte : environ 25 € (entrées de 7 € à 9 €, plats de 9 € à 13 € et desserts à partir de 5 €). Terrasse.
Situé à deux pas du Dôme des Invalides et donnant sur l'animation du boulevard, ce restaurant au cadre agréable propose un rapport qualité-prix exceptionnel. Profitant de la terrasse abritée ou de la vaste salle conviviale à l'éclairage tamisé, vous pourrez faire votre choix parmi diverses entrées : une salade auvergnate ou landaise, une terrine gourmande aux foies pochés ou encore un délicieux foie gras mi-cuit. Les plats sont le reflet d'une cuisine traditionnelle bien maîtrisée avec une mention particulière pour le confit et ses

pommes sarladaises fondantes, le filet de haddock beurre fondu, l'escalope de veau sauce normande ou le filet de julienne au basilic. Difficile de ne pas trouver un plat à son goût (vaste choix de 15 sortes d'entrées, de plats et de desserts !). Vins (margaux, saint-émilion ou monbazillac figurent en bonne place) et desserts (délicieuse crème brûlée) complètent une carte bien remplie. Une adresse que l'on soulignera d'un trait rouge dans son carnet, d'autant plus que l'équipe est toujours aussi sympathique et dynamique.

LE BISTROT DU PALAIS
34, rue de Bourgogne ✆ 01 45 55 80 75
M° Varenne. Ouvert du lundi au vendredi de midi à 15h et de 19h à 23h. Fermé en août. Formules à 12 € (plat + dessert) à 16,50 € (entrée + plat ou plat + dessert).
Le Bistrot du Palais mitonne des plats traditionnels, ce qui n'est pas un vain mot. Les classiques de la cuisine française, parfois oubliés, parfois dédaignés, méritent pourtant un certain respect et surtout un bon tour de main. Cécile et Christian Mayoussier, propriétaires de ce petit restaurant, vous offrent tout cela, l'accueil en plus. La clientèle ne s'y trompe pas, il suffit de suivre les connaisseurs de cuisine de tradition pour s'en assurer. Les députés viennent en voisins le midi pour profiter des assiettes, qui changent avec les saisons : la langue de veau sauce gribiche servie avec des pommes vapeur se taille un succès mérité, tout comme cette belle terrine (maison !) aux pistaches et aux abricots, les grosses salades, le foie gras maison, l'andouillette de Troyes ou le tartare avec de belles frites maison ou pommes sautées à la graisse de canard. En dessert, toujours du classique et du savoureux : fondant au chocolat et crème anglaise, feuilleté aux pommes et crème fraîche, et autres tartes de saison. En somme, un bistrot sans aucune fausse note. Pour le déjeuner, mieux vaut réserver.

BIS-TRO VIN SOBRE
35, avenue Duquesne ✆ 01 47 05 67 10
M° Ecole-Militaire ou François-Xavier. Ouvert tous les jours. Menu : 19 € au déjeuner et 30 €. A la carte, compter, de 30 à 35 €.
Après plusieurs années de bons et loyaux services rendus à la cause de la défense des vins de nos terroirs et des produits aveyronnais, le couple Battut a cédé son Calmont à Bertrand Guillemin, bistrotier bien connu des habitants du 5e. La carte des vins est désormais majoritairement axée sur la Vallée du Rhône, la Loire et la Bourgogne. Riche de 120 références, elle permet d'y trouver son bonheur pour escorter agréablement l'entrecôte et la côte de bœuf du Limousin achetées chez Jean-Marie Charcellay, excellent boucher du 5e. Julien et Jérôme, les maîtres des lieux savent parfaitement mettre en avant les créations du chef dont certaines sont imaginées en fonction du marché comme la blanquette de Saint-Jacques ou la brandade de morue.
Autre adresse : LE VIN SOBRE – 25, rue des Feuillantines ✆ 01 43 29 00 23.

LE CAFE CONSTANT
139, rue Saint-Dominique
✆ 01 47 53 73 34
Site Internet : www.cafeconstant.com – M° Ecole-Militaire. Fermé dimanche et lundi. Menu : 16 € – au déjeuner. A la carte, environ 33 €.
Christian Constant et sa gouaille montalbanaise a fait de ce bistrot un vrai repaire canaille dans le quartier. Bistrot pur jus avec son comptoir où une poignée de clients se partagent une assiette de charcuteries et un verre de vin avant de passer à table, Le Café Constant régale son monde avec une formule au déjeuner qui a l'avantage d'être à moins de 20 €, mais qui a l'inconvénient de ne pas laisser le choix. Du coup, il n'est pas rare d'opter pour la carte. On y trouve son bonheur en moins de cinq minutes, mais les plats qui passent aux tables voisines jouent souvent le rôle d'ambassadeur. Oh, il n'a pas l'air mal ce tartare de saumon et huîtres relevé au gingembre, et que dire de cette classique entrecôte cuite à la plancha et sa purée de pommes de terre. Mais que vois-je au fond là-bas ? ce ne serait pas quelques quenelles au chocolat. Et bien voilà, une entrée, un plat et un dessert choisis avec les yeux et un peu avec le cœur.

CHEZ LUCIE
15, rue Augereau ✆ 01 45 55 08 74
M° Ecole-Militaire. Ouvert 7j/7 sur réservation. Menu : 23 €, à la carte environ à 30 €.
L'adresse existe depuis 1965… Une référence pour ce restaurant qui satisfait toujours avec autant de plaisir la clientèle d'habitués ou celle qui découvre les lieux en passant par hasard. La décoration joue la simplicité, et bois et pierres se marient bien pour donner un côté bistrot à cette atmosphère très chaleureuse entre chalet savoyard ou des îles. Sur les murs, gravures et photos rappellent que l'on est dans un restaurant créole. Les plats sont typiquement antillais avec à la carte, quelques spécialités réunionnaises. Bien sûr ne passez pas à côté des crabes farcis, du poulet colombo, du cari de bœuf ou encore de la daube de thon.

LA CIGALE RECAMIER
4, rue Récamier ✆ 01 45 48 86 58
M° Sèvres–Babylone. Fermé le dimanche. A la carte, environ de 50 € à 55 €.
Le tout Paris de la littérature, du journalisme et de la politique se donne rendez-vous dans ce repaire de gourmandise niché à deux pas du Bon Marché. Aux beaux jours, la terrasse est très recherchée pour son silence et si malheureusement toutes les places sont prises, on se réfugie dans la salle, sobre et élégante. Comme son nom ne l'indique pas, la spécialité de la maison, c'est le soufflé. Il en existe des dizaines dont un classique au fromage, un surprenant aux morilles et un savoureux au chocolat. Mais si le mot soufflé ne vous fait pas frémir de plaisir, n'ayez crainte, la maison a tout prévu avec notamment un filet de bœuf grillé au basilic ou une dorade cuite à la vapeur d'algues.

CINQ MARS
51, rue de Verneuil ✆ 01 45 44 69 13
M° Rue-du-Bac. Fermé le dimanche. Menus : 17 € et 21,50 € – au déjeuner. A la carte, environ de 35 € à 45 €.
Vous n'êtes pas obligé d'attendre cette date pour y aller et encore moins la Saint-Glinglin ou la Saint-Blingbling. Le Cinq mars, c'est la table de tous les jours. Celle où il fait bon se glisser derrière la glotte un morgon de chez Lapierre en magnum. Eh oui, qui dit bistrot de copains, dit magnum. Buvons large pour accompagner les œufs mayonnaise, la terrine de campagne, les poireaux vinaigrette servis tièdes, la saucisse de chez Conquet avec sa purée et l'omelette bien baveuse. Et quand arrive le sucré, poussez les verres, car aucun vin ne peut se marier au mont-blanc maison. Il se déguste seul en silence.

LE CLARISSE
29, rue Surcouf ✆ 01 45 50 11 10
Site Internet : www.leclarisse.fr – M° La-Tour-Maubourg. Fermé samedi midi et dimanche. Menus : 29 € et 35 €.
Qu'un Nantais aime cuisiner le poisson, rien d'exceptionnel à cela. Que les cuissons des

poissons soient justes à chaque passage, on frôle la perfection. Arnaud Mène a bien fait d'orienter sa carte vers le large. Non pas que le gigot d'agneau au thym et son gratin de pommes charlottes soient basiques, mais seulement on sent que ce chef a du talent pour mitonner tout ce qui vient de la mer. Désormais si quelques plats pour viandards restent à la carte, la majorité des propositions est désormais iodée à souhait, comme ce carpaccio de thon, légumes, condiments et Parmesan ou ce blanc de cabillaud persillé au gingembre. Arnaud a donc trouvé sa voie et on le suit bien volontiers, d'autant que le cadre reste séduisant avec ces tons de gris et de noir. Il n'y a pas que l'assiette, la décoration participe aussi au plaisir, et chez Arnaud, du plaisir, on en prend au premier coup d'œil et à la première bouchée.

LEO LE LION
23, rue Duvivier
✆ 01 45 51 41 77

M° Ecole Militaire ou La-Tour-Maubourg. Fermé dimanche et lundi. Plats autour de 20 € desserts à 9,50 €. Formule express à 12,50 €, menu à 22,50 €. A la carte, environ 50 €.

Mais où est donc le terrible carnassier, Léo? En cuisine, c'est le chef, Didier Mery (ex-Divellec), et en salle c'est Françoise. Serions-nous les fauves? Il faut dire qu'on fait dans ce petit restaurant des repas de roi, fut-il d'une jungle très urbaine. Et pour ne rien gâcher, ce Léo a fichtrement bon goût et son repaire est décoré avec soin dans des tons rouge carmin. C'est beau, on s'y sent bien! Pour l'accueil et l'assiette, c'est patte de velours. Si Didier est à la porte dans son tablier blanc, il vous expliquera lui-même comment ça fonctionne: la carte à l'ardoise ou le menu du marché, qui change tous les jours. En entrée, l'émietté de tourteau et d'avocat, la terrine de foie de gras maison ou la salade de langoustines à la graine de sésame préparent parfaitement la suite: raviole de saumon et de tourteau à la fondue de poireaux, fricassée de poulet à la crème d'estragon ou lotte rôtie aux petites seiches et riz basmati. Et si vous venez avec un copain de Léo, le filet de bœuf poêlé au poivre de Sichuan est tout indiqué. En dessert, l'assiette de sorbets et ses fruits frais ou la crème brûlée au miel. Frais, savoureux, en somme, tout bon!

FIRMIN LE BARBIER
20, rue Monttessuy ✆ 01 45 51 21 55

M° RER C: Pont-de-l'Alma. Fermé lundi et mardi. Menu: 16 € – au déjeuner. A la carte, environ 40 €.

Francis Firmin a passé sa vie dans des blocs opératoires avant de lâcher le scalpel pour s'offrir une petite gargote où il fait bon boire et manger. Vous avez bien lu, le sieur Firmin était chirurgien urologue, mais il ne se voyait pas passer ses vieux jours à se promener quotidiennement autour du Champ de Mars. Lui, ce dont il rêvait secrètement, c'était de partager son amour du beau produit, du plat de bistrot et du vin de propriétaires. Du coup, il a craqué pour un pas de porte, déniché un chef et composé une carte ménagère à souhait. Du mercredi au dimanche, Francis est là pour vanter les plats du moment. Un jour, il dit tout le bien qu'il pense des filets de harengs marinés, salade de pommes tièdes, le lendemain il assure que sa fricassée de champignons est plus qu'honnête et qu'elle serait idéalement suivie d'un dos de cabillaud rôti et ses petits légumes ou d'une noix de joue de bœuf et sa purée. Nous, Francis, on l'écoute et on suit ses conseils à la lettre.

LE LOTUS BLANC (VIETNAMIEN)
45, rue de Bourgogne ✆ 01 45 55 18 89

M° Assemblée-Nationale. Fermé le dimanche. Menus: 11,90 € et 13,90 € – au déjeuner –, de 18 € à 32 € – au dîner.

Dans les beaux quartiers, à deux pas du Musée Rodin, le Lotus Blanc reçoit les amateurs de cuisine Vietnamienne depuis bientôt 35 ans. Sur les murs, on jette un coup d'œil aux photos du patron posant aux côtés de personnalités du monde politique et du show-bizz mais très vite, on détourne notre regard pour lire la carte et composer son repas qui à coup sûr sera coloré, épicée et parfumée. Pour s'en convaincre, il faut goûter la soupe aux crevettes, les rouleaux de printemps, des nouilles aux sept légumes et le fameux canard au curry. C'est de la cuisine de haute volée mais tarifiée à petits prix ce qui n'est pas pour nous déplaire.

RESTAURANTS

LES COCOTTES DE CONSTANT
133, rue Saint-Dominique ✆ 01 45 50 10 31
M° Ecole-Militaire. Fermé dimanche. A la carte, environ de 20 € à 30 €.
C'est un concept, il faut s'y faire, la maison ne prend pas de réservation. Entre nous, on ne saurait trop vous conseiller de venir tôt, c'est-à-dire vers midi pour déjeuner et dix-neuf heures pour dîner. Après, ça se traduit en temps d'attente qui peut varier entre dix minutes et plus de quarante. Sachez aussi qu'ici tout se passe au bar dans une salle étirée, et que, comme son nom l'indique, les plats sont mitonnés en cocotte. Et comme il faut un peu de temps pour que ça popote sous le couvercle, on a le loisir de réveiller nos papilles avec une verrine au tourteau, une salade César ou un velouté aux petits pois. Vient ensuite la fameuse cocotte. A l'intérieur, une épaule d'agneau tendre et savoureuse, et dans la cocotte voisine, des noix de Saint-Jacques, chips de vitelotte et purée de patates douces. Une tarte au chocolat plus tard, on cède son tabouret à ceux qui ne savaient pas qu'il fallait s'armer de patience.

LE MESSAGER
28, rue du Général-Bertrand ✆ 01 47 34 30 26
M° Duroc ou Sèvres-Lecourbe. Ouvert du lundi au vendredi. Formule déjeuner (entrée + plat ou plat + dessert + café) à 16 €, plats de 12 € à 16 €, à la carte environ 30 €

Ce café-restaurant à deux pas de l'hôpital Necker est l'une des vraies bonnes adresses du quartier. Il suffit d'entrer pour le constater. Décoration claire et douce, accueil vraiment charmant, en bref, une adresse comme on les aime. Ajoutons que c'est Hervé Osaer (ex-Apicius) qui officie en cuisine, et voilà une tablée convaincue. C'est généreux et savoureux à souhait, une vraie cuisine traditionnelle travaillée en fonction des saisons. Le menu-carte affiche d'ailleurs de belles propositions : foie gras maison pommes-figues, saumon mariné façon hareng ou risotto de gambas en entrée, entrecôte poêlée purée-salade ou dos de cabillaud rôti sur la peau parmi les plats, et pain perdu et son caramel laitier ou encore une poêlée de fraises et balsamique côté douceurs. On opte pour la formule déjeuner, au prix très attractif. Ce jour-là : ravioles de Romans suivies d'une darne de saumon poché, puis une soupe de pêches au vin doux. Tout cela est joliment troussé.

MIYAKO (JAPONAIS)
121, rue de l'Université ✆ 01 47 05 41 83
M° RER C Invalides. Fermé le samedi midi et le dimanche. Menus : 13,80 € – au déjeuner –, 14,80 € – au dîner. A la carte, environ de 25 € à 30 €.
Une agréable cantine nippone haute en couleurs avec une prédominance du bleu, du rose et du bordeaux qui ravit les yeux. Ensuite, c'est au tour de votre palais de s'émoustiller avec son cortège de plats nippons comme les raviolis aux légumes, les brochettes de poulet sans oublier les traditionnels sushis, shasimis – ceux au thon sont délicieux – et autres tempuras. Ceux qui font attention à leur ligne, glisseront vers le thé vert, les autres goûteront à la bière Kirin.

LE NABULIONE
40, avenue Duquesne ✆ 01 53 86 09 09
Site Internet : www.nabulione.com – M° Saint-François-Xavier. Ouvert 7j/7de 8h à 2h. Formules déjeuner de 22 € à 30 €. A la carte, environ 50 €.
C'est un peu la dernière coqueluche du quartier qui a pris les murs du défunt chinois les Délices de Sechuan. Situé face au dôme des Invalides, le Nabulione est un nouvel établissement chic et glamour où se mêlent quelques touches de modernité dans un décor du début du XXe siècle : plafond peint, cheminée en marbre, belles boiseries et hauts plafonds, on se laisserait presque porter par le spectre de Napoléon. La terrasse est superbe et prise d'assaut dès les premiers rayons de soleil. Le chef sait allier des saveurs françaises et exotiques suivant les saisons : le king crabe rémoulade est parfait en entrée, le chili sea bass -un poisson qui ressemble un peu au bar dans son aspect- nage sur une sauce au lait de coco et lit de citron, les ris de bœuf laqués et leur chou de Shangaï sont goûteux. En dessert on a opté pour le carpaccio d'ananas caramel suzette. Le cadre est tellement enchanteur qu'on ne s'en lasse pas.

NABUCHODONOSOR
6, avenue Bosquet ✆ 01 45 56 97 26
Site Internet : www.nabuchodonosor.net – M° Alma-Marceau. Fermé le samedi midi et le dimanche. Menus : 21 € – au déjeuner – et 31 € – au dîner. A la carte, environ de 40 € à 70 €.
Le Nabuchodonosor est l'un de ces lieux atypiques où l'on aime se retrouver ! Aux fourneaux, un chef inventif, Thierry Garnier, qui a fait ses armes chez Guy Savoy et qui pour les connaisseurs reste un grand spécialiste de la cuisine du gibier et de la cuisson des viandes. A l'image de son atmosphère ocre et terre de Sienne, les plats se métamorphosent au rythme des saisons et s'accompagnent des plus beaux flacons. Avec un tel nom d'enseigne, on s'en serait douté. Tarte Tatin aux oignons, panaché de hareng et saumon fumé, volaille fermière rôtie en cocotte, légumes printaniers et palet breton à la soupe de citron composaient notre dernier menu. Un régal qui donne envie d'y revenir dans les meilleurs délais.

LES OMBRES
27, quai Branly ✆ 01 47 53 68 00
Site Internet : www.lesombres-restaurant.com – M° Alma-Marceau. Ouvert tous les jours, midi et soir. Menus : 38 € – au déjeuner –, 95 € et 145 €.
« Et la tour Eiffel, on la voit vraiment du restaurant ? ». Et comment ! Posé sur les hauteurs du musée du quai Branly, le restaurant Les Ombres offre une vue magnifique sur la vieille dame grâce au toit au vitrage panoramique. Omniprésente, presque gênante, mais si élégante, surtout le soir quand elle s'embrase à heure fixe, qu'on lui pardonne son regard persistant sur le contenu de nos assiettes pensées par le chef, Arno Busquet. Tarte friande de maquereaux à l'escabèche relevée d'une marinade d'agrumes, turbot rôti sur l'arête posé sur un risotto de légumes racines et entouré d'une émulsion à la betterave et la géométrie chocolatée croquante font partie de ces plats qui résument parfaitement tout le bien que nous pensons de ce jeune trentenaire.

LE PETIT BORDELAIS
22, rue Surcouf ✆ 01 45 51 46 93
Site Internet : www.le-petit-bordelais.fr – M° La-Tour-Maubourg. Fermé le dimanche et le lundi. Menus : 19 € et 28 € – au déjeuner – et 33 €.
Philippe Pentecôte, le chef propriétaire, a parfaitement réussi son intégration dans cet arrondissement où les bonnes tables sont nombreuses. Avec un sens de l'accueil et une carte régulièrement renouvelée, il a séduit une clientèle élégante ravie de dénicher chez lui des créations personnelles qui ne manquent pas de saveurs. Chez Philippe, les intitulés débutent toujours par le produit phare du plat. C'est clair et net et vous passez votre chemin immédiatement si le mot baudroie ne vous sied pas. De notre côté, les trois mots que nous avons retenu étaient, maquereau pour l'entrée – présenté sous diverses préparations à l'entre-deux-mers –, volaille pour le plat – le suprême poché et rôti, sauce blanquette à la truffe fraîche – et poire pour le dessert – pochée puis rôtie et parfumée au pain d'épice, crème à la fève de tonka. Et vous ? quels sont les mots que vous retiendrez ? calamar, bœuf et millefeuille ou thon, agneau de lait et noix de coco ?

AU PETIT TONNEAU
20, rue Surcouf ✆ 01 47 05 09 01
M° La-Tour-Maubourg. Ouvert tous les jours, midi et soir. A la carte environ 35 €.
Cela fait 30 ans que Ginette Boyer est sur le pont 7j/7 dans son petit bistro-resto tranquille de la rue Surcouf. Elle fêtera ses 70 ans en décembre 2009 et pas question de lâcher ses fourneaux ou ses queues de casseroles. La dame a du caractère, ce qui ne veut pas dire qu'elle a un sale caractère car elle a su s'attacher une belle clientèle de quartier ou des diplomates du Quai d'Orsay qui viennent s'encanailler de plats de bonne femme. Sa cuisine change selon les arrivages du marché avec cependant les incontournables carré d'agneau au thym, coquelet fermier à la crème et ratatouille maison, bœuf bourguignon, turbot beurre blanc ou blanquette de veau. C'est simple et tellement bon. Côté décoration, c'est tout le charme désuet du passé, Ginette tient absolument à ses nappes et serviettes blanches en tissu et à ses rideaux en dentelle.

RESTAURANTS

AU PIED DE FOUET

45, rue de Babylone ✆ 01 47 05 12 27

Site Internet : www.aupieddefouet.com – M° Saint-François-Xavier ou Sèvres-Babylone. Ouvert du lundi au samedi, fermé le dimanche. A la carte environ de 20 € et 25 €.

Voilà un restaurant dont le succès peut se mesurer : une troisième adresse a ouvert rue Oberkampf à la fin 2008. La recette ? Une ambiance bon enfant, un peu comme à la maison, avec Jean-Michel, qui dirige avec cœur ces établissements. A table, l'esprit est convivial, très populaire et s'il est parfois difficile de se faire entendre, l'important est que l'on passe au final un bon moment. Côté cuisine, plongez dans les délices de l'Auvergne : la cuisine fait dans l'authentique et la simplicité. A vous de jouer de la fourchette lorsque défilent salade de lentilles, foie de veau et purée maison au confit de canard, dont les portions sont généreuses. Et pour cette qualité, les prix défient toute concurrence. Pas de réservation aux Pieds de Fouet, mais on vous offre l'apéritif pour patienter. **A noter, deux autres adresses, dans le 6e :** 3, rue Saint-Benoît ✆ 01 42 96 59 10, la seconde dans le 11e : 96, rue Oberkampf ✆ 01 48 06 46 98.

LE SAC A DOS

47, rue de Bourgogne ✆ 01 45 55 15 35

Site Internet : www.le-sac-a-dos.fr – M° Varenne. Ouvert tous les jours sauf le dimanche. Formule midi et soir (entrée+plat ou plat+dessert) à 16 €. A la carte environ 25 €.

Ne cherchez pas le décor. Ici c'est plutôt style campagnard : mobilier en bois et petites tables recouvertes de nappes à carreaux. Seules quelques gravures sur les murs aux couleurs du soleil apportent une pointe de fantaisie. L'adresse est connue pour son excellent rapport qualité/prix et les hommes d'affaire se mêlent aux habitués dans une ambiance conviviale. La carte élaborée par Thierry, le patron, varie en fonction des produits du marché avec les incontournables salades en été et soupes à l'oignon ou au poisson en hiver. Vous pouvez également vous laisser tenter par la côte de bœuf de Salers, la brochette de Saint-Jacques ou les gambas grillées à la provençale. La salle à l'étage peut accueillir trente personnes.

LES OLIVADES

41, avenue de Ségur ✆ 01 47 83 70 09

Site Internet : www.deligne-lesolivades.fr.tc – M° Ségur ou Saint-François-Xavier. Fermé le samedi midi, le dimanche et le lundi midi. Menus : 28 € – au déjeuner – et 70 €. A la carte, environ de 45 € à 87 €.

Dans son cadre raffiné, la table de Bruno Deligne vous offre un dépaysement garanti au pays des cigales et de la douceur de vivre. En entrée, craquez pour l'escabèche de sardines, mini-ratatouille et vinaigrette de tomates au basilic, et déjà vous sentirez que le soleil regagne du terrain dans le ciel parisien. Pour accentuer cette impression, poursuivez avec un filet mignon de veau, sa fricassée de légumes et son jus de tapenade, avant de vous laisser séduire par un savarin aux deux crèmes et son rhum vieux. Côté vins, on file évidemment dans le Sud, notamment dans le vignoble des côtes du Lubéron ou celui de Gigondas, sans oublier les étonnants vins de pays des Bouches-du-Rhône qui méritent d'être découverts, notamment le château-d'estoublon.

LE VIOLON D'INGRES
135, rue Saint-Dominique ✆ 01 45 55 15 05
Site Internet : www.leviolondingres.com – M° Ecole-Militaire. Ouvert du mardi au samedi, midi et soir. Menus : 48 € et 65 €.
Le virage pris par Christian Constant, pour faire de son paquebot amiral non plus une table étoilée, mais plutôt une brasserie chic et contemporaine, a parfaitement été maîtrisé. Et malgré ce changement, le succès est toujours au rendez-vous et le talent du chef, Stéphane Schmidt, y est pour beaucoup. Au menu, place aux saveurs et aux douceurs d'un velouté de crevettes et sa bisque crémée, d'une tête de veau pochée et sa gribiche, d'un agneau de lait rôti à la broche et sa fleur de thym et d'un jubilé de cerises dragées et glace pistache. Vous pouvez y aller les yeux fermés, ce n'est jamais décevant et l'accueil de Christian reste un must dans le quartier. Et si vous vous demandez d'où lui vient ce bel accent chantant, la réponse est : de Montauban.

8e ARRONDISSEMENT

1728
8, rue d'Anjou ✆ 01 40 17 04 77
Site Internet : www.restaurant-1728.com – M° Madeleine. Fermé le dimanche. Menu : 35 € – au déjeuner. A la carte, environ de 56 € à 99 €.
Une adresse d'exception, dans les salons restaurés de l'hôtel particulier du XVIIIe siècle où vécut La Fayette : parquet laqué, lustres, plafonds peints d'époque vous attendent sitôt franchie la belle porte cochère qui mène à l'entrée du 1728. En cuisine, la jeune Géraldine Rumeau prépare de petites merveilles aux noms décalés comme « Gers Attitude » pour l'escalope de foie gras de canard poêlée, craquant de pomme Granny et poivre de Madagascar, « la Belle Province » pour le homard poché en saveurs de truffes noires, fricassée de champignons des bois, « Cap Corse » pour le filet de dorade à la plancha, topinambours et jus persillé. Mais notre préféré reste « Comme un pavé haut perché » pour le haut filet de bœuf accompagné d'une brigade de haricots verts au gingembre. En revanche, quand les desserts pointent leurs saveurs sucrées, Géraldine s'éclipse pour laisser place à deux pâtissiers talentueux, Pierre Hermé et Arnaud Larher qui apportent quotidiennement leurs créations.

LE BISTROT DU SOMMELIER
97, boulevard Haussmann ✆ 01 42 65 24 85
Site Internet : www.bistrotdusommelier.com – M° Saint-Augustin ou Miromesnil. Fermé le samedi et le dimanche. Menus : de 33 € à 54 € – au déjeuner –, de 65 € à 110 € – au dîner.
Tous les amateurs de vins se pressent au Bistrot de Philippe Faure-Brac, élu Meilleur Sommelier du Monde en 1992. Un déjeuner ici, c'est une pause gourmande où même les plus sérieux font une entorse à leur règle d'or – pas de vin au déjeuner –, car ce serait pur hérésie que de ne pas accompagner son plat du vin que l'on se fera un plaisir de vous conseiller. La cuisine est de belle tenue, faite de produits triés sur le volet et traités avec respect, notamment ce velouté de courge au romarin servi froid avec des roulés croustillants au chèvre, ou encore cette volaille fermière farcie au céleri et aux champignons, et ce macaron à la rose en crème citronnée, pralines et sauce mélisse. Pas toujours facile de trouver le vin qui sera le plus harmonieux sur ces préparations. Laissez-vous faire, vous serez surpris par certains accords.

LE BOUCO
10, rue de Constantinople ✆ 01 42 93 73 33
Site Internet : www.lebouco.com – M° Villiers ou Europe. Fermé le samedi et le dimanche. Menus : 22 €, 29 € et 37 €.
Vous rêvez d'une table de quartier qui ne se la joue pas, mais qui au contraire transpire la sincérité. Soyez les bienvenus, vous avez frappé à la bonne porte, celle de Jean Bataille, un Picard aux origines basques. Ce qui explique «bouco» qui en patois basque se traduit par bouche. Mais de là à penser que la cuisine de Jean mêle la Picardie au Pays basque, il ne faut pas pousser. Jean mise sur le terroir avec sobriété, sans chichis ni froufrous. Il va à l'essentiel pour le plaisir de vous faire plaisir. Dans l'assiette, ça se traduit par une brouillade d'œufs au beurre de truffes blanches, une rémoulade de radis noir et chou rouge à la moutarde qui précèdent un cabillaud rôti, cresson sauté, sauce vierge aux agrumes et des rognons au madère et sa traditionnelle purée maison. Un financier chaud au miel plus tard et on se promet de revenir dès demain parce qu'il paraît qu'il y aura une pastilla de boudin noir et céleri.

LE BOUDOIR
25, rue du Colisée ✆ 01 43 59 25 29
M° Saint-Philippe-du-Roule. Fermé le samedi midi, le dimanche et le lundi soir. Menus : 22 € et 27 €. A la carte, environ de 40 € à 62 €.
Vous avez peut-être connu la pétillante jeune femme qui vous accueille. A l'époque, elle officiait au Point Bar dans le 1er. Là-bas, elle nous avait séduits, mais elle voulait voir plus grand. C'est chose faite dans ce Boudoir où la décoration varie selon le salon dans lequel vous prendrez place. En revanche, dans l'assiette, que vous soyez en haut ou en bas, c'est même punition pour tout le monde. N'ayez crainte, la cuisine tient la route et les gourmands s'y régalent, notamment avec un gaspacho de homard glacé, une double côte de veau, appétit de moineaux s'abstenir, cuite longuement au sautoir et servie avec des girolles bouton, à moins que vous ne préfériez la sole grillée et ses pommes de terre grenailles. Pour finir, une crème renversée à tomber par terre, le jeu de mots est maison, nous n'y sommes pour rien, ou une panna cotta à la vanille bourbon.

CAFE SALLE PLEYEL
252, rue du Faubourg-Saint-Honoré
✆ 01 53 75 28 44
Site Internet : www.david-zuddas.fr – M° Ternes. Au déjeuner, fermé samedi et dimanche. Au dîner, ouvert uniquement les soirs de concert. A la carte, au déjeuner, environ de 40 € à 54 €. Menu : 29 € – dîner d'avant-concert.
La direction de la prestigieuse salle Pleyel a eu la bonne idée en 2007 d'ouvrir un restaurant au 2e étage. A l'heure du déjeuner, chacun peut s'y rendre pour goûter la cuisine d'un chef qui change à chaque début de saison musicale. Après Sonia Ezgulian, c'est au tour de David Zuddas, le trublion bourguignon, d'exciter nos papilles. Comme vous pouvez l'imaginer, il n'est pas en cuisine, mais c'est lui qui compose la carte sur laquelle vous trouverez une tortilla de blé au homard, roquette et fenouil cru, un dos de loup, haricots coco, dés de tomates, sarriette et huile vierge, et un riz au lait, gelée de rhum brun, dés d'ananas et raisins. Le soir, c'est plus soft – pâté en croûte, saumon, foie gras –, concert oblige.

CHEZ ANDRÉ
12, rue Marbeuf ✆ 01 47 20 59 57
Site Internet : www.rest-gj.com/chezandre-5.html – M° Franklin-Roosevelt. Ouvert 7 jours sur 7 de midi à 1 h du matin. Menu : 34 €. Menu enfant : 9,50 €. A la carte, compter à partir de 45 €. Terrasse à partir du mois d'Avril.
Un beau restaurant, à 5 minutes des Champs-Elysées, qui vous transporte illico dans les années 1930. L'éclat du zinc, omniprésent, et les authentiques tables de bistrot sont là pour ça. Et ça n'est pas pour trahir l'endroit, ouvert en 1936. Situé à deux pas des magasins de luxe et de quelques grandes radios, l'établissement accueille hommes d'affaires et des médias, venus là pour manger de très belles réussites, dans la plus raffinée tradition des bistrots parisiens de prestige. Tartare de saumon aux fines herbes, chèvre chaud en feuilles croustillantes avec poires et miel, côte de veau poêlée au jus, pois gourmands et haricots verts, carpaccio de boeuf aux copeaux de parmesan. La tradition est ici exigeante. Côté poisson, selon l'arrivage : belle sole proposée meunière ou à la plancha, filets de bar grenobloise, écrasée de pommes de terre et, même, des cuisses de grenouilles sautées à la provençale. En dessert, un fraisier «maison» en verrine ou une crème brûlée à la cassonade et vanille Bourbon feront votre bonheur. A moins que ne soyez amateur de roquefort… de grande cave, évidemment.

CHEZ CECILE – LA FERME DES MATHURINS
17, rue Vignon ✆ 01 42 66 46 39
Site Internet : www.chezcecile.com – M° Madeleine. Fermé le samedi midi, le dimanche et le mardi soir. Menus : 30 € et 35 € – au déjeuner – et 37 € et 58 € – au dîner.
De l'ancienne Ferme des Mathurins, Chez Cécile a gardé la salle de bistrot classique à l'entrée du restaurant, et a ajouté une salle à l'ambiance Art Déco avec banquettes en cuir ultra-confortables et miroirs à profusion. Côté cuisine, Stéphane Pitré laisse libre cours à son imagination débordante, selon les influences des produits du marché. Pour commencer, une tarte fine aux cébettes et magret fumé, rosace de noix de Saint-Jacques et crème au curry ou filets de sardines poêlés sur un petit sablé au citron confit, concassé de tomates aux

olives et basilic. Après ces inattendues créations, on poursuit avec la selle d'agneau farcie aux fruits secs, taboulé de boulgour à la mangue et coriandre ou le pavé de lieu jaune piqué au citron confit, écrasé de pommes de terre à l'anguille fumée et fumet au noilly-prat. C'est divin, tout comme la déclinaison autour de la poire et sauce chocolat grand cru, et le jeudi soir, cerise sur le gâteau, Cécile abandonne l'accueil et le service pour nous régaler de sa voix sur des airs de jazz. Ça ne swingue pas que dans les assiettes.

CHEZ CLEMENT MARBEUF
19, rue Marbeuf ✆01 53 23 90 00
Site Internet: www.chezclement.com – M° Franklin Roosevelt.Petit-déjeuner dès 8h. Service continu 7j/7. Formule à 14 €, menu à 23 €. Plateaux de fruits de mer Clément à partir de 28 €. Carte aux environs de 30 €
Conçu dans l'esprit de la «salle à manger comme chez soi», ici la décoration est avant tout chaleureuse et cosy. On apprécie autant le cadre feutré de la salle en sous-sol que la petite terrasse qui vous accueille dès les premiers rayons de soleil. Les plats du rôtisseur à 19,50 €, spécialités de Chez Clément, comportent quatre viandes ou quatre poissons et sont accompagnés de purée maison au beurre ou de véritables pommes Pont-Neuf.

CHEZ CLEMENT ELYSEES
123, Avenue des Champs-Elysées
✆01 40 73 87 00
Site Internet: www.chezclement.com – M° et RER E Charles-De-Gaulle-Etoile. Petit-déjeuner dès 8h. Service continu 7j/7. Formule à 14 €, menu à 23 €. Plateaux de fruits de mer Clément à partir de 28 €. Carte aux environs de 30 €.
Chez Clément Elysées est doté d'une grande et belle verrière qui lui donne une élégance particulière. En effet, le soleil inonde de lumière la pièce principale ce qui donne un charme tout particulier au restaurant. A l'écart, une autre pièce réserve des banquettes larges et confortables. Au niveau inférieur, on est enveloppé d'une douce chaleur grâce aux solides poutres de bois et aux rondeurs sereines des barriques de vins. L'été, profitez de la grande terrasse le long de la plus belle avenue du monde ! Les plats du rôtisseur à 19,50 €, spécialités de Chez Clément, comportent 4 viandes ou 4 poissons et sont accompagnés de purée maison au beurre ou de véritables pommes Pont-Neuf.

LE CHIBERTA
3, rue Arsène-Houssaye ✆01 53 53 42 00
Site Internet: www.lechiberta.com – M° George-V ou Charles-De-Gaulle-Etoile. Fermé le samedi midi et le dimanche. Menus: 100 € et 155 € – vins compris.
Dans la galaxie des restaurants de Guy Savoy, Le Chiberta est une institution sise à deux pas des Champs-Elysées et présente depuis des lustres dans le peloton des belles tables parisiennes. Ambiance tamisée, œuvres de Gérard Traquandi sur les murs, bouteilles couchées sur des étagères, Le Chiberta joue la carte de l'élégance et du raffinement contemporains. En cuisine, Gilles Chesneau calque ses créations sur cette carte abattue par Guy Savoy, avec comme joker l'authenticité de nos terroirs. Pêcheurs, éleveurs, maraîchers, paysans, qu'ils soient du Dauphiné, de Bretagne, du Pays basque ou de Corrèze, apportent leur pierre à l'édifice et glissent leurs pépites régionales aux côtés de produits nichés au-delà de nos frontières. Pour s'en convaincre, il suffit d'éveiller les papilles avec une ballottine de foie gras, volaille de Challans et artichaut, de poursuivre par un suprême de pigeon à la plancha, poireaux fondants aux condiments, et de terminer par une terrine de pamplemousse, sauce Earl Grey.

LE DARU (RUSSE)
19, rue Daru ✆01 42 27 23 60
Site Internet: www.daru.fr – M° Ternes. Fermé le samedi midi et le dimanche. Menu: 29 € – au déjeuner. A la carte, environ de 65 € à 90 €.
A proximité immédiate d'un autre restaurant russe A la ville de Petrograd, mais dans un cadre plus intimiste et plus moderne qui fait immanquablement penser aux trains russes avec ses banquettes rouges et ses lambris en bois, Le Daru a été créé en 1918 par un ancien officier de la garde de Nicolas II. Ce restaurant permet à des prix relativement corrects de se familiariser avec la cuisine russe, avec notamment le millefeuille d'anguille sauvage, pommes vapeur aux trois poivres, l'assiette de tarama, l'assiette de saumon sauvage et ses blinis, sans oublier la pomme Daru – pomme de terre, caviar et crème fraîche –, le traditionnel bœuf Stroganoff au paprika et l'étonnante cassolette de choux soufflés aux écrevisses nappés de crème et de caviar. Et pour une fois, oubliez le vin pour découvrir les vodkas, une cinquantaine vous attendent. Ça promet de jolies découvertes.

RESTAURANTS

LE HUITIEME ART
128, boulevard Haussmann
✆01 44 69 09 29

Site Internet: www.huitiemearrt.com – M° Saint-Augustin. Ouvert de 8h à minuit et demi. Fermé le dimanche. A la carte, de 30€ à 40€.

A deux pas de la place Saint-Augustin sur cette portion de boulevard Haussmann on ne s'attend pas à trouver cette adresse. Ambiance cosi, petit coin salon avec tables basses et grands rideaux: idéal pour siroter un cocktail exécuté par Mickaël, un maître en la matière. La salle est superbe avec ses murs de pierres et son parquet chaleureux. Les tables sont bien alignées, les chaises d'un grand confort et dans l'assiette c'est une fête. Didier, le chef, nous offre une cuisine inventive et fine à découvrir absolument. En entrée le foie gras mi-cuit maison et son chutney ou encore l'œuf cocotte à la crème de foie gras sont des classiques de la maison qui valent vraiment le détour. Les plats sont dans la continuité et tiennent toutes leurs promesses, comme ce magret de canard laqué au miel et aux épices à tomber par terre ou ce risotto de jambon de pays et Roquefort: superbe. En salle, c'est David qui mène la danse avec un service des plus sympathiques dans une ambiance détendue, parfaite pour passer un moment délicieux. A noter, une belle carte des vins agrémentée d'une belle sélection de vins étrangers.

LA MAISON DE L'ALSACE
39, avenue des Champs-Elysées
✆01 53 93 97 00

Site Internet: www.restaurantalsace.com – M° Franklin-Roosevelt. Formule à partir de 19€. A la carte 45€.

L'Alsace à Paris a son ambassade, elle est au cœur de la plus belle avenue du monde. Vous y viendrez à n'importe quelle heure – 24h/24 – pour déguster une superbe choucroute! Cette brasserie monumentale a sans doute la terrasse la plus centrale des Champs-Elysées. L'Alsace défend avec panache les couleurs de son terroir avec la reine de ses spécialités: la choucroute, qui y est copieuse et savoureuse à toute heure. Cette spécialité côtoie avec bonheur des plateaux de fruits de mer et de coquillages d'une infinie diversité. Si vous avez une envie de fruits de mer à 4h du matin, ne prenez pas la route pour Honfleur, foncez à la Maison de l'Alsace.

LA MAREE
1, rue Daru ✆01 43 80 20 00

Site Internet: www.lamaree.fr – M° Ternes; Ouvert tous les jours, midi et soir. Menus: 29€ et 35€. A la carte, environ de 29€ à 70€.

Cette institution de la cuisine marine avait une image d'adresse chic et chère. Dans un premier temps, sa reprise par le groupe Blanc a permis d'amorcer une légère baisse des prix. Mais depuis le début de l'année, un nouveau propriétaire, Pascal Mousset, l'a rendue encore plus accessible à nos cartes bleues. Le décor luxueux est toujours d'actualité et la finesse d'une cuisine toujours dédiée aux trésors de la mer, intacte. Elle est assurée par Yves Mutin que nous avions connu à L'Equitable. Nobles ou pas, tous les poissons et fruits de mer sont mitonnés avec délice. Pour s'en convaincre, il faut goûter le carpaccio de bar sauvage, les quenelles de brochet au coulis de crustacés, le pavé de lieu jaune au citron confit ou la classique sole meunière. Et pour les viandards invétérés, le chef a tout de même pensé à eux en mettant à la carte un émincé de rognons de veau et sa moutarde à l'ancienne.

LA MASCOTTE
270, rue du Faubourg Saint-Honoré
✆01 42 27 75 26

M° Ternes. Ouvert tous les jours, midi et soir. Menu-carte à partir de 23€

Un café-terrasse très prisé quel que soit le moment de la journée. La raison de ce succès? Un cadre contemporain où le chef a opté pour une cuisine classique qui s'articule selon les saisons et les marchés autour de produits frais et de qualité: de superbes produits auvergnats et d'autres délices tels le saumon mariné, la sole de petit bateau meunière ou l'entrecôte poêlée à couper au couteau à beurre tellement elle est tendre et son goût est assez exceptionnel. Le bar à vins plutôt bien fourni est l'un des autres atouts de la maison.

MAXAN
37, rue de Miromesnil
✆ 01 42 65 78 60
Site Internet: www.rest-maxan.com – M° Miromesnil. Fermé samedi midi, dimanche et lundi soir. Menu: 38 €. A la carte, environ de 40 € à 60 €.
Ce restaurant joliment coloré, poursuit son petit bonhomme de chemin et reste une valeur sûre dans le quartier. Depuis l'ouverture, le chef, Laurent Zajac, séduit sa clientèle avec une cuisine inventive qu'il renouvelle avec justesse. Au programme, une royale de petits pois frais intelligemment associés à un jus de langoustine, un foie gras de canard poêlé avec une poire et un étonnant tartare de bulots à l'œuf et aux fleurs de câpres. La maîtrise de ce chef formé chez les plus grands se dessine après les entrées, avec notamment des Saint-Jacques dorées et une étuvée de chou-fleur et tartare d'algues. C'est net, précis, moderne et ça enjoue tous les palais d'autant que le maître des lieux, Serge Conquet, a le talent pour associer les vins, mais surtout la courtoisie d'en parler avec passion sans que ça soit ennuyeux. Vous ne connaissiez pas cette adresse ? alors allez-y sans tarder !

LE MUSIC-HALL
63, avenue Franklin-D.-Roosevelt
✆ 01 45 61 03 63
Site Internet: www.music-hallparis.com – M° Franklin-D.-Roosevelt. Ouvert tous les jours, midi et soir. A la carte, environ de 50 € à 70 €. Brunch de 11h à 18h à 29 €.
Le design de ce restaurant est d'entrée impressionnant : six cents projecteurs et seize millions de couleurs programmées par ordinateur se déclinent sur les plafonds et les murs, créant des ambiances différentes, futuristes, mais reposantes. Unique en Europe, paraît-il. Côté cuisine, un duo, Guillaume Leprêtre pour le salé et Pascal Colas pour le salé ont créé des alliances surprenantes totalement décalées. Certains pourraient penser que c'est l'établissement modeux par excellence, qui se la joue, mais figurez-vous que la cuisine est extrêmement sérieuse. Lors de notre venue, nous avons testé le pressé de figues à la cardamome, fromage de chèvre frais, roquette et Parmesan, puis la minute de bœuf marinée aux épices, poêlée de gnocchis et riquette sauvage pour terminer par Les Cent Ciels, une crème de chocolat du Costa Rica, croquant praliné aux amandes et noisettes torréfiées posé sur sa nougatine de sésame et gruée de cacao. Nouveauté 2009 : le brunch, où tout est à volonté, basé sur un buffet de salé et de sucré. La formule comprend également des boissons chaudes tout comme les jus de fruits frais au choix et bien sûr les traditionnelles viennoiseries et les céréales.

LE SARLADAIS
2, rue de Vienne ✆ 01 45 22 23 62
Site Internet: www.lesarladais.com – M° Saint-Lazare. Fermé le samedi midi et le dimanche. Menus de 35 € à 42 €. A la carte environ 90 €.
Dans une rue discrète entre la place Saint-Augustin et la gare Saint-Lazare, le Sarladais est une table dédiée à la cuisine du sud-ouest. Le cadre très classique n'en est pas moins chaleureux et feutré. Le chef Bruno Haeyaert maîtrise depuis près de 30 ans, à merveille le foie gras, les confits, les magrets ou encore le cassoulet périgourdin. Il les accommode parfois à sa manière comme l'escalope de foie gras d'oie chaud au miel d'acacia, l'omelette au foie gras de canard, l'enchaud du Périgord en gelée fait maison sur salade, ou en dessert les guinettes du Périgord et glace vanille. Les poissons –car il y en a-, arrivent tous les jours de Bretagne et sont cuisinés en fonction du marché. L'apéritif maison le «Pousse Rapière» composé de liqueur d'Armagnac et de blanc de blancs de Gascogne est très apprécié des clients pour mettre en appétit. L'accueil est avenant et le service soigné.

RESTAURANTS

MEIJI (JAPONAIS)
24, rue Marbeuf ✆01 45 62 30 14
M° Franklin-D.-Roosevelt. Fermé le samedi midi et le dimanche. Menus : 19 € et 22 € – au déjeuner – et 70 € – au dîner.
Une superbe adresse, à deux pas des Champs-Elysées, où le raffinement et l'élégance sont de mise. La décoration allie tradition et modernité et joue sur les matières sobres : bois, ardoise, bambou et verre. Une ambiance fraîche et lumineuse pour une cuisine de qualité. Les amateurs de sushis, sashimis et autres brochettes yakitoris cuites au feu de bois seront parfaitement satisfaits. A la recherche d'une cuisine plus inventive, vous ne serez pas déçu : les spécialités de la maison, le cœur de filet de saumon caramélisé au saikyo miso, la dorade royale grillée à la fleur de sel et purée d'édamamé, le bar de ligne cuit à l'étouffée façon tobanyaki raviront les palais les plus exigeants.

PALACE ELYSEES
20, rue Quentin-Bauchart ✆01 40 70 19 17
Site Internet : www.le-palace-elysees.abcsalles.com – M° George-V. Fermé le samedi midi et le dimanche. Menu : 19 € – au déjeuner. A la carte, environ de 55 € à 70 €.
Nous ne sommes pas fans de la formule du déjeuner et nous ne nous en cachons pas. Le principe du buffet d'entrées suivi d'un plat au choix ne nous emballe pas. En revanche, le soir, rien de tel qu'un dîner pour apprécier tout le talent du chef, Hervé Nepple, venu du Music Hall. Alors certes, il vient de s'adjoindre les services d'un confrère qui va prendre le relais pendant qu'Hervé concoctera la carte du mythique Palace, dont on attend l'ouverture avec impatience. Gageons que cet adjoint, Jean-Pierre Coroyer, ne change pas les plats qui font le succès d'Hervé depuis que nous le suivons, comme les plats à base de black code, un poisson sauvage d'Alaska proposé ici de trois façons. A l'asiatique, mariné et caramélisé au soja épicé accompagné de riz noir vénéré, en «Retour des Iles», caramélisé, aux kiwis, mangue et vanille sur tranche de patate douce ou en «provençale» rôti au jambon Serrano, tomates confites, basilic et fenouil croquant. Pour ce black code uniquement, la table mérite d'être testée.

LES SAVEURS DE FLORA
36, avenue George-V ✆01 40 70 10 49
Site Internet : www.lessaveursdeflora.com – M° George-V. Fermé le samedi midi et le dimanche. Menus : 29 € et 32 € – au déjeuner –, 38 €, 68 € et 98 €. A la carte, environ de 60 € à 80 €.
Bienvenue dans une ambiance romantique contemporaine, comme le souligne la maîtresse de maison, la pétillante Flora au charmant accent qui sent bon le Sud. Même si elle qualifie son restaurant de «table de filles» avec ses trois salles roses décorées de moult papillons et orchidées, sa cuisine n'est pas forcément réservée au sexe féminin, mais plutôt à toux ceux qui apprécient les saveurs méditerranéennes. Pour résumer, une cuisine qui s'inspire de tous les pays où poussent les oliviers à laquelle Flora apporte des touches nomades qui correspondent à ses voyages. Si les plus pressés peuvent déjeuner en 35 minutes, montre en main, la table de Flora mérite que l'on s'y attarde quelque peu, histoire d'apprécier la large palette des saveurs que cette jolie chef est à même de proposer. Cela peut se traduire par des croquettes de veau au citron confit, ketchup maison et légumes à la grecque, un râble de lapin mijoté au jus de sangria, chou braisé à l'aigre-doux et frites de polenta et minestrone de fruits exotiques, limonade mangue et macaron lychee. Ceci n'est qu'un avant-goût, à vous de découvrir la suite.

LE ZEN GARDEN (CHINOIS)
15, rue Marbeuf ✆01 53 23 82 82
Site Internet : www.restaurantzengarden.com – M° Franklin-Roosevelt. Ouvert tous les jours, midi et soir. Plateau express à 18,50 €. Menus de 19,50 € à 49 €.
Un cadre magique et surprenant dominé par une haute tour de Zen de 8 m entourée de trente bouddhas. La cuisine de haute voltige se distingue par une touche créative. Faites vous plaisir avec le tartare de dorade royale au gingembre, le velouté d'émincé de canard subtilement assorti de jeunes pousse de bambou, le potage au poulet, choux, navets pimentés et nouilles – un des potages les plus populaires en Chine – mais surtout ne passez pas à côté des noisettes de sole façon wok ou les noix de Saint-Jacques aux morilles et riz gluant. Le menu «Bouchées gourmandes Zen» – 49 € par personne pour deux couverts minimum – avec vapeurs, grillades et plats voit se succéder crevettes, Saint-Jacques, poissons, filets de volailles et de viandes dans un feu d'artifice de parfums. Les gourmets apprécieront, à la carte, des plats médaillés au fil des ans à Shangaï et Dalian, qui valent au chef et patron une renommée internationale. Un restaurant enchanteur où les plus stressés en repartent totalement zen et la cuisine y est pour beaucoup… l'accueil et la délicatesse des hôtes aussi.

9e ARRONDISSEMENT

16 HAUSSMANN – HOTEL AMBASSADOR
16, boulevard Haussmann
✆01 48 00 06 38
Site Internet : www.hotelambassador-paris.com – M° Richelieu-Drouot. Fermé le samedi midi et le dimanche soir. Menus : 44 € – au déjeuner – et 39 € – au dîner.
Quartier d'affaires oblige, le 16 Haussmann propose un menu au déjeuner plus élevé qu'au dîner. Du coup, pour économiser quelques €, c'est le soir que l'on se présente dans cette élégante brasserie contemporaine de l'hôtel Ambassador. Le cadre, signé Sybille de Margerie, mêle les rayures bayadères bleu royal, ocre et acajou associées à des drapés et des matières trompe-l'œil signés Starck. La cuisine est orchestrée par Michel Hache, tout en raffinement et en modernité. Parmi les plats à ne pas manquer : ravioles de langoustines au velouté de crustacés, suprême de volaille mitonné en cocotte, poire pochée à la cardamome et sorbet fraise des bois. Du beau et du bon à prix qui ne frôlent pas l'indécence.

L'AROMATIK
7, rue Jean-Baptiste-Pigalle
✆01 48 74 62 27
Site Internet : www.laromatik.fr – M° Trinité. Fermé le samedi midi et le dimanche soir. Menus : 15,90 € – au déjeuner – et 32 € – au dîner. Brunch le dimanche : 24 € et 25 €.
Bistrot au décor des années 1930, L'Aromatik fut fréquenté naguère par les plus grands jazzmen du monde tels que Sidney Bechett ou Josephine Baker. Un lieu chargé d'Histoire et de charme, idéal après un spectacle, et qui vous propose une cuisine exotique et inventive, mélangeant des sucrés-salés. On débute avec cappuccino de patates aux quatre épices, ou un cake au cantal et olives noires. On poursuit par un mignon de porc sauce cacahuètes, avant de conclure par un mont-blanc à la crème de marron. Et pour arroser ce repas au prix doux, on choisit un chinon rouge Les Barnabés, qui passe comme une lettre à la poste.

LA BONTENDRIE
9, rue Trévise ✆01 47 70 68 76
M° Grands-Boulevards ou Cadet. Fermé le samedi midi et le dimanche. Menus : 14 € et 17 € – au déjeuner –, 23 €, 29 € et 52 €.
C'est terminé pour le Cornélius d'Alex. Place à La Bontendrie – parce que l'on y prend du bon temps et que l'on y rit – d'un trio composé de Xavier, Sabrina et Thierry. La cuisine reste traditionnelle, et que les amateurs de la formule côte de bœuf plus entrée ou dessert soient rassurés, elle est reconduite avec la nouvelle équipe. A suivre

BOUILLON CHARTIER
7, rue du Faubourg Montmartre
✆01 47 70 86 89
Site Internet : www.restaurant-chartier.com – M° Grands-Boulevards. Ouvert tous les jours A la carte, entrées entre 1,80 € et 6,80 € plats entre 8,20 € et 11,80 €, desserts entre 2,20 € et 4,50 €.
Passez sous un porche et découvrez, Le Bouillon Chartier, l'une des plus vieilles brasseries de Paris. Existante depuis 1865, l'on peut encore y jouir d'une salle aux boiseries d'antan. Les grandes glaces baignent ce lieu d'une atmosphère lumineuse, et la salle est emplie d'une joyeuse frénésie. Café de littérature, et non «café littéraire» à la mode, le Bouillon Chartier a même son prix. Côté restauration, c'est une affaire de confiance : les meubles à tiroirs, sur le côté, étaient autrefois remplis des serviettes de tables des habitués. Servie avec célérité, la cuisine se veut simple mais exigeante. Faux filet grillé maître d'hôtel, tripes à la mode de Caen, pommes frites ou haricots verts à l'anglaise, choucroute alsacienne ou quenelles de saumon sont au programme. Pour le dessert, laissez vous tentez par un délice au chocolat, des pruneaux au vin ou un baba au rhum chantilly. Du traditionnel d'excellente facture à des prix tout à fait normaux ! Voilà un endroit authentique comme on aimerait en voir plus souvent.

CASA OLYMPE
48, rue Saint-Georges ✆01 42 85 26 01
Site Internet : www.casaolympe.com – M° Notre-Dame-de-Lorette. Fermé le samedi et le dimanche. Menu carte : 40 €.
C'est l'une des tables les plus discrètes de l'arrondissement, mais sans aucun doute l'une de nos préférées. Serions-nous charmés par la sympathique Olympe ou par sa cuisine ? Les deux mon capitaine. Généreuse, gourmande, conviviale, savoureuse, sa cuisine ravit le plus grand nombre, d'autant qu'elle s'appuie sur d'excellents fournisseurs qui lui livrent des produits d'une qualité irréprochable et ce n'est pas le saucisson d'Ardèche que l'on prend en apéritif avec un verre de morgon de chez Lapierre qui nous fera mentir. Cette mise-en-bouche délie les langues, ouvre l'appétit et laisse le temps à Olympe de préparer la suite, une soupe de potiron aux moules de bouchot, un thon au lard et aux oignons, une côte de veau au laurier et sa poêlée de champignons et des croustillants de banane, sorbet mangue-banane.

LE CH'TI CATALAN
4, rue Navarin ✆01 44 63 04 33
M° Notre-Dame-de-Lorette ou Saint-Georges. Menu : 13,50 € – au déjeuner. A la carte, environ de 30 € à 35 €.
Le Ch'ti Catalan contient dans son nom toute la complexité de sa cuisine : un idiome typiquement français et un adjectif ibérique. Ici, ce sont en fait

deux associés, David Ségaurd, le Ch'ti et Jean-Claude Angrill, le Catalan, qui font cohabiter leur culture culinaire. Le résultat ? Un subtil mélange de saveurs dans lequel la mixité est à l'honneur car on ne cherche nullement à opposer le Nord et le Sud, bien au contraire. Pourquoi ne pas commencer par un Lucullus de Valenciennes ? Vous serez d'accord, dès que vous aurez lu qu'il s'agit d'un millefeuille de foie gras aux fines lamelles de langue de bœuf fumée et confiture de chicons. Vous pourrez aussi bien tenter l'escalivade – petits légumes confits au four, servis froids. Pour suivre, un pavé de morue fraîche à la catalane – déglacée au banyuls – ou un pavé de bœuf au maroilles et pour terminer, une crème catalane pour le Sud et une mousse aux spéculoos pour le Nord.

A LA CLOCHE D'OR
3, rue Mansart ✆ 01 48 74 48 88
Site Internet : www.alaclochedor.com – M° Blanche. Ouvert le lundi au vendredi de 12h à 14h30, le lundi de 19h à 0h30, le mardi, mercredi, jeudi de 19h à 2h et le vendredi et le samedi jusqu'à 4h du matin, fermé le samedi midi et le dimanche. Formule midi à 18,50 € et soir à 29 € (deux plats) et menu de la Cloche d'Or à 32 € (trois plats). A la carte, environ 40 €.
Comme nombre d'autres lieux à Pigalle, A la Cloche d'Or est une institution du quartier depuis son ouverture en 1928. Il faut dire qu'avec ses horaires tardifs, cette grande auberge est idéalement placée pour attirer la clientèle de fêtards, d'artistes et de touristes en goguette. C'est ici que naquit «Le lundi au soleil» de Claude François. Trois étages, poutres apparentes, colombages, cheminée, grandes tablées ou recoins plus intimes… l'endroit accueille aisément groupes d'amis ou repas à deux. Large carte des vins, et une belle carte très traditionnelle qui sait satisfaire les petites faims comme les appétits d'après spectacle. En entrée, l'inamovible camembert fondu et ses mouillettes suivi de belles pièces de viande : pavé du boucher sauce roquefort ou béarnaise, confit de canard pommes sautées à la graisse de canard, tartare de bœuf de la Cloche d Or (ou spécial à l'huile d'olive vierge), frites fraîches et petite salade. Les poissons arrivent directement de Bretagne, la carte varie donc en fonction du marché : poêlée de gambas à votre goût (flambées, à l'anis ou au curry) ou une belle sole meunière, pommes vapeur. En dessert, difficile de choisir entre une mousse au chocolat en habit noir et une crème brûlée à la vanille bourbon. A noter, à chaque jour son plat… Service bonne allure et bon tempo.

LE CLOS BOURGUIGNON
39, rue de Caumartin ✆ 01 47 42 56 60
Site Internet : www.leclosbourguignon.com – M° Havre-Caumartin. Fermé le samedi soir et le dimanche. Menu : 12 € – au déjeuner. A la carte, environ de 35 € à 40 €.

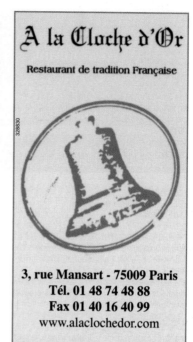

Ambiance très parisienne pour ce café-bistrot toujours bondé au déjeuner et situé à deux pas des grands magasins. L'accueil du maître des lieux, m. Louis, est très chaleureux et la cuisine proposée fait dans l'authenticité et dans la qualité. Avocat écrevisses, saucisson de Lyon, ou salade landaise pour commencer, tartare maison ou langue de chat de bœuf périgourdine pour continuer. Au dessert, vous craquerez sur le clafoutis aux cerises ou tout simplement sur la délicieuse tarte aux pommes…

CORNEIL
18, rue Condorcet
✆ 01 49 95 92 25
M° Poissonnière. Fermé le samedi midi, le dimanche et le lundi midi. Menus : 23 € et 28 € – au déjeuner. A la carte, environ de 30 € à 40 €.
On aime ce bistrot qui pendant longtemps n'ouvrait que le soir. Désormais, on s'y régale également à l'heure du déjeuner avec des mets couchés sur une ardoise que Kirsten fait passer de table en table. Il est inenvisageable de ne pas craquer pour la terrine maison nommée «terrine de mamie» et préparée avec du canard, et de ne pas poursuivre avec de la noix de veau piquée au lard et à la tomme de brebis. Enfin, en dessert, même si c'est un grand classique, le mi-cuit au chocolat noir est la star de la maison.

restaurant
Les Coulisses
19, rue Notre-Dame-de-Lorette - 75009 Paris
Tél. 01 45 26 46 46 - Métro Saint-Georges / Notre-Dame-de-Lorette

LES COULISSES
19, rue Notre Dame de Lorette
✆ 01 45 26 46 46
M° Notre-Dame de Lorette ou Saint-Georges. Ouvert tous les jours de 12h à 15h et de 19h à minuit. Formule midi ou soir : 19,20 €. A la carte environ 35 €
Au revoir le Xavier Saint-Georges, bonjour Les Coulisses de Maria Issope, chef de cuisine. Dans une ambiance décontractée, elle élabore une cuisine simple et traditionnelle, basée sur des produits qu'elle choisit avec soin, au gré de son humeur et de ses envies de régaler ses clients. Le tartare de boeuf est en bonne compagnie avec des frites faites maison, l'escabèche de moules s'amuse avec les trois poivrons et le rognon de veau est en parfaite harmonie avec la poitrine fumée, le tout arrosé par de bons crus. En dessert, qui ne se laisserait pas tenter par le bon gros baba au rhum qui fait déjà la réputation de la maison ? C'est une adresse idéale pour se restaurer, avant ou après un spectacle.

LE CUL DE POULE
53, rue des Martyrs ✆ 01 53 16 13 07
M° Saint-Georges. Fermé le dimanche et le lundi. Menus : 14 € et 17 € – au déjeuner –, 20 € et 25 € – au dîner.
La Famille, Le Chéri Bibi, le Réfectoire… tous ces restaurants à succès sont les grands frères du petit dernier posé dans ce quartier bobo, en lieu et place d'un ancien kebab. Du coup, comme vous pouvez l'imaginer, ce n'est pas bien grand. On s'aligne en rang d'oignons sur des chaises d'écolier ou près de la cuisine sur une banquette verte du plus bel effet. Ici, on mijote, on papote, on grignote autour d'une cuisine qui ne vous en mettra pas plein la vue. Des choses simples préparées cependant avec des produits de qualité dont les grands noms des fournisseurs sont cités. C'est devenu une habitude, le fameux name-dropping. Rien de fantasque donc, mais des plats réussis comme ces calamars relevés d'ail, de piment et de coriandre ou cette côte de cochon fermier et ses grenailles rôties.

LES DIAMANTAIRES (ARMENIEN)
60, rue Lafayette ✆ 01 47 70 78 14
Site Internet : www.lesdiamantaires.com – M° Cadet. Ouvert tous les jours, midi et soir. Menus : 18 € – au déjeuner – et 25 €. A la carte, environ de 35 € à 40 €.
Fondé en 1929 à deux pas des Folies-Bergère et de l'Opéra, dans un quartier qui abrite des tailleurs de belles pierres, ce restaurant au nom scintillant riche de promesses, virevolte chaque soir du jeudi au samedi à partir de 21h au son de la musique grecque, arménienne ou tzigane, endiablée ou nostalgique. Au menu, d'authentiques spécialités hellènes et arméniennes dont les sou-beuréi – lasagnes au fromage de brebis et au persil – ou les keufté – boulettes de viande – entraînent le gourmand vers d'autres cieux plus orientaux. Un beau voyage dans un cadre élégant qui a été revu pour plus de luminosité en compagnie d'un personnel accueillant.

FARE TAHITI (TAHITIEN)
11, rue Godot-de-Mauroy ✆ 01 47 07 35 77
M° Madeleine ou Havre-Caumartin. Fermé le lundi soir. Menus : de 11 € à 39 €.
Comme dans un faré – une maison – de l'archipel, la salle est joliment décorée de paréos, de fleurs, de franges de raphia et de plantes. La maison de Kathy, originaire de l'île de Raiatea, et de Mouss ne reçoit que sur réservation, pour un dîner spectacle ou le ma'a tahiti, le grand repas traditionnel organisé ici le dimanche à midi. A la carte, des spécialités souvent à base de lait de coco, comme le ei'a ota – thon rouge mariné dans du citron vert et légumes au lait de coco servi dans une noix de coco –, le mahi-mahi – dorade du Pacifique, rare à Paris –, les crevettes à la crème de curry – oura pape carry – ou le poulet à l'ail, épinards et lait de coco – mo'a fafa taha'ari.

GABRIELA
3, rue Milton ✆ 01 42 80 28 14
Site Internet : www.gabriela.fr – M° Notre-Dame-de-Lorette. Ouvert du lundi au samedi de 12h à 15h et à partir de 19h. A la carte environ 30 €.
Gabriela avait besoin de se mettre à l'aise. Ce restaurant-épicerie-traiteur vert et jaune de la rue de Maubeuge était grand comme un mouchoir de poche : Il a transporté tout son petit monde rue

Milton à la place du Relais Beaujolais et ça marche encore plus fort. Celso, originaire de la région de Sao Palo n'a rien perdu de ses talents : feijoada (plat unique du samedi midi), moqueca, empadão de frango, xinxim de galinha etc., sont toujours sur la carte et dans le rayon traiteur. Michel, quant à lui, assure la programmation musicale qu'il met au diapason de l'humeur de la salle...quel talent ! Les prix n'ont que légèrement augmentés (surtout le soir) pour des prestations qui méritent largement le déplacement. Le coin épicerie est sans doute l'un des mieux approvisionnés de la capitale.
A noter : Terasse aux beaux jours et ouverture le midi à partir du mois de fevrier.

LE GRAND CAFE CAPUCINES
4, boulevard des Capucines ✆ 01 43 12 19 00
Site Internet : www.legrandcafe.com – M° Opéra, Richelieu-Drouot ou Le Peletier. Ouvert tous les jours et toutes les nuits. Formules à partir de 18,50 €.
Sans doute l'un des plus agréables restaurants de nuit pour le décor Art Nouveau et pour l'accueil délicieux. Si l'on peut dévorer un plateau de fruits de mer à n'importe quelle heure de la nuit, la maison propose également un menu à prix serrés. Au programme, moules farcies ou soupe à l'oignon pour les entrées, pièce du boucher, saumon ou tajine pour les plats et choux à la crème, crème brûlée pour les desserts.

LE JARDINIER
5, rue Richer ✆ 01 48 24 79 79
Site Internet : www.restaurant-lejardinier.fr – M° Bonne-Nouvelle ou Cadet. Fermé le samedi midi et le dimanche. Menus : 22 € – au déjeuner –, 35 €, 42 € et 48 €.
Dans la salle de style haussmannien, fleurissent ici et là tableaux, bouquets de fleurs et plantes vertes. Un charme désuet pour certains, du romantisme pour beaucoup. Nous, on aime s'attabler ici, d'autant que Stéphane Fumaz élabore une cuisine saine et généreuse faisant la part belle aux légumes et fruits frais et produits de qualité. On attaque avec des artichauts poivrade et grosse crevette, son velouté et ses feuilles en vinaigrette tandis que notre invité se régale lamelles de Saint-Jacques poêlées sur carpaccio de betteraves et fin Comté. On poursuit par la cocotte du jardinier préparé avec les légumes de saison et le pavé de mulet gratiné au Comté, julienne de pois gourmands et morilles. A l'heure du dessert, on hésite entre le macaron chocolat fourré de framboises fraîches, crème vanillée macaron, et le crumble de mangue rôti au four, brunoise de fruits exotiques. La publicité nous conseille vivement de manger cinq fruits et légumes par jour. Chez Stéphane, assurément le compte est bon !

MOSCA LIBRE (ITALIEN)
3, rue Victor-Massé ✆ 01 48 78 55 60
Site Internet : www.moscalibre.info – M° Pigalle ou Saint-Georges. Fermé le samedi midi et le dimanche. Menus : 12,50 € et 16 € – au déjeuner. A la carte, environ de 25 € à 35 €.
Le Mosca Libre est un restaurant au concept original, entièrement basé sur le commerce équitable et l'agriculture biologique. Viandes, poissons, légumes, œufs, farines, laitages et vins viennent de France, pâtes, fromages, charcuteries arrivent d'Italie quant aux chocolats, thés, épices et cafés, ils sont achetés en Afrique, en Asie ou en Amérique latine. Une fois réunis, tous ces produits entrent dans la composition des plats à consonance italienne. Avant les pizzas, nous ne pouvons que vous conseiller de goûter les champignons farcis au jambon de pays et à la persillade ou les pousses d'épinards gratinées à la ricotta enroulées dans un carpaccio de légumes grillés. Ce n'est qu'après que vous pourrez apprécier votre pizza, notamment celle à la tomate fraîche, au jambon de Parme et aux pleurotes.

L'ORIENTAL (MAROCAIN)
47, avenue Trudaine
✆ 01 42 64 39 80
Site Internet : www.loriental-restaurant.com – M° Anvers ou Pigalle. Ouvert tous les jours, midi et soir. Menus : 15 € – au déjeuner – et 32 €. A la carte, environ de 35 € à 40 €.
S'il fut un repaire de nuitards sur la Butte, il s'est considérablement assagi en venant s'ancrer au calme de l'avenue Trudaine. Serge et Salika n'ont rien perdu de leur maîtrise du couscous, au grain fin et parfumé, accompagné de légumes cuits au plus juste, comme ces tomates fondantes et ces carottes croquantes. Préparés à la commande, ce qui autorise de déguster un verre de boulaouanne en apéritif, les tajines bien mijotés embaument de tous leurs parfums. Selon l'humeur et la météo, on choisira poulet, olives et citrons confits ou agneaux et raisins. Sur la carte, courte, les desserts se font remarquer, parmi lesquels une mousse au chocolat et aux pistaches et un sorbet figue arrosé de bokha, d'inspiration tunisienne.

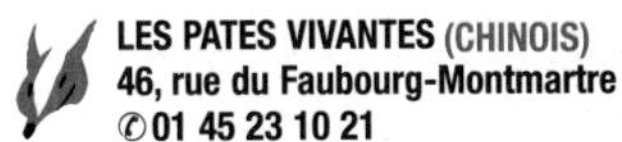

LES PATES VIVANTES (CHINOIS)
46, rue du Faubourg-Montmartre
✆ 01 45 23 10 21
M° Le Peletier. Fermé le dimanche. Menus : de 11 € à 15 € – au déjeuner. A la carte, environ de 10 € à 15 €.
La cuisine chinoise se résume à ces centaines de restaurants que l'on trouve en bas de chez soi, chez qui l'on se rend quand le réfrigérateur est désespérément vide. On hésite entre les brochettes de poulet, le porc sauce aigre-douce et le bœuf piquant. Et au milieu de cet univers pas très glamour, il y a les Pâtes Vivantes, sorte d'ovni de la cuisine chinoise qui met en avant les pâtes de blé que la maîtresse de maison, Mme Coutin, file et taille en fonction des commandes. Un numéro aussi fascinant que le goût en bouche où se mêlent coriandre, feuilles de moutarde, haricots, céleri, soja et bien entendu, les pâtes de blé.

RESTAURANTS

LE PETRELLE
34, rue Pétrelle ✆ 01 42 82 11 02
M° Anvers ou Poissonnière. Fermé le dimanche et le lundi. Menu : 30 € – au dîner. A la carte, environ de 50 € à 80 €.
Christian Lacroix a avoué que ce restaurant était l'une de ses adresses favorites, pour le décor et pour la cuisine. Le décor, justement, sorte de bric-à-brac chic avec moult chandeliers, de cabinets de curiosités un peu rétro et de boudoirs que certains adoreront et que d'autres classeront dans le kitsch. Côté cuisine, Jean-Luc André mitonne avec sérieux des ravioles de canard étuvée de morilles fraîches, un tournedos rôti de race charolaise et un pigeonneau au foie gras. Et quand l'heure du sucré a sonné, le classique gâteau au chocolat et sa crème anglaise fait son apparition, suivi de près par un sablé à la crème de citron acidulé à souhait.

LE ROYAL
8, rue Lafayette ✆ 01 45 23 08 91
M° Chaussée-d'Antin-Lafayette. Ouvert de 7h à 21h, du lundi au samedi. Formules de 14,90 € à 17 € (le midi) et de 15 € à 16 €. A la carte, environ de 20 € à 30 €.
Une bonne brasserie avec des bons plats comme on les aime. Le Royal offre un cadre cosy de style rétro. Les grandes tables rondes sont idéales pour les soirées de retrouvailles entre amis. Il ne vous reste plus qu'à faire votre choix dans une carte variée et bien composée. Les incontournables de la brasserie sont là : grandes salades gourmandes ou viandes et poissons plus travaillés, «au gré du marché» (pavé de rumsteck aux cinq baies, burger façon Rossini, dos de cabillaud mariné aux herbes fraîches ou poêlée de noix de saint-Jacques et de gambas à l'huile d'olive vierge). La carte propose aussi fromages, crêpes glace et une plaisante formule belge… avec des moules-frites bien sûr ! Rien à redire, d'autant que le service est bien agréable.

SPRING
28, rue de La-Tour-d'Auvergne
✆ 01 45 96 05 72
Site : www.springparis.fr – M° Notre-Dame-de-Lorette. Fermé le samedi, le dimanche, le lundi soir et tous les midis sauf jeudi et vendredi. Menu : 42 €.
A l'heure où vous lirez ce texte, l'Américain autodidacte Daniel Rose aura sans doute changé de crémerie. «My little restaurant is just too small», comme il l'écrit sur son blog. Pensez donc, seize couverts réservés parfois six mois à l'avance. Espérer décrocher une table à la dernière minute chez ce chef qui cuisine sous vos yeux, c'est comme imaginer qu'un jour l'équipe de foot de Guingamp sera championne d'Europe. Toujours est-il que Daniel a décidé de déménager. Nous aurions pu l'enlever de ce guide, mais ce dernier via son site ou son blog saura vous dire où il est passé. Il cherche plus grand et on le comprend. Mais surtout, dès que vous savez où il va, faites-nous signe et pensez à réserver, histoire d'apprécier sa cuisine d'auteur qui change quotidiennement. Lors de votre passage dans sa nouvelle adresse, il n'y aura sans doute pas de velouté de carottes sans crème au foie gras, persil et poudre de betterave, ni de salades d'asperges et poitrine de porc accompagnés d'une mayonnaise au raifort et jus d'orange, mais il y aura de nouvelles créations et c'est ce qui fait le charme de sa cuisine, réussir à se renouveler quotidiennement.

LA TABLE D'ANVERS
2, place d'Anvers ✆ 01 48 78 35 21
Site Internet : www.latabledanvers.com – M° Anvers. Fermé samedi midi et dimanche soir. Menus : 19 €, 22 € et 29 €. A la carte, environ de 30 € à 40 €.
Philippe Colin, qui avait pris la suite des frères Conticini, a lâché l'affaire et cédé cette jolie table à Michel de Keriolet. Dès son arrivée, ce dernier a immédiatement entrepris des travaux de décoration qui rendent aujourd'hui l'adresse plus contemporaine. Heureusement pour les habitués, il n'a pas changé l'équipe en cuisine et du coup, on retrouve le style des années précédentes : escalope de foie gras au vinaigre de xérès, tajine de poulet aux amandes et aux pruneaux, côte de veau sauce aux cèpes, et quelques desserts un peu décalés comme la mousse de thé à la crème de menthe.

THAI HOUSE (THAILANDE)
42, rue Rodier ✆ 01 42 80 11 83
M° Cadet ou Anvers. Fermé le dimanche. A la carte, environ de 15 € à 20 €.
Une adresse de poche où l'on se sent chez soi, accueilli par la pétillante Phon. La déco, elle aussi, joue la bonne humeur, toute de fuschia et de rose bonbon, flanquée de – fausses – plantes exotiques et d'affiches touristiques. On peut se sustenter rapidement, au déjeuner, d'une soupe tom yam kha khaï – poulet, citronnelle et lait de coco – et d'une salade de papayes vertes vitaminée, à accompagner d'un jus de lychee. Le soir, on prendra le temps d'apprécier les spécialités maison que sont les phats phet – crevettes, poulet, porc ou canard au lait de coco et curry rouge ou vert –, les crevettes sautées au basilic sur plaque chauffante ou le nam pik pa thou, un poisson entier à la sauce piquante.

10e ARRONDISSEMENT

ARTHUR
25, rue du Faubourg-Saint-Martin
✆ 01 42 08 34 33
Site Internet : www.restaurant-arthur.com – M° Strasbourg-Saint-Denis. Fermé samedi midi, dimanche et lundi soir. Menus : 27 € – au déjeuner –, le soir à la carte autour de 40 € – entrée, plat, dessert –

A deux pas de la porte Saint-Martin, Arthur trônait depuis des lustres. Refuge gourmand des comédiens des théâtres voisins, Arthur a cependant changé de mains, mais heureusement l'esprit de bistrot a été conservé grâce à une équipe dont la majorité des membres sont du métier. Après quelques travaux d'embellissement, la galerie de photos d'actrices et d'acteurs qui ont fréquenté ou qui fréquentent cette adresse, a retrouvé sa place, et le chef a pu envoyer ses premiers plats estampillés terroir et authenticité. Acteurs et spectateurs se régalent d'une crème brûlée au foie gras, d'un tartare de queues d'écrevisses et homard aux agrumes, d'un filet de bar aux févettes, sans oublier la marmite de suprême de volaille à l'ancienne qui connaît un certain succès. On a même vu des convives saucer, c'est en général bon signe. Evidemment, après ils ne pouvaient plus avaler un nougat glacé ou une tarte au chocolat. Et ils ont eu tort.

BAXO
21, rue Juliette-Dodu ✆ 01 42 02 99 71
Site Internet : www.baxo.fr – M° Colonel-Fabien. Fermé le samedi midi et le dimanche midi. Menu : 16 € – au déjeuner. A la carte, environ de 31 € à 45 €.
Le Baxo est un lounge-bar restaurant qui tranche avec les adresses traditionnelles à la française, mais sans dénaturer le meilleur, c'est-à-dire la cuisine. En effet, allez déguster un velouté de potiron parfumé au gingembre, un tartare de Saint-Jacques, une poêlée de gambas flambées au whisky, un crumble de poulet aux légumes, puis un tartare de fruits pour constater que les saveurs sont plus qu'honorables. Dommage cependant que la carte ne varie guère. D'une année sur l'autre, les mêmes plats nous ont été proposés.

LA CANTINE DE QUENTIN
52, rue Bichat ✆ 01 42 02 40 32
M° Jacques-Bonsergent. Fermé le lundi et tous les soirs de la semaine. Menu : 14 € – au déjeuner. A la carte, environ de 20 € à 35 €.
Qu'il est bon de se glisser dans cette épicerie-cave tenue par un duo enthousiaste, Quentin et Johan. Au milieu des bouteilles ou des produits du terroir ou dans le petit salon intime, on se régale d'une carte courte dans laquelle on ne se lasse pas de la terrine de campagne ou du velouté de potimarron à la crème de truffes blanches. On enquille sur un risotto crémeux aux champignons ou une tatin de boudin aux pommes caramélisées. Et si l'idée d'un dessert vous séduit, il faudra choisir entre la crème brûlée aux marrons glacés ou le fameux cheese-cake de Johan... cruel dilemme.

LA BULLE
48, rue Louis-Blanc ✆ 01 40 37 34 51
Site Internet : www.restolabulle.fr – M° Louis-Blanc. Ouvert tous les jours, midi et soir. Menus : 15 € – au déjeuner –, 25 € et 30 € – au dîner.
C'est une vraie joie pour les riverains d'avoir désormais en bas de chez eux une adresse aussi gourmande. Peinture couleur lavande, parquet foncé et murs de briquettes, cette Bulle possède un charme certain qui incite à passer à table. Et la déception n'est jamais à l'ordre du jour. En revanche, appétits de moineaux s'abstenir, le chef ayant tendance à avoir la main un peu lourde, ce qui n'est pas pour déplaire à tout le monde, à commencer par les amateurs de coquilles Saint-Jacques trop heureux d'en découvrir cinq dans leur assiette alors qu'il ne s'agit que d'une entrée servie avec des marrons et enveloppée d'une sauce crémeuse. La suite est à la hauteur de nos espérances avec une piccata de veau au marsala et son risotto aux cèpes, puis un gratin de figues au banyuls et son palet aux amandes.

CHEZ CASIMIR
6, rue de Belzunce ✆ 01 48 78 28 80
M° Gare-du-Nord. Fermé le samedi et le dimanche. Menus : 22 € et 26 € – au déjeuner – et 29 € – au dîner.
Ce petit bistrot parisien, à deux pas de la gare de l'Est, juste derrière l'église Saint-Vincent-de-Paul est une adresse conviviale où l'on vient entre amis. La carte est empreinte de fraîcheur, à l'image des millefeuilles de panais au chèvre frais, de la terrine de campagne maison, du filet mignon de cochon aux choux de Bruxelles carottes et chutney au curry, du filet de bar poêlé avec endives au ragoût, de son pain d'épice façon perdu avec pommes au four, ou de sa poire pochée au vin rouge avec glace au pralin... Une cuisine traditionnelle plutôt rustique, mais qui plaît toujours, sauf peut-être le plateau de fromages, qui ne réserve pas autant de bonnes surprises. Peu importe, on reviendra.

CHEZ MICHEL
10, rue de Belzunce ✆ 01 44 53 06 20
M° Gare-du-Nord. Fermé samedi et dimanche. Menu : 30 €.
Vendra ou vendra pas ? La rumeur a circulé dans Paris que Thierry Breton voulait prendre du recul, s'occuper de ses proches tout en conservant un œil sur son annexe, Chez Casimir. Finalement, ce Breton pur beurre est toujours fidèle au poste dans son auberge sans âge pleine comme une huître midi et soir. Dans le lot des gourmets, il y a le gourmand de passage, le touriste en transit à la gare du Nord, le Breton qui veut réhabituer ses papilles aux saveurs de l'Ouest, vous et moi, désireux de goûter cette cuisine dont tout le monde ne dit que du bien. La Grande-Bretagne possède son ambassade à Paris, Chez Michel pourrait être considéré comme l'ambassade de la Bretagne, car tous les produits de là-bas sont mitonnés qu'ils soient de la terre ou de la mer, à commencer par les craquelins de Saint-Malo fourrés au chèvre relevé au basilic, le kig ha farz – le pot-au-feu breton –, le lieu jaune, la morue, le haddock, sans oublier le paris-brest, le kouing amann et un riz au lait de légende accompagné d'une marmelade d'agrumes.

LE CHANSONNIER
14, rue Eugène-Varlin
✆01 42 09 48 58

Site Internet : www.lechansonnier.com – M° Château-Landon. Fermé le samedi midi et le dimanche midi. Formule à 11,60 € et formule-carte (entrée + plat ou plat + dessert) à 23 €. A la carte environ 30 €.

Ne vous y méprenez pas. Ici point de chansonnier ni aujourd'hui ni lors de la création du restaurant en 1918, à deux pas du canal Saint-Martin. Mais peu importe, car ce qui attire la clientèle depuis bientôt un siècle c'est la qualité de l'établissement où l'on se sent un peu comme à la maison. D'ailleurs de nombreuses vedettes du show-biz et de la politique sont passées par là et le patron Jean-Claude Lamouroux les a même accrochées sur les murs... En cuisine, le chef Michel Vallée donne à ses plats le même accent que celui de son patron et les assiettes chantent parfois la Méditerranée dans un décor d'authentique bistrot parisien. C'est de la vraie cuisine de bonne femme légèrement revisitée : terrine de campagne maison, escalope de saumon à la provençale, sauté de veau aux olives et riz, ou la recette du patron : morue aux poireaux de ma grand-mère… En dessert, sautez sur la crème brûlée, elle est parfaite. Les gens pressés peuvent manger sur le pouce une planche de charcuterie, une salade composée, etc… Et très souvent rien que pour le plaisir le vendredi c'est soirée jazz.

DISHNY
25, rue Cail
✆ 01 42 05 44 04

M° La Chapelle – Ouvert tous les jours de 12h à 14h30 et de 19h à 23h30. Menus de 7 € à 16 €. A la carte 15 €.

En plein quartier indien de Paris, le Dishny a d'abord planté le décor rue Cail et s'est fait une belle réputation avant d'ouvrir une seconde adresse rue du Faubourg Saint-Denis – à deux pas de l'autre-, un peu moins dépaysante dans sa décoration mais avec beaucoup plus de place. En revanche, même accueil souriant et même façon de procéder. La carte est plus que fournie avec trois menus au choix. Pour 9 €, on est vite rassasié car les portions sont copieuses. Les saveurs de la cuisine indienne sont toutes là. Les entrées (samoussas, badjis et autres beignets) sont excellentes et toujours servies

avec un assortiment de sauces goûteuses, les plats (kouroumas, currys, dosais, byriani) sont relevés juste comme il faut.

Autre adresse : 212, rue du Faubourg Saint-Denis ✆ 01 42 05 44 04

LA FIDELITE
12, rue de la Fidélité
✆ 01 47 70 19 34

M° Château-d'Eau ou Gare-de-l'Est. Fermé dimanche et lundi. A la carte, environ de 25 € à 42 €.

Les Zingots ont fait leur temps, place désormais à La Fidélité. Une reprise que l'on doit à l'équipe branchouille du Baron. Heureusement, ils n'ont pas transformé cette immense brasserie en endroit lounge. Ils l'ont laissé dans leur jus et c'est bien l'essentiel. Du coup, on prend plaisir à tirer la porte pour se laisser envahir par ce joli brouhaha et ces cliquetis de couverts qui prouvent que les convives s'en donnent à cœur joie autour des plats de la maison. Rien de révolutionnaire, mais des propositions bien léchées, dans l'air du temps et pour tous les goûts. Rillettes de maquereaux ou beignets de tomates confites ouvrent le bal en attendant l'entrée en scène du croustillant de joue de bœuf et de ses légumes ou du lieu jaune et de son caviar d'aubergines. La Fidélité se remplit, le ton monte d'un cran, mais l'appétit n'est pas en berne. Il suffit de regarder les convives de la table 12 qui découpent avec entrain une entrecôte, rattes et sauce béarnaise pour s'en convaincre.

LA GRILLE
80, rue du Faubourg-Poissonnière
✆ 01 47 70 89 73

M° Poissonnière. Fermé samedi et dimanche. A la carte, environ de 45 € à 60 €.

La tradition ça a du bon, et Geneviève et Yves en sont les dignes représentants. Des années que nous les connaissons, des années que nous venons nous régaler dans leur auberge d'un autre temps dans laquelle s'amoncellent des collections, celles des casques et des chapeaux de paille ne laissent personne indifférent. Il y a un petit côté musée qui nous attendrit. Mais il n'y a pas que ça. Les festivités gourmandes préparées par Yves nous attendrissent également et nous enchantent, à commencer par la terrine de faisan aux noisettes que l'on savoure lentement pour laisser le temps à Yves de préparer la brochette de Saint-Jacques et son beurre blanc, et le chateaubriand et son gâteau de pommes de terre. A ce stade du repas, il faut avoir un appétit solide pour oser commander un dessert. Nous y sommes arrivés et ce sont des pruneaux au vin qui ont fait notre bonheur.

HOTEL DU NORD
102, quai de Jemmappes ✆ 01 40 40 78 78

Site Internet : www.hoteldunord.org – M° Goncourt ou Jacques-Bonsergent. Ouvert tous les jours de 20h à 23h. Formule déjeuner à 10 €, plat et café, et à partir de 13,50 € deux plats. A la carte, environ 40 €.

Inoubliable endroit, connu dans le monde entier grâce à Arletty et son «Atmosphère, Atmosphère, est-ce que j'ai une gueule d'atmosphère ?», L'Hôtel du Nord a su conserver son goût tout parisien. S'y mélangent étonnamment une petite clientèle de touristes venus par curiosité, mais surtout des habitués composés d'une belle fourchette de bobos bien branchés et bien excités, surtout le week-end. Confortablement installés, on déguste une cuisine correcte avec, par exemple, une nage de langoustines à la barigoule, un confit de canard, sauce miel et gingembre, galette de pommes de terre au Salers et un tiramisu au pain d'épice. L'endroit est, somme toute, très agréable, bien que le service se fasse un peu dépasser le week-end au vu de l'affluence.

JULIEN
16, rue du Faubourg-Saint-Denis
✆ 01 47 70 12 06

Site Internet : www.julienparis.com – M° Strasbourg-Saint-Denis. Ouvert tous les jours, midi et soir. Menus : 23 € et 28 €.

Plongés en pleine période Art Nouveau, vous dînerez ailleurs, happé par la magie indescriptible du lieu. Cela vous ferait presque oublier les jeunes poireaux et toasts à la tapenade, le dos de cabillaud rôti sur sa peau, foie gras de canard poêlé et pousses d'épinards, puis le tiramisu aux framboises ou la tarte aux fraises, mousseline bourbon. Adresse mythique, on s'y arrête volontiers après un spectacle sur les Grands Boulevards, au vu des horaires tardifs pratiqués.

LE POISSON ROUGE
112, quai de Jemmapes ✆ 01 40 40 07 11

Site Internet : www.le-poisson-rouge.com – M° Colonel-Fabien, Gare de l'Est ou Goncourt. Ouvert tous les jours, midi et soir. Menus déjeuner à partir de 13,80 € et plats à la carte à 10 € Dîner à la carte environ entre 25 € et 30 €. Vins au verre à partir de 3,50 €.

Le Poisson rouge promet une cuisine d'ici et d'ailleurs en alliant saveurs traditionnelles avec saison et un certain goût de l'exotisme. On y déguste des cannellonis de courgette et bresaola à la ricotta, suivis d'un dos de lieu jaune parfumé au cumin, servi avec un confit de carottes et de poivrons, et un pavé de veau et gnocchi à la crème de sauge et Parmesan. Et l'on finit sur une note gourmande et fraîche avec le financier aux fraises et glace bulgare. Dans ce lieu qui borde le canal Saint-Martin, très prisé les beaux jours et surtout le dimanche alors que les voies sont fermées à la circulation, se retrouve une clientèle hétéroclite qui participe à la bonne humeur ambiante. On se détend après une jolie balade, on boit un verre entre les services, et l'on s'attarde évidemment pour goûter la cuisine.

SANTA SED (CHILIEN)
32, rue des Vinaigriers
✆01 40 37 72 19
M° République ou Jacques-Bonsergent. Fermé le dimanche et le lundi. A la carte, environ de 25€ à 30€.
Arrivé presque par hasard en France et tombé amoureux de Paris, Carlos est l'heureux propriétaire du Santa Sed, un restaurant situé à deux pas du canal Saint-Martin. Commencez donc par un cocktail, par exemple, le pisco sour, un composé de pisco – alcool blanc –, jus de citron, blanc d'œuf, bitter sucré et sucre de canne, délicieux, mais qui à haute dose risque de vous saoûler. Puis, faites place à la cuisine familiale : ceviche – poisson mariné dans du citron vert et de la coriandre – ou empanadas de pino – chausson fourré au bœuf, épices et olives – en entrée, pastel de choclo – hachis Parmentier recouvert de grains de maïs –, pasculina – tourte aux épinards, champignons et fromage – ou chili con carne en plat. Une cuisine riche, pimentée et généreuse.

URBANE
12, rue Arthur-Groussier
✆01 42 40 74 75
M° Goncourt. Fermé samedi midi, dimanche et lundi. Menus : 10€, 15€ et 19€ – au déjeuner –, 25€ et 30€ – au dîner.
Nous sommes ici dans le temple du contemporain autant dans la décoration que dans la cuisine. Pour la première, jolies photos urbaines, table de mixage pour le soir, salle baignée par la lumière. Pour la seconde, un joli mélange de produits estampillés terroir conjugués à des saveurs d'ici ou d'ailleurs, comme ce cabillaud en croûte de persil et de citron ou cette bavette proposée avec des pommes de terre écrasées sur lesquelles viennent se poser des amandes émincées et une crème au raifort qui vient titiller vos papilles. Le dessert fait sourire, mais il est diablement bon, chupa chups chocolat, frangipane et noisettes, qui nous fait retomber en enfance. Celles et ceux qui préféreraient rester adultes, les figues rôties vous tendent les bras.

VILLA DEL PADRE (ITALIEN)
27, rue de Rocroy
✆01 42 85 26 24
M° Gare-du-Nord. Fermé le dimanche midi. Menu : 13€ – au déjeuner. A la carte, environ de 20€ à 25€.
La Villa del Padre travaille de beaux produits italiens, comme on les aime, à commencer par le célèbre jambon de San Daniele. On attaque par des antipasti – la friture d'éperlans, par exemple –, on poursuit avec des pâtes ou un plat de viande ou de poisson : escalope de veau sauce citron, filet de bœuf sauce gorgonzola ou poivre, viandes grillées, un excellent osso buco, spaghettis bolognaises, lasagnes, tagliatelles aux aubergines… Avant de finir par un tiramisu – littéralement «élève-moi vers le ciel» – fait maison, comme tous les desserts d'ailleurs. On déjeune et on dîne en admirant l'agilité du pizzaïolo qui prépare également des pizzas à emporter – 15 minutes d'attente en moyenne. On aime tout spécialement la pizza del Padre à la charcuterie fine italienne. L'endroit, fort bon, connaît un franc succès, mieux vaut donc réserver !

11e ARRONDISSEMENT

L'AMI PIERRE
5, rue de la Main-d'Or
✆01 47 00 17 35
Site Internet : www.amipierre.com – M° Ledru-Rollin ou Faidherbe-Chaligny.
M° Ledru-Rollin ou Faidherbe-Chaligny. Fermé le dimanche et le lundi. Menu : 13€. A la carte, environ de 20€ à 30€.
On se sent un peu comme à la maison dans ce petit bistrot de quartier au charme simple et sans chichis. Le chef propose une cuisine traditionnelle dont on ne se lasse pas : assiette de charcuteries, escargots à la crème, poissons marinés, magret ou confit de canard, brandade de morue, tripoux, bavette aux échalotes, crème brûlée… Le choix des vins est varié, environ soixante références de vins de toutes provenances, et conviendra à tous les goûts. Le service, et surtout l'atmosphère, sont orchestrés de main de maître par le sympathique Robin qui se plie en quatre pour contenter ses convives.

ASTIER
44, rue Jean-Pierre-Timbaud
✆01 43 57 16 35
Site Internet : www.restaurant-astier.com – M° Parmentier ou Oberkampf. Ouvert tous les jours, midi et soir. Menus : 19,50€ et 25,50€ – au déjeuner – et 33€ – au dîner.
Voilà plus de cinquante ans qu'Astier porte haut les couleurs de la «French Cuisine» de terroir, celle qui fait exploser nos analyses de cholestérol. Puis, en douceur, la maison est passée entre les mains d'une nouvelle équipe qui n'a pas souhaité dénaturer l'endroit. Les nappes à carreaux sont toujours tirées à quatre épingles, les diplômes de l'Ordre de la Confrérie des Compagnons de la Défense de l'Oignon n'ont pas bougé d'un iota et le mobilier bistrotier fait toujours rêver les brocanteurs. Ce qui a changé ? le chef, le directeur et le sommelier, qui possède une cave à faire pâlir de jalousie tous les cavistes du quartier. Côté cuisine, si on joue toujours la carte du terroir, les plats se sont quelque peu allégés et modernisés tout en restant canailles. Déjeuner, goûter des perles rares du vignoble, prendre une chaise, la poser sur le trottoir et fumer un cigare. Si ça, ça ne ressemble pas au paradis, nous n'en sommes pas loin.

BEYROUTH VINS ET METS (LIBANAIS)
16, rue de la Vacquerie
✆01 43 79 27 46
Site Internet : www.beyrouth-vm.com – M° Philippe-Auguste ou Voltaire. Ouvert du lundi au vendredi de 12h à 14h30 et de 19h à 23h. Menu : 13 € au déjeuner et 25 € au dîner.
Cette auberge familiale et traditionnelle, vous apporte, en plein 11e arrondissement, un authentique morceau de la rive orientale de la méditerranée. Rany Tawk et sa femme, Claudia, sont sans conteste à la hauteur de l'hospitalité des Libanais. A déguster sur place ou à emporter, toutes les douceurs du Liban rivalisent de séduction : mezze variés, brochettes, aubergines farcies, chawarma.... En fin de repas, ne manquez ni le café-menthe, graines d'anis, eau de rose et fleur d'oranger –, ni le nectar de kefraya – un goût de vendanges tardives gorgées de soleil –, ni le sorbet citron à l'arak.

BISTROT PAUL-BERT
18, rue Paul-Bert
✆01 43 72 24 01
M° Faidherbe-Chaligny. Fermé dimanche et lundi. Menus : 18 € – au déjeuner – et 34 €.
Parfois, on se demande pourquoi le Tout-Paris adore venir dans ce bistrot. Il ressemble pourtant à tous ces bistrots parisiens un peu vieillots, patinés par le temps, mais bien dans leur jus. Cependant, il y a peut-être ce petit supplément d'âme que le patron sait distiller. Chez lui, on se sent comme chez un pote qui ouvrirait sa salle pour recevoir ses amis. Ajoutez à cela, une cuisine rondement bien menée et vous comprendrez l'engouement qui ne faiblit pas. Comment pourrait-il en être autrement quand on a goûté la joue de bœuf confite à la lie de vin et ses rigatonis, les Saint-Jacques cuites au beurre présentées dans leur coquille et accompagnées d'une purée démoniaque, et le dos de cabillaud rôti et sa poêlée de pieds de mouton. Le match terre contre mer fonctionne à merveille. Avant de partir, un paris-brest pour la route, le énième dans cette maison, mais quand on aime on ne compte pas. Tant pis pour les figues rôties. Promis à la prochaine saison, on vous dévorera.

BISTROT BEYROUTH (LIBANAIS)
103, rue de Charonne
✆01 43 70 23 92
M° Charonne. Fermé le dimanche. A la carte, environ de 25 € à 30 €.
Après Beyrouth Vins et Mets, Fadi Tawk remet le couvert avec ce nouvel établissement qui fait la part belle aux classiques de la cuisine libanaise, même si au détour de la carte il est possible de sortir du classicisme ambiant pour dénicher un hamburger ou un cheese burger à la libanaise, sorte d'ovni gourmand niché entre les petites saucisses de bœuf flambées tomates confites et l'assortiment de mézzés froids et chauds. A ne pas manquer, les feuilles de vigne farcies au riz, les beignets de fèves et pois chiches à la coriandre et le cabillaud poêlé, crème de sésame, purée et salade fattouche.

LE BLUE ELEPHANT (THAILANDAIS)
43-45, rue de la Roquette
✆01 47 00 42 00
Site Internet : www.blueelephant.com/paris – M° Bastille ou Bréguet-Sabin. Fermé le samedi midi. Menu : 48 €. A la carte, compter de 40 € à 50 €. Brunch le dimanche : 39 €.
Cet immense restaurant aux allures de jardin tropical ne désemplit jamais et voit se presser une foule venue tout autant pour le cadre que pour la cuisine thaïe variée. Certains plats sont estampillés végétariens, notamment la fine crêpe de riz fourrée aux vermicelles et légumes ou les pointes d'asperges, pousses de bambou et maïs nains dans un curry vert. Le reste de la carte n'est que saveurs et parfums : papaye verte en salade au citron vert et aux crevettes séchées, dorade royale entièrement rissolée et servie nappée d'une sauce authentique et très relevée – palais fragiles s'abstenir – et chaussons au poulet, au crabe et au gingembre cuits à la vapeur dans un panier de bambou. Du grand art !

AU BOUCHON DE LA ROQUETTE
127, rue de la Roquette
✆ 01 43 79 79 00
M° Voltaire ou Philippe-Auguste. Fermé le dimanche. Menus : 13 € et 16,50 € – au déjeuner – 19 € et 22,50 € – au dîner. A la carte, environ de 30 € à 35 €.
Véritable restaurant de quartier, le Bouchon est depuis plus de dix ans une grande référence de la cuisine lyonnaise à Paris. L'accueil de Jean-Pascal Lefevre, le patron, est sympathique, l'ambiance du restaurant simple et familiale, on vient ici pour s'amuser, trinquer et bien manger. Confortablement assis sur les banquettes de velours, laissez-vous tenter par l'os à moelle et son pain grillé ou l'incontournable saucisson chaud à la lyonnaise, craquez sur les rognons de veau à la sauce moutarde ou le magret de canard, et s'il vous reste encore un peu de place, pensez au mystère au grand-marnier, un délice !

LE CHALET D'AVRON
108, rue de Montreuil
✆ 01 43 71 18 62
Site Internet : www.lechaletdavron.com – M° Avron, Nation ou Buzenval. Ouvert tous les jours, midi et soir. Menu : 20,50 €. A la carte, environ de 20 € à 30 €.
C'est une ambiance de montagne qui vous attend dans ce chalet savoyard situé près de la place de la Nation. Skis, raquettes et gros jambons composent le décor, tandis que de bonnes odeurs de fromages fondus viennent chatouiller vos narines. Dans la petite salle, l'ambiance est à la fête, et c'est la valse des spécialités savoyardes. En entrée, gésiers, terrines maison, tartines, salade des Alpes. Puis viennent les choses sérieuses : un grand choix de tartiflettes et de fondues, raclettes – pour deux personnes au minimum, la raclette –, mais aussi reblochonade, beauforton, marmites, braserades. La maison compte une drôle de spécialité : la potence. Il s'agit d'une pièce de viande – bœuf ou agneau –, servie accrochée à un support sous lequel est également disposé un gratin savoyard. Le tout est flambé au cognac, en salle. Un régal, copieux, que vous pourrez conclure par un fondant aux deux chocolats ou une glace.

LE CHATEAUBRIAND
129, avenue Parmentier
✆ 01 43 57 45 95
M° Goncourt. Fermé le samedi midi, le dimanche et le lundi. Menus : 16 € – au déjeuner – et 43 €.
Comment ? vous n'êtes jamais allé au Chateaubriand ? Il est vrai que décrocher une table n'est pas chose facile. En même temps, on le comprend. Le nombre d'habitués ne fait que grossir d'année en année car l'adresse est toujours autant en vue. Attention cependant, la cuisine du déjeuner et celle du dîner ne se ressemblent pas franchement. Globalement, ce que nous aimons dans cette maison, c'est le concept de la création perpétuelle. Ça change tout le temps et le génial responsable n'est autre que Inaki Aizpitarte. Presque nonchalant, il est aussi cool que ses clients qu'il satisfait avec des plats bien pensés, plein d'espièglerie, relayé en salle par une équipe masculine au taquet qui vante comme personne la cuisine du maître et au passage quelques crus de vins naturels pour lesquels elle s'enthousiasme un peu trop, mais c'est la tendance... alors on la suit. Côté cuisine, difficile de vous décrire les assiettes car ce que l'on pourrait vous raconter n'aurait aucun rapport avec ce que vous découvrirez. On vous laisse donc la surprise, mais sachez que vous ne serez pas déçu.

LE CLOWN BAR
114, rue Amelot
✆ 01 43 55 87 35
Site Internet : www.clown-bar.fr – M° Filles-du-Calvaire. Ouvert tous les jours, midi et soir. Menus : 18 € – au déjeuner – et 25 € – au dîner.
Situé juste à côté du Cirque d'Hiver, ce bistrot classé aux Monuments historiques pour son plafond fixé sous verre, mérite véritablement le détour. Inspiré par l'univers du cirque, le décor, tout en couleur, nous rappelle avec tendresse les meilleurs souvenirs de notre enfance. Mosaïques, fresques, carrelage orange et jaune, clown triste ou clown grotesque affichant leurs mines sur le plafond, l'endroit est unique à Paris. Vous pourrez y déguster d'excellents vins, belle sélection de côtes-du-rhône et du Languedoc, et goûter à une cuisine façon bistrot avec au menu : œuf en meurette, joue de porc confite aux lentilles du Puy, parmentier de boudin à la normande et croustillant aux pommes pour le dessert, si vous avez envie après le boudin de rester en Normandie.

L'HOMME BLEU (BERBERE)
55 bis, rue Jean-Pierre-Timbaud
✆ 01 48 07 05 63
M° Parmentier ou Couronne. Fermé le samedi midi et le dimanche. A la carte, environ de 25 € à 35 €.
L'homme bleu, c'est le Targui – Touareg au pluriel – ainsi appelé à cause de l'indigo de ses vêtements qui déteint sur sa peau. Depuis plus de vingt ans, celui-ci nourrit avec une qualité constante l'homme nomade du 11e. Les tajines et les couscous – goûtez le couscous en bleu ou le tajine amande et fleur d'oranger – sont cuisinés avec le savoir-faire qui fait leur réputation dans une cuisine orchestrée par des femmes, visible depuis la salle. La semoule est fine et parfumée, le service souriant et dispo, les proportions honorables et les places vacantes peu nombreuses. La petite cave voûtée au sous-sol a un charme différent de la salle du rez-de-chaussée ouverte sur la rue aux beaux jours. A notre goût, l'une des adresses les plus franches du quartier.

L'ESTAMINET
116, rue Oberkampf
✆01 43 57 34 29
M° Rue-Saint-Maur. Ouvert tous les jours, midi et soir. Menu : 13 € – au déjeuner. A la carte, environ de 25 € à 30 €.
Restaurant populaire d'Oberkampf, L'Estaminet vous invite dans ses caves pour dîner. Une jolie cantine de quartier qui s'est spécialisée dans la cuisine traditionnelle et généreuse. Salades composées de pommes de terre, escalope de veau auvergnate, cassolette d'escargots aux noisettes ou souris d'agneau sauce cannelle, les plats ont de l'envergure, de la tenue et du goût. Si la carte des desserts reste limitée et guère originale, le feuilleté de fraises ou le mi-cuit au chocolat font l'affaire. L'atmosphère est ici à la simplicité et le personnel comme les clients y trouvent tous leur compte.

KHUN AKORN INTERNATIONAL (THAILANDAIS)
8, avenue de Taillebourg
✆01 43 56 20 03
M° ou RER Nation et M° Avron. Fermé le lundi. A la carte, environ de 30 € à 35 €.
Dépaysement total garanti avec une décoration à la fois très orientale mais sobre, faite de bois foncé et de photos en noir et blanc. La cuisine thaï, qu'elle soit traditionnelle ou contemporaine, ne vous laissera pas indifférent. Pour commencer, vous choisirez peut-être une des appétissantes salades, servies dans un demi-ananas ou bien comme nous, le tong saï platter, un plateau découverte de hors-d'œuvre choisis par le chef, à partager à deux, à moins que vous n'en fassiez votre repas complet. A suivre, optez pour les larmes du tigre qui consistent en un filet de bœuf mariné, taillé en longues lanières et servi sur plaque chauffante. Les becs sucrés ne rateront pas le flan royal, au lait de coco délicieux !

O'REGAL
246 ter, rue du Faubourg Saint-Antoine
✆01 77 15 62 66
Site Internet : www.creperie-oregal.com Ouvert du lundi au jeudi de 9h30 à 21h, les vendredis et samedis jusqu'à minuit. Formule midi : 9,50 et 12,50 €. Formule soir : 14,90 €. Terrasse.
O'régal, c'est avant tout l'histoire de Philippe, qui a créé de toute pièce cette petite crêperie conviviale à deux pas de la place de la Nation. Attention, ici, pas de déco bigouden mais une ambiance moderne aux tons acidulés qui correspond bien à la philosophie « crêpière » du patron. Vous y mangerez de la très bonne galette traditionnelle, certes, mais aussi toute une gamme totalement originale : boudin noir, chorizo, lasagne, tartiflette, coulommiers, andouille, noix de saint-jacques etc. De quoi décoiffer plus d'une bigoudenne ! Mais attention, ici, on respecte le produit : Philippe ne travaille qu'avec des crêpiers bretons. Accueil chaleureux, excellents cidres artisanaux à la vente ou expositions de peintures viennent compléter un tableau prometteur !

AU NOUVEAU NEZ
112, rue Saint-Maur
✆01 43 55 02 30
M° Goncourt ou Parmentier. Fermé le dimanche. A la carte, environ de 15 € à 20 €.
Dans cette très jolie cave du 11e, tenue par une experte en vins, Nadine Decailly, vous pourrez déguster d'excellents petits vins de propriétés – naturels en majorité – et quelques vins étrangers, autour d'assiettes de charcuteries et de plateaux de fromages. L'endroit est des plus agréables à fréquenter pour un bel apéro dînatoire. Convivial à souhait, illuminé par la gentillesse de la patronne, les amateurs s'y donnent rendez-vous pour discuter des arômes de telle ou telle bouteille, n'oubliant pas au passage d'emporter la ou les heureuses élues.

PARIS MAIN D'OR
133, rue du Faubourg-Saint-Antoine
✆01 44 68 04 68
M° Ledru-Rollin. Fermé le dimanche. Menu : 13 € – au déjeuner. A la carte, environ de 35 € à 50 €.
Véritable institution, ce restaurant de spécialités corses est l'adresse préférée des insulaires à Paris. Si vous ne connaissez pas cette cuisine, réservez une table pour dîner et commencez le repas par un bon verre de muscat. L'accueil du patron est toujours agréable et l'ambiance est à la décontraction, un peu comme en Corse justement. Les assiettes sont généreuses et préparées avec amour. Retenez le cabri rôti servi avec ses pommes de terre, la daube au vin corse ou les lasagnes corses, un vrai régal ! S'il vous reste encore un peu de place, concluez avec les crêpes de châtaignes au brocciu ou le fiadone, un dessert à base de brousse, d'œufs et de zestes de citron, le tout arrosé d'eau-de-vie.

AU ROND POINT
65-67, boulevard de Ménilmontant
✆01 40 21 13 35
Site Internet : www.aurondpoint.com – M° Père-Lachaise. Ouvert tous les jours service continu de 11h à 22h. Menu 13,80 € – en semaine. Formules à 25 €.
Savourez une cuisine française traditionnelle qui varie en fonction des humeurs du chef et des bons produits qu'il aura trouvés au marché. Les pièces du boucher et les poissons sont mitonnés dans les cuisines. L'andouillette du père Duval, l'entrecôte, les moules-frites, la tête de veau gribiche servie le mardi ou la saucisse de l'Aveyron aligot servie le jeudi sont les spécialités de la maison qui sont très appréciées des clients. Pour les sportifs qui liraient ces quelques lignes, le lieu sert aussi de point de chute pour les supporters de Saint-Etienne à Paris. Salle que l'on peut privatiser au 1er étage.

LE SANS-GENE OBERKAMPF

122, rue Oberkampf ✆ 01 47 00 70 11

Site Internet: www.sansgene.fr – M° Ménilmontant ou Parmentier. Ouvert toute la semaine, du vendredi au lundi seulement le soir (17h). Formule 30 €. A la carte, compter environ 25 €.

Une valeur qui reste sûre, en plein quartier d'Oberkampf où foisonnent pourtant tant d'adresses. Monsieur Sans-Gêne séduit d'abord par sa cave voûtée habilement aménagée et qui baigne dans une belle lumière tamisée... L'accueil, comme le service, est exemplaire : vous vous sentez très vite à l'aise, un peu comme à la maison. La cuisine proposée est fortement teintée de plats traditionnels français – salade de chèvre chaud, œufs cocotte aux tomates séchées et au jambon de Parme, magret de canard, sauce au miel, purée de patates douces – colorée de quelques touches « du monde » comme cette salade de boeuf épicé façon Thaï ou le tartare qu'on choisira à l'indienne ou à l'italienne. Les clients se régalent et c'est bien là l'essentiel. Une dernière bonne nouvelle ? Monsieur ne se gênera pas non plus pour baisser ses prix au mois de juillet...

LE TEMPS AU TEMPS

13, rue Paul-Bert ✆ 01 43 79 63 40

Site Internet: www.tempsautemps.com – M° Faidherbe-Chaligny. Fermé dimanche et lundi. Menus: 18 € – au déjeuner –, 27 € et 30 €.

C'était l'adresse incontournable de cette rue jusqu'à ce que Sylvain Sendra décide de migrer dans le 5e arrondissement. L'enseigne n'a pas changé, mais le chef est désormais Denis Sabaros, au bel accent basque. Pas facile pour lui de tenter de faire oublier son prédécesseur dans ce bistrot de poche, mais avec de l'envie et du courage il devrait y arriver. Notre première impression est bonne avec cette fricassée d'escargots à l'aïoli, ce classique filet de bar et endive caramélisée et cette semoule au lait et tombée de rhubarbe. Franchement, il n'y a aucune raison pour que cette adresse tombe dans l'anonymat. Il n'en tient qu'à vous !

LE VILLARET

13, rue Ternaux ✆ 01 43 57 89 76

M° Oberkampf. Fermé samedi midi et dimanche. Menus: 22 € et 27 € – au déjeuner –, 50 € – au dîner.

Ici, le chef sait y faire pour vous donner envie de faire ripaille dans le sens bourgeois du terme et non paillard. Sa cuisine rend hommage aux terroirs français. C'est généreux, franc du collier et pas bégueule pour un sou. La passion de mitonner, de cuisiner, de faire plaisir se ressent dans chaque assiette, et la clientèle s'en réjouit. Il suffit de la voir souriante, attablée devant des rillettes de lapin à la graisse de canard qui précèdent un filet de cabillaud, sauce au cresson et purée de panais. La table voisine a un peu d'avance, elle en est déjà au dessert, des abricots rôtis à l'amaretto. Vous nous mettrez la même chose. Si nous ne les avions pas eu sous nos yeux, nous aurions opté pour le millefeuille croustillant citron vert et framboise. Ce sera pour la prochaine fois.

12e ARRONDISSEMENT

L'AUBERGE AVEYRONNAISE

40, rue Gabriel-Lamé ✆ 01 43 40 12 24

Site Internet: www.aveyron.com – M° Cour Saint-Emilion ou Dugommier. Ouvert tous les jours, midi et soir. Menus: 18,50 €, 23,80 € et 28,30 € – au déjeuner –, 20,10 €, 25,30 € et 29,80 € – au dîner.

Ambiance cantine, bondée de bons vivants, nappe vichy rouge et plats du Massif central... cette Auberge tient toutes ses promesses dans l'assiette : aligot à la saucisse, côte de bœuf, boudin de l'Aveyron et chou farci... ici, on ne vient pas avec une petite faim. C'est l'esprit de province à Paris dans ce restaurant où l'on déjeune et dîne quasiment les uns à côté des autres. Gardez une place pour le fromage servi sur un plateau ou les desserts à l'ancienne.

LES BANQUETTES

3, rue de Prague ✆ 01 43 47 39 47

M° Ledru-Rollin. Fermé samedi midi, dimanche soir et lundi. Menus: 14 € – au déjeuner –, 24 € et 30 €.

Deux potes ont repris l'ancien Petit Porcheron pour en faire Les Banquettes décoré façon puces de Saint-Ouen. On vous laisse imaginer. Sorte de bric-à-brac, mais paradoxalement joliment ordonné. Dans cet univers un peu old school, le quartier se donne rendez-vous pour festoyer gaiement autour d'une cuisine qui s'en sort avec les honneurs sans être révolutionnaire. Le poulet rôti et sa purée tiennent leur rang, comme la côte de bœuf et ses rattes, la salade frisée, ses lardons et son œuf poché, sans oublier la classique crème caramel ainsi que l'étonnante crème brûlée thym et citron qui enchante le gourmet de passage.

LE BARON ROUGE

1, rue Théophile-Roussel ✆ 01 43 43 14 32

M° Ledru-Rollin. Fermé le lundi. A la carte, environ de 15 € à 20 €.

Après avoir fait son marché, on se presse dans ce lieu, grand incontournable du marché Aligre. Populaire et franchouillard, on se fraye un chemin parmi la foule et les habitués du zinc, on commande au comptoir et l'on sympathise avec tout le monde. Assiettes de charcuteries régionales et corses, fromages ou un plat si ça vous dit, on n'oublie pas le petit ballon de côte du jura rouge, par exemple. D'octobre à mars, on peut commander des huîtres, un véritable tabac. Ambiance garantie !

A LA BICHE AU BOIS
45, avenue Ledru-Rollin
✆01 43 43 34 38
M° Gare-de-Lyon. Fermé le samedi, le dimanche et le lundi midi. Menu : 25,90 €. A la carte, environ de 35 € à 40 €.
Amateurs de gibiers, vous connaissez sans aucun doute cette adresse gourmande, où vous aimez vous attabler quand l'automne revient. Non ? eh bien courez-y, car Céline et Bertrand y concoctent une belle cuisine généreuse, où le gibier est divinement mis à l'honneur dès que vient l'heure de la saison de la chasse. La spécialité de la maison ? la biche bien sûr, servie dans son beau poêlon, en une succulente cassolette. Ne manquez pas non plus la terrine de lapin, les perdreaux désossés, la cassolette de sanglier. Le menu comprend entrée, plat, fromage et dessert. Toute l'année, la maison concocte de délicieux plats, tels le coq au vin, une des spécialités du chef qui met le canard à l'honneur : foie gras, confit de canard et magret raviront tout autant, mais que cela ne vous empêche pas de garder de l'appétit pour les fromages et les desserts, aussi impeccables.

CAPPADOCE (TURC)
12, rue de Capri ✆01 43 46 17 20
M° Daumesnil ou Michel-Bizot. Fermé le samedi midi et le dimanche. Menu : 12,50 €. A la carte, environ de 20 € à 30 €.
Un peu de tranquillité dans ce restaurant tout simple... Confortablement assis sur l'une des banquettes, il ne reste plus qu'à choisir parmi pide – sorte de pizza turque – à la viande hachée, feta nature ou avec un œuf – une délicieuse et surprenante entrée froide –, entrées chaudes – soupe du jour, foie à l'albanaise, calamars en beignets... – et de nombreux autres plats toujours très typiques : le hunkar – agneau à la purée d'aubergine –, le kagitta dana – papillote de veau aux légumes et fromage –, les brochettes d'agneau aux oignons ou aux champignons, l'agneau farci aux champignons sauce piquante ou encore la délicieuse viande hachée aux aubergines et au yaourt.

LE COTTE ROTI
1, rue de Cotte ✆01 43 45 06 37
M° Ledru-Rollin. Fermé le dimanche et le lundi. Menus : 25 € et 30 €.
Nicolas Michel a désormais bien en main son affaire et elle s'est imposée dans le quartier dans son habit de lumière orangé. Avant même de jeter un coup d'œil sur l'ardoise, on se laisse tenter par la carte des vins où les beaux crus des côtes-du-rhône sont en bonne place, notamment ce saint-joseph du domaine Courbis. Une fois le vin dans le verre, place aux solides avec une terrine de joues de bœuf et sa vinaigrette au foie gras ou en saison un velouté de marrons aux palourdes et pesto. La suite est toute aussi appétissante, et pour s'en convaincre il suffit de se laisser séduire par la poitrine de cochon croustillante et sa purée de patates douces, le filet de rascasse poêlé et ses haricots coco à la crème d'étrilles qui précèdent des clémentines confites et leur glace au lait de brebis.

JEAN-PIERRE FRELET
25, rue Montgallet
✆01 43 43 76 65
M° Montgallet. Fermé le samedi midi et le dimanche. Menus : 20 € – au déjeuner – et 28 € – au dîner. A la carte, environ de 45 € à 50 €.
Les Frélet vous accueillent dans ce petit restaurant familial où la carte change très régulièrement, en fonction bien sûr du marché et des saisons. Cuisine classique donc, mais inventive et subtile : poêlée de Saint-Jacques en beurré de choux, parmentier de bœuf, biche en saison, fondant au chocolat au piment d'espelette. Une table somme toute pour les fines bouches, et surtout pour les amoureux, car ce restaurant de vingt places est parfait pour les moments intimistes.

LA GAZZETTA
29, rue de Cotte ✆01 43 47 47 05
Site Internet : www.lagazzetta.fr – M° Ledru-Rollin. Fermé dimanche soir et lundi. Menus : 16 € – au déjeuner –, 37 € et 49 € – au dîner. A la carte, environ de 48 € à 59 €.
Avec sa cuisine passionnément créative, Petter Nilsson pourrait se réfugier dans un gastro design, urbain qui en mettrait plein la vue. Au lieu de cela, ce jeune chef a choisi de proposer sa cuisine dans un cadre bistrotier. Quand on pousse la porte, on ne s'attend pas à dénicher des assiettes aussi précises, des cuissons aussi nettes, des parfums de cohabitation aussi bien choisis. Petter détonne, Petter étonne, Petter cartonne avec des plats renouvelés régulièrement et qui magnétisent tous les convives. On se demande parfois où il va chercher toutes ces idées, pourquoi il ne se repose pas parfois sur ses lauriers. Au lieu de cela, il repart de plus belle et chaque visite à La Gazzetta crée la surprise. Alors à quoi bon vous dire que les encornets fumés et la purée de pois chiches étaient désarmants, que le pigeon et sa semoule de lait et de chou-fleur était à tomber, que le veau basque, ses haricots coco de Paimpol et ses girolles étaient aussi beaux visuellement que bon au palais, puisque quand vous viendrez il aura tout bouleversé pour imaginer d'autres assiettes. On ne peut que devenir accro de ce Petter.

RESTAURANTS

JODHPUR PALACE (INDIEN)
Angle 16, rue Hénard – 42, allée Vivaldi
✆ 01 43 40 72 46

Site Internet : www.jodhpurpalace.com – M° Montgallet. Ouvert tous les jours, midi et soir. Menus : 13,50 € – au déjeuner –, 25 € et 29 € – au dîner. A la carte, environ de 25 € à 30 €.

A proximité du cour Saint-Emilion et de Bercy, ce restaurant séduit d'abord par l'élégance de son cadre : grande salle lumineuse aux longs rideaux vaporeux, plafond à caissons et motifs floraux. Mais, cette adresse est d'abord un lieu tout désigné pour les gourmets qui découvrent ici tout le raffinement de la cuisine indienne. En entrée goûtez l'étonnante pine apple raïta – ananas en tranches en sauce avec yaourt et épices – puis l'agneau hyderabadi spécialité d'Hyderabad, sauce menthe noix de coco épices parfumées ou les crevettes jalfresi sautées aux oignons poivrons et tomates. Vous retrouvez ici bien sûr les classiques poulet massala ou encore l'agneau punjab, mais laissez-vous tenter par une cuisine authentique, savoureuse et parfois méconnue que propose ce restaurant avec entre autres des spécialités de l'Inde du Nord. Pour les repas d'affaires ou une fête en famille, on pourra réserver une petite salle très cosy dont le ciel peint au plafond crée une atmosphère pleine de sérénité.

LE LYS D'OR (CHINOIS)
5, place du Colonel-Bourgoin
– 2, rue de Chaligny
✆ 01 44 68 98 88

Site Internet : www.lysdorming.com – M° Reuilly-Diderot. Ouvert tous les jours, midi et soir. Menus : 12,50 €, 14 € et 14,50 € – au déjeuner –, 24 € et 28 €. A la carte, environ de 25 € à 30 €.

Le cadre du grand restaurant chinois est déjà une invitation au voyage avec son mobilier de bambou, ses plantes vertes, ses cascades et ses fontaines. L'atmosphère feutrée est propice à la découverte d'une palette de saveurs qui visite les huit provinces chinoises. Le chef compose une carte inspirée, dans laquelle des plats classiques côtoient des mets de sa création. Parmi les plus belles découvertes retenons le gou feng, mélange de Saint-Jacques, de crabe, de crevettes, de calamars, de légumes et de riz parfumé ou encore le le filet de canard à la sauce sichuanaise pimentée «Lys d'or Ming». On apprécie également la lotte simplement sautée aux feuilles de basilic fraîches ou l'agneau sauté au basilic et aux échalottes, sur plaque chauffante. Un bon choix de vins français mais aussi un «dragon seal» rosé ou rouge pour rester définitivement en Chine ! Ce lys-là est une fleur rare à s'offrir ou se faire offrir sans hésitation.

MIEL ET PAPRIKA
24, rue de Cotte ✆ 01 53 33 02 67

M° Ledru-Rollin. Fermé le dimanche, le lundi, le mardi, le mercredi. Menus : 12,50 € – au déjeuner – et 26,50 € – au dîner. A la carte, environ de 30 € à 40 €.

C'est toujours avec la même bonne humeur des débuts que le couple Desforges vous accueille dans leur restaurant. Tout est fait maison, l'ardoise changeante témoigne de la fraîcheur des produits : tatin de saumon au curry mangue et kiwi à la coriandre fraîche, magret de canard, assiette chocolat duo fondant et mi-cuit avec café, mousse de confiture de lait sur gâteaux aux écorces d'oranges ! Originale aussi, cette grande assiette dans laquelle sont servis simultanément l'entrée, le plat et le dessert. Les gens pressés peuvent donc manger vite et équilibré, par exemple, un méli-mélo de crudités en entrée, brochettes de poulet mariné comme plat, et une coupe de fruits frais ou un morceau de gâteau du jour en dessert.

PARTIE DE CAMPAGNE
Bercy Village
36, cour Saint-Emilion
✆ 01 43 40 44 11

M° Cour Saint-Emilion. Ouvert tous les jours, midi et soir. Menu : 13,50 €. A la carte, environ de 15 € à 20 €.

Partie de Campagne, c'est la campagne à Paris. Plats rustiques l'hiver, bœuf bourguignon, coq au vin, blanquettes, tartines et salades toutes l'année, dans ce resto au décor paysan, on peut même venir manger au goûter. En effet, après le service du petit déjeuner, la cuisine assure toute la journée. En plus des plats, l'on y déguste crêpes, gaufres, tartes, crumbles ou cheese-cakes avec une limonade ou un thé, à l'heure ou tous les Londoniens scrutent Big Ben pour synchroniser les cinq coups du soir à leur montre.

LE SQUARE-TROUSSEAU
1, rue Antoine-Vollon
✆ 01 43 43 06 00

M° Ledru-Rollin. Ouvert tous les jours, midi et soir. A la carte, environ de 30 € à 35 €.

Repris par Mickaël Jarnot, cet immuable bistrot posté à deux enjambées du marché Aligre poursuit son petit bonhomme de chemin. Mickaël a eu la bonne idée de ne rien changer, de conserver cette adresse dans son jus début XXe siècle et dès que l'on entre, le charme agit grâce au comptoir en étain, aux moulures, aux banquettes et aux luminaires. Dans l'assiette, c'est désormais joliment troussé et ça oscille entre plats de terroir bien de chez nous et quelques spécialités qui sortent quelque peu de l'ordinaire. Pour résumer, ça donne andouillette d'un côté, spaghettis aux palourdes de l'autre, à moins que vous ne préfériez cet exemple, escalope de veau crème et champignons ou crevettes rôties à la coriandre et au gingembre. En revanche, quand le dessert pointe son nez, personne ne choisit un camp particulier, c'est mousse au chocolat et rien d'autre… enfin en ce qui nous concerne.

TARMAC

33, rue de Lyon ✆ 01 43 41 97 70

Site Internet : www.tarmac-paris.com – M° Gare-de-Lyon ou Bastille. Ouvert tous les jours, midi et soir. Menus : 14 € et 18 €. Brunch le samedi et le dimanche : 19 €.

Un tarmac à côté d'une gare, avouez que ça n'est pas commun. Un restaurant Ouvert tous les jours qui vous accueille dès potron-minet pour le petit déjeuner, qui vous permet également de grignoter des tapas de midi à minuit – ou presque –, qui vous reçoit le week-end pour le brunch, et qui enfin toute la semaine vous régale avec une cuisine proposée à petits prix, avouez, là encore, que rien n'est laissé au hasard. Alors à vous de choisir votre instant, de caler vos envies sur votre emploi du temps. On espère vous voir devant un assortiment de tapas, la tête sous le plafond XIXe siècle et les yeux rivés sur les murs bariolés ou à l'heure du dîner devant une queue de lotte braisée au jus et légumes rôtis. Et si ce plat vous le dégustez un lundi, vous pourrez l'accorder avec une bouteille de vin sortie de votre cave. Si avec tout ça, vous ne venez pas, on ne comprendra pas.

LE TRAIN BLEU

Gare-de-Lyon – Place Louis-Armand

✆ 01 43 43 09 06

Site Internet : www.le-train-bleu.com– M° Gare-de-Lyon. Ouvert tous les jours, midi et soir. Menus : 49 €, 52 € et 96 €. A la carte, environ de 60 € à 70 €.

Superbes décors pour ce restaurant de gare, luxueux témoignage du style de la fin du Second Empire, Le Train Bleu est une étape pour voyager à quai. Le chef propose une carte toute aussi sophistiquée : traditionnel pâté en croûte farci au foie gras de canard, pétales de mâche à l'huile de truffes, poitrine de veau «oubliée au four» et caramélisée à la plancha, mijotée de légumes, mousse chaude au chocolat, glace au chocolat.

LES ZYGOMATES

7, rue de Capri ✆ 01 40 19 93 04

Site Internet : www.zygomates.com – M° Michel Bizot ou Daumesnil. Ouvert du mardi au samedi de midi à 14h puis de 19h30 à 22h30 – jusqu'à 23h vendredi et samedi. Fermé en août. Formules à 22,50 € (deux plats) et 31 € (trois plats), menu déjeuner à 15 € (entrée + plat + dessert et café).

Tout de même, on se dit que dans les années 1920, les échoppes avaient du style. Heureux ceux qui s'attablent aux Zygomates, car cette ancienne boucherie a conservé son charme d'antan et le décor de ses tendres années – fresque au plafond, larges miroirs gravés… Mais les tables recouvertes de nappes à carreaux et les sièges cannés sont là pour nous rappeler qu'on est bien là dans un vrai bistrot d'époque, la nôtre cette fois ! Les suggestions du chef, Christophe Baron, changent chaque semaine avec les saisons, et le menu-carte est alléchant. A midi, menu à 15 € à choisir parmi trois entrées, trois plats et trois desserts. Cette fois, petites tomates grappes farcies à la rillette de thon, suivi d'une papillote de truite de mer à l'estragon, et pour finir une tarte au citron. La saison est respectée, le produit aussi, nos papilles itou. Pas de doute, l'adresse est à garder, mais on pensera à réserver car la salle n'est pas bien grande.

13e ARRONDISSEMENT

ATHANAS LE LIVALIN

5, rue Clisson ✆ 01 45 83 04 23

M° Chevaleret. Fermé le dimanche. Menus : 19 € et 30 € – au déjeuner – et 29 € – au dîner. A la carte, environ de 30 € à 35 €.

Bien qu'il soit perdu dans un quartier qui, le soir, a des allures de no man's land, ce petit resto proche de la grande BNF vaut le détour, surtout si vous êtes friand de poissons. La clientèle de quartier, elle, s'y retrouve toujours avec plaisir pour des ravioles de Romans aux courgettes et au thym, son filet de bar au poivre long de Java, ou sa blanquette de ris de veau aux petits légumes. Accompagné d'un petit air de blues ou de jazz, l'ambiance de cet endroit plutôt cosy et chaleureuse se prête bien aux dîners en couples. L'été, une petite terrasse permet de déjeuner à l'air, pour ceux qui «badaudent» après avoir fait les galeries d'Art contemporain, très présentes dans le quartier.

L'AVANT-GOUT

26, rue Bobillot ✆ 01 53 80 24 00

Site Internet : www.lavantgout.com – M° Place-d'Italie. Fermé dimanche et lundi. Menus : 14 € – au déjeuner – et 31 €.

Résumer la cuisine de Christophe Beaufront à un seul plat, le pot-au-feu de cochon aux épices et son verre de bouillon à la cannelle, serait scandaleusement réducteur. Et pourtant, certains traversent la capitale pour le dévorer. Si vous en rêvez, ne traînez pas et réservez à la lecture de ce texte. Mais sachez que la cuisine de Christophe, c'est aussi, pour un rapport qualité-prix incroyable, une part de malice, un zeste d'épices, une pointe de forte personnalité et un soupçon de rencontres entre les continents. A la carte, ça se traduit par un savoureux croustillant de sardines à la compote de tomates, d'abricots et d'amandes safranées, puis par un dos de lieu jaune au grué de cacao, saveur café et purée de pommes de terre, et enfin par une verrine de pomelos en gelée au thé Earl Grey et son sorbet ananas. Ça craque, ça croque, ça interpelle, on y prend goût et on revient le mois suivant pour découvrir la nouvelle carte.

LE BAMBOU (VIETNAMIEN)
70, rue Baudricourt ✆ 01 45 70 91 75
M° Tolbiac. Fermé le lundi. A la carte, environ de 25 € à 30 €.
Depuis plus de dix ans, Le Bambou ouvre ses portes à une clientèle nombreuse. C'est un des restos incontournables du 13e, une cantine vivante, un rendez-vous ! La déco 100 % vietnamienne, l'accueil 100 % vietnamien, et la cuisine 100 % vietnamienne… tout ici respire le pays, et les habitués, très nombreux, ne s'y trompent pas. Ils viennent manger des vapeurs, des soupes – pho, citronnelle… – et surtout, des grillades. C'est le grand succès du Bambou, qui en sert à tour de bras. Porc, bœuf, poulet… toutes les grillades sont servies avec des vermicelles et une salade. Madeleine, la patronne, née au Vietnam, est enjouée et drôle, ce qui ne l'empêche pas de travailler dur et de veiller à la bonne marche du service, car il faut servir vite et bien les soixante personnes assises.

CHEZ BLONDIN (SENEGALAIS)
33, boulevard Arago ✆ 01 45 35 93 67
M° Glacière ou Les Gobelins. Ouvert tous les jours, midi et soir. Menu : 12 €. A la carte, environ de 25 € à 30 €.
L'ancien Jardin des Pâtes, s'est transformé en un restaurant de spécialités sénégalaises. Dans un cadre très coloré, on y déguste des thiéboudiennes – mérou au riz rouge et légumes –, du yassa poulet sauce aux oignons citrons, et de la crème de corossol en dessert. Essayez les boissons non alcoolisées qui sont faites maison : jus de gingembre frais, par exemple, ou bissap à base de fleurs d'hibiscus. Le dimanche, découvrez un étonnant brunch sénégalais. Une terrasse est chauffée tout l'hiver, et une autre s'implante sous les fameux marronniers du boulevard Arago l'été, ce qui en fait un endroit très agréable.

LE CAFE DU COMMERCE
39, rue des Cinq-Diamants ✆ 01 53 62 91 04
M° Corvisart. Fermé au déjeuner du lundi au vendredi. Menu : 18 €. A la carte, environ 25,50 € ; Brunch le dimanche : 10 €.
Pratique Le Café du Commerce, on y mangerait tous les jours. Tenu par un couple de passionnés de cuisine traditionnelle, ici, on s'assure avant tout que vous êtes satisfait de votre repas, on vous écoute, on vous explique l'ardoise… Bref, du joli de travail de restaurateur. Au menu ? Des plats qui changent en fonction du marché : terrine de lapereau pruneaux au thym, moelleux aux deux saumons sauce escabèche, cervelle de canut et ses croûtons pour les entrées et pour ne citer qu'elles puis ravioles fraîches, fromage et champignon, tartare préparé à la demande ou andouillette de Troyes que l'on accompagne avec l'un des quinze vins tous proposés à 15 €. Et avant de partir, un petit tour par la case dessert avec notamment la poire au vin, l'île flottante escortée de ses pralines roses et baba au rhum maison.

CHINE MASSENA (CHINOIS)
13, place Vénétie et 18, avenue de Choisy ✆ 01 45 83 98 88
Site Internet : www.chinemassena.com – M° Porte-de-Choisy. Ouvert du lundi au jeudi de 8hà 23h et du vendredi au dimanche jusqu'à 1h du matin. Parking à l'entrée. Formules à partir de 12,80 €. A la carte environ 20 €.
Une immense salle rouge – couleur qui, paraît-il, stimule l'appétit – un grand bar de 18 mètres de long et le savoir-faire de la famille Su père et fils (un fin connaisseur de liqueurs) suffisent à attirer une clientèle d'habitués. Mais la cuisine retient ici toute notre attention : d'inspiration pékinoise, elle puise dans la tradition, revisite quelques spécialités et apporte de la nouveauté. Le canard laqué à la pékinoise est bien préparé et copieux et les poissons sont pêchés dans le vivier pour plus de fraicheur. Vous pourrez ici déguster une carpe Amour à la chair si tendre mais aussi de l'esturgeon ou encore de l'anguille. Un banc d'huitres nouvellement installé séduira les amateurs de coquillages mais autorise aussi de belles préparations à la chinoise (vapeur, sautées ou cuites au four). La carte des vins est d'une qualité surprenante. Enfin les vendredis samedis et dimanches : diner dansant avec orchestre pour une soirée très reussie.

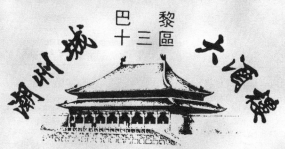

LES CAILLOUX
53, rue des Cinq-Diamants
✆01 45 80 15 08

Site Internet : www.lescailloux.fr – M° Corvisart ou Place-d'Italie. Fermé le dimanche et le lundi. Formules déjeuner à 13,50 € et 17,50 €, à la carte environ de 23 € à 49 €.

Comme son nom ne l'indique pas, ce bistrot de la Butte aux Cailles vous invite à passer la frontière, celle qui sépare la France de l'Italie. Avec les tables laquées et le plancher brut de décoffrage, Les Cailloux n'ont rien d'une trattoria, mais alors dans l'assiette, pardon, tout y est. Du rouge de Sicile servi en fillette à la panna cotta à la vanille et coulis de fruits rouges en passant par le carpaccio de bœuf, roquette, Parmesan et huile de truffe et le risotto aux gambas. Et l'on ne vous parle pas de la poêlée de calamars et d'artichauts violets.

ENTOTO (ETHIOPIEN)
145, rue Léon-Maurice-Nordmann
✆01 45 87 08 51

Site Internet : www.entoto.fr M° Glacière. Ouvert tous les soirs et le midi du lundi au vendredi. Formules à partir de 15 €. A la carte environ 22 €.

Premier restaurant de gastronomie éthiopienne ouvert dans la capitale en 1983, Entoto est toujours l'un des préférés des connaisseurs. Il tire son nom d'un mont – ou ensemble de collines – à 3 200 mètres d'altitude, situé au nord d'Addis Abeba. Assis autour de grands plats, on mange sans couvert. Le wot d'agneau, de boeuf, de volaille, accompagné d'une grande variété de sauces ou de ragoûts, avec autant de choix en légumes (pour les végétariens), est la spécialité de la maison, bien copieuse. Une grande galette l'injera, préparée avec de la farine d'une céréale particulière le tef ou sorgho, sert de pain. C'est très épicé, aussi si vous ne supportez pas bien le piment, un conseil : choisissez des sauces au curcuma... Les serveurs sont adorables.

LA GIRONDINE
48, boulevard Arago
✆01 43 31 64 17

Site Internet : www.lagirondine.fr – M° Glacière. Fermé le dimanche. Menus : 14,50 € et 17,50 € – au déjeuner – et 33,90 €.

La Girondine, connu aussi sous le nom de Gargantua, est tenu depuis trois ans par Bruno et Elisabeth qui nous reçoivent un peu comme chez eux. Et quand Elisabeth dit que tout est fait comme à la maison, on ne peut que la croire. Tartelette fine au tourteau, escalope de Saint-Jacques tiède et tartare de mangues, côte de veau à l'os pommadé à l'ail confit, tête de veau à l'ancienne, cocotte d'agneau aux épices, crumble aux fruits de saison ou baba au rhum. Ah si, il y a quelque chose qui n'est pas maison, les plateaux de fruits de mer et en les regardant, on comprend pourquoi certains surnomment affectueusement cette maison, Gargantua.

CHEZ GLADINE
30, rue des Cinq-Diamants
✆01 45 80 70 10

M° Corvisart ou Place-d'Italie. Ouvert tous les jours, midi et soir. A la carte, environ de 15 € à 20 €.

Dans ce bistrot très prisé du 13e, on arrive, on

donne son nom au comptoir et on attend sa place au milieu d'une forte affluence. Le gentil personnel fait tout pour vous trouver une place au plus vite et pour que vous mangiez à cette table, top five du meilleur rapport qualité-prix de Paris : salade complète Cinq-Diamants, escalopes montagnardes, cassoulet maison, pavé de canard sauce Roquefort, poulet basquaise... Grosses portions et prix lapidant toute concurrence. C'est bon, c'est bruyant, c'est simple et rustique, et on aime ça !

CHEZ NATHALIE
45, rue Vandrezanne
✆ 01 45 80 20 42

M° Porte-d'Italie. Ouvert tous les jours, midi et soir. Menu : 13 € – au déjeuner. A la carte, environ de 40 € à 50 €.

Chez Nathalie, l'exercice d'une cuisine soignée se mesure alors qu'arrive chaque plat : pressé de cœurs d'artichauts et foie gras, supions poêlés minute au piment d'Espellette, canard de Barbarie cuit dans son jus, et tatin à la mangue répondent à un concept réussi qui associe tradition avec invention. Dans ce restaurant à la déco moderne, on se laisse aller vers des contrées aux saveurs parfois inexplorées, et les découvertes en bouche sont souvent surprenantes. Une bonne table à découvrir dans le quartier, une des meilleures de l'arrondissement diront certains.

L'OURCINE
92, rue Broca ✆ 01 47 07 13 65

M° Glacière ou Les Gobelins. Fermé dimanche et lundi. Menus : 24 € – au déjeuner – et 32 €.

Au même titre que Christophe Beaufront à L'Avant-Goût, à quelques rues de L'Ourcine, Sylvain Danière est un chef touche-à-tout, espiègle, qui sait séduire entre un registre bistrotier revu et corrigé et quelques créations plus gastronomiques. Mais quel que soit le registre, Sylvain «envoie» du bon et du beau. Chaque assiette est millimétrée dans ses cuissons, dans ses alliances de saveurs. Ah ! ce maquereau au basilic et fenouil croquant, dans ses couleurs, ah ! cette coriandre qui vient se mêler à un pressé de céleri rave et foie gras, quel bonheur. Les mines réjouies en disent long. Comment pourrait-il en être autrement ? Qui pourrait faire la tête après avoir avalé des joues de porcelets braisées servies avec des lentilles vertes du Puy et accompagnées d'un excellent pommard de chez Maréchal. Nous, nous sommes ressortis avec une banane que nous avons conservée pendant toute la traversée de Paris.

AU PETIT MARGUERY
9, boulevard de Port-Royal
✆ 01 43 31 58 59

Site Internet : www.petitmarguery.com – M° Les Gobelins. Fermé le dimanche soir. Menus : 23 € et 26 € – au déjeuner –, 30 € et 35 €.

Ce joli bistrot à la déco et aux couleurs qui rappellent la période de l'Art nouveau est une des adresses phares du 13e. La cuisine est «bourgeoise et de tradition» dans cet établissement. La carte, en effet, tient les promesses de ce qui est annoncé : salade de magret de canard fumé, copeaux de foie gras, vinaigrette aux noisettes ou pressé de lapereau en gelée, aile de raie poêlée à la grenobloise, écrasé de pommes de terre, rognons de veau en fricassée, sauce à la graine de moutarde et un incontournable paris-brest... Une cuisine bien de chez nous qui ravira les bons vivants.

LE TASSILI (MAROCAIN)
11 bis, Rue de l'Amiral-Mouchez
✆ 01 45 89 53 71

M° Glacière. Ouvert de mardi à samedi le soir uniquement. Menu à 20 €. A la carte environ 30 €.

Le patron, Jean-François, décontracté et chaleureux, accueille les habitués et les clients de passage les bras ouverts. Il a fait de son restaurant au décor assez insolite entre bistrot et palais des Mille et une nuits, un des temples du tajine aux poissons, un sanctuaire de la semoule, un royaume des sauces. Il paraît que Coluche, Gainsbourg et autres amateurs de bonne chère y venaient régulièrement. Les quantités sont comme le patron, généreuses à souhait. Si vous avez un appétit d'oiseau, sautez les entrées...

LE TEMPS DES CERISES
18, rue de la Butte-aux-Cailles
✆01 45 89 69 48

M° Corvisart ou Place-d'Italie. Fermé le samedi midi et le dimanche. Menus : 10 et 15€ – au déjeuner – et 22€. A la carte, environ de 25€ à 30€.

Ca vous rappelle une chanson de qui ? Jean Baptiste Clément bien sûr. Dans ce quartier assez typique de la Butte aux Cailles on rencontre pas mal de petits bistrots-restos qui ont dû voir le jour bien avant cette belle ritournelle. Le Temps des Cerises fait partie de ceux-là. Il est resté comme un temple du vieux Paris d'autrefois. Ça fonctionne en coopérative ouvrière mais ce resto ouvrier glisse vers une cuisine plus gastronomique. La cuisine, elle, est plutôt du terroir : un foie gras maison, salade aux joues de cochon, magret de canard, cassoulet et charlotte au chocolat se dégustent dans cet endroit d'une capacité de quatre-vingts couverts. Une belle cave et un choix très intéressant de vins au verre accompagnent parfaitement les plats. C'est assez vite plein, il vaut mieux arriver de bonne heure, surtout si vous êtes nombreux.

THAI ROYAL (THAILANDAIS)
97, avenue d'Ivry ✆01 44 24 22 11

M° Tolbiac ou Maison Blanche. Fermé le mardi. A la carte, compter 30€.

Une adresse tout simplement sublime. Nous pourrions arrêter là notre description… mais ne résistons pas à vous mettre l'eau à la bouche avec quelques mets servis par ce très joli restaurant thaïlandais : soupe de poulet au lait de coco, curry vert de poulet au lait de coco servi dans sa noix, poisson thaï aux lychee et piment rouge ou encore dorade royale grillée dans une feuille de bananier…La cuisine est délicate, parfumée et d'un exotisme élégant. Les présentations des plats sont extrêmement soignées, l'accueil délicieux et le service d'une rare courtoisie.En un mot, royal !

14e ARRONDISSEMENT

L'AMUSE-BOUCHE
186, rue du Château
✆01 43 35 31 61

M° Mouton-Duvernet ou Gaîté. Fermé le dimanche et le lundi. Menu : 20,50€ – au déjeuner – et 31,50€. A la carte, environ de 40€ à 45€.

Le restaurant est installé dans une ancienne boucherie de quartier, comme en témoigne encore la façade. L'Amuse-Bouche est aujourd'hui un restaurant intimiste, à la décoration fleurie et chaleureuse. Ici, le client est roi, et les formules n'ont rien d'obligatoire.

Vous pourrez donc faire à votre guise, ce que nous fîmes : après avoir hésité entre la salade de queues d'écrevisses et haricots verts au balsamique et les ravioles de langoustines à l'estragon, nous ouvrîmes les festivités avec un réjouissant gratin de moules à la fourme d'Ambert. Vinrent ensuite le râbel de lapin farci au chèvre et basilic et le filet de bar et son risotto aux girolles. Pour finir, la terrine de chocolat à emporter tous les suffrages.

ATELIER 102
102, rue du Château
✆ 01 43 21 86 16

M° Gaîté ou Pernety. Ouvert du lundi au samedi de 11h45 à 15h et de 19h à 23h sauf samedi midi. Formule midi à 13,50 € (deux plats), le soir à 21 € (trois plats).

Cet ancien atelier tout proche de la gare Montparnasse est une doublement jolie surprise. En premier lieu, celle d'un espace savamment travaillé dans une palette de couleurs tranchées et harmonieuses. Le noir des tables est l'élément commun au bar-lounge et au restaurant, réveillé d'un côté par des murs rouges, souligné de l'autre par des murs blancs. On se sent tout de suite très à l'aise dans cet esprit zen pop ! La carte est également travaillée, sans à-coup mais inventive, et les propositions changent régulièrement avec les saisons. Tatin au chèvre, suivi chile mexicain épicé ou d'une pièce de bœuf frites et salade sauce béarnaise (qui est passée de 21 € à 17 € ou saumon vitalité avec légumes croquants et salade, et pour finir nems aux pommes et gingembre, velouté au cidre. Ces plats tiennent tous la note, entre contraste moderne et tradition.

LE BIS DU SEVERO
16, rue des Plantes
✆ 01 40 44 73 09

M° Alésia. Fermé le samedi soir et le dimanche. Menu : 24 € – au déjeuner. A la carte, environ de 40 € à 45 €.

Annexe du restaurant Le Severo, situé à quelques dizaines de mètres de là, le Bis accueille depuis son ouverture une clientèle d'habitués et de quartier qui retrouve dans cette annexe tout le charme et l'ambiance de la maison mère. Derrière les fourneaux, un chef japonais maîtrise les produits français et les cuisine avec une certaine dextérité. Que ce soit le boudin noir, le steak de thon rouge, le faux-filet ou le classique tartare et ses frites maison, il les prépare comme pour des amis de passage. Et comme il sait que nous sommes des gourmands avisés, il nous a mitonné une mousse au chocolat terrible. Y'aurait du rab qu'on en reprendrait sans hésiter une seule seconde.

BISTROT DES CAMPAGNES
6, rue Léopold Robert
✆ 01 40 47 91 27

M° Vavin. Ouvert au déjeuner du lundi au vendredi de midi à 14h30 et de 19h30 à 23h. Menu déjeuner à 14,50 €, menu complet à 28 €, plats de 16 € à 19 € à la carte environ 30 €

Deux bonnes raisons de fréquenter ce bistrot dans un quartier déjà si bien pourvu en restaurants ? Pour son ambiance déjà, car si en bistronomie le joyeux brouhaha des conversations et le cliquetis des couverts peuvent servir d'applaudimètre, on tient ici un sérieux concurrent. Et effectivement, le restaurant, clair et chaleureux avec ses murs de lambris clairs et son long comptoir, réunit chaque jour son quota d'habitués (autre signe d'une maison qui sait être généreuse). Pour sa cuisine ensuite, traditionnelle et fraîche. Au déjeuner, saumon cru mariné façon harengs, suivi d'un filet de lieu jaune et écrasée de pommes de terre, et d'un clafoutis de cerises. Les autres propositions de la carte ne sont pas en reste : ravioles de la mère Maury au comté, terrine du bistrot ou saucisson de Lyon et pommes tièdes en entrée, entrecôte sauce marchand de vin pommes à l'ail ou poisson selon arrivage côté plats, et les incontournables moelleux au chocolat, crème brûlée et nage de fraises à la menthe en dessert. Des assiettes saisonnières rondement menées et un accueil comme on les aime, c'est la formule gagnante des bons bistrots.

BISTROT MONTSOURIS
27, avenue Reille ✆01 45 89 17 05
M° Cité Universitaire. Ouvert du mardi au dimanche midi de 12h à 14h30 et de 19h à 22h30. A la carte comptez environ 35 €.
Cette auberge provinciale en plein Paris est réellement chaleureuse. Le parc Montsouris est à deux pas, pourtant une fois la porte refermée et la salle remplie, on ne serait pas surpris de voir une belle averse s'écraser contre les vitres ou d'entendre nous parvenir le cliquetis des mâts de bateaux sur un quai de Cancale. Aidé à l'apéritif du kir breton maison conseillé par la patronne, on s'installe volontiers dans cette halte traditionnelle : plafond haut, poutres apparentes, lumières tamisées, miniatures de bateaux… Comme dans toute bonne maison, les amateurs de tradition retrouvent leurs classiques : soupe à l'oignon, terrines maison, fricassée de moules aux pleurotes, huîtres en direct de Cancale, moules farcies au beurre de Guérande, rognons de veau au porto et galette de pommes de terre… Des conseils enthousiastes et une soudaine envie de saveurs marines, et on se laisse tenter par la terrine de lotte et crabe en entrée (copieuse avec ses toasts grillés !) puis la brochette de Saint-Jacques proposée à l'ardoise (que Monsieur, en cuisine, change régulièrement) qui arrive avec une fondante purée maison à la moutarde à l'ancienne. Au dessert, la Salidou (crêpe caramel au beurre salé) (iode toujours !) avec une bolée de cidre (4,50 €) Ce Bistrot est une adresse où l'on vient par hasard et où l'on retourne en famille ou à deux, toujours en confiance car cette escale bretonne est solidement ancrée dans notre pavé parisien.

LA CAGOUILLE
10-12, place Constantin-Brancusi
✆01 43 22 09 01
M° Gaîté. Ouvert tous les jours, midi et soir. Menus : 26 € et 42 €. A la carte, environ de 45 € à 60 €.
La Cagouille est l'un des plus grands spécialistes de poissons, coquillages et crustacés de Paris et jouit d'une très belle réputation, bien méritée. Le cadre, tout d'abord, est des plus agréables, et quand la terrasse ouvre ses portes, c'est carrément le bonheur ! Parce que cette terrasse-ci, qui compte une soixantaine de places, est à l'abri des trépidations de la ville. Ici, on ne déguste que des produits de la mer ou d'eau douce, d'une qualité et d'une fraîcheur irréprochables ! La carte n'est donc évidemment pas la même tous les jours, puisqu'elle varie en fonction des arrivages, et de l'inspiration du chef. A noter une très belle carte de vins et de cognacs.

LA CANTINE DU TROQUET
101, rue de l'Ouest
M° Pernety. Fermé dimanche soir et lundi. A la carte, environ 30 €.
Comment ça il n'y a pas de téléphone ? Comment voulez-vous que l'on réserve ? Bien justement, ici on ne réserve pas. On passe une tête ou alors on tente sa chance en croisant les doigts sur le chemin qui nous mène dans le fond du 14e arrondissement. Et si un strapontin se libère, ne vous gênez pas, c'est votre jour de chance. A vous le déjeuner ou le dîner canaille autour des spécialités concoctées par le maître des lieux, un certain Christian Etchebest, que vous avez déjà croisé soit au Troquet dans le 15e arrondissement soit sur M6. Il faut le voir sourire, le chenapan, quand vous vous grattez la tête devant l'ardoise. Car dans cette cantine, on passe son temps à hésiter. Côtes-d'auvergne ou morgon ? Œuf mayo ou terrine de boudin et sa petite salade ? Poulet des Landes rôti dans son jus d'olives noires ou poitrine de porc ibaïona grillée ? Tarte aux amandes et cassis ou clafoutis aux cerises ? Un conseil, venez à plusieurs et jouez à "passe-moi ton assiette que je goûte et j'en ferai de même avec la mienne".

CHEZ CLEMENT MONTPARNASSE
106, boulevard du Montparnasse
✆01 44 10 54 00
Site Internet : www.chezclement.com – M° Vavin. Service continu 7j/7. Formule à 14 €, menu à 23 €. Plateaux de fruits de mer Clément à partir de 28 €. Carte aux environs de 30 €.
Chez Clément Montparnasse vous séduira par sa succession d'alcôves. Dans le salon dédié à la mer, détendez-vous, vous êtes en vacances. Les murs sont pourvus de hublots, lambrissés et décorés d'ustensiles marins, bouées, cordages, étoiles de marin, aquarelles, lanternes, horloges… Les banquettes sont toutes confortables, d'un bleu marine, et tendues de cordages, elles rappellent celles des bateaux. Vous pourrez profiter de ce cadre exceptionnel avant ou après une séance de cinéma. Les plats du rôtisseur à 19,50 €, spécialités de Chez Clément, comportent quatre viandes ou quatre poissons et sont accompagnés de purée maison au beurre ou de véritables pommes Pont-Neuf.

COTE COUR
Impasse de la Gaîté ✆ 01 43 27 23 34
M° Edgar-Quinet. Ouverts tous les soirs uniquement sauf dimanche. Formule : 16,50 €. Menus : 21 € et 29 €
Un restaurant qui se cache dans l'impasse de la Gaîté, noyé parmi tous les autres. Néanmoins il fait tout pour se faire remarquer avec sa devanture jaune pétant, son store vert et ses nappes à carreaux rouges et blancs. Sur l'ardoise, il joue la carte de la cuisine traditionnelle : mi-cuit de foie gras sur toast, gratin de cuisse de grenouilles, parmentier de canard, pièce du boucher. C'est honnête, sans bavure.

CREPERIE DE PLOUGASTEL
47, rue du Montparnasse ✆ 01 42 79 90 63
M° Edgar-Quinet ou Montparnasse. Ouvert tous les jours, midi et soir. Menu midi : 7,90 €. Menus soir : 15,80 € et 17,50 €. A la carte, environ 25 €.
Une belle atmosphère bretonne, forcément, règne en ces lieux ouverts en continu pour les nostalgiques, les amateurs de sarrasin et de froment. La carte des galettes et des crêpes maison demeure assez classique, avec quelques spécialités bien exécutées. Chacune porte le nom d'une ville bretonne, pour le plaisir de les lire, de les entendre et de les dire. Ici, pas de chichis, rien que des valeurs sûres et de pure tradition ! Goûter l'excellente Chateaulin, garnie d'un haché de bœuf à l'échalote et à la tomate avec un œuf, ou bien la Sainte-Anne : noix de Saint-Jacques, poireaux, crème fraîche et ciboulette. En dessert, on craque pour l'indémodable beurre sucre, ou pour une crêpe miel citron flambée ou encore celle au caramel maison au beurre salé, la Saint-Servan, qui est à se damner ! Le cidre coule à flots, à la bolée, en pichet ou en bouteille. Et le chouchen, comme la liqueur de fraise de Plougastel, sont de bons compagnons pour terminer la soirée. L'accueil est si chaleureux que la salle ne désemplit pas !

AU MOULIN VERT
34 bis, rue des Plantes ✆ 01 45 39 31 31
Site Internet : www.aumoulinvert.com – M° Alésia. Ouvert tous les jours, midi et soir. Formule déjeuner à 21,90 € (en semaine) et 27,50 € midi et soir, menu tout compris à 37 €. A la carte, environ 35 €.
Tout proche de Montparnasse, ce restaurant surprend d'abord par son décor champêtre. Installé sur le site d'un ancien moulin, remplacé par une guinguette en 1848, l'endroit a reçu tout le «gratin» du Paris romantique (Sand, Musset, Victor Hugo…) Aujourd'hui, le Moulin Vert apparaît comme une adresse bien insolite, avec son décor hôtelier et ses grandes verrières-vérandas d'où s'échappent arbres et plantes vertes. Une table idéale pour les familles ou les groupes avec sa cuisine réalisée à partir de produits frais du marché. Pour les réunions professionnelles ou les occasions familiales plus larges, le restaurant dispose à l'étage de deux salons privés à la décoration feutrée et élégante qui offrent toute l'intimité nécessaire. Inspiré par la carte des vins (uniquement des AOC d'origine française et quelques appellations peu connues) établie par le patron et connaisseur, Gérard Chagot, laissez-vous tenter par une délicieuse aumônière de chèvre chaud au basilic ou une assiette de légumes grillés aux copeaux de Parmesan en entrée, goûtez à la daurade entière rôtie à la sauce vierge ou aux noisettes de veau rôties au romarin, et concluez le repas en beauté avec les profiteroles maison sauce chocolat, à tomber.

L'ESCALE À SAIGON (VIETNAMIEN)
41, rue de la Tombe-Issoire ✆ 01 45 65 20 48
M° Denfert-Rochereau ou Saint-Jacques. Fermé le dimanche. Menus : 9,50 et 14 € – au déjeuner. A la carte, environ de 25 à 30 €.
Voilà maintenant quatre ans que l'Escale à Saïgon a ouvert ses portes, pour proposer une cuisine vietnamienne authentique très réussie. Les spécialités sont nombreuses et reprennent les grands classiques d'une gastronomie riche et parfumée – exquis poisson caramélisé, anguille à la mode paysanne avec vermicelles, champignons noirs et lait de coco…. Munis de vos baguettes, vous commencerez sans doute par des raviolis vietnamiens, et accompagnerez votre grillade ou votre plat cuisiné d'une salade aromatique. Belle carte des vins, un service stylé et attentif : une escale saïgonaise pleine de charme.

LE PAVILLON MONTSOURIS
20, rue Gazan
✆ 01 43 13 29 00

Site Internet : www.pavillon-montsouris.com – M° Denfert-Rochereau. Fermé le dimanche soir de septembre à Pâques. Menu : 51 €. A la carte, environ de 57 € à 92 €.

Fondé en 1889 et d'abord baptisé du nom de Pavillon du Lac, Le Pavillon Montsouris est situé au cœur de l'un des plus beaux parcs de la capitale, le parc Montsouris. Un lieu chargé de mémoire, fréquenté par d'illustres personnages et dont les jardins «so british», ont été commandés par Napoléon. Réhabilité en 2002, l'endroit offre aujourd'hui aux visiteurs un décor d'inspiration coloniale doté d'une verrière en hiver et d'une jolie terrasse au charme indiscutable très prisée aux beaux jours. La cuisine du chef, Stéphane Lemarchand, subtile et généreuse, colle parfaitement à l'ambiance, avec pour commencer une salade de noix de Saint-Jacques minute, mâche et frisée assaisonnées de vinaigrette truffée. On poursuit volontiers avec un filet de bar poêlé, vinaigrette au vin rouge, galette de pommes de terre et champignons avant de céder à la tentation du pâtissier, un croustillant de chocolat lacté et praliné, parfait chocolat blanc au citron vert et gingembre. Et que croyez-vous que l'on s'octroie après ces agapes ? une promenade digestive dans le parc, pardi !

LE JEU DE QUILLES
45, rue Boulard ✆ 01 53 90 76 22

M° Mouton-Duvernet. Fermé dimanche et lundi et le soir sauf sur réservation. A la carte, environ de 25 € à 35 €.

Un bistrot de poche de dix-huit couverts ouvert en juillet dernier à côté du célèbre boucher, Hugo Desnoyer. Dans la matinée, il n'est pas rare d'y croiser les personnes du quartier qui en terminent avec leurs courses du marché Mouton-Duvernet. Ils viennent ici chercher des conserves de boudin de chez Parra, des épices, des poivres, sans oublier un morceau d'un sublime Parmesan affiné pendant quatre-vingt-seize mois et une part du très rare bleu de Termignon de Savoie. Après leur départ, place aux gourmands qui apprécient de se retrouver dans cette petite salle avec vue imprenable sur la cuisine, derrière laquelle Benoît s'active pour les satisfaire à coup de Saint-Jacques poêlées au lard et topinambours, d'œuf cocotte façon meurette, de pavé de bar de ligne au beurre d'algues, de noix de veau du voisin à l'estragon, à l'ail, aux pommes de terre et aux cèpes émincés. Dix-huit chanceux à chaque service qui prêchent ensuite la bonne parole à ceux qui les entourent et qui cherchent ce genre d'adresse.

LES PETITES SORCIERES
12, rue Liancourt ✆ 01 43 21 95 68

M° Denfert-Rochereau ou Mouton-Duvernet. Fermé le dimanche et le lundi. Menu : 24 €. A la carte, environ de 40 € à 50 €.

Au tout début de l'année 2008, la célèbre cuisinière Ghislaine Arabian, qui décrocha deux étoiles Michelin lorsqu'elle officia au Pavillon Ledoyen dans le 8e, a opéré un retour discret dans la capitale en reprenant ce restaurant de quartier. C'est donc désormais dans le style bistrot que cette femme chef s'exprime en mettant en avant de nombreuses spécialités du Nord, sa région d'origine, comme le waterzoï de Saint-Jacques, le carrelet de côté poché hollandaise, le cabillaud avec des oignons frits et des épinards, qu'il n'est pas rare d'accompagner d'une bière – les bières trouvent légitimement leur place sur la carte des boissons. Il n'y a que pour le dessert que l'on peut les éviter, notamment si l'on opte pour le parfait glacé à la chicorée ou une gaufre de Bruxelles avec sa glace vanille. Un retour discret de la talentueuse Ghislaine, mais un retour parfaitement réussi.

LA REGALADE
49, avenue Jean-Moulin ✆ 01 45 45 68 58

M° Porte d'Orléans. Fermé le samedi, le dimanche et le lundi midi. Menu : 32 €.

Est-il encore vraiment nécessaire de présenter cette adresse ? On pourrait arrêter la description et vous dire d'y aller les yeux fermés, ce sera sans aucun doute, formidable. Après le règne d'Yves Camdeborde, le nouveau roi se nomme Bruno Doucet, et Dieu sait s'il tient son rang dans son établissement aux allures d'auberge de campagne, ce qui n'a rien de péjoratif, rassurez-vous. En revanche, ce qu'il faudra assurer, c'est la réservation car on ne vient pas chez Bruno du jour au lendemain, il faut un peu de patience avant de passer à table. La maison a du succès, ça ne date pas d'hier et ce n'est pas prêt de s'arrêter. Une fois que vous aurez votre table, laissez-vous bercer par la cuisine campagnarde qui se fait sentir dès l'arrivée de la terrine dans laquelle on pioche allègrement. Mais attention, n'ayez pas les yeux plus gros que le ventre. Derrière, vous attendent des Saint-Jacques rôties au beurre d'herbes, une poitrine de porc caramélisée et sa purée de pommes de terre et un riz au lait. A l'heure du déjeuner, il n'est pas rare que les convives restent à table jusque 16h. C'est dire s'ils se sentent bien chez Bruno.

LES VENDANGES
40, rue Friant ✆ 01 45 39 59 98
M° Alésia ou Porte d'Orléans. Ouvert du lundi au vendredi, et le samedi soir de novembre à janvier. Fermeture annuelle en août. Formules midi et soir à 25 € (deux plats) et 35 € (trois plats).
Certes, le lierre et autres pieds de vignes qui courent le long des murs de ce petit restaurant ont été réalisés au pochoir, mais suivez cette ébauche champêtre jusqu'à l'assiette et vous serez agréablement surpris de la véritable fraîcheur qui s'en dégage. Le trio à la tête de l'établissement a visiblement les papilles à l'unisson et le sens de la qualité ! A l'image de la carte des vins, étendue et très à propos, le menu est large et les choix bien équilibrés entre poissons, fruits de mer et et viandes : l'escalope de foie gras est poêlée aux raisins blonds sur une galette de pomme de terre, les noix de coquilles Saint-Jacques sont cuisinées au beurre nantais, gâteaux de légumes et cèpes et en dessert l'assiette de six macarons faits maison est un petit plaisir. Mais attention, ici cuisine fine ne rime pas avec portions chiches. Faire les vendanges, ça creuse ! Les assiettes sont généreuses, et seuls les grands appétits sauront faire honneur à la formule complète qui va du fameux foie gras poêlé en entrée, jusqu'au dessert… Mais un soufflé au chocolat, c'est de l'air, non ?

15e ARRONDISSEMENT

AFARIA
15, rue Desnouettes ✆ 01 48 56 15 36
M° Convention. Fermé le dimanche et le lundi. Menus : 22 € et 26 €. A la carte, environ de 35 € à 40 €.
Le Sud-Ouest a trouvé son ambassadeur dans cet arrondissement. Julien Duboué, à peine trente ans, a su en quelques mois convertir tout le quartier et au-delà à la cuisine «avé l'accent». Alors certes, parfois, Julien s'autorise, et il a raison, quelques escapades à droite et à gauche. Comment pourrait-on lui en vouloir ? Il aurait tort de s'enfermer dans un registre purement régional et de ne pas abuser des bonnes choses qui rôdent sur le marché. Tiens, ce thon rouge, par exemple, pourquoi ne pas le marier à du gingembre, du citron vert et de la coriandre. On aime quand il ose mais on apprécie aussi quand il reste les pieds bien ancrés dans ce terroir avec quelques haricots tarbais pour escorter ce lieu au chorizo, un magret de canard grillé pour deux personnes, des légumes pour sublimer l'échine de cochon gascon et la classique tourtière aux pommes et glace aux pruneaux et à l'armagnac. Ah mais là, que vois-je ? une nouvelle petite escapade lointaine qui se nomme goyave en velouté, rhum blanc et sorbet coco citron vert. Décidément, ce Julien, il sait tout faire.

L'ALCHIMIE
34, rue Letellier ✆ 01 45 75 55 95
Site Internet : http://alchimie.lesrestos.com – M° Emile-Zola. Fermé dimanche et lundi. Menu : 18 € – au déjeuner –, 25 € et 30 €.
Cette table ne fait jamais la une des médias, est rarement mise en valeur dans le Landerneau de la chronique gastronomique et pourtant, elle possède tous les atouts pour faire parler d'elle, à commencer par des petits prix qui ne suivent pas le cours de l'inflation. Ensuite, le chef, Eric Rogoff, fils de restaurateurs, passé chez les plus grands étoilés, Senderens, Bardet, Faugeron pour ne citer qu'eux, a le talent modeste, mais ce qui est certain c'est que sa clientèle le lui rend bien en poussant régulièrement la porte de ce que l'on aime appeler, une auberge en ville. Et enfin, la cuisine qui oscille entre classicisme et créativité. La terrine de foie gras de canard caramélisé, les Saint-Jacques poêlées, endives braisées à l'orange et le pancake aux pommes illustrent parfaitement la première catégorie, alors que la soupe de poisson et sa quenelle de sardine, le filet de bar rôti et son râpé de carottes au riesling et la crème de lychee et sa gelée à la rose se classent plutôt dans la seconde catégorie. A vous de choisir votre camp ou de mélanger les genres.

LE BANYAN (THAILANDAIS)
24, place Etienne-Pernet ✆ 01 40 60 09 31
M° Félix-Faure. Ouvert tous les jours, midi et soir. Menus : 20 € et 25 € – au déjeuner –, 35 € et 55 €. A la carte, environ de 40 € à 45 €.
Oth Sombath, qui officiait naguère au Blue Elephant, a fait beaucoup pour la réputation de cette table. Malgré son départ, Le Banyan reste une des tables les plus agréables et les plus délicieuses. Le souci de mettre en valeur la qualité et la saveur des produits choisis, simplement frais et savoureux, est intact. Les brochettes de fruits de mer sont grillées à feu vif, les émincés de cœur de rumsteck sont juste saisis au basilic, dans les règles de l'art. Au dessert, ne pas passer à côté du nem au chocolat, croustillant et fondant à la fois.

L'ANTRE AMIS
9, rue Bouchut
✆01 45 67 15 75
Site Internet: www.lantreamis.fr – M° Ségur ou Sèvres. Fermé le samedi et le dimanche. Menus: 29€ et 37€.
Décor bistrot épuré revisité par quelques tableaux contemporains, bougies et miroirs stylés gothiques, L'Antre Amis est un restaurant plutôt intimiste, parfait pour un tête à tête romantique comme pour une tablée d'amis, justement. Parmi ses points forts: l'accueil ultra-souriant et les petites attentions portées à chacun des clients. Côté cuisine, une carte riche en saveurs, à l'image de ce croustillant de gambas en salade, de l'agneau de 7 heures et polenta crémeuse et du filet de bar poêlé et tagliatelles du pays malouin. Il ne faut pas faire l'impasse sur les desserts, notamment les cannelés de Bordeaux – trop rares dans les restaurants – mousse à l'orange ou le gratin de fruits exotiques.

LE BEURRE NOISETTE
68, rue Vasco-de-Gama
✆01 48 56 82 49
M° Balard. Fermé le dimanche et le lundi. Menus: 22€ – au déjeuner –, 32€ et 40€.
On en connaît qui habitent rive droite et qui traversent tout Paris pour déjeuner ou dîner chez le jeune Thierry Blanqui dont le bistrot ne désemplit pas. Mais pourquoi diable sont-ils prêts à faire des kilomètres alors que d'autres bistrots leur tendent les bras en bas de chez eux? «Avez-vous déjà goûté son boudin noir et ses pommes confites?», non, alors vous ne pouvez pas comprendre. La cuisine de Thierry est chaleureuse et généreuse, elle vous prend par le cœur et les papilles. Pour vous émouvoir, elle n'a pas besoin de se répandre en intitulés de deux lignes. Elle va directement là où ça fait du bien. Par exemple, salade tiède de haricots verts et écrevisses, c'est court, c'est net et précis comme le sont également les sardines marinées au citron et pain aillé, et on ne vous parle pas du thon rouge poêlé aux petits légumes et pistou. Maintenant, on comprend pourquoi certains traversent Paris pour venir s'échouer ici.

LE BISTROT DE L'AMARYLLIS
13, boulevard Garibaldi
✆01 47 34 05 98
Site Internet: www.bistrotdelamaryllis.com – M° Cambronne. Fermé le dimanche, le lundi, le mardi midi et le mercredi midi. Menus: 16,20€ et 27€.
L'adresse de Sébastien et de Jérôme est toujours aussi convaincante et les prix ne flambent pas ce qui en soi, est un exploit. Nous avons cependant toujours un petit coup de cœur pour la formule à 20€ qui satisfait tous les appétits. Au programme, entrée et plat ou plat et dessert et vous serez bien embêtés de devoir en laisser un sur le carreau. Si vous éliminez l'entrée, il faudra faire une croix sur la tarte fine de rouget à la tapenade ou les escargots à la crème de maroilles. Si vous éliminez le dessert, oubliés le baba au rhum ou le mi-cuit au chocolat. Entre nous, j'opterai pour la formule entrée, plat et dessert. A moins de 30€, elle est encore considérée comme une affaire.

LE BISTROT D'HUBERT
41, boulevard Pasteur
✆01 47 34 15 50
Site Internet: www.bistrotdhubert.com – M° Pasteur. Fermé le samedi midi, le dimanche et le lundi midi. Menus: 28€ et 36€.
Superbe établissement du 15e arrondissement, Le Bistrot d'Hubert, est désormais tenu par Maryline, la fille du célèbre Hubert. Si vous venez ici pour la première fois, vous tomberez sans doute amoureux du lieu. Dans un décor de «campagne chic», évoquant les fermes landaises – bocaux de conserves sur les étagères et nappes à carreaux –, le chef vous propose une cuisine à tendance Sud-Ouest, mais pas seulement avec au programme: gâteau de lapin à la ventrêche roulée et vin blanc sec ou duo de tartare de thon rouge à l'huile de sésame et basilic et queues de gambas poêlées, pavé de morue fraîche rôtie à l'anis sur un lit d'épinards, et des desserts à tomber comme les petites crêpes chaudes «Joëlle» à la crème d'oranger et au Grand-Marnier.

BONG (COREEN)
42, rue Blomet
✆01 47 34 73 62
M° Volontaires. Fermé le dimanche. Menus: à partir de 11€. A la carte, environ de 15€ à 20€.
La cuisine coréenne et ses grillades sur table n'ont plus de secrets pour cette famille de restaurateurs. Une des spécialités du Bong est le barbecue coréen: de la viande marinée accompagnée de différents légumes que l'on fait cuire sur des barbecues individuels. En entrée, crêpes au soja ou à la coréenne. Mais il n'y a pas que de la viande chez Bong! Goûtez le ragoût de poisson, épicé ou non selon votre préférence. Le décor est assez neutre, même si les poutres apparentes et le bar en brique habillent un peu la pièce. Ce qui marque, en revanche, quand on passe la porte, c'est cette délicieuse odeur de viande qui ouvre joliment l'appétit.

LE CAP
30, rue Péclet
✆01 40 43 02 18
M° Vaugirard. Ouvert tous les jours, midi et soir. Menus: 22€ – au déjeuner – et 32€ – au dîner.
Passée la terrasse généreusement chauffée en hiver, on pénètre ici dans un espace cosy et raffiné, aménagé avec goût dans une gamme de tons chauds bruns et ocres. On s'installe avec bonheur dans les fauteuils rouges encadrés de lourds rideaux

et de boiseries. Premier sourire, celui de Corinne, la maîtresse des lieux, qui est là, midi et soir sans faute avec sa bonne humeur communicative. Elle salue ses hôtes de table en table avec une sympathique décontraction qui n'appartient qu'à elle, et veille à tout ! Ensuite, la carte déroule son petit tapis rouge et dessine sur vos lèvres à vous des sourires. Pleins. Les prix doux, la terrasse et son soleil, la gentillesse. Que du bonheur, et le bonheur, c'est bien connu, ça ouvre l'appétit. Vous pourrez choisir parmi les plats du jour – petit bar rôti aux senteurs de Provence et sa purée à l'huile d'olive, ou risotto crémeux aux cèpes. Le flan de foie gras aux pommes caramélisées se déguste en un clin d'œil, le tournedos de morue fraîche à la panchetta et sa purée à l'huile d'olive nous réjouit, et l'on garde un peu d'appétit pour le moelleux au chocolat maison, réalisé avec du cacao d'Equateur : très fin et délicieux. Et on fait traîner l'instant, en terminant par un bon café.

LE CASIER A VIN
51-53, rue Olivier-de-Serres
✆ 01 45 33 36 80

M° Convention. Fermé samedi midi et dimanche. Menu : 18 € – au déjeuner. A la carte, environ de 25 € à 40 €.

A la fois cave à vins et épicerie fine, cette adresse brasse tous les gourmands du quartier. Il y a ceux qui entrent en plein service pour acheter une bouteille de vin pour leur dîner à domicile, il y a ceux qui viennent pour faire le plein de charcuteries artisanales, et puis il y a ceux qui restent pour la cuisine d'Iza Guyot. Une cuisine qui ne lasse jamais car Iza change sa carte presque tous les jours en se référant à un petit carnet secret dans lequel elle note scrupuleusement tous les plats proposés par le passé. Avec cette technique, impossible de se lasser, ce n'est jamais la même chose. On peut donc vous parler de l'œuf cocotte au saumon sauvage, mousse légère d'aneth et croustille de baguette, des ravioles de brocciu, fumet d'os de jambon patta negra, feuilles de chorizo croustillantes ou des blinis aux amandes et pistaches, glace à la crème de lait, en sachant que quand vous viendrez vous dégusterez autre chose. Ce sera de toute façon délicieux comme toujours.

CAFE LE PIQUET
48, avenue de la Motte-Piquet
✆ 01 47 34 66 56

M° La Motte-Piquet. Ouvert tous les jours de 6h30 à 2h du matin. Formule du midi en semaine à 14,50 €, le soir à la carte environ 35 €.

Une brasserie parisienne comme on les aime, avec son côté rétro des années 30, «restée dans son jus», comme on dit. Sa carte joue l'aspect fraîcheur avec ses plats du jour comme une brochette de la mer aux gambas, cabillaud et saumon, et ses valeurs immuables : soupe à l'oignon, foie gras, escargots, entrecôte, ravioles ... C'est bien cuisiné, c'est bon, et c'est servi avec un grand sourire même tard le soir.

LA CAVE DE L'OS A MOELLE
181, rue de Lourmel
✆ 01 45 57 28 28

M° Lourmel. Fermé le lundi. Menu : 22,50 €. A la carte, environ de 25 € à 30 €.

Installé dans une cave entièrement vêtue de briques rouges, ce restaurant aux allures d'auberge citadine donne un air de vraie campagne à Paris. Spécialement conçu pour les groupes d'amis, l'endroit vous accueille autour de ses belles tables d'hôtes. A moins de venir à six – et de réserver ! –, vous vous retrouvez à partager votre table avec de sympathiques voisins, plus ou moins bavards… C'est agréable, et c'est l'endroit qui veut ça ! Mais pas forcément très adapté à un «premier rendez-vous». Entre la terrine de boudin, le pâté de campagne, la soupe de poissons à la crème aillée et ses petits croûtons ou la marmite de cochon, le choix est vaste et l'ambiance très familiale. On commente l'actualité, les plats, on échange le plat de fromages fermiers, on se conseille les desserts, à tomber : riz au lait grand-mère, pruneaux au vin, crumble aux pommes… Excellente carte des vins et bouteilles vendues à prix boutique.

RESTAURANTS

CHEZ CLEMENT VERSAILLES
407, rue de Vaugirard
✆ 01 53 68 94 00
Site Internet : www.chezclement.com – M° Porte de Versailles. Petit-déjeuner dès 8h. Service continu 7j/7. Formule à 14 €, menu à 23 €. Plateaux de fruits de mer Clément à partir de 28 €. Carte aux environs de 30 €.
Situé juste en face du Parc des expositions, chez Clément Versailles saura vous charmer. Sa multitude de petits salons enchanteront tous les passionnés : salon du jouet, salon nautique ou salon du cheval, il y en aura pour tout le monde. La terrasse est ouverte dès les beaux jours et vous invite à un bain de soleil, tout en dégustant un grand plateau de fruits de mer ou des produits de saison. On prendra aussi beaucoup de plaisir en venant déguster un grand choix de desserts à l'heure du goûter, après s'être épuisé au Parc des expositions ! Les plats du rôtisseur à 19,50 €, spécialités de Chez Clément, comportent quatre viandes ou quatre poissons et sont accompagnés de purée maison au beurre ou de véritables pommes Pont-Neuf.

LE CLIN D'ŒIL
15, rue Copreaux ✆ 01 43 06 83 35
M° Volontaires. Ouvert de mardi au samedi midi et soir. Menus «Petit Futé» du midi à 20 €. A la carte, environ 35 €.

Changement d'ambiance pour Tony Giangrande qui tenait une grande brasserie parisienne avant d'ouvrir, en décembre 2008, ce petit restaurant chaleureux et intimiste. Petits fauteuils en cuir rouge à chaque table, portraits de grands acteurs en noir et blanc et jolies boiseries modernes : le terme cosy, ici, prend vraiment tout son sens. A l'image du décor, la carte fait la part belle au bon goût, concentrée sur une gastronomie française bien maîtrisée : croustillant de chèvre au miel, ris de veau aux pleurotes, aiguillettes de canard aux figues, babas ou profiteroles en dessert, par exemple. Un accent italien pointe même parfois... Spécialités du jour (moins chères) et plats à la carte sont basés sur des produits frais et d'origine sûre. Tony y veille. Une très bonne adresse pour un dîner au calme, retiré de la foule, dans cette petite rue bien cachée et pourtant à deux pas du métro.

CHEZ MARC (LIBANAIS)
12, rue des Volontaires
✆ 01 43 06 82 96
M° Volontaires. Ouvert tous les jours de midi à 3h et de 18h à 23h. Menu du chef (deux plats) à 14,50 € menu Chez Marc (trois plats + boisson) à 24 € menu express midi (sauf le week-end) à 10 € Entrées de 4,50 € à 9 € plats de 8 € à 13 €
Changement de direction dans ce joli restaurant du 15e arrondissement, mais le cèdre libanais reste solidement enraciné. Pas de parti pris oriental dans le décor, Chez Marc a tout d'un resto-bistrot chic avec sa moquette rouge et ses longues banquettes matelassées en cuir crème. Service tout crème aussi, qui veille aimablement sur votre bon repas autour des spécialités libanaises. La formule de midi, que l'on savoure aux beaux jours à l'une des deux petites tables en terrasse, est imbattable côté goût et côté coût. Pour 10 € : entrées variées (hommos, baba ghannouj et taboulé), un plat au choix (brochettes kefta, arayes viande ou arayes fromage), plus le dessert du jour. Pour découvrir la cuisine libanaise, le restaurant propose trois formules de mezzes (de 16 € à 18 €), dont une végétarienne composées de huit entrées chaudes et froides variées. A la carte, goûtez donc le chankliche, de la feta marinée au thym et les arayes viande, une pita farcie de bœuf haché et de tomates et cuite au four. Des produits simples, des préparations goûteuses, c'est bien là la cuisine de Méditerranée.

LES COMPERES
32, rue de Dantzig ✆ 01 45 33 72 71
M° Convention. Fermé dimanche. Menu : 14 € – au déjeuner. A la carte, environ de 25 € à 30 €.
Prenez un ancien bar de quartier, installez-y une bande de joyeux compères et en deux coups de cuillère à pot de peinture, ils vous le transforment en bistrot couleur gris. Ajoutez un mobilier typique de ce genre d'endroit, des serviettes à carreaux rouge et blanc, une grande ardoise qui occupe tout un pan

de mur sur laquelle sont écrites les festivités du jour, et vous obtenez une adresse aussi savoureuse qu'agréable. On y prend place sans se poser de question pour apprécier les classiques méli-mélo de tourteau et avocat, magret de canard sauce aux airelles, papillote de dorade à la tapenade, travers de porc caramélisé, et pour finir moult tiramisu, tarte au chocolat et nougat glacé.

LE CRISTAL DE SEL
13, rue Mademoiselle
✆01 42 50 35 29

Site Internet: www.lecristaldesel.fr – M° Commerce ou Félix-Faure. Fermé le dimanche et le lundi. Menus: 16 € et 20 €. A la carte, environ de 35 € à 50 €.

Autant vous le dire tout de suite, nous aimons le duo Karil et Damien. Leur gentillesse, leurs sourires, leur sens de l'accueil et surtout leur capacité à ne jamais lasser nos papilles avec une cuisine de saison fraîche, comme la rosée du matin sur le toit de l'église Saint-Jean-Baptiste-de-Grenelle. Dans quelques mois, ils fêteront leur deuxième anniversaire et déjà des plats sont inamovibles comme le bouillon de pot-au-feu au vermicelle, l'entrecôte et ses pommes grenailles confites et l'aumônière de crêpe, pommes au caramel salé.

CROCCANTE (ITALIEN)
138, rue de Vaugirard
✆01 47 83 37 28

M° Falguière ou Montparnasse-Bienvenüe. Ouvert du lundi au samedi de 11h30 à 15h30 et de 19h à 23h. A midi environ 15 €, le soir de 21 € à 24 €.

Massimo vient de Sicile, Deborah de Toscane, tous deux insufflent jeunesse et fantaisie aux recettes de leurs régions, souvent apprises de leurs grand-mères respectives. A déguster au spaghetti-bar pour l'ambiance table d'hôtes urbaine, ou à emporter, les assiettes de charcuteries sont girondes et les salades virevoltantes. Egalement des créations originales et colorées, comme ce sushi de mozzarella farci de légumes servi avec une bruschetta. A saluer, les pizzas alertes, qui rehaussent le niveau dans le quartier.

AU DERRICK CATALAN (ESPAGNOL)
346, rue Lecourbe ✆01 45 58 48 75

Site Internet: www.au-derrick-catalan.com – M° Lourmel. Ouvert tous les jours, midi et soir. A la carte, environ de 23 € à 38 €.

Ce restaurant catalan ouvert depuis plus de 40 ans rend hommage à la cuisine du Sud, du Roussillon à Barcelone avec un cortège de plats ensoleillés et savoureux. Dans la salle, qui peut accueillir jusqu'à 70 convives, l'humeur est au beau fixe, sans chahut. Pour un voyage au Sud, nous commençons notre repas avec une seiche à la plancha, goûteuse et c'est avec impatience et gourmandise que nous attendons la suite: la paella. Son fumet est comme une caresse, et elle tient ses promesses au même titre que les gambas, la lotte grillée, la parillada, la zarguella ou les calamars. Pour conclure toujours au Sud, une généreuse crème catalane un café, l'addition, et hop retour dans Paris sitôt la porte franchie!

LE GRAND PAN
20, rue Rosenwald
✆01 42 50 02 50

Site Internet: www.legrandpan.fr – M° Plaisance. Fermé samedi et dimanche. Menu: 28 € – au déjeuner. A la carte, environ 40 €.

Impeccable. Voilà comment nous pourrions résumer cette table bistrotière tenue par Benoît Gauthier, un garçon aussi charmant que généreux. Il suffit de commander la côte de porc pour deux personnes pour comprendre que, chez lui, le mot générosité prend tout son sens. Sa cuisine est simple et directe. Comme la pointe de l'épée, elle touche là où ça fait du bien, au cœur et à l'estomac. Au déjeuner, le menu carte remporte tous les suffrages, notamment avec une rémoulade de céleri, crevettes et coques à la ciboulette et une soupe de chocolat, fruits secs caramélisés. Le soir, l'adresse devient incontournable pour les viandards, car Benoît propose trois côtes de bœuf, de porc ou de veau, servies pour deux personnes avec de succulentes frites et un judicieux mesclun. Rien à redire, du bistrot façon XXIe siècle dans toute sa splendeur, comme on l'aim

LE GRANITE

19, rue Daurenton ✆ 01 45 58 43 17

M° Boucicaut Ouverture - Prix

Anciennement Chez les Frères Gaudet, le lieu a été repris par un jeune couple dynamique qui a choisi de revisiter l'endroit du sol au plafond. Le résultat est frappant : on en aurait presque l'impression que les murs y ont été poussés ! Amateurs du travail de Costes, ils se sont même inspiré du célèbre hôtelier pour créer leur atmosphère, très raffinée et sophistiquée, cosy en diable. Côté carte, cela ne se passe qu'à l'ardoise : les produits frais sont la règle et dictent la conduite à tenir en cuisine. Résultat : des variations très fréquentes dans l'assiette et la certitude d'une cuisine de grande qualité.

LE DIRIGEABLE

37, rue d'Alleray ✆ 01 45 32 01 54

M° Vaugirard. Ouvert de midi à 14h et de 20h à 22h30 – (23h le vendredi et le samedi). Fermé dimanche et lundi. A la carte environ 40 €. Menus déjeuner à 19 € (deux plats) et 22 € (trois plats).

Le rouge de l'auvent est un peu passé, sans doute un peu oublié comme la rue qu'occupe ce petit restaurant. Mais l'équipe du Dirigeable garde une belle fraîcheur et une volonté de bien faire qui se sent et s'apprécie de l'accueil à la carte. Car la patine du lieu n'a pas endormi l'assiette, loin de là ! Le chef, Franck Arif, mitonne des produits de saison et de terroir, que lui et le patron, Guy Jeu, aiment dénicher à la source. La donne change quasi quotidiennement (et toujours entre le déjeuner et le dîner), pour le bonheur des nombreux habitués amateurs de cuisine traditionnelle. Une jolie adresse que nous vous recommandons.

JADIS

208, rue de La-Croix-Nivert ✆ 01 45 57 73 20

M° Convention. Fermé samedi midi et dimanche. Menu : 32 €.

Après Le Cristal de Sel, Afaria et Le Grand Pan, le 15e arrondissement se dote d'une nouvelle table attrayante, menée de main de maître par un jeune chef qui lui aussi a fait ses classes chez les grands avant de se lancer. Comme ses confrères, il opte pour une cuisine réconfortante où se mêlent saveurs d'antan et produits du moment. Pour résumer, des grands classiques revisités ou réactualisés et c'est une vraie réussite. Pour s'en convaincre, il suffit de goûter l'œuf mollet à la florentine et salpicon de hareng fumé, la crème de courge au curry, graines de tournesol grillées et croûtons aillés, sans oublier le pavé de sandre poêlé au persil et pommes boulangères et le pot de crème au café et sablé breton. Allez-y et vous nous en direz des nouvelles !

JE THE...ME

4, rue d'Alleray ✆ 01 48 42 48 30

M° Vaugirard. Fermé le dimanche et le lundi. Menus : 25 € et 35 €. A la carte, environ de 45 € à 50 €.

Ancienne épicerie faisant partie du patrimoine, aménagée en restaurant depuis plus de vingt ans, cette maison s'inspire des saisons et du marché. En entrée, laissez-vous tenter par une terrine de thon à la compote de tomates, ou encore une mosaïque de foie gras de canard maison aux baies. Vous poursuivrez avec une croûte de magret de canard à la fleur de sel ou un succulent ris de veau braisé aux légumes confits. Les desserts sont tout aussi plaisants : baba au rhum à la crème fouettée, comme on en rencontre peu, ou crème brûlée au pain d'épice… La carte des vins, très variée, ne propose que de la qualité, et d'excellents petits crus, souvent bios, à des prix raisonnables. L'accueil est avenant, les conseils avisés et le service prompt et efficace. Il s'agit là d'une adresse tenue par deux véritables épicuriens – père et fils !

LE MARCAB
225, rue de Vaugirard
✆01 43 0 6 51 66
M° Volontaires. Ouvert tous les jours, midi et soir. Menus : 24 € – au déjeuner – et 35 € – au dîner. A la carte, environ de 26 € à 45 €. Brunch le dimanche : 22 €.
Le 15e arrondissement ne s'attendait pas à voir débouler un restaurant hype qui par son beau cadre sophistiqué trouverait plus facilement sa place dans le Triangle d'or du 8e arrondissement. Mais au final, il s'est parfaitement intégré et très vite la clientèle du quartier l'a adopté. Si le brunch a trouvé ses adeptes, la cuisine du chef a également séduit les gourmets, heureux de sortir du registre bistrotier pour s'offrir des nourritures quelque peu décalées, mais somme toute relativement agréables, à commencer par le millefeuille de pamplemousse rose à la tapenade noire, la sole au jambon Serrano, le quasi de veau, ses deux purées et ses chips de betterave, et pour finir la mousse de noisettes aux deux raisins et biscuit croquant.

LE MINZINGUE
5, place Etienne-Pernet
✆01 45 32 48 54
M° Felix-Faure. Fermé le dimanche, le lundi soir et le mardi soir. Menu : 18 € – au déjeuner. A la carte, environ de 35 € à 45 €.
Un bistrot où l'on fête les plats canailles que l'on accompagne de crus du Beaujolais pour ne citer qu'eux. L'ambiance bon enfant est insufflée par des clients qui ont le verbe haut et l'estomac qui crie famine. Du coup, le patron sort sa botte secrète, des plats de cuisine ménagère qui régalent et satisfont tout ce petit monde, avec en tête la salade de pleurotes, lardons et œuf poché, le cochon de lait rôti aux épices, ou encore l'inégalée andouillette aux cinq A (Association Amicale des Amateurs d'Andouillette Authentique). Et, pour terminer, les nems au chocolat ou le tiramisu. Du franco-français bien sous tous rapports.

La Petite Auberge
Edmond
et son équipe
13, rue Hameau
75015 Paris
Tél. 01 45 32 75 71
335651

LA PETITE AUBERGE
13, rue du Hameau ✆ 01 45 32 75 71
M° Porte de Versailles. Fermé le dimanche. A la carte environ 30 €
Ancien siège des supporters du Racing Club de France de rugby, la Petite Auberge n'a rien oublié de son passé. Le ballon ovale et ses vedettes planent encore dans l'atmosphère très conviviale. Ici pas de chichi, on est dans une auberge comme on n'en fait plus. La cuisine est de même : traditionnelle, sans fioritures. A la carte que des produits frais : tous les jours quelle que soit la saison, la soupe du chef ; la salade d'endives mimosa est à 4,80 €, l'escalope de veau normande est très prisée pour 13,30 €, le tartare du chef à 12 € tandis que les amateurs de poissons doivent venir soit le mercredi soit le vendredi car le patron ne veut servir que des produits du marché. Ici priorité à la bonne humeur et à la convivialité grâce au patron et cuisinier Edmond Hein.

LE PASSAGE GOURMET
126, rue de l'Abbé-Groult
✆ 01 48 42 40 60
Site Internet : www.le-passage-gourmet.com – M° Convention. Ouvert tous les jours, midi et soir. Menu : 12,90 € – au déjeuner. A la carte, environ de 30 € à 45 €.
En cuisine, Jean-Marc Perrain, un ancien compagnon, fils de restaurateurs depuis neuf générations, perpétue la tradition, avec un œil rivé sur l'air du temps ! Il fait venir ses légumes de son potager solognot et attache un soin tout particulier au choix de ses produits, qu'il aime travailler frais en saison, comme le filet de rascasse pommes fondantes et citron confit ou le classique bœuf carottes. Il continue de transmettre son savoir, comme avec son chef pâtissier à qui il apprend les vieilles recettes de sa grand-mère et les fondamentaux à revisiter, tel le millefeuille aux fraises ou le soufflé chaud au chocolat, au café ou à la vanille. Pour profiter de cette bonne table, choisissez les tables près de la lumière, ou mieux encore, l'agréable petite terrasse tout en long, protégée par sa haie d'arbustes !

LE PERE CLAUDE
51, avenue de la Motte-Piquet
✆ 01 47 34 03 05
Site Internet : www.lepereclaude.com – M° La Motte-Piquet-Grenelle. Ouvert tous les jours, midi et soir. Menu : 24 € – au déjeuner. A la carte, environ de 45 € à 60 €.
La réputation de ce bistrot canaille est loin d'être en berne et on ne peut que saluer la régularité de la maison. Tout commence avec une idée simple : proposer à sa clientèle viandes et volailles rôties à la broche. Un concept qui marche puisque le restaurant affiche complet midi et soir. Un conseil, si vous venez pour la première fois : l'assiette du Père Claude, bœuf, agneau, rognons de veau, poulet, veau et champignons est tout simplement divine et gargantuesque. Les autres, vous connaissez le programme et à chaque fois, c'est pareil, vous hésitez entre le carré d'agneau à la fleur de thym, la côte de veau à l'estragon et le pigeon rôti à la broche façon bécasse. En revanche, pour le vin, tout le monde s'accorde à dire qu'il faut boire le morgon de chez Thévenet ou le sancerre de chez Lucien Crochet.

LE QUENIAU
150, rue de Vaugirard ✆ 01 47 34 48 23
Site Internet : www.lequeniau.com – M° Pasteur. Fermé le dimanche. A la carte, environ de 25 € à 35 €.
Tenu par un jeune homme tombé dans la marmite dès le berceau grâce à des parents restaurateurs, cet établissement multicolore étonne de prime abord, tant côté bar que côté restaurant. Mais

quand on sait que le «queniau» en patois, c'est le gamin, on comprend mieux ce décor de garderie, et l'on s'installe à l'une des soixante places assises que compte la salle de restaurant ! Le chef travaille les anciennes recettes du terroir, au diable la «branchitude» donc, et place aux plats de nos grands-mères revisités par la jeune génération. Commençons par la terrine de queue de bœuf ou l'os à moelle rôti à la fleur de sel, continuons avec une escalope de saumon à l'oseille ou un confit de canard maison, et achevons, forcément, avec une mousse au chocolat.

LE RESTAURANT DU MARCHE
59, rue de Dantzig ✆ 01 48 28 31 55
M° Porte-de-Versailles. Fermé le dimanche et le lundi. Menus : 17 € – au déjeuner –, 26 € et 30 €.
Francis Lévêque, un jeune et talentueux chef qui a fait ses classes chez les plus grands, nous propose une cuisine de terroir dont on ne se lasse pas, tant il y ajoute finesse et variantes originales. Il cuisine en fonction des saisons pour garantir la fraîcheur des produits du marché. En entrée, goûtez la tarte Tatin tomates et aubergines, le foie gras à la vapeur d'herbes ou le croustillant de pied de porc et chèvre. En plat, optez pour le délicieux parmentier de canard au jus de truffe. Pour finir, on vous conseille les madeleines tièdes avec leur crème citron ou encore le pain perdu accompagné d'une boule de glace caramel Bertillon. Tous ces produits de grande qualité – notamment la viande, très bien sélectionnée – sont cuisinés avec amour et passion. La clientèle, fidèle, y revient, charmée par la décoration style bistrot des années 40, l'accueil et l'ambiance conviviale.

LA TABLE LIBANAISE (LIBAN)
25, rue Oscar-Roty ✆ 01 45 57 19 55
Site Internet : www.latablelibanaise.fr – M° Boucicaut. Ouvert tous les jours, midi et soir. Formule de 12,50 € à 17 € le midi. Menu : 27 € à 29 €. A la carte, environ 30 €.
De grandes fenêtres en ogive éclairent des murs teintés de jaune clair qui fait le teint doux aux dames, réchauffés par un parquet et des boiseries acajou. Si le cadre est volontairement sobre, souligné de petites touches phéniciennes et de quelques anciennes photos de Beyrouth, la carte est une véritable découverte de plats et de saveurs souvent inédites comme le basterma – viande de bœuf fumée épicée –, le batrakh – boutargue à l'ail et à l'huile d'olive – ou des viandes crues préparées en entrée suivies de cuisses de grenouille ail, coriandre et citron ou de cailles grillées à la purée d'ail, mais aussi plus classiques comme le chawarma. Au dessert, impossible de résister au choix de pâtisseries qui arrivent chaque jour du Liban ou aux préparations à l'ashta.

RESTAURANTS

LE TROQUET
21, rue François-Bonvin
✆ 01 45 66 89 00

M° Sèvres-Lecourbe ou Volontaires. Fermé le dimanche et le lundi. Menus : 26 € et 30 € – au déjeuner –, 32 € et 42 € – au dîner.

Christian Etchebest, l'ami basque, continue de nous accueillir autour de tables chaleureuses où l'on se régale de sa cuisine généreuse. Dans son restaurant façon bistrot, on s'évade pour quelques heures, au fil de conversations animées et de bons plats toujours réussis, comme son agneau de lait des Pyrénées Axuria frotté à l'ail, jus perlé à l'huile d'olive, ou encore sa cocotte de rascasse aux palourdes et citrons confits. Mais avant, on ne fait pas l'impasse sur les filets de sardines au poivron vinaigré. Un peu plus tard, on choisit entre un «classique», comme le soufflé à la vanille et sa confiture de cerises noires, ou une nouveauté comme la crème au citron.

LA VILLA CORSE RIVE GAUCHE
164, boulevard de Grenelle ✆ 01 53 86 70 81

Site Internet : www.lavillacorse.com – M° La Motte-Piquet-Grenelle. Fermé le dimanche. Menu : 25 € – au déjeuner. A la carte, environ de 45 € à 60 €.

Le meilleur de l'île de Beauté est à portée de fourchettes et si Jacques Dutronc s'y glisse de temps à autre, c'est que l'adresse mérite le détour. Amateurs de vins, tous les grands crus de l'île sont à la carte. Une occasion unique de découvrir les appellations de Patrimonio, Calvi, Ajaccio, Sartène, Figari et le cap Corse, produites par les plus beaux représentants de la filière. Parfaits pour accompagner dans un cadre sublime, le millefeuille de brocciu et légumes confits aux saveurs du maquis, les raviolis de cèpes et châtaignes, les linguinis aux gambas, le civet de sanglier à la mode corse, le thon rouge épais poêlé aux noisettes et le fiadone parfumé au citron.

16e ARRONDISSEMENT

L'ACAJOU
35 bis, rue La-Fontaine ✆ 01 42 88 04 47

Site Internet : www.l-acajou.com – M° Jasmin. Fermé le samedi midi et le dimanche. Menus : 28 € – au déjeuner –, 35 € et 40 €. A la carte, environ de 50 € à 55 €.

On peut désormais le dire haut et fort, Jean Imbert est notre chouchou dans cet arrondissement. Ce jeune chef se donne à fond pour satisfaire une clientèle trop heureuse de l'avoir déniché et qui n'est pas prête de lâcher son strapontin. Comment pourrait-il en être autrement quand on goûte les Saint-Jacques d'Erquy – il est un peu breton sur les bords – en rosace, purée de patates douces et crème de chorizo, le rôti de cochon fermier, ananas et shiitaké et le financier aux agrumes, crème citron et glace épices. Le plaisir se lit sur tous les visages, et si les petits cochons ne le mangent pas, voilà un bel espoir de la cuisine.

ANTOINE
10, avenue de New-York
✆ 01 40 70 19 28

Site Internet : www.antoine-paris.fr – M° Alma-Marceau. Ouvert tous les jours, midi et soir. Menu : 48 € – au déjeuner. A la carte, environ de 56 € à 113 €.

En lieu et place du restaurant Port Alma, cet Antoine a misé sur la cuisine de poisson. Vous détestez ? ne fuyez pas, le pigeonneau servi rosé en chartreuse, foie gras de canard et truffe fraîche ou les côtes d'agneau de Pauillac rôties panées d'épices et les abats en épigramme devraient vous inciter à rester. Et si vous aimez l'air du large, alors vous serez servi... à condition de sortir la Gold parce que la maison ne lésine pas sur les tarifs. On paie vraisemblablement la vue sur la tour Eiffel et la provenance des produits, sole de l'île d'Yeu, bar de ligne de Noirmoutier, Saint-Jacques de Bretagne proposés dans leur plus simple appareil et c'est ce qui nous fait tiquer. On aimerait plus de création, plus de créativité... du rêve. Que le chef nous montre de quel bois il se chauffe, comment il peut sublimer des rougets, un simple cabillaud ou des encornets. Au lieu de cela, il nous les propose grillés, rôtis entiers ou à la plancha. Alors certes, il faut saluer le maestro des cuissons, mais ça ne suffit pas pour se dire que l'on tient là l'adresse de l'année. En revanche, côté desserts, le chef pâtissier a de quoi vous éblouir. Le chocolat noir grand cru décliné en chaud et froid est à se damner.

LE BISTRO DA BASTIANO
5, rue Gros
✆ 01 42 88 97 46

M° RER C Avenue du Pt Kennedy-Maison de la Radio. Ouvert de 12h à 14h15 et de 19h à 22h30. Fermé le samedi midi et dimanche. A la carte environ 30 €.

On s'en serait presque douté : Bastiano, c'est le patron. Un vrai Italien au grand sourire et toujours prêt à lancer une plaisanterie ou à accueillir le client d'un mot agréable. Les boiseries de sa façade classée aux monuments de Paris et sa déco chaleureuse accueillent habitués et passionnés. Il n'est pas rare d'y voir des gens de la Maison de la Radio qui n'en peuvent plus du self. L'adresse se refile un peu sous le manteau, entre amis qui ont envie de ne pas se prendre la tête tout en passant une excellente soirée. La cuisine faite de spécialités italiennes et françaises ravit les inconditionnels de produits frais. Parmi les spécialités de la maison, les plats à base de fruits de mer, la bruschetta à la mozarella fumée et roquette ou le fondant au chocolat de Bastiano, un régal… Attention, la salle ne peut contenir que 26 couverts, mais la terrasse est chauffée en hiver.

LE CHALET DES ILES
Lac inférieur du bois de Boulogne
✆01 42 88 04 69
Site Internet : www.lechaletdesiles.net – M° Porte-de-la-Muette. Ouvert tous les jours, midi et soir. Menus : 25 € et 31 € – au déjeuner. A la carte, environ 50 €.
L'histoire de ce lieu commence en 1881, date où Napoléon tombe amoureux d'un chalet en Suisse dont il fait cadeau à l'impératrice Eugénie. Le chalet est démonté puis réinstallé sur l'île de Boulogne. Rénové en 2001, il est accessible grâce à une petite barque qui fait la navette depuis l'embarcadère. L'endroit offre une vue panoramique sur tout le bois, l'intérieur très bourgeois joue sur le confort et l'esthétisme, et la cuisine est très créative, façon nouvelle brasserie. La carte n'a rien de révolutionnaire, mais se révèle cependant très plaisante, ainsi les ravioles de foie gras aux cèpes et la sole meunière à la cuisson parfaite !

CHASSE MAREE
62, avenue Mozart ✆01 42 30 51 03
Site Internet : www.chassemaree.fr – M° Ranelagh. Ouvert du mardi au samedi. A la carte, environ de 35 € à 40 €.
Accolé à la poissonnerie, le petit restaurant nous transporte, dès l'entrée, au bord de la mer. Toute de bois, la déco rappelle celle d'un bateau. Parés pour embarquer ! Ici, évidemment, poissons et fruits de mer sont rois, pour le plus grand plaisir des papilles. Outre les plats à la carte, présentés sur une grande ardoise, la maison propose des fruits de mer, en fonction des arrivages. Lorsque nous sommes passés, les grandes crevettes roses étaient à l'honneur. Tellement bonnes qu'on entend presque le bruit des vagues, au fond, là-bas. Pas mal non plus les bulots. Côté plats, il serait dommage de manquer les langoustines aux pleurotes, fort bien préparées. Et même si ce n'est pas la spécialité de la maison, les desserts sont loin d'être en reste : feuillantines, mœlleux au chocolat, par exemple, ajoutent à la saveur du repas. Mieux vaut réserver pour venir goûter à ce petit bout d'ailleurs : le restaurant ne compte qu'une vingtaine de places à l'intérieur. A la belle saison, on peut profiter de la petite terrasse.

CHAUMETTE
7, rue Gros ✆01 42 88 29 27
M° RER C Kennedy-Radio-France. Fermé le samedi midi et le dimanche. Menus : 21 € et 25 € – au déjeuner. A la carte, environ de 33 € à 58 €.
Dans les beaux quartiers, on s'encanaille comme partout ailleurs et Chaumette n'échappe pas à la règle avec sa cuisine de partage. On pousse la porte par demi-douzaine ou par paquet de douze, c'est

selon, pour faire honneur au pot-au-feu proposé toute l'année, à l'œuf cocotte et sa crème de truffes, sans oublier le tronçon de turbot et sa crème aux coques. Vous en voulez encore ? Excellente terrine de foie gras et confiture d'oignons, sublime blanquette de veau, aussi bonne que celle de tata Suzanne, et millefeuille à la vanille bourbon à dévorer un genou en terre. Si après ça, vous hésitez à réserver, on ne sait plus quoi faire.

DI VINO (ITALIEN)
1, place de Mexico ✆01 45 53 89 79
M° Trocadéro. Fermé le dimanche. Menu : 24 € – au déjeuner. A la carte environ, 45 € à 65 €.
En lieu et place du Kiosque, les saveurs transalpines se sont installées dans ce vaste lieu où les amateurs de vins italiens se donnent rendez-vous tant la carte est renversante. Pensez donc, quinze régions viticoles représentées pour un total de cent dix références, de quoi avoir envie de se remettre à l'italien pour pouvoir partager l'émotion que l'on a à déguster un brunello-riserva-poggio-al-vento de Toscane, un santa-cecilia de Sicile ou un plaisant greco-di-tufo venu de la Campanie. Mais si le verre se défend plutôt bien, l'assiette a aussi son mot à dire, notamment ce risotto aux palourdes et à l'encre de seiche, ce mignon de veau gratiné saltimboca et ses pâtes fraîches ou cette salade d'oranges et fenouils confits au miel. Jolie terrasse pour les beaux jours.

LA GARE

19, chaussée de la Muette ✆01 42 15 15 31

Site Internet : www.restaurantlagare.com – M° La Muette. Ouvert tous les jours, midi et soir. Menus 21 €, 22 € et 23 € – au déjeuner –, 31 € et 36 € – au dîner. Brunch le dimanche à 35 €.

Créé en 1996 en lieu et place de l'ancienne gare de Passy-La Muette, cet immense restaurant de deux cent quatre-vingts couverts connaît un beau succès, dû avant tout à son cadre exceptionnel – et sa magnifique terrasse –, ainsi qu'à un service efficace, tout comme la carte, qui s'est bonifiée avec le temps. Au printemps, on débute joliment avec des gambas marinées à la mangue et au soja, crème de citron vert, avant de poursuivre avec un des plats stars de l'endroit, le parmentier de souris d'agneau aux cèpes et chapelure provençale. Et les becs sucrés se régalent avec le moelleux au chocolat Valrhona, à la carte toute l'année ! Le dimanche, le brunch est servi sous forme du buffet à volonté – 36 €. Et en été, le restaurant se met au vert et ouvre sa terrasse de cent quatre-vingt-cinq couverts.

LA GRIOTTINE

2, rue de Sfax ✆01 45 00 37 10

Site Internet : www.lagriottine.com – M° Victor-Hugo. Fermé le samedi et le dimanche. Menus : 23 € et 27 € – au déjeuner – et 27 € – au dîner. A la carte, environ 40 € à 45 €.

Didier Doucet, ancien sous-chef chez Ledoyen, puis chef à L'Etoile, a vite rencontré le succès en s'installant ici, à deux pas de la place Victor-Hugo, il y a maintenant bientôt trois ans. Il propose une carte d'un bel équilibre entre tradition et modernité, légère et raffinée. La clientèle, composée d'habitués du quartier et de touristes ravis d'être si bien tombés, déguste qui un croustillant d'escargots de Bourgogne, échalotes et ail confits aux aromates – 16 € –, qui un carpaccio de Saint-Jacques, magret séché à l'huile de noix – 19 € –, poursuivant avec un risotto de saison ou une côte de veau rôtie, grelots, sauge et foie gras de canard chaud – 34 €. Avant d'attaquer le sucré ou pour conclure, une belle tranche de Roquefort au pain d'épice et sa petite grappe de raisin frais. Finalement, le repas s'étire au fil des conversations, et l'on finit par craquer, avec raison, pour une crème légère mascarpone aux griottes ou une pastilla d'ananas aux amandes.

KAMBODGIA (CAMBODGIEN)

15, rue de Bassano ✆01 47 23 31 80

M° George-V ou Kléber. Ouvert du lundi au vendredi de 12h à 15h et de 19h à 23h, samedi le soir uniquement. Formules de 19 € à 24 €. A la carte environ 32 €.

Derrière de lourdes portes noires, quatre belles salles dont un salon privé. La décoration s'inspire des fumeries d'opium et des maisons de thé cambodgiennes rappelant une époque fantasmée. Délicieusement réels, en revanche, sont les plats proposés ici : crevettes sautées à l'ail et poivre noir, saint-jacques aux asperges, poisson au gingembre en feuille de banane, poulet croustillant au miel et citron, travers de porc rôtis aux herbes thaï ou, au dessert, crème de maïs au lait de coco. En quelques bouchées, la magie opère...

IANNELLO

17, boulevard Exelmans ✆ 01 46 47 80 08

Site Internet : www.iannello.fr

M° Porte de Saint Cloud ou RER C. Ouvert de 12h à 14h30 et de 19h à 22h30 (23h les vendredi et samedi soirs). Fermé le dimanche. Formule du midi à 22 €. A la carte environ 50 €.

Un voiturier et une devanture élégante pour ce restaurant situé à deux pas de l'Atelier Carpeaux d'Hector Guimard. A l'intérieur, une décoration de bistrot chic entièrement revue pas les nouveaux

propriétaires. Annie et Corrado Iannello font découvrir des classiques italiens qui prennent souvent des accents différents. La carte se situe dans la droite ligne d'un classique restaurant italien. Des suggestions du jour, de l'entrée au dessert, élargissent le choix. Les amateurs d'antipasti ont de quoi se régaler entre le jambon de Parme désossé par la maison, le bresaola au fondu de chèvre sur lit de roquette ou encore la coppa copinant avec des poires et parsemée de copeaux de parmesan. Les pâtes accompagnent toutes les viandes comme, par exemple, l'escalope de veau au jus de citron et vin blanc, que l'on ne trouve pas toujours dans les cartes, et qui est vraiment réussie. En dessert, parmi les spécialités un peu plus originales, les babas au citron ou le tiramisu, très demandé... Notons que toutes les mozzarellas, y compris la célèbre burrata, proviennent directement d'un producteur fermier italien. Les autres produits sont de grande qualité, du marché et bien soignés... C'est donc une adresse haut-de gamme. Cela n'empêche pas les clients d'être fidèles car la qualité est toujours au rendez-vous.

METS GUSTO
79, rue de La-Tour ✆ 01 40 72 84 46
Site Internet : www.metsgusto.com – M° Rue-de-la-Pompe. Fermé le dimanche et le lundi. A la carte, environ de 35 € à 50 €.

Volaille façon «porchetta», soupe de lentilles vertes du Puy et copeaux de chèvre frais, poulpe sur tombée d'épinards et gousse d'ail confite, crépinette de pied de porc et purée de pommes de terre à l'huile d'olive, pavé de morue poêlé, poireaux fondants et tapenade. Ces intitulés vous plaisent, vous donnent envie de passer à table ? Il ne vous reste plus qu'à pousser la porte de ce bistrot-gastro ouvert en décembre par David, en salle, et Gaël, en cuisine. Ces deux compères ont travaillé dans de belles maisons avant de se lancer dans les quartiers chics. Personne ne les attendait, mais quelques mois plus tard, tout le monde les adore pour le bon goût de la déco – alliance du carrelage d'époque avec des peintures beige et orange –, pour leur savoir-vivre, leurs prix serrés et pour leur créativité qui place leur maison dans les top ten des adresses les plus séduisantes du moment. Si séduisante que l'on aimerait parfois pousser la porte juste pour prendre un dessert. Tiens au hasard, la clémentine confite avec ses doigts de meringue craquante et la crème de marron montée à la crème fraîche. A moins que vous ne préfériez le pain perdu à l'orange. C'est vrai qu'entre les deux, notre cœur balance.

OZU (JAPONAIS)
5, avenue Albert-de-Mun
✆ 01 40 69 23 90
Site Internet : www.ozurestaurants.com M° Trocadéro Ouvert tous les jours. Menus : 30 €, 35 € et 45 € .

Si l'acteur Roberto Benigni venait à dîner dans cet endroit, il dirait immanquablement, «mais c'est époustouflant», avec son accent italien. Et comment ! Ozu se niche en sous-sol, dans l'enceinte de l'aquarium du Trocadéro dans une vaste salle de bois blond dans laquelle trône le fameux aquarium. Un spectacle à lui tout seul. Sous le regard de quelques bancs de poissons, on hésite un instant à commander un de leurs congénères. Ne serait-il pas plus opportun de miser sur le bœuf sauté à la sauce soja et oignons blancs, pommes de terre douces au miel de yuzu ? Ce n'est pas une mauvaise idée, mais l'anguille a des atouts séduisants quand elle est accompagnée de légumes marinés à l'huile de sésame. Et que dire du bar cuit à la vapeur, laqué au yuzu, julienne de radis et gingembre. Allez, c'est décidé, ce sera poisson pour tout le monde et on arrête de regarder l'aquarium. Concentration maximale sur l'assiette.

OUM EL BANINE
16 bis, rue Dufrenoy
✆01 45 04 91 22
Site Internet : www.oumelbanine.com – M° RER C Henri-Martin. Fermé le dimanche. Formule du midi à 28,90 €. A la carte environ 50 €.
C'est une référence en matière de cuisine marocaine dans Paris. Dans un décor loin du folklore traditionnel souvent clinquant même s'il rappelle la civilisation marocaine, pas plus d'une quarantaine de couverts. Le lieu cosy est fréquenté par une clientèle aisée notamment par des hommes d'affaires, surtout le midi. La cuisine aux multiples saveurs est très fine et traditionnelle : les sardines farcies, la salade de carottes au cumin, le couscous fassi ou le tagine de jarret de veau font partie des réjouissances de la maison. La pastilla à la crème d'amande accompagné d'un thé à la menthe est une belle sortie de carte. L'accueil est attentif et très souriant. Possibilité de commander des plats à emporter.

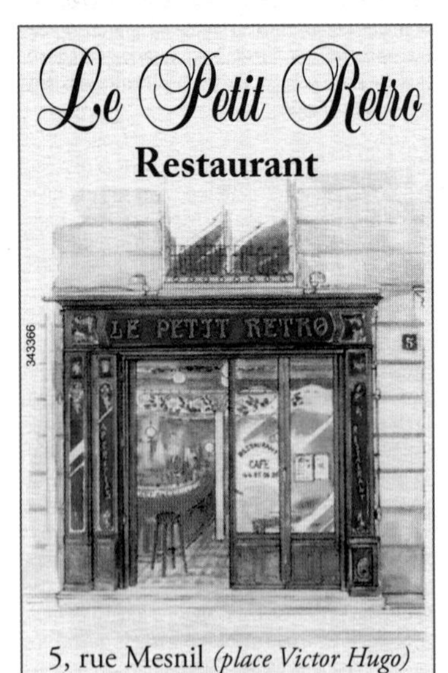

LE PETIT RETRO
5, rue Mesnil
✆01 44 05 06 05
Site Internet : www.petitretro.fr – M° Victor-Hugo. Fermé le samedi et le dimanche. Menus : 24 € et 28 € – au déjeuner –, 30 € et 35 € – au dîner. A la carte, environ de 30 € à 35 €.
Ce pur bistrot à la parisienne qui peut accueillir jusqu'à soixante convives égrène ses grands classiques tout au long de la semaine, pour le bonheur des habitués qui retrouvent rognons de veau poêlés à la graine de moutarde et pâtes fraîches, terrine tiède de joue et de queue de bœuf... La cassolette d'escargots et cèpes en croûte révèle une belle texture qui réveille les papilles, tandis que la blanquette à l'ancienne réconforte les tendres qui terminent par un millefeuille de crêpes à l'orange et au grand-marnier !

LE ROLAND-GARROS
2 bis, avenue Gordon-Bennett
✆01 47 43 49 56
M° Porte-d'Auteuil. Fermé le samedi et le dimanche. Menu : 52 € – au déjeuner. A la carte, environ de 48 € à 74 €.
Situé au cœur du mythique stade de Roland-Garros, le restaurant offre un cadre ressourçant, sans aucun doute l'une des plus belles et calmes terrasses de la capitale et une belle ambiance. Au cœur du restaurant, trône une grande et superbe rôtisserie, celle du chef, Xavier Rousseau, passé maître dans l'art de cuisiner végétal – tous les légumes de saison sont saisis ici dans la tradition thaïlandaise, façon wok. La suite est un mixe de tradition et de modernité. Pour bien faire, laissez-vous tenter par des Saint-Jacques, rémoulade de céleri, cacahuètes

et huile de citronnelle, puis goûtez un très bon filet de bar aux girolles, épinards poêlés et concluez le repas par un riz au lait, fruits confits et caramel.

SCHEFFER
22, rue Scheffer
✆01 47 27 81 11
M° Trocadéro. Fermé le dimanche. A la carte environ 25 €.
Cette «cantine du 16e», dont la formule a fait sa réputation, a toujours ce décor de bistrot 1900 avec ses nappes à carreaux rouge et blanc. Convivial, à coup sûr ! Pour rester dans l'esprit, l'accueil est on ne peut plus sympathique et les suggestions changent tous les jours midi et soir. Impossible de se lasser, d'autant que la qualité ne faiblit jamais. En entrée, par exemple : tartare de saumon, os à moelle à la croque au sel ou œufs pochés grand-mère. Pour les plats, on retrouve, entre autres, foie de veau à l'anglaise, râble de lapin farci ou rognons de veau sauce moutarde. Et, pour finir en beauté, le choix des desserts est tout aussi appétissant, entre soufflé glacé à l'armagnac, île flottante ou profiteroles au chocolat. Adresse sûre…

LA TERRASSE MIRABEAU
5, place de Barcelone
✆01 42 24 41 51
Site Internet : www.terrasse-mirabeau.com – M° Mirabeau. Fermé le samedi et le dimanche. Menus : 26 € et 32 € – au déjeuner. A la carte, environ de 36 € à 66 €.
Ancien élève du chef doublement étoilé Michel Rostang, Pierre Négrevergne a dirigé Le Bistrot d'à côté pendant huit ans. Depuis cinq ans qu'il a ouvert sa propre table, il a su attirer l'attention et s'attacher une clientèle d'inconditionnels. L'adresse est chic, et le décor est sobre et élégant, de bon goût. Un tout que vient couronner une belle terrasse ouverte à la belle saison. Côté cuisine, place aux valeurs du terroir avec comme spécialité majeure le pâté en croûte de canard au foie gras, que s'arrachent les fins connaisseurs. A découvrir aussi la cocotte de chipirons au chorizo, la dorade de Bretagne poêlée ou les étonnants pieds de cochon désossés et panés au homard et servis avec une purée de topinambours. La carte des desserts fait preuve d'originalité, et l'on y retrouve aussi quelques saveurs d'antan, avec une brioche façon pain perdu, fruits marinés à l'eau-de-vie et une gaufre cuite à la minute, poires du verger caramélisées au beurre salé.

THE AUX TROIS CERISES
47, avenue de Suffren
✆ 01 42 73 92 97
M° Dupleix – Fermé lundi. A la carte, compter de 11 à 30 €. Brunch le samedi et le dimanche : 30 €.
Un salon de thé dans un guide dédié aux restaurants ! Quelle drôle d'idée. Cela peut effectivement paraître incongru, mais dans ce joli cocon façon boudoir on ne vient pas seulement pour prendre le thé avant ou après une balade autour du Champ de Mars. On vient aussi parce que la délicieuse Laurence a eu la bonne idée de mitonner quelques plats frais comme la rosée du matin. Ce n'est pas de la haute gastronomie, mais le registre salades copieuses, tartes salées et quiches nous va à merveille. Pour s'en convaincre, il suffit de goûter la salade de poulet aux lentilles ou la nordique au saumon comme vous pouvez l'imaginer, mais cuit à l'unilatéral. Point fort de la maison, les pâtisseries. On se souvient encore de cette charlotte au chocolat et de cette tarte au citron meringué.

TONG MING (THAILANDAIS)
11, rue de Magdebourg
✆01 45 53 02 77
M° Trocadéro. Fermé le samedi midi et le dimanche. Menus : 12,80 € et 15,80 € – au déjeuner. A la carte, environ de 20 € à 25 €.
L'un des meilleurs restaurants asiatiques de Paris, qui plus est recommandé par le gouvernement thaïlandais, s'il vous plaît ! C'est une enclave dépaysante et exiguë, où les tables s'articulent autour de l'escalier menant aux cuisines. Boiseries, bambous et miroirs décorés plantent le décor, laissant opérer le charme asiatique. A table, on apprécie les spécialités de crevettes, sautées à l'ail ou au piment ou encore à l'ananas frais, et les fruits de mer, avec en vedette les coquilles Saint-Jacques au lait de coco. Il y a en a pour tous les goûts : riz ou nouilles, sucré ou salé, fruits de mer ou viande, d'excellents classiques tels que les raviolis frits thaïlandais, le canard laqué ou encore le bœuf aux trois parfums sur plaque chauffante… Goûtez au liseron d'eau sauté : une tige verte savoureuse et craquante sous la dent. Quant aux végétariens, ils disposent d'une carte élaborée spécialement pour eux.

RESTAURANTS

LE TOURNESOL
2, avenue de Lamballe ✆ 01 45 25 95 94
Site Internet : www.le-tournesol.fr – M° Passy. Ouvert tous les jours, midi et soir. A la carte, environ de 20 € à 54 €.
Restaurant d'angle tout proche de la Maison de la Radio et de la tour Eiffel, Le Tournesol jouit d'un cadre chic et stylé, dans un esprit 1900. Un bistrot de charme face à la Seine, propice aux rendez-vous d'affaires le midi, plus intime en soirée, et dont la terrasse, ouverte été comme hiver, est un formidable poste d'observation pour tous les clients. Côté carte, des classiques efficaces : œuf mayo ou rillettes de crabe et salade verte en entrée, tartare de bœuf cru ou poêlé, blanquette de veau à l'ancienne ou gratin de pennes aux champignons de Paris. En dessert, crème brûlée, tarte citron et nems banane Nutella. La carte des vins ne vient pas exploser le montant de l'addition avec quelques perles pour une trentaine d'euros.

ZEBRA SQUARE
3, place Clément-Ader ✆ 01 44 14 91 91
Site Internet : www.zebrasquare.com – M° RER C Kennedy-Radio-France. Ouvert tous les jours, midi et soir. A la carte, environ de 50 € à 65 €.
Après le Cristal Room Baccarat, le chef, Thierry Burlot, est venu mettre son nez dans les casseroles de ce paquebot amarré aux pieds de la Maison de la Radio. Dans les casseroles, mais aussi semble-t-il dans le décor désormais plus intimiste, avec moult lumières tamisées et couleurs chaudes. Et comme nous ne sommes pas là pour manger les rideaux, occupons-nous du contenu de l'assiette. Un tsunami créatif s'est abattu sur les assiettes rangées dorénavant en «Hot Appetizer», «Cold Appetizer», «French classic style» et «Canaille chic». On aurait pu penser que l'on tombait dans le modeux, dans le m'as-tu vu, dans la cuisine gadget, mais ce n'est pas du tout le cas. Thierry Burlot est un chef malin, qui mouline des créations par paquet de douze. Sûr de son fait, il envoie en salle des assiettes qui ne laissent personne indifférent, comme ce foie gras, artichaut, pomelos et cacao ou ces Saint-Jacques de la baie de Morlaix au thé fumé et aux feuilles d'avocat. Thierry Burlot est un explorateur des saveurs, mais il ne fait pas ça pour la frime. Chaque assiette est rudement pensée, testée et retestée, et les détestées sont recalées. Ce n'est pas le cas de la volaille fermière aux morilles en cocotte lutée qui fait le show ou ce turbot rôti sur l'os et sa béarnaise. Le renouveau a donc sonné à la porte de cette maison et l'on ne peut qu'applaudir.

17e ARRONDISSEMENT

L'ACCOLADE
23 bis, rue Guillaume-Tell
✆ 01 42 67 12 67
Site Internet : www.laccolade.com – M° Porte-de-Champerret. Fermé le lundi et le dimanche. Menus : 20 € – au déjeuner – 26 € et 32 €.
Cette table reste dans le peloton de tête de nos adresses préférées dans le quartier. Des petits prix, un accueil où sourire n'est pas un vain mot, deux salles bien dans leur jus bistrotier version XXIe siècle et une cuisine vive et enjouée orchestrée par un ancien de chez Michel Rostang, qui n'a pas son pareil pour régaler tout son petit monde. Pour s'en convaincre, il suffit de goûter les Saint-Jacques poêlées, courgettes à la provençale ou les filets de bar aux petits légumes en écailles croustillantes de pommes de terre, et de terminer par un croustillant de banane, sorbet banane ou un crumble noisette aux pommes et aux poires, glace caramel au beurre salé.

BATH'S

25, rue Bayen ✆ 01 45 74 74 74

Site Internet : www.baths.fr – M° Ternes. Fermé le samedi midi, le dimanche et le lundi midi. Menus : 28 € et 42 €. A la carte, environ de 50 € à 60 €.

Supporters inconditionnels de Clermont-Ferrand, le père et le fils Bath aiment le rugby, et nombreuses sont les personnalités de ce sport à venir casser la croûte chez eux dans ce décor étonnant composé de tableaux et de sculptures réalisés par Jean-Yves Bath en personne, poussé par l'ancien rugbyman et aujourd'hui sculpteur, Jean-Pierre Rives. Mais attention, il ne s'agit pas uniquement d'un repaire de passionnés de ce ballon qui ne tourne pas rond. Tous les gourmets sont les bienvenus pour partager un carpaccio de tête de veau gribiche de crustacés, un parmentier de homard au parfum de morilles et un biscotin aux oranges et sucre de lavande. Le tout arrosé d'un chinon-clos-guillot de chez Landry.

LE BISTROT D'A COTE FLAUBERT

10, rue Gustave-Flaubert ✆ 01 42 67 05 81

Site : www.bistrotflaubert.com M° Ternes. Fermé le samedi midi, le dimanche et le lundi. Menus : 29 € et 34 € – au déjeuner. A la carte, environ de 49 € à 67 €.

Premier bistrot ouvert à Paris par Michel Rostang, à deux pas de l'arc de Triomphe et du restaurant gastronomique étoilé, Le Bistrot d'A Côté Flaubert vous accueille dans un décor composé d'une collection étonnante de barbotines et d'anciens Guides Michelin, qui participe à créer une ambiance chaleureuse. Parmi les grands classiques de cette table régulière où les produits sont d'une grande fraîcheur et les cuissons justes, la soupe d'artichauts et émulsion de truffes ou encore les escargots en brioche de Christine Ferber, la quenelle de brochet, crème de homard et champignons ou la joue de cochon aux pommes, jus au cidre. Comme dans tous les restaurants Michel Rostang, on finit par se laisser amadouer par les petits pots de crème au chocolat à l'ancienne ou le fondant au chocolat extra-bitter.

CAIUS

6, rue d'Armaillé ✆ 01 42 27 19 20

M° Argentine. Fermé samedi et dimanche. Menus : 23 € – au déjeuner – et 39 €.

Ce n'est pas le chef le plus médiatisé dans l'arrondissement et pourtant, il est à la tête d'une cuisine qui mériterait que l'on s'y intéresse un peu plus. Ce chef, c'est Jean-Marc Notelet. Sa passion, les épices, les condiments, la fraîcheur, les herbes… bref, tout ce qui peut donner une claque aux produits du quotidien que nous connaissons tous et qu'il sert dans son restaurant aux allures de cabinet ministériel, calme et confortable. Entre nous on sait lire, et écouter un serveur nous décrire le plat, alors qu'il est écrit de la même manière sous nos yeux, c'est parfois barbant. Ici, c'est presque nécessaire parce que certains mots nous sont complètement étrangers ou pas franchement familiers comme les lentins de chêne, des champignons que l'on ne pensait pas aussi savoureux, et qui sont chez Jean-Marc servis dans un cappuccino de coques et de topinambours. Et puis, quand ces mots sont connus, on interroge l'aimable personnel pour comprendre l'association, le « qui fait quoi dans le plat ? » Traduction par l'exemple, bœuf confit, purée de céleri avec la puissance du cacao, du balsamique et du rhum, gnocchis aux chanterelles, sauce Parmesan et huile de truffes blanches ou encore carrés d'ananas confits au poivre long. C'est osé, mais ça participe à l'éducation de notre palais et de la découverte du monde. On adore !

LA CASA DI SERGIO (ITALIEN)

77, avenue des Ternes ✆ 01 44 09 99 06

Site Internet : www.lacasadisergio.com – M° Porte Maillot. Ouvert tous les jours, midi et soir. Formule du midi à 16 € et 20 €, menus de 28 € à 32 €.

Bar, café, restaurant, on vient chez Sergio à tous moments de la journée pour simplement boire un excellent cocktail directement inspiré de l'Italie, un verre de vin, un café bien corsé ou s'attabler soit sur la terrasse soit dans la salle aux belles couleurs rouges, très classe. La cuisine est pleine de ce soleil de Sicile qui brille dans chaque assiette. Les antipasti accompagnés d'un assortiment de pâtes Piccata composent un repas plein de saveurs. Les inconditionnels de la pizza trouveront sans aucun doute celle qui leur conviendra le mieux. Le service est aimable et souriant.

RESTAURANTS

CHEZ CLEMENT MAILLOT
99, boulevard Gouvion-Saint-Cyr
✆01 45 72 93 00
Site Internet : www.chezclement.com – M° Porte Maillot. Service continu 7j/7. Formule à 14 €, menu à 23 €. Plateaux de fruits de mer Clément à partir de 28 €. Carte aux environs de 30 €.
A deux pas du Palais des Congrès, la belle façade blanche et fleurie de chez Clément se dresse sur trois étages. A l'intérieur les salles de couleurs se succèdent. On est également charmé par les murs lambrissés assortis de rideaux verts romantiques, lustres et dorures. Dès les premiers jours de l'été, il faut profiter de la terrasse extérieure, endroit insolite où règne la fraîcheur. La carte propose des saveurs exotiques ou traditionnelles avec des produits de la mer ou les arrivages du marché. Les plats du rôtisseur à 19,50 €, spécialités de Chez Clément, comportent quatre viandes ou quatre poissons et sont accompagnés de purée maison au beurre ou de véritables pommes Pont-Neuf.

CHEZ CLEMENT WAGRAM
47 avenue de Wagram
✆01 53 81 97 00
Site Internet : www.chezclement.com – M° Charles-de-Gaulle Etoile. Service continu 7j/7. Formule à 14 €, menu à 23 €. Plateaux de fruits de mer Clément à partir de 28 €. Carte aux environs de 30 €.
Dans un quartier chaleureux et animé, Clément Wagram est un restaurant de caractère où se succèdent différents salons personnalisés. L'ambiance chalet savoyard au décor de pin clair, à la cheminée et aux casseroles suspendues au-dessus des fourneaux, séduit par son cadre intimiste tout comme le grenier ou l'écurie au premier étage. Les plats du rôtisseur à 19,50 €, spécialités de Chez Clément, comportent quatre viandes ou quatre poissons et sont accompagnés de purée maison au beurre ou de véritables pommes Pont-Neuf.

LE CLOU DE FOURCHETTE
121, rue de Rome
✆01 42 27 36 78
M° Rome. Fermé le dimanche. A la carte environ de 25 € à 35 €.
Christian Leclou remet le couvert ou enfonce le clou en s'offrant une annexe typée tapas pour changer de son cadre bistrotier de la rue Cardinet voisine où il officie depuis quelques années. En lieu et place d'Aristide, il a créé une nouvelle forme de grignotage autour du cochon, des soupes, des légumes, de la mer, de la viande et des fromages. Ici, pas d'entrée, de plats ou de desserts, mais des propositions à choisir en demi-portion ou en portion. Entre potes, c'est au bar, long comme un jour sans fin, que l'on se donne rendez-vous autour d'un verre de marsannay de chez Jadot en picorant joyeusement dans une assiette de jambon de la Haute-Garonne. En discutant des parfums du vin, on jette un coup d'œil sur la carte des grignotages. Tout donne envie, des brochettes de canard aux pruneaux jus au foie gras au tartare de légumes et tartine grillée en tapenade en passant par le carpaccio de saucisson de thon fumé, rillettes de sardines et citron, sans oublier les encornets frais à la plancha en persillade d'herbes anisées. C'est généreux, ça respire la joie de vivre… de quoi en faire une ambassade de la gourmandise sur le pouce.

LA DIVINA CAFE (ITALIEN)
45, rue Bayen ✆01 45 72 60 02
Site Internet : www.ladivinacafe.com – M° Ternes, Pereire ou Porte Maillot. Fermé le dimanche. Menus de 20 € le midi à 30 €
Un bistrot de quartier tenu par une équipe aimable et joyeuse qui a choisi l'Italie comme destination

gastronomique. La cuisine sort des traditionnelles pizzas -d'ailleurs pas une ne figure sur la carte- ou des sempiternelles escalopes à la milanaise pour donner le meilleur d'elle-même. En entrée par exemple : coeur d'aubergines farcies au parmesan en gratin garnies de tortellini à la roquette que l'on fait suivre d'un filet mignon aux truffes et échalotes, mascarpone aux herbes ou de tagliatelle au foie gras et Saint-Danièle. Le problème ici est que l'on a envie de goûter à tous les plats, tellement ils sont appétissants. Ce sera l'occasion de revenir pour se plonger de nouveau dans quelques autres spécialités de la maison qui ont vraiment l'air tout aussi divines.

L'ENTREDGEU
83, rue Laugier
✆01 40 54 97 24
M° Porte-de-Champerret. Fermé le dimanche et le lundi. Menus : 28 € – au déjeuner – et 32 €.
Si vous aimez l'ambiance vieux bistrot à la parisienne, ici vous serez servi ! Dans une ambiance bruyante et pressée, on s'attable au coude à coude, et hop le menu, et hop la commande… Ici tout va vite, comme s'il fallait rentabiliser le succès de l'adresse. Alors si vous voulez en profiter plus tranquillement, optez pour les derniers services… D'autant qu'il serait dommage de ne pas goûter dans les meilleures conditions la cuisine bistrotière de cet Entredgeu, tenu par Philippe et Pénélope Tredgeu. Le foie gras qui ouvre notre repas est tout simplement un des meilleurs que nous ayons goûté depuis longtemps – et pourtant, on en goûte, croyez-moi… La poitrine de veau confite à l'ail et au thym est délicieuse, tout comme la joue de bœuf au vin rouge, le lapin farci et les ris d'agneau, sublimes. Les desserts – pain perdu aux poires, crumble pomme et poire – prolongent le plaisir du repas.

FABRIQUE 4
17, rue Brochant ✆01 58 59 06 47
M° Brochant. Fermé samedi midi et lundi. Formules à 20 €. A la carte, environ de 35 € à 40 €.
Tout en continuant à tenir les pianos du Market, le chef, Wim Van Gorp, a repris cette ancienne fabrique de bouchons devenue brocante pour en faire une petite adresse de quartier sans prétention. Il faut un chausse-pied pour s'y installer, mais une fois attablé, on ne regrette pas d'y avoir élu domicile. La cuisine est sage comme la meule de Parmesan qui trône à l'entrée. Rien ni personne n'est là pour vous en mettre plein la vue. Tout s'articule autour de quatre entrées, quatre plats et quatre desserts… d'où le nom. Rien de transcendant, mais des petits plats qui font mouche comme la soupe de céleri rave, émincé de châtaigne au safran, à moins que vous ne préfériez le feuilleté de betteraves, écume de chèvre et balsamique avant d'attaquer le lieu de ligne, ravioli de courge et huile de champignons.

FAMILY AFFAIR
57, rue des Batignolles
✆01 53 04 94 73
Site Internet : www.lafamily.fr – M° Rome. Fermé dimanche et lundi. Formules à 20 €. Menus : 13 € et 16 €.
On a retrouvé dans ce restaurant, le quatrième du nom, un certain Patrick Charvet qui nous avait enthousiasmés à l'époque dans le 2e arrondissement au restaurant Voyageurs du Monde. De sa passion pour les cuisines d'ailleurs il n'a rien perdu, sauf qu'ici les mets de la planète se donnent rendez-vous autour des pâtes faites maison. Qu'elles soient carrées, longues, larges, torsadées ou fines, elles acceptent ici à leurs côtés du bœuf, sa sauce noix de coco et une feuille de citron kaffir, là du lapin mijoté aux olives avec une pointe de laurier et de sariette, et un peu plus loin, un émincé de canard mariné rôti au sucre roux, aux épices de Sichuan et à la coriandre fraîche. Vous l'aurez compris, Patrick est un globe-trotter du goût qui nous invite à partir en voyage sans quitter Paris.

LES FOUGERES
10, rue Villebois-Mareuil
✆01 40 68 78 66
Site Internet : www.restaurant-les-fougeres.fr – M° Ternes. Fermé samedi et dimanche. Formule déjeuner à 25 €. Menu : 35 €. A la carte, environ de 50 € à 70 €.
Les Fougères font partie de ces tables qui tracent leur voie en toute discrétion, mais en profitant d'un bouche à oreille extrêmement positif. Quiconque dîne ou déjeune dans ce restaurant en fait part à deux autres qui en parlent à quatre autres et ainsi de suite. Depuis deux ans, le succès de cette maison ne se dément pas. On le doit au cadre chic contemporain dans des tons où le crème affronte gentiment le bordeaux et évidemment au contenu de l'assiette pensé par Stéphane Duchiron qui dresse ses préparations avec élégance, de l'amuse-bouche au dessert. Pour vous faire patienter, un pot de rillettes de bar et de croûtons parsemés de sésame. L'amuse-bouche ? non, patience, il arrive sous forme de lait de coco chaud parfumé à la citronnelle dans lequel une crevette fondante plonge en compagnie de peluches de coriandre fraîche. Les papilles aiguisées, on attend la suite. Ce jour-là, des filets de gallinette en beignets posés sur un riz noir de Thaïlande entouré d'un jus de bouillabaisse parfumé au curry. A la table voisine, des gourmets se délectent d'un croustillant de gibier aux fruits secs, d'un pavé aux oignons doux violets et d'un râble de lièvre rôti au lard fumé et sa sauce royale. Deux tables aux goûts différents, mais qui se rejoignent pour le dessert en optant pour un lait glacé à la châtaigne et sa quenelle de sorbet au marron à dévorer avec une madeleine, avant qu'un financier ne vienne se joindre à la fête au moment du café.

LE GALVACHER
64, avenue des Ternes
✆01 45 74 16 66
M° Ternes. Ouvert tous les jours, midi et soir. Menus cartes de 26 € à 32 €.
Au XIXe siècle, les galvachers morvandaux ravitaillaient Paris en bœuf de qualité. Cette tradition s'est perdue, mais ce restaurant a pris le nom de Galvacher car il a son propre élevage aux confins du Morvan et du Bourbonnais. Les viandes passent presque du pré à l'assiette et sont d'excellente qualité. Le tartare morvandiau gratiné au crottin du Morvan est un délice et relève dune grande originalité. Malgré la présence importante de la viande dans la carte, le poisson n'est pas absent. Quant au dessert les amateurs de baba au rhum se régaleront car c'est l'un des spécialités de la maison. En 2009, le Galvacher a changé un peu d'atmosphère en donnant à l'espace du rez-de-chaussée un esprit plus bistrot avec des tables rondes sans nappage. En revanche, le premier étage conserve son côté plutôt chic.

LA GAZELLE (CAMEROUNAIS)
9, rue Rennequin ✆01 42 67 64 18
M° Ternes. Fermé le samedi midi et le dimanche. Menus : 22 € et 29 €. A la carte, environ de 35 € à 40 €.
Une escale culinaire authentique qui se fond dans un paysage aux couleurs ocre évoquant la savane, un tour gastronomique de spécialités africaines, avec une étape au Cameroun. On y mitonne quelques beignets de crevettes au manioc, poisson fumé sauce gombo, poulet yassa, soupe doula et autre fricassée de poulet sauce gingembre, du massala de chèvre, à la tomate et au gombo ou un ragoût de poisson ou de poulet aux légumes – kedjenou. La carte est variée, les plats bien troussés, et l'accueil brille de sympathie. Une belle adresse paisible.

LE MAKASSAR
39, avenue de Wagram
✆01 55 37 55 37
Site Internet : www.marriott.fr – M° Charles-De-Gaulle-Etoile ou Ternes. Ouvert 7j/7midi et soir. Formules du midi de 26 € à 39 €. A la carte environ 45 €.
Avec un tel nom, le restaurant du dernier-né des Marriott sis avenue de Wagram ne peut qu'entraîner vers de lointaines contrées. Un décor sobre, légèrement exotique, où l'indigo velouté se mêle au cuir de buffle cuivré sur fond de parquet de bois sombre et de rideaux d'argent aux reflets cuir. Un théâtre d'ombres anime le mur principal du restaurant avec une scène tirée du «Ramayana», une épopée indonésienne sur l'amour, le bien et le mal. Dans cet espace bien pensé qui ouvre sur une petite terrasse surplombant la mythique salle Wagram -ancien temple de la boxe-, on est confronté à un sacré dilemme : spécialités d'ici ou spécialités d'ailleurs. La curiosité pousse bien évidemment à s'évader pour un Bebek Lawar, une salade de haricots verts, canard mariné façon balinaise, parfait en saveur épicée tout comme le Lawar Gedang, une julienne de papaye, crevettes et crème d'épices douces. La lecture devient plus compliquée avec le Be Pasih Mepaggang qui est tout simplement de l'espadon mariné et grillé, patates douces des îles, cuit à la perfection. En dessert, seul ou à deux, une petite farandole de douceurs indonésiennes moins convaincante mais qui met une petite touche finale à ce voyage au bout du monde bien plaisant pour le palais. Au fait, Makassar est le nom d'un bois précieux et celui d'un port de l'archipel indonésien qui fut jadis la plaque tournante du commerce des épices….

MBC
4, rue du Débarcadère
✆01 45 72 22 55
Site Internet : www.gilleschoukroun.com – M° Porte-Maillot. Fermé le samedi midi et le dimanche. Menu : 20 € – au déjeuner –, 45 €, 65 € et 80 €.
Qu'on se le dise, Gilles Choukroun est de retour. Celui qui a impulsé Le Café des Délices, puis le restaurant Angl'Opéra, est désormais chez lui en lieu et place d'un ancien Bistro Gambas. Menthe, Basilic, Coriandre – MBC – est donc son nouveau nid douillet à la fois chic et contemporain avec des banquettes couleur argent, des murs lilas ou pourpre, des carafes disposées ici ou là, mais surtout une somptueuse verrière dans la salle du fond qui offre un puits de lumière extravagant. Pour coller au quartier, Gilles a imaginé deux cartes, l'une pour le déjeuner, quartier de bureaux oblige, qui sert d'appât pour présenter la seconde, celle du dîner. Mais quel que soit le moment choisi, c'est du Choukroun dans le texte. On retrouve dans ses assiettes toute l'espièglerie et la malice qui le caractérisent. Sa cuisine est inclassable, souvent copiée, jamais égalée, toujours osée. Pour preuve, le carpaccio de chèvre et betteraves à la mimolette et olives noires, le tartare maquereau et crabe, courgettes, grenade et moutarde, les Saint-Jacques au boudin noir, balsamique et cacao, et pour finir les perles de tapioca confites au lait de coco et dattes au basilic.

M COMME MARTINE
33, rue Cardinet
✆01 43 80 63 60
M° Wagram. Fermé le samedi midi, le dimanche, le lundi soir et le mardi soir. Menus : 19 € – au déjeuner –, 26 € et 32 €.
Nous aimons ce petit restaurant qui se présente comme un cocon, mais nous avons un peu de mal à suivre les changements réguliers de chefs. Toujours est-il que depuis le printemps 2008, c'est désormais le trentenaire Cyril Rabache qui a pris possession des fourneaux. Passé par le Martinez de Cannes, le Ritz et le George-V à Paris, il nous a

dévoilé sa nouvelle carte très portée sur le poisson, incontestablement son point fort, avec notamment un tartare de saumon et Saint-Jacques marinées à l'huile d'olive, un carpaccio de dorade royale, émulsion wakamé au citron, et pour finir une tarte citron déstructurée. Si vous préférez la viande, pas de panique, il a pensé à vous avec ce parmentier de canard confit aux noisettes. A suivre.

LE PETIT AMPERE
3, rue Ampère
✆ 01 42 27 89 92
Site Internet : www.lepetitampere.fr – M° Wagram. Fermé samedi et dimanche. Menu : 18 €. A la carte, environ de 20 € à 30 €.
C'est le petit frère de L'Ampère voisin. Philippe Detourbe s'est offert une annexe, plus petite et moins chère qui accueille midi et soir une vingtaine de convives ravis de se régaler pour un billet de 20 €, et éventuellement de faire quelques courses car Le Petit Ampère, c'est aussi des terrines à emporter, du vin ou le jambon qui trône sur un pan de mur. Comme nous n'avions pas un sac suffisamment grand pour emporter ce jambon cru désossé, nous sommes restés pour faire ripaille autour d'une boîte de sardines millésimées, tranches de pain Poilâne et beurre demi-sel, suivies d'une brandade de morue gratinée et d'une terrine aux agrumes. Accueil souriant, clients contents, on ferait de ce Petit Ampère notre cantine quotidienne et ceci n'a rien de péjoratif.

LE PETIT CHAMPERRET
30, rue Vernier
✆ 01 43 80 01 39
M° Porte-de-Champerret. Fermé le samedi et le dimanche. Carte, environ de 30,50 € à 50 €.
Venu du restaurant La Sieste dans le 6e arrondissement, Gérard, originaire de l'île Rousse en Corse a repris cette institution de la porte de Champerret tenue pendant de longues années par Joëlle. Si l'esprit bistrotier est toujours intact, Gérard a tout de même procédé à quelques changements. Le décor pour commencer. Exit les vieilles publicités en plaques émaillées, place désormais à quelque chose de plus moderne, mais qui conserve un certain cachet. Ensuite, côté cuisine, Gérard a fait venir Sébastien, et on se réjouit des créations plus à l'aise dans leur époque comme le saumon gravelax, rémoulade de céleri et pomme verte, le pavé de cabillaud sauce vierge et écrasé de pommes de terre ou la soupe d'agrumes et sa tuile au thym. Et comme Gégé a tout de même son mot à dire, il a glissé discrètement quelques touches qui lui rappellent ses origines. Ainsi, la châtaigne plonge dans un velouté de potiron, le sanglier se transforme en parmentier, le risotto crémeux se dresse fièrement aux côtés de Saint-Jacques rôties, et la polenta se love amoureusement près d'un poulet du Gers. Côté carte des vins, le vignoble de l'île de Beauté est à l'honneur, à commencer par un rouge du domaine Culombu dans la région de Calvi. Un vin qui se marie harmonieusement avec le tiramisu aux canistrelli, des biscuits corses traditionnels qui remplacent pour l'occasion les classiques biscuits à la cuillère.

LE SANS GENE BATIGNOLLES
112, rue Legendre ✆ 01 46 27 67 82
Site Internet : www.sansgene.fr – M° La Fourche. Ouvert 7/7 de 09h00 à 2h00. Brunch tous les dimanches de 11h00 à 17h00 Happy Hour tous les jours de 17h00 à 20h00. Menu déjeuner à 14,50 € et dîner à 30 €.
Originaire d'Oberkampf où il remplissait déjà bien son office, le Sans gène a essaimé aux Batignolles. Ambiance totalement différente par rapport à son aîné du 11e arrondissement, Le Batignolles a opté pour du moderne on ne peut plus gai, entre teintes acidulées dominées par le rose et pièces de mobilier en zinc. Lumineux, et agréable, en deux mots. Dans l'assiette, outre les tapas qui accompagnent bien l'apéritif, on goûtera au choix les salades ou les formules. Celles-ci proposent une belle cuisine française, mâtinée d'exotismes intéressants : carpaccio de Saint-Jacques sur lit de courgette, salade de chèvre chaud pané au miel, brochette de gambas à l'indonésienne, ou linguini en trois façons possibles. Une belle réussite pour ce nouvel arrivant des Batignolles.

RESTAURANTS

RIPAILLE
69, rue des Dames
✆01 45 22 03 03
M° Rome ou Villiers. Fermé le samedi midi et le dimanche. Menus : 15 € – au déjeuner –, 24 € et 30 €.
Tout petit restaurant au décor simple et chaleureux, le discret Ripaille est un trésor de table, comme on voudrait tous en avoir en bas de chez soi. On s'installe, et déjà on est heureux d'être là. Un plaisir qui s'amplifie lorsqu'arrive le tartare de Saint-Jacques aux lentilles vertes du Puy au romarin. Et plus encore avec le pavé de sandre et sa fondue de poireaux aux artichauts ! L'excellente carte des vins, accessible aussi bien au palais qu'en terme de prix, vient compléter ce joli tableau. Le Ripaille est le genre d'adresse où l'on passe immanquablement un bon dîner !

SAMESA (ITALIEN)
13, rue Brey ✆01 43 80 69 34
M° Charles-De-Gaulle-Etoile. Fermé le dimanche. Menus : 17 € et 21 € – au déjeuner –, 26 € et 30 €.
Claudio Sammarone se sentait un peu à l'étroit dans son restaurant Le Perron dans le 7e arrondissement. Il a voulu plus grand et c'est dans le 17e qu'il a trouvé son bonheur. Le spectacle n'est pas dans le décor, mais essentiellement dans l'assiette qui oscille entre préparations classiques qui sentent bon la famille et créations plus sophistiquées, ce qui se traduit d'un côté par des tortellonis aux escargots ou des calamars à l'encre de poulpe, et de l'autre par des médaillons de lotte à la livournaise ou si vous préférez aux tomates, aux olives et aux câpres. Les desserts ne sortent pas du répertoire classique, mais c'est comme ça qu'on les aime. Ils se nomment comme vous pouvez l'imaginer, panna cotta et tiramisu… pour ne citer qu'eux.

SORMANI
4, rue du Général-Lanrezac ✆01 43 80 13 91
M° Charles-De-Gaulle-Etoile. Ouvert du lundi au vendredi de 12h15 à 14h et de 20h à 22h15. Menus : 60 €. A la carte environ 80 €.
De la gastronomie italienne dirigée par Pascal Fayet, petit-fils d'une pure Florentine. Dans un espace tout de rouge vêtu, orné de lustres de Murano, on se prête à la belle démonstration d'une cuisine italienne de haute volée, composée juste ce qu'il faut de produits français pour proposer des plats inventifs comme des lasagnes façon Rossini, un carpaccio chaud à la truffe ou des farfalles de homard au piment doux et un tiramisu à tomber. Dès qu'il fait beau, le patio offre un agréable espace aéré. Possibilité de réserver un petit salon pour au moins quatre personnes. Une magnifique cave complète parfaitement ce tableau de maître, qui, comme toutes les œuvres d'art, a un coût.

LE VILLAGE
14, rue des Moines
✆01 58 59 12 15
M° Brochant. Fermé le dimanche. Menus : 12 € et 18,50 € – au déjeuner – et 32 €.
"De la vigne… à la table", le programme est affiché d'entrée de jeu sur l'auvent. Si c'est le concept du tenancier, autant s'y tenir, et on commence donc par s'envoyer derrière la glotte un verre du domaine du Clos Roca, un vin de pays de l'Hérault que l'on aimerait voir plus souvent sur les cartes de vins. Les papilles d'attaque, il nous reste à tordre le cou à quelques spécialités de la maison. Autant vous le dire tout de suite, ce n'est pas de la cuisine révolutionnaire, mais les imperfections sont ici gommées par l'ambiance. Ça parle fort, ça se tape sur le ventre, ça remet une tournée et ça tirebouchonne dans tous les coins. Qu'est-ce que vous voulez, on ne peut pas mettre le même vin sur une saucisse aligot que sur des samossas de boudin noir. Hein patron, ce n'est pas vous qui allez nous dire le contraire ? Et sur le riz au lait, qu'est-ce que vous nous conseillez ?

LE WHY NOT
123, avenue de Wagram
✆01 42 27 61 50
Site Internet : www.restaurantwhynot.com – M° Courcelles ou Wagram. Fermé le dimanche. Menus : 22 € et 29 € – au déjeuner – et 35 €. A

la carte, environ 47 €.
Moitié chic, moitié city, Le Why Not est une adresse au design moderne et élégant, mixant tons beige et rougeâtre avec peintures contemporaines ultra-colorées et lustres à pampilles fantaisistes. L'endroit attire depuis son ouverture une clientèle chic et branchée qui vient, outre pour le cadre, déguster l'excellente cuisine du chef, Benjamin Hagnère, et qui propose une carte moderne et inventive, plutôt que bêtement mode. Si les déjeuners sont très business, profitez d'un dîner romance pour déguster le croustillant de risotto, poêlée de pleurotes au jus, les filets de rougets à la plancha, aubergine rôtie et tomate concassée, et faites-vous plaisir en concluant le repas par le chocolat liégeois Why Not ou le classique baba au rhum.

18e ARRONDISSEMENT

ALICE PIZZA
4, rue Dancourt ✆ 01 42 54 29 20
Site Internet : www.alicepizza.com – M° Anvers. Fermé le dimanche midi et le lundi. Pizza : de 11,50 € à 22 €.
Quand on pousse la porte de cet établissement, rien ne laisse penser que nous sommes dans une pizzeria. Décor contemporain, mobilier moderne, le maître des lieux a totalement cassé les codes habituels des temples de la pizza et personne ne s'en plaindra. Et il n'y a pas que dans la décoration qu'il a cassé les codes, dans la fabrication des pizzas… aussi. Ici, on vous demande si vous préférez une pâte juste cuite et encore blanche ou plutôt croustillante. Quant à la sauce tomate qui vient habituellement garnir la pâte, elle s'éclipse au profit d'une crème fraîche ou de mascarpone, ce qui change tout. Les produits sont d'une fraîcheur incomparables et la générosité est au rendez-vous. Dans la trentaine de pizzas proposée, nous ne pouvons que vous inciter à opter pour la «Poulette», subtil mélange de charcuterie et de volaille, la «Boscaiola», une sélection de champignons de saison associés à de la roquette, qui n'est pas là seulement pour la décoration, ou la «Di Ambre» aux shiitake présentés en fines lamelles, cuisinés dans une larme de vin blanc et une pointe de mascarpone. Alice Pizza, ce n'est pas une pizzeria comme les autres et c'est pour ça qu'on l'aime.

LE BISTROT POULBOT
39, rue Lamarck
✆ 01 46 06 86 00
M° Lamarck-Caulaincourt. Fermé le dimanche et le lundi midi. Menus : 14 € et 17 € – au déjeuner –, 29 € et 35 €. A la carte, environ de 35 € à 45 €.
Une femme aux fourneaux, c'est suffisamment rare pour être souligné. Cette dame se prénomme Véronique et elle n'a pas son pareil pour faire plaisir à nos estomacs. Dans son petit bistrot bien dans son jus, elle concocte des plats qui satisfont nos papilles à l'instar de cette épaule d'agneau, fondante de chez fondante qui aura patienté le temps que l'on en termine avec un foie gras. Une crème brûlée pour finir, et cette adresse devient un pied-à-terre gourmand dont on conserve la carte de visite dans le portefeuille.

LE CAFE BURQ
6, rue Burq ✆ 01 42 52 81 27
M° Abbesses ou Blanche. Fermé le dimanche. Menus : 15 € et 19 € – au déjeuner –, 28 € – au dîner.
La salle, qui s'ouvre sur une grande devanture vitrée, abrite un mobilier des années 1950 du meilleur effet, la lumière y est tamisée, selon l'heure et l'humeur, et la musique y est toujours bonne ! Depuis le comptoir que tiennent Patrick et Yann, on aperçoit le chef et son commis, qui œuvrent dans la cuisine de poche, tout en longueur. Originaire du Gers, il s'est ouvert à une cuisine aux multiples influences : gourmande blanquette d'escargots, suivie d'un quasi de veau basilic et balsamique et ses haricots verts, et pour finir, un irrésistible petit pot de crème au chocolat lacté et sa tuile. A côté de notre table, une cliente craque pour l'incontournable camembert rôti au miel et pignons – pas franchement diététique – tandis que son invité fait d'un vég'burger maison et sa salade un déjeuner plus sain. Plus loin, on se régale d'un tartare d'algues, avocats et mizuna, d'un saumon à la crème de tarama et d'un dessert aux agrumes, mousse de vodka à l'orange.

LE CAFE QUI PARLE
24, rue Caulaincourt
✆ 01 46 06 06 88
M° Lamarck-Caulaincourt. Fermé mercredi et dimanche soir. Menus : 12,50 € et 17 €. Brunch le dimanche : 17,50 €.
Le week-end, la queue qui se forme devant ce café de poche est un signe qui ne trompe pas. A l'heure du brunch on ne peut pas réserver, alors tout ce petit monde patiente, et pour avoir goûté leur brunch, on comprend que ces clients ne cherchent pas à aller ailleurs. Mais le reste de la semaine, ce Café Qui Parle, que devient-il ? une agréable cantine dans le bon sens du terme avec un chef qui n'a pas les deux pieds dans le même sabot et du talent pour satisfaire nos palais. La dernière preuve en date, un saumon mariné à l'aneth et sauce gravelax présenté sur ardoise, suivi d'un risotto de gambas aux herbes fraîches parfaitement cuit et d'une crème brûlée au chocolat blanc que l'on a préférée au nougat glacé, caramel et fleur de sel qui nous faisait de l'œil. Avec un peu plus d'appétit, on aurait pris les deux. Vous avez désormais la preuve que Le Café qui Parle ne se fréquente pas qu'à l'heure du brunch le week-end.

CHEZ LA MERE CATHERINE
6, place du Tertre
✆ 01 46 06 32 69
M° Abbesses ou Anvers. Ouvert tous les jours de 12h à minuit. Menu Danton à 30 € (entrée, plat, dessert), menu Catherine : 38 € (entrée, plat, dessert), menu enfant : 13 € (entrée, plat, dessert), menu «début de service» : 16 € (entrée, plat, dessert). A la carte, environ 45 €.
Le saviez-vous ? La mère Catherine, fondé en 1793, est l'un des deux plus anciens restaurants de la capitale (le doyen étant le Procope) ! C'est l'adresse emblématique de la butte Montmartre. Cadre authentique «patiné» par le temps, traversé par l'histoire. L'ambiance feutrée et sereine de l'élégant petit patio en arrière-salle vous charmera aux beaux jours, mais vous pourrez aussi vous immerger dans l'ambiance bouillonnante de la place du Tertre en vous installant sur la grande terrasse. La cuisine est séduisante : enfin une adresse qui n'est pas un piège à touristes. La carte ne réserve que de bonnes surprises… Commencez par exemple par des cuisses de grenouilles grillées au gingembre ou bien par un foie gras chaud aux airelles. Ne résistez pas ensuite aux belles spécialités de la maison : daurade royale au coulis de mangue ou cochon de lait au confit de miel (un must !). En note gourmande, nos voisins de table ont craqué pour des profiteroles et une généreuse coupe de fruits frais … Ambiance musicale en soirée. Une adresse très appréciée, il est conseillé de réserver…

LE COUP DE CŒUR
13, rue des Cloÿs
✆ 01 42 52 00 88
M° Jules-Joffrin. Fermé le dimanche et le lundi soir. A la carte, environ de 25 € à 30 €.
Adorable petit restaurant situé derrière la butte Montmartre, à deux pas de la mairie du 18e arrondissement, Le Coup de Cœur porte bien son nom, et ceci pour trois raisons : un cadre charmeur, une cuisine de qualité et des petits prix. Escalope de saumon à la purée d'aubergines ou bœuf Stroganov. On affiche ici une cuisine de terroir bien travaillée. Le restaurant aime les poissons, filet de bar ou de dorade, médaillon de lotte, etc. Les viandes ne sont pas en reste, avec des onglets et des rumstecks. On prend soin de vous, on vous bichonne et les prix pratiqués en font un des restaurants les plus compétitifs du quartier.

LE DIAPASON TERRASS HOTEL
12, rue Joseph-de-Maistre
✆ 01 44 92 34 14
Site Internet : www.terrass-ho(tel.)com – M° Blanche ou Place-de-Clichy. Fermé le samedi midi et le dimanche soir. Menus : 23 € – au déjeuner – et 38 € – au dîner. A la carte, environ de 45 € à 55 €.
Accroché à la Butte, cet hôtel de style, au décor contemporain, abrite un restaurant qui vaut largement le détour. Décor très chic, tout en sobriété et aux tonalités sable, grise et noire, la salle occupe une large partie du rez-de-chaussée. L'ambiance est à la discrétion et à la détente, et la cuisine du chef, Julien Lamrani, est pleine de saveurs. Commencez donc par des sardines marinées au basilic, puis continuez avec une selle d'agneau à la tétragone et laissez-vous porter jusqu'aux fromages affinés. Aux beaux jours, filez au 7e étage pour un dernier verre afin de découvrir une vue incroyable sur une partie de la capitale.

LE DOUDINGUE
24, rue Durantin
✆ 01 42 54 88 08
M° Abbesses. Fermé au déjeuner sauf le dimanche. Menu : 27 €. A la carte, environ de 40 € à 50 €.
Un décor baroque, une ambiance boudoir, murs violet, mauve et rose, ciel, angelots peints au plafond, miroirs, candélabres, coussins… Une chouette adresse où vous viendrez d'abord pour l'ambiance intimiste et chaleureuse, et la très bonne musique lounge. Si la salle est pleine, ce qui est souvent le cas, vous ne serez pas toujours très bien installé et vous ne pourrez éviter le frôlement du service qui essaie de se frayer un chemin entre les tables… La carte change avec les saisons. Cet hiver, vous aimerez débuter votre repas avec les nems de foie gras et pain d'épice sur lit de salade, à moins que vous ne craquiez pour le millefeuille à la provençale – un classique de la maison –, puis vous choisirez, par exemple, le croquant d'agneau au chèvre mentholé et polenta ou un dos de cabillaud rôti au romarin et risotto, et fondrez pour le cheesecake, le risotto aux poires caramélisées ou les irrésistibles nems au chocolat !

GUILO-GUILO (JAPONAIS)
8, rue Garreau
✆ 01 42 54 23 92
M° Abbesses. Fermé tous les midis, le dimanche et le lundi. Menus : 16 € – servi après 22h – et 45 €.
Pour ne rien vous cacher, nous avons tenté d'y dîner à huit reprises. La neuvième fut la bonne, mais avant il a fallu prendre en compte la présence d'un répondeur récalcitrant, et quand enfin nous tombions sur une voix autre que robotique, la réponse était toujours la même, «c'est complet». Et puis un jour, par le plus grand des hasards, nous passons devant. On pousse la porte avec le secret espoir d'obtenir une table avant 2012, et là, miracle, deux places au comptoir qui entoure une cuisine ouverte où le chef fait son show. Tiens le chef nippon justement, Eiichi Edakuni, une star au pays du Soleil levant, présent pour nous dévoiler en six à huit plats qui changent chaque mois, sa vision de la cuisine japonaise. Ce jour-là, une tempura à la figue en amuse-bouche, une assiette de petites bouchées composée d'un cube d'aubergine, d'un tofu de petits pois, d'un beignet d'asperge et d'une omelette japonaise, puis de bouillon de coq au poivron rouge et aux

œufs de poisson à boire directement au bol. Pause saké à notre demande et c'est reparti avec des lamelles de poissons crus, une poitrine de porc au pain japonais cuit à la vapeur, et enfin un bol de riz aux légumes vinaigrés, avant que ne se présente la glace au thé et sa panna cotta miel et paprika. Que dire ? c'est totalement magique, inédit et pour 45 €, le tour du Japon version gastronomique, c'est presque un cadeau.

CHEZ GRISETTE
14, rue Houdon ✆ 01 42 62 04 80
Site Internet : www.chez-grisette.fr – M° Abbesses ou Pigalle. Fermé tous les jours à l'heure du déjeuner, le samedi et le dimanche. Menus : 23 € et 29 €.
Passionnée de vin, Grisette vous accueille dans son petit restaurant où elle a plaisir à parler des produits du terroir, de sa dernière trouvaille vinicole, et de la vie en général… Bavarde, cette Grisette, mais comme on aime ! Tout un pan de mur est consacré au casier qui accueille les bouteilles que l'on boit sur place ou que l'on emporte. Côté assiette, une petite carte très courte, bien faite, avec au programme charcuteries du Cantal, terrine de campagne, boudin noir aux deux pommes, pounti – à goûter au moins une fois dans sa vie –, escargots de Bourgogne que l'on arrose d'un cru choisi parmi les cent trente références dénichées par Grisette.

JUST BE
46, rue Caulaincourt
✆ 01 42 55 14 25
Site Internet : www.justbe-paris.com – M° Lamarck-Caulaincourt. Fermé le lundi et à l'heure du déjeuner sauf le week-end pour le brunch. A la carte, environ de 20 € à 30 €.
Just BE pour Brigitte et Elsa, deux hôtesses souriantes et avenantes qui ont tout prévu pour les petites comme pour les grandes faims. Au Just Be, on pratique l'art du grignotage à toute heure. L'happy-hour, le brunch, le tea-time, le menu filles et la carte, il y en a pour tous les goûts et tous les coûts dans ce loft joliment aménagé en cocon où il fait bon s'attarder, même quand les assiettes sont débarrassées et que le café est déjà avalé. Tiens, à propos d'assiettes, qu'y avait-il dedans ? Sur notre table, un tartare de bœuf et ses frites maison, un curry de poulet, pomme Granny, riz basmati et coriandre suivis d'un crumble pomme-poire et cannelle et d'un riz au lait vanillé, compotée de framboises et cassis. Et chez nos voisins ? Un crostini chorizo et fromage frais et des tapas dont une brochette de poulet et tapas de manchego et pâte de coing. Tout pour plaire !

MARGUERITE
50, rue de Clignancourt ✆ 01 42 51 66 18
M° Château-Rouge. Fermé le samedi midi et le dimanche. Menu : 15 €. A la carte, environ de 25 € à 30 €.
Derrière une devanture des plus discrètes – et pas très encourageante… –, se cache ici une bonne adresse de quartier où se mitonnent des petits plats revigorants. Sidoine propose une carte qui plaira à tous, avec un effort particulier à l'attention des amateurs de viande et de produits tripiers. Commençons par une terrine maison, avant de continuer avec un plat généreux, souvent servi en cocotte, comme le jarret de porc au praliné, à moins que l'on ne se laisse plutôt tenter par un ris de veau des plus alléchants. Les beaux appétits trouveront le ressort nécessaire pour faire honneur au dessert, avec, par exemple, la brioche façon pain perdu !

LA MAZURKA (POLONAIS)
3, rue André-del-Sarte ✆ 01 42 23 36 45
Site Internet : www.mazurka.fr – M° Anvers, Barbès-Rochechouart. Ouvert lundi, mardi et jeudi de 19h à 23h30 et vendredi, samedi et dimanche de 12h à 15h et de 19h à 23h30. Fermé le mercredi. Formules à partir de 12 € ; A la carte environ 27 €
Depuis 1985, la Mazurka représente dignement la cuisine polonaise dans une atmosphère amicale. Si les vodkas peuvent être commandées au verre, à la bouteille ou à la carafe, le restaurant propose également des bières du pays. Au menu, on ne saurait trop vous recommander les blinis aux harengs de la Baltique ou à l'espadon, les fritas à la tsigane ou les piergi à la russe (raviolis). Essayer également le koulibiak à la viande ou, plus classique, le bœuf strogonoff à accompagner d'un vin de Hongrie, de Croatie ou de Serbie. Restez dans la tradition avec des plats du jour tels que le chou farci ou plus oriental encore l'imkali (raviolis farcis au bœuf épicé, une spécialité ouzbekhe. Le patron assure l'ambiance musicale en semaine mais il cède volontiers sa place à d'autres musiciens en fin de semaine. Dépaysant !

MIROIR
94, rue des Martyrs
✆ 01 46 06 50 73
M° Abbesses. Fermé le dimanche soir et le lundi. Menus : 18 € – au déjeuner –, 25 € et 32 €.
Un sans faute pour ce bistrot rafraîchi par un trio passé par les belles maisons parisiennes. On se plaît ici autour de ces tables bistrot et plus spécifiquement dans la salle du fond baignée par un judicieux puits de lumière. L'équipe est à son affaire dans un registre bistrotier qui navigue du pot-au-feu à la volaille fermière rôtie aux cèpes en passant par les pieds de cochons poêlés, trompettes et sauce gribiche. A première vue, on pourrait penser à une cuisine roborative, mais ce n'est pas le cas, le chef a su épurer les mets, les rendre plus digestes et bien dans leur époque. L'andouillette poêlée, en voilà un bel exemple. Au Miroir, elle arrive coupée en petits morceaux avec pour voisins des croûtons. On se demande à quel destin est vouée cette andouillette jusqu'à ce que le maître des lieux la recouvre d'une crème de champignons, et voici comment une grande spécialité française retrouve une seconde jeunesse. Ce Miroir tient ses promesses et il entre dans la liste de nos bistrots préférés, et pas seulement pour la madeleine tiède servie avec le café.

LE MOULIN DE LA GALETTE
83, rue Lepic
✆ 01 46 06 84 77
Site Internet : www.lemoulindelagalette.fr – M° Abbesses. Ouvert tous les jours, midi et soir. Menus : 17 € et 25 € – au déjeuner –, 50 € et 60 €. A la carte, environ 56 €.
L'arrivée d'Antoine Heerah à la tête de cette table historique de Montmartre lui a redonné un coup de fouet. Alors certes, Antoine n'est pas souvent présent puisqu'il dirige également Le Chamarré Montmartre à quelques rues de là, mais vous pouvez faire confiance au chef qu'il a placé dans ce moulin. C'est avec lui qu'ils composent les cartes, et notre dernière visite nous a confortés sur le renouveau culinaire de cette maison. Si la formule déjeuner est idéale pour son petit prix et sa rapidité de service, elle ne reflète pas totalement le talent du chef. C'est vers la carte qu'il faut se diriger pour rendre vos papilles folles de joie, avec notamment ce consommé de bœuf, raviole éphémère de Parmesan aux oignons blancs des Cévennes, suivi d'un carré de cochon de lait croustillant, andouillette et frites maison et d'un chutney d'ananas, espuma chocolat blanc et sorbet au lait de coco.

LE NIOUMRE (SENEGALAIS)
7, rue des Poissonniers
✆ 01 42 51 24 94
M° Barbès-Rochechouart ou Château-Rouge. Ouvert du mardi au dimanche de 12h à 23h. A la carte environ 15 €.
Un vrai bistrot de quartier sénégalais pur jus, coincé entre épiceries, taxiphones et coiffeurs afro. Il est souvent considéré comme le QG de la communauté africaine de Paris, c'est donc plutôt engageant pour l'authenticité de la cuisine. La salle étroite est souvent pleine comme un œuf, surtout en fin de semaine.... Même si la carte n'est pas très fournie, elle reste savoureuse et les plats parfumés : poulet yassa aux oignons marinés au citron, mafé ou tiep bou dien sont une constante de ce maquis – petit restaurant au Sénégal –, populaire, qui propose jus de bissap ou de gingembre fait maison pour accompagner les repas. Le lieu s'anime quelquefois du doux son d'une kora vagabonde ou d'un documentaire sur le Sénégal. On se régale du dépaysement !

L'OXALIS
14, rue Ferdinand-Flocon
✆ 01 42 51 11 98
Site Internet : www.restaurantoxalis.com – M° Jules-Joffrin. Fermé le dimanche et le lundi midi. Menus : 15 € et 18 € – au déjeuner – et 27 €.
Gilles et Chantal Lambert se sont parfaitement acclimatés au 18e arrondissement, eux qui arrivaient du fin fond du 14e. Très vite, ils ont su conquérir le cœur et le palais des gourmets de l'arrondissement qui se réjouissent et se régalent dans une salle colorée d'une crème de châtaigne au magret fumé, de filets de rougets au corail d'oursin et risotto

crémeux, sans oublier les rognons de veau rôtis au romarin. La douceur du service de Chantal incite à rester pour le dessert, et c'est tout naturellement que l'on se dirige vers le crumble aux poires et aux abricots ou la mousse de citron et ses tuiles à l'orange. Longue vie dans cet arrondissement à ce couple de professionnels aguerris.

AU PALAIS DE L'HIMALAYA (INDIEN)
2, rue Briquet
✆01 42 52 03 75

Site Internet : www.aupalaisdelhimalaya.com – M°Anvers. Ouvert tous les jours, midi et soir. Menus : de 15 € à 23 €. Livraison à domicile à partir d'une commande de 15 €. Traiteur à domicile.

Situé dans une petite rue piétonnière à l'écart qui joint le boulevard Rochechouart au marché Saint-Pierre. Accueil poli, musique indienne en fond sonore, grandes tentures rouges installent l'ambiance. La cuisine est tout à fait correcte. Les adeptes de cuisine indienne seront comblés. La carte abrite les grands classiques et les spécialités bien maîtrisées, comme l'alou pakora – beignets de pommes de terre à la farine de pois chiches –, le samosa à la viande hachée et aux épices ou aux pommes de terre et aux petits pois, le morgh dal, curry de poulet aux lentilles et aux épices et l'agneau baingan, curry de gigot d'agneau aux aubergines et épices. En dessert, de classiques glaces et des salades de fruits, mais aussi des spécialités intéressantes. Essayez par exemple, le kheer, riz, lait, amandes, raisins secs et noix de coco ou le halwa, semoule, sucre, lait, amandes et noix de coco. **Autre adresse :** 73, rue Saint-Martin 4e. ✆01 44 59 37 76.

A LA POMPONNETTE
42, rue Lepic
✆01 46 06 08 36

Site Internet : www.pomponnette-montmartre.com – M°Abbesses ou Blanche. Fermé le dimanche et le lundi midi. Menus : 22 € – au déjeuner – et 34 € – au dîner.

Fondé en 1909 par Arthur Delcroix, ce restaurant respire la France comme on l'aime. Lieu de rencontres de nombreux peintres, comme Poulbot, l'endroit leur rend hommage en affichant aux murs une foultitude de toiles et d'œuvres d'art du passé. Un vrai moment de convivialité entre vieilles casseroles en cuivre et nappes à carreaux rouges, une ambiance un peu rétro, avec un accueil sur mesure. Aujourd'hui, ce sont les filles qui sont aux commandes, avec à leur côté leur équipe fidèle et rompue à toutes les épreuves. On ne résiste pas au lapin en gelée aux feuilles d'estragon, ni au réconfort d'une tête et langue de veau sauce gribiche ou d'un pied de porc pané et grillé. Et encore moins aux pruneaux à la vigneronne ou à la charlotte au fromage blanc et coulis de fruits rouges. Seul petit regret, la carte des vins, sans grand intérêt.

AU PETIT BUDAPEST (HONGROIS)
96, rue des Martyrs ✆ 01 46 06 10 34
M° Abbesses. Fermé le dimanche. Menu : 14,50 €. A la carte, environ de 25 € à 30 €.
Le tour parisien de la Hongrie commence ou s'achève à Budapest. Mais si la petite salle ressemble à un bistrot montmartrois, c'est bien de Hongrie que souhaite nous entretenir le patron moustachu dont le nom rappelle un vampire de cinéma des années 1930. Que les canines s'affûtent donc sur le goulasch, les tripes, le rôti de porc, le poulet au paprika ou le bœuf mariné aux foies de volailles avant de s'émousser sur des délices sucrés, un gâteau aux noix et au pavot – beigli – ou des crêpes fourrées aux amandes douces ou au fromage blanc.

LA REINE ZENOBIE (LIBANAIS)
234, rue Championnet ✆ 01 42 28 00 06
M° Guy-Môquet. Ouvert tous les jours de 12h à 15h et de 19h à minuit. Buffet : 13 € le midi, 18 € le soir, du dimanche soir au vendredi midi. Mezze pour deux : 45 €. Menu gastronomique 19 €. A la carte environ 25 €.
Zénobie était la reine de Palmyre dont les ruines sont aujourd'hui le fer de lance du tourisme syrien, c'est donc elle qui a donné, il y a quelques années, son nom à ce restaurant. Il vient de changer de main sans changer d'intitulé, et si la cuisine reste celle du Proche-Orient, elle est un peu plus tournée vers le Liban. En entrée un beau buffet de spécialités traditionnelles : taboulé, hommos, caviar d'aubergine, samboussik, etc. Les plats (brochettes, kefta, ailes de poulet mariné, couscous royal et autres), sont servis copieusement aussi il est parfois difficile de terminer par un dessert et c'est dommage car les pâtisseries sont délicieuses. Tous les samedis à 22h45, place au spectacle de danses orientales, et des soirées à thèmes sur des sujets culturels devraient voir le jour très prochainement.

LE RESTAURANT
32, rue Véron ✆ 01 42 23 06 22
Site Internet : www.lerestaurant.fr – M° Blanche, Abbesses ou Pigalle. Ouvert tous les jours, midi et soir. Menus : 15 € – au déjeuner – et 22 €.
Installé dans une ancienne oisellerie, ce restaurant tendance, fondé en 1989 et décoré dans un mélange de vieilles pierres, briques, mobilier et luminaires chinés, voit passer les années sans perdre de sa superbe. Le restaurant s'amuse des classiques français et saveurs venues d'ailleurs pour proposer une carte pleine d'originalité. On adore les petites sardines bleues comme à San Sebastian – huile d'olive, citron et piments –, le croustillant de chèvre et ses pommes rôties, le fondant d'agneau en tajine et ses oignons caramélisés ou l'épaule de veau mijotée à la vanille. La carte des vins fait la part belle aux petits récoltants comme aux grands crus, le choix est grand et la sélection intelligente.

LE SAFARI (INDIEN)
36, rue du Ruisseau
✆ 01 42 62 97 01/01 42 62 97 03
M° Jules-Joffrin. Ouvert tous les jours midi et soir. 4 menus à 8 € (sauf week-ends et jours fériés) et 10 € le midi ,13 et 17 € le soir.
Un éléphant à l'entrée, des statuettes de divinités, tapis et panneaux de bois sculptés de motifs floraux et une musique indienne semblant flotter dans l'air...nous voilà partis pour un safari culinaire des plus plaisants ! La cuisine est variée, composée d'excellents byrianis de crevettes, d'agneau et de poulet, d'une dizaine de plats de volailles, de poisson grillé et d' accompagnements (curry aux pois chiches, aux épinards ou champignons frais parfumés aux épices). De l'entrée au dessert, le restaurant sait aussi imprimer sa marque par des plats "maison" : un Safari mixed "grill" (agneau,poulet et poisson tikka...) un Safari Murg Kadai (poulet macéré) et, pour finir, un Safari Halwa (pâtisserie de semoule avec noix de coco, pistaches et amandes)... Pour ne rien gâcher, le thé Safari (cardamone et menthe) se laisse boire avec plaisir. De bons petits menus à prix très attractifs le midi, une cuisine des plus honorables avec de vraies découvertes gastronomiques autour de plats "à la façon" de Delhi ou Ile Bombay, l'accueil charmant et les petites attentions aux clients... que demander de plus ?

LE SOURIRE DE SAIGON (VIETNAMIEN)
54, rue du Mont-Cenis ✆ 01 42 23 31 16
M° Jules-Joffrin ou Lamarck-Caulaincourt. Ouvert tous les soirs. A la carte, environ de 35€ à 40€.
Ce restaurant allie une décoration classieuse aux charmes du Vietnam, ce qui change des traditionnels restaurants asiatiques à la déco kitsch. Le Sourire de Saïgon propose une cuisine raffinée dont la qualité est une constante depuis la fin des années 1980. Les grands classiques des spécialités fines et parfumées. Si vous raffolez des bouchées vapeur, vous serez bien inspiré de choisir un assortiment – 19€ pour deux. Les amateurs se régaleront de gambas géantes de rivière grillées au sel et au poivre ou à la sauce tamarin, de spécialités de grillades, de poissons, de viandes et ou de volailles. La carte propose également un grand choix de salades et de soupes – pho, citronnelle. Le plat spécial pour deux, servi uniquement sur réservation consiste en une remarquable fondue vietnamienne intitulée ici «Bataille autour du feu». En dessert, vous aurez du mal à résister à l'appel des glaces et sorbets signés Berthillon. A noter que ce restaurant offre également une superbe carte des vins, digne des grands restaurants.

LA TABLE D'EUGENE
18, rue Eugène-Sue ✆ 01 42 55 61 64
M° Jules-Joffrin. Fermé dimanche et lundi. Menus : 17€ – au déjeuner –, 25€ et 30€.
Depuis 2008, on note que le 18e arrondissement est en pleine révolution culinaire et cette table fait partie de celles qui ont bousculé les barricades. Qui s'en plaindrait ? pas nous, parce que l'on adore quand ça bistrote intelligemment. Le jeune chef n'est pas là pour nous refaire le coup des plats de cuisine ménagère. On sent que ce garçon a de l'entrain, de l'envie, du bagout pour donner un peu de peps, pour mettre un coup de pied dans la fourmilière. Un petit jus de viande par-ci et hop voilà vos Saint-Jacques qui reprennent des couleurs, un petit trait de vinaigre balsamique par-là et hop voilà vos chipirons entiers qui se réveillent alors qu'ils avaient osé s'assoupir pendant la cuisson. Et les fraises pendant ce temps-là, eh bien elles se réjouissent de la présence d'une crème à la citronnelle. Quant au baba, il fait le fier. Il s'est enfin débarrassé de son copain le rhum pour accueillir bras ouverts l'absinthe de ses rêves. Seul hic, la promiscuité. Les tables collées les unes aux autres, pour l'intimité, ce n'est pas ce qu'il y a de mieux.

LE WINCH
44, rue Damrémont ✆ 01 42 23 04 63
M° Lamarck-Caulaincourt. Fermé le lundi midi. Menus : 14€ – au déjeuner –, 24€ – au dîner –, 25€ et 30€.
Pendant que le 18e arrondissement vit sa révolution culinaire, Le Winch poursuit son petit bonhomme de chemin en freinant sur les augmentations. Pensez donc, en un an, le menu a vu son prix exploser d'un euro. Comme toujours, le chef, Frédéric Chevalier, continue de proposer une cuisine résolument bretonne, avec notamment deux créations récentes, les «sushis Breizh» et le «Breizh Burger»... deux clins d'œil au reste du monde tout en restant bien ancré à l'Ouest de l'Hexagone. Depuis quelques mois, l'équipe du Winch a également décidé de faire confiance aux pêcheurs de petits bateaux essentiellement basés à Perros-Guirec qui prennent dans leurs filets du bar côtier, de la lisette ou du lieu que le chef agrémente en fonction de son humeur. Breton ou pas, on ne se lasse pas de cette adresse où le sourire est de rigueur même les jours de tempête.

19e ARRONDISSEMENT

A LA BIERE
104, avenue Simon-Bolivar ✆ 01 42 39 83 25
M° Colonel-Fabien. Ouvert tous les jours, midi et soir. Menus : à partir de 13,80€. A la carte, environ de 20€ à 25€.
A La Bière est ce que l'on peut appeler une cantine de bons vivants. L'endroit, en effet, attire une foule composée d'habitants du quartier habitués à se retrouver ici, de politiciens – au vu de sa proximité avec le siège du parti communiste –, des gens de passage séduits par les petits prix pratiqués, et les bobos, inévitablement attirés par cette émulsion. Ils s'y régalent de tous les classiques de bistrots à des prix défiant toute concurrence, sans que soit lésée la qualité des produits, car ici tout est toujours frais. Choisissez parmi deux ou trois entrées du jour, le faux-filet, le poisson du jour ou des plats traditionnels, telle la choucroute, et vous constaterez que l'on peut encore bien manger à Paris sans se ruiner.

AU BŒUF COURONNE
188, avenue Jean-Jaurès ✆ 01 42 39 44 44
Site Internet : www.rest-gj.com – M° Porte-de-Pantin. Ouvert tous les jours, midi et soir. Menu : 32€. A la carte, environ de 50€ à 60€.
Installé dans une ancienne halle aux viandes de la Villette, Au Bœuf Couronné, dont la fondation date de 1865, jouit d'un décor typé Belle Epoque, élégant et tout en raffinement. Cette brasserie de luxe s'est spécialisée dans les viandes de qualité. Il y a bien quelques poissons à la carte, mais ils font presque de la figuration. C'est, vous l'aurez compris, le rendez-vous des viandards, de ceux qui ne jurent que par le pavé de rumsteck, l'entrecôte persillée, le chateaubriand, la côte de bœuf ou l'onglet qu'ils accompagnent de pommes soufflées, frites ou pommes Pompadour. Avant, ils auront enquillé une salade de gésiers, quelques escargots de Bourgogne et terminé par une île flottante, le tout chocolat ou la brioche façon pain perdu.

BISTROT DU 190
190, avenue Jean-Jaurès
✆01 40 40 09 39

M° Ourcq. Ouvert tous les jours, midi et soir. Menu : 35 €.

Idéal pour un dîner après-spectacle car situé à quelques pas du Zénith et du quartier de la Villette, ce bistrot remplace la brasserie du Dagorno qui a eu, en son temps, son petit succès. La cuisine du terroir y est à l'honneur. On y déguste du foie gras, des tajines de lotte, de la tête de veau, des fruits de mer, une crème brûlée… tous les plats que l'on trouve traditionnellement dans une bonne brasserie, une pointe de sophistication en plus. L'accueil est sympathique, et le cadre agréable est fait d'un mur aux multiples casiers à vins, ce qui rend l'endroit plutôt cosy.

LE CHAPEAU MELON
92, rue Rébeval ✆01 42 02 68 60

M° Pyrénées. Ouvert le soir du mercredi au dimanche. Menu : 31,50 €.

Caviste le jour, bistrotier le soir, ainsi va la vie d'Olivier Camus, grand défenseur des vins naturels qu'il sélectionne avec une énergie folle en allant à la rencontre des vignerons sur leurs terres ou dans des salons. Le soir, quand les habitants du quartier en ont terminé avec leurs achats de vin, Olivier sort l'ardoise des festivités version cuisine de potes. On se lève pour aller chiner dans les étagères le vin qui ira le mieux avec les beignets de fleurs de courgettes croustillants. On se rassoit pour les goûter et on se relève pour dénicher un autre trésor de la vigne qui se marierait à merveille avec la tartelette de sardines moelleuses. Et ainsi de suite pour les huîtres au foie gras à l'émulsion de noisettes et pour le bouillon Parmentier. C'est sans chichis ni froufrous. C'est ce que l'on appelle du bistrot à la bonne franquette et nous, ce type d'ambiance, on adore.

LA GUINGUETTE A VAPEUR
Rond-point des Canaux
211, avenue Jean-Jaurès ✆01 40 03 72 21

M° Ourcq ou Porte-de-Pantin. Fermé à l'heure du dîner sauf vendredi, samedi et dimanche. Menu : 25 €.

La Guinguette à Vapeur est idéale pendant les beaux jours, vu son emplacement et les volumes qu'elle offre. Son cadre et sa tranquillité sont appréciables si l'on a envie de faire un break nature en ne s'éloignant pas de Paris – même si, ici l'on est aux portes. Grandes assiettes fraîcheur, salades, viandes et poissons à la plancha, cuissons à la vapeur de différents produits et pleins d'autres gourmandises surprenantes sont à découvrir ici, à deux ou entre amis, car il y a de la place. Idéal aussi l'été avant les séances ciné en plein air dans le parc de la Villette, on ne se lasse jamais de cet endroit où l'on peut vraiment passer la journée.

L'HERMES
23, rue Mélingue
✆01 42 39 94 70

M° Pyrénées ou Jourdain. Fermé le dimanche, le lundi et le mercredi midi. Menus : 16,30 € – au déjeuner – et 30 €.

Joli bistrot sobre et traditionnel, L'Hermès est spécialisé dans la chaude cuisine du Sud-Ouest français, copieuse et élaborée. Sont à l'honneur le porc noir gascon, le cassoulet et haricots tarbais, les tartines de foie gras cru avec leur bouillon et un chutney, les bouillinades, le croustillant de turbot au Roquefort, puis les tartelettes de chocolat noir aux amandes… Bref, tous ces plats sont servis avec l'accent de là-bas, et l'on se croirait en vacances tant la cuisine est authentique. Le menu change toutes les semaines, et la carte tous les quinze jours, en fonction du marché.

L'ILIADE (TURC)
59, rue de Belleville
✆01 42 01 19 22

M° Belleville. Ouvert tous les jours, midi et soir. Menus midi : 13 € et 21 €. Le soir : 22 € et 27 €. A la carte, environ 35 €.

L'épopée est ici culinaire, à travers les gastronomies authentiques d'Antioche et de la Turquie millénaire, auxquelles s'ajoutent de belles spécialités grecques. Un patron agréable et dévoué, qui plus est, qui vous propose un feuilleté au foie de veau et aux noix, pistaches et amandes ou un gigot au gingembre. Notre coup de cœur reste pour l'Inçik, une souris d'agneau avec tomates et aubergines caramélisées aux carottes et parfumées à la sarriette. Autant de préparations dignes d'un restaurant gastronomique… Au chapitre des viandes, signalons leur excellente qualité (celles viennent du Gers ou du Limousin entre autres). Les vins ne sont pas en reste : un retsina arrosera tout cela avec bonheur. Au dessert enfin, le rôti de poire au miel vous fera certainement fondre. A découvrir absolument.

LE LAUMIERE
4, rue Petit ✆01 42 02 46 71

Site Internet : www.restaurantlelaumiere.com – M° Laumière. Fermé le dimanche soir et le lundi. Menu : 19,90 €. A la carte, environ de 25 € à 40 €.

Le Laumière est avant tout un restaurant dont la spécialité est le poisson. Véritable bouillabaisse à la marseillaise, véritable quenelle de brochet façon Louis XIV, tatin de chèvre frais aux échalotes confites, salade de gallinettes, duo de panna cotta et gaspacho de fruits rouges aux épices raviront les amateurs qui n'en reviendront pas, car c'est une cuisine rare dans la capitale. La carte change assez souvent en fonction des saisons, bien sûr, mais varie aussi de semaine en semaine, au gré des produits que l'on trouve sur le marché.

MON ONCLE LE VIGNERON
2, rue Pradier ✆ 01 42 00 43 30
M° Belleville. Fermé le dimanche et le lundi. A la carte, environ de 20 € à 25 €.
Epicerie artisanale et cave à vins d'abord, l'endroit fait aussi table d'hôtes. Il faut appeler pour réserver, et à ce moment-là, le patron vous annonce le menu du jour. C'est drôle, on a l'impression d'aller manger chez des amis. Une fois arrivé, on sort les assiettes, on s'assied et on déguste le menu, généralement unique. Un bon choix de vins sur la carte permet de trouver celui que l'on préfère parmi une sélection de petits producteurs, ce qui encourage toujours la découverte et les bonnes surprises. On en ressort content, on a bien mangé et rencontré plein de gens sympas, à l'image du patron qui tient cet endroit plutôt atypique.

QUEDUBON
22, rue du Plateau ✆ 01 42 38 18 65
M° Buttes-Chaumont. Fermé le dimanche soir. Menus : 14 € et 16,50 € – au déjeuner. A la carte, environ de 25 € à 30 €.
On a cru un instant qu'il ne se passait plus rien sur le front de la gourmandise dans cet arrondissement. Et puis, Quedubon a montré son nez, et là on s'est dit qu'il y avait encore de l'espoir. L'adresse a de l'allure avec son parquet brut, ses petites tables bistrotières et ses clients qui hésitent entre acheter une bouteille de vin et la boire à la maison ou rester pour se régaler. Finalement, ils restent car ils viennent de voir passer un millefeuille de betterave et ricotta qui leur a ouvert l'appétit. Derrière, une bavette à la citronnelle et au miel, poêlée de courgettes et pommes sautées et enfin, quelques prunes en gelée rafraîchissantes à souhait. Et la bouteille alors ? «On va quand même la prendre, on la débouchera demain soir». C'était quoi ? un sauvignon de Touraine signé Thierry Puzelat. Que du bon, on vous dit !

AU RENDEZ-VOUS DE LA MARINE
14, quai de la Loire ✆ 01 42 49 33 40
M° Stalingrad ou Jaurès. Fermé le dimanche et le lundi. A la carte, environ 34 €.
Caché derrière le cinéma MK2, ce joli restaurant ressemble à ceux que l'on aperçoit sur les bords de mer, dans les tons classiques de bleu et de blanc, et à la déco vieillotte, mais charmante. Coude à coude, on déguste un délice de poivrons rouges cuits à l'ail et à l'huile d'olive, des assiettes nordiques, des gambas du chef ou des calamars farcis, en des portions qui sont plus qu'honorables, sinon énormes, à des prix, somme toute, très corrects ! La carte change deux fois par an, en hiver, puis en été. Le restaurant compte environ soixante couverts, mais il est très souvent complet midi et soir, pensez donc à réserver si vous voulez tenter l'expérience entre amis, et vous ne serez certainement pas déçu.

SUSHIYA (JAPONAIS)
12, rue Pradier ✆ 01 42 02 85 82
M° Buttes-Chaumont ou Pyrénées. Fermé le lundi. Menu : 18 €. A la carte, environ de 20 € à 30 €.
Figure du quartier, l'honorable petit Japonais qui gère en solo son minuscule restaurant s'est installé dans cette rue quand le coin n'était pas encore à la mode et que la cuisine japonaise n'était pas tendance. Il lui a fallu beaucoup de courage, surtout que son français était très approximatif, mais la fraîcheur de ses produits et leur qualité ont aidé à son installation, et il jouit aujourd'hui d'une excellente réputation. Assiette de sushis, sashimis, futomakis, hyanakko pour deux personnes – pâtes de soja fraîches.

LE VENTRE DE L'ARCHITECTE
4, rue Burnouf ✆ 01 42 41 03 08
Site Internet : www.leventredelarchitecte.fr – M° Colonel-Fabien ou Belleville. Fermé le samedi midi et le dimanche. A la carte, environ de 20 € à 25 €.
Simplement pour entendre le bel accent de la cuisinière, originaire de Narbonne, on pourrait y venir tous les jours. Mais en dehors de cet accent chantant, il y a aussi la cuisine proposée à l'ardoise avec moult spécialités qui sentent bon le terroir. Le hachis Parmentier concurrence le poulet aux olives qui lui-même tente de sortir du lot pour éviter que le magret soit l'élu du jour. Quant aux gambas, elles réussissent à faire oublier le confit. C'est propre, c'est net, l'ambiance est au taquet et on le redit, on adore l'accent de la cuisinière.

ZOE BOUILLON
66, rue Rébéval ✆ 01 42 02 02 83
M° Belleville ou Pyrénées. Fermé le dimanche, le lundi soir, le mardi soir et le mercredi soir. Formules de 9 € à 11,50 €.
Qui dit bouillon, dit soupes, mais n'allez pas imaginer qu'il n'y a que ça. Bon entre nous, ce serait dommage de ne venir que pour un morceau de cake, mais promis on ne juge pas. Cependant, comment pourriez-vous résister à toutes ces soupes préparées avec amour avec les produits du marché. Petits pois à la menthe, ça ne vous tente pas ? Alors, que diriez-vous d'une soupe de carottes, courgettes et cumin, à moins que vous ne préfériez la royale de laitue aux champignons ou haricots tarbais au thym. De toutes façons, chez Zoé, ça change au gré des saisons. Il y aura forcément un jour où l'intitulé vous fera frémir de plaisir. Et si vraiment, vous êtes venus pour les cakes, comment pourrions-nous vous en vouloir. Ils sont délicieux, à commencer par celui au cantal, abricot sec et pistache, mais celui à la tomate séchée et aux olives a aussi son mot à dire. Et pour finir ? une soupe pardi, mais au chocolat noir et cappuccino de réglisse. Vous voyez, vous avez fini par avaler une soupe… sucrée, certes, mais une soupe quand même !

20e ARRONDISSEMENT

2 SANS 3 (PORTUGAIS)
203, avenue Gambetta ✆ 01 40 31 86 07
M° Saint-Fargeau ou Porte-des-Lilas. Fermé le dimanche et le lundi. Menus : 10,50 € et 21 €. A la carte, environ de 25 € à 30 €.
Une devanture d'un joli prune à la mode, un décor assez tendance qui n'a pas renié quelques faïences d'autrefois et une carte franco-hispano-portugaise qui se décide au gré du marché… Le 2 Sans 3 s'est taillé une petite renommée dans le quartier et au-delà. Le patron est portugais et connaît son affaire en matière de cuisine. Sa carte, assez simple finalement, mélange allègrement spécialités d'ici et de là-bas, dominée tout de même par des préparations de morue et quelques verres de vinho verde ou d'une bière portugaise.

LES ALLOBROGES
71, rue des Grands-Champs ✆ 01 43 73 40 00
M° Maraîchers ou Buzenval. Fermé le dimanche soir et le lundi. Menus : 20 € et 34 €. A la carte, environ de 45 € à 50 €.
M. et Mme Rousseau sont désormais bien implantés dans le quartier et nombreux sont les connaisseurs à avoir fait de leur restaurant leur QG gourmand. Dans un décor crème, l'on déguste du foie gras roulé dans du jambon de canard, de la langue de veau confite, du tournedos d'agneau, puis un excellent cigare de ganache au rhum ou un fondant sauce mangue et sabayon à la griottine. C'est une cuisine gastro en fonction du marché et des saisons. Le service est professionnel, et même si l'atmosphère manque d'un fond de musique, on est confortablement installé au calme pour déguster des assiettes à la présentation soignée.

L'ANGE GARDIEN
189, rue des Pyrénées ✆ 01 43 58 59 97
Site Internet : www.lange-gardien.net– M° Alexandre-Dumas ou Gambetta. Fermé le dimanche. Menus : 9,50 € – au déjeuner – et 12,50 €. A la carte, environ de 26 € à 62 €.
Ça sent bon le Sud-ouest dans ce bistrot de quartier et de tradition. Tous les jours, on fait ripaille à coups d'œufs pochés en cocotte au foie gras, de brick de chèvre frais, de tartine de foie gras rôti, de tatin de l'Ange et son foie gras poêlé, sans oublier l'entrecôte d'Argentine et le camembert rôti au thym et au romarin. En résumé, du solide, du «qui tient au corps», mais le tout servi dans une bonne ambiance de potes et sans prétention. En gros, à la bonne franquette.

LE BARATIN
3, rue Jouye-Rouve ✆ 01 43 49 39 70
M° Pyrénées ou Belleville. Fermé samedi midi, dimanche et lundi. Menu : 16 €, – au déjeuner. A la carte, environ de 30 € à 40 €.
Certains poussent la porte pour boire un verre de vin nature, d'autres patientent en attendant qu'une table se libère, d'autres enfin arrivent à la bourre et rejoignent une tablée de copains. Ici, le volume sonore atteint des sommets, mais c'est pour la bonne cause, celle du plaisir de dire haut et fort tout le bien que l'on pense de cette daube de joues de bœuf que l'on vient d'attaquer après avoir tordu le cou à un céviche de cabillaud. La coupable se nomme Raquel. Elle seule sait nous émouvoir avec sa cuisine bistrotière. On aimerait l'embrasser comme du bon pain avant de partir pour la remercier de nous avoir encore une fois gâtés, et au passage lui demander ce qu'elle a prévu pour demain. «Un pigeon avec des pommes grenailles». Allez hop, on réserve. Comment ça c'est complet ? et après-demain ? il me reste deux couverts. On prend et si par malheur on avait un empêchement de dernière minute, il y aura forcément dans nos amis, un couple prêt à nous remplacer à la dernière minute. Une table au Baratin, ça ne se refuse pas.

BISTROT 1929
49, rue Orfila ✆ 01 46 36 73 60
M° Gambetta. Ouvert tous les soirs. A la carte, environ de 30 € à 35 €.
En semaine, l'ardoise guide les envies, en fonction du marché. La cuisine est traditionnelle, à l'image de sa côte de bœuf, mais il faut souligner l'effort constant pour présenter les plats de tradition avec une touche inventive de bon aloi. La cuisine est aussi généreuse que savoureuse ! De belles découvertes telles que la crème brûlée au foie gras en entrée que les bobos du XXe adorent, la tatin de camembert, le parmentier de lieu ou le crémeux à la noix de coco. Notre dernier coup de cœur : un duo de guacamole et queue d'écrevisses suivi de chipirons «a la plancha» avec tagliatelles noirs à l'encre Le 1929 est une valeur sûre, fréquentée par une clientèle variée et joyeuse qui apprécie en plus la qualité de la carte des vins pensée par le maître des lieux, aussi convivial que courtois.

CHANTEFABLE
93, avenue Gambetta
✆ 01 46 36 81 76

Site Internet: www.chantefable.fr – M° Pelleport. Ouvert tous les jours midi et soir. A la carte, environ 32 €.

Une belle salle au charme d'antan où des reproductions de peintures de Toulouse-Lautrec sont mises en valeur par les reflets de grands miroirs, une très grande terrasse donnant un peu en retrait sur l'avenue, une cuisine bistrotière à l'ardoise qui change tous les jours, une carte des vins qui tient la route et un excellent rapport qualité/prix, ce sont toutes les qualités qui font de ce lieu une adresse incontournable dans le quartier. Les plats sont dans la bonne lignée d'une cuisine traditionnelle toujours appréciée : en entrée, un foie gras maison et sa gelée, puis arrive la planche du boucher et ses frites -elles aussi faites maison- et pour finir une fondue de fruits frais. C'est la vraie brasserie parisienne de grande qualité, souvent bondée, il est donc prudent d'arriver assez tôt ou de réserver.

LE BISTROT DES SOUPIRS
49, rue de la Chine ✆ 01 44 62 93 31

M° Pelleport. Fermé le dimanche et le lundi. Menu : 17 € – au déjeuner. A la carte, environ de 35 € à 45 €.

Perché en haut de la rue de Chine, arrivé au vieux Ménilmontant, Le Bistrot des Soupirs mérite un vrai détour. D'abord, parce que c'est là que se trouve le passage des Soupirs, repaire éternel des amoureux, mais aussi parce que ce restaurant propose un cadre plutôt dépaysant. La déco kitsch et rétro – faux arbres en plâtre, faux chalets, arbre à chapeau, nappes à fleurs… –, transporte ailleurs et attire une foule panachée. Côté cuisine, les patrons ont souhaité mettre à l'honneur des plats traditionnels qui suivent les produits de saison. Gibier lors des débuts du froid, huîtres en fin d'année trônent aux côtés des gésiers confits, rognons de veau, belle côte de bœuf, le tout accompagné de bonnes garnitures et de sorbets exotiques faits maison.

AU BŒUF GROS SEL
120, rue des Grands-Champs
✆ 01 43 73 96 58

M° Buzenval ou Maraîchers. Fermé le dimanche et le lundi. Menu : 12,50 € – au déjeuner – et 26 €. A la carte, environ de 25 € à 35 €.

Dans ce petit restaurant atypique, on vous accueille avec une cuisine traditionnelle. Les entrecôtes, les pâtes et les rillettes, sans oublier la spécialité évidente de la maison : le bœuf gros sel mitonné dans de savoureux petits légumes est un pur régal ! Très bon rapport qualité-prix. L'ambiance est chaleureuse, empreinte de simplicité et de naturel. Une adresse où l'on se sent à l'aise entre les multiples objets collector – moulins, trophées de chasse, voitures – , et le sourire de la patronne.

LA BOULANGERIE
15, rue des Panoyaux ✆ 01 43 58 45 45

M° Ménilmontant. Fermé le samedi midi et le dimanche. Menus : 14 € et 17 € – au déjeuner – et 30 €. A la carte, environ de 35 € à 40 €.

Installé depuis 1999 en lieu et place d'une ancienne boulangerie, ce restaurant «branchouille» est devenu la cantine préférée des bobos du quartier. Le cadre bistrot – carreaux du sol au plafond, vieux comptoir et faïence –, laisse place à une cuisine de saison. A la carte, cinq entrées, cinq plats et cinq desserts, qui changent tous les mois pour suivre les saisons, mais aussi pour ne pas lasser l'importante clientèle d'habitués. Les vins au compteur permettent de payer ce que l'on boit. Dans notre assiette, pour elle, foie gras poêlé au balsamique, suivi de Saint-Jacques sauce à l'orange sur lit d'épinards frais, pour lui, filets de rougets et risotto aux olives noires gratiné, mais il a longtemps hésité avec la cassolette de joues de porcelet sauce au maroilles.

CHALBENS
33, rue de Chine ✆ 01 40 33 48 01

M° Pelleport. Fermé dimanche et lundi. Menu : 12,50 € le midi – plat du jour et café gourmand. A la carte, environ de 25 € à 45 €.

Le Vin Chai Moi que nous aimions tant fait place au Chalbens, dirigé par un jeune couple du quartier,

Sophie et Julien Gérome, qui ont conservé, avec le chef, un bel héritage culinaire «bistrotier». Un registre élégant et classique : foie gras de canard mi-cuit et chutney, poêlée de girolles et pleurotes œuf poché, suprême de volaille et galettes de pommes de terre à la coriandre, sans oublier le crumble du moment et le fondant au chocolat amer. Les produits sont du marché et de saison, les préparations ancrées dans la tradition s'enrichissent de quelques touches inventives toujours au service du goût – velouté de potimarrons aux pépites de châtaignes, canard confit au filet de cabillaud en habit craquant de polenta et Parmesan… Une carte des vins qui explore vins de pays, réserves «prestige» et premiers crus, le tout à des prix sages. Accueil sympathique et attentionné…

JAIPUR PALACE (INDIEN)
11, avenue du Père-Lachaise
✆01 47 97 65 77
Site Internet : www.jaipurpalaceparis.com
M° Gambetta. Ouvert tous les jours, midi et soir. Menus : 13€ – le midi –, 19€ et 27€.
Au programme de ce restaurant élégant des spécialités du Nord de l'Inde, avec un grand choix de tandooris, de biryanis – plat à base d'épices et de riz basmati –, de légumes et de pains sans oublier de délicieuses spécialités comme le jarret d'agneau longuement mariné dans différentes épices puis cuits au feu de bois, les morceaux de poulet marinés aux épinards, épices et coriandre, le poisson mijoté dans du lait de coco parfumé aux épices. Selon les plats que vous choisirez, vous pouvez pour une fois écarter le riz parfumé aux épices et opter pour l'original riz aux petits pois. Les desserts sont classiques mais savoureux : glace indienne maison aux pistaches ou encore gâteau de semoule aux fruits secs. A conseiller pour découvrir l'authenticité de la cuisine indienne.

LA MAISON D'ITALIE (ITALIEN)
27, avenue Gambetta ✆01 46 36 74 75
M° Père-Lachaise. Ouvert tous les jours, midi et soir. Menus : 12€ – au déjeuner – et 18€.
Amro Faragalla, natif de la région de Gorgonzola, a ouvert sa Maison d'Italie parisienne il y a bientôt trois ans. Près de 70 personnes peuvent s'attabler dans la salle de ce restaurant aux couleurs de l'Italie, et quand viennent les beaux jours, une petite terrasse vous tend les bras. A la carte, un grand choix de pizza, parmi lesquelles la Spéciale Maison d'Italie : prosciutto di Parma et parnegianno reggiano, entendez jambon de Parme et Parmesan, servie avec un pot de crème fraîche… Délicieuse ! Vous apprécierez comme nous le choix de grillades, de plats de pâtes et de poissons, et à l'heure du dessert, la gourmandise vous poussera vers une panna cotta ou un tiramisu… Une bonne cuisine et un patron jovial qui sait accueillir en début – 18h – ou en fin – 23h – de soirée avec une gentillesse qui ne se dément jamais.

ROYAL FATA CIM (CHINOIS)
237, rue des Pyrénées ✆01 43 66 99 86
M° Gambetta. Ouvert le soir de 19h à 23h. Menu : de 11,80€ à 35€, menu pour 2 à 52,80€.
Un restaurant sobre vu de l'extérieur, et pourtant il mérite que l'on pousse la porte. Le cadre est élégant ; on s'installe dans un salon chargé de bouquets de fleurs exotiques, d'objets asiatiques et derrière les piliers ou les paravents, on admire le ballet aquatique des poissons du gros aquarium ainsi que le haut du bar sculpté en forme de pagode. On vient y déguster des spécialités vietnamiennes et thaïlandaises à la vapeur, un très bon canard piquant au basilic, un filet de poisson sauté au gingembre ou une coquille saint-jacques sel et poivre sur plaque chauffante et autres spécialités d'Orient. Le personnel est très accueillant et prévenant.

RESTAURANTS

MAMA SHELTER
109, rue de Bagnolet ✆01 43 48 48 48
Site Internet : www.mamashelter.com –M° Alexandre-Dumas. Ouvert tous les jours, midi et soir. A la carte, environ 40 €.
A l'instar du l'hôtel Kube dans le 18e popu, Mama Shelter en a surpris plus d'un en posant ses cent soixante-douze chambres dans le quartier Saint-Blaise face à la Flèche d'Or. Dessiné par Philippe Starck, cet hôtel abrite un gigantesque bar et une table qui s'est offerte un consultant de luxe, Alain Senderens, habituellement scotché dans le 8e arrondissement, qui a voulu faire de cette cantine chic, un endroit où l'on picore en fonction de son humeur ou de sa faim. Ça n'a rien de gastronomique, ça colle simplement à l'air du temps à coup de crème de potiron, de terrine de foie gras, de cocotte de légumes ou d'agneau au curry vert. Les glaces signées Grom, considérées parmi les meilleures glaces artisanales de Paris, viennent conclure l'instant gourmand en battant à plates coutures les sempiternels moelleux au chocolat et crème brûlée.

AUX PETITS OIGNONS
11, rue Dupont-de-l'Eure
✆01 43 64 18 86
M° Pelleport. Fermé le dimanche soir et le lundi. Menus : 14 € – au déjeuner. A la carte, environ de 20 € à 30 €.
Laura et Paul ont repris au printemps 2008 ce bistrot sur les hauteurs du 20e arrondissement. Décontracté, tel pourrait être le meilleur qualificatif pour résumer l'ambiance de ce joli lieu de gourmandise où l'on peut passer pour boire un verre et grignoter une assiette de fromages ou quelques charcuteries. Cependant, si vous avez un peu de temps devant vous, prenez place et sustentez-vous, il y a du bonheur dans toutes les assiettes, que ce soit avec la terrine de raie, le râble de lapin aux girolles, le sauté de veau aux agrumes ou la classique entrecôte à la fleur de sel avec ses frites généreuses. Une crème brûlée pour la route, et en sortant on promet que l'on reviendra dans les meilleurs délais.

LES TROIS MARMITES
8, rue Julien-Lacroix
✆01 40 33 05 65
M° Ménilmontant. Fermé le dimanche et le lundi. Menus : 11,50 € – au déjeuner – et 19 € – au dîner.
En lieu et place d'un mythique bal populaire disparu au XIXe siècle, ce bistrot en a toutes les saveurs, un brin de sophistication en plus. Le flan de panais – un légume oublié–, dialogue avec une crème brûlée au foie de canard et raisin confit, le rôti de veau est farci aux figues, et la cuisse de canard aux pêches annonce le crémet d'Anjou et son coulis de framboise. Le tout à un prix très raisonnable. Les Trois Marmites existe pour les amateurs de cuisine traditionnelle, avec cette touche française particulière que l'on ne pourra jamais ôter à notre gastronomie nationale. Une bonne adresse pour les fines bouches, qui n'aiment pas forcément la pompe des lieux guindés.

LE ZEPHYR
1, rue du Jourdain
✆01 46 36 65 81
Site Internet : www.lezephyrcafe.com – M° Jourdain. Ouvert tous les jours, midi et soir. Menus : 13,50 € – au déjeuner – et à 23 € et 40 €. Brunch à 20 € et 25 €.
Dans ce décor original de brasserie des années 30 avec bois patiné, fresques et sol de mosaïque, on y croise tous les gourmands du quartier dès potron-minet pour le petit déjeuner, mais surtout aux heures de repas où ils sont nombreux à venir se régaler des grands classiques propres à ce type d'établissements. D'un côté il y a les inconditionnels du foie gras, la spécialité de la maison, de l'autre ceux du tartare au couteau accompagné de parmesan, tomates séchées et vinaigrette de truffe. Et puis, il y a encore les autres, qui apprécieront une salade d'asperges au vinaigre balsamique, un faux-filet et sa béarnaise, et une trilogie de fraises pour finir. C'est vraiment fait maison et la carte varie en fonction des saisons.

PETITE COURONNE

Hauts-de-Seine (92)

CAFE PENTO
33, rue Marcel Dassault – BOULOGNE-BILLANCOURT ✆ 01 47 61 90 10
M° Porte-de-Saint-Cloud. Fermé le samedi et le dimanche. A la carte, environ de 30 € à 35 €.
Cantine dans le bon sens du terme de tous les publicitaires de Boulogne, ce Café Pento, très jazzy dans sa décoration est un point de chute très agréable. On se sent chez des amis quand on entre et c'est tout naturellement qu'ils nous accompagnent jusqu'à notre table avant de déclamer les festivités du jour. Tartare de Saint-Jacques, magret de canard et sa sauce sucrée – salée, potée aux choux et un mi-cuit de légende pour terminer. Ce restaurant fait le plein depuis des années à deux pas du Parc des Princes et on comprend pourquoi quand on y a goûté… mais surtout, on revient avec grand plaisir.

LA CAN TIN'H (VIETNAMIEN)
5, rue de Vanves – BOULOGNE-BILLANCOURT ✆ 01 46 08 14 12
M° Porte-de-Saint-Cloud. Fermé le samedi, le dimanche, le lundi soir et le mardi soir. Menus : 11 €, 14 € et 18 €.
Le sourire ravageur d'Irène suffit à notre bonheur. Elle pourrait avoir oublié de préparer à manger que nous ne lui en voudrions même pas. Heureusement, elle est fidèle au poste et tous les jours, elle joue à guichets fermés dans sa petite salle moderne et colorée où sont accrochées de très belles photos de son pays ou de sa maman à son arrivée en France. Adepte du frais et rien que du frais, ces petits plats sont de pures bombes de parfums et de saveurs. Parmi nos préférés, le cao lau – pâte de riz udon, porc aux cinq épices relevé aux herbes aromatiques –, la salade thaï – ananas frais, concombre, salade, crevettes et assaisonnement au tamarin pour plus de légèreté –, le bun au poulet ga, au porc mariné ou aux crevettes. Le tapioca au lait de coco et mangue permet de prolonger l'instant.

CHEZ CLEMENT BOULOGNE
98, avenue Edouard-Vaillant – BOULOGNE-BILLANCOURT ✆ 01 41 22 90 00
Site Internet : www.chezclement.com – M° Marcel-Sembat. Service continu 7j/7. Formule à 14 €, menu à 23 €. Plateaux de fruits de mer Clément à partir de 28 €. Carte aux environs de 30 €.
Chez Clément Boulogne est un rayon de soleil à lui tout seul ! Après avoir franchi le pas de la porte, vous vous retrouvez comme sur la place d'un marché provençal avec sa fontaine et les couleurs chaudes des murs. Club-house de golf ou épicerie, vous serez surpris à tous les niveaux ! Vous pourrez également, dès les beaux jours, déjeuner sur la terrasse qui donne directement sur le petit jardin aux rosiers magnifiques. La carte vous propose des saveurs exotiques ou traditionnelles avec des produits de la mer ou les arrivages du marché. Les plats du rôtisseur à 19,50 €, spécialités de Chez Clément, comportent quatre viandes ou quatre poissons et sont accompagnés de purée maison au beurre ou de véritables pommes Pont-Neuf.

DU COTE CUISINE
112, avenue Victor-Hugo – BOULOGNE-BILLANCOURT ✆ 01 48 25 49 20
Site Internet : www.ducotecuisine.fr – M° Marcel-Sembat. Fermé le dimanche et le lundi. Menus : 35 € – au déjeuner –, 43 € et 70 €.
Ne vous fiez pas à la modeste devanture de ce restaurant, le meilleur est à l'intérieur, à commencer par l'accueil souriant et détendu d'Amélie qui a décoré avec beaucoup de goût la salle principale prolongée par un jardin dans lequel, à n'en pas douter, nous devrions passer d'excellentes soirées quand les températures seront au-dessus des normales saisonnières. La cuisine est assurée par un ancien de chez Michel Rostang, et son talent est à la hauteur de son CV, comme le prouvent les excellentes préparations que nous avons testées lors de notre venue. Le festival a débuté par un foie gras chaud de canard, chutney exotique aigre-doux. Il s'est poursuivi par un étonnant croque-monsieur aux truffes, puis un dos de bar accompagné d'un risotto d'épeautre, avant que le soufflé au chocolat ne vienne nous rappeler qu'il était temps de lever le camp. Si la prochaine fois que nous venons, nous dînons dans le jardin, rien ne dit que ce soufflé aura le pouvoir de nous faire déguerpir.

COTI'S CAFE
130, rue d'Aguesseau – BOULOGNE-BILLANCOURT ✆ 01 55 19 84 88
M° Billancourt. Service de 12h à 14h30.
Quoi de plus agréable pour la pause déjeuner que la bonne humeur du maître des lieux et de son équipe. Du Filet de Bar à la Plancha et sa fameuse purée maison à l'huile d'olive au Tartare maison, en passant par la formule du jour «A l'ardoise» à 17 € – entrée – plat – dessert –, le rapport qualité-prix reste le maitre mot des lieux. Le Coti's Café saura, de part sa cuisine raffinée et la bonne humeur de son équipe vous faire passer un agréable moment, et pourquoi pas sur sa terrasse d'été pour les amateurs de soleil.

BARBEZINGUE
14, boulevard de la Liberté – CHATILLON ✆ 01 49 85 83 50

Fermé le lundi. Menus : 17 € et 30 €.

Le chef, Thierry Faucher, récidive. Après son Os à Moelle dans le 15e arrondissement et sa cave voisine, le voici encore plus au sud dans cette ville sans histoire, Chatillon. Et comme on ne change pas une équipe qui gagne, Thierry a ressorti tout ce qui fait son succès. Un décor rétro avec moult étagères copieusement garnies de jolis crus, une table d'hôtes, des chaises de bistrots et une cuisine façon popote de potes avec son cortège de petits plats type soupe de lentilles, œuf mollet, compotée de bœuf pour ceux qui opteraient pour la table d'hôtes. Plus élaborés pour celles et ceux qui préfèrent prendre place côté restaurant et se faire servir. Un conseil, venez deux fois. La première pour les plats énumérés ci-dessus, la seconde pour goûter la poitrine de veau braisée et sa mousseline de céleri. Et si une place se libère en terrasse, demandez à ce que votre café y soit servi. Après les quenelles de chocolat, il n'en sera que meilleur.

LA LOGGIA (ITALIEN)
123, boulevard Victor-Hugo – CLICHY ✆ 01 47 37 33 33

M° Mairie-de-Clichy. Fermé le samedi et le dimanche. A la carte, environ de 30 € à 35 €.

Dans une grande salle déployée autour d'un bar central, la clientèle avisée vient se restaurer de généreuses assiettes d'antipastis – pancetta et provoletta fumée –, de succulentes spécialités de pâtes – pennes ou tortellinis à la crème et au prosciutto di Parma, le fameux jambon de Parme –, de délicieux plats de viandes ou de poissons déclinés en recettes transalpines. Les habitués sont nombreux, voisins et employés des bureaux alentour, conquis par l'excellence de la cuisine et la gentillesse de l'accueil. Ils accompagnent volontiers leur déjeuner, par exemple, d'une bouteille de valpolicella.

LA ROMANTICA (ITALIEN)
73, boulevard Jean-Jaurès – CLICHY ✆ 01 47 37 29 71

Site Internet : www.laromantica.fr – M° Mairie-de-Clichy. Fermé le samedi midi et le dimanche. Menus : 38 € et 49 € – au déjeuner – et 48 € et 65 € – au dîner.

Claudio Puglia, chef de la gastronomie italienne, vous invite à un fabuleux défilé des saveurs. Le cadre, au doux mélange d'ancien et de modernité avec une cheminée à colonnades, des poutres apparentes au plafond et un mobilier moderne, donne au restaurant un charme indéniable. Le lieu est idéal pour un dîner romantique, pour une réunion de famille ou entre amis. Une magnifique cour jardin vous accueille pour les beaux jours. Ici, ce n'est pas un restaurant italien classique mais une redécouverte des produits locaux : langoustines dorées et caviar d'aubergines aux olives, fricassée de soupions à l'ail frais et aux deux citrons, polenta et jus de langoustines à la coriandre, pâtes fines, à la crème légère de sauge, flambées dans une roue de Parmesan, cannellonis de cèpes et joue de bœuf à la truffe noire de Norcia, côte de veau au fromage fumé de bufflonne. Pour terminer ce festin, un tiramisu crémeux et léger façon Romantica ou la fondue au chocolat gianduia chaud, fruits frais et guimauve à la menthe.

ISSY GUINGUETTE
113 bis, avenue de Verdun – ISSY-LES MOULINEAUX ✆ 01 46 62 04 27

Site Internet : www.chemindesvignes.fr – M° RER C Issy. Fermé le lundi soir, le samedi midi et le dimanche. Menus : 27 € et 33 €.

Un petit coin de paradis du côté d'Issy. Ce restaurant n'est pas visible de la route. Il faut grimper quelques marches, traverser le vignoble isséen pour enfin apercevoir cette guinguette prolongée aux beaux jours d'une immense terrasse, l'une des plus secrètes à deux enjambées du périphérique. Le cadre est bien plus enchanteur que la cuisine, mais le chef, Pascal Champ, ne démérite pas. Son credo, des plats champêtres, de cuisine ménagère et de terroir comme la terrine de raie pochée aux herbes fraîches et condiments, le dos de cabillaud rôti, la longe de veau confite émulsion à la marjolaine qui précède une fine tartelette tiède aux pommes.

LES QUARTAUTS
19, rue Georges-Marie – ISSY-LES-MOULINEAUX ✆ 01 46 42 29 38

M° Corentin-Celton. Fermé tous les soirs de la semaine, samedi et dimanche. Menu carte : 28 €.

Niché dans une petite rue derrière le parc des Expositions de la porte de Versailles, ce bistrot fait le plein à l'heure du déjeuner. A table, des bons vivants, des adeptes de la cuisine ménagère, des habitués qui savent que l'on ne peut pas réserver et qui viennent le plus tôt possible pour être certains de profiter des festivités du jour. Au programme, une poignée d'entrées type terrine au foie gras, saumon mariné ou charcuteries. A suivre, les plats du jour bien ancrés dans notre terroir et dans notre patrimoine comme l'andouillette et ses pommes sautées, le boudin purée ou la côte de bœuf pour deux personnes. Et pour finir, la tarte du moment, le clafoutis poire-chocolat ou la salade d'agrumes que l'on prend, un parce que l'on a encore un peu de temps, deux parce que la bouteille de Bourgueil de chez Breton n'est pas terminée et qu'il serait dommage de la laisser.

LA MANUFACTURE
20, esplanade de la Manufacture – ISSY-LES-MOULINEAUX ✆ 01 40 93 08 98

Site Internet : www.restaurantmanufacture.com

– Fermé samedi et dimanche. Menus : 28,50 € et 36 €.

Depuis quinze ans, le Breton, Jean-Christophe Lebascle réussit l'exploit d'attirer dans cette ancienne manufacture des tabacs inscrite aux Monuments historiques en 1984. Il faut dire qu'il a pour lui un décor spacieux et contemporain et une cuisine qui lorgne régulièrement vers le soleil de la Méditerranée. Ce n'est pas là-bas qu'il va chercher ses légumes, mais à Rungis au Carré des Producteurs, ce qui lui permet de rapporter des légumes majoritairement estampillés bio ou agriculture raisonnée. Evidemment le goût s'en ressent, à commencer par les salades qui accompagnent le saumon ou la terrine de jarret de porc confit. Mais les endives ou les pommes de terre, toutes deux présentées en purée ont aussi leur mot à dire quand elles escortent le pavé de quasi de veau poêlé ou les coquilles Saint-Jacques. Quant aux pommes confites au gingembre fiancées pour l'occasion à un gâteau moelleux au chocolat, on aimerait bien en connaître la variété.

LE RIVER CAFE
146, quai de Stalingrad – ISSY-LES-MOULINEAUX ✆ 01 40 93 50 20

Site Internet : www.lerivercafe.net – M° RER C Issy-Val-de-Seine. Ouvert tous les jours, midi et soir. Menus : 31 € et 36 €.

A la fois péniche et barge, ce River Café fait partie des adresses que l'on rejoint avec joie quand les beaux jours sont de retour. La superbe terrasse en bord de seine incite au farniente. Mais n'allez pas imaginer pour autant qu'il faut déserter l'adresse en hiver. Savoir qu'un feu de cheminée crépite devrait vous séduire. Et à propos de séduction, la cuisine de Mathieu Scherrer fait son petit effet. Longtemps, cette table a été un peu trop modeuse et ses assiettes superficielles. Désormais, il y a de la modernité et de la tendance de l'entrée au dessert. Pour s'en convaincre, il suffit de goûter le risotto crémeux aux girolles et ses crakers de Parmesan, de poursuivre avec une poêlée de supions et coquillages en persillade et de terminer par la crème de marrons et Chantilly façon mont-blanc.

LES SYMPLES DE L'OS A MOELLE
18, avenue de la République – ISSY-LES-MOULINEAUX ✆ 01 41 08 02 52

Site Internet : www.lessymples.fr – M° Mairie-d'Issy. Fermé le samedi midi et le dimanche. Menus : 22 € – au déjeuner – et 25 € – au dîner.

La convivialité est incontestablement le maître mot de la maison. Si vous n'aimez pas les ambiances de franche camaraderie, le coude à coude et les grandes tablées, passez votre chemin. Les autres, accourrez. C'est l'un des meilleurs rapports quantité et qualité-prix, et c'est juste de l'autre côté du périphérique. Petit conseil cependant, avant de venir, jeûner parce que c'est pantagruélique. Tout commence par un festival de hors-d'œuvre, de salades et de terrines qui passent de table en table. N'ayez pas les yeux plus gros que le ventre, sinon vous n'irez pas au bout. Ensuite vient l'entrée qui change tous les jours au gré du marché. Lors de notre venue, une soupe aux haricots coco de Paimpol. Puis c'est au tour du plat de s'avancer, en l'occurrence, une épaule d'agneau confite. On croit à ce moment que pour le prix annoncé, on en a terminé. Pas du tout. Attendent d'être dévorés le plateau de fromages de chèvre et la farandole des desserts, de ceux qui vous font retomber en enfance quand vous alliez en vacances chez mamie. Au programme, crème aux œufs, crumble, riz au lait, tarte à l'ancienne et mousse au chocolat. Si après ça, vous nous dites que vous avez encore faim, on ne vous croira pas !

LE BAROCCO
8, place Georges-Pompidou – LEVALLOIS-PERRET ✆ 01 46 39 00 72

M° Pont-de-Levallois. Ouvert tous les jours, midi et soir. Menus : 29 € et 39 € – au déjeuner en semaine. A la carte, environ de 30 € à 45 €.

Il y a encore quelques mois, dans cet hôtel, les frères Pourcel de Montpellier avaient ouvert une de leurs annexes, Le Sens, apprécié pour sa cuisine qui lorgnait sur le Sud. Désormais, c'est l'Italie que l'on regarde avec l'arrivée de Claudio Puglia, déjà propriétaire de La Romantica à Clichy et du Romanticaffé dans le 7e arrondissement. Qui dit Italie, ne dit pas forcément pizzas. Il y en a certes quelques-unes à la carte confectionnées avec une pâte au lait moelleuse, mais l'essentiel est ailleurs, notamment dans l'aller-retour de veau servi froid en marinade d'huile d'olive, dans les noix de Saint-Jacques, crème de safran, roquette et mozzarella et dans la crème de citron, biscuits imbibés et zestes de citron confits.

RESTAURANTS

CHARTIER
146, rue du Président-Wilson – LEVALLOIS-PERRET ✆ 01 47 37 07 21
M° Pont-de-Levallois. Fermé samedi et dimanche. A la carte, environ de 15,50 € à 49,50 €.
Depuis plus de dix ans, Thomas Chartier régale son monde dans son bistrot qui dénote quelque peu dans ce quartier moderne de Levallois. En somme, une bouffée de cuisine ménagère. Et ils sont nombreux à l'heure du déjeuner ou du dîner à venir «squatter» les quelques places disponibles pour grignoter les grands classiques de notre terroir, à commencer par l'œuf mayonnaise, le croustillant de chèvre frais et fondue de poireaux ou les rillettes de chair de crabe, poireaux et noix. Une pause chinon les-petites-roches de chez Joguet et on attaque le deuxième round avec une savoureuse poitrine de porc fermière confite à l'ancienne, étuvée de haricots blancs qui fait de l'ombre au confit de cuisse de canard à la provençale. Les appétits de moineaux qui veulent absolument terminer sur une note sucrée pourront le faire en optant pour le dessert «petite taille», alors que les gros mangeurs ne se font pas prier pour terminer la part dite normale de mousse au chocolat au lait, caramel et beurre demi-sel.

L'HETEROCLITE
9, plage Jean-Zay – LEVALLOIS-PERRET
✆ 01 47 39 54 02
Ouvert du lundi au vendredi de 12h à 15h et de 19h30 à 22h30 Fermeture du 25 juillet 2009 au 23 août 2009. Menu midi 14,50 € (entrée du jour, plat du jour, verre de vin/café). A la carte, environ 30 €. Parking, terrasse, salle privatisable, groupes acceptés.
Une belle adresse qui vous propose un voyage culinaire au départ de la France et à destination du monde entier. On s'explique : le rumsteak est ici croustillant, cuisiné aux pleurottes, mais servi avec un gratin à la fève de tonka. La brioche feuilletée est servie façon «perdue», et avec un chutney de mangue. Un mélange des saveurs qui emmène vos papilles vers de nouvelles destinations. Cadre cosy, confortable, avec, pour le régal des yeux, des peintures des années trente. Chaque jour offre l'occasion de découvrir une nouvelle entrée et un nouveau plat. La carte, elle, change à chaque saison. Pour suivre la philosophie du lieu, des vins français et étrangers accompagneront votre repas et, c'est assez rare pour être souligné, vous pourrez emporter la bouteille pour la finir chez vous. La terrasse, aux beaux jours, est un plaisir.

L'IDEE
52, avenue de la Porte-de-Villiers – LEVALLOIS-PERRET
✆ 01 41 05 05 35
M° Porte-de-Champerret. Fermé le samedi midi et le dimanche. Menus : 24 € et 30 € – au déjeuner. A la carte, environ de 30 € à 35 €.
L'Idée de Jean-François du Sartel, un pro du bistrot chic, sait parler à nos yeux et à nos papilles. Tout de gris vêtu, ce nouveau repaire gourmand a rapidement trouvé son public avec une carte courte. Les plats sont malins, joliment exécutés, comme cette lasagne d'œuf poché sur un coulis de châtaignes. Qu'y a-t-il de meilleur que de percer le jaune de cet œuf pour le voir se répandre dans l'assiette et se marier avec les saveurs de la châtaigne ? Les quatre noisettes d'agneau, le riz basmati et la crème de concombre sont parfaits pour poursuivre après cette entrée en matière, surtout si elles sont accompagnées d'un verre de côtes-du-rhône de chez Guigal. On en garde un fond pour escorter le classique, mais délicieux moelleux au chocolat.

LE MANDALAY
35, rue Carnot – LEVALLOIS-PERRET
✆ 01 47 57 68 69
M° Louise-Michel. Fermé le dimanche et le lundi. Menu : 34 €. A la carte, environ de 50 € à 55 €.
La cuisine de Guy Guenego n'en finit pas de séduire, et elle vous transporte, comme en voyage. De bons produits, cuisinés avec épices et exotisme, sans excès ni outrance, choisis parmi les denrées de saison, et arrangés avec des notes venues d'Asie essentiellement. Juste une jolie table pour faire le plein de saveurs d'ailleurs, dans un cadre ethno-chic, pour déguster des plats à l'esthétique recherchée mais sans chichis. Si seulement il y avait une formule plus «abordable» le midi, on en connaît un paquet qui en ferait leur cantine préférée !

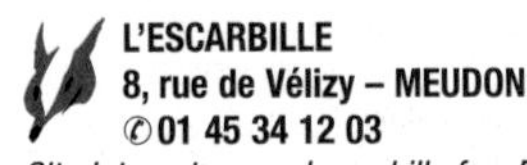
L'ESCARBILLE
8, rue de Vélizy – MEUDON
✆ 01 45 34 12 03
Site Internet : www.lescarbille.fr – Fermé samedi midi, dimanche soir et lundi. Menus : 44 € et 61 €.
Installé dans l'ancien buffet de la gare de Meudon, L'Escarbille est la table qui compte dans ce département avec à sa tête, un chef talentueux, Régis Douysset. Arrivé ici en 2005, il a reçu quelques mois plus tard le trophée de l'étoile montante de la gastronomie qui récompense à juste titre une cuisine créative et des assiettes peaufinées. Notre dernier repas nous a enchantés avec au programme des langoustines pochées, guacamole et vinaigrette au curry. Pas une saveur ne vient surpasser l'autre. C'est d'une justesse incroyable. La suite est du même acabit avec ce pigeon en crapaudine, petits pois et jus lié au foie gras. Dehors, quelques tables sont dressées. On aurait aimé s'y rendre pour prendre le dessert, mais les températures sont encore fraîches. Vivement les beaux jours, c'est au milieu de cette verdure que l'on appréciera une nouvelle fois, s'il est encore à la carte, le macaron aux fraises, crème glacée au fromage blanc. Un vrai coup de cœur pour l'accueil, le charme

du restaurant, sa douce terrasse, et vous l'aurez compris, la pétillante cuisine de Régis.

LE BEAUJOLAIS
28, rue Barbès – MONTROUGE
✆ 01 46 56 74 45
Site Internet: www.le-beaujolais92.com – Fermé le samedi, le dimanche et le lundi soir. Menus: 15€ – au déjeuner –, 18€ et 23,50€. A la carte, environ de 25€ à 30€.
A cinq minutes de la Porte d'Orléans, un bistrot bien de chez nous avec son cortège de plats traditionnels comme on les aime. Le sourire est sur toutes les lèvres et les appétits très vite comblés grâce à de sérieuses propositions comme la tarte au reblochon, le pâté Basque et sa confiture d'oignons que l'on se partage en apéro avec un verre de vin avant d'enquiller sur un coq au vin – au Beaujolais cela va de soi! –, une fricassée de poulet de Bresse ou un pavé de bœuf au poivre. Mousse aux trois chocolats et tarte aux mirabelles concluent admirablement le repas et vous comprenez maintenant pourquoi tout le monde a le sourire.

VOI ELEPHANT (VIETNAMIEN)
9, rue Gabriel-Péri – MONTROUGE
✆ 01 57 63 70 56
Fermé le dimanche. Menus: 12€ et 15€ – au déjeuner – et 25€ – au dîner. A la carte, environ de 25€ à 30€.
Ce Voi Elephant nous attend pour nous faire découvrir la cuisine du Nord-Vietnam. A deux pas de la porte d'Orléans, cette adresse est donc une invitation à tendre vos baguettes vers Hanoï et ses spécialités. Dans un décor typique, vous débuterez le voyage par de fins raviolis vietnamiens à la vapeur, avant de poursuivre par un bun cha – un plat traditionnel d'Hanoï qui consiste en une grillade de porc servie avec du vermicelle de riz –, à moins que vous ne préfériez goûter un des nombreux plats «en marmite», comme le canard qui est aussi proposé caramélisé… Les salades aux herbes et plantes aromatiques sont aussi très bonnes, et d'une fraîcheur remarquable.

LA BOUTARDE
4, rue Boutard – NEUILLY-SUR-SEINE
✆ 01 47 45 34 55
M° Pont-de-Neuilly; Fermé le samedi midi et le dimanche. Menu: 29,50€. A la carte, environ de 43€.
Non loin de Jarrasse, l'annexe marine du chef, Michel Rostang, se tient discrètement dans une petite rue, une autre de ses annexes, La Boutarde. Aux manettes gourmandes, Edouard, qui se la joue cuisine traditionnelle, mais qui se présente le petit doigt sur la couture. Jetez un coup d'œil aux œufs mimosa et aux poireaux tièdes en vinaigrette et vous comprendrez. Et je ne vous parle pas du cochon de lait farci entier et de ses aubergines, et de la fricassée d'agneau. La Défense, la porte Maillot et Tout-Neuilly des affaires se donnent rendez-vous ici à l'heure du déjeuner et on les comprend. Il suffit de voir les grosses pièces de bœuf qui sont proposées pour comprendre l'engouement général. Un engouement qui prend fin à la dernière bouchée de la gaufre et de la confiture maison.

JARRASSE
4, avenue de Madrid
NEUILLY-SUR-SEINE
✆ 01 46 24 07 56
Site Internet: www.jarrasse.com – M° Pont-de-Neuilly. Ouvert tous les jours, midi et soir. Menu: 42€. A la carte, environ de 46€ à 89€.
L'écailler de Paris depuis 1932 est désormais un membre à part entière de la famille Rostang. Il a mis quelque temps à trouver ses marques, mais c'est désormais une affaire qui roule, avec la qualité que l'on reconnaît aux restaurants de Michel Rostang et filles! François Chambonnet, en cuisine, travaille des produits irréprochables. Ici, forcément, coquillages, crustacés et poissons d'eau de mer et d'eau douce sont à l'honneur. La carte conjugue fraîcheur et bon goût. Selon vos envies, vous commencerez par un tartare de thon au sésame torréfié, brunoise croquante et chips de sarrasin ou un tourteau décortiqué à l'huile d'olive, féroce d'avocat et vinaigrette de crustacés, avant de poursuivre par un pavé de bar de ligne rôti et émulsion de champignons des bois. On aimerait quitter cette maison sans prendre de dessert parce que le temps presse, mais il est difficile de résister à la panna cotta vanille, soupe de fruits de la saison au balsamique et croquant chocolat.

SEBILLON
20, avenue Charles-De-Gaulle – NEUILLY-SUR-SEINE ✆ 01 46 24 71 31
Site Internet: www.rest-gj.com/sebillon-5.html – M° Porte-Maillot. Ouvert 7j/7 de midi à 15h et de 19h à minuit. Plat du jour: 22€. Menu 29€. A la carte, environ 40€. Service voiturier.
Fondé en 1914 par Charles du même nom (Sébillon), l'établissement neuilléen, à quelques foulées de la porte Maillot, s'est fait une réputation de spécialiste des fruits de mer. Dans cette salle confortable, vous dégusterez huîtres de Bretagne (creuses, spéciales et fines de claire) et belons, langoustines, tourteaux, clams, moules, palourdes ou crevettes, à la carte ou servis en plateaux bien garnis. Le reste de la carte est à la hauteur: os a moelle au sel de Guérande, pain de campagne grillé, pousse d'épinards en salade, roquefort et petits croûtons, caviar Impérial de France «Maison Nordique» (50 g) en entrée. Côté plats, les rognons de veau cuits en cocotte, jus lié aux herbes ou le bar entier grillé, fine ratatouille, sauce choron sont à signaler. Et en dessert, outre le sorbet à la poire parfumé à l'eau-de-vie Williams, il est dommage de rater l'éclair géant «Sébillon» chocolat ou café.

TEMPS LIBRES
158, avenue Charles-De-Gaulle – NEUILLY-SUR-SEINE ✆01 46 24 84 42
Site Internet: www.laporterestaurants.com – M° Pont-de-Neuilly. Fermé le samedi midi et le dimanche. Menus: 12 € et 28 € – au déjeuner – et 34 € – au dîner.
C'est l'annexe des Feuilles Libres d'Emmanuel Laporte et comme à l'époque d'Entrées Libres, le succès a tout de suite été au rendez-vous. Les larges sourires d'accueil, les petits mots bien pensés distillés aux habitués et une cuisine joliment exécutée sont les trois principales raisons de ce succès. Depuis toujours, Emmanuel Laporte sait ce qui fait plaisir et il ne déroge pas à la règle en proposant des créations fraîches, parfumées et inventives comme le tartare de thon et guacamole, le tajine de viande au cumin et la classique côte de bœuf. A l'heure du déjeuner, ça grouille et le contraire nous aurait étonnés.

THE COOL
5, rue Bailly – NEUILLY-SUR-SEINE
✆01 47 22 03 92
Site Internet: www.thecool.fr – M° Pont-de-Neuilly. Ouvert tous les jours sauf le soir. Menu: 18,50 € – au déjeuner. Brunch le dimanche: 16 €, 23 € et 29 €.
Au même titre que le Thé Cool de Passy, celui de Neuilly a trouvé sans peine son public. La décoration est moderne et confortable et le style féminin, rose, assez rococo, type Marie-Antoinette! Les salades fraîches, les œufs Bénédicte, les gâteaux de légumes, le gâteau Starlette et leur divine tarte au citron sont autant de bonnes raisons d'aller y faire un saut. Vous pouvez vous asseoir et déguster sur place des menus équilibrés ou, s'il y a trop de monde, prendre vos plats à emporter. Les jus de fruits pressés sont rafraîchissants, le café est excellent, mais surtout venez pour la grande variété de thés.

CHEZ CLEMENT PETIT CLAMART
Rond-point du Petit-Clamart – PETIT-CLAMART ✆01 46 01 59 00
Site Internet: www.chezclement.com – Service continu 7j/7. Formule à 14 €, menu à 23 €. Plateaux de fruits de mer Clément à partir de 28 €. Carte aux environs de 30 €. Parking privé.
C'est l'ancien «rendez-vous de chasse» que chez Clément Petit-Clamart a restauré avec authenticité et dans le respect des matériaux pour redonner à ce lieu riche, charme, chaleur et ambiance! Dès l'entrée, le décor original est planté grâce aux boiseries et au ciment rouge bordé de terre cuite. Le salon Schéhérazade, inspiré des fastes des Mille et Une Nuits, est un petit coin hors du temps pour s'offrir l'apéritif. Le salon de chasse où le feu crépite en hiver dans la grande cheminée d'acajou inspire l'atmosphère cosy des cottages anglais. L'orangerie d'inspiration florentine est une vaste pièce laissant filtrer la lumière au travers des persiennes bordant la voûte. De nombreuses autres surprises vous attendent en ce lieu.

LE BONHEUR DE CHINE (CHINOIS)
2, allée Aristide-Maillol – RUEIL-MALMAISON
✆01 47 49 88 88
Site Internet: www.bonheurdechine.com – Ouvert du mardi au dimanche de 12h à 14h30 et de 19h à 22h30. Formule déjeuner: 23 €. Menus de 38 € à 59 €. Menu canard pékinois pour 2 personnes: 98 €. A la carte environ 50 €.
Yongwei Chen est le frère de Fungqing Chen, chef auréolé d'étoiles au Soleil d'Est, dans le 15e arrondissement de Paris, disparu prématurément. Ici, dans un décor digne des plus beaux palais impériaux, la carte décline les plats traditionnels chinois, mais toute la différence tient dans le choix des produits, toujours extrêmement frais comme ces poissons et crustacés tirés du vivier. Turbot, sole ou bar sont préparés sautés ou poêlés. Le «Homard du bonheur» fait le nôtre et les noix de Saint-Jacques soufflées aux crevettes font aussi partie des spécialités incontournables de la maison. Tout le talent du chef s'exprime dans l'interprétation des recettes. La fondue royale aux fruits de mer est un enchantement tout comme le demi-canard pékinois en trois services (65 € pour deux personnes). L'un des meilleurs de l'Ile de France. En dessert, le soufflé mandarine est un vrai régal! Très belle carte des vins agrémentée d'alcools asiatiques rares… Rien à dire!

O P'TIT PRINCE
56, rue du Gué – RUEIL-MALMAISON
✆01 47 51 50 84
Ouvert tous les jours, midi et soir. Menus: de 15 € à 35 €.
Ambiance pierres apparentes et poutres donne à ce Petit Prince un cachet des plus agréables et l'on apprécie de venir s'y réfugier quand une petite faim se fait sentir. La cuisine est comme le lieu, sans prétention mais on peut s'y régaler avec quelques mets bien sentis comme le crumble de tomate et chèvre, rafraîchissant, ou la tartine poire et fromage persillé. Les bons points de chute gourmands ne sont pas légion à Rueil, il faut donc profiter de ce Petit Prince qui en plus d'une cuisine sympathique offre un accueil cordial.

L'HEUREUX PERE
47 bis, boulevard Sénard – SAINT-CLOUD
✆01 46 02 09 43
Site Internet: www.lheureuxpere.com – Fermé le samedi midi et le dimanche. Menus: 19 € et 24 € – au déjeuner. A la carte, environ de 38 € à 51 €.
C'est l'histoire d'un chef, Alain Delage, qui a passé une grande partie de sa vie à La Havane, à Saint-Barth et sur les mers du globe dans les cuisines de yacht à faire pâlir de jalousie les propriétaires de bateaux amarrés à Saint-Tropez. Le mal du pays, l'envie de rejoindre la terre ferme? Alain a mis le cap sur Saint-Cloud, les valises remplies de fruits secs, de curry, de mangues, de lait de coco et

d'épices. Sur place, il retrouve les cabillauds, les foies gras, les magrets de canard, les entrecôtes, les écrevisses, les salades et décide de mêler ces deux univers dans une farandole d'associations qui font faire à nos papilles le grand écart entre la France et les îles. Les gambas se retrouvent marinées à la coriandre et au citron vert, le mérou croise le piment d'Espelette et le jus d'un chorizo, pendant que le faux-filet découvre le poivre de Madagascar. Et dernier point pour véritablement vous inciter à aller découvrir la cuisine de ce chef, sa terrasse est l'une des plus agréables de l'Ouest parisien.

LE RELAIS DU MANDARIN (THAILANDAIS)
20, avenue Raymond-Poincaré – SCEAUX
✆01 43 50 20 04
Fermé le dimanche soir. Menu : 11,50€ – au déjeuner –, 15,20€ et 18,50€. A la carte, environ de 20€ à 25€.
Sceaux a le bonheur d'accueillir un Relais qui mérite réellement le détour, à moins que l'on ne se trouve déjà dans les parages du parc ! Tenue par un couple franco-chinois, Madame à l'accueil et Monsieur en cuisine, cette belle adresse de qualité réussit à faire passer un moment mémorable. Au menu, le restaurant propose des spécialités principalement thaïlandaises, mais aussi vietnamiennes, cambodgiennes et chinoises, très finement préparées. Vous pourrez ainsi y déguster l'excellence de plats au curry vert – ou rouge – et au lait de coco, comme l'incontournable marmite de bœuf – poulet, crevettes – ou vous sustenter de brochettes grillées, tout en louant leurs légèretés.

AU PERE LAPIN
10, rue du Calvaire – SURESNES
✆01 45 06 72 89
Site Internet : www.auperelapin.com – Fermé le dimanche soir et le samedi midi. Menus : 22€ et 27€ – en semaine –, 25€ et 30€ – le week-end.
Fini le temps de la charmante guinguette, le Père Lapin est désormais un restaurant qui compte à Suresnes et ils sont nombreux à monter dans les hauteurs quand une petite faim se fait sentir. L'hiver, ils s'y rendent pour le feu de bois dans la cheminée, au printemps pour s'installer sous la terrasse couverte et en été pour profiter des quelques tables dressées dans le jardin dont certaines offrent une vue inattendue sur la tour Eiffel. Un bien joli terrier qui se fréquente aussi et surtout pour la cuisine qui fait l'unanimité pour sa diversité, son renouvellement régulier et sa finesse. Et ce ne sont pas le risotto aux asperges, moelle de bœuf grillée, la souris d'agneau confite à la marjolaine et mijotée de haricots coco et le tian de mangues, crème légère au grand-marnier sauce à l'orange qui viendront nous contredire.

VOG EN SCÈNE
Amarré face au 5, quai Marcel-Dassault – SURESNES ✆ 01 45 06 55 55
Site Internet : www.levog.fr – Fermé le samedi et le dimanche. Menus : 16,20€ et 28€ – au déjeuner. A la carte, de 40€ à 57€.
Installé, vous l'aurez compris, sur une péniche amarrée sur la Seine, le Vog en Scène coule des jours heureux depuis bientôt près de quatre ans, dans une belle atmosphère lounge. Il a, entre autres atouts, une très belle terrasse sur la Seine et le Pont de Suresnes. On éveille ses papilles avec un croustillant de gambas, asperges vertes et sauce tartare, on continue de se régaler avec un onglet de veau sauce foie gras et son gratin dauphinois, et enfin on craque pour le délice chocolat-banane et caramel au beurre salé.

LE COROT – HOTEL-LES-ETANGS-DE-COROT
53, rue de Versailles – VILLE-D'AVRAY
✆ 01 41 15 37 00
Site Internet : www.etangsdecorot.com – Fermé le dimanche soir, le lundi et le mardi. Menus : 37€ et 85€. A la carte, environ de 54€ à 71€.
Nous avions perdu la trace du chef, Benoît Bordier, qui officiait au restaurant Jean dans le 9e arrondissement. Nous l'avons retrouvé dans un cadre idyllique à une poignée de minutes de Paris, entouré d'un silence apaisant, de bois et d'étangs, parfait pour la balade digestive. Aux Etangs de Corot, en fonction des saisons, trois restaurants vous accueillent. Les Paillotes d'avril à octobre, le Café des Artistes et Le Corot où Benoît Bordier a retrouvé ses marques. Nous sommes depuis longtemps des adeptes de sa cuisine, un peu décalée, culottée constamment en mouvement, toujours étonnante avec des associations osées. Autant vous le dire, vous risquez d'être surpris, à commencer par ces langoustines au jambon d'Auvergne, coulis de trompettes et raifort ou ces ravioles de foie gras au beurre d'algues, soja et châtaigne. Et que dire de la poitrine de cochon confite pendant 8 heures qui fond en bouche comme neige au soleil que l'on accompagne de graines exotiques et une purée d'aubergines au goût fumé. La ganache chocolat au riz soufflé, pomelos et pâte d'amande nichés sous une coque légère de chocolat blanc vient conclure ce festival éblouissant.

Seine-Saint-Denis (93)

CANTINA MUNDO
7, rue Marceau – BAGNOLET
✆ 01 43 63 26 95
M° Galliéni. Fermé le dimanche et le lundi. Menus : 15€ et 18€ – au déjeuner – et 24€ – au dîner. A la carte, environ de 35€ à 45€.
Il y a encore quelques mois, se dressait ici l'Indigo Square tenu par la Suédoise, Viveka Sandklef. Partie faire des bébés, elle a vendu et l'Indigo s'est mué en Cantina. La cuisine de l'époque puisait son inspiration aux quatre coins du monde et l'on se souvient avec émotion du tataki de saumon, crème brûlée wasabi et thé vert ou les nems de canard confit à la cannelle. Qu'en est-il aujourd'hui ? Rien à reprocher, bien au contraire. La nouvelle équipe, Anne et Tam, poursuit le chemin tracé par Viveka en proposant une cuisine métissée franco-asiatique. C'est léger comme une brise, riche en couleurs et en saveurs comme ces nems au fromage frais, ces coquilles Saint-Jacques au lait de coco et gingembre, mousseline de patates douces ou encore ce filet de dorade servi avec une mousseline de potiron saupoudrée d'éclats de châtaigne. Le tiramisu à la crème de tofu au thé vert et spéculos vient conclure admirablement ce repas. Nous aimions l'Indigo, nous adorons cette Cantina Mundo.

LA CAVE EST RESTAURANT
45, rue de Paris – MONTREUIL-SOUS-BOIS
✆01 42 87 09 48
Site Internet: www.lacaveestrestaurant.com – M° Croix-de-Chavaux. Fermé le dimanche. A la carte, environ de 25 € à 30 €.
Comme son nom l'indique, ce restaurant est avant tout une cave dans laquelle on se régale. Les amateurs écoutent avec intérêt Grégory, le maître des lieux, qui vante comme personne ses dernières trouvailles dénichées dans les vignobles. Et quand on est rassasié d'informations, on s'installe au milieu des bouteilles pour grignoter sa cuisine qu'il compose au gré du marché et des saisons. La dernière fois, un foie gras au banyuls, un parmentier de confit de canard aux pruneaux et un mi-cuit au chocolat composaient le menu. Pour l'harmonie avec les vins, vous vous levez et vous choisissez votre bonheur en usant et en abusant des conseils de Grégory toujours prompt à vous renseigner.

CHEZ SERGE
7, boulevard Jean-Jaurès
SAINT-OUEN
✆01 40 11 06 42
Site Internet: www.restaurant-chez-serge.com – M° Mairie-de-Saint-Ouen. Fermé le samedi et le dimanche. Menu: 32 €. A la carte, environ de 35,70 € à 55,40 €.
Impossible de résister au sourire de Caroline Montaldo, maîtresse de la plus célèbre gargote de Saint-Ouen. Car cet endroit est une véritable institution. La clientèle du midi est principalement composée de fidèles qui s'attablent ici un peu comme à la maison, et viennent goûter le pot de harengs et les pommes tièdes, l'onglet de bœuf aux échalotes, le parmentier de canard au foie gras ou l'agneau confit en cocotte. Pendant qu'ils dévorent des éclairs géants, certains clients regrettent que Caroline ne soit pas là tous les jours, mais c'est pour la bonne cause, elle a ouvert un autre restaurant à la plaine Saint-Denis. Du coup, elle partage son temps entre les deux maisons. On est un peu comme ses clients, on aimerait ne pas avoir à la partager, mais ce qui nous rassure c'est qu'en son absence, les fourneaux tiennent la route.

COULEUR LAVANDE
42, rue du Landy
LA PLAINE SAINT-DENIS
✆01 42 43 07 06
M° RER D Stade-de-France-Saint-Denis. Fermé tous les soirs de la semaine, le samedi et le dimanche. Menus: 19,90 € et 22,90 €. A la carte, environ de 41 € à 59 €.
Caroline Montaldo, la célèbre tenancière du bistrot Chez Serge à Saint-Ouen, s'est offert un second plaisir très estampillé Sud. Désireuse de revenir ou de ne pas oublier ses origines italiennes, elle a ouvert ce restaurant où elle distille les parfums et les saveurs de la Méditerranée. Très vite, ses habitués de Saint-Ouen sont venus découvrir sa carte, et comme nous, ils ont apprécié les tartines de bruschetta de tomates, caviar d'aubergines et tapenade, le filet de bar à la plancha, les supions cuisinés à la minute et le somptueux croustillant de filet d'agneau en croûte d'herbes.

LES DEUX RIVES
68, rue des Ruffins
MONTREUIL-SOUS-BOIS
✆01 48 54 89 20
Fermé le dimanche, le lundi soir, le mardi soir, le mercredi soir et le jeudi soir. Menus: 10 € – au déjeuner –, 12,50 et 14,90 €.
Un restaurant qui aime se positionner «franco — méditerranéen»; la jolie terrasse-jardin conforte d'ailleurs cette impression. Côté assiette, certains seront ravis de se pencher sur les briks, couscous variés et méchouis pendant que d'autres resteront franco-français – cocktail d'avocat et crevettes, assiette de saumon ou classique entrecôte. Une bonne cuisine sans chichi et généreusement servie qui s'enorgueillit de quelques propositions sympathiques comme cette salades de queues d'écrevisse en entrée ou ce filet d'agneau en croûte sauce foie gras accompagné d'un gratin de brocoli. Pour terminer: profiteroles ou charlotte «maison»…. A des prix si tenus, difficile de faire mieux. Si vous passez par Montreuil, ses deux rives valent bien une petite escale.

VILLA 9 TROIS
71, rue Hoche
MONTREUIL-SOUS-BOIS
✆01 48 58 17 37
Site Internet: www.villa9trois.com – M° Croix-de-Chavaux. Fermé le dimanche soir. Menus: 39 € et 44 €. A la carte, environ de 47,30 € à 57,10 €.
C'est vrai ça, pourquoi tous les prix dans les restaurants forment un compte rond? Ce restaurant est l'antithèse de ce principe et l'on sourit en jetant un coup d'œil à la carte et en apercevant tous ces plats à 16,80 €, 24,40 € ou 9,20 €. On ne peut que féliciter Stéphane et Nicolas pour cette transparence comme pour la beauté de leur demeure posée dans un parc, sans oublier des félicitations par paquet de douze pour la cuisine inventive, décalée, mais aimant tout de même s'adosser à nos terroirs comme cette salade de pied-de-veau façon gribiche montée sur un sablé au romarin ou ce pavé de bar en croûte de noix et son riz noir. Vous êtes plus classique, aucun problème, les grosses gambas décortiquées et la poitrine fumée vous tendent les bras au même titre que le faux-filet de Blonde d'Aquitaine et légumes racines. Un morgon de chez Foillard pour émoustiller la glotte et on se dirige gentiment vers les desserts, et s'il ne fallait en garder qu'un, ce serait assurément le mikado de chocolat à tremper. On a le droit de faire mumuse non?

LE POUILLY-REUILLY
68, rue André-Joineau – LE PRE-SAINT-GERVAIS ✆01 48 45 14 59

M° Porte-de-Pantin. Fermé le samedi midi et le dimanche. Menu : 29 €. A la carte, environ de 50 € à 60 €.

Il suffit d'enjamber le périphérique pour se retrouver dans cette petite commune coincée entre les Lilas et Pantin. Ici, à l'abri des regards, loin des modes parisiennes du finger food, fusion food, easy eating et autres snacking, on fête quotidiennement les «cuisines des terroirs de France», la chasse, la pêche, la nature et la tradition. Rendez-vous des bons vivants, des gaillards de la fourchette, des croqueurs de vie. Il faut les voir s'attabler, réclamer du vin avant même que la carte ne leur soit proposée. On sent dans leurs regards l'envie d'en découdre avec une côte de bœuf de 800 grammes, pour deux personnes rassurez-vous, précédée d'une salade de lentilles et ses petits lardons. La cuisine de Pascal Heurteau est restée scotchée à l'époque où les mots «régime» et «cholestérol» n'existaient que dans les dictionnaires. Doit-on s'en plaindre ? Surtout pas. Il existe toujours, et espérons-le encore pour longtemps, un public pour les escargots au beurre d'ail, le pied-de-veau tiède vinaigrette, la souris d'agneau confite au romarin, le boudin noir grillé et sa marmelade de pommes poires, sans oublier le confit de canard aux pommes sautées.

LE SOLEIL
109, avenue Michelet – SAINT-OUEN
✆01 40 10 08 08

Site Internet : www.restaurantlesoleil.com – M° Porte-de-Clignancourt. Ouvert tous les jours le midi – le dimanche jusqu'à 16h – et les vendredis et samedis soir à partir de 20h. Menu : 32 €. A la carte, environ de 30 € à 35 €. Le comptoir du week-end – casse-croûte, déjeuner – du vendredi au dimanche : plat du comptoir à 12 €.

Une des perles rares de Saint-Ouen, chineurs, professionnels des puces et Parisiens s'y retrouvent autour d'une belle cuisine de bistrot et de terroir. La grande salle lumineuse et cosy est propice aux discussions animées le midi. Et les chineurs du dimanche prennent grand plaisir à s'attabler ici dans une bonne humeur communicative. Dans les assiettes, c'est du sérieux, du bon, de l'authentique : les produits, soigneusement sélectionnés, sont traités avec égard et grand respect, et joliment servis : foie gras mi-cuit, harengs pommes à l'huile, tartare de bœuf, filet de dorade et petits légumes, gigot d'agneau et purée et entrecôte de 350 g à accompagner de frites «maison». Pour terminer, on craque pour l'indétrônable baba géant ou le carpaccio de fruits frais ! La carte des vins comble nos espérances avec de vraies trouvailles qui fleurent bon les «pays» de France. Une réussite qui se confirme au fil des ans, une table vraie, qui nous met le cœur en fête !

Val-de-Marne (94)

AMBASSADE DE PEKIN (CHINOIS)
6, avenue Joffre – SAINT-MANDE
✆01 43 98 13 82

M° Saint-Mandé-Tourelles. Ouvert tous les jours, midi et soir. Menu : 13 € – au déjeuner –, 48 € pour deux personnes – le soir. A la carte, environ de 40 € à 50 €.

Sur la carte de l'Ambassade de Pékin, vous retrouvez tous les classiques de la cuisine chinoise, plus spécialement de la région de Pékin. Dans le grand restaurant qui peut accueillir une centaine de clients, vous choisirez une table dans une des trois salles élégamment décorées. Si vous réservez, vous pourrez choisir le soir le menu pour deux personnes qui consiste en un assortiment de vapeur pour commencer, puis en un canard laqué au citron servi avec un riz aux crevettes et une salade de fruits exotiques. Si vous êtes quatre, laissez-vous tenter par le menu spécial, très copieux. Après des vapeurs et autres hors d'œuvres chauds, vous goûterez un délicieux poulet en papillote, très parfumé, puis vous vous régalerez d'un canard laqué à la pékinoise, en deux services, avant de goûter aux délices des fruits exotiques.

L'AMBRE D'OR
44, avenue du Général-de-Gaulle – SAINT-MANDE ✆01 43 28 93 93

Fermé le dimanche et le lundi. Menus : 25 € – au déjeuner – et 32 €. A la carte, environ de 50 € à 65 €.

Coincée entre le périphérique et le bois de Vincennes, Saint-Mandé… l'oubliée. Petite ville limite pépère dans laquelle on se demande bien pour quelle raison on pourrait s'y aventurer. Pour y manger pardi ! Et de belle manière qui plus est, grâce à Jean-Marie Burnet qui ne court pas après les medias, mais que l'on a fini par dénicher à force d'écouter les «on-dit» qui bruissaient à l'est de la capitale. Les rumeurs gourmandes les plus folles courraient sur des huîtres en chutney exotique et aux copeaux de foie gras, sur un fondant de carottes au goût de pain d'épice, quelques coques et un mousseux de fenouil, sur un turbot poché servi avec des racines de persil et une crème d'avruga et sur un tournedos de lotte rôtie et une crème de crustacés. Vérification faite, tout ça est bel et bien vrai. Du beau, du bon, du Burnet.

LES MAGNOLIAS
48, avenue de Bry – LE PERREUX-SUR-MARNE ✆01 48 72 47 43

Site Internet: www.lesmagnolias.com – M° RER E: Nogent-Le-Perreux. Fermé le samedi midi, le dimanche et le lundi. Menus: 41 € – au déjeuner –, 58 € et 92 €.

Loin de l'agitation médiatique parisienne, Jean Chauvel continue de combler de bonheur tous les convives qui prennent la peine de venir jusqu'à chez lui. Ecouter celles et ceux qui ont déjeuné ou dîné chez lui, c'est entendre un florilège de bons mots. A leurs yeux, rien n'est trop beau, rien n'est meilleur, rien n'est comparable. Il n'en fallait pas plus pour que nous traversions le périphérique pour rejoindre cette charmante commune du Perreux. Effectivement, c'est un festival culinaire qui nous attendait et l'on rejoint ceux qui nous ont dit que le style de Jean Chauvel était très personnel. Quelques mois après notre venue, nous pourrions encore réciter par cœur les plats choisis tant ils nous ont marqués par leur goût, mais aussi par leur présentation. Une déstructuration finalement totalement structurée comme ce velouté de courgettes et potimarron avec sa vichyssoise glacée et une émulsion de haricots verts à savourer à la paille. Chez Jean, on n'utilise pas toujours les couverts, certains mets se sniffent, d'autres se boivent comme le paris-brest, d'autres donnent envie de jouer comme le «4-21» de caramel au beurre salé en forme de dés, cacahuètes grillées, pastis aux pétales de fleurs. Avant, c'était émotion à tous les étages, des «oh» et des «ah» à l'apparition des assiettes composées comme des œuvres d'art. Evidemment, à la lecture, ça ne vous parle pas, mais allez jeter un coup d'œil au site Internet du restaurant et vous comprendrez pourquoi on s'est extasié devant une passoire d'encornets piquée rôtie de crudités au xérès, renversée de fumée à l'arabica, et devant une passion violente d'une pintade servie tendre avec une émulsion d'un gratin dauphinois et tuile de riz cassante. Inoubliable!

LA CIGALE GOURMANDE
82, avenue de Versailles – THIAIS
✆01 48 92 59 59

Fermé le samedi midi et le dimanche soir. Menus: 30 € – au déjeuner –, 35 €, 40 € et 50 €.

Misant sur un accueil très agréable, ce restaurant au cadre provençal vous met d'emblée de bonne humeur. Idéal pour déjeuners d'affaires ou réunions de famille, il propose une cuisine légère et raffinée, soucieuse de l'esthétique des assiettes et de la qualité de ses produits. Après quelques amuse-bouches, cédez au bocal d'escabèche de gambas et ses sucrines, puis laissez-vous tenter par un loup en écaille de chorizo, ou encore par une souris d'agneau cuite comme un gigot de 7 heures, avec petits légumes et purée maison. Et pour terminer, un croustillant chaud-froid d'ananas, avec son sorbet ananas.

LA RIGADELLE
23, rue de Montreuil – VINCENNES
✆01 43 28 04 23

Fermé le dimanche et le lundi. Menus: 24 € et 33 €. A la carte, environ de 45 € à 55 €.

Restaurant gastronomique de poissons de très bonne renommée, La Rigadelle connaît un succès sans faille depuis des années. Au point que l'établissement a déménagé du 26 au 23 de la même rue, pour passer de dix-huit à trente couverts. L'esprit du lieu, la déco et la carte sont restés les mêmes... A la tête de cette institution, Marc Verrecchia propose les meilleurs produits du marché, tous en provenance directe des ports bretons, qu'il prépare à sa façon. Parmi les spécialités de la maison à ne pas manquer, le tartare de poisson à la vodka Zubrowka, entrée star depuis les débuts de La Rigadelle, et la bourride de poissons nobles aux crevettes caramélisées!

GRANDE COURONNE

Seine-et-Marne (77)

LE BISTROT DU BROC
5, rue Murger — BOURRON-MARLOTTE
✆01 64 45 64 43

Fermé le dimanche et le lundi. A la carte, environ de 25 € à 35 €.

Anciens restaurateurs à Fontainebleau, puis brocanteurs à Nemours, Guy et Carmen ont finalement trouvé un joli compromis en créant Le Bistrot du Broc où tout ou presque se mange et se vend. Dans la première salle, tout le monde s'attable pour la cuisine bistrotière où onglets, entrecôte et côte de bœuf sont à l'honneur. Il y a bien un poisson chaque jour, mais c'est surtout pour le principe. Ici, on aime la viande et Guy, qui travailla un temps en boucherie, en connaît un rayon. Dans la seconde salle, on peut, entre deux plats ou en fin de repas, dénicher tous les objets communément présentés dans une brocante, et il est rare de partir les mains vides. Le succès est au rendez-vous et il est vivement conseillé de réserver.

LES PREMICES
12 bis, rue Blaise-de-Montesquieu – BOURRON-MARLOTTE ✆01 64 78 33 00

Site Internet: www.restaurant-les-premices.com – Fermé le dimanche soir, le lundi et le mardi. Menus de 38 € à 75 €.

Autodidacte, Dominique Maës est à la tête de l'une des plus belles tables de la région. Passionné par l'Inde et l'Asie, il apporte à chacune de ses créations une note colorée et épicée. Ainsi, le curry rouge prend place à côté d'un perdreau rôti en cocotte, et le wasabi accompagne la paume de ris de veau, les betteraves fondantes et le foie gras en coque. Les amateurs de vins seront également séduits par la richesse des références – plus de douze mille bouteilles en cave, et le professionnalisme du sommelier, Laurent Piro, finaliste du concours du Meilleur Ouvrier de France, qui guide avec talent les gourmets vers des menus associant les mets et les vins. Les découvertes sont nombreuses et appréciées, et les témoignages de Mick Jagger, Kylie Minogue, Kad et Paloma Picasso sont des preuves irréfutables que la maison mérite le détour.

L'AUBERGE DE LA BRIE
14, avenue Alphonse-Boulingre – COUILLY-PONT-AUX-DAMES ✆ 01 64 63 51 80
Site Internet : www.aubergedelabrie.com – Fermé le dimanche et le lundi. Menus : 33 € et 38 € – au déjeuner –, 59 € et 65 €.
Nous sommes ravis de constater que dans cette coquette maison briarde, l'inflation n'existe pas. Pas d'augmentation ces derniers mois et par conséquent, le talent du chef, Alain Pavard, reste accessible au plus grand nombre. Sa maison qui fleure bon la campagne et qui offre une jolie vue sur les jardins est le rendez-vous idéal pour un repas d'affaires ou pour un tête à tête en amoureux. On ne saurait trop vous conseiller de débuter par un tourteau émietté aux asperges vertes, rémoulade d'asperges et crème de balsamique. De poursuivre par des noisettes d'agneau et lasagnes de ratatouille, samosa d'agneau confit et romarin, et de conclure après un morceau de brie de Meaux par un soufflé chaud au Grand-Marnier.

L'AIGLE D'OR
8, rue de Paris – CROISSY-BEAUBOURG
✆ 01 60 05 31 33
Site Internet : www.aigledor.fr – Fermé le dimanche soir. Menus : 44 €, 58 € et 85 €.
A quelques minutes de Paris, cette auberge de campagne est un vrai paradis pour Parisiens stressés. Avec sa terrasse d'été et son intérieur cosy et chaleureux, l'endroit est parfait pour un déjeuner d'affaires ou une soirée aux chandelles, entre amoureux. Le chef propose une cuisine naturelle, précise, issue d'une vocation familiale et d'une passion. Pour découvrir tout son talent, on ne peut que vous inciter à suivre le menu que nous avons testé, terrine de rougets barbets parfumée à l'anchois, aïoli de pommes de terre, barbue en filet cuite à la peau et son risotto à l'encre de seiche, fromages et desserts. Service délicat, accueil chaleureux, une bonne idée d'escapade gourmande.

LE MARIETTE
31, rue Saint-Ambroise – MELUN
✆ 01 64 37 06 06
Site Internet : www.lemariette.fr – Fermé le samedi midi, le dimanche et le lundi soir. Menus : 29 € – au déjeuner –, 38 € et 60 €.
Bertrand Barbier a atteint sa vitesse de croisière dans cette Mariette et on se félicite de voir qu'il a trouvé son public. Comment pourrait-il en être autrement quand on a goûté à sa cuisine qui ne manque pas d'allant, notamment dans son menu à 38 €. Souvenir ému pour le pressé de volailles et foie gras de canard, cube de Williams, la tendre et fondante noix de joue de bœuf confite et ses gnocchis, et la mangue rôtie à la baie de genièvre et ses fruits exotiques. Melun a désormais sa belle table.

LE RELAIS DE PONT-LOUP
14, rue du Peintre-Sisley – MORET-SUR-LOING ✆ 01 60 70 43 05
Fermé le dimanche soir et le lundi. Menus : de 28 € à 38 €. A la carte, environ de 35 € à 50 €.
Au pays du sucre d'orge, Marie-Lucie continue de séduire les papilles des gourmets de Seine-et-Marne. Quoi de plus normal quand on sait que cette pâtissière de Bogota a appris la cuisine en France, est sortie première de l'Ecole du Cordon Bleu et a travaillé à la prestigieuse Tour d'Argent. Depuis 2001, avec Alain son époux, ils ont investi cet ancien relais de poste pour en faire un nid gourmand où l'on vient pour le Loing, qui coule au fond du jardin, le parc, la cheminée, la rôtissoire, et bien entendu la cuisine de Marie-Lucie. Cette dernière travaille les beaux produits comme les cailles de Challans, qu'elle propose rôties aux deux raisins, le jarret de veau, qu'elle braise aux échalotes confites, les gambas, qu'elle laisse mariner dans du jus de citron vert, du jus d'orange, des oignons et de la coriandre fraîche. Seine-et-Marne oblige, on se laisse tenter par un morceau de brie avant d'attaquer le moelleux aux deux chocolats, l'île flottante ou la salade de fruits.

LA MARE AU DIABLE
Parc du Plessis-Picard – REAU
✆ 01 64 10 20 90
Site Internet : www.lamareaudiable.fr – Fermé le mardi soir, le dimanche soir et le lundi. Menus : 25 € – au déjeuner –, 35 € et 45 €. A la carte, environ de 43 € à 75 €.
Situé à quelques minutes seulement de Melun, le manoir de la Mare au Diable est un sublime endroit datant du XVe siècle et qui accueillit en son temps l'écrivain Georges Sand. La propriété n'a rien perdu de son prestige et l'endroit accueille aujourd'hui club équestre, tennis, piscine… Le restaurant offre un décor rustique et chaleureux, et la cuisine du chef, Laurent Asset, est à la hauteur du lieu. Bien sûr, il faut penser à goûter les plats qui ont fait la réputation de la maison comme l'escalope de foie gras chaud au cidre et miel et la cannette fermière flambée à l'armagnac, mais ce n'est en aucun cas une obligation. Vous pouvez vous contenter de ravioles de langoustines au coulis de crustacés, de turbot poêlé et son beurre blanc à l'estragon et de la tartelette aux poires, mousse safranée et glace caramel.

Yvelines (78)

CHEZ CLEMENT BOUGIVAL
15 bis, quai Rennequin-Sualem – BOUGIVAL
✆01 30 78 20 00

Site Internet : www.chezclement.com – A 15 min de la Défense. Service continu 7j/7. Formule à 14 €, menu à 23 €. Plateaux de fruits de mer Clément à partir de 28 €. Carte aux environs de 30 €. Parking privé.

Cette belle demeure de caractère est entourée d'un magnifique parc classé. Anciennement Auberge du Coq Hardi, chez Clément Bougival allie surprise et confort. En effet, vous serez étonné par les grands volumes qui vous entourent et vous serez charmé par la décoration à la fois décalée et intimiste. Aux beaux jours, vous profiterez des terrasses en escalier qui donnent sur le large jardin. Les plats du rôtisseur à 19,50 €, spécialités de Chez Clément, comportent quatre viandes ou quatre poissons et sont accompagnés de purée maison au beurre ou de véritables pommes Pont-Neuf.

LES CHEVAUX DE MARLY
Place de l'Abreuvoir – MARLY-LE-ROI
✆01 39 58 47 61

Site Internet : www.leschevauxdemarly.fr – Ouvert tous les jours, midi et soir. Menus : 25 € – au déjeuner – et 49,90 €.

Situé au pied du parc de Marly-le-Roi, face à l'abreuvoir, ce restaurant offre un cadre pittoresque et dépaysant, entre étangs et jardins.

L'accès au restaurant se fait par un tapis rouge, l'intérieur, raffiné et élégant, se compose de trois salons et d'une superbe terrasse autour de la piscine. Les plats proposés à la carte sont créatifs tout en restant classiques. Pour preuve, cette mousseline de volaille, légumes et crème légère de poivron doux ou ces ravioles de foie gras, bisque de champignons des bois qui réveillent le palais avant la suite des festivités qui se traduit par une sole meunière ou une joue de cochon braisée au vin rouge. Pour couronner cet instant gourmand, on se laisse aller vers un coulant au chocolat à notre façon.

QUAI WAUTHIER
31, rue Wauthier
SAINT-GERMAIN-EN-LAYE
✆01 39 73 10 84

Fermé le dimanche et le lundi. Menu : 14,80 € – au déjeuner. A la carte, environ de 25 € à 35 €.

On se restaure à cette adresse depuis plus de trente-cinq ans. Ces murs ont vu passer des restaurants gastronomiques, des bistrots, de la cuisine du monde, jusqu'à ce que Christophe Genestet, ancien tailleur de pierre et joueur de hockey, pointe le bout de ses belles moustaches pour relancer la maison et la faire monter sur le podium des adresses préférées des habitants de Saint-Germain-en-Laye. Avec son chef, Eric Billaut, ils y sont arrivés en proposant une cuisine ménagère mitonnée en fonction du marché. Chaque jour, tels deux maîtres d'école, ils se penchent sur l'ardoise, l'effacent et écrivent l'histoire gourmande de la journée. Aujourd'hui, ce sera tartine à l'aubergine et mozzarella fondue, crème froide de betteraves servie avec des suprêmes d'orange, œufs mollets panés et frits escortés d'asperges vertes. Et demain ? éventuellement pastilla de poulet fermier relevée au curry, brandade de rouget et sa tapenade d'olives noires, steak de magret de canard au cumin avec des tagliatelles, et pour finir une soupe de fraises et de framboises avec une quenelle de crème au mascarpone et une tartine fine aux pommes et son caramel laitier.

CAZAUDEHORE
1, avenue du Président-Kennedy
SAINT-GERMAIN-EN-LAYE
✆01 30 61 64 64

Site Internet : www.cazaudehore.fr – Fermé le lundi et le dimanche soir du 1er Novembre au 31 mars. Menus : 47 € – au déjeuner – et 59 €.

A vingt minutes de Paris, on s'enfonce dans la verdure, le silence se fait de plus en plus présent. Seul le crissement des pneus sur les graviers du parking perturbe les oiseaux nichés dans les arbres qui entourent la maison. En terrasse ou dans la salle ouverte sur la verdure, les gourmets se laissent porter en toute sérénité par le talent du chef, Grégory Balland, qui a insufflé à la maison une volonté de proposer une cuisine vive et enjouée. Pour s'en convaincre, il faut goûter le tartare de bœuf aux huîtres et citron vert ou la crème d'endives et crêpe farcie au jambon, puis le filet de saint-pierre poêlé en persillade de gingembre ou le bar poêlé, cannellonis, foie gras et huîtres. Et quand enfin, il est temps de passer aux desserts, on craque pour les cannelés bordelais à la vanille et glace au touron.

LAURENT TROCHAIN
3, rue du Général-De-Gaulle
LE TREMBLAY-SUR-MAULDRE
✆01 34 87 80 96
Site Internet: www.restaurant-trochain.fr – Fermé le lundi et le mardi. Menus: 35€ – au déjeuner –, 60€ et 78€. A la carte, environ de 49€ à 62€.
Sans conteste, l'une des plus belles tables des Yvelines avec à sa tête un chef bourré de talent venu du Nord après avoir bourlingué dans les plus belles brigades de France, dont celles de Christophe Cussac et Pierre Gagnaire à l'époque où ce dernier était à Saint-Etienne. Dans leur charmante demeure, Laurent et Julie distillent une cuisine élégante, raffinée et appliquée. Comme une grande partie de sa génération, Laurent revisite le patrimoine, les classiques, déstructurent les acquis pour notre plus grand plaisir, et notre visite a permis d'entrevoir un aperçu de ce positionnement. Chez Laurent, l'œuf est cuit à 63° et accompagné de céleri, de truffes et de saint-marcellin. Comme un clin d'œil à sa région d'origine, il nous invite à découvrir le maroilles frit avec une poire pochée et une confiture de mûres. Bluffant. Comme le sont le cabillaud poêlé et son risotto au Parmesan ou le filet de pigeon rôti judicieusement accompagné de betteraves et de fenouil confit. Les desserts sont du même acabit, étonnants, palpitants comme cette superposition de mangue, ananas et vanille ou le quatre-quarts breton revisité avec une clémentine pochée et une crème glacée aux noix de Pécan. Dans le grand Ouest, les coiffes vont se retourner.

LE PAVILLON DES IBIS
Iles des Ibis – LE VESINET
✆01 30 09 71 50
Site Internet: www.pavillondesibis.com – Fermé le dimanche soir. Menu: 32€. A la carte, environ 47€.
Avec sa verrière en rotonde, son architecture anglo-normande, ce magnifique pavillon abrite un restaurant délicieux au décor très cosy et très confortable. Côté cuisine, la carte change selon les saisons avec des plats toujours très esthétiques et raffinés, quelques touches d'exotisme et des saveurs très parfumées. Le risotto de langoustines au fumet de crustacés s'apprécie sans environ, le rouget cuit à la plancha, son beurre provençal et ses dés de tomates marinées au basilic sont des plus agréables et l'onglet de veau au parfum de pain d'épice et mélange poivré est des plus fondants. Ce festival se termine par un financier aux figues et sa glace au lait d'amande qui appelle le café.

L'ANGELIQUE
27, avenue de Saint-Cloud
VERSAILLES
✆01 30 84 98 85
Fermé dimanche et lundi. Menu: 36€. A la carte, environ de 35€ à 55€.
Ici se dressait autrefois Le Rescator, une belle table versaillaise qui a connu son heure de gloire. Aujourd'hui, une page se tourne avec l'arrivée de Régis Douysset, chef de L'Escarbille à Meudon qui relance cette adresse et les louanges n'ont pas tardé à tomber. Ni une, ni deux, direction Versailles. Effectivement, la cuisine est à la hauteur des mots dithyrambiques employés par les convives. Le chef a conservé une empreinte marine, mais moins marquée que par le passé comme le prouve le croque-monsieur de foie gras qui devrait rapidement devenir un plat symbolique de la maison, la poêlée de champignons, le filet mignon bardé de lard. Si vous aimez les plats iodés, laissez-vous porter par les rillettes de tourteau ou le pavé de cabillaud dont la cuisson frôle la perfection. Le riz au lait aux fruits exotiques conclut idéalement cette visite dans cette petite maison qui a tout d'une grande.

Essonne (91)

LE CHALET DU PARC
2, rue de Concy –YERRES
✆01 69 06 86 29
Site Internet: www.chaletduparc.fr – Fermé lundi et mardi. Menus: 27€, 32€ et 86€.
Vous qui habitez Paris, vous rêvez parfois de verdure, d'air frais, de dépaysement. Voici l'adresse vivifiante qui saura répondre à vos attentes. Dans le parc de 11 ha de la propriété du célèbre peintre Gustave Caillebotte, le chef, Philippe Detourbe – L'Ampère et Le Petit Ampère dans le 1er arrondissement – a ouvert son restaurant dans un chalet. Intimiste, joliment décorée, cette table va incontestablement devenir l'adresse de référence dans le département pour le cadre, mais aussi pour la cuisine, car Philippe Detourbe est un chef talentueux qui dresse des assiettes millimétrées, mais jamais compliquées. Le produit est toujours à l'honneur, jamais caché par des effets poudre aux yeux comme l'atteste notre repas pris au cœur de l'automne à deux pas de la cheminée, quelques semaines seulement après l'ouverture. Au programme, crème de potiron et émulsion à la réglisse, caille des Dombes rôtie au porto, figues rôties et petits pots de crème aux quatre parfums. Quand les températures dépasseront les 25 C, nous serons de retour.

Val d'Oise (95)

LES JARDINS D'EPICURE
16, Grand'Rue
BRAY-ET-LU
✆01 34 67 75 87

Site Internet : www.lesjardinsdepicure.com – Ouvert du jeudi soir au dimanche midi en hiver, du mardi soir au dimanche midi au printemps et en automne et tous les jours en été. Menus : 39€ et 75€.

Au sein d'un petit village à la jonction des Vexin français et normand, Les Jardins d'Epicure offrent un pied-à-terre rêvé pour retrouver le calme de la campagne. La propriété est un lieu idéal pour les réunions en famille et dispose d'un superbe parc où vieux arbres et paons coulent des jours heureux. La cuisine colle parfaitement au cadre avec Olivier da Silva aux commandes, un chef qui nous envoûte avec son tartare de thon rouge aux herbes, mesclun de jeunes salades, vinaigrette aux fruits de la passion qui précède un trop rare filet de carrelet en croûte de noisettes, topinambours dorés et petits légumes. Avant de rejoindre le parc, on s'accorde un petit caprice qui se nomme beignet au cidre et chocolat, tranche de pomme caramélisée.

LE JARDIN
35, route de Montmorency
DOMONT
✆01 39 91 27 21

Site Internet : www.restaurantlejardin.fr – Fermé le dimanche soir et le lundi. Menus : de 14€ à 36€.

Vieille auberge située au carrefour de la Croix-Blanche, à l'orée de la forêt de Montmorency, Le Jardin jouit d'un cadre verdoyant et unique. La cuisine du chef Boussaud fait dans le traditionnel avec de nombreux classiques à la carte : salade au camembert rôti aux douceurs de paprika, filet de merlu meunière, pommes vapeur et petits légumes, moelleux au chocolat sur crème anglaise. On aime aussi le râble de lapin farci aux pleurotes, poêlée de fenouil et carottes, et la charlotte aux pommes et caramel au lait.

LE TROUBADOUR
23, quai de l'Oise – L'ISLE-ADAM
✆01 34 08 10 34

Site Internet : www.letroubadour.fr – Fermé le dimanche soir. Menus à 17,50€, 19,50€ et 29€.

Créé en 1992, Le Troubadour a redonné vie à une ancienne guinguette datant du début 1900. Situé sur les bordures de l'Oise dans un cadre de verdure cher aux impressionnistes, le restaurant propose, outre sa salle rustique, quelques tables en terrasse, idéale l'été. Côté cuisine, le chef met à l'honneur le terroir français avec de nombreuses spécialités régionales fortement teintées Sud-Ouest. Parmi les plats phares, ne manquez pas la tarte aux maroilles et sa salade croquante, la cuisse de confit de canard et pommes de terre gourmandes, le sauté de lapin à la moutarde pommes cocotte, et pour finir le clafoutis aux fruits pour la légèreté ou les profiteroles juste par pure gourmandise.

AU CŒUR DE LA FORET
Avenue du Repos-de-Diane – MONTMORENCY
✆01 39 64 99 19

Site Internet : www.aucoeurdelaforet.com – Fermé le dimanche soir, le lundi et le jeudi soir. Menu : 43€.

Comme son nom l'indique, il faut s'enfoncer dans les bois pour dénicher la maison d'André et Françoise Touati. Et quand on dit leur maison, c'est au sens propre du terme, puisqu'ils y habitent. Après avoir garé sa voiture entre deux arbres presque centenaires, c'est dans leur salle à manger que l'on prend place. Françoise y vante la cuisine de son époux, parle de la carte des vins, veille au bien-être de chacun, sans oublier de remettre de temps à autre une bûche dans la cheminée. Derrière ses fourneaux, André mitonne des plats de saison. Nous gardons un souvenir ému d'une omelette aux girolles de Sologne, vinaigre de xérès et sabayon persillé à l'ail rose, suivie d'un cochon fermier du Cantal confit au four à pain, trompettes-de-la-mort et châtaignes et d'une tarte briochée aux poires caramélisées. Si les feuilles se ramassent à la pelle, les compliments pour André et Françoise aussi.

SE DÉTENDRE

LES BARS

1er arrondissement

LE FUMOIR

6, rue Amiral-Coligny (1er) ✆ 01 42 92 00 24

Site Internet : www.lefumoir.com

M° Louvre-Rivoli. Ouvert tous les jours de 11h à 2h. Service jusqu'à 23h30, menu (entrée, plat et dessert) : 30 €. Possibilité de grignoter jusqu'à 0h30. Happy-hour de 18h à 20h. Cocktails autour de 10 €, et à 6 € pendant l'happy-hour.

C'est l'endroit parfait pour donner un rendez-vous… et arriver en avance. Vous pourrez tranquillement feuilleter la presse, parmi la quinzaine de journaux du jour mis à votre disposition. Bien calé dans un fauteuil club, porté par l'atmosphère boisée de la salle spacieuse et élégante avec vue sur le dos du Louvre, rien ne vous empêche de prendre un livre dans la bibliothèque ou simplement de regarder passer le temps, bercé par le va-et-vient des serveurs en chemise blanche et cravate. Votre rendez-vous et le soir arrivant, l'ambiance se réchauffe autour d'un des nombreux cocktails, le bar est investi par une population plutôt bien mise, étudiants et hommes d'affaires confondus. Aux beaux jours, on peut y déguster son Martini en terrasse. So chic !

LE PERE FOUETTARD

9, rue Pierre-Lescot (1er) ✆ 01 42 33 74 17

M° Les Halles. Tous les jours jusqu'à 2h du matin. Compter 25 € à la carte. Verres de vins à partir de 4 €.

L'une des adresses clés des Halles, ce petit bistro a deux atouts principaux, sa méga terrasse chauffée en hiver et sa carte de vins de propriétaires qui jouent au juste prix. Le côté bistro des Halles est respecté avec une déco 1900 et un mur garni entièrement de bouteilles de vin, qui montre dès que l'on passe la porte que ça ne plaisante pas du bouchon ici. Côté carte rien de très exceptionnel, des plats simples et servis correctement. Les serveurs animent l'endroit par leur gouaille et leur humour. Vous pouvez y dîner, bien sûr, mais aussi, venir y boire un verre en attendant d'aller enflammer les dance-floors, ou de rentrer sagement à la maison…

2e arrondissement

LE CAFE

62, rue Tiquetonne (2e) ✆ 01 40 39 08 00

M° Etienne-Marcel. Ouvert tous les jours de 10h à 2h, le dimanche de 11h30 à 0h. Service jusqu'à 0h, 22h15 le dimanche. Plats autour de 11,50 €, cocktails : 8 €. Pression : 3,50 €.

Petit café tout en long, juste à côté de Killiwatch, en plein quartier des fringues stylées. Fréquenté par tout un tas de gens très branchés qui se retrouvent ici avant de sortir, Le Café pourrait être terriblement insupportable et passablement m'as-tu vu. Et bien pas du tout. Avec sa déco entre brocante de campagne et cabinet de curiosité du XIXe siècle, c'est une des adresses les plus agréables du coin. On y trouve pêle-mêle des mappemondes, des jolies demoiselles, des statues africaines, des beaux gosses trendy, des vieilles cartes de géo façon école élémentaire, des papillons épinglés… Le tout sous le haut patronage de la fresque bacchanale qui orne le plafond. On est bien accueilli, on y mange des tartes pas chères (11 €), pendant qu'aux platines, un dj fait monter l'ambiance… au grand dam de votre oreille interne. La terrasse, elle, est parfaite pour regarder passer les sacs à main et autres sacs de courses qui arpentent le quartier.

LE FOOTSIE

12, rue Daunou (2e) ✆ 01 42 60 07 20

M° Opéra. Ouvert tous les jours de 17h à 2h. Prix moyen, softs : 6 €, alcools : 8 €.

Ici c'est comme à la Bourse, le prix des boissons varie en fonction de la demande. D'où le nom Footsie, équivalent anglais de notre Cac40. Trois écrans plats donnent en permanence le cours de chaque boisson. La règle est simple, si tout le monde achète le même cocktail, son prix monte. Et si ça monte trop, c'est le crack : toutes les boissons retombent alors à leur prix minimal et c'est le moment de vous jeter sur le bar. Rassurez-vous, les boissons ont toutes un prix maximal et les prix s'équilibrent entre eux, il est donc toujours possible de boire à un coût raisonnable. Ce qui n'est pas raisonnable, par contre, c'est l'ambiance : on rigole, c'est bruyant, bondé, on danse, et même souvent sur le bar. Le lieu magnifique donne l'impression de faire la fête dans un vieux château écossais. On y rencontre des messieurs en costume à peine sortis du boulot, des jeunes en pagaille, pas mal de filles, des habitués, et tout ce petit monde se mélange gaiement. Venez pour voir le lieu, vous resterez pour l'ambiance.

THE FROG AND ROSBIF

116, rue Saint-Denis (2e)

✆ 01 42 36 34 73

Site Internet : www.frogpubs.com

M° Etienne-Marcel. Ouvert tous les jours de 12h à 2h. Happy-hour de 17h30 à 20h, pintes et cocktails : 4,50 €. Demi : 3,50 €, cocktails : 8 €, shots : 4,50 €, softs : 3,80 €. Plats autour de 10,50 €.

Vous cherchiez un pub dans les règles de l'art pour

pimenter vos soirées rugby, le Frog and Rosbif ne vous décevra pas. Vous trouverez là-bas la panoplie parfaite du petit pub illustré, et en grand. Tout en rusticité, belle façade verte comme à Times Square, bois et cuivre sur le bar, pintes par millier alignées derrière les barmen tout droit venus de la Perfide Albion. On entendrait presque couler la Tamise si l'endroit ne résonnait des cris de joie des fans de l'ovalie – des maillots de rugby décorent les murs – devant les trois écrans géants les soirs de match. La bière est brassée sur place dans de belles cuves en métal et le fish and chips vous attend en cas de petit creux. Population jeune, réduction sur les cocktails pour les étudiants le jeudi.

3e arrondissement

ANDY WALHOO
69, rue des Gravilliers (3e)
✆ 01 42 71 20 38
M° Arts-et-Métiers. Ouvert du mardi au samedi de 17h à 2h. Happy-hour de 17h à 20h. Bières : 5,50 €, cocktails : 9,50 € et 6 € sans alcool, alcools : 8 €, apéritifs : 5 €, softs : 4,50 €. Assiettes : 15,50 €.
Andy Walhoo est en fait une sorte de jeu de mot entre le nom du roi du pop'art Andy Warhol et l'expression arabe oualou qui signifie «ce n'est rien»… Dès que l'on rentre on comprend très vite pourquoi ce mélange des genres. La déco aux couleurs bien criardes varie entre une atmosphère orientale et un bric-à-brac d'objets récupérés : les pots de peintures servent de poufs, des caisses à Coca de guéridon. Les frères Mazouz, qui ont le sens de l'accueil, tiennent aussi le très bon restaurant 404, à côté. Le lieu est spacieux mais rapidement bondé, succès oblige. Le bar ondulé aux lumières orange intégrées s'allie parfaitement aux mille petits objets de supermarchés arabes blottis dans des cases le long de la vitre. L'ambiance est à la fois cosy et festive, les cocktails sont bons – incontournables : le wahloo spécial au rhum brun et le mojito maison à base de vodka. On y déguste des mezze sur de la musique orientale en attendant que l'ambiance monte, ce qui ne rate jamais – programmation : party animal. L'été, la cour se transforme en riad : c'est parfait.

L'APPAREMMENT CAFE
18, rue des Coutures-Saint-Gervais (3e)
✆ 01 48 87 12 22
M° Saint-Sébastien-Froissart. Ouvert tous les jours de 12h à 15h et de 19h30 à 23h, le vendredi et le samedi jusqu'à 23h30 et le dimanche de 12h30 à 0h. Demi : 4 €, cocktails : 8,50 € – sans alcool : 7 €, vins autour de 4 €. Plats autour de 15 €.
Un salon comme à la maison avec des fauteuils biens moelleux, des livres et des jeux de société. Le tout dans un cadre cosy classe et tendance, et une atmosphère chaleureusement boisée. Séparé en plusieurs petits espaces, le lieu est à la fois vivant et intime. On y va pour déguster un cocktail ou un verre de vin en jetant nonchalamment les dés du backgammon. Ou au contraire on squatte une grande table en bande pour s'affronter au Monopoly® ou au Trivial Pursuit®. Et comme les victoires, ça creuse, en cas de petite faim, on peut soi-même composer son assiette – attention, c'est amusant mais un peu cher. Une jolie adresse du Marais, plutôt calme.

LA FUSEE
168, rue Saint-Martin (3e)
✆ 01 42 76 93 99
M° Rambuteau. Ouvert tous les jours de 11h à 2h. Demi : 2,80 €, cocktails : 6,50 €, ti-punch : 5,90 €, alcools : 6 €, apéritifs : 3 €, softs : 3,10 €. Assiettes : 10 €.
Bien avant, La Fusée s'appelait Chez Ariane, allez savoir pourquoi. Voilà bien longtemps en tous les cas que ce lieu a décollé, toujours plein de l'ouverture à la fermeture de tout un tas de jeunes gens souriants et relax dont on soupçonne un bon nombre, d'être des habitués du lieu. C'est chaleureux, on s'assoit là où on vous fait de la place, sur une table en bois partiellement occupée, ou tranquille à l'ombre d'un mur orange, près d'une étagère de livres à disposition. Le long bar en bois accueille une trentaine de discussions simultanées auxquelles participe le barman. On voudrait bien être ami avec les serveuses et on aurait tort de rater les concerts du dimanche soir – consommations majorées de 1 € –, juste pour voir comment ça fait quand tout le monde se tait. Grande terrasse chauffée et bâchée l'hiver, ensoleillée l'été.

LA PERLE
78, rue Vieille-du-Temple (3e)
✆ 01 42 72 69 93
M° Saint-Paul. Ouvert tous les jours de 6h à 2h, à partir de 8h le week-end. Demi : 3 €, café : 2 €, vins entre 3 € et 5,50 €, sandwichs autour de 3,10 €, croques et salades.
Disons-le sans détour : La Perle est l'apéro le plus branché de Paris. Même s'il apparaît comme un vieux café tout ce qu'il y a de plus PMU, perdu dans la partie déserte de la rue Vieille-du-Temple, à l'écart de l'agitation marchande du Marais. De près vous serez vite happé. Totalement «dans son jus», Formica, lustres orange et murs jaunis, on y croise plus d'intermittent(e)s que sur un plateau de tournage. Prise d'assaut dès 18h par le Tout-Paris. C'est bondé, joyeux, un peu m'as-tu-vu, on s'y échange des plans de soirées, on y critique le ParisParis où l'on va tous les jours, les serveuses font la une de Technikart et personne n'entend plus le juke-box. L'été, la terrasse qui longe le bar est blindée d'une petite foule debout, un verre à la main, façon vernissage branché. Le service est plus qu'agréable et l'ambiance festive. Pour info, c'est à Jean-Phi, le patron du lieu, qu'on doit la reprise réussie de La Flèche d'Or.

4e arrondissement

L'AREA

10, rue des Tournelles (4e) ✆01 42 72 96 50

M° Bastille ou Chemin-Vert. Ouvert du mardi au dimanche de 12h à 15h et de 18h à 2h.

Si l'Area est un restaurant fomidable (voir rubrique Restaurants), sa réputation de bar n'est pas moindre ! Ambiances chaudes et musicales, savamment orchestrées par Lydie et Edouard depuis plus de 18 ans. Mojitos, caïpirinhas et caïpiroskas sont les stars de ces soirs "do Brazil" où l'on croise des habitués, des artistes connus, ou simplement des amoureux discrets et ravis. Et c'est Stan qui officie aux platines. Quelle merveille !!!

LE KOMPTOIR

27, rue Quincampoix (4e) ✆01 42 77 75 35

Site Internet : www.lekomptoir.fr – M° Châtelet ou Rambuteau. Ouvert tous les jours de 10h à 2h tous les jours, sauf le dimanche de 10h à 0h. Bière : 3,90 €.

Le Komptoir est devenu un endroit incontournable car c'est avant tout un bar abordable par rapport à la politique de prix pratiquée dans le quartier. L'happy-hour est sans doute l'un des moins chers aussi les habitués comme les touristes ne manquent pas de profiter d'un vrai apéro sans se ruiner : un cocktail acheté le second offert ou les pintes de bières à tarifs étudiants (la pinte de bière est à 3,30 €). Le barman est un spécialiste des cocktails et la maison offre souvent un chupito de rhum arrangé. La soirée se prolonge dans une très belle cave voûtée qui sert pour les concerts et tous les jeudis soir pour le jazz manouche ceux qui le veulent peuvent apporter leurs instruments pour y participer. On y mange aussi des tapas, assiettes de charcuteries ou de fromages. La déco est simple, mais les pierres apparentes et le très beau et long comptoir aux couleurs chaudes donnent vraiment envie de s'installer pour un long moment.

NEW AULD ALLIANCE

80, rue François-Miron (4e)

✆01 48 04 30 40

Site Internet : www.theauldallianceparis.com M° Saint-Paul. Ouvert tous les jours de 15h à 2h, à partir de midi le week-end. Demi : 3,50 €, alcools : 5,40 €, vins : 3 €, whiskies de 7 € à 20 €, cocktails : 8 € – 6,10 € pour les plus classiques –, shots : 5 €, softs : 3,10 €. Pintes : 4 €. Happy-hour de 15h à 20h, sauf le week-end.

Au XIIe siècle, la France et l'Ecosse formèrent une alliance aux dépens de l'Angleterre qui attribuait notamment la nationalité française aux Ecossais. Le général de Gaulle la qualifia quelques siècles plus tard de «plus vieille alliance du monde». Voilà pour le nom de ce superbe pub – ne pas manquer la façade typique –, recouvert d'armoiries écossaises, de vieilles épées et de cornemuses – et d'écrans plats pour les soirs de match, six en tout. Une amitié encore vivante à en juger par le mélange des Français et Anglo-Saxons de tous âges qui se pressent dans la grande salle en L – le service se fait au bar et avec l'accent, please – qui finit par un billard. Le lundi, tous les cocktails sont à 6 € pour les filles.

LA PERLA BAR

26, rue François-Miron (4e)

✆01 42 77 59 40

Site Internet : www.cafepacifico-laperla.com M° Saint-Paul. Ouvert tous les jours de midi à 2h. Demi : 3,80 €, cocktails : 8,80 € – sans alcool : 5,90 € – vins : 4 €, softs : 3,50 €. Margarita : 9 €, pichet 6 verres : 50 €, tequila : 9 €. Plats : 10 € et choix de tapas : 6 €.

Juste en retrait du Marais touristique, un très joli bar d'angle spacieux et classe à vous réconcilier avec les bars à tapas. Car c'est bien le Mexique qui est à l'honneur ici, mais les patrons ont eu le bon goût d'épargner à leurs clients les apparats latinos habituels au profit d'une déco aérée toute en vitre assez chaleureuse. La clientèle est plutôt chic mais festive. On y trouve un choix impressionnant de tequilas et de tortillas. L'accueil est simple et souriant et l'ambiance y monte tout doucement pour atteindre des niveaux caliente au fur et à mesure de la soirée. C'est un before de choix dans le quartier pour apprécier de la cuisine mexicaine moderne sur de la musique jazzy et sud-américaine qui laisse la place aux conversations.

LE PICK-CLOPS
16, rue Vieille-du-Temple (4e)
© 01 40 29 02 18

M° Saint-Paul. Ouvert tous les jours de 7h à 2h, 8h le dimanche. Demi : 3,60 €, softs : 3,80 €, cocktails : 7,60 € – sans alcool : 5 € – vins : 3,50 €. Plat du jour : 9,50 €, salades entre 8 € et 10 €.

Ici, c'est comme si Casimir avait décidé de refaire la déco. Des tables en Formica jaune ou bleu, de grands miroirs aux murs et du plastique un peu partout pour un décor très US années cinquante. Si Le Pick-Clops n'est plus aussi branché qu'il y a quelques années, sa terrasse est toujours pleine à l'heure de l'apéro et à l'intérieur l'accueil n'a pas changé, toujours aussi simple, sympathique et souriant, ce qui n'est pas négligeable puisque dans le coin on est souvent trop speed pour sourire aux clients. Musique rock, clientèle jeune et enjouée, serveuses qui déversent un monceau de cacahuètes entières sur votre table en amenant les consommations. On peut aussi y manger un petit quelque chose avant d'aller faire la bringue dans le Marais.

LE TROISIEME LIEU
62, rue Quincampoix (4e) © 01 48 04 85 64

Site Internet : www.letroisiemelieu.com

M° Les Halles ou Rambuteau. Ouvert du lundi au samedi de 18h à 2h. Happy-hour de 18h à 20h. Bières : 3 €, pichet de 1 litre : 9,50 €, cocktails : 6,50 €, softs : 3,50 €, planches entre 6 € et 10 €, croques à partir de 6,50 €.

De son petit nom La cantine des Ginettes armées, Le Troisième Lieu c'est un grand bar à la déco kitch années cinquante, papier peint et nappe à carreaux. Grand d'abord par la taille, souvent plein de jeunes gens au coude à coude sur les grandes tables en bois et qui parlent fort parce qu'ils sont contents. Mais grand aussi par l'ambiance festive que diffuse la dj depuis sa caravane musicale – tous les genres se mélangent selon l'humeur. On vient ici avant de sortir – au Pulp, par exemple, parce que les Ginettes, elles aiment bien les filles – et on en profite pour laisser l'énergie monter, autour d'un tournoi de Baby-foot, en allant danser au sous-sol, ou en partageant une planche – végétarienne, fermière ou marine – ou une salade – cochonne ou biquette entre autres.

5e arrondissement

CHEZ LEA
5, rue Claude-Bernard (5e) © 01 43 31 46 30

M° Censier-Daubenton. Ouvert tous les jours de 8h30 – 9h le samedi, 10h le dimanche – à 2h. Demi : 3 €, cocktails : 6,90 € – sans alcool : 5,50 €, apéritifs à partir de 3 €, softs : 3 €, alcools : 5 €, vins : 3 €. Plats : 13 €. Assiettes : 9,50 €.

A deux pas du bas de la rue Mouffetard, un café branché comme on n'en trouve pas beaucoup dans le quartier et donc forcément très fréquenté par la jeunesse du coin – la fac de Censier n'est pas bien loin. Un décor moderne et coloré, les murs sont unis orange, jaune et mauve, avec une petite touche boisée coloniale. Un joli zinc, de grandes fenêtres et c'est parti pour d'interminables apéros dans une ambiance un peu bobo, un peu arty tout à fait chaleureuse. L'accueil est parfois un peu speed, mais toujours gentil et les jeunes étudiants se font des sourires charmants. La musique monte au fur et à mesure que la soirée avance, le style varie selon les goûts des barmen.

6e arrondissement

L'ASSIGNAT
7, rue Guénégaud (6e) © 01 43 54 87 68

M° Odéon ou RER Saint-Michel. Ouvert du lundi au samedi de 9h à 0h.

Tous ceux qui disent que les cafés du quartier latin s'embourgeoisent de plus en plus doivent aller faire un tour à l'Assignat. C'est l'un des vestiges du glorieux passé germano-pratin qui a enchanté des générations de jeunes dans les années cinquante et soixante. A l'ombre de l'Hôtel de la Monnaie, son enseigne porte le nom des billets révolutionnaires. Le patron Gérard a succédé à sa mère Gaby et cela fait plus de trente ans que la famille attire les étudiants des Beaux-Arts ou des écoles du quartier. C'est un lieu bien sonore car là aussi le bar a gardé la tradition d'être le repaire des fanfares qui jouent tous les samedis après-midi ou presque. Certaines répètent même dans ce lieu mythique entre les banquettes en Skaï rouge, le flipper et les Baby-foot. On peut se caler l'estomac avec un menu à 12 €. Bref ici c'est un vrai petit café d'étudiants où l'on est sûr de trouver toute la journée une superambiance.

LE BOB COOL
15, rue des Grands-Augustins (6e)
© 01 46 33 33 77

M° Saint-Michel. Ouvert tous les jours de 17h à 2h. Cocktails : 5 €, alcools : 6 €, demi : 2,50 €. Demi : 3,50 €, cocktails : 8,50 €, shooter : 4 €, alcools : 9,50 €, softs : 4 €.

Un bar marrant, où Chantal, la patronne, vous accueille toujours avec le sourire et prépare des cocktails à «tomber par terre» au sens figuré bien sûr. Certains soirs la population a en moyenne 30-40 ans, mais la clientèle est plutôt internationale ou composée d'habitués très friendly car ici tout le monde parle à tout le monde. Les étudiants se mélangent aux artistes et à toute une faune bien contente de trouver ici un petit supplément d'âme. On peut aussi y faire des jeux de société ou s'exiler dans la petite salle en pierre du fond. Le genre d'endroit dont on sort avec le sourire et où l'on a envie de revenir très vite.

LE 10 BAR

10, rue de l'Odéon (6e) ✆ 01 43 26 66 83

M° Odéon. Ouvert tous les jours de 18h à 2h. Happy-hour de 18h à 20h. Bières en bouteilles : 3,80 €, sangria : 3,30 €, cocktails : 7 €, alcools : 6,50 €, softs : 3,50 €.

Le genre de bar qu'on est content de connaître et de faire découvrir, tellement il fait Quartier latin. Juste derrière la façade d'antan, on est accueilli par un juke-box d'époque qui n'a pas encore chanté sa dernière Valse à mille temps. Le bar fréquenté majoritairement par des étudiants semble avoir traversé les époques avec la tranquillité d'un navire. Et le barman tient la barre avec la gentillesse bougonne des capitaines au long cours. Ici, on boit de la sangria maison ; qui est bonne et pas chère, entouré d'antiques affiches de cinéma, sur d'authentiques tables de bistrot, en parlant un peu à tout le monde entre deux allers-retours au juke-box et quelques pas de danse là où on trouve de la place. Happé par l'ambiance, on se laisse souvent surprendre par la fermeture.

L'ALCAZAR

62, rue Mazarine (6e) ✆ 01 53 10 19 99

Site Internet : www.alcazar.fr

M° Odéon. Ouvert tous les jours de 19h à 1h – 2h le vendredi et le samedi – formule (plat et verre) : 24 € – sur la mezzanine –, cocktails : 11,50 €, vins à partir de 6 €, softs : 5,50 €. Menus de 20 € à 32 € le midi et à 39 € le soir et carte. Brunch le dimanche, adulte : 32 €, enfant : 16 €.

Une verrière à plus de 10 m de haut ouvrant sur une mezzanine-bar-lounge : du velours sur les sièges, un salon privé en verre, des colonnes, un piano à queue noir, des œuvres de photographes en vue, des dj's reconnus aux platines... rien n'a été laissé au hasard dans cette brasserie-bar moderne, très new-yorkaise et trendy où l'accueil impeccable a su rester simple chaleureux. Parfait pour une before un peu classe, d'autant que la maison possède aussi le club Wagg qui se trouve à la porte à côté.

THE FROG AND PRINCESS

9, rue Princesse (6e) ✆ 01 40 51 77 38

Site Internet : www.frogpubs.com

M° Mabillon. Ouvert tous les jours de 17h30 à 2h, à partir de midi le week-end. Happy-hour de 17h30 à 20h. Pintes : 4,50 €, cocktails : 5 € –, pintes : 6,50 €, alcools et cocktails : 7 € et sans alcool : 5,50 €, shots : 4,50 €, vins : 6 €, softs : 4 €. Plats autour de 14 €.

Pas la peine de demander un demi, car ici ça n'existe pas. La bière se boit en pinte un point c'est tout. Six d'entre elles sont d'ailleurs brassées sur place, et on peut assister au spectacle d'un serveur escaladant l'une des six cuves d'acier qui ornent le bar pour concocter le breuvage sacré. Pour ceux qui préfèrent les cocktails, on ne saurait trop conseiller la spécialité maison, le screaming-orgasm – vodka, amaretto, liqueur de café et crème de lait. Le pub est clean et aéré, ce qui est assez agréable en fin de soirée car l'atmosphère reste respirable malgré le monde. Le dimanche soir vous pouvez tester votre culture générale lors des quizz et blind-test de musique. Pour les gagnants, un pichet gratuit.

LE GENTLEMAN

3, rue Hautefeuille (6e) ✆ 01 40 51 04 04

M° Saint-Michel. Ouvert tous les jours de midi à 2h. Happy-hour jusqu'à 22h. Pintes : 3,50 €, cocktails et alcools : 5,50 €. Demi : 2,80 €, cocktails : 7,20 € – sans alcool 5 € – shots : 4,30 €, alcools : 9 €, softs : 3 €.

Pris d'assaut dès la sonnerie de fin des cours par les lycéens et étudiants du Quartier latin, Le Gentleman a des allures de chalet de montagne où l'on se retrouve après une bonne journée de ski. Trois petites salles pour trois ambiances, réparties autour du bar. Banquettes rouges et tables basses dans la première pour les groupes, tabourets et tables hautes dans la deuxième avec écrans de télé pour les jours de match. Et ambiance café parisien dans la dernière où les parties de dés font rage. Et partout du bois et de la pierre apparente. Joli et convivial.

CHEZ GEORGES

11, rue des Cannettes (6e) ✆ 01 43 26 79 15

M° Saint-Sulpice. Ouvert du mardi au samedi de 12h à 2h. Bières à partir de 4 €, vins (10 cl) à partir de 2 €.

Voilà une histoire familiale qui dure depuis plus d'un demi-siècle. Et cela fait plaisir dans un quartier de plus en plus aseptisé et impersonnel. Jean-Pierre et Nicolette, dignes descendants de Georges, et toute leur bande continuent à faire la causette derrière le bar aux vieux habitués et aux jeunes qui s'habituent. Mélange improbable d'âges et de genres dans ce vieux bar à vins charmant et vivant aux banquettes

Boire un verre dans un palace

Les palaces parisiens ne sont pas seulement réservés aux clients qui ont la chance d'y résider, un bon moyen de découvrir ces lieux prestigieux est d'aller y prendre un verre dans leur bar, rivalisant de confort et de design. On retrouve souvent une bonne dose de créativité dans les cocktails, concoctés par des chefs qui en connaissent un rayon en matière d'excellence. Ces lieux atypiques marquent une rupture singulière avec la ville, en proposant soit une atmosphère feutrée de club ou bien une ambiance plus contemporaine et branchée.

de moleskine rouge. Les vieilles photos d'époque côtoient des expositions de jeunes photographes le long des murs jaunis. Dans la cave en pierre de taille, attention, l'escalier est un peu raide, des jeunes de tous âges dansent sur absolument tout ce qui fait plaisir à Jean-François, l'un des maîtres des lieux qui est en cave : musique de l'Est, Piaf, Madonna ou les Beatles, par exemple. Cela chauffe terriblement, on se presse, ça ne désemplit pas depuis des décennies et on espère encore pour longtemps.

LA PALETTE
43, rue de Seine (6e) ✆ 01 43 26 68 15
M° Odéon. Ouvert tous les jours de 9h à 2h. Demi : 4 €, apéritifs, vins et softs : 4 €, cocktails avec ou sans alcool à partir de 11 €. Snacks et salades : 8 €, croques : 7,50 €.
La Palette, c'est le Saint-Germain des artistes depuis 1903 et encore aujourd'hui, ce café parisien est entouré de galeries plus ou moins prestigieuses – mais plutôt plus quand même – et à deux pas des Beaux-Arts. Une très jolie terrasse chauffée entourée de plantes qui donnent une petite respiration dans cette rue calme d'un quartier agité. L'intérieur est agréable : un zinc, deux salles, beaucoup de vieilles palettes aux murs et quelques fresques. Artistes, marchands, people et étudiants s'y mélangent et y boivent un verre en dégustant une guillotine, la spécialité maison, des tapas de pain Poilâne jambon de pays, cantal pour 7 €. Une valeur sûre du quartier.

7e arrondissement

OBRIEN'S
77, rue Saint-Dominique (7e)
✆ 01 45 51 75 87
Site Internet : www.obriens-pub.com
M° La Tour-Maubourg. Ouvert tous les jours de 17h à 2h. Happy-hour de 17h à 20h du lundi au vendredi.
Un vrai beau et bon pub irlandais à deux pas de la tour Eiffel, Obrien's est comme les mythes irlandais, un pan de civilisation qui tient dans un bar. Au programme, de la bière beaucoup de bière, et encore de la bière mais aussi des whiskeys… Comme on se plaît à le dire chez Obrien's la bière permet «helping ugly people to have sex since 1862.» Nous laisserons là cet adage tout irlandais pour mettre en avant les fabuleuses soirées de quizz où la somme de matière grise mise en œuvre est toujours inversement proportionnelle à la quantité d'alcool ingurgitée. Des après-midi «rugby pinte» sont organisés au gré des transmissions cathodiques pour le plus grand bonheur de la diaspora irlandaise. En résumé, Obrien's c'est un vrai pub irlandais avec un accueil, une déco, un calendrier de fêtes, et des habitués qui sentent bon le trèfle fraîchement coupé.

8e arrondissement

LE FORUM
4, boulevard Malesherbes (8e)
✆ 01 42 65 37 86
Site Internet : www.bar-le-forum.com – M° Madeleine. Ouvert du lundi au vendredi de midi à 2h, le samedi et au mois d'août de 17h30 à 2h. Fermé le dimanche. Bières : 8 €, cocktails : 14 €.
Imaginez ce bar cosy qui date de 1931, au cœur duquel confortablement installé dans un fauteuil club très anglais, protégé par les boiseries en chêne massif vous pourrez déguster l'un des 123 whiskies ou 226 cocktails de la carte. Rien que pour tous les goûter cela vous prendrait six mois – à raison d'un par jour soit, mais l'abus d'alcool, etc. Le Forum propose également une cave de plus de 120 Puros. Les cigares sont la deuxième passion des habitués de l'endroit. Il paraît que Fanny Ardant y a ses habitudes.

CULTURE BIERE
65, avenue des Champs-Elysées (8e)
✆ 01 42 56 88 88
Site Internet : www.culturebiere.com
M° George-V. Ouvert du lundi au dimanche à partir de 10h30. Fermé le lundi à 0h, le mardi à 12h30, du mercredi au vendredi à 1h30, le dimanche à 23h. Happy-hour en semaine de 17h à 19h. Formule grignotage : 9 €, formules dégustation de bières : 3,60 € et 4,60 €, brassin (25 cl) : 4,20 €.
Avec pareil nom, on ne peut pas être trompé sur la marchandise ! Ce concept store de 1 100 m², idéalement placé sur l'avenue des Champs-Elysées, accueille tout naturellement tous les amateurs de ce breuvage fermenté. Et l'on a tout loisir de découvrir qu'il existe presque autant de types de bières que de nationalités différentes sur les Champs-Elysées ! Le lieu est conçu avec intelligence pour contenter la curiosité et le goût des connaisseurs comme des non-initiés. Trois étages et trois espaces différents mais complémentaires. Au Club 65, ambiance cosy autour du bar en verre d'une longueur de 18 m, rien que ça ! Parfait pour un début de soirée. Optez pour la bière fraîche maison tout juste tirée du brasson, l'un des nombreux cocktails à base de houblon, ou pour la formule «amuse-bière». La bière choisie est accompagnée d'un trio de tapas, ainsi la bière blanche se décline avec une brochette d'ananas et de gambas, un œuf de caille sur mousse de crabe et un burger de Saint-Jacques au pistou. Au restaurant Le Comptoir, la bière reste le fil rouge – pardon, ambré – du repas. Une couleur de bière est suggérée pour chaque plat : blanche, blonde, ambrée ou brune. Libre à chacun de faire ses propres associations ou de suivre les conseils du biérologue, sommelier es bière ! L'espace boutique, enfin, permet un shopping original, depuis le simple décapsuleur aux produits de beauté à base d'orge.

LE JAIPUR
25, rue Vernet (8e)
✆01 44 31 98 00
Site Internet : www.hotelvernet.com
M° Charles-de-Gaulle-Etoile. Ouvert 7j/7 de 10h à 1h. Bières : 8 €. Apéritifs à partir de 8 €. Cocktails avec alcool : 15 € et sans alcool : 10 €.
Le bar de l'hôtel Vernet, discrètement installé au sous-sol, offre un havre de paix extrêmement élégant et cosy avec sa décoration contemporaine dans les couleurs framboise et argent. Il est idéal pour une heure apéritive douce, agrémentée des excellents cocktails de la maison.

9e arrondissement

BAR DE L'HOTEL AMOUR
8, rue de Navarin (9e)
✆01 48 78 31 80
Site Internet : www.hotelamourparis.fr
M° Saint-Georges. Ouverture continue. Cocktail à partir de 10 €.
The place to be ! On peut aussi y dîner, mais ce n'est pas ce que l'Hôtel Amour a de mieux à offrir. Par contre le jardin terrasse de l'endroit se prête admirablement aux apéros entre amis !

LE BACKGAMMON
27, rue du Faubourg-Montmartre (9e)
✆01 47 70 58 94
M° Grands-Boulevards. Ouvert du lundi au samedi de 8h30 à 2h. Cocktail : 7 €. Bières à partir de 3,50 €.
Le Backgammon est un bar, brasserie, tabac qui retransmet dans un décor sans chichi, voire même, un peu rétro, des matches sur un écran géant. Ici c'est plutôt tendance troisième mi-temps et l'ambiance est garantie. Ce pub convivial et chaleureux reçoit un groupe deux fois par semaine (jazz, chanson française…). On peut y grignoter des salades, croques, assiettes de charcuterie si les émotions ouvrent l'appétit.

10e arrondissement

CHEZ ADEL
10, rue de la Grange-aux-Belles (10e)
✆01 42 08 24 61
M° Jacques-Bonsergent. Ouvert du mardi au samedi de 17h à 1h. Demi : 2,50 €, alcools : 3 €, apéritifs : 2 €, vins : 2,70 €, softs : 3 €.
Si vous avez oublié ce qui a fait la renommée des bars du canal Saint-Martin, faites un tour Chez Adel parce que lui, il s'en souvient. Un café à la déco improbable faite de pommes de pin qui pendent des poutres du plafond, d'objets oubliés un peu partout et de statues de nymphettes songeuses aux quatre coins de la pièce. Et au milieu, un bar ovale sur lequel règne l'inébranlable Adel. Tout autour, un mélange authentique et spontané d'habitués, d'artistes un peu roots et de jeunes branchés. Des concerts gratuits tous les soirs, tendance musique du monde, devant une peinture murale du canal, que l'on dirait du Douanier Rousseau. Pas cher, mélangé et sympa, voilà la recette oubliée par de nombreux bistrots du coin. Adel lui, n'a jamais rien changé, et c'est tant mieux.

LE JEMMAPES
82, quai de Jemmapes (10e)
✆01 40 40 02 35
M° République. Ouvert tous les jours de 11h à 2h en saison. En hiver, du lundi au jeudi de 17h à 2h et du vendredi au dimanche de 11h à 2h. Demi : 2,80 €, verres de vins à partir de 3 €, apéritifs : 2,50 €, alcools : 6 €, softs : 2,50 €. Plats autour de 12 €.
La minuscule terrasse du Jemmapes est toujours bondée, mais ça n'est pas grave parce qu'en fait la terrasse du Jemmapes c'est aussi les bords du canal Saint-Martin où l'on peut emporter sa bière dans un gobelet en plastique pour d'interminables apéros printaniers. S'il fait trop frais, on se réfugie dans la petite salle sombre aux tables alignées. Et, on se réchauffe face au faux marbre vieillot des murs en buvant des ti-punchs à 5,20 € devant un escalier en colimaçon en fer forgé. De l'autre côté du pont, juste en face de Chez Prune, cet ancêtre du canal est le pendant simple et convivial de son voisin bobo. L'accueil est parfois un peu raide, mais jamais désagréable. Un endroit plus posé que poseur qui reste une des valeurs sûres du coin et où l'ambiance prend au hasard des soirées.

LE POINT EPHEMERE
200, quai de Valmy (10e) ✆01 40 34 02 48
Site Internet : www.pointephemere.org
M° Jaurès. Bar Ouvert tous les jours de midi à 2h, et de 13h à 21h le dimanche. Entrée concerts et soirées autour de 10 €. Majoration de 1 € sur les boissons les soirs de concerts. Demi : 3,50 €, cocktails : 6,50 € – sans alcool : 5 € –, softs : 4 €, apéritifs : 4 €. Formules à partir de 11 € le midi, plats à la carte entre 12 € et 17 € le soir.
C'est dans un ancien magasin de matériaux de construction, sur les bords du canal Saint-Martin, que l'équipe d'Usines Ephémères – qui transforment des lieux abandonnés en résidences d'artistes cool, comme à Mains d'Œuvres – a installé Le Point Ephémère. Un lieu transversal, à la fois salle d'expos et de concerts, lieu de soirées, bar et résidence d'artistes – entre autres – qui a très vite attiré une population branchée et arty sur les bords de l'eau ; L'été venu, la terrasse déborde sur l'énorme quai ou les jolis jeunes gens en goguette viennent profiter de la fraîcheur nocturne.

LE TRIBAL
Les Petites Ecuries – 3, cour des Petites-Ecuries (10e) ✆01 47 70 57 08
Site Internet : http://le-tribal-cafe.ifrance.com
M° Château-d'Eau. Ouvert du lundi au samedi de

13h à 2h, le dimanche de 17h à 2h. Pintes : 3 € et couscous offert le week-end.

Un café qui propose des pintes à 3 €, qui offre le couscous le vendredi soir et le samedi soir, ça existe ? Oui, Le Tribal est tenu par une équipe de Kabyles sympathiques, qui au cœur de ce passage semi-piétonnier offre une oasis de convivialité. Parties d'échecs, petites tables rondes ou grandes tablées pour les groupes, facile de lier connaissance avec la clientèle de l'endroit. Le Tribal fait partie des établissements où vous ne serez jamais considéré comme un «ticket moyen» ambulant. En semaine, les patrons proposent même une soirée moules-frites offertes ! De même le vendredi et le samedi, le taulier offre le couscous à ses invités. Une histoire d'accident évité miraculeusement serait à l'origine de cette générosité.

LE VERRE VOLE
67, rue de Lancry (10e) ✆ 01 48 03 17 34
M° Jacques-Bonsergent. Ouvert tous les jours de 10h30 à 2h.

Cette minuscule salle a des allures de cave à vins, et c'est bien normal : c'en est une ! La sélection est assez remarquable et vous pourrez consommer les vins de votre choix sur place, ou les emporter pour un apéro au bord du canal Saint-Martin. Mais vous aurez sans doute envie de profiter de l'ambiance chaleureuse, pipelette à souhait, au coude à coude.

11e arrondissement

L'ALIMENTATION GENERALE
64, rue Jean-Pierre-Timbaud (11e)
✆ 01 43 55 42 50
Site Internet : www.alimentation-generale.net
M° Parmentier. Ouvert le mercredi, le jeudi et le dimanche de 17h à 2h, le vendredi et le samedi de 17h à 4h. Le vendredi et le samedi à partir de 0h. Entrée : 5 €.

L'Alimentation Générale, ce n'est pas la superette du quartier, c'est le bar qui a conquis les habitants du 11e. A l'ALG – n'ayons pas l'air de touristes – donc, point de rayon yaourts qui s'étend à perte de vue ou de codes-barres, mais un bar-restaurant-salle de concert à la fraîcheur d'esprit garantie. Derrière la devanture bleu électrique, une vaste salle très accueillante – décoration bric-à-brac, mais pas trop – où l'on s'installe selon son envie. Il n'y a qu'à piocher : tapas au bar, dîner en salle, musique live – dj, jazz, funk, ambiance bal survoltée… – et piste de danse, ce qui n'est pas si commun à Paris. En somme, musique éclectique, population hétéroclite et prix raisonnables. On dit oui !

LE BAR SANS NOM
49, rue de Lappe (11e) ✆ 01 48 05 59 36
M° Bastille. Ouvert du mardi au samedi de 18h à 2h, 4h le samedi. Bières : 5,50 € et cocktails à partir de 8,50 €.

Un coin de dépaysement au cœur de la rue des vendeurs de bières ! Le Bar Sans Nom est une référence depuis les années quatre-vingt-dix, il a connu des hauts et des bas et a accueilli des centaines de fêtards. Quand on y entre pour la première fois on se croirait téléporté dans la salle à manger du père d'Indiana Jones, les meubles hétéroclites, les tentures, les lampes et les éléments de déco font de cet endroit un capharnaüm chaleureux. Une fois coulé sur une banquette d'époque on peut commencer son voyage au cœur de la nuit. Un des avantages de l'endroit par rapport au reste des établissements de la rue est qu'on n'est pas obligé de crier pour se parler. Idéal donc pour se retrouver pour un brin de causette en petit comité. Si vous voulez vous la jouer Aventurier du Lappe Perdu, essayez le mojito et les cocktails étrangers qui sont la spécialité de l'endroit.

LE BOTTLE SHOP
5, rue Trousseau (11e)
✆ 01 43 14 28 04
M° Ledru-Rollin. Ouvert tous les jours de 11h30 à 2h. Happy-hour de 17h à 20h. Salades : 8 €, bières : 3 €, cocktails : 8 €.

Un pub anglais en plein cœur du 11e, par les créateurs du Stolly's et du Lizzard Lounge. Ce café pub permet de boire une cheap blonde qui est la bière maison au cours des 3h des Happy-hour quotidiennes. Comme dans tout pub anglais qui se respecte, on peut venir bruncher et faire de la musculation avec les éditions de 40 pages du Sunday Times chaque dimanche, on peut aussi emprunter un bouquin pour lire en salle. Muscu toujours avec de sérieux concours de lever de coude comme seuls nos voisins anglais en ont le secret.

LE CAFE DE L'INDUSTRIE
16, rue Saint-Sabin (11e)
✆ 01 47 00 13 53
M° Bréguet-Sabin. Ouvert tous les jours de 9h à 2h, cuisine ouverte jusqu'à 0h30. Pression : 3,50 €, cocktails : 7,50 € – sans alcool : 5,50 € – alcools : 7,50 €, softs : 3,50 €. Plats : 13 €. Terrasse.

Et de trois ! Après L'Industrie II, le Café de l'Industrie est une seconde petite annexe dans la rue. Preuve du succès de ce resto-bar classe et élégant aux allures de Cotton-Club acajou. Décoration hétéroclite et chaleureuse faite en partie des souvenirs de voyages du patron des lieux. C'est à la fois chic et totalement décontracté, tendance et popu. Nombre d'habitants du quartier et des alentours en ont fait leur cantine, probablement séduits par la cuisine simple et par les serveuses jeunes et exotiques. Le Café de l'Industrie est bondé en fin de semaine, mais les espaces sont grands et le service plutôt rapide. On est à deux pas de Bastille mais à l'écart de l'agitation, c'est parfait pour le début de la soirée.

LE CAFE DE LA PLACE VERTE
105, rue Oberkampf (11e)
✆01 43 57 34 10
M° Parmentier. Ouvert 7j/7, jusqu'à 2h du matin. Plats : 13 €, bières : 3 €, smoothie : 5,80 € et cocktails à partir de 7,50 €.
Le dernier-né des patrons du Café Charbon est un énorme bar qui possède la plus belle terrasse de la rue Oberkampf. En entrant dans La Place Verte on découvre une salle scindée en deux avec un mélange de matériaux assez réussi : carrelage, cuivre, verre et bois pour une salle hyperdesignée. Le plafond de La Place Verte ressemble un peu à un squelette de dinosaure géant. On vient à La Place Verte pour déjeuner le midi – plat à 12 € –, pour prendre un café en terrasse et squatter le Wi-fi l'après-midi, pour regarder l'expo photo temporaire du kiosque à images. Le soir on prend l'apéro et on se montre sur la plus grande terrasse du quartier. Car La Place Verte est avant tout un spot pour voir et être vu dans le 11e. Une équipe de serveuses sympathiques qui connaissent bien le quartier soignent l'accueil. Essayez les smoothies, ces cocktails de fruits et de légumes à base de lait de vache ou de soja.

LE LEOPARD
149, boulevard Voltaire (11e)
✆01 40 09 95 99
Site Internet : www.myspace.com/cafeleopard
M° Charonne. Ouvert du lundi au samedi, dîner de 17h à 23h45 du lundi au vendredi, de 19h30 à 1h le samedi. Fermeture à 4h le samedi. Happy-hour de 17h à 20h, pinte au prix du demi. Demi : 3 €, cocktails entre 6 € et 9 €, apéritifs à partir de 2,50 €, vins à partir de 3 €, shots : 4 €, softs : 3 €. Plats autour de 12 €.
Le bar qu'on rêve tous d'avoir en bas de chez soi. Fréquenté par les trentenaires trendy et autres habitants du quartier pour des apéros confortables et animés. Le cadre est design et coloré, avec des fauteuils confortables et lumière chaude est agrémenté d'expositions mensuelles. Le soir, ce bar tout en longueur se remplit à vue d'œil. On se tient debout là où l'on peut en discutant avec sa voisine et le temps passant avec à peu près tout le monde dans un joyeux brouhaha. Ce qui est sûr c'est qu'on ne reste pas longtemps tout seul ici. Et le week-end la programmation, accessible sur le site, un peu plus sûre tourne au son de l'électro. On ne sait jamais comment ça va se terminer.

ON CHERCHE ENCORE
2, rue des Goncourt (11e)
✆01 49 29 79 56
Site Internet : www.onchercheencore.com
M° Goncourt ou Parmentier. Ouvert le lundi de 11h à 16h, du mardi au vendredi de 11h à 2h, le samedi de midi à 2h. Formule midi : 16 €.
Nous en tout cas, on ne cherche plus, on a trouvé la bonne adresse. Ce bar-resto a impulsé un air de fête au quartier. Ça commence tout doux à l'apéro – c'est déjà plein de monde, ça parle, ça boit des coups, ça rigole... ah ça oui, ça rigole ! –, on dîne à l'aise, pas serrés comme des sardines – parce qu'il y en a marre de ces endroits où l'on est au coude à coude –, et en plus : c'est bon ! Et peu à peu, on pousse les tables, on pousse le son, et hop, ça bascule vers la fiesta ! Et tout au long de la soirée, le staff est sympa, souriant... et du coup, les clients aussi !

LE POP IN
105, rue Amelot (11e)
✆01 48 05 56 11
Site Internet : www.popin.fr – M° Saint-Sébastien-Froissart ou Oberkampf. Ouvert tous les jours de 18h30 à 1h30. Bière bouteille : 2,60 €, demi : 2,30 €, soft drink : 2,50 €, verre de vin : 2 € et whisky : 5,50 €.
C'est sans doute l'endroit le plus pop de Paris. Le décor, composé d'éléments de récupération triés et mis en place, est un mix entre la cave de la maison, la cantoche du lycée et le pub très cosy et très british. Il suffit juste d'un peu d'imagination pour s'y retrouver. On peut y boire un verre en étage, au rez-de-chaussée, ou dans une cave. L'établissement organise régulièrement des soirées (Pop'In Gay, Poofter, tournois de foot...). La clientèle plutôt jeune et stylée est fan de la «pop-rock music» (de Bowie et des Beatles jusqu'à Pulp, Placebo et Blur). Des artistes viennent souvent ici pour se retrouver entre amis, dans une ambiance conviviale. Au programme concerts du lundi au jeudi, dj's le reste de la semaine et Open Mic le dimanche. Attention, l'ambiance métro aux heures de pointe est fréquente car le lieu est très petit...

LE ZERO ZERO
89, rue Amelot (11e)
✆01 49 23 51 00
M° Filles-du-Calvaire. Ouvert tous les jours de 18h à 2h. Happy-hour de 18h à 20h30. Pintes et cocktails : 4,50 €. Demi : 3 €, pintes : 5,50 €, alcools : 6,80 €, apéritifs : 3 €, vins à partir de 2,90 €, softs : 2,80 €.
Welcome back in the seventies, tendance libertaire dans ce minuscule bar où il y a foule dès 20 personnes, à deux pas de la rue Oberkampf. La façade acidulée annonce d'entrée la couleur : orange et neokitch. Dedans, on sirote un Zéro-Zéro, le cocktail maison, rhum brun, gingembre et citron vert sur fond de vieux papier peint comme chez grand-mère mais en plus délavé. La déco est minimaliste, mais juste assez négligée pour mettre tout de suite à l'aise. L'accueil est attentif, il faut dire que ce serait difficile de feindre l'ignorance très longtemps dans ce 15 m². Du coup l'ambiance prend assez vite sur un bon rock des familles. C'est aussi bien pour commencer la soirée que pour un dernier verre sur le retour.

12e arrondissement

CHEZ GUDULE

58, boulevard de Picpus (12e)

✆ 01 43 40 08 28

M° Picpus. Ouvert du lundi au vendredi de 7h à 2h, le samedi de 8h à 2h, le dimanche de 9h à 22h. Demi : 2,90 €. Plats entre 10 € et 16 €.

Qui est Gudule ? Ce serait selon nos recherches la grand-mère du proprio qui faisait du vélo ! Avoir une grand-mère championne belge de vélo, ça vous aide à passer les vitesses. Sans rire, ce petit rade avec une grande terrasse est un havre de paix. Les bobos du quartier s'y donnent rendez-vous après le jogging du dimanche ou avant le match de foot à Vincennes, beaucoup de voisins donc, peu de branchés et une terrasse où l'on peut lambiner sans s'attirer les foudres des loufiats. Le midi, on peut manger un plat chaud ou une salade, le soir il faudra manger une assiette froide ou une planche de charcuterie. Une superbe terrasse, un accueil sympa et le temps de prendre le temps c'est assez rare pour le recommander. En tout cas chez Gudule on est moins poussé à commander et à laisser la table aux autres que chez Prune, l'autre affaire des patrons.

13e arrondissement

LE FOLIE EN TETE

33, rue de la Butte-aux-Cailles (13e)

✆ 01 45 80 65 99

M° Corvisart. Ouvert tous les jours de 17h à 2h, 0h le dimanche. Demi : 2,80 €, cocktails à partir de 6 €.

Un petit bar qui déploie un maximum d'énergie pour que ceux qui y viennent n'y reviennent pas par hasard. Le vrai secret de La Folie c'est sa carte de ti-punchs qui affiche des saveurs dont les noms sont déjà des voyages : sirop de coco, gingembre, bissap, fleur d'oseille, tamarin. Une fois calé dans un fauteuil bas, si on n'y prend garde les tournées de ti-punchs peuvent vous faire voir du pays. Et la Butte-aux-Cailles de se transformer en Everest pour ceux qui à force de refaire le monde font surtout la fermeture des bars. A noter la déco faite de vieux instruments de musique qui évoquent les concerts que l'endroit a organisés avant que des récalcitrants voisins ne mettent le holà. La Folie en Tête est un lieu typique et frais de la Butte-aux-Cailles, un lieu qui redonne envie de sortir.

14e arrondissement

LE SMOKE

29, rue Delambre (14e) ✆ 01 43 20 61 73

M° Edgar-Quinet. Ouvert tous les jours, sauf le dimanche de 12h à 2h, à partir de 16h le samedi. Pression : 2,50 €, alcools : 6,50 €, cocktails : 6,50 €, vins : 2,50 €, softs : 2,80 €. Plats autour de 10 €.

Son enseigne brille dans la sombre rue Delambre, comme une invite à venir y faire escale. Les amateurs de jazz qui en pousseront la porte se sentiront parfaitement à l'aise dans ce petit bar boisé et chaleureux. Rien de particulier sinon un petit quelque chose dans l'atmosphère légèrement enfumée, comme un supplément d'âme peut être dû à la musique et aux posters de jazzmen qui ornent les murs, Coltrane, Davis en tête ou au parrainage discret de Paul Auster. On ne danse pas sur les tables, mais c'est vivant et l'accueil est agréable et souriant.

LE ZANGO

58, rue Daguerre (14e) ✆ 01 43 20 21 59

Site Internet : www.zango.fr – M° Denfert-Rochereau. Ouvert tous les jours de 11h à 1h. Zatazés : 3 € la portion. Grandes assiettes : 14 €.

Non, le Zango n'est pas un animal à sang froid qui peuple les terres australes mais l'arbre qui guide les tribus nomades dans le désert grâce à ses branches orientées est-ouest. Tout comme le Zango de la rue Daguerre, qui à défaut de guider les tribus se propose d'inspirer les voyageurs potentiels à prendre le large. Déco zébrée et rotin, bois et ocre dans un style un peu colonial un peu branché, musique d'ailleurs et cuisine du monde pour vous ouvrir les papilles et les oreilles. On y déguste des zatazés (zakouski, tapas, mezze) en buvant des cocktails aux mille saveurs tout en se faisant passer les guides de voyages à disposition sur les étagères. Une invitation au voyage, parfaite pour l'apéro. Pour plus d'ampleur, visitez donc la seconde adresse du Zango : un loft de 300 m² qui allie, sur deux étages, un espace restaurant, un salon-bibliothèque dédié au voyage, et une terrasse. A vous la cuisine, les expositions, les livres… **Autre adresse :** ZANGO LES HALLES 15, rue du Cygne (1er) ✆ 01 40 26 27 27.

LE ROSEBUD

14 bis, rue Delambre (14e) ✆ 01 43 35 38 54

M° Vavin. Fermeture annuelle en août. Ouvert tous les jours de 19h à 2h. Bières : 6,50 €, apéritifs : 6,50 €, cocktails : 12 €, softs : 6 €. Plats : 22 €.

S'il est des endroits qui traversent le temps sans rien perdre de leur classe ni de leur vitalité, Le Rosebud en fait partie. Légende du Montparnasse des intellectuels et des artistes – Jean-Paul Sartre venait y faire la bringue, Jacques Higelin en parle dans ses chansons –, ce petit bar américain boisé et classe ne se visite pas comme un musée, il est encore bien vaillant et reçoit toujours peintres et écrivains. Les barmen en veste blanche impeccable concoctent avec charme et professionnalisme – ils sont la mémoire vivante de ce lieu – les meilleurs cocktails de Manhattan… pardon de Montparnasse. L'atmosphère est feutrée, on peut parler et se faire entendre sans hurler. Les habitués sont nombreux et il est facile d'engager des conversations qui finiront bien tard avec ses voisins. On peut y dîner d'un steak tartare ou d'une bonne pièce de viande avec une crème caramel. L'ambiance musicale est choisie avec au répertoire tous les grands standards du jazz, et grand style.

LE CAFE TOURNESOL
9, rue de la Gaîté (14e) ✆01 43 27 65 72
M° Edgar-Quinet. Ouvert tous les jours de 8h30 à 2h, le dimanche à partir de 9h. Pression : 2,50 €, café : 1,50 €, softs : 3,20 €, cocktails entre 5 € et 10 € sans alcool : 4,60 €, vins autour de 3 €. Formule (plat du jour et café) : 9,20 €.
On lui doit une fière chandelle à ce Tournesol – et à la bande de La Fourmi à Pigalle qui l'a ouvert – car avant son arrivée, la rue de la Gaîté s'ennuyait un peu entre ses théâtres de boulevard et ses sex-shops pas très glamour. Si depuis, d'autres bars se sont ouverts dans son sillage, Le Tournesol reste le plus sympa de la rue. Une déco entrepôt-bobo mêlant béton, briques et couleurs chaudes, un staff jeune et sympa qui malgré un rythme soutenu semble toujours de bonne humeur, de la musique rock, électro, jazz : il n'en fallait pas plus pour ramener une population branchée de ce côté-ci de Montparnasse. Autour d'une petite cervelle de singe – Bailey's vodka fraise pour 3,50 € – voici une étape parfaite pour se chauffer avant d'aller faire la fête.

16e arrondissement

LE MAKASSAR LOUNGE BAR
39, avenue de Wagram (16e)
✆01 55 37 55 37
Site Internet : www.marriott.fr – M° Charles-de-Gaulle-Etoile ou Ternes. Ouvert 7j/7.
Le bar de l'Hôtel Renaissance Paris Arc de Triomphe est tout en verre, illuminé d'esquisses évoquant le monde de la mode, du théâtre et du cinéma, et dans sa châsse de verre, la cave expose une sélection de vins régionaux et de vins d'Océanie, tous servis au verre. Le Makassar Lounge Culture Bar propose des cocktails aux accents indonésiens : Musim Panas, une fusion de l'ancienne Asie et de spiritueux européens, hutan bakar, un délicat cocktail parfumé avec un brin de romarin ou encore le kilat, l'élégance du champagne allié à la vodka, avec une touche fruitée de poire. Idéal pour un début de soirée exotique.

17e arrondissement

LE FLUTE ETOILE
19, rue de l'Etoile (17e)
✆01 45 72 10 14
Site Internet : www.flutebar.com – M° Ternes ou Charles-de-Gaulle-Etoile. Ouvert tous les jours de 17h à 2h. Service voiturier. Happy-hour de 5h à 8h le mercredi. Formules tasting de 5 € à 11 € la coupe, flûte de 10 € à 35 € et bouteille de 20 € à 600 €.
Les débuts de soirées parisiennes sont généralement disputés par les guindés bars d'hôtels et les colorés bars à tapas. Deux styles, deux ambiances. Le Flûte Etoile est le petit frère hexagonal des Flûtes made in New York. Leur propriétaire, Hervé Rousseau, décline ici sa formule du bar à champagne dans un petit salon-bar sur deux étages. C'est intime et cosy, on ne cherche pas à vous mettre des bulles plein les yeux. La carte propose une centaine de références, de la bouteille du petit producteur à la cuvée d'exception, et la formule tasting permet de goûter trois champagnes différents, sinon la sommelière, Lydia Benbacha, se fera un plaisir de vous conseiller une bouteille. Une expérience chic et ludique, une façon de sortir du champagne des mondanités et des soirées d'anniversaires. Un bel endroit qui sert également une cuisine de bar aux accents fusion food : caviar, saumon fumé ou encore rouleaux de printemps. Ambiance jazz le mercredi soir après le happy-hour et dj set le vendredi et le samedi.

18e arrondissement

LE CAFE BURQ
6, rue Burq (18e)
✆01 42 52 81 27
M° Abbesses. Ouvert tous les soirs, de 18h à 2h. Demi : 3 €.
Le Burq s'est fait une belle place dans le quartier. La salle, qui s'ouvre sur une grande devanture vitrée, abrite un mobilier des années cinquante du meilleur effet, les chaises sont d'ailleurs toutes à vendre, la lumière s'y tamise selon l'heure et

l'humeur, et la musique y est toujours bonne ! On passe volontiers y boire un verre en sortant du boulot… et on y reste bien souvent, tant l'heure apéritive est ici festive.

LE DOUDINGUE
24, rue Durantin (18e)
✆ 01 42 54 88 08
M° Abbesses. Ouvert du lundi au samedi de 16h à 2h, le dimanche de 12h à 0h. Happy-hour de 16h à 19h, sauf week-end et jours fériés.
Fresque au plafond, lustre, petites tables, banquettes généreusement garnies de coussins aux couleurs caressantes… On s'installe confortablement pour déguster un mojito, ou un autre des excellents cocktails confectionnés avec amour par le maître des lieux, Jimmy ! Il excelle en la matière… Deux petites tables en terrasse accueillent les chanceux aux beaux jours !

LE LUX BAR
12, rue Lepic (18e) ✆ 01 46 06 05 15
M° Blanche. Ouvert du mardi au samedi de 8h jusqu'à 2h du matin, le dimanche et le lundi de 8h à 22h. Happy-hour au comptoir de 19h à 21h. Déjeuner à la carte, compter autour de 15 €, bar uniquement le soir. Formule crise : 5,50 €. Demi : 2,10 €, la pinte : 4,20 €.
La butte Montmartre, c'est toujours charmant, mais parfois un tantinet trop bobo. Mais le Lux Bar reste un de nos troquets favoris du quartier. Si le fait qu'Alan, fan d'Elvis devant l'Eternel – tatouages faisant foi –, biscotos et casquette vissée sur la tête, tienne le bar ne vous suffit pas, que direz-vous de la terrasse, de la bande-son rock des années cinquante et soixante, de la déco mâtinée ambiance rugby et Montmartre d'antan ? Toujours pas convaincu ? Pour balayer les dernières hésitations, un argument massue : l'endroit a beau s'appeler le Lux, ici les prix sont au plancher. Il y a même pour ces temps difficiles une formule crise le midi… Tous les mois et demi, soirées à thème : Hawaï des années soixante, GI et pin-up… avec bien sûr les musiques de l'époque.

19e arrondissement

LE BAROURCQ
68, quai de la Loire (19e)
✆ 01 42 40 12 26
Site Internet : http://barourcq.free.fr – M° Laumière. Ouvert le mercredi et le jeudi de 15h à 0h, 2h le vendredi et le samedi, 22h le dimanche. Sessions dj le vendredi à 21h, le samedi à 22h, le dimanche à 18h. Pression : 2,10 €, alcools : 4 €, softs : 2 €, cocktails : 5 €.
A deux pas du nouveau MK2, quai de la Loire, un bar tout ce qu'il y a de plus moelleux et de bienveillant pour, n'ayons pas peur des mots, se vautrer dans un pouf en buvant un cocktail, parce que parfois c'est agréable. C'est joliment décoré – tout simple, tout blanc – et lumineusement éclairé et on n'a pas attendu la loi pour décréter l'espace entièrement non-fumeur, ce qui n'empêche pas de faire la fête lors des concerts et dj's sets – hip-hop, électro… Aux premiers rayons de soleil, le bar investit les quais et met gracieusement à disposition de ses clients en goguette des transats pour la bronzette et des boules de pétanque pour accompagner le Pastis – même si vous ne consommez pas. Un des meilleurs spots pour warm-up et pique-nique d'été.

LE CAFE CHERI
44, boulevard de la Villette (19e)
✆ 01 42 02 02 05
Site Internet : http://cafecherie.blogspot.com
M° Belleville ou Colonel-Fabien. Ouvert tous les jours de 10h à 2h. Happy-hour de 17h à 20h. Demi : 3 €, cocktails : 6,50 € – sans alcool : 4,50 €, alcools : 7 €, vin chaud : 4,50 €, verres de vins à partir de 3,30 €, softs : 2,50 €. Pintes : 3,50 € et pastis : 2 €. Galerie d'artistes au 1er étage.
Un bar branché, bobo, popu, relax, cool, tout ce que vous voudrez, mais un bar sympa et vraiment pas cher. Joli en plus avec sa déco bric-à-brac et récup baroque rouge de plaisir et jonchée de tables en bois sur le sol en béton. Derrière le bar en fer où reposent les bidons de rhum arrangé, les barmen sont gentils et le restent quand le café est plein, même à craquer. Ce qui arrive à peu près tous les soirs, quand la lumière se fait chafouine, surtout du jeudi au samedi à partir de 22h, quand les dj's s'installent derrière la grande table en bois au fond, sur laquelle sont posées les platines. Electro, pop, new-wave, hip-hop et ainsi de suite, ça swingue jusque sur la grande terrasse, ça drague jusqu'au plafond et ça danse là où il reste de la place.

20e arrondissement

CAFE ANIME – LA MER A BOIRE
1-3, rue des Envierges (20e)
✆ 01 43 58 29 43
Site Internet : http://la.meraboire.com – M° Pyrénées. Ouvert du lundi au samedi de midi à 1h du matin. Bière à partir de 3,50 €.
La Mer à Boire, c'est d'abord un espace clair et lumineux en surplomb du parc de Belleville. Murs orange et banquettes noires, baies vitrées, service sympathique : voilà un endroit chaleureux dans lequel on se sent bien ! Créé par trois anciens de La Maroquinerie, ce café-restaurant est «animé». Ne comprenez pas bistrot bruyant ou bondé, le lieu est en fait, consacré à la bd, comme en témoignent les dessins aux murs. Le 9e Art fait ici l'objet de rencontres, de débats et d'expositions, et les clients ont tout loisir de profiter de la bibliothèque spécialisée. Du déjeuner léger sur la terrasse aux soirées musicales, on profite volontiers de cette bulle décalée.

LA FELINE
6, rue Victor Letalle (20e)
✆ 01 40 33 08 66
Site Internet : http://myspace.com/lafelinebar – M° Ménilmontant. Ouvert tous les jours de 18h à 2h, sauf le dimanche et le lundi.
Vous êtes accueilli par Cat Woman agitant un fouet sur l'enseigne dans cet antre du rock'n'roll qui affiche sa devise en gros sur les murs : «Ici, ils ont vendu leur âme au rock !» Et ça tombe bien car le genre qui fait son grand retour a pris un sacré coup de jeune. La déco est en accord parfait avec cet esprit bar des années soixante. Fauteuils en Skaï noir et vinyles qui débordent du bar. Le blouson de cuir, remis au goût du jour se porte élégamment dans une ambiance sympathique et décontractée. Lors des concerts, il n'est pas rare que de jeunes post-adolescents à mèches et en jean moulant – les très jolis «mods» –, enflamment la petite piste improvisée au milieu du bar, où filles et garçons se mettent à twister avec rage. Bonne ambiance, les amateurs de rock apprécieront. Une petite visite du myspace de l'établissement vous mettra dans l'ambiance… Et la première compile vient de sortir : 100 % vinyle, treize groupes triés sur le volet et distillent un rock sans concession.

LOU-PASCALOU
14, rue des Panoyaux (20e)
✆ 01 46 36 78 10
M° Ménilmontant. Ouvert tous les jours de 9h à 2h du matin.
Quittez le boulevard de Ménilmontant, et faites un stop sur cette mini-place. L'hiver, c'est plein comme un œuf, et on se réjouit d'avoir trouvé une table. L'été, la petite terrasse est très calme, agréable. Le vin est gouleyant, les filles jolies, les mecs pas mal non plus… On s'y donne volontiers rendez-vous en début de soirée, pour aviser. Et finalement, on y reste parfois tardivement. Le Lou-Pascalou organise régulièrement concerts, projections et autres animations. Une des adresses du quartier avec un petit supplément d'âme !

LE PISTON PELICAN
15, rue de Bagnolet (20e) ✆ 01 43 71 15 76
Site Internet : http://pistonpelican.com
M° Alexandre-Dumas. Ouvert du lundi au vendredi de 8h30 à 2h et le samedi de 10h à 2h. Demi : 2,80 € (au comptoir avant 20h). Cocktails à partir de 5 €. Soft drink : 3,50 €. Vin à l'ardoise à partir de 2,50 €.
Pour ceux qui en ont assez de la rue de Charonne et de ses alentours, Le Piston Pélican est un bar-brasserie où l'ambiance est bon enfant. Le nom vient d'une troupe de théâtre qui aimait l'endroit et s'y produisait. La décoration est sobre et classique, tout en bois, moulures au plafond, quelques affiches au mur, du carrelage et une grande glace. Aujourd'hui on vient boire un verre, manger une salade ou un plat du jour de la carte assez bien fournie. Le week-end (le vendredi et le samedi) des live (jazz au rock) sont organisés dans ce bar mi-tendance mi-classique.

Les bars ouverts la nuit

LE CAFE OZ
18, rue Saint-Denis (1er)
✆ 01 40 39 00 18
Site Internet : www.cafe-oz.com
M° Châtelet. Ouvert tous les jours, du dimanche au jeudi de 17h à 3h, le vendredi de 17h à 5h et le samedi de 13h à 5h. Happy-hour de 17h à 20h, cocktails : 6 € et pintes : 5,50 € au lieu de 8 €.
Le Café Oz est un endroit unique, situé au commencement de la rue Saint-Denis, cet énorme bar australien est inimitable. Par sa déco d'abord, on se croirait dans un bouge du bush, pas beaucoup de lumière, du bois partout et des crocos en plastique qui pendent au-dessus du bar. Par l'ambiance qui y règne à grand renfort de bière en pintes et de cocktails à 6 € en happy-hour. Non content de fédérer les étudiants australiens de Paris autour des manifestations sportives, Le Café Oz propose une vraie programmation avec des soirées jusqu'à 7h du matin. Aux platines, des dj's de Nova ou les résidents de l'endroit. Le tout avec la ferme impression que Crocodile Dundee va sortir des toilettes à chaque instant… **Même ambiance aux deux autres adresses :** CAFE OZ BLANCHE 1, rue de Bruxelles (9e) ✆ 01 40 16 11 16. • CAFE OZ GRANDS BOULEVARDS 8, boulevard Montmartre (9e) ✆ 01 47 70 18 52.

LE SOCIAL CLUB
142, rue Montmartre (2e)
✆ 01 40 28 05 55
Site Internet : www.parissocialclub.com
M° Grands-Boulevards, Sentier, Bourse. Ouvert de 23h à 5h30, open bar de 23h à 0h30. Entrée de 10 € à 15 € sans les boissons.
L'équipe qui a tout repris en main est connue dans le monde de la musique électro et de la production de spectacles. L'un est dj, l'autre a fondé un label et le troisième a été programmateur musical. C'est d'ailleurs lui qui a trouvé le nom en se référant au club de nos amis grands bretons… Ce sont des clubs ouverts à toutes les catégories sociales notamment après le boulot. Le décor est graphique. Du noir et des néons de lumière noire filent sur toutes les coursives de la salle. Côté programmation, les organisateurs ne s'interdisent rien : dj's, concerts, électro, rock, jazz, hip-hop… Tout est bon pour faire venir du monde, mais l'endroit veut rester avant tout un club. Pour commencer, la salle propose une affiche résolument clubbing pour draguer la clientèle du Baron, du Paris-Paris et autres showcases. Et ce n'est pas parce qu'on s'appelle social club que c'est gratuit…

LE NEXT

17, rue Tiquetonne (2e) ✆01 42 36 18 93

Site Internet : www.lenext.com – M° Etienne-Marcel. Ouvert du lundi au samedi de 18h à l'aube. Bières à partir de 3 €, cocktails : 8,50 €.

Le Next est un concept avec ses trois salles sur deux niveaux, son caveau voûté a vu des dizaines d'anniversaires et des soirées vivantes mais décontractées… La déco est marrante avec ses couleurs chaudes et ses animaux en bois. Une fois que vous êtes en bas vous comprenez pourquoi on appelle l'endroit l'avant-boîte, sauf que souvent on y reste jusqu'au bout de la nuit. Le personnel est sympathique et les serveuses sont très jolies ce qui ne gâche rien. La programmation musicale est différente chaque soir et l'on sert de 17h à 5h. Tous les mercredis à partir de 20h, on joue au Trivial Pursuit® et les esprits chauffent bien. Certains jours les filles ont droit à leur soirée avec massages, coiffages, voyance, etc. Elles deviennent les «duchesses» du Next.

LE TRUSKEL

10-12, rue Feydeau (2e)

✆01 40 26 59 97

Site Internet : www.truskel.com – M° Bourse ou Grands-Boulevards. Ouvert du mercredi au samedi de 20h à 5h et jusqu'à 3h le mardi.

Sous ses allures de grand pub celtique, se cache un maxi-temple de la pop, mini-club gratuit où se succèdent dj's prestigieux ou inventifs – Bloc Party, Pulp, Belle&Sebastian y sont passés. Fans de New Order, Franz Ferdinand, The Rapture, vous êtes ici chez vous. Deux salles séparées par le bar constituent le lieu. Côté entrée, on discute debout autour du bar ou assis devant les projections du jour, au milieu d'une grande proportion d'habitués, assez jeunes et lookés pop. De l'autre côté on danse, on se presse devant la cabine du dj pour le supplier de passer son morceau préféré, on a chaud, ça ressemble au métro londonien aux heures de pointe, la musique en plus. Les soirées y sont nombreuses et les concerts assez fréquents.

LE SOIR

94, rue Saint-Martin (4e) ✆01 42 74 09 99

M° Rambuteau. Ouvert du dimanche au jeudi de 22h à 4h, le vendredi et le samedi jusqu'à 5h. Cocktails : 10 €.

Un lounge souterrain très cosy qui se veut également gay friendly. Le ton est donné par les lumières rouges, le bar laqué et le tissu gris tendu sur les murs, c'est classe tout en ayant un petit côté clandé des années quarante. On ne vient pas ici pour faire la fête, mais plutôt pour boire un verre en tête-à-tête sur un fond musical tendance jazzy.

LE CROCODILE

6, rue Royer-Collard (5e) ✆01 43 54 32 37

RER Luxembourg, M° Saint-Michel. Ouvert du lundi au samedi de 18h à 4h. Cocktails : 9 € – sans alcool 6 € –, croco-punch : 7 €, bières : 5 €, softs : 4 €.

Point de crocodile mais un chien géant et altier qui se faufile dans la foule affairée de ce petit bar étrange et sombre perdu aux alentours du Panthéon. Derrière le long bar de bois, un génie du shaker, qui répond au curieux patronyme de Grain de Sel, concocte plus de 300 cocktails aux noms de parfums décadents. Chemin de Damas, Clou Rouillé, Jolie Môme et Brûle Pourpoint défilent tandis que le lieu se remplit et que les conversations s'animent entre volutes de cigarettes et mélopées de jazz. On se sent transporté hors du temps dans cette chaleureuse et bruyante maison les habitués de passage, et au passage ceux qui ont la curiosité de pousser la porte mystérieuse du Crocodile.

LE POP CORNER

16, rue des Bernardins (5e)

✆01 44 07 12 47

M° Maubert-Mutualité. Ouvert du mardi au samedi de 18h à 2h – et jusqu'à 4h le vendredi et le samedi. Happy-hour de 18h à 20h – pinte au prix du demi. Demi : 3 €, bières bouteille : 5 €, alcools : 5 €, cocktails : 7,50 €, softs : 3 €. Majoration de 1 € après 22h.

Dans la famille Pop, voici, le Corner. Comme son grand cousin du 11e, le Pop In, ce bar un peu club accueille les mods, ces jeunes à mèches tout droit sortis d'une pub pour l'Eurostar qui vous réconcilient avec le rock. Un joli bar, à la déco très «je squatte le garage de mes parents avec des copains», donc forcément chaleureuse. Jambes de mannequins pour tenir les tablettes, bric-à-brac en tout genre. Quand on a fini de commenter le dernier album des Arctic Monkeys entre connaisseurs, direction le sous-sol pour un dj set sous voûte noire. La qualité musicale varie beaucoup d'un dj à l'autre et ça peut parfois être très bon – tendance électro rock, bien entendu. Ambiance relaxe et festive des bars de quartier.

CHEZ FELIX

23, rue Mouffetard (5e)

✆01 43 25 79 93

Site Internet : www.chez-felix.com – M° Cardinal-Lemoine ou Place-Monge. Bar Ouvert tous les jours de 16h à 5h du matin. Club à partir de 23h30 le vendredi et le samedi soir. Entrée gratuite et open bar pour les filles de 23h30 à 1h. Cocktails : 6 €, bières : 3 €.

Situé à deux pas de la place Contrescarpe, en plein cœur du Quartier latin, Chez Félix est un ancien cabaret mythique des années quatre-vingts. Ce lieu, magique et rempli d'histoire, s'est transformé en un bar-lounge au rez-de-chaussée et en un club taillé dans la roche au sous-sol. Aujourd'hui il accueille de belles soirées hip-hop, funky, électro, disco ou house. Quelque 40 cocktails agrémentent la carte et le happy-hour de 18h à 22h est un grand moment de détente après une journée de travail. L'ambiance est plutôt intime et détendue.

LA VILLA NOTTE

14, rue Hautefeuille (6e) ✆ 01 43 54 41 36

Site Internet : www.lavillanotte.com – M° Saint-Germain-des-Prés. Ouvert du jeudi au dimanche de 19h à 2h, jusqu'au petit matin le vendredi et le samedi. Happy-hour de 19h à 22h, consommations : 6 € au lieu de 8 €. Le jeudi de 19h à 2h toutes les boissons : 5 €.

La Villa Notte, qui a remplacé le Purgatoire, perpétue la tradition des nuits du Quartier latin. On se bouscule au bar dans la salle du haut, ambiance masculine devant l'écran pendant les soirs de matchs, et franche rigolade sous la voûte en pierre lors des soirées très animées. C'est assez étroit et un peu bas de plafond, mais ça aide à se tenir quand on danse sur le comptoir ! Pour ceux qui préfèrent un peu plus d'espace – l'étage n'est guère plus large qu'une rame de train –, la cave offre une grande salle voûtée d'époque avec grande alcôve, dance-floor et son propre bar. L'endroit idéal pour rencontrer des étudiant(e)s d'HEC en forme qui dansent sur de l'électro ou reprennent en rythme les tubes des années quatre-vingts. En prime, l'endroit est privatisable gratuitement – hors buffet –, de quoi s'improviser organisateur de soirée à peu de frais.

LE DOOBIE'S

2, rue Robert-Estienne (8e) ✆ 01 53 76 10 76

M° Franklin-D.-Roosevelt. Ouvert du mardi au samedi de 19h30 à 5h du matin, à partir de midi le dimanche. Vestiaire, voiturier.

Vous gardez un souvenir ému de vos soirées au Ship'In, durant votre été 1994 à La Baule ? Vous allez adorer Le Doobie's ! Ce restaurant de quatre salles se transforme en bar quand le soir bascule vers la nuit. Les branchés du 8e et du 16e arrondissement s'y retrouvent pour une fête de tous les diables, dans une ambiance déjantée bon enfant. Vous pouvez bien sûr aller y dîner mais l'idée reste d'aller y prendre la température après 2h – le jeudi, le vendredi et le samedi soir, Le Doobie's ne ferme ses portes qu'à 5h ! Jolies filles, beaux gosses, zic à la limite du ringard, bon team : une bonne tranche de nuit rieuse !

LE SANZ SANS

49, rue du Faubourg-Saint-Antoine (11e)
✆ 01 44 75 78 78

Site Internet : www.sanzsans.com – M° Bastille. Ouvert tous les jours, le lundi de 9h à 2h, du mardi au samedi de 9h à l'aube et le dimanche à partir de 18h. Cocktails : 9,50 € – sans alcool : 6 € –, alcools : 9 €, softs : 4 €.

C'est rouge, c'est tout de bois acajou, c'est chandeliers qui sortent des murs et vieux tableaux encadrés de dorures, c'est un temple un peu kitch et baroque, c'est à la fois un bar – deux en fait – un club et un restaurant, en plein Bastille, et c'est une institution qui dure depuis 1931 ! C'est aujourd'hui le seul bar du Faubourg Saint-Antoine ouvert après 2h du matin. Côté gadget, on vous laisse vous amuser avec les lampes et regarder ce qui se passe aux bars grâce aux deux écrans qui retransmettent le spectacle du zinc en direct. De 20h à minuit c'est plutôt lounge bar ensuite, on se lâche. Côté musique, venez tous les jours de la semaine et choisissez votre di préféré – il y a un résident par jour. L'ambiance et chaude et les gens aussi en plus d'être nombreux.

LE CAFE CHARBON

114, rue Oberkampf (11e) ✆ 01 43 57 55 13

M° Saint-Maur. Ouvert tous les jours de 9h à 2h et jusqu'à 5h le jeudi, le vendredi et le samedi. Fermé le lundi une semaine sur deux. Service jusqu'à 0h. Plat : 15,50 €, cocktails : 7 €, softs : 3,50 €, demi : 3,50 €. Majoration de 0,50 € à partir de 2h. Brunch le dimanche de midi à 15h : 18 €.

Un des ancêtres du quartier Oberkampf et sans doute l'un des plus beaux de la rue. Un vrai grand café Belle Epoque avec de larges miroirs qui courent le long des murs, surplombés de sombres mais authentiques fresques du temps jadis avec monsieur en chapeau haut de forme et Madame en robe du dimanche. La hauteur sous plafond est impressionnante et la déco révolution industrielle massive reste discrète, comme les très belles lampes en fer au-dessus du bar. Du côté de l'ambiance, on peut dire que Le Café Charbon est un peu victime de son succès. C'est un peu l'usine à bobos, bien branchouille – voire people – et le service assez impersonnel est parfois débordé, il faut dire que ça joue pas mal des coudes, spécialement le week-end. Outre sa beauté, l'endroit est idéal pour venir prendre la température du quartier, tant s'y mêlent les différentes couches de populations qui le composent.

L'OPA

9, rue Biscornet (12e) ✆ 01 46 28 12 90

Site Internet : www.opa-paris.com – M° Bastille. Du mardi au jeudi : concerts de 20h à 2h. Le vendredi et le samedi : concerts et clubbing de 21h à 6h. Entrée libre. Bières : 5 €.

Offre Publique d'Ambiance, ouf, on a échappé de justesse à un lieu vouer au culte du Cac40. L'OPA de la Bastille est toujours aussi amicale que musicale. La programmation est tellement éclectique qu'il faut y aller pour le voir, en effet l'OPA programme aussi bien des musiciens et des groupes que des performers et des plasticiens.

On nous propose même une soirée basée sur les réactions chimiques des produits mis en contact par les performers dûment parés de blouses blanches et de lunettes de protection. Va savoir si le fruit des expériences chimiques conduit à la création de molécules ou tout simplement à la dispersion des atomes crochus. L'OPA est un lieu d'échanges et de découvertes, un labo pour auditeurs libres. A noter les abdos du patron qui sont souvent à l'honneur ! Et pour les fumeurs chagrins, l'OPA a investi dans un petit cocon où ils peuvent garder leur – mauvaise – habitude.

LE CROCODILE VERT
6, rue du Hameau (15e) ✆01 56 08 15 40
Site Internet : www.lecrocodilevert.com
M° Porte de Versailles. Ouvert 7j/7 de 19h à 5h. Happy-hour tous les jours de 19h à 21h, sauf le vendredi, le samedi et jours de concerts. Verre d'alcool : 5 € (rhum arrangé). Cocktails : 7,50 €. Demi : 4 €. Soft drink : 4,50 €. Tapas : 5 €.
Ce bar à tapas a su recréer l'ambiance des bodeguitas cubaines, avec son mobilier atypique, ses canapés profonds et ses couleurs vives. L'atmosphère latino et bonne humeur caractérisent ce lieu haut en couleurs. Sur des rythmes salsa endiablés, les mojitos et les rhums arrangés – spécialités de la maison – se dégustent avec délice dans un dépaysement total. On s'y croirait presque ! Côté restauration, des tapas, mais aussi des spécialités cubaines sous la forme de plats du jour. Un cocktail est offert à toute personne qui viendra agrandir la collection d'Edith avec un crocodile.

LE COULOIR
108, boulevard de Rochechouart (18e)
✆01 42 64 08 14
M° Anvers. Ouvert de 18h à 2h en semaine, jusqu'à 4h le vendredi et le samedi. Fermé le dimanche.
Comment dire ? Le Couloir, c'est un peu l'adresse de la dernière chance du côté de Pigalle. Les infatigables de la Butte y descendent à pas d'heure, pour boire un dernier verre, et ils sont encore là des heures plus loin. Tout le monde est franchement éméché, et ça discute plus très droit, mais ça discute ! Le rez-de-chaussée est effectivement une sorte de couloir. Au sous-sol, si l'aventure vous tente, c'est plus trash encore, carrément underground, plus imprévu. Bref, ça change pas mal de bars aseptisés et tendance. On est à Pigalle et l'endroit a quand même conservé le côté sexy du quartier…

AUX NOCTAMBULES
24, boulevard de Clichy (18e)
✆01 46 06 16 38
M° Pigalle. Ouvert tous les jours de 9h30 à 5h du matin, le dimanche de 11h à 20h.
Adresse décalée s'il en est ! L'infatigable homme à la banane, Pierre Carré, et son orchestre font guincher les noctambules jusqu'au petit matin. On pousse les tables, on virevolte entre les chaises, et on refait le monde encore et encore. Une adresse presque légendaire dans ce quartier où il n'y a pas que des cabarets !

LES BARS À MUSIQUE « LIVE »

LE BAISER SALE
58, rue des Lombards (1er)
✆01 42 33 37 71
Site Internet : www.lebaisersale.com – M° Châtelet. Ouvert tous les jours de 17h à 6h. Entrée libre ou de 15 € à 20 € selon les concerts.
C'est sans doute le club le plus métissé de la rue, il existe depuis 1984 et a voué son âme à la découverte de nouveaux talents des quatre coins de la planète musique. Brésil, Afrique, Antilles : les influences colorées et chaudes descendent rue des Lombards pour réchauffer le cœur et le corps des Parisiens. Au programme : rythm'n'blues, chanson camerounaise ou l'excellent groupe de Thierry Fanfant le bassiste le plus talentueux de la scène antillo-parisienne. Le Baiser Salé offre vraiment des chemins de traverse pour passer d'une région du globe à l'autre, d'une culture à l'autre, d'une époque à l'autre, avec comme fil conducteur l'amour de la musique live. Lieu d'échanges et de fusion qui à l'heure de la world musique tient son rang et offre une programmation riche et équilibrée. A noter le lounge autour du bar en fer à cheval qui à force de cocktails vous fera voyager jusqu'au bout de la nuit.

LE DUC DES LOMBARDS
42, rue des Lombards (1er) ✆01 42 33 22 88
Site Internet : www.ducdeslombards.com
M° Châtelet. Ouvert tous les jours de 20h et à 22h jusqu'à la fin du concert nocturne, sauf le dimanche. Service voiturier. Prix d'entrée selon les concerts, entre 19 € et 30 €.
Le Duc des Lombards, lieu incontournable du jazz à Paris depuis un quart de siècle, a rouvert ses portes en après d'importants travaux de rénovation en 2008. Nouveau décor cosy et raffiné, nouveau concept audio et vidéo et acoustique au mieux de sa forme ; des caméras situées dans le club retransmettent les concerts en direct. On peut y dîner ou prendre un verre pour un excellent rapport qualité-prix et assister à un concert live à 20h ou 22h. Le vendredi et le samedi, à partir de minuit, place aux jam-sessions (entrée libre) où les musiciens se rencontrent et donnent à entendre une musique festive et accessible à tous. Le programme complet se trouve sur le site Internet car il change tous les soirs. En partenariat avec Vinci Park, les clients bénéficient d'une place de parking au tarif préférentiel de 5 € pour l'achat d'une place de concert.

LE SUNSET-SUNSIDE
60, rue des Lombards (1er)
✆01 40 26 46 60 (Sunset)/01 40 26 21 25 (Sunside)
Site Internet : www.sunset-sunside.com – M° Châtelet. Ouvert tous les jours de 18h à 2h. Entrée suivant concerts de 12 € à 25 €.
Situé entre le Forum des Halles et le centre Georges Pompidou, le Sunset Jazz-Club, créé en 1983 par Michèle et Jean-Marc Portet, est le premier club à s'être installé rue des Lombards. En 2001, le dernier-né du Sunset, le Sunside, ouvre ses portes, en remplacement du restaurant. Désormais, le Sunset est dédié au jazz électrique, à l'electro-jazz et à la world music. Le Sunside se consacre au jazz acoustique. Sunset et Sunside forment ainsi un complexe unique en Europe avec deux clubs juxtaposés ouverts 7j/7 et deux concerts par soir. La programmation, véritable reflet de l'actualité du jazz, est un peu le rendez-vous obligé des musiciens les plus prestigieux (Brad Melhdau, Kenny Barron, Kurt Elling, Terry Callier...). Et une envie perpétuelle de continuer à faire découvrir de nouveaux musiciens et de nouveaux courants musicaux proches du jazz.

HARRY'S BAR
5, rue Daunou (2e) ✆01 42 61 71 14
M° Opéra. Ouvert tous les jours de 10h à 4h. Piano-bar du lundi au samedi de 22h à 2h, le vendredi et le samedi jusqu'à 3h. Cocktails de 12 € à 16 €.
C'est LE bar américain de Paris. Rien n'y manque, ni les fanions aux noms des Etats, ni les boiseries, ni les barmen en habit, ni la clientèle américaine chic, ni le whisky qu'on peut choisir parmi plus de 150 variétés. Il faut dire que depuis son ouverture en 1911, le Harry's Bar a eu le temps d'asseoir sa légende dans cette rue vivante du quartier de l'Opéra. C'est là, sur le long bar qui vous accueille dès l'entrée, qu'a été inventé, un soir de 1923, le Bloody Mary, devenu depuis un des grands classiques en matière de cocktails. En tout, ce sont près de 300 cocktails qui vous sont proposés, mais c'est à vous de faire preuve d'imagination car vous ne trouverez pas de carte, seulement quelques suggestions sur le mur. C'est assez souvent plein, on s'y sent bien quelle que soit l'heure de la nuit, et c'est l'endroit absolument incontournable les soirs d'élections américaines.

SHERWOOD
3, rue Daunou (2e) ✆01 42 61 70 94
M° Opéra. Ouvert tous les jours de 17h à 6h. Happy-hour de 18h à 21h. Bières : 3,50 €, cocktails : 6,50 € – sans alcool : 5 €. Plats autour de 15 €.
Un vrai piano-bar à la déco crémeuse : acajou et rayures rouge et beige où l'on peut venir écouter de la musique live tous les soirs à partir de 22h. Au rez-de-chaussée, c'est le jazz qui est à l'honneur autour du grand piano à queue. En bas, dans la belle salle voûtée, les genres se succèdent : bossa-nova, funk, latino... pour le plus grand plaisir des danseurs. Pour les petits creux et les grandes faims nocturnes, on y sert une cuisine traditionnelle honnête jusqu'à 3h du matin. Seul regret : l'accueil n'est pas toujours à la hauteur de l'endroit.

LE LIZARD LOUNGE
18, rue du Bourg-Tibourg (4e)
✆01 42 72 81 34
Site Internet : www.cheapblonde.com – M° Hôtel-de-Ville. Ouvert tous les jours de 11h30 à 2h, happy-hour de 17h à 20h. Pintes et cocktails : 5 €. Au sous-sol, happy-hour de 20h à 22h et toute la nuit le lundi. Demi : 3,20 €, bouteilles : 5 €, cocktails : 7,50 € – sans alcool : 6 €, shots : 6,50 €, vins : 3,50 €, softs : 3,50 €. Snack : 7 €.
Dans une ambiance qui rappelle une ruelle de New York avec les longs murs en briques rouges apparentes et la petite mezzanine en armature de métal, un pub tout ce qu'il y a de plus anglo-saxon. Derrière le long bar en bois ondulé, de jeunes serveurs à l'accent british préparent en s'amusant des cocktails dont la spécialité maison est le screaming-orgasm, pour un public d'Anglais toujours présent en nombre. De grandes ardoises un peu partout affichent les nombreux cocktails et snacks. En bas, la grande cave en deux pièces a son propre bar et accueille du mercredi au samedi des dj's de tous bords – plutôt bonne programmation pour un bar : électro, house, groove, rythm'n'blues... pour des fêtes aux accents londoniens.

LE CAVEAU DE LA HUCHETTE
5, rue de la Huchette (5e) ✆01 43 26 65 05
Site Internet : www.caveaudelahuchette.fr – M° Saint-Michel. Ouvert tous les jours de 21h30 – concert à partir de 22h15 –, jusqu'à 2h30 du dimanche au mercredi et jusqu'à l'aube du jeudi au samedi. 12 € en semaine, 14 € le week-end – étudiants et moins de 25 ans : 10 €. Bières : 6 €, alcools : 8 €, softs : 5 €.
Le Caveau de la Huchette, célèbre temple du jazz, fait figure de temple tout court tant ses pierres voûtées sont chargées d'histoire : bien avant 1551, l'immeuble portant le n° 5 de la rue de la Huchette fut le lieu de rendez-vous des Rose-Croix et des Templiers et en 1772 il fut transformé en loge secrète franc-maçonnique. En 1789 et pendant toute l'époque révolutionnaire, à l'enseigne du Caveau de la Terreur, le 5, rue de la Huchette abrite les clubs des Cordeliers et des Montagnards. Bien d'autres événements s'y sont déroulés, mais c'est en 1946 que Le Caveau devient un temple du jazz. Les plus grands noms du jazz s'y produisent, de Lionel Hampton à Bob Wilber – et dans le temps Sydney Bechet et Count Basie – avec un certain penchant pour le swing. Après les concerts et passé 2h, le lieu s'ouvre gratuitement à tous les genres, tendance rétro – ryhtm'n'blues, rock, disco... – pour des soirées de danses endiablées dans la plus pure tradition de Saint-Germain-des-Prés. Clientèle jeune et festive.

LE TROISIEME LIEU

62, rue Quincampoix (4e) ✆ 01 48 04 85 64

M° Rambuteau. Ouvert du lundi au samedi de 18h à 2h, dance floor seulement à partir du mercredi. Demi : 2,80 €, mojito : 6,50 €.

Le Troisième c'est pour ceux ou celles qui aiment les endroits festifs avec un côté kitsch néanmoins très ingénieuse car elle reconstitue les pièces d'une maison. Ici pas de physio pour vous mettre dehors si vous n'avez pas le look voulu. Et que vous soyez homo, hétéro, black, blanc ou beur on vous accueille. Ici personne ne se prend au sérieux, le programme ici est simple : on boit, on mange, on danse. On commence au rez-de-chaussée en prenant l'apéro au bar, mais on se croirait dans un salon. Si vous avez un petit creux passez au resto La cantine des Ginettes armées… C'est tout un programme car les ginettes armées ici ce sont les patronnes de la maison. Il y a même un sous-marin aménagé dans la cave… Côté musique plusieurs dj's, installés dans une ancienne carrosserie de caravane, occupent les platines toute la soirée en haut comme en bas. La programmation est très éclectique : cela va des années soixante à quatre-vingts en passant par du mix électro aux concerts plus ou moins improvisés, du slam ou du funk. Tous les styles se mélangent dans une joyeuse ambiance.

LE PIANO VACHE

8, rue Laplace (5e) ✆ 01 46 33 75 03

Site Internet : www.lepianovache.com – M° Maubert-Mutualité. Ouvert tous les jours de 12h à 2h, à partir de 18h pendant les vacances scolaires, et à partir de 21h le week-end. Happy-hour jusqu'à 21h : tout à 1 € de moins. Demi et softs : 3,50 €, alcools : 7 €.

Voilà peu ou prou quarante ans que Le Piano Vache est le repaire des lycéens et étudiants du quartier, qui de Henri IV à la Sorbonne a vu passer moult têtes bien faites et têtes bien pleines. Si l'ambiance de ce vieux bar sombre ne laisse rien paraître de son âge – on y refait toujours le monde en écoutant du rock –, il suffit de gratter un peu le mur couvert d'affiches pour faire ressurgir des trésors. Une institution plusieurs fois immortalisée à l'écran : Le Péril jeune de C. Klapisch, le clip Place des Grands-Hommes de P. Bruel… Soirées à thèmes du mercredi au samedi dès 21h avec dj : jazz le lundi, gothique le mercredi, années quatre-vingts le jeudi, punk-rock – Chewing Gum des Oreilles – le vendredi.

COOLIN

15, rue Clément (6e) ✆ 01 44 07 00 92

M° Mabillon. Ouvert tous les jours de 10h à 2h. Happy-hour de 17h à 20h : tout à 5 €. Demi : 4 €, cocktails : 8 €, alcools : 7 €, softs : 4 €. Plats : 13 €, salades : 11 €.

On dirait presque que le marché Saint-Germain a été construit sur ce petit pub, tant il tranche avec les magasins clinquants et lumineux qui l'entourent. Le Coolin est une sorte de havre d'authenticité perdu dans une galerie marchande. Murs orange, parquet grinçant et plafonds verts, décorés d'étagères inatteignables où semblent avoir été oubliés de vieux livres et autres bibelots improbables. Il y a même un vieux vélo qui traîne au-dessus de la porte. Le bar est tout petit, presque perdu dans un coin de la salle bruyante et chaleureuse. L'accueil vraiment attentionné réjouit une clientèle de tous les âges et tous les styles. Le week-end, Manu (de Nova) et Thomas mixent aux platines – électro, rock – et le dimanche on joue du jazz en live, sauf à la belle saison où les dj's ont la part belle.

CHARLIE BIRDY

124, rue de la Boétie (8e)

✆ 01 42 25 18 06

Site Internet : www.charliebirdy.com

M° Saint-Philippe-du-Roule. Ouvert tous les jours de 10h à 2h. Cocktails : 9 €, shots : 6,50 €, bières à partir de 4 € et softs autour de 4,50 €.

Ce grand bar à l'américaine propose bon nombre de concerts. Il y en a tous les jours, pour tous les goûts, plutôt rock et folk, blues et pop. En semaine les concerts commencent à 22h30 et le week-end c'est à partir de minuit. La programmation est assez variée, française, anglaise ou américaine. Comme tous les endroits qui brassent beaucoup de bières et de clients le Charlie Birdy propose un happy-hour de 16h à 20h, sauf week-ends et jours fériés où les cocktails et les bières sont à 50 %. Anecdote, Adanowsky, un des artistes rock les plus en vue de la scène parisienne, a commencé par jouer au Charlie Birdy avant d'être sur scène aujourd'hui avec m ou Yarol Poupaud. A tester les brunchs gospel avec des pancakes au miel béni par un père cajun…

Autres adresses : 84, boulevard du Montparnasse (14e) ✆ 01 40 64 88 00 – 1, place Etienne-Pernet (15e) ✆ 01 48 28 06 06 – 29, quai Gallieni – (92) SURESNES ✆ 01 41 44 77 80.

LE 50

50, rue de Lancry (10e)

✆ 01 42 02 36 83

M° Jacques-Bonsergent. Ouvert tous les jours de 17h30 à 2h. Demi : 3 €, cocktails : 7 € – sans alcool : 5 € –, vins à partir de 2,50 €, softs à 3 €.

Si vous rêvez de pousser la chansonnette en public et entre amis mais que vous n'êtes pas très versé karaoké et que la Star'Ac' ne vous tente pas, Le 50 est la scène qu'il vous faut. Car ici, le dimanche, c'est apéro chantant : on reprend en cœur et en musique les succès d'antan dans la bonne humeur générale, accompagné par Marcello à la guitare. Et si vous ne connaissez pas Brel sur le bout des doigts, pas de panique, les paroles sont à votre disposition. Et puis forcément, avoir vu sa voisine de droite massacrer Brassens ça brise la glace en un rien de temps, tout comme les cocktails maison à ne pas manquer. Déco années cinquante printanière dans ce petit bar en longueur et en deux petites salles où sont aussi organisés des concerts – du jeudi au samedi : chanson française, jazz…

LE BAXO
21, rue Juliette-Dodu (10e)
✆01 42 02 99 71
Site Internet: www.baxo.fr – M° Colonel-Fabien. Ouvert tous les jours jusqu'à 2h du matin. Fermé le samedi midi. Consommations à partir de 4 €, cocktails: 8 €.
Le Baxo a profité de la réfection de la rue Juliette-Dodu où les larges trottoirs ont délogé les voitures mal garées qui squattaient les arrières de l'hôpital Saint-Louis. Le Baxo offre deux ambiances, resto midi et soir – formule à 12 € le midi – et lounge-bar dj le soir, avec une programmation éclectique et festive du jeudi au samedi. Côté déco, un mur de colombages sépare le bar de la salle et donne un petit côté classieux à l'endroit. La salle est superconviviale avec des banquettes tout du long, les gros coussins et les chaises transparentes. Une déco originale, très féminine et chaude pour se sentir à l'aise tout de suite. Au programme du Baxo, des dj's festifs et généralistes du jeudi au samedi, une vraie fiesta entre potes et gens du quartier, un endroit à découvrir vite !

NEW MORNING
7-9, rue des Petites-Ecuries (10e)
✆01 45 23 51 41
Site Internet: www.newmorning.com – M° Château-d'Eau. Ouvert à 20h, concert à 21h.
Un club de jazz, une salle de concert, un spot pour talents de la world music ? Le New Morning est un peu tout cela, c'est l'une des salles parisiennes incontournables pour les amoureux de musique. Au niveau international, c'est une des salles qui comptent pour les artistes en tournée. On y joue comme l'on va à Saint-Pierre de Rome, c'est un passage obligé pour ceux qui vouent leur existence au culte du dieu Son. Attention depuis la Devosisation du quartier – mais si, souvenez-vous de ce sketch de Raymond Devos où un automobiliste se retrouve piégé dans un quartier plein de sens interdits – il est préférable de venir en transport en commun si vous ne voulez pas rater une miette du spectacle. La salle est de taille idéale pour que l'artiste reste en prise avec son auditoire. Le personnel est plutôt sympa.

BIZZ'ART
167, quai de Valmy (10e)
✆01 40 34 70 00
Site Internet: www.bizzartclub.com – M° Louis-Blanc. Ouvert de 20h à 1h. Happy-hour le mercredi, le vendredi et le samedi de 20h à 22h, le jeudi de 19h à 21h. Bière pression, verre de vin, soft: 3,50 €, long drink: 6 €. Menus dîner-concert de 29 € à 39 €.
Situé sur les berges du canal Saint-Martin, l'Opus est devenu Bizz'Art en janvier 2009. C'est toujours une salle de concert qui offre un espace bar et resto séparé à la déco rénovée : parquet de bois clair, rambarde façon paquebot… C'est sobre et cosy. On y vient pour dîner sur la mezzanine, avec vue plongeante sur la scène, ou pour boire un verre au coin de la cheminée en écoutant un concert world ou funk. La programmation est éclectique : soirées salsa, tango ou funk récurrentes, concerts de gospel… Un lieu d'échanges et de partage centré sur la musique, riche en couleurs et en chaleur. A recommander à ceux qui sont en mal de soleil et de rythmes endiablés.

LE BUVEUR DE LUNE
50, rue Léon-Frot (11e)
✆01 43 67 63 70
Site Internet: http://lebuveurdelune.free.fr
M° Charonne. Ouvert du lundi au samedi de 16h à 2h. Happy-hour de 18h à 21h. Bières de 2,20 € à 3,20 €. Concert en fin de semaine.
Le Buveur de Lune est le titre d'un roman suédois, ce bar-salle de concert n'a rien de suédois. C'est un établissement qui mêle les genres : expo sur les murs du resto bar, café-théâtre au premier, spectacles et concerts dans la salle du sous-sol qui affiche une belle contenance. On dit que jadis Yvette Horner y aurait fait ses débuts, on regrette volontiers ce temps où les débuts ne se faisaient pas en prime time le vendredi soir devant six millions de gens. Au Buveur de Lune en tout cas on est entre gens du quartier et amis de l'artiste qui se produit. La carte affiche 7 bières pression, plus de 20 vodkas aromatisées et plus de 20 rhums arrangés. Un petit endroit qui mérite le détour pour dîner, boire un verre et écouter des talents non cathodiques.

LA MERCERIE
98, rue Oberkampf (11e)
✆01 56 98 14 10
M° Parmentier. Ouvert tous les jours de 17h à 2h. Happy-hour de 19h à 21h. Demi, kir, sangria et pastis : 1,50 €. Demi : 2,80 €, softs : 2,50 €, alcools : 6,50 €, cocktails : 6 €, vodka marinée : 5,50 € – Malabar, Carambar, Dragibus…
L'ancienne mercerie entièrement redécorée a des allures de vieil entrepôt sympa, briques apparentes, tomettes au sol et murs décrépis vers le grand bar, animé avec une énergie souriante par de gentils barmen relax qui servent les demis à la chaîne. Au fond c'est carrément le squat avec l'enclos à bières recouvert de graffitis et ses banquettes décaties. La programmation musicale – un dj tous les soirs et concerts le dimanche, électro, soul, funk… – est assurée par des anciens de la Scène Bastille.

LE NOUVEAU CASINO
109, rue Oberkampf (11e)
✆01 43 57 57 40
Site Internet: www.nouveaucasino.net
M° Parmentier ou Ménilmontant. Ouvert tous les jours de 20h à 6h. Entrées entre 5 € et 20 €. Bières : 6 €, alcools : 10 €, softs : 5 €.
A côté du Café Charbon, une porte, puis un long

couloir vous mèneront dans ce qui est devenu en six ans l'une des meilleures salles de concerts de la capitale. Une déco originale et futuriste, c'est le même décorateur qu'au Delaville, et le même patron d'ailleurs, sorte de grotte stellaire et colorée, avec son bar tout en rondeurs et ses lampes d'opérations chirurgicales, sa mezzanine confortable, et, tout droit sortis du XIXe siècle, deux énormes lustres en cristal rococo. Une sono qui fait plaisir aux oreilles, une grande scène pour une programmation réellement pointue et énergisante avec des musiciens pas toujours connus en France mais à découvrir d'urgence. Electro, hip-hop, rock, pop… il y en a pour tous les genres à condition d'aimer la qualité. Un lieu incontournable pour les clubbers qui aiment danser même en semaine.

PLANETE MARS
21, rue Keller (11e)
✆01 43 14 24 44
M° Bastille. Ouvert tous les jours de 18h30 à 2h. Happy-hour de 19h à 22h et toute la soirée le dimanche. Pintes: 4 €, mojito: 5 €, Ricard: 2,50 €, Martini: 4,50 €. Demi: 2,50 €, pintes: 4,50 €, alcools: 6 €, softs: 2,50 €.
Plutôt qu'un voyage interstellaire, c'est un voyage dans le temps que vous propose le Planet Mars, au cœur des années soixante. Une toute petite planète évidemment rouge, sans tables ni chaises, mais avec des tabourets et des tablettes pour boire cocktails et pintes au son des dj's de passage dès 22h, branchés rock et garage. Les habitants sont de gentils et joyeux rockers rockabilly qui aiment les blousons de cuir et la Gomina. Pourtant on ne se sent pas du tout extraterrestre quand on débarque, mais tout de suite accueilli autour du petit bar en rond dans cet espace convivial et bien rempli, sous le regard bienveillant des habitués et des robots jouets de notre enfance à l'abri dans leurs globes de Plexiglas. Blind test tous les dimanches et du lundi au jeudi un cocktail du jour à 4, 50 €.

LE ROSSO
4 bis, rue Neuve-Popincourt (11e)
✆01 49 29 06 36
Site Internet: www.lerosso.com
M° Parmentier. Ouvert du mardi au dimanche de 18h à 2h. Demi: 3 €, cocktails: 6,50 €, softs: 3 €. Happy-hour de 18h à 20h, cocktails et pintes: 4,50 €.
Avec sa déco fashion, tirée à quatre épingles, lumière rouge et toile de Jouy, et son bar impeccable, Le Rosso pourrait impressionner le chaland en quête de simplicité. Et ce serait bien dommage tant l'accueil et la clientèle de ce petit bar contrastent avec l'aspect un peu froid mais néanmoins très joli du design, signé Sylvain Lacroix. Les filles s'y sentent bien et les garçons aussi, comme ça n'est pas grand c'est vite plein et puisque c'est sympa on finit rapidement par se parler en sirotant un cocktail new-yorkais, Sea breeze, Cosmopolitan… ou un lait de panthère, une spécialité maison à la recette secrète. Le mardi c'est apéro Love and Enjoy, avec plein de bonnes choses à grignoter, et du jeudi au samedi des dj's se relaient au bout du bar pour passer de la musique aussi variée que possible, en évitant la techno et la house, ça change, sans jamais être assourdissante. On assiste à quelques très bonnes soirées improvisées.

SATELLIT CAFE
44, rue de la Folie-Méricourt (11e)
✆01 47 00 48 87
Site Internet: www.satellit-cafe.com
M° Oberkampf. Concerts le mardi, le mercredi et le jeudi à 21h. Pas de concerts en juillet et août. Entrée: 10 €, tarif réduit: 8 €. Danse du jeudi au samedi de 23h à l'aube. Bar ouvert le mardi et le mercredi de 20h à 1h, le jeudi de 20h à 3h ou 5h, le vendredi et le samedi de 22h à 6h. Bières: 5 €, alcools: 8 €.
Le Sattelit Café est l'ambassade parisienne de la world music. Une programmation chaude et colorée fait de cette salle un lieu à part. Musique arménienne, indienne, cap-verdienne, afro gnawa, tous les styles, même ceux qui n'existent pas, ont voix au chapitre au Sattelit Café. Cette petite perle offre donc une vraie prog' world et c'est tant mieux. Les week-ends, le Sattelit ouvre tard pour les Nuits World, vous pouvez venir boire un verre et danser si vous arrivez à entrer. En effet, le seul petit problème au Sattelit c'est qu'il faut montrer patte blanche pour entrer et que les portiers ne sont pas vraiment sympas… Enfin si vous êtes en couple ou avec des filles essayez de venir guincher sur le mix maison qui passe de Nougaro à Gilberto Gil via Manu Chao.

LA SCENE BASTILLE
2 bis, rue des Taillandiers (11e)
✆01 48 06 50 70
Site Internet: www.la-scene.com – M° Ledru-Rollin. Ouvert de 20h à l'aube. Entrée entre 10 € et 15 €. Demi: 5 €, softs: 5 €, alcools: 9 €, cocktails: 8 €.
Beaucoup de rock et un peu de tout – électro, funk, hip-hop… : la programmation de La Scène Bastille est très ouverte et surtout aux jeunes. Du coup on y trouve du très bon comme du moyen, l'avantage étant pour tous que le son lui est toujours de qualité et la salle agréable par sa taille – humaine – et chaleureuse – couleurs chaudes, velours sur les sièges, espace arrondi. On aime surtout leurs soirées, électro – Eyes Need Sugar en tête – et funk – In Funk We Trust – et les dj's qui donnent envie de danser pendant des heures – Llorca, Alex Kid, Cyril K… S'y retrouve une population mixte gays et hétéros mélangés, souvent trendy et festive. Le petit espace lounge est bien agréable. Ce serait dommage de ne pas aller y faire un tour.

LE WAX
15, rue Daval (11e) ✆ 01 40 21 16 16
Site Internet : www.lewax.fr – M° Bastille. Ouvert du mardi au jeudi de 18h à 2h et jusqu'à 5h le vendredi et le samedi. Fermé le dimanche et le lundi. Demi : 4,50 €, cocktails : 9 €, alcools : 8 €, softs : 4 €.
Complètement sous acide, la déco du Wax, ancien What's Up, semble tout droit sortie de l'imagination d'un Beatles fan d'Orange mécanique. Du plastique aux couleurs flashy orange, mauve et jaune qui réveillent les pupilles et créent une ambiance complètement psychédélique. Des fauteuils seventies en boules à l'intérieur desquels on peut se lover. Un vrai voyage de l'autre côté des portes de la perception. En semaine c'est une before originale appréciée des jeunes, et le week-end ce gros bonbon acide se transforme en un petit club bien bondé de Bastille. Les dj's se relaient toute la semaine pour diffuser un son old school pas toujours excellent mais souvent efficace.

LA DAME DE CANTON
Quai François-Mauriac (13e)
✆ 01 45 84 41 71
Site Internet : www.damedecanton.com
M° Quai-de-la-Gare. Ouvert du mardi au jeudi de 19h à 2h, le vendredi et le samedi jusqu'à l'aube, le lundi et le dimanche selon la programmation. Restaurant du mardi au samedi à partir de 20h. Menus : 24 € et 30 €. Concerts du mardi au samedi, prix variables.
C'est bien connu, les dames n'aiment pas qu'on révèle leur âge, mais celle-ci a fêté ses 30 ans en avril. Pour l'occasion, la jonque, née en mer de Chine, et qui a pas mal bourlingué avant d'accoster au pied de la BNF, a repris son nom de jeune fille. Chaque fois qu'elle ouvre ses cales c'est pour faire monter son lot d'amoureux de musiques. Tzigane, salsa, soul, funk, jazz, franchouille avec accordéon ou tout simplement slam, la musique coule à flots dans les entrailles de ce bateau. La diversité de la programmation est une aubaine pour ceux qui ne veulent pas sentir qu'ils vont toujours au même endroit. Un vrai voyage musical à bord de cette jonque !

BATOFAR
Quai François-Mauriac (13e)
✆ 01 53 60 17 30
Site Internet : www.batofar.org – M° Quai-de-la-Gare. Ouvert du mercredi au dimanche. Terrasse ouverte toute la nuit en saison. Bières : 4 €.
Un bateau-feu, un phare pour les navigateurs perdus, une corne de brume puissante qui fait retrouver leur chemin aux cargos. Ce Batofar a été tout cela pendant sa première vie. Aujourd'hui, la nuit c'est un endroit ouvert aux musiques électroniques, un lieu d'échanges et de diversité où l'on vient pour danser dans la salle centrale, où l'on lounge à la poupe ou à la proue. Ce Batofar a gardé de sa première vocation ce désir de guider les gens, pas au travers des méandres du fleuve Seine ou pour éviter les rochers mais dans un voyage musical et festif. Le Batofar accueille beaucoup de matelots de styles différents : hip-hop, soul, electro, techno pure et dure. On notera la présence de Dan Ghenacia, Dyed Soundorom ou de The Soulist pour les plus connus de la scène parisienne et de dj's sets explosifs comme les soirées Giant Step consacrées au hip-hop. L'été en juillet et août, le Batofar ouvre ses extérieurs à la pluridisciplinarité pour permettre à chacun de se familiariser avec de nouvelles formes d'expression artistique. Ouverts à tous, ces ateliers sont accessibles pour seulement 5 € par séance, le matériel étant fourni. Une belle occasion de rencontres et de découvertes ! Tous les curieux seront donc au rendez-vous le mardi, le mercredi et le jeudi de 18h à 20h. A noter que depuis l'ouverture de la piscine Joséphine Baker le quai est piétonnier donc prévoyez de marcher un peu si vous venez en deux ou quatre roues.

EL ALAMEIN
Quai François-Mauriac (13e)
✆ 01 45 86 41 60
Site Internet : elalamein.free.fr – M° Quai-de-la-Gare. Ouvert de 19h à 2h. Consommations à partir de 2,50 €, bières : 5 €, cocktails : 8 €. Concerts à 21h, prix variables.
Sur la Seine, il y a de petits miracles comme l'histoire d'une péniche qui se mue en café-concert et change de nom pour porter celui d'un petit port de pêche égyptien – où cela a castagné dur d'ailleurs. Il y aurait eu la guerre que ça aurait pas été très différent tellement la déco fait appart' de réfugié : mobilier asiatique, des tableaux champêtres, des plantes vertes. C'est la Favela Chic sur Seine…, une programmation hyperlarge pour ceux qui ont les oreilles ouvertes et bien ouvertes. Chanson, rock, funk en passant par la world musique laissez-vous porter par le flot des ondes.

L'ENTREPOT
7-9, rue Francis-de-Préssensé (14e)
✆ 01 45 40 07 50
Site Internet : www.lentrepot.fr – M° Pernety. Ouvert de 9h à 0h, bar jusqu'à 1h les soirs de concerts. Après un repas, concert : 5 €. Demi : 3 €, vins : 3,50 €, apéritifs : 5 €, alcools : 10 €, cocktails : 9 € – sans alcool : 6,50 € –, softs : 3,50 € – majoration de 1 € les soirs de concerts, sauf pour les cocktails. Plats de 15 € à 19,50 €. Service de 19h30 à 22h30 – 23h du jeudi au samedi.
Une des plus belles promesses du 14e arrondissement, ouvert il y a une vingtaine d'années par Frédéric Mitterrand. Un espace entièrement dédié à la culture dans un quartier populaire avec trois salles de cinéma, une galerie, un bar-restaurant, dans un ancien entrepôt. L'espace spacieux et bien décoré ouvre sur un grand jardin fermé où

il est possible de manger ou boire un verre. Déco mi-classe mi-industrielle, toujours assez branchée avec tables de bistrot en fer et grand bar en bois. Formule à 22 € pour dîner plus concert. Le lundi, la scène est ouverte aux jeunes artistes, le jeudi elle est dédiée au jazz et le week-end à la musique du monde et à la chanson française.

LE LAVOIR MODERNE PARISIEN
35, rue Léon (18e) ✆01 42 52 09 14
Site Internet: www.rueleon.net – M° Château-Rouge. Bar ouvert à 19h les soirs de spectacles. Entrée 15€, tarifs réduits: 10€ et 5€. Boissons: 3€.
Voilà plus de vingt ans maintenant que cet ancien lavoir de la fin du XIXe siècle mène une action culturelle originale et pointue au cœur du quartier de la Goutte d'Or. Sa programmation musicale et théâtrale est ouverte sur les cultures qui composent ce quartier cosmopolite et offre un vrai espace de convivialité et de fête particulièrement lors du festival de la rue Léon, qui a lieu tous les ans en été. Décrit par Zola dans l'Assommoir, le lieu a su conserver avec sa charpente et ses pierres apparentes, son charme historique.

L'OLYMPIC
20, rue Léon (18e) ✆01 42 52 29 93
Site Internet: www.rueleon.net – M° Château-Rouge. Ouvert du mardi au samedi de 16h30 à 1h30, le lundi à partir de 19h. Service de restauration de 19h30 à 11h30. Demi: 2,50€, softs: 3€, apéritifs: 3,50€, alcools: 5€. Plats: 10€. Les jours de concerts, entrées de 5€ à 9€.
L'Olympic -qui appartient à la même société que le Lavoir- participe depuis des années à faire vivre ce bout de quartier multiculturel de la Goutte d'Or en étant un lieu ouvert à tous et dynamique. On s'y mélange joyeusement autour d'un verre dans un cadre simplissime, ancienne salle de bal du début du siècle. Des concerts ont lieu presque tous les soirs au sous-sol, axés sur une programmation cosmopolite, vraiment pêchue parfois même déjantée. Un vrai lieu de brassage culturel.

LE RENDEZ-VOUS DES AMIS
23, rue Gabrielle (18e) ✆01 46 06 01 60
M° Abbesses. Ouvert tous les jours de 8h à 2h. Demi: 2,70€, vins: 3€, alcools: 5€, softs: 3€. Planches: 7€.
Repris il y a quelques années par un groupe d'amis fraîchement sortis de Sciences-Po, cet ancien hôtel du début du siècle est idéalement placé entre les Abbesses et le Sacré-Cœur, un peu à l'écart de l'agitation touristique de Montmartre, à mi-hauteur de la Butte. Ce qui en fait une escale parfaite, et même un peu plus car on se laisse vite séduire par l'ambiance «bande de potes» qui règne dans ce bien nommé Rendez-vous des Amis. Poutres apparentes et patine du temps sur les murs donnent à ce bar en deux salles – un grand bar et des tables en bois dans la première, des canapés tranquilles et des tables basses dans la seconde – une atmosphère chaleureuse et intime. Le lundi et le jeudi, on assiste à des concerts de chanson française, tzigane, jazz… et l'été on fait connaissance sur la terrasse. Population jeune et joyeuse.

GLAZ'ART
7-15, avenue de la Porte-de-la-Villette (19e)
✆01 40 36 55 65
Site Internet: www.glazart.com – M° Porte-de-la-Villette. Ouverture à 20h30 les jours de concerts. Restauration possible ponctuellement, se renseigner.
Concert, expos, soirées, projections… Glaz'Art est sur tous les fronts de la création actuelle ! Tous les arts s'entremêlent autour d'artistes aux univers pluridisciplinaires. La programmation musicale est éclectique, mais pointue: post-rock, punk, növo hip-hop, funk, folk, musiques électroniques que ce soit des têtes d'affiches, des niches ou des découvertes, le tout dans un univers coloré et chaleureux, décalé ou underground, délicieusement glamour et résolument rock'n'roll. Pour connaître le programme, il suffit de consulter le site.

LA FLECHE D'OR
102 bis, rue de Bagnolet (20e)
✆01 44 64 01 02
Site Internet: www.flechedor.fr – M° Gambetta ou Alexandre-Dumas. Entrée libre. Assiettes tributes de 12€ à 15€.
Tous les soirs de concert, de 20h à 0h, le restaurant de La Flèche d'Or sert des assiettes aux noms de villes et de pays. Rien d'exceptionnel, mais de l'opérationnel. A deux pas de la scène, dans les murs de l'ancienne gare de Charonne avec sa grande verrière, vous serez quand même un peu à l'écart du son, mais malheureusement pas installé si confortablement que ça pour avaler votre dîner. Le but étant de se ravitailler pour profiter de la soirée le ventre plein, c'est bon à prendre ! Côté programmation, deux ou trois shows chaque soir, indie, folk, electro pop, techno, dj's reconnus…

LA MAROQUINERIE
23, rue Boyer (20e) ✆01 40 33 35 05
Site Internet: www.lamaroquinerie.fr
M° Ménilmontant. Ouvert tous les jours de 18h à 2h – bar – ou jusqu'à l'aube – club. Service au restaurant de 19h30 à 23h30. Prix des concerts de 10€ à 20€. Plats autour de 16€, assiettes: 12€.
On y vient en premier lieu pour la musique, mais La Maroquinerie, c'est aussi un lieu d'expo, un café littéraire et un resto ! Et franchement, il s'en sort pas mal du côté des classiques, sans assassiner sur les prix. Idéal après un bon concert… mais attention de ne pas vous faire piéger: quand c'est plus l'heure, c'est plus l'heure. Non négociable… Normal, faut bien qu'ils aillent aux concerts, eux aussi !

LES CABARETS ET DÎNERS-SPECTACLES

AMERICAN DREAM CAFE
21, rue Daunou (2e) ✆ 01 42 60 99 89
Site Internet: www.american-dream.fr – M° Opéra. Ouvert tous les jours de 11h30 à 2h du matin. Spectacles non-stop de 21h à 2h. Menu dîner à partir de 18 €. Menu dîner-spectacle de 39 €.
Le lieu idéal pour une soirée – très – décontractée entre amis ! Le complexe de 1 000 m² avec un circuit tv continu comprend trois grandes salles, autant de place pour le show et la bonne humeur. Côté scène, des spectacles caliente qui s'enchaînent de 21h à 2h : cirque, strip-tease féminin et masculin, danse du ventre, capoeira… Prestations éclectiques et colorées et ambiance crescendo garantie. En plus, l'American Dream vous offre la possibilité de monter sur scène en participant aux castings organisés chaque mercredi à 19h. Une belle occasion de révéler ses talents scéniques ! Du mercredi au samedi, place à la formule piano-bar avec un concert de jazz à 21h30. En salle, on profite du menu très étendu, avec des spécialités américaines, tex-mex, casher et italiennes comme les copieux chili con carne ou les pizzas à se partager. A noter, ce bel espace peut être privatisé pour des soirées privées (anniversaire, mariage, enterrement de vie de jeune fille, séminaires…).

LE PARADIS LATIN
28, rue Cardinal-Lemoine (5e)
✆ 01 43 25 28 28
Site : www.paradis-latin.com – M° Cardinal-Lemoine. Dîners-revues de 123 € à 179 €. Revue champagne uniquement : 85 €. Matinée à 12h30 : 95 €. La soirée débute à 20h pour les dîneurs et à 21h30 pour ceux qui choisiront de n'arriver qu'au début du spectacle : 80 €, avec une demi-bouteille de champagne.
Relancé dans les années soixante-dix, ce lieu a retrouvé sa destination première contrariée pendant des décennies. Au début de son histoire, on trouve Gustave Eiffel. Eh oui, celui-ci n'a pas construit que des ponts et une tour ! On lui doit ce Paradis Latin, bâti sur les fondations d'une autre salle de spectacle, le Théâtre Latin. Cet établissement ouvert en 1803 avait été détruit par un incendie en 1870. Il connut un beau succès et fut fréquenté par Honoré de Balzac, Alexandre Dumas père et fils, Prosper Mérimée… Inauguré en 1889, Le Paradis Latin présente des revues, des ballets et des récitals comme celui d'Yvette Guilbert. La salle connaît des déboires et est transformée en atelier de faïence, de conditionnement de produits pharmaceutiques… Lors de travaux préparant le bâtiment à devenir un immeuble d'habitation, on découvre les traces du passé du site. Peut-être frappé par les foudres de Jupiter, son propriétaire décide que l'on y reverra des spectacles. En 1977, Jean-Marie Rivière est nommé directeur artistique. Il présente «Paris Paradis». Actuellement à l'affiche «Paradis à la folie» : un jardin magique où les danseuses fleurs et les danseurs vous entraînent dans une farandole de tableaux, pleins de surprises, de gaieté, de manèges enchantés, de bals masqués, de comédies musicales à grand spectacle et de ballets modernes dans la tradition des Revues Parisiennes, avec cette touche d'humour typique de la rive gauche.

CRAZY HORSE
12, avenue George-V (8e) ✆ 01 47 23 32 32
Site Internet : www.lecrazyhorseparis.com M° Alma-Marceau ou George-V. Spectacles du dimanche au vendredi à 20h15 et 22h45, le samedi à 19h, 21h30 et 23h45. Spectacle : 70 € – places au bar, pas de réservation possible –, catégorie Gold – places latérales et mezzanine – à 100 €, catégorie Diamond – places centrales – à 120 €. Toutes les formules comprennent une demi-bouteille de champagne ou deux consommations. Box VIP à partir de 1 000 €. Formules dîner-spectacle de 155 € à 205 €.
Velours rouge et laque noire, impertinence et modernité… Le Crazy Horse nouveau reste fidèle à sa légende et à l'ambition de son créateur. L'institution parisienne, synonyme d'érotisme dans le monde entier, connaît une toute nouvelle jeunesse après des mois de travaux. Une toute nouvelle salle et un spectacle qui mêle, avec un panache égal à celui des danseuses, tableaux inédits et chorégraphies revisitées. 90 minutes de show, quatorze tableaux, treize danseuses, et dans les yeux du public un nombre de paillettes aussi incalculable que les bulles dans les flûtes de champagne. Lumières, musiques, costumes… tout est fait pour que les danseuses soient sculptées, ombrées, sublimées. Tour à tour, séductrices, fantasques ou sauvages, elles livrent avant tout une véritable performance scénique et artistique. La légende du cabaret ne s'est pas faite en un jour, mais cette rénovation lui promet de rester le Crazy, forever.

LE LIDO
116, avenue des Champs-Elysées (8e)
✆ 01 40 76 56 10
Site Internet: www.lido.fr – M° George-V. Dîner-revue de 19h à 23h de 140€ à 280€ – 30€ pour les 4-12 ans. Revue et une demi-bouteille de champagne à 21h30: 100€ ou 55€ sans boisson et pas le vendredi et le samedi et à 23h30: 129€ pour la revue Premier, 90€ et 45€ places limitées – Déjeuner-revue à 13h: 115€ – le mardi – et 125€ – le dimanche. Revue et une demi-bouteille de champagne à 15h – le mardi et le dimanche: 80€. Spectacle pour enfants certains jours à 14h – 25€ et 30€ – et à 16h – avec goûter, 33€ et 3€. Boutique souvenirs ouverte de 12h à 2h.
Joseph et Louis Clerico ont ouvert ce haut lieu des mythiques Champs-Elysées en 1946, à la place d'un cabaret nommé La Plage de Paris – il était décoré de fresques montrant Venise et son Lido. Avec Miss Bluebell, alias Margaret Kelly, comme meneuse de revue, le spectacle séduit très vite les visiteurs de la capitale. Des vedettes comme Shirley McLaine, Elton John et même Laurel et Hardy y ont participé au fil des années. Le succès est tel qu'en 1977, Le Lido doit déménager afin de s'agrandir... mais toujours sur les Champs! La salle est à présent dotée de 1 150 places (visibilité de partout garantie). Carl Clerico, fils de Joseph, en tient les rênes. «Bonheur» est le titre de la revue actuellement présentée. Elle raconte la quête du bonheur d'une femme, à Paris et en Inde. Elle n'est pas seule car l'accompagnent les Bluebell Girls et les Lido Boy Dancers! Costumes fastueux, lumières fabuleuses, décors somptueux, chansons, ballets... Anki est la meneuse de ce show lancé en 2003, Stéphanie Laurendeau en est la danseuse principale. Conception et mise en scène: Pierre Rambert. Ce dernier a également imaginé un spectacle pour enfants avec le magicien Gilles Arthur: «Les Aventures de Marion ou La Poupée cassée». Le Lido se dévoile désormais côté coulisses avant le show! Pour un spectacle complet, une découverte des secrets du lieu, comptez de 110€ à 160€.

PINK PARADISE
49-51, rue de Ponthieu (8e)
✆ 01 58 36 19 20
Site Internet: www.pinkparadise.fr – M° Franklin-D.-Roosevelt ou Champs-Elysées-Clemenceau. Ouvert du lundi au samedi de 22h30 à l'aube. Entrée et une consommation: 30€. Paiement des danses uniquement par Pink – un Pink: 30€. Danse privée dans la salle: 30€. Dance privée en cabine: 60€. 20 minutes en salon privé avec champagne: 390€. Soirée 100 % filles un dimanche par mois, 25€. Soirées afterwork le jeudi et le vendredi de 19h à 0h, entrée à 15€, open bar et buffet jusqu'à 21h.
Le Pink Paradise, premier club de strip-tease en France, offre un show exceptionnel! Chaque soir, quarante danseuses internationales s'effeuillent sur scène et proposent des Table Dance suivi d'une parade haute en couleur! La Pink School, l'école de Pink Dance et de Séduction du Pink Paradise, propose des cours tous niveaux pour apprendre le Pole Dance, l'art de danser à la barre, ainsi que du coaching Séduction pour vous relooker sans oublier des conseils d'experts en beauté et nutrition afin d'être au top! L'ambiance est conviviale dans ces nombreux ateliers, qui sont organisés toute l'année. Le Pink Paradise, c'est aussi de célèbres afterworks cosmopolites deux fois par semaine et des soirées d'enterrement de vie de garçon ou de jeune fille.

CASINO DE PARIS
16, rue de Clichy (9e) ✆ 08 92 69 89 26
Site Internet: www.casinodeparis.fr – M° Liège ou Trinité d'Estienne-d'Orves. Tarifs et horaires variables selon les spectacles. Restaurant ouvert du lundi au samedi de 12h à 15h et de 18h30 à 2h. Réservations: 01 53 42 16 14.
Le Casino de Paris pourrait faire le sujet d'un livre tant son histoire est dense. Sur l'emplacement de cette salle située dans l'un des quartiers les plus populaires de la capitale, il y eut au XVIIIe siècle une folie destinée aux réjouissances du duc de Richelieu. Un parc d'attractions nommé Tivoli lui succéda, puis... l'église de la Trinité en 1851. L'édifice fut démonté et rebâti un peu plus loin lors des travaux de rénovation de la ville entrepris par Haussmann! Destin, quand tu nous tiens: le site fut de nouveau dévolu aux loisirs. S'éleva là notamment une patinoire et un Palace Théâtre – en 1880 – qui devint le Casino de Paris. Et combien de stars ont foulé ses planches! On pense notamment à Mistinguett et à Maurice Chevalier qui firent la réouverture de la salle après la Première Guerre mondiale, mais aussi à Joséphine Baker ou Line Renaud. Aujourd'hui, la direction du Casino de Paris se veut plus ouverte et offre une programmation plus bigarrée. Et 2008 a été l'année du grand renouveau! Spectateurs de toujours ou nouveaux venus: le Casino de Paris nouvelle formule est un petit bijou. La salle, splendide, est toujours parée de rouge et d'or, mais toute l'organisation a été revue. Un mot d'ordre: fluidité! Jusqu'ici dédié aux spectacles assis, le Casino de Paris peut désormais accueillir et présenter des spectacles aussi divers que concerts, soirées, défilés de mode, revues... et créer l'ambiance adéquate. Une diversité et un style qui en font, aujourd'hui encore, l'un des hauts lieux du music-hall. A l'étage, sous la grande verrière d'époque, c'est le spectacle des papilles qui se joue. Pierre Riglet, directeur du Casino, a voulu renouer avec l'histoire des lieux et souhaité la réouverture du restaurant. Décor d'époque et mobilier contemporain, Le Perroquet, dont la marraine en 1921 n'était autre que l'illustre Mistinguett, renaît donc en 2008 avec en cuisine le jeune chef Denis Blin (ex-Alain Ducasse et Guy Savoy).

LES FOLIES BERGERE
32, rue Richer (9e)
✆ 01 44 79 98 60/0 892 68 16 50
Site Internet: www.foliesbergere.com – M° Grands-Boulevards ou Cadet. Achat de places par téléphone et aux guichets tous les jours de 11h à 18h.
Si les Folies sont Bergère (et pas Bergères), c'est parce que le café-concert élevé ici en 1869 devait prendre un nom de rue. Comme les voies proches portaient toutes des patronymes, seul ce joli mot évocateur ne risquait pas de froisser telle ou telle famille. Mais point de moutons à l'horizon! A la fin du XIXe siècle, le promenoir de cette salle voit passer maintes demi-mondaines et noceurs. Maupassant en fait un lieu stratégique de «Bel Ami», son personnage de journaliste ambitieux, de même que le jardin d'hiver qu'on y trouve à l'époque. Dans des spectacles préfigurant le music-hall, on assiste aux Folies Bergère à des ballets, des attractions, on écoute des vocalistes et des comiques de toutes sortes. Des débutants comme Colette ou Charles Chaplin montent sur la scène, puis aussi Yvonne Printemps, Raimu. Maurice Chevalier et Mistinguett s'y rencontrent. Ils vont tous deux être des stars de la maison. En 1926 arrive Joséphine Baker, autre très grande vedette des Folies Bergère. Des travaux transforment les Folies Bergère avant la Seconde Guerre mondiale (1 680 places). Sa façade est refaite par le sculpteur Pico (elle est inscrite à l'Inventaire des Monuments historiques). Rita Georg, Jeanne Aubert, Yvonne Ménard, Liliane Montevechi seront de célèbres meneuses de revues jusqu'à ce qu'Hélène Martini reprenne la salle. Elle y fait monter des spectacles par le baroque Alfredo Arias. Il y a ensuite des comédies musicales à succès de la compagnie Roger Louret: «Les Années twist», «Les Z'années zazou», «La Fièvre des années quatre-vingts» et d'autres productions comme «Nine» et «Fame» et le musical de Broadway, Cabaret, y a fait un tabac la saison dernière! A l'affiche de ce célèbre music-hall qui vit naître la toute première revue, il y a près d'un demi-siècle, la variété est toujours de mise. En témoigne la programmation de Umoja, un spectacle musical qui nous arrive de Johannesburg pour quelques représentations après un succès international, le retour anniversaire du duo comique Les Vamps après vingt ans de silence, ou encore la nouvelle sensation pop, Yael Naim, qui a remporté en 2008 le prix du Meilleur Album dans la catégorie musique du monde aux «Victoires de la Musique».

L'ARTISHOW
3, cité Souzy (11e) ✆ 01 43 48 56 04
Site Internet: www.artishowlive.com – M° Rue-des-Boulets. Réservation conseillée 2 à 3 semaines à l'avance.
Ce cabaret transformiste propose un déjeuner-spectacle apprécié des familles (60 €) apéritif, vin et café compris. Le soir, du jeudi au lundi compris, le dîner-spectacle démarre à 20h30 (95 €) apéritif, vin et café compris), le spectacle à 22h (spectacle seul: 50 €) avec deux consommations. Gastronomie française au menu et surtout pas mal de rires qui ne manquent pas de se déclencher face aux imitations de Céline Dion, Charles Aznavour ou Brigitte Bardot. Les «boys» revisitent des shows asiatiques inédits en France pour mener à un final qui s'amuse de l'actualité. Voici un cabaret d'un genre nouveau où les artistes restent dans la salle à la fin du spectacle pour recueillir les impressions du public.

LE ZEBRE
63, boulevard de Belleville (11e)
✆ 01 43 55 55 55
Site Internet: www.lezebre.com – M° Couronnes. Le lundi et le vendredi cabaret cirque: 29,70 € pour les adultes, 21,90 € pour les enfants avec un menu. Cabaret de familles: 68 € pour les adultes, 35 € pour les enfants avec un menu.
Un cabaret à l'ancienne situé en plein cœur du Belleville pas encore tout à fait «boboïsé». Au programme de cet ancien cinéma, des concerts – Beverly Jo Scott, Kissy Wète, Vincent Baguian... – ou des spectacles cabaret cirque ou des familles pour les petits et les grands – enfants. Le dimanche de 14h à 17h30 ce sont les Ateliers du Zèbre comprenant une heure de spectacle et une heure d'animation interactive. Ce «plus petit cabaret d'Europe» est une marque déposée. Lors de spectacles, on se retrouve au cœur des numéros, à quelques centimètres des magiciens, des jongleurs, et on se sent vraiment saltimbanque pour quelques instants. Avant que la lumière ne se rallume, on peut même boire un verre et danser avec les artistes. En regardant la prog' et en venant au Zèbre on commence peut-être à comprendre l'étymologie de l'expression «faire le zèbre».

BRASIL TROPICAL
36, rue du Départ (15e) ✆ 01 42 79 94 94
Site Internet: www.brasiltropical.com – M° Montparnasse-Bienvenüe. Dîner à partir de 19h30, spectacle à 22h et soirée dansante jusqu'à 1h30. Formule revue – spectacle et deux boissons: 40 €, menus dîner et spectacle de 95 € à 185 €.
Le Brasil Tropical est un cabaret luxuriant et tropical qui a poussé à l'ombre de la tour Montparnasse. Un vrai concentré de fête brésilienne avec couleurs, saveurs et rythmes caliente. Dans un tout nouveau décor, la soirée débute en musique, avec un dîner composé de spécialités traditionnelles à commencer par le fameux cocktail caïpirinha à base de cachaça, citron vert et sirop de sucre. Avec les danseurs et les musiciens de la nouvelle revue «Oba-ia», au-delà de l'ambiance, c'est l'explosion d'énergie: percussions, costumes, danses traditionnelles... Pendant 1h30, les tableaux se succèdent, vivants, chaleureux et terriblement entraînants, les artistes en scène donnent tout ce qu'ils ont pour faire vivre aux spectateurs un vrai moment de fête et de bonne humeur. Bienvenue à Rio-sur-Seine.

SECRET SQUARE
27 avenue des Ternes (17e)
✆01 47 66 45 00

Site Internet: www.secretsquare.fr – M° Argentine ou Ternes. Fermé le dimanche, restaurant ouvert de 20h30 à 0h15, club ouvert de 22h à 4h. Au club, il vous sera demandé un droit d'entrée de 25 € par personne (hors consommation) et une tenue correcte pour accéder à cet établissement haut de gamme.

Anciennement le célébrissime Stringfellows, le Secret Square est le seul restaurant et cabaret de strip-tease sur Paris. Dans un cadre élégant et intimiste, vingt à trente superbes danseuses vous invitent à découvrir le charme du «Table Dancing», en vous offrant un magnifique spectacle glamour et sexy en diable! Vous serez séduit tant par le club que par son restaurant. Le nouveau menu aphrodisiaque (unique a Paris!) comblera vos papilles: Le thon mi-cuit aux épices saté, sésame, sorbet wasabi ou encore le foie gras de canard aux deux poivres et champagnes régaleront vos papilles dans cette atmosphère unique de féminité et de sensualité. Une adresse de charme que nous vous recommandons!

LE LAPIN AGILE
22, rue des Saules (18e)
✆01 46 06 85 87

Site Internet: www.au-lapin-agile.com – M° Lamarck. Ouvert du mardi au dimanche jusqu'à 2h du matin. Entrée: 24 € avec une consommation, consommations suivantes: 7 € avec alcool et 6 € sans alcool, à partir de 21h.

Ouvert depuis 1875, c'est indiscutablement le plus vieux cabaret de Montmartre. La jolie maisonnette a accueilli les plus grands talents de nombreuses générations, et perpétue aujourd'hui la tradition, faisant toujours la part belle aux nouveaux talents en train d'éclore, sans oublier de faire vivre le patrimoine culturel! «Le Lapin Agile, c'est le coffre-fort de l'Eternité», disait un artiste magnifique qui fit là ses débuts... Vous avez deviné? Oui, oui, c'est bien Claude Nougaro! Bref, tous les soirs au Lapin Agile, c'est la veillée autour d'artistes pétris de talent et de générosité, dans un lieu riche de son histoire. L'accueil y est toujours aussi aimable qu'autrefois, dit-on. C'est une affaire de tradition... On respire ici un air devenu rare dans la ville, et même sur la Butte, si chère au cœur des anciens.

LE MOULIN-ROUGE
82, boulevard de Clichy (18e)
✆01 53 09 82 82

Site Internet: www.moulinrouge.fr – M° Blanche. Dîner-spectacle à partir de 19h: 150 €, 165 € ou 180 €. Possibilité de menu végétarien – consulter l'établissement. Spectacle seul avec une demi-bouteille de champagne: 102 € à 21h et 92 € à 23h. 10 déjeuners-spectacles à 130 € ou spectacles seuls avec une demi-bouteille de champagne à 100 €, pour les dates 2009-2010 consultez le site Internet. Boutique souvenirs Salon Toulouse-Lautrec ouverte de 19h à 1h et réservée aux clients et une autre boutique souvenirs ouverte à tous se situe au 11, rue Lepic, tous les jours sauf le lundi matin de 10h à 19h.

C'est l'un des plus flamboyants symboles de Montmartre et de Paris. Depuis son élévation, ce drôle de moulin fait rêver des millions de terriens, de Londres à Berlin... en passant par Tokyo! En 1889 s'ouvre le Moulin-Rouge. L'établissement est doté d'une gigantesque piste de danse, d'innombrables miroirs partout, d'une galerie où l'on fraye avec une faune haute en couleurs et d'un jardin. Les bals du Moulin-Rouge deviennent rapidement très prisés. Les danseuses de cancan rendent fou le public (dans son film «French Cancan», le Montmartrois Jean Renoir donne une très vraisemblable idée de l'ambiance qui régnait ici. Jambes levées, chairs à nu, dentelles, grand écart, frénésie...). Parmi les vedettes du lieu figurent La Goulue, Jane Avril, la Môme Fromage, Grille d'Egout, Nini Pattes en l'Air... Et puis il y a aussi Valentin le Désossé, le seul homme de cette armée de filles délurées – Toulouse-Lautrec a peint plusieurs de ces personnages. On ne fait pas que danser au Moulin-Rouge. On y chante aussi, par exemple Yvette Guilbert. Au cours du début du XXe siècle, des opérettes sont montées, ainsi que des revues avec Mistinguett. Passent ici également la troupe du Cotton Club de New York, Ray Ventura et ses Collégiens, Edith Piaf, le jeune Yves Montand... Dans les années cinquante, quand l'établissement est racheté par Joseph et Louis Clérico, Le Moulin-Rouge se lance dans le dîner spectacle en proposant à nouveau du cancan. Cela dit, des vedettes du music-hall sont à l'affiche: Charles Trenet, Charles Aznavour, Line Renaud, Bourvil, Roger Pierre et Jean-Marc Thibault, Fernand Raynaud... En 1964, la construction d'un aquarium géant dans lequel évoluent des danseuses nues fait l'événement! Jacki Clérico, directeur depuis deux ans, instaure un nouveau rite: les titres de revues commenceront tous par la lettre «F». Le spectacle actuel s'intitule «Féerie». Il est interprété par une troupe de 100 artistes, dont 60 Doriss Girls. Au programme: chant, danse avec plumes, strass et paillettes, attractions, tout cela dans des décors somptueux... A noter: la qualité de la table, grâce au chef étoilé Laurent Tarridec qui officie en cuisine. Les menus ont des noms évocateurs: French Cancan, Toulouse-Lautrec, Belle Epoque... Les plats sont particulièrement soignés: braisage de daurade «Dugléré», nage de coquilles Saint-Jacques au vouvray, escauton de volaille poché, crème champagne et riz pilaf aux légumes ou encore en dessert panacotta au chocolat blanc, sauce "cacao noir".

direction se réserve le droit d'admission.

MADAME ARTHUR
75 bis, rue des Martyrs (18e)
✆ 01 42 54 15 92
Site Internet : www.madamearthur.com – M° Pigalle ou Abbesses. Menus : 48 €, 85 €, 125 € et 195 €.
On me demandait il y a quelques jours : «Ca existe encore, ça, Madame Arthur ?», ô que oui, malheureux, «ça» existe ! Et même dans une formule rénovée, tout comme le cadre, qui n'a rien perdu de son moelleux, tout en or et rouge ! Situé à quelques pas de Chez Michou, ce cabaret est également très célèbre, quoique tenu aujourd'hui par une équipe moins médiatique que celle d'en face ! D'abord nommé Le Divan Japonais lors de son inauguration à la fin du XIXe siècle, le cabaret porte le nom de Madame Arthur depuis 1952. Coccinelle, premier transsexuel connu en France, fit alors le succès du lieu ! Aujourd'hui, les transformistes qui se produisent sur scène réalisent des imitations scotchantes, des performances troublantes. Ce qui ne les empêche pas ensuite de descendre dans la salle pour poursuivre la fête jusque tard dans la nuit.

CHEZ MICHOU
80, rue des Martyrs (18e) ✆ 01 46 06 16 04
Site Internet : www.michou.fr – M° Pigalle ou Blanche. Fermeture annuelle du 2 août au 1er septembre. Ouvert 7j/7. Dîner-spectacle de 105 € à 135 €, à partir de 20h30. Soirées privées possibles.
Michou... une légende en bleu ! Quand il se promène à Montmartre, difficile pour lui de faire deux pas sans saluer, à droite, à gauche. Il faut dire que paré de son éternelle tenue bleue qu'il accessoirise de ses plus belles solaires... bleues, Michou ne passe pas inaperçu. Dans son cabaret, c'est une autre histoire. Dès 20h, tous les soirs, les clients attendent, en une file d'attente disciplinée et rieuse, sur le petit trottoir du haut de la rue des Martyrs. Car si le spectacle ne démarre qu'à 23h, il s'agit tout de même de dîner avant ! Le spectacle Folies folles vous emmène dans le tourbillon d'un Paris devenu trop rare. Celui où l'humour et l'amitié sont au centre de tout, sur scène comme dans la salle. Sosies de tout crin se succèdent, avec talent, s'amusent d'eux-mêmes et avec la salle ! Quoi qu'on en dise, c'est charmant, c'est léger, et certes, d'un autre temps !

LES CLUBS ET DISCOTHÈQUES

LE N'IMPORTE QUOI
16, rue du Roule (1er) ✆ 01 40 26 29 71
Site Internet : www.nimportequoi.fr – M° Louvre-Rivoli. Ouvert du lundi au samedi à partir de 18h. Fermeture à 3h30 du lundi au mercredi, 4h30 le jeudi, 5h30 le vendredi et le samedi. Happy-hour de 18h à 20h : pression au prix du demi et cocktails à 5,50 €. Demi à partir de 4 €, cocktails : 9 € – sans alcool : 5,50 € – apéritifs : 4 €, softs : 4 €. Du lundi au mercredi, toutes les pintes : 5 €.
Nostalgiques des soirées étudiantes et de la musique des années quatre-vingts, vous trouverez ici tout ce qui vous plaît et bien sûr, n'importe quoi. La jeune équipe du bar n'a rien perdu de l'énergie BDE de ses toutes proches années d'école de commerce. Au rez-de-chaussée : grand bar coloré, barman qui jongle avec les bouteilles et sert les cocktails à la chaîne, ambiance drague-mi et drague-moi où tout le monde parle à son prochain. Au sous-sol, deux petites caves voûtées pour danser latino ou faire un rock endiablé comme seuls les garçons en polo savent le faire. C'est bondé dès que le week-end approche, l'ambiance est plutôt jeune et sympathique et même si musicalement cela reste très basique, au moins l'entrée est gratuite. Djette résidente et nombreuses soirées à thème.

LE PARISPARIS
5, avenue de l'Opéra (1er)
✆ 01 42 60 64 45/01 42 60 03 82/01 42 60 18 85
Site Internet : www.leparisparis.com – M° Opéra ou Palais-Royal. Ouvert du mardi au samedi de 23h à 2h. Softs : 8 €, alcools : 10 €.
Ouvert en 2005 par Lionel et André, du Baron, le ParisParis est devenu en quelques mois le club le plus branché de la capitale. Déco fête foraine façon André – les bonshommes dessinés sur les boîtes aux lettres, c'est lui, et l'on vient ici pour faire la fête tout simplement. Les gens ont le sourire et souvent envie de se parler. La programmation est éclectique. Tous les jeudis c'est after work. Pour que les jeunes cadres dynamiques puissent se détendre c'est open bar bulles et buffet dînatoire de 19h à 21h pour 15 €. Le ParisParis est un club gratuit mais est petit et sélect, c'est pourquoi il vaut mieux être un habitué pour y rentrer, mais parfois un simple mot au physionomiste peut vous ouvrir les portes des lieux.

LE REX CLUB
5, boulevard Poissonnière (2e)
✆ 01 42 36 10 96
Site Internet : www.rexclub.com – M° Bonne-Nouvelle. Ouvert du mercredi au samedi de 23h30 à l'aube. Entrée entre 5 € et 15 € – 13 € en général. Bières : 5 €, consommations : 10 €, softs : 5 €.
Le meilleur son de Paris vous diront certains. Et ce n'est pas seulement parce que ce sont des fans invétérés d'électro et de house qui vouent à ce temple des musiques électroniques un culte sans relâche depuis vingt ans. Mais beaucoup quand même. Car peu de clubs peuvent s'enorgueillir d'avoir accompagné les débuts de Laurent Garnier,

Manu le Malin… De recevoir tout ce que cette scène compte de meilleur et au-delà, de Carl Cox à Miss Kittin en passant par Jeff Mills, Bjork, New Order et tant d'autres. D'accueillir depuis dix ans la seule soirée électro hebdomadaire – Automatik, tous les vendredis, Jack de Marseille, Jennifer Cardini… – et The Other Way, la soirée d'Ivan Smagghe. Le tout avec une certaine modestie et une porte toujours aussi facile à franchir malgré le succès. Car nonobstant une programmation pointue, Le Rex n'est pas qu'un repaire de fêtards érudits. On y frôle à peu près tout ce que la nuit croise de clubbers, étudiants dragueurs de première année partageant la grande piste avec les lolitas arty. Le plafond a beau être un peu bas, il y a de la place pour tout le monde. L'espace lounge est confortable et spacieux juste devant le bar et on y profite pleinement du son grâce aux 70 points de diffusion répartis dans la salle ! Oreilles paresseuses s'abstenir.

SOCIAL CLUB
142, rue Montmartre (2e)
✆01 40 28 05 55
Site Internet : www.myspace.com/parissocialclub M° Bourse. Ouvert du mercredi au samedi de 23h à 5h. Tarif d'entrée selon la programmation entre 7 € et 20 €.
Au coin du bel immeuble haussmannien, la devanture noire n'est plus celle du Triptyque mais du Social Club. Depuis janvier 2008, les patrons du club sont Arnaud Frisch, Antoine Caudron, Manu Barron et Antoine Caton. Au Social, ambiance clubbing assurée et déco électro garage. Faites la queue, on continue à s'y presser pour danser et écouter des sons pointus et des dj's branchés. Un conseil pour les non-nyctalopes, repérez votre chemin aux néons colorés accrochés au plafond et autour de la scène et du bar façon sabres de Jedi.

LES BAINS DOUCHES
7, rue du Bourg-l'Abbé (3e)
✆01 48 87 01 80
Site Internet : www.lesbainsdouches.net – M° Etienne-Marcel. Ouvert du jeudi au dimanche, le club de 23h30 à 7h – le dimanche matin de 6h à midi pour les after –, le restaurant du mercredi au dimanche de 20h à 2h. Club : entrée gratuite le jeudi, le vendredi à 10 €, de 15 € à 20 € le week-end. Service voiturier du vendredi au dimanche. Softs à 8 €, alcools à 10 €. Restaurant de 31 € à 37 €.
Depuis sa reprise par Thibault Jardon, ancien du Queen, l'établissement mythique entièrement redécoré a définitivement regagné de sa superbe. Le restaurant raffiné à l'étage n'y est pas pour rien, la déco intime du lounge tout en noir et rouge non plus, mais c'est le côté club des Bains Douches qui continue à lui valoir sa réputation parmi les oiseaux de nuit. La programmation est ultra-éclectique : rythm'n'blues le mercredi, chansons françaises le jeudi, mais aussi hip-hop, kitch des années quatre-vingts, transe et house le samedi pour une clientèle gay, et dj's résidents toute la semaine. La carte du restaurant revisitée par le chef, formé par Alain Ducasse, propose des plats traditionnels, des petites touches d'épices asiatiques ou japonaises, ou des standards agrémentés d'une pointe de fantaisie.

L'ECHELLE DE JACOB
10-12, rue Jacob (6e)
✆01 46 34 00 29
M° Saint-Germain-des-Prés. Ouvert du lundi au samedi de 22h à 6h. Cocktails : 15 €, alcools : 10 €, bières, vins et apéritifs : 10 €, softs : 6 €.
Chargé d'histoire, comme il se doit à Saint-Germain, L'Echelle de Jacob c'est avant tout le cabaret mythique des années cinquante où se produisirent à leurs débuts Barbara, Brassens et Gréco. Depuis les choses ont bien changé et la déco a pris un sacré coup de luxe et de volupté. Tout en velours et boiseries sombres, un bar new-yorkais intime, élégant et même raffiné, où chaque objet vient caresser le regard et parfaire l'atmosphère douce et tamisée du lieu. Les happy few de tous les âges viennent y faire la fête entre amis dans une ambiance électro jazz de qualité. Le service est évidemment remarquable. Une mezzanine accueille ceux qui veulent prendre un peu de hauteur. Evidemment la porte est assez select, ça fait partie du mythe. A tenter pour une soirée spéciale. Un bémol : la fumée de cigarettes omniprésente !

LE WAGG
62, rue Mazarine (6e)
✆01 55 42 22 00
Site Internet : www.wagg.fr – M° Odéon. Ouvert le vendredi et le samedi de 23h30 à l'aube. Le dimanche de 15h à 17h (cours de salsa cubaine). De 17h à 0h : libre. Le vendredi et le samedi : 12 € sans consommation et le dimanche : 12 € avec une consommation.
Voilà un club qui a plus d'un tour dans son dance-floor – en parquet. Une jolie cave voûtée en pierre de taille et à taille humaine avec un son de qualité, un système d'aération qui évite d'étouffer même après deux heures de danse acharnée, et depuis quelques semaines un confortable fumoir à l'étage. Une équipe agréable et souriante, une programmation musicale dirigée par La Fabrik, le célèbre club londonien véritable label de qualité – Craig Richards, Llorca, Jeff K. officient aux platines. Quelques soirées qui valent le déplacement comme Carwash – disco-funk – le vendredi, Groove Committee un samedi par mois –, Golden 80s, salsa chaque jeudi soir et le dimanche de 15h à 17h… Et même un petit salon designé par Terence Conran pour se détendre au calme. De tels efforts de qualité font du Wagg – qui a remplacé Le Whisky à Gogo – un des meilleurs clubs de la rive gauche, et c'est déjà pas mal.

LE BARON
6, avenue Marceau (8e)
✆ 01 47 20 04 01
Site Internet : www.clublebaron.com – Ouvert tous les jours de 23h à 6h. Cocktails : 12 €, softs : 8 €.
Cet ancien lupanar est un des lieux les plus courus de la branchitude parisienne. Le secret de sa réussite est simple. D'abord il est tenu par Lionel, un des marquis de la nuit. Ensuite l'endroit est aussi petit qu'il est beau. A peine une centaine de personnes peut se presser le long du bar avant d'arriver sur la piste tamisée, chaude, rouge et souvent agitée. Du coup l'endroit est vite bondé de happy few – artistes, musiciens et comédiens à des niveaux de notoriété plus ou moins élevés. Raphaël, Edouard Baer ou Melville Poupaud y ont leurs quartiers. Mais on y vient surtout pour la musique qui va de l'électro la plus pointue à des vieux tubes qu'on n'a pas envie d'oublier. Et pour les très bons cocktails faits avec des jus de fruits frais. Attention si l'entrée est gratuite, elle n'en est pas pour autant facile. Soirées karaoké décalées le dimanche.

MADAM
128, rue de La-Boétie (8e)
✆ 01 53 76 02 11
Site Internet : www.madam.fr – M° Franklin-D.-Roosevelt. Ouvert du jeudi au dimanche, consommations : 10 €.
Dans cette boîte de 300 places règne un joyeux esprit de fête branchée mais jamais guindée. Alex, Julien et Ghislain président à la programmation qui entre une fête de fin de tournage, un anniversaire de VIP ou un concert de Vincent Martinez propose une ambiance festive. La règle d'or est de savoir faire la fête, on ne vient pas pour se montrer, mais pour bouger, on ne vient pas pour écouter une prog' tout électro mais pour des mixes éclectiques et festifs. En résumé le Madam est un concentré de l'esprit qui régnait dans les mythiques Dentelles de Luxe, chaque fin de semaine, le trio offre à quelques centaines de clubbers une énergie et un accueil positifs. C'est un des lieux qui a lancé la mode du déguisement en 2006, le Madam est peut-être le meilleur mini-club de Paris.

LE CLUB 79
22, rue Quentin-Bauchard (8e)
✆ 01 47 23 69 17
Site Internet : www.club79.fr – M° George-V. Entrée, avec une consommation : 14 € du dimanche au mercredi, 15 € le jeudi et 20 € le vendredi et le samedi.
Nostalgie, quand tu nous tiens… Commençons par une plongée dans le passé. En 1936, La Plantation ouvre ses portes, pour devenir dix ans plus tard Le Mimi Pinson. Dans les années 1970, l'endroit prend son nom actuel de Club 79. Et dans les années quatre-vingts, Le Club 79 est un des hauts lieux des thés dansants parisiens, jusqu'en 2003 où le club est entièrement redécoré. Aujourd'hui, Le Club 79 est un temple du disco et du rétro. Voyez plutôt : le vendredi et le samedi soir, la disco fever s'empare du dance floor, jusqu'à l'aube. Du dimanche au mercredi, c'est rétro jusqu'au bout des ongles, jusqu'à 3h sauf le lundi soir où c'est « Off Duty » : disco, electro, dance et rock. Ce soir-là c'est gratuit pour les filles jusqu'à 2h. Et si entre les deux, votre cœur balance, il vous faudra attendre le jeudi soir pour danser jusqu'à 4h du matin.

LE MILLIARDAIRE
58, rue Pierre-Charron (8e)
✆ 01 42 89 44 14
M° George-V. Ouvert tous les jours, sauf le dimanche de minuit à l'aube. Consommations : 15 €.
Le Milliardaire est un ancien « claque » et cela se sent : dès que l'on pénètre dans ce club aux murs tendus de rouge on sent que l'on s'encanaille un peu. Les proportions du club sont très raisonnables, la convivialité a longtemps présidé aux destinées de l'endroit. Le Milliardaire est un club à dimension humaine, on peut d'un regard embrasser tout ce qui s'y passe et profiter de l'ambiance. Les banquettes en cuir ont inspiré les patrons du Baron pour leur déco ! La salle est souvent privatisée par des maisons de disques et des prods' de cinéma pour leurs événementiels people. Bernard Levy, qui tient les rênes du club, organise des fêtes pour les 25-45 ans branchés et fêtards. Le Milliardaire est sans doute l'endroit qui a le plus d'âme au cœur du triangle d'or.

LE SHOWCASE
Sous le pont Alexandre III (8e)
✆ 01 45 61 25 43
Site Internet : www.showcase.fr – M° Champs-Elysées-Clemenceau ou Invalides. Ouvert le vendredi et le samedi de 22h à 6h, brunch le dimanche de midi à 16h. Tarifs selon programmation. Cocktails : 8 €, bières : 5 €, softs : 5 €.
Il fallait y penser, s'installer au pied du pont Alexandre III, à fleur de Seine, dans un bâtiment classé aux Monuments historiques. Un espace de 2 000 m², tout en longueur et arcades, partageant l'immense espace entre une scène et un bar-club, où de grandes baies vitrées ouvrent directement sur l'eau. Le Tout-Paris ultra-branché s'y rue. Réservé aux soirées privées du lundi au jeudi, Le Showcase a déjà un beau curriculum vitae à son actif – soirée du galeriste Emmanuel Perrotin pour l'ouverture de la Fiac, soirée Calvi on the Rocks, concert de Lilly Allen… Le week-end, la salle s'ouvre aux jeunes talents que le maître des lieux, Albert Cohen – fondateur de Radio Nostalgie et producteur de cinéma –, se fait fort de dénicher. Bien malin, il a choisi pour s'en assurer de confier la programmation à la bande du ParisParis, c'est d'ailleurs à peu près la même faune arty qu'on y retrouve.

BARRAMUNDI
3, rue Taitbout (9e)
✆ 01 47 70 21 21

Site Internet : www.barramundi.fr – M° Chaussée-d'Antin. Ouvert du lundi au vendredi jusqu'à 2h, le samedi jusqu'à 5h. Soirées le vendredi et le samedi. Entrée : 10 €, consommations à partir de 10 €.

Fréderic Lequin, le proprio de l'endroit a su créer un lieu chic et convivial et il fête ses dix ans cette année. La programmation est assurée par des soirées telles que Freaks avec l'excellent Dj Kimo – Hifree Party –, on y retrouve également Greg Demoulins et ses Carpe Noctem qui font le bonheur des clubbers assoiffés un samedi par mois, avec happy-hour jusqu'à 0h. Le vendredi soir, ambiance troisième œil avec prévisions, tarologie, graphologie, astrologie. Un endroit différent des standards du 8e tout proche sans jamais aller dans les excès des grands boulevards voisins. Le Barramundi est une adresse pour ceux qui veulent sortir des sentiers jalonnés du clubbing parisien.

BUS PALLADIUM
6, rue Pierre-Fontaine (9e) ✆ 01 45 26 80 35

Site Internet : www.lebuspalladiumparis.com – M° Pigalle. Ouvert tous les soirs de la semaine de 23h à 6h du matin. Entrée : 15 €.

Fondé par James Arch, personnage atypique et charismatique du monde de la nuit qui souhaitait un endroit bien à lui pour retrouver ses amis, le Bus Palladium accueille encore aujourd'hui les meilleurs dj's (Dimitri from Paris, Gilles Peterson, etc.) et une clientèle clubbeuse, amateur de rock saupoudré de soul et de funk. Le Bus vient de subir un sacré lifting qui en fait le club le plus high-tech de la capitale. Le son est sans doute le «meilleur sound-system de Paris» et la déco très design n'a plus rien à voir avec la mythique boîte des années soixante.

LE GLOBO
8, boulevard de Strasbourg (10e)
✆ 01 42 08 06 75

Site Internet : www.globodega.com – M° Strasbourg-Saint-Denis. Le samedi soir uniquement à partir de 23h.

Le samedi, c'est Globo ! A mi-chemin entre la salle de bal et la salle des fêtes, Le Globo ne se la joue pas. Et ceux qui s'y retrouvent ne s'y trompent pas. Vous ne connaissez pas encore ? Cela vous rappellera les boîtes de nuit de vos escapades en province... On vient ici pour se marrer, danser, et retrouver de joyeux drilles qui se mélangent sans se prendre la tête. Nous on adore ! On vient se déchaîner sans complexe sur des musiques pas franchement avant-gardistes, certes, mais dansantes. Le chauffeur de salle n'est autre que mister Philippe Corti, qui met la fête à la sauce cassoulet pour des soirées Globodega qui dépotent. Et on suit la bande, quand elle décide de grimper sur la scène pour se déhancher. Au fond de la salle, derrière la scène, se trouve un second petit bar où il est possible – enfin presque – d'avoir une conversation, d'échanger un numéro de téléphone...

LA JAVA
105, rue du Faubourg-du-Temple (10e)
✆ 01 42 02 20 52

Site Internet : www.la-java.fr – M° Belleville. Ouvert selon programmation du lundi au samedi, horaires et tarifs d'entrée selon l'événement. Demi : 3,50 €, cocktails : 7 €, softs : 3 €.

La plus vieille discothèque de Paris, ouverte en 1923, a une nouvelle direction artistique. Après avoir été un lieu de bal, avoir accueilli les débuts de la môme Piaf, été une boîte latino et bien d'autres choses encore, La Java propose aujourd'hui une programmation éclectique tournée principalement vers les musiques électroniques avec les soirées Moutarde à l'ancienne, Old school électro, Baka, vidéos, slam, électro, finger lickin'party, et des concerts funk avec les soirées Sardines tous les mois, entre autres. Le lieu, en sous-sol est resté dans son jus, un peu vieillot mais fort sympathique. Et il est clair qu'on vient ici pour s'amuser et danser dans une ambiance électrique plutôt que pour sortir son dernier tee-shirt vintage récupéré aux puces de Berlin. C'est la fête tout simplement.

LE BALAJO
9, rue de Lappe (11e)
✆ 01 47 00 07 87

Site Internet : www.balajo.fr – M° Bastille. Ouvert 7j/7, le mardi et le mercredi jusqu'à 2h, le jeudi 4h, le vendredi et le samedi 5h30 et le dimanche 1h30. Entrée de 10 € à 12 €.

Une adresse en or pour danser ! Inauguré en 1935 par Mistinguett, Le Balajo a fait valser des générations, malgré cinq années de fermeture pour cause de

Seconde Guerre mondiale. Maurice Chevalier, Jean Gabin, Arletty y ont eu leurs habitudes, avant Piaf et compagnie. Aujourd'hui, c'est le Tout-Paris qui danse, qui s'y retrouve. Le concept est simple : les soirées débutent par des cours de 20h à 22h, ensuite c'est la fiesta jusqu'au bout de la nuit. Ça danse, et pas qu'un peu ! Le mercredi, c'est rock'n'roll, le jeudi c'est salsa, le vendredi et le samedi c'est Balajo Forever pour tous les goûts et tous les styles… et pour ceux qui ne seraient pas encore fatigués le dimanche après-midi, c'est rétro musette de 15h à 19h avant le tango argentin à 20h30 le dernier dimanche du mois.

LE GIBUS
18, rue du Faubourg-du-Temple (11e)
✆ 01 47 00 78 88
Site Internet : www.gibus.fr – M° République. Ouvert du mercredi au samedi de 23h à l'aube. Entrée autour de 15 € avec consommation – gratuit pour les filles le vendredi. Boissons : 9 €, softs : 6 €.
La liste des artistes et dj's célèbres qui ont enflammé Le Gibus depuis son ouverture en 1967 est longue. Elle va de James Brown aux Daft Punk en passant par les Rita Mitsouko, La Mano Negra et Bob Sinclar. Pourtant, s'il est un groupe qui a marqué à jamais la mémoire des lieux, ce sont bien les Sex Pistols. Depuis, Le Gibus est passé par à peu près tous les genres musicaux dans l'espoir de trouver son public. C'est chose faite autour des amateurs de hip-hop, de rap et de funk qui jouissent désormais des lumières de l'énorme boule à facettes qui orne le lieu. La programmation n'est pas époustouflante mais relativement efficace, et comme on ne renie jamais vraiment son passé, Le Gibus accueille entre autres le festival Emergenza et les Rock'n'Roll Fridays de l'excellent Philippe Manœuvre.

LE RESERVOIR
16, rue de la Forge-Royale (11e)
✆ 01 43 56 39 60
Site Internet : www.reservoirclub.com – M° Faidherbe-Chaligny. Ouvert 7j/7. Bar et restaurant ouverts du mardi au samedi à partir de 20h, dernière commande à 0h30. Brunch le dimanche. Consommations à partir de 5 €, majorées : 8 € le soir, cocktails : 10 €.
Créé par la comédienne Mary de Vivo il y a déjà quelques années, Le Réservoir est avant tout un club, c'est-à-dire un endroit qui fédère les énergies : musique, comédie, danse… Un endroit qui se conçoit donc comme un lieu de mélanges et d'échanges pour célébrer la création sous toutes ces formes. Ce grand endroit, mais pas trop, réussit à brasser les énergies des spectacles de café-théâtre, des concerts et des soirées musicales pour le plus grand plaisir de ceux qui y découvrent l'endroit ou qui y ont leurs habitudes. Il a une place spéciale dans le cœur des artistes qui y ont fêté leurs anniversaires, des chanteurs qui y ont tourné leurs clips ou des musiciens qui y ont joué pour de mémorables concerts privés. Bardé de ces succès, Le Réservoir est aujourd'hui encore un lieu de découvertes musicales et culinaires. Le Brunch du dimanche est juste génial !

LE DJOON
22, boulevard Vincent-Auriol (13e)
✆ 01 45 70 83 49
Site Internet : www.djoon.fr – M° Quai-de-la-Gare. Entrées de 5 € à 15 €. Cocktails : 10 €, softs : 6 €.
Le Djoon est un lieu New York Style, on y mange, on y boit, on y lounge, on y danse : on y vit comme dans un grand loft de la grosse pomme. Ouvert par Afshin Assadian (du Doudingue à Montmartre) il y a un peu plus de trois ans, cet endroit est au cœur du nouveau quartier étudiant de Paris-Tolbiac. Afshin a su créer une ambiance assez unique à Paris, en effet les soirées Dance Culture du dimanche sont un concentré d'énergie. Dance Culture propose de 18h à minuit une programmation housefull avec l'excellent Greg Gauthier – créateur de La Cheers –, les meilleurs dj's de house américains s'y bousculent avec le seul désir que tout le monde danse. Cet énorme carré de ciment avec ses fresques en trompe-l'œil s'anime au gré du déhanchement des danseurs. Les groupes se forment, les battles – défi de danse – s'organisent et il est déjà minuit, on n'a pas vu le temps passer.

LE REDLIGHT
34, rue du Départ (15e)
✆ 01 42 79 94 53
Site Internet : http://red-light.com – M° Montparnasse-Bienvenüe. 20 € l'entrée avec une consommation.
Les feux de L'Enfer se sont éteints et ont fait place aux lumières rouges du Redlight. Aux platines, Master Dam qui orchestre les soirées Satisfy, Jean Cédric pour les Redlight Underground, mais aussi Anthony Collins et Fabrice K, tous deux dj's sur radio FG, David C. et la Chilienne Marysol… Les after Kit Kat for Ever de Warrio, à partir de 6h le dimanche, ne sont pas en reste non plus… 500 m² dédiés à la danse, avec des dj's résidents qui font tourner la baraque !

LE MAGNUM
2, rue Puget (18e)
✆ 01 46 06 07 97
M° Blanche. Ouvert tous les jours, sauf le lundi et le mercredi, de 0h à 6h. Entrée : 12 € avec une consommation en semaine, et 18 € le vendredi et le samedi.
Une des meilleures boîtes «black» de Paris ! Chaude, bouillante, l'ambiance sur le dance-floor du Magnum ! Carrément énergique, complètement sensuel, le public black and white se lâche sans réserve sur tout ce qui fait le bon son afro-américain, funk, soul, rythm'n'blues, hip-hop, new-jack…

BILLARD, BOWLING OU BLACK-JACK ?

Les salles de billard

CERCLE CLICHY MONTMARTRE
84, rue de Clichy (9e) ✆01 48 78 32 85
Site Internet : www.academie-billard.com – M° Place-de-Clichy. Ouvert tous les jours de 11h à 6h pour le billard-club, de 15h à 6h pour le cercle de jeux. De 5 € à 12 € l'heure. Salle de jeux interdite aux mineurs et aux interdits ministériels, présentation d'une pièce d'identité obligatoire, tenue correcte exigée. L'établissement a récemment été climatisé.
Le Cercle Clichy Montmartre – site classé – met le jeu à l'honneur. L'établissement se divise en deux parties. Le billard-club propose des billards américains, français, du pool et du snooker – environ 10 € l'heure, moitié prix de 11h à 14h en semaine et de 11h à 12h30 le week-end. Pour ceux qui préfèrent les jeux à risques, l'autre partie abrite un Cercle de jeux composé du poker et de la roulette. Parfait pour y boire un verre à toute heure de la nuit et observer la folie joueuse, dans une ambiance unique à Paris. Ce magnifique établissement vaut vraiment le détour... Et, pour satisfaire ses nombreux clients, le Cercle possède six tables de poker Hold'Em.

LE 2001
11, cour Debille (11e) ✆01 43 48 41 75
Site Internet : www.le2001.com – M° Voltaire. Ouvert tous les jours de 15h à 2h. De 10 € à 14 € l'heure.
D'une surface de 600 m², avec mezzanine, Le 2001 dispose de vingt-cinq billards dont dix-neuf américains, trois français, un artistique et deux pools. La salle vous propose en prime un coin dédié aux jeux vidéo, un Baby-foot et des jeux d'échecs. Dans ce lieu à l'ambiance détendue, on peut aussi prendre un verre ou choisir un plat sur une carte brasserie. A noter que des cours d'initiation et de perfectionnement sont organisés à la demande pour les joueurs débutants de tous âges.

BLUE BILLARD
111-113, rue Saint-Maur (11e)
✆01 43 55 87 21
M° Parmentier ou Rue-Saint-Maur. Ouvert tous les jours de 11h à 2h. 12 € l'heure. Restaurant Ouvert tous les jours à 12h, puis de 19h30 à 23h30, sauf le dimanche soir.
La salle de billard se trouve au rez-de-chaussée, tandis que le restaurant Blue Bayou occupe l'étage. Ambiance louisianaise dans ce lieu qui met à votre disposition douze billards français, américains et pools anglais. Une verrière située à 15 m de hauteur crée une atmosphère particulière, tant du point de vue de l'éclairage que de l'acoustique. Au bar, on cultive l'ambiance blues et country.

SHOOT AGAIN
9, cité Debergue (12e) ✆01 43 43 88 00
Site Internet : www.shootagain.fr – M° Nation. Ouvert tous les jours de 12h à 2h, jusqu'à 4h le week-end. 13 € de l'heure, sauf le vendredi, le samedi et veilles de fêtes. Après 20h : 14 € de l'heure.
Situé au fond d'une impasse, le Shoot Again est un lieu qui cultive un certain sens du chic. Débutants et joueurs confirmés se rencontrent autour de dix-huit tables de billards américains et français. Tous les lundis, c'est soirée club (ouvert à tout le monde) avec des conseils et des mini-tournois. L'ambiance est tranquille – bois foncé, velours, lumières tamisées – dans cet établissement doté d'un bar de type pub et d'un écran vidéo géant. Des jeux de société sont mis à la disposition des clients.

Les bowlings

BOWLING MOUFFETARD
73, rue Mouffetard (5e) ✆01 43 31 09 35
M° Place-Monge. Ouvert du lundi au vendredi de 15h à 2h, le samedi et le dimanche de 10h à 2h. De 3,20 € à 6,30 € la partie. Billard : 13,80 € l'heure le soir et 1,30 € avant 19h. Réductions pour les étudiants.
Un bowling de quartier, ça existe ! Celui-ci est des plus sympathiques avec ses huit pistes en bois dont certaines sont spécialement aménagées pour les petits. L'endroit dispose d'un bar, de quatre tables de billards – américain, pool, snooker – et de jeux vidéo.

BOWLING DU MONTPARNASSE
25, rue Commandant-Mouchotte (14e)
✆01 43 21 61 32
Site Internet : www.bowling-amf.com – M° Montparnasse-Bienvenüe ou Gaîté. Du lundi au jeudi de 12h à 2h, le vendredi de 12h à 4h, le samedi et veilles de jours fériés de 10h à 5h, le dimanche et jours fériés de 10h à 2h. 4,50 € et 6,30 € la partie. Plusieurs forfaits proposés.
Située à proximité de la gare Montparnasse, cette salle vous propose seize pistes en bois de compétition dotées des scoreurs informatiques les plus récents. Des aménagements ont été prévus pour les plus jeunes. Il y a aussi deux salles de billard avec neuf tables de pools, des jeux vidéo, un bar et un service de restauration rapide.

BOWLING DU FRONT DE SEINE
15, rue Gaston-de-Caillavet (15e)
✆01 45 79 21 71
M° Charles-Michels. Ouvert tous les jours de 10h30 à 2h, le vendredi, le samedi et veilles de fêtes à 4h. De 2,30 € à 6 € la partie.
Vingt pistes synthétiques vous attendent dans cette grande salle placée en plein cœur du quartier de

Beaugrenelle. Des compétitions se déroulent ici régulièrement. Atout supplémentaire du lieu : on y trouve une boutique spécialisée nommée pro-shop où l'on peut acheter du matériel – boules, sacs, poignets, chaussures, petits accessoires... –, faire percer une boule à sa main ou la reconditionner, etc. **Autres adresses :** BOWLING NORD-OUEST DE PARIS-CHAMPERRET 2, rue du Caporal-Peugeot (17e) ✆ 01 43 80 24 64 – C.Cial Belle Epine – (94) THIAIS ✆ 01 45 60 43 01.

BOWLING DE PARIS LA CHAPELLE
6, avenue de la Porte-de-la-Chapelle (18e)
✆ 01 40 35 07 11
Site Internet : www.bowlingsympas.com – M° Porte-de-la-Chapelle. Ouvert tous les jours de 10h à 2h du dimanche au jeudi, de 10h à 4h le vendredi et le samedi. De 2,20 € à 5,20 € la partie. Billard de 7 € à 12 € l'heure.
Très fréquenté, ce bowling dispose néanmoins de vingt-quatre pistes synthétiques, ce qui permet de satisfaire un grand nombre de joueurs. Comme il faut cependant parfois s'armer de patience, pourquoi ne pas faire une partie de billard en attendant – snooker, pool, américain, français –, ou bien prendre un verre au bar ou encore commander un sandwich ou une pâtisserie ? **Autre adresse :** 15, rue Auguste-Beau – (92) COURBEVOIE ✆ 01 47 88 32 37.

BOWLING FOCH
Face au 8, avenue Foch (16e)
✆ 01 45 00 00 13
M° Charles-de-Gaulle-Etoile. Ouvert tous les jours de 17h à 2h. De 7,10 € à 6,90 € la partie. Billard : 12,70 € et 13,70 € l'heure.
C'est une sorte d'annexe de la boîte Le Duplex, située en face. L'espace dans lequel est installé ce bowling de quinze pistes est d'une belle élégance, ce qui ajoute au plaisir de jouer. La salle dispose également de trois tables de billards. Seul problème du lieu : il faut téléphoner avant de venir, car la salle est parfois réservée pour des soirées privées. Ce serait bête de vous faire blackbouler.

Les cercles de jeux

AVIATION CLUB DE FRANCE
104, avenue des Champs-Elysées (8e)
✆ 01 45 62 26 88
Site Internet : www.aviationclubdefrance.com M° George-V. Ouvert tous les jours 24h/24. Cotisation annuelle : 100 €. Tenue correcte exigée. Voiturier.
Fondé au début du XXe siècle par des pionniers de l'aviation, ce cercle est aujourd'hui fréquenté par des personnalités et des hommes d'affaires du monde entier. Dans un décor digne des hôtels de luxe, vous pouvez jouer dans plusieurs salles au baccara, backgammon, poker, Pok'21, stud poker, rami, tarot. On y accueille de nombreux tournois de poker dont l'étape européenne du World Poker Tour. Le bar propose en permanence une carte de restauration légère, tandis que le restaurant gastronomique vous accueille de 19h30 à 23h.

CERCLE GAILLON
11, rue de Berri (8e) ✆ 01 45 62 08 33
Site Internet : www.cerclegaillon.net – M° George-V. Ouvert tous les jours de 13h à 6h. Tenue correcte exigée.
Dans un cadre chic et raffiné, à deux pas des Champs-Elysées, le Cercle Gaillon ouvre ses tables de jeux aux amateurs de poker américain – Texas Hold'Em, Omaha, 7 Card Stud, 7 Nullo –, Black Jack Parisian Style – Pok'21 –, Carribean Stud poker 5 cartes, 3 cartes poker, punto banco, backgammon. Des tournois internationaux sont ici régulièrement organisés. Les services proposés : bar, restauration, salon télévision, voiturier, change.

ACIC
2, rue de la Chaussée-d'Antin (9e)
✆ 01 48 24 91 40
Site Internet : www.acic-poker.com – M° Opéra. Ouvert tous les jours de 14h à 7h. Tournois tous les jours à 21h, du lundi au jeudi avec gros prix garantis.
C'est le plus petit cercle de jeux de Paris, mais pas le moins convivial. Club de l'industrie et du commerce depuis plus d'un siècle, il vous permet de jouer au black jack, au poker 21, au punto banco et au poker Texas Hold'Em, notamment au cours de tournois réguliers. Un restaurant est ouvert de 19h30 à 23h. Menu complet et café pour 10 € : ce n'est pas cela qui vous ruinera ! En outre, un traiteur chinois officie de 0h à 5h et le petit déjeuner est offert.

CERCLE WAGRAM
47, avenue de Wagram (17e)
✆ 01 43 80 65 13
Site Internet : www.cerclewagram.com – M° Ternes ou Charles-de-Gaulle-Etoile. Ouvert tous les jours de 15h à 6h. Cotisation annuelle : 100 €.
Le cadre est luxueux, d'allure Art-Déco, on se croirait presque dans un décor de cinéma. Sur trois étages, vous avez accès à quinze tables de poker. Des tournois sont organisés chaque semaine. Autres jeux proposés : stud poker, poker 21, punto banco, multicolore. Un restaurant est ouvert à partir de 19h à 4h du matin.

LES BIBLIOTHÈQUES

BIBLIOTHEQUE DES ARTS DECORATIFS
111, rue de Rivoli (1er) ✆ 01 44 55 59 36
Site Internet: www.bibliothequedesartsdecoratifs.com – M° Palais-Royal, Musée-du-Louvre, Tuileries ou Pyramides. Ouvert du mardi au samedi de 10h à 18h. Fermée les jours fériés, du 25 décembre au 1er janvier et le mois d'août. Entrée libre. Accessible aux personnes à mobilité réduite.
Les fonds de cette bibliothèque recèlent 120 000 volumes imprimés, livres, catalogues d'exposition, ainsi que d'autres documents dans les domaines des arts décoratifs, du design, des arts graphiques, de l'architecture, de l'histoire de l'art, de l'art des jardins, du costume et de la mode. Elle est ouverte à tous gratuitement après établissement d'une carte de lecteur avec photo sur présentation d'une pièce d'identité. Attention : la consultation se fait uniquement sur place, dans plusieurs salles. L'une d'elles vaut le détour car elle est située en bordure du jardin des Tuileries, au rez-de-chaussée de l'aile de Marsan des bâtiments constituant l'ensemble du Louvre.

MEDIATHEQUE MUSICALE DE PARIS
Forum des Halles – 8, porte Saint-Eustache (1er) ✆ 01 55 80 75 30
Site Internet: www.bibliotheques.paris.fr – M° et RER Châtelet ou Les Halles. Ouvert du mardi au samedi de 12h à 19h. Entrée libre. Emprunts sur abonnement: cd audio: 30,50 €, cd audio et vidéo: 61 €. Accès Wi-fi.
Héritière de l'ancienne Discothèque des Halles, cette médiathèque municipale vous permet de consulter ou d'emprunter des titres de toutes sortes: cd, partitions, livres (documentaires et œuvres de fiction), vidéos. C'est un centre de documentation pour spécialistes et pour passionnés qui peuvent trouver ici des trésors, par exemple les collections de revues comme, Salut les Copains, Rock&Folk, Jazz Hot ou La Revue de musicologie. Par ailleurs, la médiathèque assure une mission de conservation des documents sonores enregistrés, du 78 Tours au cd.

BIBLIOTHEQUE HISTORIQUE DE LA VILLE DE PARIS
24, rue Pavée (4e) ✆ 01 44 59 29 40
Site Internet: www.bibliotheques.paris.fr
M° Saint-Paul. Ouvert du lundi au vendredi de 13h à 18h, le samedi de 9h30 à 18h. Entrée libre à condition d'être majeur. Accès Internet et Wi-fi.
Installée dans l'Hôtel de Lamoignon, la Bibliothèque historique de Paris rassemble une collection de plus d'un million de documents sur l'histoire de la capitale et de la Région Ile-de-France, notamment des livres, des photos, des plans anciens et des manuscrits du XVIe siècle à nos jours. Elle est destinée aux chercheurs, mais aussi à quiconque est passionné par la destinée de la plus belle ville

Les bibliothèques de prêt de la ville

✆ 03975 (prix d'un appel local sur un poste fixe)
Site Internet: www.bibliotheques.paris.fr – Fermées le dimanche et le lundi.
Elles obtiennent un succès fou ces bibliothèques de la Ville de Paris où vous avez tout loisir d'entrer librement pour consulter n'importe quel ouvrage et où vous pouvez aisément vous inscrire afin d'emprunter le livre de votre choix. Tout cela gratuitement! Elles sont au nombre de 57 et l'on en trouve dans chaque quartier. Les ressources y sont innombrables: romans, essais, encyclopédies, arts, méthodes langues, ouvrages techniques, poésie, théâtre, guides touristiques, partitions, bd... Toutes disposent en outre de rayons proposant des ouvrages sur l'arrondissement où elles sont implantées, des journaux, des livres enfance et jeunesse, des cd, des dvd (abonnements annuels payants dans ces deux derniers cas).
Pour s'inscrire, rien de plus simple. Il vous suffit de vous munir d'un justificatif d'identité et de domicile et de vous adresser à la personne chargée des inscriptions. En général c'est très rapide. Vous serez alors autorisé à emprunter un maximum de cinq livres (sur un total de 20 titres) qu'il vous faudra rendre au bout de trois semaines (une pour les nouveautés). Notez que chaque membre d'une famille peut s'inscrire, quel que soit son âge (une autorisation des parents est nécessaire pour les mineurs).
Pour faire votre choix, vous avez des ordinateurs à votre disposition dans l'enceinte de la bibliothèque. La base de données vous indique si le titre que vous recherchez est disponible et dans quelle bibliothèque. Il vous est possible de faire cette recherche depuis votre ordinateur personnel. A propos d'informatique, notez que plusieurs bibliothèques sont équipées de bornes Wi-fi.
Sachez enfin que des bibliothèques municipales sont spécialisées dans un domaine. Nous vous en présentons certaines dans ces pages.

du monde ! Dans ce lieu de style Renaissance, qui mérite de toute façon le coup d'œil, sont organisées des expositions sur la ville.

BIBLIOTHEQUE FORNEY
1, rue du Figuier (4e) ✆ 01 42 78 14 60
Site Internet : www.bibliotheques.paris.fr
M° Pont-Marie ou Saint-Paul. Ouvert le mardi, le vendredi et le samedi de 13h à 19h30, le mercredi et le jeudi de 10h à 19h30. Entrée libre à condition d'être majeur. Accès Wi-fi. Expositions du mardi au samedi de 13h30 à 19h. Tarifs variables.
Vous êtes ici dans l'Hôtel de Sens, construit au XVe siècle pour l'archevêque de Sens duquel dépendaient les églises de Paris. La reine Margot y a logé quelque temps. Fondée à dans ce lieu en 1886, la bibliothèque était destinée à l'éducation des artisans. Aujourd'hui municipale, elle accueille une large collection d'ouvrages d'arts graphiques et d'architecture. Vous pouvez y emprunter 5 livres et 5 revues pour 3 semaines (prolongation possible) et y consulter des documents et ouvrages rares. Des expositions consacrées à la mise en valeur des collections de la bibliothèque et à la promotion des métiers d'art sont régulièrement organisées.

BIBLIOTHEQUE PUBLIQUE D'INFORMATION
3, rue Beaubourg (4e) ✆ 01 44 78 12 33
Site Internet : www.bibliotheques.paris.fr
M° Rambuteau ou Hôtel-de-Ville. Ouvert le lundi, le mercredi, le jeudi, le vendredi de 12h à 22h, le samedi, le dimanche et jours fériés de 11h à 22h. 24 et 31 décembre fermeture à 19h. 25 décembre et 1er janvier : ouvert à midi. Fermé le 1er mai. Entrée libre. Accès Internet (sur réservation) et Wi-fi.
Pour paraphraser un slogan publicitaire ancien, on trouve tout à la BPI ! Y a-t-il un domaine ignoré par ce haut lieu de la culture populaire où se croisent absolument tous les publics ? C'est d'ailleurs la principale bibliothèque publique parisienne ; elle peut contenir 2 200 personnes. Le principe est simple : on choisit un ou plusieurs ouvrages et on cherche une place pour s'asseoir. Vous avez aussi le loisir de consulter des documents électroniques, sonores, audiovisuels.

BIBLIOTHEQUE L'HEURE JOYEUSE
6, rue des Prêtres-Saint-Séverin (5e)
✆ 01 56 81 15 60
Site Internet : www.bibliotheques.paris.fr
M° Saint-Michel, Odéon, Cluny ou RER Saint-Michel. Ouvert le mardi, le jeudi, le vendredi de 15h30 à 18h15, le mercredi et le samedi de 10h30 à 18h15. Pendant les vacances scolaires : le mardi, le jeudi, le vendredi de 14h à 18h15, le mercredi et le samedi de 10h30 à 13h et de 14h à 18h15. Entrée libre. Emprunt d'imprimés : gratuit, emprunt de cd audio : 30,50 €, emprunt de cd audio et vidéo : 61 €. Accès Wi-fi.
40 000 ouvrages, ainsi que des disques et des vidéos : c'est ce qui attend les jeunes lecteurs dans cette bibliothèque municipale. Les chercheurs, eux, ont accès à un fonds d'étude constitué de dessins originaux, éditions originales remontant au XVIIIe siècle, thèses ou encore périodiques sur la littérature pour la jeunesse.

BIBLIOTHEQUE DU FILM
51, rue de Bercy (12e) ✆ 01 71 19 32 32
Site Internet : www.bifi.fr – M° Bercy. Ouvert du lundi au vendredi, sauf jours fériés. Bibliothèque et vidéothèque de 10h à 19h. Iconothèque et espace chercheurs de 13h à 18h. 3,50 €. Plusieurs formules d'abonnement proposées.
Constituées à l'origine par les Archives françaises du film, la Cinémathèque française et la FEMIS, les collections conservées par la « BiFi » se sont enrichies au fil du temps de nombreux dons, acquisitions et dépôts. C'est évidemment un établissement fréquenté par les étudiants et des chercheurs, mais si vous êtes cinéphile, vous avez ici de quoi approfondir vos connaissances en consultant des séries de périodiques, des livres et des vidéos sous forme de VHS et de dvd. Vous pouvez aussi y consulter des affiches, des dessins (story-boards, décors...), des photographies de plateau, des fonds d'archives... Et maintenant : action !

BIBLIOTHEQUE NATIONALE DE FRANCE FRANÇOIS MITTERRAND
45, quai François-Mauriac (13e)
✆ 01 53 79 59 59
Site Internet : www.bnf.fr – M° Bibliothèque François-Mitterrand. Ouvert lundi de 14h à 19h, du mardi au samedi de 9h à 19h, le dimanche 13h à 19h. Fermée les jours fériés. Bibliothèque d'étude fermée le lundi. Bibliothèque de recherche fermée le dimanche et le lundi matin. Bibliothèque d'étude : 3,30 € (ticket 1 journée), 20 € (carte 15 jours), 18 € et 35 € (carte annuelle). Gratuit pour les demandeurs d'emploi, les bénéficiaires du RMI ou de l'aide sociale, les personnes handicapées ou invalides et leurs accompagnateurs. Expositions de 3,50 € à 7 €. Gratuit pour les personnes comme ci-dessus.
Au pied des fameuses quatre tours en forme de livre ouvert, les salles de lecture de la BNF donnent accès à d'innombrables ouvrages. A peu près tout ce qui paraît ou a paru en France se trouve ici. Impressionnant, non ? La salle de la Bibliothèque d'étude (haut-de-jardin) est ouverte à tous, à condition d'avoir au moins 16 ans. C'est le lieu où vous trouverez des collections encyclopédiques en libre accès (livres, périodiques, audiovisuel). La salle de la bibliothèque de recherche (rez-de-jardin) est quant à elle ouverte aux universitaires et à quiconque, professionnel ou pas, explique en quoi il lui nécessaire de se plonger dans les collections de ce département. Toute l'année, de grandes expositions, des rencontres, des projections ou des concerts sont organisés dans ce temple dédié au livre.

BIBLIOTHEQUE DU TOURISME ET DES VOYAGES
6, rue Commandant-Schloesing (16e)
✆ 01 47 04 70 85
Site Internet: www.bibliotheques.paris.fr
M° Trocadéro. Ouvert le mardi, le jeudi, le vendredi de 13h à 19h, le mercredi de 10h à 19h, le samedi de 10h à 18h. Entrée libre. Accès handicapés. Accès Wi-fi.
C'est le fonds de la bibliothèque du Touring Club de France, association qui a contribué au développement du tourisme en France entre 1891 et 1983, qui forme la base, aujourd'hui mise à jour évidemment, de cet établissement municipal où vous avez la possibilité de consulter ou emprunter un titre figurant parmi 20 000 documents : livres, guides touristiques anciens et récents, revues et cartes. Vous avez donc ici de quoi découvrir une région ou un pays, tous les aspects du tourisme ou les différentes formes de voyage.

LES LIBRAIRIES

Les grandes enseignes

FNAC DES HALLES
Forum des Halles – Niveaux -3 -2 -1 – Rue Pierre-Lescot (1er) ✆ 08 25 02 00 20
M° Les Halles. Ouvert de 10h à 19h30 du lundi au samedi. Fermé le dimanche.
La Fnac des Halles est immense et très bien achalandée ! Difficile de ne pas y trouver son bonheur. Lez vendeurs sont compétents, comme souvent à la Fnac et vous renseignent volontiers. La Fnac Forum est organisée autour de trois espaces : numérique, Home cinéma puis disques et livres. Commandes possibles sur : www.fnac.com

VIRGIN MEGASTORE
Galerie du Carrousel du Louvre – 99, rue de Rivoli (1er) ✆ 01 44 50 03 10
M° Palais-Royal-Musée-du-Louvre. Ouvert le lundi et le mardi de 10h à 20h, du mercredi au dimanche de 10h à 21h.
Virgin Megastore vous offre un large choix de musique en tout genre, d'œuvres littéraires ou de livres pratiques, et même de fournitures scolaires, ainsi que de logiciels, jeux vidéo, produits high-tech... Plus conventionnel, l'espace dédié à la musique classique offre en toile de fond des concerts sur grand écran.

VIRGIN MEGASTORE
5, boulevard Montmartre (2e)
✆ 01 40 13 72 13
M° Grands-Boulevards. Ouvert du lundi au samedi de 10h à 0h. Fermé le dimanche.
S'il est un Virgin qui bouge, c'est bien celui des Grands-Boulevards. Passés les cd et autres dvd du rez-de-chaussée, on découvre une librairie bien pensée et animée autour d'un café. On se pose alors en terrasse pour dévorer sa dernière acquisition.

LIBRAIRIE DU BHV
52, rue de Rivoli (4e)
✆ 01 42 74 96 34
Site Internet: www.bhv.fr – M° Hôtel-de-Ville. Ouvert le lundi, le mardi, le jeudi, le vendredi et le samedi de 9h30 à 19h30 et le mercredi de 9h30 à 21h.
Pensez à faire un crochet par la librairie du Bazar de l'Hôtel de Ville, plus connu pour son rayon bricolage, mais qui propose malgré tout un vaste choix d'ouvrages qui saura vous surprendre. Installée au premier étage du célèbre magasin, elle jouxte les disques et le rayon papeterie. Vous pouvez vous plonger dans tous les ouvrages qui sont en libre consultation et comme partout au BHV, c'est la politique du libre-service qui s'impose. La sélection proposée est celle d'une bonne librairie généraliste où l'on retrouve tous les livres à succès du moment, mais aussi des bandes dessinées, de nombreux guides de voyage et même des manuels scolaires et universitaires. Tout comme de nombreuses grandes enseignes, la librairie du BHV pratique une réduction de 5 % par rapport au prix affiché par l'éditeur et vos commandes sont gratuites.

GIBERT JEUNE
2, place Saint-Michel (5e)
✆ 01 56 81 22 22
Site Internet: www.gibertjeune.fr – M° Saint-Michel. Ouvert du lundi au samedi de 9h30 à 19h30.
Eclatée en neuf boutiques sur et autour de la place Saint-Michel, dont un grand magasin généraliste aux travées exiguës, cette enseigne propose des ouvrages dans tous les domaines. Une de ses spécialités est la vente de livres scolaires, parascolaires et universitaires. On est en effet en plein Quartier latin. Une échoppe est destinée au rachat de livres, car cette librairie vend aussi bien du neuf que de l'occasion dans ses rayons. Il y a également un rayon papeterie.
Autre adresse : 15 bis, boulevard Saint-Denis (2e) ✆ 01 55 34 75 75. M° Strasbourg-Saint-Denis. Ouvert du lundi au samedi de 10h à 19h.

FNAC MONTPARNASSE
136, rue de Rennes (6e)
✆ 08 25 02 00 20
M° Montparnasse-Bienvenüe. Ouvert du lundi au samedi de 10h à 19h30.
On ne vient pas ici seulement pour acheter le dernier album du groupe tendance ou pour flâner au rayon beaux livres, on se précipite ici pour la qualité des expositions photo. Des expos temporaires, libres d'accès, mises en scène avec élégance et sobriété, pour partir à la découverte d'un monde aux multiples facettes. Commande possible sur www.fnac.com.

GIBERT JOSEPH
26, boulevard Saint-Michel (6e)
✆01 44 41 88 88
Site Internet: www.gibertjoseph.com
M° Odéon ou Cluny-La Sorbonne ou RER Luxembourg. Ouvert du lundi au samedi de 10h à 20h.
Joseph Gibert a ouvert sa propre librairie en 1929 laissant à son frère l'adresse historique connue à présent sous le nom de Gibert Jeunes. Cet établissement propose également des ouvrages neufs et d'occasion. Le choix est très large aux rayons littérature générale, policier, SF, histoire, sociologie, arts, musique, cinéma, tourisme, bd, enfants, philo, médecine, économie, scolaire... Des sections poche et livres en langues étrangères sont aussi bien fournies. Sur le côté droit du bâtiment est située la boutique où l'on rachète vos livres. A proximité, la même enseigne dispose de magasins dédiés à la papeterie, aux disques et dvd et aux jeux vidéo. **Autre adresse:** 21, rue Lagroua-Weill-Hallé (13e) ✆01 46 46 10 50. M° et RER Bibliothèque-François-Mitterrand. Ouvert du lundi au samedi de 10h à 19h30.

VIRGIN MEGASTORE
52-60, avenue des Champs-Elysées (8e)
✆01 49 53 50 00
M° Franklin-D.-Roosevelt. Ouvert du lundi au samedi de 10h à 0h. Le dimanche et jours fériés de 12h à 0h.
Les promeneurs internationaux de la plus belle avenue du monde pourront retrouver toutes leurs références littéraires dans la librairie de ce géant du disque. Le plus: les séances dédicaces, des invités en showcase ou la sélection du libraire à l'occasion d'une sortie événement. En plus de son activité de libraire, Virgin propose de la musique, de la vidéo et des dvd ainsi qu'un service de billetterie spectacle. **Autre adresse:** Gare Montparnasse – Niveau 1 (15e) ✆01 45 38 06 06.• Gare de l'Est, place du 11 Novembre (10e) ✆01 44 65 95 41 • Gare de Lyon, salle des Fresques, place Louis Armand (12e) ✆01 44 75 43 80 .

FNAC SAINT-LAZARE
Passage du Havre – Rue Saint-Lazare (9e)
✆08 25 02 00 20
M° Saint-Lazare ou Havre-Caumartin. Ouvert du lundi au samedi de 10h à 19h30, le jeudi et le vendredi jusqu'à 20h30.
Un endroit où l'on pourrait passer des heures entières à flâner entre les rayons de livres, de musiques, de dvd, d'image et son ou à la billetterie... le regard et les oreilles attirés par les expositions de photos ou les événements organisés (lecture, concerts, projections...). Un véritable paradis pour les curieux, proposant tous les produits, des plus récents au plus classiques. Commandes possibles sur www.fnac.com

LIBRAIRIE DES GALERIES LAFAYETTE
40, boulevard Haussmann (9e)
✆01 42 82 34 56
Site Internet: www.galerieslafayette.com
M° Havre-Caumartin et RER Auber. Ouvert du lundi au samedi de 9h30 à 19h30, nocturne le jeudi jusqu'à 21h30.
Abrité sous la coupole de verre d'origine, ce magasin est un lieu de passage incontournable pour toutes les fashion victims. La librairie, à l'image de ce temple de la mode, se veut plutôt dans l'air du temps. Un espace librairie, musique et vidéos qui s'anime derrière les arts de la table. Une présentation aérée et précise pour mieux dénicher. Le plus: les séances de dédicace régulièrement organisées. **Autres adresses:** GALERIES LAFAYETTE MONTPARNASSE 22, rue du Départ (14e) ✆01 45 38 52 87 • C.CIAL EVRY 2 – Evry (91) ✆01 60 77 93 10.

FNAC ITALIE
Centre commercial Italie 2
30, avenue d'Italie (13e)
✆08 25 02 00 20
M° Place-d'Italie. Ouvert du lundi au samedi de 10h à 20h.
Une Fnac plutôt mini mais qui fait le maximum, une sélection pointue, une pluie de nouveautés à dénicher aux rayons cd, dvd et littérature. Mention particulière pour le rayon «nouvelles technologies» qui évolue sur plus de la moitié du magasin. Commandes possibles sur www.fnac.com

FNAC ETOILE
26, avenue des Ternes (17e)
✆08 25 02 00 20
M° Ternes. Ouvert de 10h à 19h30 du lundi au samedi. Fermé le dimanche.
La Fnac Etoile se veut très citadine. Ce magasin, résolument contemporain, est baigné par la lumière filtrée par la verrière d'époque. On y croise une clientèle aisée, très bcbg, qui aime flâner de rayons en rayons. Quatre étages plutôt bien pensés. Le plus: le parking en sous-sol avec accès direct. Commandes possibles sur www.fnac.com.

VIRGIN MEGASTORE
15, boulevard Barbès (18e)
✆01 56 55 53 70
M° Barbès-Rochechouart ou Château-Rouge. Ouvert du lundi au samedi de 10h à 21h.
C'est la première grande enseigne de librairie-disquaire présente dans le quartier. Le Virgin a de ce fait comblé un gros vide. Réparti sur deux niveaux, un sous-sol réservé aux livres et un rez-de-chaussée dédié à la musique et à la vidéo, le Virgin est un magasin complet qui suit de près les tendances du moment et les grandes sorties de librairie. Le petit plus est que le magasin ferme tard, cela laisse du temps après le bureau.

Les librairies généralistes

LIBRAIRIE DELAMAIN
155 rue Saint-Honoré (1er) ✆01 42 61 48 78
M° Palais-Royal. www.librairie-delamain.com Ouvert du lundi au samedi de 10h à 20h.
Une librairie à l'ancienne avec parquet et hautes bibliothèques en chêne massif. Elle fait le lien entre passé et présent en proposant à la fois l'actualité du livre mais aussi un secteur ancien. Sur 90 m^2 de surface, plusieurs espaces sont proposés : La librairie généraliste (littérature, beaux-arts, sciences humaines, vie pratique, tourisme, jeunesse et livres de poche), un service de commande et de conseils, un secteur de livres anciens de 5 000 volumes, un espace «coups de cœur», ainsi qu'un étalage à l'extérieur du magasin (de juin à septembre) présentant des ouvrages de qualité à petits prix. Cette librairie se distingue des autres, grâce à son personnel très compétent.

MONA LISAIT
17 bis, rue Pavée (4e) ✆01 48 87 78 17
M° Saint-Paul. www.monalisait.fr Ouvert tous les jours de 10h à 20h.
Chargée d'histoire, cette librairie se situe à l'intérieur d'un ancien relais de poste. Vous y trouverez romans, pièces de théâtre, livres d'art, de cuisine, jeunesse… ainsi que des affiches. Neufs ou d'occasion, ils sont issus de soldes d'éditeurs, de retours de librairie, etc. Levez les yeux : sur les murs sont accrochées des toiles, expos temporaires de copains du maître des lieux. D'autres librairies nommées Mona Lisait fonctionnent selon le même principe que celle-ci. **Autres adresses :** Place Joachim du Bellay (1er) ✆01 40 26 83 66 • 9, rue Saint-Martin (4e) ✆01 42 74 03 02 • 39, rue Jussieu (5e) ✆01 40 51 81 22 • 14 bis, boulevard de l'Hôpital (5e) ✆01 43 31 37 00 • 6, rue Danton (6e) ✆01 43 29 57 72 • 7, boulevard de Bonne Nouvelle (10e) ✆01 42 33 69 27.

L'ARBRE A LETTRES
2, rue Edouard-Quenu (5e) ✆01 43 31 74 08
M° Censier-Daubenton. www.arbrealettres.com Ouvert du lundi au samedi de 10h à 19h30, le dimanche de 10h à 13h30.
Cette librairie généraliste vous offre un large panel de livres, allant de la littérature aux sciences humaines, en passant par les beaux-arts ou le tourisme. Elle est aussi riche d'un rayon très fourni de livres jeunesse et de bandes dessinées. L'endroit, très accueillant, met des fauteuils à votre disposition pour que vous puissiez bouquiner ou feuilleter tranquillement les ouvrages. Vraiment à l'écoute, les libraires vous aideront à vous orienter dans vos lectures et vous feront volontiers part de leurs coups de cœur littéraires. Ouverte en 1980, cette librairie située au bas de la rue Mouffetard a depuis «fait des petits» dans d'autres quartiers. Consultez le site Internet pour les autres adresses.

LA HUNE
170, boulevard Saint-Germain (6e)
✆01 45 48 35 85
M° Saint-Germain-des-Prés. Ouvert du lundi au samedi de 10h à 23h45, le dimanche de 11h à 20h.
Placée à la gauche des cafés de Flore et des Deux Magots, La Hune est une institution du quartier Saint-Germain-des-Prés. De grands intellectuels et artistes l'ont fréquentée. Faites comme eux ! Jusque tard dans la soirée, vous pouvez y acheter des ouvrages portant sur la littérature, les sciences humaines, la philosophie, les arts graphiques, l'architecture, la photo, la mode, la musique, le cinéma, le théâtre et l'art contemporain. Si vous souhaitez approfondir certains sujets, direction la mezzanine, où vous découvrirez des livres ou études rares et méconnus.

LA PROCURE
3, rue de Mézières (6e)
✆01 45 48 20 25
M° Saint-Sulpice ou Mabillon. www.laprocure.com Ouvert du lundi au samedi de 9h30 à 19h30.
Fondé en 1901, ce vaste lieu a conservé de ses origines catholiques des rayons dédiés à la chose spirituelle, mais c'est à présent une librairie générale proposant près de 300 000 titres. Cet établissement organise régulièrement des tables rondes autour de débats de société. Des conseillers spécialisés sont à votre écoute pour répondre au mieux à vos envies du moment. **Autre adresse :** 5, rue Laborde (8e) ✆01 44 90 93 05. M° Saint-Lazare. Ouvert le lundi de 10h30 à 14h30 et de 15h30 à 19h. Du mardi au samedi de 10h30 à 13h et de 14h à 19h. Ces horaires varient en juillet et août.

TSCHANN
125, boulevard du Montparnasse (6e)
✆01 43 35 42 05
M° Vavin. www.tschann.fr Ouvert lundi de 11h à 20h, du mardi au samedi de 10h à 22h.
Héritière des grandes heures du Montparnasse artistique et intellectuel des années trente, située à deux pas des grands cafés historiques (Coupole, Dôme, etc.), cette librairie met en avant des ouvrages pointus, en défendant notamment la poésie, la littérature, les sciences humaines et l'esthétique. C'est un lieu recommandé à tous les lecteurs exigeants !

LIBRAIRIE CHAPITRE–PRIVAT JULLIARD
229 Bld Saint Germain (7e)
✆01 47 05 10 24
www.chapitre.com Ouvert du lundi au samedi de 10h à 19h.
Voilà un bel exemple d'adaptation à l'économie « Web » ! Concurrents depuis 10 ans, les librairies « traditionnelles » Privat-Julliard et le réseau de vente en ligne chapitre.com se sont finalement regroupés pour former le nouveau réseau Chapitre. Objectif complémentarité ! Au programme, donc,

toujours plus de vente en ligne mais, désormais, plus de 75 vraies librairies où l'on combine librairie classique et retrait des commandes passées en ligne. Le nouveau système fonctionne et élargit considérablement l'offre et les services proposés aux lecteurs. Voilà donc comment la librairie historique du boulevard Saint-Germain est restée un lieu de livres. Vente en ligne et coordonnées des librairies sur le site Internet : www.chapitre.com

LIBRAIRIE FONTAINE
88, rue de Sèvres (7e) ✆01 47 83 29 71
M° Duroc. www.librairiesfontaine.com Ouvert du mardi au vendredi de 9h30 à 19h30, le lundi et le samedi de 10h à 19h30.
Voici une librairie à échelle humaine, ni trop grande, ni trop petite. Ici, vous trouverez forcément ce que vous êtes venu chercher. Plus de 15 000 références sont mises à votre disposition selon un schéma de rangement pratiquement commun à toutes les «Fontaine»: poches en tout genre, nouveautés, albums jeunesse, ouvrages pratiques, littérature, beaux-livres soldés à l'extérieur du magasin. Consultez le site Internet pour les autres adresses.

LIBRAIRIE GALLIMARD
15, boulevard Raspail (7e)
✆01 45 48 24 84
M° Rue-du-Bac. www.librairie-gallimard.com Ouvert du lundi au samedi de 10h à 19h.
Un problème pour trouver un volume de la Pléiade, un Folio, un ouvrage de la collection blanche ou encore un «Découvertes»? Tout le fonds Gallimard disponible vous attend ici.

LE DIVAN
203, rue de la Convention (15e)
✆01 53 68 90 68
M° Convention. www.librairie-ledivan.com Ouvert du lundi au samedi de 10h à 20h, le dimanche de 10h à 13h30.
Le Divan, cela a d'abord été une revue littéraire créée en 1908. Ouverte au pied de l'église de Saint-Germain-des-Prés en 1923, la librairie a dû céder ses murs à une boutique Dior à la fin des années quatre-vingt-dix. Cet établissement généraliste est à présent doté d'un grand espace (435 m²) où il poursuit un identique travail de qualité. L'équipe vous conseille dans vos choix et organise des rencontres avec des auteurs. **Autre adresse:** LE DIVAN JEUNESSE 226, rue de la Convention (15e). M° Convention. Ouvert du mardi au vendredi de 10h à 19h, le samedi de 10h à 20h, le dimanche de 10h à 13h30.

LIBRAIRIE DE PARIS
7-11, place de Clichy (17e)
✆01 45 22 47 81
M° Place-de-Clichy. www.librairie-de-paris.fr Ouvert lundi de 11h à 20h, du mardi au samedi de 10h à 20h.
C'est la grande librairie généraliste du nord de Paris, située à un des plus grands carrefours de la capitale. On y a beaucoup de choix: 40 000 titres sont proposés dans tous les domaines sur 275 m², dont 40 m² en mezzanine, laquelle est consacrée à la jeunesse. L'une de ses particularités est de mettre à disposition de sa clientèle un fonds d'éditeurs peu connus: trouvailles à faire!

LIBRAIRIE GUTENBERG
17, boulevard Voltaire – ISSY-LES-MOULINEAUX (92) ✆01 46 48 81 50
M° Corentin-Celton. Ouvert du mardi au samedi de 10h à 19h.
La librairie n'est certes pas bien grande, mais elle propose malgré tout un choix remarquable d'ouvrages pour les tout-petits (de 0 à 6 ans), allant du plus classique au plus original, parfois difficile à dénicher ailleurs. Amusant, éducatif, à colorier ou en relief, tout un petit monde présent, y compris lotos et puzzles. Egalement beaucoup de bd pour les ados et tous les classiques (Nathan, Gallimard...). Les adultes ne sont pas oubliés avec un large choix de livres très diversifiés, et d'excellents conseils de la libraire. C'est également un endroit où l'on commande tous les ouvrages du Centre national d'enseignement à distance (CNED). Une adresse précieuse, avec de vrais choix de libraire.

LIBRAIRIE DE L'AVENUE
31, rue Lécuyer – Puces de Saint-Ouen (93)
✆01 40 11 95 85
Site Internet: www.librairie-avenue.com – M° Garibaldi ou Porte-de-Clignancourt. Ouvert le lundi, le samedi, le dimanche de 9h à 19h, le mercredi, le jeudi et le vendredi de 9h à 12h et de 14h à 19h et le mardi de 10h à 12h et e 14h à 18h.
Henri Veyrier est un vrai libraire qui sait ce qu'il vend et les conseils de ses libraires sont toujours précieux. Tous les amoureux des livres devraient connaître ce lieu que l'on fréquente avec le même plaisir et respect qu'une bibliothèque de province. Imaginez 150 000 ouvrages, plus d'un kilomètre de rayons, une déambulation sereine parmi les mots, une découverte en toute liberté! Tous les domaines sont présents: lettres, sciences et sciences humaines, cinéma, littérature érotique ou livres d'aventure, avec une prédilection pour les livres d'art. Un point très appréciable à noter, rare en occasion, ici tous les livres sont classés, il y en a pour toutes les bourses, du poche à 5 € ou 10 € à des ouvrages rares comme cette édition du 16 décembre 1955 «le Dragon des mers» de Cocteau, illustrée par des dessins signés du peintre japonais Foujita (10 000 €), ou cette édition de 1962 de «Vent et poussière» de Michaux (150 €). Le catalogue, édité deux fois par an en avril et en octobre, est disponible sur place, il réunit environ 400 références parmi les 45 000 titres que l'on trouve dans cette boutique qui constitue une véritable flânerie insoupçonnable au cœur des Puces de Saint-Ouen.

Les librairies spécialisées

Bande dessinée

ALBUM
84, boulevard Saint-Germain (5e)
✆01 43 25 25 68
Site Internet: www.album.fr
M° Cluny. Ouvert du lundi au samedi de 10h à 20h, le dimanche de 12h à 19h.
Située au cœur du Quartier latin, c'est la plus ancienne librairie spécialisée dans la bande dessinée de France. Depuis 1948, plusieurs générations de bédéphiles parisiens sont venus hanter ces lieux à la recherche de l'album le plus récent ou pour dénicher celui qui complètera une belle collection. Outre les classiques, on trouve ici un rayon manga, des affiches, des figurines de collection, de la vaisselle et des textiles, ainsi qu'un Espace Tintin. Consultez le site Internet pour les autres adresses.

BOULEVARD DES BULLES
50, boulevard Saint-Germain (5e)
✆01 53 10 83 30
Site Internet: www.boulevarddesbulles.fr
M° Maubert-Mutualité. Ouvert du lundi au samedi de 10h à 20h et le dimanche de 13h à 19h.
Une librairie bd de connaisseurs. Toutes les grandes maisons d'édition sont représentées dans cette spacieuse librairie. Ouverte par un spécialiste (le fondateur de la librairie Album, située un peu plus haut sur le boulevard Saint-Germain), Boulevard des Bulles cette librairie s'est fait une belle place auprès des amateurs. La maison s'est spécialisée dans les éditions de luxe confectionnées par la librairie elle-même et les tirages limités, les expositions de planches et dessins originaux, les produits dérivés (statues, posters...). Difficile de ne pas tomber amoureux de ce lieu, tenu par de vrais pros qui connaissent les bulles sur le bout des doigts.

PULP'S COMICS
9, rue Dante (5e) ✆01 40 51 80 62
M° Maubert-Mutualité. Ouvert du lundi au samedi de 10h30 à 19h30.
Changement d'adresse pour cette boutique incontournable pour les fans de comics, ces célèbres bandes dessinées de superhéros. SF, fantastique ou policier, vous trouverez sûrement votre bonheur en version originale ou en français. Avec beaucoup plus d'espace, le magasin propose également des éditions anciennes, comme des vieux Strange des années soixante. Pour les mordus, de nombreuses figurines, goodies et produits dérivés de films célèbres, comme Le Seigneur des Anneaux, Star Wars ou encore Batman se trouvent dans le deuxième magasin, boulevard Saint-Germain. **Autre adresse:** 82, boulevard Saint-Germain (5e) 01 46 33 42 10.

LIBRAIRIE BDNET. COM
26, rue de Charonne (11e)
✆01 43 55 50 50
Sites Internet: www.bdnet.com et www.allobd.fr sur Paris – M° Ledru-Rollin. Ouvert du lundi au samedi de 10h30 à 19h30.
BDnet. Com est une librairie spécialisée dans la bande dessinée, qui propose toutes sortes de bd, des affiches et des figurines dans un bel espace moderne et bien agencé. Mais BDnet. Com est plus qu'une simple librairie: l'établissement a su anticiper l'évolution du marché et s'adapter aux nouvelles technologies. Leur site est maintenant la première boutique en ligne sur Site Internet: il rassemble tous les albums disponibles chez les éditeurs, du plus connus aux plus confidentiels, dans tous les genres (Fantasy, manga, polar, humour, érotique...), et avec une remise automatique de remise 5 % sur le prix éditeur et un. Vous trouverez également sur leur site toute l'actualité de la bd, des critiques des internautes, des affiches, litho ou sérigraphies, des promos... Il faut ajouter les objets dérivés, figurines en résine ou en plomb, ainsi que les ouvrages de collection numérotés et signés, tirages de têtes et portfolios, ainsi que les affiches et sérigraphies des plus grands auteurs de

bandes dessinées. De quoi assouvir votre passion.
Autre adresse : 36, boulevard de Charonne (20e) ✆ 01 43 73 01 04.

TONKAM
29, rue Keller (11e) ✆ 01 47 00 78 38
Site Internet : www.editions-tonkam.fr – M° Bastille ou Voltaire. Ouvert du mardi au samedi de 10h30 à 19h.
Un paradis pour les fans de mangas. Livres, art books, dvd, figurines, tee-shirts, goodies, cartes de collection… plus de 10 000 références permanentes sont proposées dans cette librairie couverte d'images multicolores, qui importe directement ses produits du Japon. Excepté bien sûr les ouvrages édités par la maison.

AU DOMAINE DES DIEUX
33, rue Brézin (14e) ✆ 01 45 45 71 31
M° Mouton-Duvernet. Ouvert du lundi au samedi de 6h30 à 20h.
Il y a autant de lecteurs qu'il n'y a de genre de bd voilà pourquoi il serait impossible de répertorier toutes les références du domaine des dieux. Véritable olympe de la bd on y retrouve des héros fantastiques populaires comme Lanfeust de Troy ou des ouvrages indépendants comme Pyong Yang, le Guy de Lisles… rien qu'aux noms on change d'univers.

BULLES DE SALON
39, rue Letellier (15e) ✆ 01 45 75 00 72
Site Internet : www.bulles-de-salon.com
M° La Motte-Piquet-Grenelle. Ouvert du lundi au samedi de 11h à 20h.
Dans un décor acidulé orange fluo vert pomme et Inox, Laurent et Carmella vous proposent de nombreuses bd franco-belges, mangas, comics et produits dérivés, affiches. Ni occasion ni collection, vous y trouverez les dernières nouveautés. On peut s'installer dans un des fauteuils du salon pour feuilleter quelques albums. Inscrivez-vous à la newsletter pour être avertis des rencontres-dédicaces qui animent la vie du magasin une fois par mois.

Beaux-arts

LIBRAIRIE 213
175, rue du Temple (3e) ✆ 01 43 22 83 23
Site Internet : www.galerie213.com – M° Temple ou République. Ouvert du mardi au samedi de 12h30 à 19h, le matin sur rendez-vous.
On trouve dans cette librairie l'essentiel et le meilleur des publications photographiques françaises et étrangères, d'hier ou d'aujourd'hui. Monographies, livres de collections, livres rares, livres neufs, on peut aussi y dénicher des premières éditions datant d'avant-guerre. Neuf ou d'occasion, du tirage limité convoité à l'ouvrage de vulgarisation grand public, vous trouverez certainement votre bonheur.

OFR
20, rue Dupetit-Thouars (3e)
✆ 01 42 45 72 88
M° Temple. Ouvert du lundi au samedi de 10h à 20h, le dimanche de 14h à 19h.
La librairie Ofr est devenue une adresse incontournable pour qui veut dénicher le nec plus ultra des livres et des revues consacrés à l'art contemporain, la photo, l'architecture, le graphisme, la mode et le design. On y trouve tout ce qu'on y cherche, même ce qui est introuvable ! En plus de l'espace librairie, ce lieu dispose d'une lumineuse galerie de 60 m² où sont présentées des expositions et des événements.

TASCHEN
2, rue de Buci (6e) ✆ 01 40 51 79 22
Site Internet : www.taschen.com
M° Odéon. Ouvert du lundi au jeudi de 11h à 20h, le vendredi et le samedi de 11h à 0h.
Située au milieu des cafés, restaurants et pubs qui animent le quartier de l'Odéon, cette boutique est l'unique point de vente en France où l'on trouve la totalité du catalogue Taschen. Cet éditeur de livres d'art traite de peinture, décoration, art de vivre, architecture, cinéma, photographie, érotisme et culture pop. Les éditions limitées destinées aux collectionneurs se développent, à des prix de plus en plus abordables, qui s'échelonnent habituellement de 500 € à 7 500 €.

ARTCURIAL
7, rond-point des Champs-Elysées (8e)
✆ 01 42 99 16 19
Site Internet : http://librairie.artcurial.com
M° Champs-Elysées. Ouvert du lundi au samedi de 10h30 à 19h.
Cette librairie bien connue des amateurs d'art, propose dans un espace prestigieux 18 000 références notamment dans les domaines de l'art du XXe siècle avec un rayon très important de catalogues raisonnés et de livres épuisés. Les livres étrangers et les catalogues d'expositions sont particulièrement présents.

Jardinage

LIBRAIRIE DES JARDINS
Place de la Concorde – Domaine national du Louvre et des Tuileries (1er) ✆ 01 42 60 61 61
Site Internet : www.louvre.fr – M° Concorde. Ouvert tous les jours de 10h à 19h.
Située à la grille d'honneur du jardin des Tuileries, cette librairie vous invite à découvrir des ouvrages portant sur l'art et l'histoire des jardins de France, la pratique du jardinage, la botanique, l'herboristerie, le paysage, la littérature inspirée par les jardins… La librairie propose également des ouvrages destinés à la jeunesse, un rayon multimédia et une carterie, ainsi que des livres en anglais.

Jeunesse

SI TU VEUX
68, galerie Vivienne (2e)
✆01 42 60 59 97
M° Bourse ou Palais-Royal. Ouvert du mardi au samedi de 10h30 à 19h.
Les deux oursons géants en bois gardent la porte d'entrée à la manière des Guards anglais. A l'intérieur de cette échoppe dédiée aux bambins, véritable caverne d'Ali Baba, un coin librairie avec des ouvrages consacrés aussi bien aux tout-petits qu'aux pré-ados. Retrouvez ici les plus jolis contes où l'on découvre les aventures de lapin, cochon, chaton et autres lutins. Et pour les enfants sages, des gadgets à emporter pour moins de 1 €. C'est bien la seule adresse où les parents répondent toujours par «si tu veux».

CHANTELIVRE
13, rue de Sèvres (6e)
✆01 45 48 87 90
M° Sèvres-Babylone. Ouvert le lundi de 13h à 19h et du mardi au samedi de 10h30 à 19h30.
Librairie de référence pour les enfants et les jeunes, Chantelivre propose sur 300 m² des livres, des jeux, des guides d'activités manuelles, des disques, des vidéos. Le choix étant vaste, il est difficile de repartir de ce lieu sans avoir fait au moins un achat! Des animations se déroulent régulièrement sur place: lecture de contes, signatures...

L'ENFANT LYRE
17, rue Saint-Sébastien (11e)
✆01 47 00 14 65
M° Saint-Sébastien-Froissart. Ouvert le lundi de 15h à 19h ou 19h30. Du mardi au samedi de 10h30 à 19h ou 19h30.
A L'Enfant Lyre, vous trouverez tous types d'ouvrages pour les enfants, des livres d'apprentissage pour les tout-petits à des livres de meilleure tenue littéraire et linguistique pour ceux qui maîtrisent la lecture. Il y en a aussi pour les adolescents et les lycéens. Le fonds les concernant a été récemment étoffé. Une bien belle boutique.

Voyage

ITINERAIRES
60, rue Saint-Honoré (1er)
✆01 42 36 12 63
Site Internet: www.itineraires.com – M° Les Halles. Ouvert du mardi au samedi de 10h à 19h (11h à 19h le lundi).
Une librairie idéale pour s'évader: pour choisir sa destination, pour commencer à organiser son voyage, ou pour s'imprégner de la culture d'un pays avant d'y séjourner. Toutes les possibilités sont ici à combiner. Une sélection aussi complète que possible qui offre en guise d'horizon un panorama complet des pays du monde entier. Car cette librairie se dit elle-même dédiée à la connaissance des pays du monde, et le tout est tout simplement classé par pays. 3, 2, 1, partez?

LIBRAIRIE VOYAGEURS DU MONDE
55, rue Sainte-Anne (2e)
✆01 42 86 17 38
Site Internet: www.vdm.com – M° Pyramides. Ouvert du lundi au samedi de 9h30 à 19h. Fermé le dimanche et une semaine début janvier.
La première étape de votre voyage n'importe où dans le monde... cette librairie est un lieu privilégié pour flâner et se documenter. Sur un des sièges mis à disposition, arrêtez-vous pour feuilleter un des nombreux guides de voyages (pratiques et culturels), un classique d'ethnologie, ou encore un beau livre. Voyageurs du Monde est particulièrement bien pourvu en cartes (topographiques, routières... on trouve de tout), tellement utiles pour préparer son voyage et une fois sur place. La librairie propose également manuels de langues et des objets de voyage. Rattachée à une agence de voyages spécialisée dans le tourisme culturel, la librairie jouxte le restaurant qui accueille chaque lundi et mardi soir des conférences auquel fait suite un repas sur le thème à l'honneur. Le programme est consultable sur le site. Le magasin d'artisanat qui lui est rattaché vous donne un avant-goût de l'aventure qui vous attend.

ULYSSE
26, rue Saint-Louis-en-l'Ile (4e)
✆01 43 25 17 35
Site Internet: www.ulysse.fr – M° Pont-Marie. Ouvert du mardi au vendredi de 14h à 20h.
C'est le «kilomètre zéro du monde», comme le clame le slogan de la maison, d'où l'on peut en effet partir vers n'importe quelle destination grâce à un fonds extraordinaire de livres consacrés au voyage. Catherine Domain la libraire, est là pour vous aider dans votre recherche, notamment si vous voulez vous documenter avant d'entreprendre un court ou un long séjour. Vous trouverez ici aussi de nombreuses cartes non disponibles dans les librairies habituelles.

LIBRAIRIE EYROLLES PRATIQUE
63, boulevard Saint-Germain (5e)
✆01 46 34 82 75
M° Maubert-Mutualité ou Cluny-La Sorbonne et RER Saint-Michel. Ouvert de 9h30 à 19h30.
La librairie s'est agrandie et le 63 n'est autre que l'extension du 61! Consacrée à la vie pratique, cette nouvelle boutique se présente sur deux niveaux. L'un réservé à l'artisanat, au bien-être, à la santé, au jardinage, à la gastronomie et à Paris. L'autre niveau est entièrement dédié au tourisme. Voyageurs du monde, bienvenue au «paradis eyrollien»! Vous trouverez absolument tout pour préparer votre escapade: cartes, guides, plans ou autres cartes en relief. Il ne vous reste plus qu'à prendre vos billets.

LE VIEUX CAMPEUR
2, rue de Latran (5e) ✆01 53 10 48 27
Site Internet: www.au-vieux-campeur.fr
M° Maubert-Mutualité. Ouvert du lundi au vendredi de 11h à 20h, le jeudi de 11h à 21h et le samedi de 10h à 20h.
Le Vieux Campeur c'est le temple du voyageur et bien sûr une librairie propose beaucoup d'ouvrages sur la randonnée, de documentation pour organiser son voyage et des guides à thème: eau, neige, terre. Au sous-sol se trouvent les cartographies et les guides étrangers. Au rez-de-chaussée, le tourisme vert avec les randonnées, les balades et les raids aventure. Enfin, l'étage fait la part belle à l'escalade, à la spéléo ainsi qu'à la voile et à la plongée. Commande possible sur le site Web.

LIBRAIRIE LA GEOGRAPHIE
184, boulevard Saint-Germain (6e)
✆01 45 48 03 82
Site Internet: www.librairie-la-geographie.com
M° Saint-Germain ou Rue-du-Bac. Ouvert du lundi au samedi de 10h à 19h.
Le 15 avril dernier, la librairie La GéoGraphie a ouvert ses portes dans le Quartier latin. Gérée par deux amoureux du voyage, elle offre de quoi contenter amis de la terre et baroudeurs. Il y en a pour tous les goûts: aux ouvrages couvrant les sujets de la Société de géographie s'ajoutent des récits de voyage et d'aventures, des guides touristiques, des écrits géopolitiques, des cartes, etc. Voici un endroit convivial où l'on découvre, discute, comprend... Et ça ne s'arrête pas là! Le site Internet et son blog fourmillent d'informations sur le monde (actualités, conférences...).

ESPACE IGN
107, rue La Boétie (8e) (déménagement en 2010)
✆01 43 98 80 00
Site Internet: www.ign.fr – M° Franklin-D.-Roosevelt. Ouvert du lundi au vendredi de 9h30 à 19h, et le samedi de 11h à 12h30 et de 14h à 18h30.
Les bourlingueurs de tout poil seraient bien inspirés de venir faire un petit tour dans cette belle librairie sur deux niveaux avant d'entamer leur périple. Au rez-de-chaussée se trouvent les documents traitant des pays étrangers, des cartes (on est à l'Institut Géographique National!), guides de toutes éditions, beaux livres, méthodes de langue en version poche, ouvrages sur la météo, conseils pour les voyages. L'espace est divisé en plusieurs rayons consacrés chacun à un continent. Tous les pays du monde sont représentés, y compris les mers et les océans. Les enfants ont droit à un petit coin rien que pour eux avec des ouvrages sur la nature, les animaux, les civilisations, des atlas, des guides de randonnée... Ils ne manqueront pas d'être séduits, comme leurs parents sans doute, par l'impressionnante collection de mappemondes, aussi variées que nombreuses, disposées au centre du magasin. Les amateurs d'ancien, quant à eux, pourront se procurer des reproductions de cartes datant pour certaines du XVIIe siècle!

CHEMINS EN PAGES
121, avenue Ledru-Rollin (11e)
✆01 43 38 15 77
M° Ledru-Rollin, Voltaire, Bastille ou Charonne. Ouvert tous les jours jusqu'à 19h30, sauf le lundi matin et le dimanche.
Jeune librairie indépendante ouverte en décembre dernier, Chemins en Pages propose des guides touristiques et culturels, des beaux livres et livres illustrés, des récits et carnets de voyage, des méthodes de langues et de cuisine, des cartes et des plans, et même un petit rayon jeunesse qui a du succès... Bientôt arriveront aussi des cd et dvd. Bref, tout ce que l'on a toujours voulu avoir pour préparer son voyage, et en prolonger le souvenir!

Librairies du monde entier

Afrique

LIBRAIRIE L'HARMATTAN
16, rue des Ecoles (5e) ✆01 40 46 79 10
Site Internet: www.editions-harmattan.fr
M° Maubert-Mutualité. Ouvert du lundi au samedi de 10h à 12h30 et de 13h30 à 19h.
Se consacrant essentiellement au continent africain, on trouve toutefois de nombreux ouvrages sur l'Asie, l'Océanie, les pays de l'Est, le monde arabe et l'Amérique latine. Littérature ou études, des domaines de savoir aussi divers que la sociologie, l'anthropologie, l'analyse politique, l'histoire, etc., font partie de cet impressionnant fonds. Vous cherchez des contes vietnamiens? Vous désirez une étude solide sur la dictature indonésienne? Vous êtes à bonne enseigne. **Autre adresse:** 21 bis, rue des Ecoles (5e) ✆01 46 34 13 71.

PRESENCE AFRICAINE
25 bis, rue des Ecoles (5e) ✆01 43 54 15 88
M° Maubert-Mutualité. Ouvert du lundi au vendredi de 10h à 19h, le samedi de 10h30 à 13h et de 14h à 19h.
Présence Africaine, c'est tout d'abord une réserve, puis une maison d'édition. Enfin, naquit la librairie Présence Africaine. Elle s'intéresse à l'Afrique mais aussi aux lieux où sont installés les peuples africains. On y trouve tous types d'ouvrages sur des thèmes tels que l'ethnologie, l'histoire, la politique, les faits de société mais aussi les contes ou les romans modernes. Des guides sont également disponibles pour sillonner les terres africaines.

Afrique-Asie

LIBRAIRIE MAISONNEUVE ET LAROSE
15, rue Victor-Cousin (5e) ✆01 44 41 49 30
M° Odéon ou Cluny-La Sorbonne ou RER D

Luxembourg. Ouvert du lundi au vendredi de 9h30 à 13h et de 14h à 18h.

Fondée en 1860, la maison Maisonneuve est bien ancrée dans le paysage culturel. A deux pas de la Sorbonne, elle s'affirme comme l'une des meilleures librairies spécialisées dans le monde africain, arabe et asiatique. Elle propose une palette très complète d'ouvrages historiques, économiques, de beaux livres précieux et depuis peu, vous y trouverez également des romans d'auteurs africains contemporains. Le point fort reste tout de même l'Afrique avec une sélection importante de livres publiés par des maisons d'édition africaines. Tous les sujets d'actualité qui concernent le continent africain sont au cœur de cette librairie.

Allemagne

BUCHLADEN
3, rue Burq (18e)
✆01 42 55 42 13
M° Blanche ou Abbesses. Ouvert du mardi au dimanche de 11h à 19h30.

La propriétaire de cette coquette librairie de Montmartre, Gisela Kaufmann, a acquis l'intégralité du fonds littéraire des auteurs allemands traduits en français (7 000 titres). Buchladen propose également un large choix d'ouvrages en allemand (5 000 titres). Les débutants seront également intéressés car des méthodes et des œuvres en langue facile sont également disponibles. Bonne sélection littéraire aussi, poésie et romans étant une partie importante des arts d'outre-Rhin. Depuis plusieurs mois, la librairie loue des dvd du cinéma allemand (500 titres) sous forme d'abonnement.

Monde anglo-saxon

GALIGNANI
224, rue de Rivoli (1er)
✆01 42 60 76 07
M° Tuileries. Ouvert tous les jours de 10h à 19h, sauf le dimanche. Vente par correspondance possible (par fax, téléphone ou mail).

C'est l'une des librairies les plus chic de Paris. On adore cette atmosphère si particulière aux accents anglo-saxons boisés, des parquets aux étagères, ses rayonnages vertigineux remplis d'ouvrages en version originale. Une sélection tout droit venue d'outre-manche ou d'outre-Atlantique, traitant des thèmes les plus divers. Mention particulière pour l'enclave art de vivre, et newspapers. N'est-il pas so fashion de lire le dernier Instyle dans le métro. C'est la première librairie anglo-saxonne qui s'est ouverte à Paris et c'est la première dans notre cœur aussi. Egalement, un rayon sur les beaux-arts.

WH SMITH
248, rue de Rivoli (1er)
✆01 44 77 88 99
Site Internet : www.whsmith.fr
M° Concorde. Ouvert du lundi au samedi de 9h à 19h30 et le dimanche de 13h à 19h30.

Sous les arcades de la rue de Rivoli, on aime s'arrêter chez Smith et rapporter la dernière nouveauté qui fait fureur outre-manche. Sur deux niveaux, d'interminables rayonnages bien remplis, on trouve tous les thèmes, avec un large choix en polar et fiction. Des guides touristiques aux grands classiques, tout se lit en VO, sauf les grands classiques français qui cette fois se lisent en anglais. Petite particularité de cette librairie : c'est aussi une source inépuisable sur la famille royale d'Angleterre !

THE ABBEY BOOKSHOP
29, rue de la Parcheminerie (5e)
✆01 46 33 16 24
Site Internet : www.abbeybookshop.net
M° Saint-Michel. Ouvert du lundi au samedi de 10h à 19h. Fermeture plus tard lors des soirées.

Brian Spence, fondateur de cette librairie, à fait d'elle la représentante de la littérature canadienne francophone et anglophone. Située dans le quartier latin, elle est également un club de rencontre canadien. Quel accueil. A toute heure, le sourire, un verre de café ou de thé sucré au sirop d'érable accompagnent la lecture. Un service de renseignements bibliographiques, un service de commandes pour tout livre d'Amérique du Nord, de la Grande-Bretagne ou de l'Irlande... On se met à faire la causette avec Brian, à trois, parfois à quatre, et on se dit que s'il y avait un peu plus de place dans cet antre littéraire, si on pouvait se poser le popotin sur une chaise un moment, on ne se ferait pas prier pour multiplier ces petits conciliabules improvisés. Une adresse charmante avec de bonnes soirées en perspective pour peaufiner son anglais... and have new friends. Des cercles de lecture, des lancements de livre et autres réjouissance sont au programme.

TEA AND TATTERED PAGES
24, rue Mayet (6e)
✆01 40 65 94 35
M° Duroc. Ouvert du lundi au samedi de 11h à 19h, le dimanche de 12h à 18h.

Accueillis par le chat couché dans la vitrine, c'est une bonne entrée en matière. Et pousser la porte en vaut le détour car cette librairie-salon de thé tenue par Hilda Cabanil-Evans est un petit dépaysement. Depuis 15 ans déjà, elle vous guide dans les rayons où trônent de très nombreux livres d'occasion (15 000 books) et vous sert avec simplicité une tasse de thé for tea time or any other time. Côté librairie, vous trouverez tous les genres, du roman à la poésie, en passant par l'histoire, le théâtre etc. Côté salon, une trentaine de thés et infusions, sans compter les vins et des pâtisseries comme on aime : bagels, brownies et muffins... un livre dans les mains, un chat sur les genoux, un thé et tout va bien.

Monde arabe

LIBRAIRIE AVICENNE

25, rue Jussieu (5e) ✆ 01 43 54 63 07

M° Jussieu. Ouvert du lundi au samedi de 10h à 19h.

La librairie a repris le nom du célèbre médecin philosophe iranien du XIe siècle. Ouverte depuis plus de vingt ans, cette libraire traite du monde arabe qui ne se réduit pas à l'Islam. Décorés de l'Ordre des chevaliers des Arts et des Lettres en 2004, pour leur contribution apportée à la diffusion de la culture, les propriétaires de la Librairie Avicenne satisfont les commandes un peu partout dans le monde : bibliothèques municipales, européennes, universités, chercheurs. Cette librairie regorge d'ouvrages en tout genre (textes classiques, islamologie, histoire, littérature, ouvrages de recherche…). Les ouvrages en langue d'origine se trouvent dans la librairie de la rue des Fossés-Saint-Bernard. Incontournable. **Autre adresse :** 30, rue des Fossés-Saint-Bernard (5e) ✆ 01 40 46 04 07.

LIBRAIRIE DE L'INSTITUT DU MONDE ARABE

1, rue des Fossés-Saint-Bernard (5e)

✆ 01 40 51 39 30

Site Internet : www.imarabe.org

M° Cardinal-Lemoine. Ouvert tous les jours de 13h à 20h, sauf le dimanche, le lundi et jours fériés.

Plus qu'une librairie, c'est une invitation au voyage. Livres, catalogues d'exposition, cd, vidéos, carterie, affiches, artisanat. La librairie est un petit condensé de l'institut à votre disposition. Difficile d'en ressortir les mains vides, surtout si l'on est passé par l'exposition auparavant.

Asie

YOU-FENG

45, rue Monsieur-Le-Prince (6e)

✆ 01 43 25 89 98

Site Internet : www.you-feng.com – M° Odéon. Ouvert du lundi au samedi de 9h30 à 19h.

Les ouvrages viennent des pays du Soleil levant pour une évasion exotique démesurée. You-Feng édite plus de 260 ouvrages avec une sélection éclectique : essais politiques, ouvrages universitaires, arts martiaux, dictionnaires, littérature, calligraphie, peinture ou encore médecine… Tous les pays d'Asie et tous les thèmes en rapport avec le continent sont ici représentés, avec en plus, de bons conseils avisés.

Italie

LA TOUR DE BABEL

10, rue du Roi-de-Sicile (4e) ✆ 01 42 77 32 40

M° Saint-Paul. Ouvert du mardi au samedi de 10h à 13h et de 14h à 19h.

Toute la littérature transalpine est ici soigneusement classée sur les rayonnages (plus de 10 000 ouvrages classés par ordre alphabétique d'auteurs) aux accents très dolce vita. Mais vous y trouverez également des guides de voyage, des méthodes d'apprentissage de la langue, des dictionnaires, vidéos de films italiens, des ouvrages philosophiques, historiques, des livres sur les beaux-arts. En langue italienne pour la plupart, des traductions françaises sont également disponibles. Besoin d'un conseil ? Accueil très sympathique.

Portugal et pays lusophones

LIBRAIRIE PORTUGAISE

10, rue Tournefort (5e) ✆ 01 43 36 34 37

Site Internet : www.librairie-portugaise.com

M° Place-Monge. Ouvert du lundi au samedi de 11h à 13h et de 14h à 19h.

La Librairie Portugaise est devenue le point de ralliement de la culture écrite des pays lusophones. En effet, le meilleur de la littérature du Brésil, du Cap-Vert, du Portugal et du Mozambique, entre autres, y trouve sa place, en version originale ou française. Plusieurs fois par an, elle publie un supplément thématique disponible gratuitement, sur simple demande.

Pologne

LIBRAIRIE POLONAISE

123, boulevard Saint-Germain (6e)

✆ 01 43 26 04 42

M° Saint-Germain. Ouvert du mardi au samedi de 11h à 19h.

La Librairie Polonaise est spécialisée comme on peut s'en douter en livres polonais. Cependant elle propose également un vaste choix de littérature polonaise en français cette fois. Pour les plus passionnés de la langue, ils peuvent toujours en faire l'apprentissage par le biais de manuels très agréables et accessibles même aux débutants. Vous découvrirez aussi des musiques et films polonais qui vous feront voyager à travers cette culture.

Québec

LIBRAIRIE DU QUEBEC

30, rue Gay-Lussac (5e)

✆ 01 43 54 49 02

M° Cluny-La Sorbonne. Ouvert du lundi au vendredi de 10h à 19h et le samedi de 12h à 19h.

La Librairie du Québec est l'unique adresse de France pour une sélection d'ouvrage québécois uniquement en français s'il vous plaît ! Généraliste avant tout, on y vient surtout pour le large choix dans les rayons tourisme (le charme du Québec est passé par là) et enseignement (les techniques d'enseignements fort différentes des nôtres remportent du succès auprès des professeurs), ainsi que pour les signatures d'auteurs bimensuelles. Pour suivre l'actualité littéraire d'outre-Atlantique, il n'y a pas mieux, les particuliers l'ont vite compris et les professionnels ont pris le relais puisque l'enseigne est aussi distributrice. Pour vivre l'été indien en plein Paris ou retrouver l'air des grands lacs dans votre salon, vous connaissez le chemin !

Russie

LA LIBRAIRIE DU GLOBE
67, boulevard Beaumarchais (3e)
✆01 42 77 36 36
Site Internet : www.librairieduglobe.com – M° Chemin-Vert. Ouvert le lundi de 14h à 17h, du mardi au samedi de 10h30 à 17h, sauf le jeudi et le samedi où la librairie ferme à 20h.
Valeur sûre en matière de langue slave, cette librairie existe maintenant depuis plus de 50 ans. Elle a pour vocation de faire connaître la culture russe à travers sa littérature et son histoire, mais aussi de promouvoir le développement de sa langue (d'où les nombreuses méthodes d'apprentissage pour collèges et universités). On peut tout acheter : poésie, philosophie, sciences humaines, religion, gastronomie, journaux, en version française ou en russe (ou bien encore mieux, en version bilingue). Une bonne façon de découvrir la Russie éternelle en attendant d'aller fouler la place Rouge et de visiter le Kremlin.

LES EDITEURS REUNIS
11, rue de la Montagne-Sainte-Geneviève (5e)
✆01 43 54 74 46
M° Maubert-Mutualité. Ouvert le lundi de 14h à 18h30 et du mardi au samedi de 10h à 18h30.
Librairie spécialisée dans la Russie et l'orthodoxie, Les Editeurs Réunis montrent une double facette : l'importance de la littérature russe et aussi des ouvrages de théologie. Disponibles également, des ouvrages en français et en russe, un rayon parascolaire pour tous ceux qui se sont mis au russe et un grand choix de cd, dvd et vidéos de musiques contemporaines, chants liturgiques. On pourra également trouver des journaux en provenance de Moscou. Des rencontres avec des auteurs ou encore des conférences sont régulièrement organisées.

Scandinavie

LE LIVRE OUVERT
48, rue des Francs-Bourgeois (3e)
✆01 48 87 97 33
M° Rambuteau. Ouvert du mardi au samedi de 13h à 18h.
Nos amis nordiques et les nombreux adeptes des langues du soleil de minuit ont aussi leur librairie parisienne. Celle-ci propose des ouvrages danois, norvégiens et suédois. Moins nombreuses, les œuvres finlandaises et islandaises sont tout de même représentées. Romans, beaux livres, revues, albums pour enfants, guides touristiques, littérature vous permettront de découvrir la culture de nos amis les Vikings, trop souvent occultée et pourtant riche de nombreux enseignements et de légendes passionnantes. Vous pouvez aussi acheter des méthodes de langue si vous souhaitez pouvoir discuter facilement avec vos futures conquêtes blondes de l'été.

LES MUSÉES

1er arrondissement

MUSEE DE LA MODE ET DU TEXTILE
107, rue de Rivoli ✆ 01 44 55 57 50
Site : www.lesartsdecoratifs.fr M° Tuileries, Pyramides, Palais-Royal ou Musée du Louvre. Ouvert du mardi au vendredi de 11h à 18h, jusqu'à 21h le jeudi ; le samedi et le dimanche de 10h à 18h. Fermé le 1er janv., le 1er mai et le 25 déc. Plein tarif : 8 €. Tarif réduit (18-25 ans, demandeurs d'emploi et bénéficiaires du RMI) : 6,50 €. Audioguide inclus. Gratuit pour les moins de 18 ans, les visiteurs handicapés et leur accompagnateur.
Avec 81 000 pièces de costumes et d'accessoires du XVIIe siècle à nos jours, mais aussi 45 000 estampes, gravures et dessins originaux, ce musée possède l'une des plus riches collections au monde avec celle de Londres et de New York. Installé dans l'aile de Rohan du Louvre, le musée de la Mode et du Textile s'étend sur trois étages. Les œuvres des collections fragiles étant fragiles, le choix a été fait de les présenter lors d'expositions temporaires thématiques et non pas en permanence. Vous serez étonné par la pénombre du musée qui privilégie l'éclairage des vitrines conçues comme autant de «petits théâtres successifs» autour du vêtement sobrement mis en scène. Les vidéos et panneaux expliquent comment toute mode est un instantané de son époque.

MUSEE DE LA PUBLICITE
107, rue de Rivoli ✆ 01 44 55 59 60
Site : www.lesartsdecoratifs.fr M° Tuileries, Pyramides, Palais-Royal ou Musée du Louvre. Ouvert du mardi au vendredi de 11h à 18h, jusqu'à 21h le jeudi ; le samedi et le dimanche de 10h à 18h. Fermé le 1er janvier, le 1er mai et le 25 décembre. Plein tarif : 8 €. Tarif réduit (18-25 ans, demandeurs d'emploi et bénéficiaires du RMI) : 6,50 €. Audioguide inclus. Gratuit pour les moins de 18 ans, les visiteurs handicapés et leur accompagnateur.
Créée en 1978, cette institution est définitivement installée aux côtés des musées des Arts décoratifs et de la Mode depuis 1990. Dans un espace réalisé par l'architecte Jean Nouvel en 1999, vous découvrirez des collections qui couvrent toute l'histoire de la pub, du XVIIIe siècle à nos jours. Elles réunissent 100 000 affiches anciennes et contemporaines provenant de diverses donations, ainsi que des objets et des supports publicitaires. Elles donnent aussi l'occasion de voir ou revoir plus de 20 000 films publicitaires.

© AUTHOR'S IMAGE

La Conciergerie

CONCIERGERIE
2, boulevard du Palais ✆ 01 53 40 60 93
Site Internet : www.conciergerie.monuments-nationaux.fr – M° Châtelet, Saint-Michel ou Cité. RER : Châtelet Les Halles ou Saint-Michel Notre-Dame. Ouvert tous les jours de 9h30 à 18h du 1er mars au 31 octobre, jusqu'à 17h du 1er novembre au 28 février. Fermé les 1er janvier, 1er mai et 25 décembre. Plein tarif : 6,50 €. Tarif 18-25 ans : 4,50 €. Gratuit pour les moins de 18 ans, les personnes handicapées et les demandeurs d'emplois. Visite guidée ou conférence : se renseigner. Librairie-boutique.

Le palais de la Cité a connu son heure de gloire sous la dynastie des rois capétiens qui en firent à l'époque leur Palais-Royal. Transformée en partie par Philippe le Bel qui l'agrandit et la modifie, la Conciergerie devient la plus somptueuse demeure royale de l'Europe médiévale. Elle conservera de cette époque, la salle des gardes, la salle des gens d'armes et les cuisines édifiées par Jean le Bon. A la fin du XIVe siècle, les rois de France migrent dans des appartements plus confortables au Louvre et à Vincennes et confient la garde du vieux palais au concierge qui dispose d'importants pouvoirs de police et de justice. Le bâtiment devient Cour de Justice au XVe siècle et son niveau le plus bas est érigé en prison. Durant la Révolution française, la Conciergerie compte parmi ses nombreux pensionnaires forcés des personnalités comme la reine Marie-Antoinette, dont on peut visiter le cachot reconstitué. Suivront Robespierre, Danton, Desmoulins... Remaniée à plusieurs reprises au cours du XIXe siècle, la Conciergerie perd finalement sa fonction pénitentiaire en 1934. Bien restaurées, les pièces médiévales sont de toute beauté, notamment la salle des gens d'armes et les cuisines. De plus, le ravalement du monument permet de redécouvrir une fascinante architecture gothique qui s'exprime notamment à travers quatre tours majestueuses.

MUSEE DES ARTS DECORATIFS
107, rue de Rivoli ✆ 01 44 55 57 50
Site Internet : www.lesartsdecoratifs.fr – M° Tuileries, Pyramides, Palais-Royal ou Musée du Louvre. Accessible aux personnes handicapées par un ascenseur au 105, rue de Rivoli. Ouvert du mardi au vendredi de 11h à 18h, jusqu'à 21h le jeudi ; le samedi et le dimanche de 10h à 18h. Fermé le 1er janvier, le 1er mai et le 25 décembre. Plein tarif : 8 €. Tarif réduit (18-25 ans, demandeurs d'emploi et bénéficiaires du RMI) : 6,50 €. Audioguide inclus. Gratuit pour les moins de 18 ans, les visiteurs handicapés et leur accompagnateur.

Un panorama complet des arts décoratifs, du Moyen Age à nos jours nous est offert sur 9 000 m². L'étendue des collections répond aux principes du musée : «être rétrospectif et contemporain». Il met en avant le savoir-faire des artisans, l'art de vivre français, la recherche, la créativité et la passion des collectionneurs. Riches de plus de 150 000 œuvres, les collections bénéficient notamment de la générosité des mécènes et donateurs. L'accent est d'ailleurs mis sur la donation Dubuffet qui est composée de 160 œuvres, sculptures et dessins exposés en alternance. Certains espaces sont consacrés à des créateurs et bénéficient d'une présentation particulière : Boulle, Le Corbusier, Lalique, Mallet-Stevens, Prouvé, Starck. Et n'hésitez pas à faire un tour dans la magnifique galerie des bijoux ou encore la galerie des jouets.

MUSEE DE L'ORANGERIE
Jardin des Tuileries ✆ 01 44 77 80 07
Site Internet : www.musee-orangerie.fr – M° Concorde. Ouvert du mercredi au lundi de 9h à 18h. Fermé le 1er mai et le 25 décembre. Plein tarif : 7,50€. Tarif réduit (18-25 ans, familles nombreuses) : 5,50€. Majoration de 2€ lors des expositions temporaires. Gratuit pour les moins de 18 ans, les demandeurs d'emploi, les bénéficiaires de minima sociaux, les handicapés avec un accompagnateur, les enseignants, les étudiants en art.

Le musée de l'Orangerie est situé à l'opposé du Jeu de Paume, dans l'ancienne orangerie du palais des Tuileries. Il a rouvert ses portes en 2006 après six années de travaux. Au rez-de-chaussée se trouvent les somptueux «Nymphéas «de Claude Monet et les expositions temporaires. Viennent ensuite les 144 peintures de la collection Jean Walter et Paul Guillaume (Renoir, Picasso, Modigliani, Derain…) dans un décor coloré. Cette incroyable succession de chefs-d'œuvre est éclairée par les explications de documentaires permettant de replacer chaque toile dans son contexte historique.

MUSEE DU LOUVRE
Cour Napoléon – Place du Carrousel
✆ 01 40 20 53 17 – Informations sur répondeur ✆ 01 40 20 51 51
Site Internet : www.louvre.fr. M° Palais-Royal Musée du Louvre. Ouvert du mercredi au lundi de 9h à 18h. Nocturnes jusqu'à 22h mercredi et vendredi. Fermé le 1er janvier, le 1er mai, le 11 novembre et le 25 décembre. Visite du musée : 9€ (le billet donne également accès au musée Eugène Delacroix). Tarif réduit pour la visite nocturne, à partir de 18h : 6€. Gratuit pour les moins de 18 ans, les demandeurs d'emploi et les bénéficiaires des minima sociaux, les visiteurs handicapés et leur accompagnateur. Un restaurant, une cafétéria et cinq cafés sont répartis dans l'enceinte du musée. La librairie de la galerie du Grand Louvre (Hall Napoléon sous la Pyramide) est ouverte tous les jours de 9h30 à 19h (jusqu'à 21h45 mercredi et vendredi).

Avec 35 000 œuvres exposées dans 60 600 m^2, le Louvre est l'un des plus grands musées au monde. Il présente les collections de l'art de l'Occident du Moyen Age jusqu'à 1848, ainsi que les civilisations antiques qui l'ont précédé et influencé. Le Louvre est à l'origine une forteresse construite à l'initiative de Philippe Auguste ; parti en croisade, celui-ci souhaite se protéger d'une éventuelle attaque du roi d'Angleterre. En 1527, François Ier entreprend de grands travaux pour en faire une immense demeure, projet poursuivi par Catherine de Médicis qui, en 1564, fait construire un château à l'emplacement d'anciennes tuileries. 30 ans plus tard, Henri IV fait relier le Louvre aux Tuileries pour créer un somptueux palais. C'est en 1797 que ce dernier devient le muséum central des Arts, lequel est ouvert au public. Une grande première pour l'époque !

Les collections :

Le musée dispose de huit départements : antiquités orientales, antiquités égyptiennes, antiquités grecques, étrusques et romaines, sculptures, objets d'art, peintures et arts graphiques, arts de l'islam. La richesse de ce kaléidoscope réparti entre le Hall Napoléon, les Ailes Richelieu et Sully, et les salles du Manège et de la Chapelle attire des millions de visiteurs par an. Par ailleurs la réorganisation du musée a permis de sortir des coulisses 5 000 œuvres et de donner une logique à leur exposition grâce à une lecture thématique très appréciable. On ne se lasse pas de voir ou revoir les classiques : la «Joconde» de Léonard de Vinci, «Les noces de Cana», peinture monumentale de Véronèse, l'«Odalisque» d'Ingres, le plus célèbre nu du maître, et tant d'autres chefs-d'œuvre.
De nombreuses conférences, ateliers et colloques sont organisés tout au long de l'année, vous permettant d'approfondir vos connaissances de l'art.

La Victoire de Samothrace - Musée du Louvre

PALAIS-ROYAL
Rue Saint-Honoré – Place Colette – Rue de Richelieu – Rue de Montpensier – Rue de Valois
M° Palais-Royal Musée du Louvre.
C'est à la demande du cardinal Richelieu en 1624 que l'architecte Jacques Lemercier fait construire le palais Cardinal. A partir de 1643, Anne d'Autriche et ses fils, dont les jeunes Louis XIV et Philippe d'Orléans quittent le Louvre pour y habiter. Un peu plus tard, le cardinal Mazarin rejoint le désormais Palais-Royal. Devenu propriété de la famille d'Orléans en 1692, le palais devient la scène de toutes sortes d'agitations au temps de Philippe II d'Orléans, lequel est devenu Régent à la mort de Louis XIV.
Surnommé le «palais marchand», on y trouve des boutiques de luxe, des théâtres, dont la Comédie-Française (en 1799), mais aussi des hommes politiques qui y prennent la parole en public. Quant aux jardins, ils sont alors couverts de baraques où les débauchés peuvent jouer et faire des rencontres que la morale réprouve... Dépossédée pendant un temps, la famille d'Orléans retrouve sa propriété jusqu'en 1848 et fait réaménager constructions et jardins. En 1875, le Conseil d'Etat est installé dans une partie des bâtiments. Il sera suivi au XXe siècle par le Conseil Constitutionnel, le ministère de la Culture et de la Communication. Depuis 1986, la cour d'honneur du Palais-Royal accueille «Les Deux Plateaux «, une œuvre plus connue sous le nom de «colonnes de Buren».

Le musée Carnavalet

3e arrondissement

MUSEE D'ART ET D'HISTOIRE DU JUDAISME
Hôtel de Saint-Aignan – 71, rue du Temple
✆ 01 53 01 86 60
Site Internet : www.mahj.org – M° Rambuteau, Hôtel de Ville. Ouvert du lundi au vendredi de 11h à 18h et le dimanche de 10h à 18h. Plein tarif : 6,80 €. Tarif réduit : 4,50 € (18-26 ans, familles nombreuses). Gratuit pour les moins de 18 ans, les demandeurs d'emploi, les bénéficiaires de minima sociaux, les handicapés et leur accompagnateur, les enseignants et les étudiants en art, histoire, science des religions. Visites guidées.
Ce musée est situé dans l'hôtel de Saint-Aignan. Construit par Pierre Le Muet (de 1644 à 1650) pour Claude de Mesmes, comte d'Avaux, le bâtiment est racheté en 1688 par Paul de Beauvilliers, duc de Saint-Aignan. Bref, il s'agit là d'un de ces splendides hôtels particuliers qui contribuent à la renommée du Marais. De manière chronologique et thématique, le parcours muséographique retrace l'évolution historique des communautés juives du Moyen Age au XXe siècle, à travers leurs patrimoines culturels et leurs diverses formes d'expressions artistiques. Il accorde une grande place à l'histoire des juifs en France, mais aussi en Europe et en Afrique du Nord. Sont également organisées ici des expositions très variées (photos de l'agence Magnum, Sophie Calle, Rembrandt, les juifs au Maroc, le monde yiddish...) et des concerts thématiques toujours attrayants (musique klezmer, hommage à des compositeurs comme Leonard Bernstein...). Lectures, conférences et activités pour enfants complètent le programme.

MUSEE CARNAVALET
23, rue de Sévigné ✆ 01 44 59 58 58
Site Internet : www.carnavalet.paris.fr. M° ligne 1 Saint-Paul ou ligne 8 Chemin-Vert. Ouvert du mardi au dimanche de 10h à 18h. Fermé les jours fériés. Collections permanentes : entrée libre. Expositions temporaires : tarifs variables, autour de 7 € (plein tarif) et 5,50 € (tarif réduit pour les enseignants, les handicapés et leurs accompagnateurs, les demandeurs d'emploi, les bénéficiaires du RMI, les moins 26 ans). Visites conférences. Plein tarif : 4,50 €. Tarif réduit : 3,80 €. Ateliers : se renseigner. Librairie.
En plein cœur du Marais, non loin de la place des Vosges, le musée Carnavalet retrace l'histoire de la ville de Paris de 1880 à nos jours. Articulé autour de deux célèbres hôtels, l'hôtel Carnavalet et l'hôtel Le Peletier de Saint-Fargeau construits aux XVIe et XVIIe siècles, ce magnifique ensemble

offre aux visiteurs des collections d'une grande richesse où se regroupent des objets, des peintures et du mobilier du XIXe siècle, consacrés à la période révolutionnaire et à des œuvres du XXe siècle. Dans ce dédale de pièces, vous redécouvrez l'atmosphère et l'aménagement des demeures bourgeoises du XVe et XIXe siècles. La vie parisienne nous est aussi contée au travers de dessins, de sculptures, de photographies ou encore de gravures depuis les origines de Lutèce à nos jours, complétant ainsi le riche patrimoine du musée. Dès le retour du printemps, n'hésitez pas à vous promener dans le joli jardin à la française et admirer ainsi l'architecture de ce lieu chargé d'histoire. Bon à savoir : une porte y donne accès à la place des Vosges.

MUSEE NATIONAL PICASSO
Hôtel Salé – 5, rue de Thorigny
✆ 01 42 71 25 21
Site Internet : www.musee-picasso.fr.
Fermé pour travaux jusqu'en 2012.

MUSEE COGNACQ-JAY
Hôtel de Donon
8, rue Elzévir
✆ 01 40 27 07 21
Site Internet : www.cognacq-jay.paris.fr. M° ligne 1 Saint-Paul ou ligne 8 Chemin-Vert ou ligne 11 Rambuteau. Ouvert de 10h à 18h du mardi au dimanche. Fermé certains jours fériés : se renseigner. Collections permanentes : entrée libre. Visites découvertes, ateliers : se renseigner. Vestiaire.
Situé en plein cœur du quartier historique du Marais, le musée Cognacq-Jay porte le nom de ses donateurs, lesquels ont réuni leur collection entre 1900 et 1925. Fondateurs des magasins de la Samaritaine, ils ont consacré leur fortune à l'achat d'œuvres, d'objets d'art et de mobilier du XVIIIe siècle. Présentée dans l'hôtel Donon datant de 1575, mais dont l'avant-corps sur rue date du XVIIIe siècle, la collection révèle et mêle avec intensité le raffinement des demeures du siècle des Lumières et le goût d'un homme de son époque.

MUSEE DES ARTS ET METIERS
60, rue Réaumur
✆ 01 53 01 82 00
Site Internet : www.arts-et-metiers.net. M° lignes 3 et 11 Arts et Métiers ou lignes 3, 4 Réaumur Sébastopol. Ouvert du mardi au dimanche de 10h à 18h, jusqu'à 21h30 le jeudi. Fermé les 1er mai et 25 décembre. Plein tarif : 6,50 €. Tarif réduit 4,50 € (demandeurs d'emploi, étudiants). Gratuit pour les moins de 18 ans, les enseignants, les personnes handicapées et leur accompagnateur. Gratuit pour tous le premier dimanche de chaque mois. Audioguide : 5 €.
Le pendule de Foucault, la machine à calculer de Pascal, l'avion de Clément Ader, la Panhard de 1898, le cinématographe de Louis Lumière... Le musée des Arts et Métiers présente plus de 3 000 inventions sur 10 000 m² !
Il retrace l'évolution des techniques dans divers domaines : instruments scientifiques, communication, énergie, matériaux, mécanique et transport. Sont également présentées des collections d'instruments anciens tels l'astrolabe, le sextant ou encore le cadran solaire qui émerveillent les enfants. Créé en 1794, ce temple des inventions installé dans l'abbaye de Saint-Martin-des-Champs salue la mémoire d'hommes qui ont permis à l'humanité de faire un bond technique et scientifique au cours des derniers siècles.

4e arrondissement

MUSEE NATIONAL D'ART MODERNE
Centre Georges Pompidou
Rue Saint-Martin
✆ 01 44 78 12 33
Site Internet : www.centrepompidou.fr. M° ligne 11 Rambuteau ou lignes 1 et 11 Hôtel de Ville. Centre ouvert du mercredi au lundi de 11h à 22h. Fermé le 1er mai. Entrée libre. Musée national d'Art Moderne et expositions temporaires : fermeture à 21h, nocturne le jeudi jusqu'à 23h pour certaines expositions. Plein tarif : 10 €. Tarif réduit : 8 € (pour les 18-25 ans, enseignants, bénéficiaires de chèque-vacances). Gratuit pour les moins de 18 ans, les adhérents du centre, les handicapés, les demandeurs d'emploi.
Le centre national d'Art et de Culture voulu par le président de la République Georges Pompidou a ouvert ses portes en 1977, soit trois ans après son décès. Le bâtiment est l'œuvre des architectes Renzo Piano et Richard Rogers. L'homme d'Etat était un amateur d'art moderne et contemporain. D'où il se trouve, il doit apprécier le musée national d'Art Moderne installé aux 4e et 5e niveaux du centre. Il possède des collections qui constituent le premier fonds européen et le deuxième du monde, après le MoMA de New York. Issues de ce fonds, 1 500 à 2 000 œuvres sont exposées par roulement.
La présentation se fait de façon chronologique et vous permet de mieux comprendre l'évolution des arts plastiques durant les 100 dernières années. Au niveau 5 du centre sont montrées des œuvres datant de la fin du XIXe siècle jusqu'aux années 1960.
Au niveau 4 on reprend le fil et on termine par l'art contemporain. A ces étages, on accède aux salles où sont montrées les grandes expositions temporaires.
Enfin, trois terrasses prolongent les espaces d'exposition donnent à admirer les sculptures imposantes d'Henri Laurens, Joan Miro et Alexandre Calder.

HOTEL DE VILLE DE PARIS
24, rue de Rivoli – 5, rue Lobau
✆ 01 42 76 43 43

Site Internet : www.tourisme.paris.fr. M° lignes 1, 11 Hôtel de Ville. Expositions présentées du lundi au samedi de 10h à 19h. Entrée libre.

L'Hôtel de Ville de Paris a une histoire qui remonte au XIVe siècle. Sur l'ancienne place de la Grève, Etienne Marcel, prévôt des marchands, fit bâtir un édifice pour le regroupement des plus puissantes corporations de la ville. Mais c'est sous le règne de François Ier que l'on fit construire le premier hôtel de ville de Paris.

Dévasté par un incendie lors de la Commune, en 1871, il sera entièrement reconstruit à l'identique par Ballu et Deperthes. Aujourd'hui cet édifice néo-renaissance du XIXe siècle est le siège de la municipalité parisienne. Les décors intérieurs sont somptueux, conçus selon l'idéologie de la IIIe République qui magnifiait la culture, les hommes de lettres et certaines vertus.

Des visites guidées vous permettront d'apprécier cette luxueuse décoration : le plafond d'honneur peint par Puvis de Chavannes, les salons des lettres, arts et science et la galerie Galand illustrant les métiers manuels, dévoilent des toiles de grands peintres, des fresques, des tapisseries et du mobilier exceptionnel. Il y a aussi le salon Lobau qui retrace l'histoire de la ville, la salle des fêtes avec des cariatides et encore de magnifiques plafonds peints. Des expositions temporaires et des conférences y sont organisées régulièrement.

MAISON DE VICTOR HUGO
6, place des Vosges
✆ 01 42 72 10 16

Site Internet : www.musee-hugo.paris.fr – E-mail : maisonsvictorhugo@paris.fr. M° lignes 1, 5, 8 Bastille ou ligne 1 Saint-Paul ou ligne 8 Chemin Vert. Ouvert du mardi au dimanche de 10h à 18h. Fermé les jours fériés. Collections permanentes : gratuit. Visites conférences, ateliers, promenades : se renseigner.

Le célèbre poète et écrivain Victor Hugo a vécu au deuxième étage de l'hôtel Rohan-Guéménée de 1832 à 1848. Le lieu est devenu un musée ouvert au public en 1903 grâce au romancier et auteur dramatique Paul Meurice. C'est dans ce sublime appartement de 280 m² que l'écrivain recevait ses confrères : Lamartine, Vigny, Dumas, Mérimée et bien d'autres. Par ailleurs, c'est ici qu'il rédigea plusieurs de ses récits littéraires connus dans le monde entier tels que « Les Misérables », « Les Chants du crépuscule «ou «Les Contemporains ».

La visite de l'appartement s'organise suivant les trois grandes étapes qui selon Victor Hugo articulaient sa vie : avant l'exil, l'exil, depuis l'exil. Même si la dispersion de son mobilier lors d'une vente aux enchères de 1852 et les nombreuses transformations qu'a connu l'appartement ne reconstituent pas fidèlement l'intérieur du poète, de nombreux documents, dessins et croquis de l'artiste, nous permettent d'apprécier vivement cet intérieur chargé d'histoire.

MAISON EUROPEENNE DE LA PHOTOGRAPHIE
5-7, rue de Fourcy ✆ 01 44 78 75 00

Site Internet : www.mep-fr.org. M° ligne 1 Saint-Paul ou ligne 7 Pont Marie. Ouvert du mercredi au dimanche de 11h à 20h. Fermé les jours fériés. Plein tarif : 6 €. Tarif réduit : 3 € (plus de 60 ans, famille nombreuse, étudiants, enseignants, demandeurs d'emploi, bénéficiaires de l'aide sociale et du RMI). Gratuit pour les moins de 8 ans, les personnes handicapées. Gratuit pour tous le mercredi de 17h à 20h.

Dédiée à la création contemporaine, cette «maison du regard» comme elle aime s'identifier, présente trois supports de diffusion de la photo que sont la page imprimée, le film et le tirage d'exposition. La collection permanente va de la fin des années 1950 à aujourd'hui regroupant plus de 15 000 œuvres (Larry Clark, Jean-Loup Sieff, Boltansky…) issues de la production photographique internationale. La maison abrite également un auditorium où sont projetés des films et programmés des débats, ainsi qu'une bibliothèque et une vidéothèque de consultation rassemblant un fonds de livres et de films réalisés par ou sur les photographes. Profitez aussi de la librairie et du café, lequel est aménagé dans des jolies salles voûtées datant du XVIIIe siècle.

MEMORIAL DE LA SHOAH
17, rue Geoffroy-l'Asnier ✆ 01 42 77 44 72

Site Internet : www.memorialdelashoah.org – E-mail : contact@memorialdelashoah.org. M° ligne 1 Saint-Paul ou ligne 7 Pont Marie. Ouvert du dimanche au lundi de 10h à 18h, le jeudi jusqu'à 22h. Fermé le 1er janvier, le 1er mai, le 14 juillet, le 25 décembre et les jours de fêtes juives. Salles de lecture et centre d'enseignement multimédia. Accès pour les handicapés.

Ouvert en 2005 pour le 60e anniversaire de la libération des camps, le mémorial de la Shoah est une institution de référence. Avec ses 5 000 m², c'est un des plus grands centres européens d'information et de recherche consacré à l'histoire de la Shoah. Le visiteur est frappé par le mur des noms, érigé comme une immense stèle sur laquelle 76 000 noms d'hommes, de femmes et enfants juifs déportés sont gravés dans la pierre pour ne pas oublier. Ce mémorial à pour vocation de transmettre ainsi la mémoire, et de s'établir comme une nouvelle étape dans l'enseignement de la Shoah qui était jusqu'à présent essentiellement porté par les témoins directs de l'extermination des juifs.

5e arrondissement

MUSEE NATIONAL D'HISTOIRE NATURELLE
Jardin des Plantes – 2, rue Buffon
✆ 01 40 79 30 00

Site Internet : www.mnhn.fr. M° lignes 7, 10 Jussieu ou ligne 5, 10 Gare d'Austerlitz ou ligne 7 Censier Daubenton. RER C : Gare d'Austerlitz. Gare SNCF : Gare d'Austerlitz. Galeries de Paléontologie et d'Anatomie comparée ouvertes du mercredi au lundi de 10h à 17h. Fermé le 1er mai. Plein tarif : 6 €. Tarif réduit : 4 € (famille nombreuse, 4-13 ans). Gratuit pour les moins de 4 ans, les personnes handicapées et leur accompagnateur, les demandeurs d'emploi, les bénéficiaires du RMI. Fermeture des caisses 45 minutes avant la fermeture du site. Visite guidée le 2e samedi du mois à 15h (sauf pendant les vacances d'été). L'accès à plein tarif à un site du Jardin des Plantes donne droit (sur présentation du billet) à un accès à tarif réduit aux autres sites du Jardin. Pass Deux Jours au Jardin des Plantes, billet unique pour accéder à l'ensemble des 4 sites payants du Jardin des Plantes : 20 € (plein tarif), 15 € (tarif réduit).

De renommée internationale, le muséum national d'Histoire Naturelle est un grand établissement de recherche et d'enseignement.

Depuis 1793, sa vocation première est la recherche scientifique. Il comprend plusieurs départements sur des thèmes diverses et variés comme le monde minéral, végétal et animal ou encore le futur. C'est ainsi que sur le même lieu, vous aurez le choix de visiter la ménagerie, les plantations du Jardin des Plantes (voir Jardins) ou encore la Grande Galerie de l'Evolution (voir ci-dessus).

Pour sa part, la galerie de minéralogie et de géologie présente d'admirables œuvres d'art conçues par la nature (fermée pour travaux jusqu'au printemps 2009). Quant aux galeries de paléontologie et anatomie comparée, elles restent des lieux fascinants avec leurs très vieux fossiles ou leurs squelettes de dinosaures.

GRANDE GALERIE DE L'EVOLUTION
Jardin des Plantes
36, rue Geoffroy-Saint-Hilaire
✆ 01 40 79 30 00 (serveur vocal) / 01 40 79 54 79

Site Internet : www.mnhn.fr. M° lignes 7, 10 Jussieu ou lignes 5, 10 Gare d'Austerlitz ou ligne 7 Censier Daubenton. RER C : Gare d'Austerlitz. Gare SNCF : Gare d'Austerlitz. Label Tourisme et handicap. Ouvert du mercredi au lundi de 10h à 18h. Fermé le 1er mai. Plein tarif : 8 €. Tarif réduit : 6 € (famille nombreuse, 4-13 ans). Gratuit pour les moins de 4 ans, les personnes handicapées et leur accompagnateur, les demandeurs d'emploi, les bénéficiaires du RMI.

La Grande Galerie de l'Evolution prend place sous une imposante verrière. La visite mérite plusieurs heures si l'on veut tout découvrir. Autour de spécimens d'animaux naturalisés sont détaillés de grands thèmes tels que la diversité du vivant, l'évolution de la vie et l'homme et ses facteurs. Sons, lumières, jeux de décors, bornes interactives, scénographie… Tout est pensé pour que parents et enfants apprécient cet espace pédagogique.

SE DÉTENDRE

La Grande galerie de l'évolution

INSTITUT DU MONDE ARABE
1, rue des Fossés-Saint-Bernard
✆ 01 40 51 38 38

Site Internet : www.imarabe.org – E-mail : rap@imarabe.org. M° lignes 7, 10 Jussieu ou ligne 10 Cardinal Lemoine ou ligne 7 Sully Morland Ouvert du mardi au dimanche de 10h à 18h. Fermé le 1er mai. Accès handicapés. Tarif pour le musée : 4 €. Tarif pour l'exposition temporaire : 8 € (6 € pour les moins de 26 ans). Gratuit pour les moins de 12 ans. Concerts, projections, animations, conférences. Bibliothèque, librairie. Restaurant panoramique Le Zyriab by Noura.

Le bâtiment fait de verre, d'aluminium, de béton et de motifs orientaux a été dessiné par l'architecte Jean Nouvel. Il vaut à lui seul une visite, mais il serait dommage de passer à côté des trésors que recèle ce lieu consacré aux échanges entre cultures arabes et cultures occidentales. Les collections de la partie musée présentent la civilisation arabo-islamique, de la Préhistoire à nos jours. Elle s'étend sur trois étages et se visite de haut en bas : période antéislamique (7e étage), formation de l'art islamique, sciences (6e étage), épanouissement de l'art arabo-musulman (4e étage). On peut y voir des tissus précieux, des tapis, des manuscrits, des céramiques, des instruments scientifiques, des œuvres d'art contemporain... A la présentation de ces collections s'ajoutent des expositions-dossiers temporaires. De grandes expositions se déroulent régulièrement dans d'autres espaces. Elles obtiennent de beaux succès («Venise et l'Orient «, «Bonaparte et l'Egypte «...). Vous trouverez également à l'IMA une bibliothèque, une médiathèque, un cinéma, un auditorium où se déroulent d'excellents concerts et des boutiques (librairie, souk), ainsi que des lieux pour vous restaurer. L'un d'eux se trouve sur la terrasse du bâtiment et permet d'admirer une belle vue sur la Seine.

MUSEE NATIONAL DU MOYEN AGE - THERMES ET HOTEL DE CLUNY
6, place Paul-Painlevé
✆ 01 53 73 78 00 / 01 53 73 78 16

Site Internet : www.musee-moyenage.fr – E-mail : contact.musee-moyenage@culture.gouv.fr. M° ligne 10 Cluny La Sorbonne. RER B : Luxembourg. Ouvert du mercredi au lundi de 9h15 à 17h45. Fermé les 1er janvier, 1er mai et 25 décembre. Plein tarif : 7,50 € (collections permanentes et expositions temporaires), audioguide compris. Gratuit pour les moins de 18 ans et pour tous le premier dimanche de chaque mois. Audioguide : 1 € pour les visiteurs bénéficiant de la gratuité. Audioguides pour les 8-12 ans : 1 €. Visites guidées pour les malentendants et les non-voyants : se renseigner. Animations, concerts : se renseigner. Librairie – boutique cadeaux ✆ 01 53 73 78 22. Ouverte de 9h15 à 18h sauf le mardi. Accès libre. Jardin d'inspiration médiévale ouvert tous les jours en accès libre de 8h ou 9h à 17h30 ou 21h30 (selon la saison) ; terrasse ouverte de 9h15 à 17h45.

Installé sur un site du Ier siècle, à côté des vestiges des thermes romaines, ce musée est hébergé dans l'hôtel médiéval des abbés de Cluny. Sur 3 500 m², il expose 23 000 œuvres et objets datant d'une large période allant de l'époque gallo-romaine au XVIe siècle. Tapisseries, orfèvreries, céramiques, vitraux, vestiges d'architecture gothique, constituent les collections de ce musée à la renommée internationale. Au fil d'un intéressant parcours muséographique, vous aurez l'occasion d'admirer des chefs-d'œuvre dont la célèbre tenture de la Dame à la licorne (salle 13), les retables d'Anvers (salle 14) ou encore le pilier des Nautes (salle 9). Signalons que ce lieu propose également des activités et des concerts de musiques du Moyen Age. Enfin, avant ou après votre visite du musée, allez faire un tour dans le jardin d'inspiration médiévale qui se trouve derrière le bâtiment, en bordure du boulevard Saint-Germain.

6e arrondissement

INSTITUT DE FRANCE
23, quai Conti
✆ 01 44 41 44 41

Site Internet : www.institut-de-france.fr. M° ligne 7 Pont Neuf ou ligne 4, 10 Odéon ou ligne 4 Saint-Germain-des-Prés. Visite sur rendez-vous le samedi et le dimanche et lors des journées du Patrimoine en septembre.

L'institut de France est surnommé le «parlement des savants «. Il regroupe l'Académie française (fondée en 1635), l'Académie des inscriptions et belles-lettres (1663), l'Académie des sciences (1666), l'Académie des sciences morales et politiques (1795) et l'Académie des Beaux-Arts (1816). Le bâtiment est construit selon les plans de Louis Le Vau (achevé en 1688). Il est situé face au joli pont des Arts d'où la perspective est magnifique. Voulu par le cardinal Mazarin et mis en œuvre par Colbert, il est destiné à recevoir le collège des Quatre Nations, ancêtre des actuelles grandes écoles. C'est en 1805 que Napoléon Ier y établit l'institut de France. La plus connue et la plus ancienne des académies est l'Académie française. Fondée par Richelieu, son rôle est de se pencher sur le sort de la langue française. Elle se compose de 40 membres, élus par leurs pairs, qui portent un habit vert à broderies dorées et un bicorne lors des séances solennelles sous la coupole. En 1980, Marguerite Yourcenar est la première femme à entrer dans le cercle très fermé des «immortels». A l'entrée de la salle des séances publiques vous trouverez le célèbre tombeau de Mazarin, comme il le souhaitait dans son testament, à l'emplacement de l'ancienne chapelle. Par ailleurs, la bibliothèque Mazarine est ouverte au public, tandis que celle de l'Institut est réservée aux académiciens.

MUSEE DU LUXEMBOURG
19, rue de Vaugirard
✆ 01 42 34 25 95
Site Internet : www.museeduluxembourg.fr – M° Saint-Sulpice, Rennes ou Odéon. Ouvert lundi, vendredi, samedi de 10h30 à 22h, mardi, mercredi, jeudi de 10h30 à 19h, dimanche de 9h30 à 19h. Plein tarif : 11 €. Tarifs réduits : 9 € (10-25 ans, demandeurs d'emploi), 6 € (personnes handicapées, bénéficiaires de minima sociaux). Gratuit pour les moins de 10 ans. Audioguide : 4,50 €.
Situé au bord du jardin du Luxembourg, le musée présente de remarquables expositions temporaires. Autrefois, il présentait les collections permanentes du XIXe siècle qui sont aujourd'hui au musée d'Orsay. C'est Marie de Médicis qui avait commandité le palais du Luxembourg à l'architecte Salomon de Brosse pour exposer entre autre, une série de Rubens à sa gloire. En 1750, le musée fut ouvert au public qui pouvait admirer les œuvres des plus grands : Titien, Léonard de Vinci, Véronèse... Aujourd'hui c'est le Sénat qui se charge de la programmation du musée. Ainsi, entre Renaissance et époque moderne, les plus belles expositions du musée ont été consacrées à des peintres comme Raphaël, Modigliani, Botticelli ou Vlaminck.

MUSEE NATIONAL EUGENE DELACROIX
6, rue de Fürstenberg ✆ 01 44 41 86 50
Site Internet : www.musee-delacroix.fr. M° Saint-Germain-des-Prés ou Mabillon. Ouvert tous les jours sauf le mardi de 9h30 à 17h (fermeture des caisses à 16h30). Les samedi et dimanche de juin à août, le musée est ouvert jusqu'à 17h30 (fermeture des caisses à 17h). Fermé le 1er janvier, le 1er mai et le 25 décembre. Plein tarif : 5 €. Gratuit pour les moins de 18 ans, les enseignants en art, les demandeurs d'emploi, les bénéficiaires des minima sociaux, les personnes handicapées et leur accompagnateur.
C'est en 1857 que le peintre Eugène Delacroix décide d'installer son atelier place de Fürstenberg, un des plus jolis sites de Paris. Gravement malade, il se rapproche ainsi de l'église Saint-Sulpice dont il décore alors la chapelle des Saints-Anges. Le musée occupe l'appartement du peintre ainsi que son atelier situé dans un ravissant jardin bucolique. Depuis 1952, la collection témoigne de sa grande originalité comme la «Madeleine au désert», une composition religieuse insolite. Traitant de tous les genres, Delacroix prenait plaisir à peindre la douleur aussi bien que l'allégorie. Vous apprécierez ce cadre intimiste dans lequel des pastels, des aquarelles, des peintures, des souvenirs personnels ou des autoportraits révèlent toute la force et la richesse de création de cette illustre figure de l'art romantique.

MUSEE ZADKINE
100 bis, rue d'Assas ✆ 01 55 42 77 20
Site Internet : www.zadkine.paris.fr. M° Notre-Dame-des-Champs ou Vavin. RER B : Port-Royal. Ouvert du mardi au dimanche de 10h à 18h. Fermé les jours fériés. Collections permanentes : entrée libre.
Les passionnés de sculpture trouveront le musée Zadkine au fond d'une étroite allée confidentielle dans une ravissante maison fleurie. Grâce aux dons de sa femme, Valentine Prax, le musée est ouvert au public depuis 1982, dans la maison où avait vécu l'artiste de 1928 à 1967. On y trouve près de 300 œuvres réparties chronologiquement en cinq salles permettant de suivre l'évolution de son art. Toutes les périodes de création du sculpteur d'origine russe sont représentées : primitivisme, cubisme, art antique mythologique et art abstrait. Vous pourrez découvrir ainsi, les célèbres torses en bois de Pomone (1960) ou des œuvres en bronze comme Formes et Lumières (1923).

7e arrondissement

MUSEE DE L'ARMEE
Hôtel national des Invalides
129, rue de Grenelle
✆ 0810 11 33 99 (prix d'un appel local)
Site Internet : www.invalides.org. M° lignes 8, 13 Invalides ou ligne 8 Latour-Maubourg ou ligne 13 Varenne. RER C : Invalides. Ouvert tous les jours de 10h à 18h (18h30, le dimanche) du 1er avril au 30 septembre, jusqu'à 17h (17h30 le dimanche) du 1er octobre au 31 mars. Fermé le premier lundi de chaque mois (sauf en juillet, août, septembre), les 1er janvier, 1er mai, 1er novembre, 25 décembre. Plein tarif : 8,50 €, audioguide inclus. Tarif réduit : 6,50 €, audioguide inclus (étudiants de 18 à 26 ans, anciens combattants, famille nombreuse, pour tous à partir de 17h et le mardi en nocturne). Gratuit (audioguide : 1 €) pour les moins de 18 ans, les moins de 26 ans le mardi en nocturne, les demandeurs d'emploi, les bénéficiaires des minima sociaux, les personnes handicapées.
Né de la fusion en 1905 du musée de l'Artillerie et du musée Historique de l'Armée, le musée de l'Armée présente une des collections les plus riches au monde. Occupant deux bâtiments situés de part et d'autre de la cour d'honneur, il offre un parcours étonnant au fil de l'histoire des armes et de l'art de la guerre, du Moyen Age à la Seconde Guerre mondiale. Vous découvrirez de superbes armes et armures, des uniformes, mais aussi des souvenirs historiques comme l'épée de François Ier. Faites un tour dans le département des emblèmes riche d'une collection exceptionnelle de drapeaux et étendards. Des espaces sont consacrés au général de Gaulle, à la Seconde Guerre mondiale, à la France Libre et la France combattante. Ils sont ponctués de véritables mises en scène de moments forts de la période 1939-1945 comme l'Appel du 18 juin. Des moyens multimédias et des vidéos font de ce musée un espace muséographique vraiment moderne. N'oubliez pas de vous rendre dans l'église du Dôme qui abrite le tombeau de Napoléon.

Le musée d'Orsay

MUSEE D'ORSAY
1, rue de la Légion d'Honneur
✆ 01 40 49 48 14
Site Internet : www.musee-orsay.fr. M° Solferino. RER C : Musée d'Orsay. Ouvert du mardi au dimanche de 9h30 à 18h, le jeudi jusqu'à 21h45. Les billets d'entrée donnent accès aux expositions temporaires. Plein tarif : 9,50 €. Tarif réduit : 7 € (18-30 ans ; pour tous à partir de 16h15 sauf le jeudi ; pour tous le jeudi à partir de 18h). Gratuit pour les moins de 18 ans, les visiteurs handicapés avec un accompagnateur, les demandeurs d'emploi. Gratuit pour tous le premier dimanche du mois. Audioguide : 5 €. Boucle magnétique pour les visiteurs malentendants appareillés.
Construite sur les plans de l'architecte Victor Laloux à base de pierre et de fonte en 1898, la gare d'Orsay est empruntée par des voyageurs se rendant vers Orléans, Bordeaux et Nantes. En 1939 et jusque dans les années 1950, elle ne dessert plus que la banlieue. Tour à tour centre d'expédition de colis pendant la guerre, lieu de tournage de films comme « Le Procès » d'Orson Welles d'après Kafka, la gare est occupée par la compagnie théâtrale Renaud-Barrault, puis accueille des salles de vente de l'hôtel Drouot. Après avoir été menacée de destruction, elle est classée monument historique et devient un musée en 1986, selon le souhait du président Giscard d'Estaing ; l'inauguration se fait sous le mandat de son successeur François Mitterrand. Son projet est qu'on y installe les œuvres créés dans le monde occidental de 1848 à 1914. Pour cela le bâtiment et ses espaces intérieurs ont été reconfigurés par les architectes Renaud Bardon, Pierre Colboc, Jean-Paul Philippon et Gae Aulenti. Prenez le temps d'admirer la grande voûte faite de verre et ornée de rosaces, mais aussi l'immense pendule de style néo-baroque.

Les collections

Les collections ont diverses provenances : le Louvre pour la période 1848-1900, le musée du Jeu de Paume où l'on voyait, jusqu'en 1986, les impressionnistes ; le Palais de Tokyo pour les collections postimpressionnistes non transférées au centre Pompidou ; les musées de province… Peintures et pastels, sculptures et arts graphiques, architecture et photographie sans oublier le mobilier, la collection reflète ainsi toute la diversité de la création artistique du monde occidental de 1848 à 1914. On y trouve des œuvres de Manet avec son célèbre «Déjeuner sur l'herbe », Degas, Renoir, Monet et tous les impressionnistes qui font la réputation du musée. Vous ne pourrez rater les sculptures de Maillol, Degas, certaines étant monumentales comme «La porte de l'enfer «de Rodin. Régulièrement, de grandes et prestigieuses expositions temporaires font affluer d'importantes foules de visiteurs. Les collections sont complétées et mises en valeur par diverses manifestations : concerts, films, conférences, expositions et la présentation d'objets contemporains comme des affiches, sculptures ou journaux afin de permettre au visiteur de situer les œuvres exposées dans le bon contexte. Pour les enfants : activités, parcours et visites de groupe sont proposés par le musée.

L'auditorium

Tout de bois vêtu, l'auditorium du musée comporte 350 places et possède une acoustique remarquable. Sa programmation est conçue en rapport avec les expositions temporaires et permanentes. Des ensembles de musique de chambre, des solistes et des chanteurs se succèdent toute l'année. Des séances de lectures et de théâtre d'ombre, des projections de films et des spectacles pour le jeune public sont également à l'affiche, de même que des conférences, des cours d'histoire de l'art et des colloques. Notez que certains concerts sont programmés à 12h30.

MUSEE DES EGOUTS DE PARIS
Face au 93, quai d'Orsay ✆ 01 53 68 27 81

Site Internet : www.culture.paris.fr. M° ligne 9 Alma Marceau. RER C : Pont de l'Alma. Entrée par le pont de l'Alma. Ouvert du samedi au mercredi de 11h à 16h du 1er octobre au 30 avril, jusqu'à 17h du 1er mai au 30 septembre. Fermé le 25 décembre, le 1er janvier et durant deux semaines à la mi-janvier. Plein tarif : 4,20 €. Tarif réduit : 3,40 € (famille nombreuse, étudiants, 6-16 ans, cartes améthyste et émeraude). Gratuit pour les moins de 6 ans, les demandeurs d'emplois, les bénéficiaires du RMI.

Voici un musée insolite : il est situé à plus de cinq mètres sous terre ! Au travers de galeries aménagées, des égoutiers vous mènent à pied dans un parcours dévoilant les dessous de Paris. Des panneaux et des bornes vidéo retracent l'histoire de l'eau depuis Lutèce. On s'intéresse au travail des égoutiers, au cycle de l'eau et au traitement des eaux usées au fil du temps. A la sortie de cette balade souterraine, le visiteur est plus sensible aux problèmes d'alimentation de l'eau ainsi qu'à son assainissement.

MUSEE DU QUAI BRANLY
27, 37, 51, quai Branly – 206, 218, rue de l'Université ✆ 01 56 61 70 00

Site Internet : www.quaibranly.fr. M° ligne 9 Iéna ou ligne 9 Alma Marceau ou ligne 6 Bir-Hakeim. RER C : Pont de l'Alma. Musée accessible aux personnes à mobilité réduite par le 222, rue de l'Université. Ouvert du mardi au dimanche de 11h à 19h, jusqu'à 21h les jeudi, vendredi et samedi. Plein tarif : 8,50 €. Tarif réduit (étudiants, famille nombreuse) : 6 €. Expositions temporaires. Plein tarif : 7 €. Tarif réduit (étudiants, famille nombreuse) : 5 €. Gratuit pour les bénéficiaires de minima sociaux, les demandeurs d'emploi, les moins de 18 ans, les visiteurs handicapés et leur accompagnateur. Audioguide : 5 €.

Traditions et cités perdues, objets énigmatiques, cultures admirées ou méprisées : cet espace retrace 3 000 ans d'histoire sur quatre continents (Afrique, Asie, Amérique, Océanie). Sur pilotis, le musée ressemble à une grande pirogue échouée près de la Seine qui bientôt sera entouré d'une forêt de verdure lorsque chênes, érables et magnolias auront grandi. Les jardins, conçus par le jardinier paysagiste Gilles Clément, évoquent la savane avec un camaïeu de teintes douces. L'architecte, Jean Nouvel, a souhaité que les pièces exposées soient placées derrière de grandes vitrines, pour montrer qu'elles sont «libres». En effet, certains objets ne devraient même pas être exposés si l'on souhaite respecter les rites des sociétés australiennes ou océaniennes dont ils sont issus. Aujourd'hui, le musée comprend près de 300 000 pièces mais seuls 3 500 objets sont présentés au visiteur sur un imposant plateau long de 220 mètres. Avant leur exposition, chaque objet a été analysé, radiographié pour permettre d'approfondir les connaissances sur les civilisations. Les collections proviennent en partie de celles du musée de l'Homme et du musée des Arts d'Afrique et d'Océanie, auxquelles 8 000 acquisitions sont venues s'ajouter.

MUSEE MAILLOL – FONDATION DINA VIERNY
61, rue de Grenelle
✆ 01 42 22 59 58

Site Internet : www.museemaillol.com – E-mail : contact@museemaillol.com. M° ligne 12 Rue du Bac. Ouvert du mercredi au lundi de 11h à 18h. Fermé les jours fériés. Plein tarif : 8 €. Tarif réduit : 6 € (étudiants, handicapés, famille nombreuse, demandeur d'emploi). Gratuit pour les moins de 16 ans. Accessible aux handicapés.

Dans un charmant hôtel particulier du XVIIe siècle, ce musée est principalement dédié à l'œuvre du sculpteur Aristide Maillol, mais aussi à Dina Vierny qui fut son modèle pendant 10 ans. Dessins, gravures, pastels, peintures, objets décoratifs enrichissant plâtres et terres cuites, témoignent de la richesse de son art fondé avant tout sur la beauté du corps. Avant de voir naître cette jolie fondation, Dina Vierny aura lutté une trentaine d'années pour faire connaître l'œuvre de l'artiste catalan. C'est André Malraux, alors ministre de la Culture qui fut le premier à confronter les œuvres de l'artiste au regard du public, en les installant dans les jardins des Tuileries après une donation de Dina Vierny en 1964. Aujourd'hui, le musée permet d'apprécier pleinement l'art de Maillol et d'admirer de sublimes sculptures comme «L'air», «La rivière» et de nombreuses peintures sur un espace de 4 250 m². L'ensemble de la collection privée de Dina Vierny est également exposée. Signalons que le musée accueille régulièrement des expositions de qualité sur l'art de XXe siècle comme celle de Frida Khalo, ou encore récemment de sublimes photographies de Marilyn Monroe.

MUSEE RODIN
79, rue de Varenne
✆ 01 44 18 61 10
Site Internet : www.musee-rodin.fr. M° ligne 13 Varenne. Ouvert du mardi au dimanche de 9h30 à 17h45, jusqu'à 16h45 d'octobre à mars. Plein tarif : 6 €. Tarif jeunes 18-25 ans : 4 €. Tarif pro (étudiants de plus de 26 ans, enseignants) : 5 €. Tarif Famille (2 adultes et leurs enfants de moins de 18 ans) : 10 €. Entrée du parc uniquement : 1 €. Gratuit pour les moins de 18 ans, les enseignant et étudiants en art, les handicapés avec leur accompagnateur, les demandeurs d'emploi, les bénéficiaires de minima sociaux.
Dans un sublime hôtel particulier du XVIIIe siècle, l'hôtel Biron, est exposé une importante partie de l'œuvre du sculpteur Auguste Rodin et de ses collections personnelles ; il en a fait don à l'Etat. «Le Penseur», «Le Baiser», «La Toilette de Vénus» ou encore «La Danaïade» sont autant d'œuvres fascinantes dont on ne peut s'empêcher d'admirer la force. Impossible donc de faire l'impasse sur ce musée qui abrite aussi des œuvres de Camille Claudel, ainsi que des toiles de Monet, Van Gogh et bien d'autres artistes amis de Rodin. Ce dernier ne pouvait rêver meilleur cadre avec ce charmant jardin romantique bordé de tilleuls et peuplé de sculptures comme la célèbre «Porte de l'enfer». Un musée à visiter en famille ou en amoureux.

8e arrondissement

LE JEU DE PAUME
1, place de la Concorde ✆ 01 47 03 12 50
Site Internet : www.jeudepaume.org. M° lignes 1, 8, 12 Concorde. Ouvert du mardi au vendredi de 12h à 19h, jusqu'à 21h30 le mardi ; ouvert de 10h à 19h le samedi et le dimanche. Fermé le 1er janvier et 1er mai et le 25 décembre. Plein tarif : 7 €. Tarif réduit (plus de 60 ans, moins de 25 ans, familles nombreuses, enseignants) : 4 €. Gratuit pour les moins de 10 ans, les demandeurs d'emploi, les bénéficiaires du RMI, les personnes handicapées avec un accompagnateur. Egalement gratuit pour les étudiants et les moins de 26 ans le dernier mardi de chaque mois, de 17h à 21h. Accessible aux personnes handicapées.
Venez apprécier ce lieu aux volumes variés qui jouent avec la lumière naturelle et offrent des échappées sur la place de la Concorde ou encore le dôme des Invalides. Bâtiment construit sous Napoléon III dans le jardin des Tuileries, la salle du Jeu de Paume devient un lieu d'expositions dès 1909 et un musée en 1922. Jusqu'à la Seconde Guerre mondiale, des expositions d'art moderne y sont organisées. Modigliani, Picasso, Chagall, Juan Gris y trouvent leur place. En 1947, le musée accueille les œuvres de l'école impressionniste qui trouveront plus tard leur place au musée d'Orsay en 1986. L'espace est alors consacré aux expositions temporaires d'art contemporain (Cindy Sherman, Ed Rusha, Gilbert & Georges, Martial Raysse) et propose des projections de documentaires, des colloques et des conférences. En 2004, le Jeu de Paume connaît un nouveau destin. C'est à présent un établissement dans lequel sont fusionnés trois associations consacrées à la photographie et à l'art contemporain : la Galerie nationale du Jeu de Paume, le Centre national de la photographie et le Patrimoine photographique installé jusqu'alors à l'hôtel de Sully. Ce dernier devient d'ailleurs le deuxième site du Jeu de Paume.

MUSEE JACQUEMART-ANDRE
158, boulevard Haussmann
✆ 01 45 62 11 59
Site Internet : www.musee-jacquemart-andre.com – M° Miromesnil ou Saint-Philippe-du-Roule. Ouvert tous les jours de 10h à 18h. Le prix d'entrée comprend la visite des collections permanentes, avec audioguide, et de l'exposition temporaire. Plein tarif : 10 €. Tarif réduit : 7,30 € (7-17 ans, étudiants, invalides, demandeurs d'emploi). Gratuit pour les moins de 7 ans.
A proximité des Champs-Elysées, le musée Jacquemart-André se niche dans un somptueux hôtel particulier du XIXe siècle. Cette ancienne demeure d'un riche couple de collectionneurs André et Nélie Jacquemart donne une idée de ce que pouvait être la vie d'amateurs d'art à cette époque. Héritier d'une famille de banquiers, Edouard rencontre Nélie alors qu'elle devait réaliser son portrait. Ils voyageront en Europe et en Orient pour rapporter les pièces les plus rares et constituer ainsi une collection remarquable. Devenu musée en 1912, l'hôtel abrite principalement des œuvres de la Renaissance que le couple à ramener d'Italie constituant une des plus importantes collections en France d'art Italien. Au premier étage se côtoient une centaine d'œuvres des plus grands artistes : Botticelli, Bellini, Carpaccio ou encore Uccello. Au rez-de-chaussée, vous trouverez des peintures françaises des XVIIe et XVIIIe siècles (Fragonard, Boucher), flamandes, hollandaises (Van Dyck, Rembrandt) et anglaises. Vous aurez aussi l'occasion d'apercevoir du mobilier précieux d'époque Louis XV et Louis XVI et des tapisseries. C'est un enchantement de déambuler parmi ces œuvres dans cet hôtel intime au charme indéniable : son escalier monumental, ses salons d'apparat, ses appartements privés ainsi que son

jardin. La visite vous séduira d'autant plus qu'un salon de thé vous accueille dans une salle à manger au cadre raffiné avec son plafond signé Tiepolo. D'ailleurs, les habitués s'y donnent rendez-vous pour le brunch.

MUSEE CERNUSCHI
7, avenue Velasquez
✆ 01 53 96 21 50

Site Internet : www.cernuschi.paris.fr. M° lignes 2, 3 Villiers ou ligne 2 Monceau. Ouvert du mardi au dimanche de 10h à 18h. Fermé le 1er janvier, le dimanche de Pâques, le 1er mai, le 8 mai, le jour de l'Ascension, le dimanche de Pentecôte, le 14 juillet, le 15 août, le 1er novembre, le 11 novembre, le 25 décembre. Collections permanentes : entrée libre. Tarif des expositions temporaires : entre 3,30€ et 9€. Activités : se renseigner.

Inauguré en 1898, le musée Cernuschi est installé dans un hôtel particulier situé en bordure du parc Monceau. Il abrite une riche collection d'art chinois, de l'Antiquité au XIVe siècle. Il porte le nom de Henri Cernuschi, riche républicain italien qui légua à la Ville de Paris ses collections d'art asiatique rapportées de ses nombreux voyages, ainsi que sa demeure. Disposant d'un fonds impressionnant, le musée est régulièrement enrichi de nouvelles pièces. De plus, des expositions thématiques sont organisées dans ce lieu.

PALAIS DE LA DECOUVERTE
Avenue Franklin-D.-Roosevelt
✆ 01 56 43 20 20

Site Internet : www.palais-decouverte.fr. M° ligne 1, 13 Champs-Elysées Clemenceau ou lignes 1, 9 Franklin D. Roosevelt. RER C : Invalides. Ouvert du mardi au samedi de 9h30 à 18h (fermeture des caisses à 17h30), les dimanches et jours fériés de 10h à 19h (fermeture des caisses à 18h30). Fermé les 1er janvier, 1er mai, 14 juillet, 15 août et 25 décembre. Salles d'expériences et de conférences : 7€ (plein tarif), 4,50€ (moins de 18 ans, plus de 60 ans, étudiants, demandeurs d'emploi, familles nombreuses, enseignants). Supplément pour le planétarium : 3,50€. Gratuit pour les moins de 5 ans et les invalides. Carte découverte : 40€ (plein tarif), 25€ (tarif réduit), valable 1 an.

Installé dans la moitié ouest du Grand Palais et une annexe construite spécialement pour une exposition internationale en 1937, le Palais de la Découverte présente de manière ludique et interactive les sciences. Dépendant du ministère de l'Education nationale, de l'Enseignement supérieur et de la Recherche ; il est aujourd'hui un véritable centre scientifique et un musée qui tente de vulgariser la science pour la rendre accessible à tous, et spécifiquement au jeune public. Chimie, physique, astrophysique, astrochimie, électrostatique... toutes ces disciplines sont passées en revue de manière pédagogique grâce à des activités et des bornes interactives. Ne pas manquer la salle Eurêka ou encore le planétarium pour embarquer dans le monde des planètes. Une visite riche d'enseignements et un lieu dont les enfants raffolent.

PETIT PALAIS – MUSEE DES BEAUX-ARTS DE LA VILLE DE PARIS
Avenue Winston-Churchill
✆ 01 53 43 40 00

Site Internet : www.petitpalais.paris.fr. M° lignes 1, 13 Champs-Elysées Clemenceau ou lignes 1, 9 Franklin D. Roosevelt. Ouvert du mardi au dimanche de 10h à 18h, jusqu'à 20h le mardi pour les expositions temporaires. Fermé les jours fériés. Accès gratuit aux collections permanentes. Entrée payante pour les expositions temporaires : se renseigner. Accessible aux personnes handicapées. Jardin. Café restaurant : Le jardin du Petit Palais ✆ 01 40 07 11 41. Ouvert du mardi au dimanche de 10h à 17h15. Libraire boutique.

Le Petit Palais offre sur 22 000 m² une riche collection d'œuvres d'une grande diversité. La collection dévoile de superbes bronzes antiques, des objets d'arts de la Renaissance, des icônes du XVe siècle et du XVIIIe siècle, des peintures flamandes et hollandaises, mais aussi de jolies estampes (Rembrandt, Goya...), des tapisseries, des meubles, de la faïence, de très belles porcelaines... Le Petit Palais regorge de trésors ! Vous y trouverez aussi un charmant petit jardin entouré de colonnades, avec des bassins en mosaïque, et un café où passer un moment de détente agréable.

GALERIES NATIONALES DU GRAND PALAIS
3, avenue du Général-Eisenhower
✆ 01 44 13 17 17

Site Internet : www.rmn.fr/galeries-nationales-du-grand. M° ligne 1, 13 Champs-Elysées Clemenceau ou lignes 1, 9 Franklin D. Roosevelt. Ouvert tous les jours sauf le mardi de 10h à 20h. Nocturne jusqu'à 22h certains soirs. Plein tarif : 10€. Tarif réduit : 8€.

Edifié pour l'Exposition Universelle de 1900 par Charles Girault, ce colossal palais de verre, de fer et de pierre, présente uniquement des expositions temporaires. En effet, c'est André Malraux, alors ministre de la Culture en 1964 qui transforma une partie de ce monument en galeries pour accueillir de prestigieuses expositions. Aujourd'hui restauré, le Grand Palais ne cesse d'être envahit par les touristes qui n'hésitent pas à faire le pied de grue pendant plusieurs heures pour admirer la nouvelle verrière, apportant une luminosité exceptionnelle. Depuis 2005, les galeries du Grand Palais sont rattachées à la Réunion des musées nationaux. Klimt, Turner, Monet, Manet, Chagall... les œuvres des plus grands peintres ont permis au Grand Palais de monter des expositions majeures nationales et internationales incontournables.

9e arrondissement

MUSEE DE LA VIE ROMANTIQUE
Hôtel Scheffer-Renan – 16, rue Chaptal
✆ 01 55 31 95 67

Site Internet : www.vie-romantique.paris.fr. M° ligne 12 Saint-Georges ou ligne 2 Blanche ou lignes 2, 12 Pigalle ou ligne 13 Liège. Ouvert du mardi au dimanche de 10h à 18h. Fermé les jours fériés. Entrée libre aux collections permanentes. Expositions temporaires payantes. Plein tarif : 9 €. Demi tarif pour les 14-26 ans. Tarif réduit : 3,30 € (famille nombreuse, enseignants, demandeurs d'emploi, bénéficiaires du RMI, plus de 60 ans). Gratuit pour les moins de 14 ans, les handicapés et leur accompagnateur. Activités pédagogiques et culturelles : se renseigner.

Installé dans la maison du peintre Ary Scheffer, au bout d'un chemin pierreux, le musée de la Vie romantique rappelle l'époque où le quartier était surnommé la Nouvelle Athènes, quand nombre d'artistes et de bourgeois faisaient construire des hôtels particuliers sur ce flanc sud de la butte Montmartre. Dans sa demeure et dans ses ateliers construits en 1830, Ary Scheffer aimait recevoir des peintres, musiciens et écrivains tels que Delacroix, Chopin, Liszt, Ingres, Lamartine ou encore George Sand, particulièrement mise en valeur dans l'actuel musée. Ce dernier recèle aujourd'hui des objets et œuvres d'art rappelant une période intense de la vie culturelle parisienne. Aux beaux jours, n'hésitez pas à venir faire un tour par ici. En plus des collections du musée et des expositions temporaires (présentées dans les ateliers du peintre), un salon de thé situé dans un charmant jardinet fleuri vous y attend.

MUSEE GREVIN
10, boulevard Montmartre ✆ 01 47 70 85 05

Site : www.grevin.com. M° lignes 8, 9 Grands Boulevards. Ouvert du lundi au vendredi de 10h à 18h30 (dernière entrée à 17h30), samedi, dimanche, jours fériés et vacances scolaires de 10h à 19h (dernière entrée à 18h). Plein tarif : 19,50 €. Tarifs réduits : 16,50 € (lycéens, étudiants, adultes de famille nombreuse, seniors, handicapés, demandeurs d'emploi), 11,50 € (de 6 à 14 ans), 10 € (enfants de famille nombreuse, enfants handicapés). Gratuit pour les moins de 6 ans.

Crée en 1882 par Arthur Meyer, journaliste et fondateur du célèbre quotidien «Le Gaulois», le musée Grévin expose une incroyable collection de personnages de cire. Le musée doit son nom au célèbre dessinateur Alfred Grévin qui donna corps aux personnages. Les personnalités du monde du spectacle, de la politique, du sport, de l'histoire sont représentées et mises en scène. Avec ses plus de 2 000 poupées, le musée a un succès fou et ne désemplit pas, d'autant plus que la collection est régulièrement renouvelée.

MUSEE NATIONAL GUSTAVE MOREAU
14, rue de La-Rochefoucauld
✆ 01 48 74 38 50

Site Internet : www.musee-moreau.fr – E-mail : info@musee-moreau.fr. M° ligne 12 Saint-Georges ou ligne 12 Trinité d'Estienne d'Orves. Ouvert du mercredi au lundi de 10h à 12h45 et de 14h à 17h15. Fermé les 1er janvier, 1er mai et 25 décembre. Plein tarif : 5 €. Tarif réduit : 3 € (moins de 26 ans, pour tous le dimanche). Gratuit pour les moins de 18 ans. Gratuit pour tous le premier dimanche de chaque mois. Librairie.

Le musée Gustave Moreau est un lieu à la mémoire d'un peintre inclassable. La maison qu'il avait réorganisée pour exposer au mieux son art est devenue un musée en 1902. Celui-ci abrite aujourd'hui ses œuvres qui retracent toute la diversité de sa création. Peintre atypique, Gustave Moreau (1826-1898) fut successivement académique, romantique, italianisant. Il osa aussi s'attaquer à de vieux mythes et peindre des sujets allégoriques et mythologiques. Sur trois étages, vous découvrirez croquis et toiles comme celle de «Jupiter et Sémélé», véritable chef-d'œuvre de ce maître du symbolisme.

11e arrondissement

MUSEE EDITH PIAF
5, rue Crespin-du-Gast
✆ 01 43 55 52 72

M° ligne 2 Ménilmontant ou ligne 3 Rue Saint-Maur. Ouvert du lundi au mercredi de 13h à 18h, le jeudi de 10h à 12h. Sur rendez-vous uniquement. Gratuit.

Ce petit musée présente des souvenirs et une collection d'objets ayant appartenu à Edith Piaf, grande artiste de la chanson française. Dans cet appartement, vous découvrirez des tenues de scène, des peintures, des photos, de celle que l'on surnommait la «môme Piaf». Des enregistrements audio et vidéo enrichissent la collection du musée.

12e arrondissement

PALAIS DE LA PORTE DOREE - AQUARIUM TROPICAL

293, rue Daumesnil ✆ 01 53 59 58 60

Site Internet : www.aquarium-portedoree.fr. M° Porte Dorée. Ouvert du mardi au vendredi de 10h à 17h15, samedi et dimanche de 10h à 19h. Plein tarif : 4,50 €. Tarif réduit : 3 € (4-25 ans, demandeurs d'emploi, bénéficiaires des minima sociaux, famille nombreuse). Tarif famille : 6 € (1 adulte avec 1 ou 2 enfants de 4 à 12 ans inclus). Supplément de 2 € en période d'exposition. Gratuit pour les moins de 4 ans, les handicapés avec un accompagnateur, les enseignants.

Le palais de la Porte Dorée a été construit en 1931 à l'occasion de l'Exposition Coloniale. Le public pouvait ainsi venir découvrir la faune et la flore aquatiques des différentes colonies françaises dans un décor Art déco. Aujourd'hui, les visiteurs peuvent profiter de manière pédagogique d'une soixantaine d'aquariums et d'un spécialement gigantesque, de galeries d'expositions, d'une fosse à crocodiles, de requins, etc. 5 000 animaux et 3 000 espèces sont réunis dans cet espace. Selon un thème géographique vous pourrez découvrir les espèces d'Afrique, d'Amérique du Sud, d'Asie et les récifs coralliens. A noter qu'après avoir accueilli le musée des arts d'Afrique et d'Océanie jusqu'en 2002, le palais abrite également aujourd'hui la Cité nationale de l'histoire de l'immigration.

13e arrondissement

GALERIE DES GOBELINS

42, avenue des Gobelins

✆ 01 44 08 53 49

Site Internet : www.mobiliernational.culture.gouv.fr – M° Les Gobelins. Ouvert du mardi au dimanche de 12h30 à 18h30. Fermé les 1er janvier, 1er mai, 25 décembre. Plein tarif : 6 €. Tarif réduit : 4 €. Visite avec conférencier les mercredi, vendredi et samedi à 15h30 et 17h. Plein tarif : 10 €. Tarif réduit : 7,50 €. Sur réservation ✆ 01 40 13 46 46. E-mail : reservation.publics@rmn.fr.

La manufacture des Gobelins conserve des traditions ancestrales des métiers des hautes lisses comme l'art de tisser principalement, mais autrefois de teindre, graver, forger. C'est Colbert en 1662 qui décida de réunir divers ateliers d'artistes dans un même et seul lieu au service du roi pour l'ameublement de ses résidences. Rattaché depuis 1937 à l'administration du mobilier national, la Manufacture tisse encore des tapisseries, pour lesquelles elle fait appel à divers artistes. 5 000 tapisseries furent confectionnées d'après les cartons des plus grands jusqu'à aujourd'hui : Poussin, Boucher, Mignard, Audran ou encore Picasso. Vous pourrez regarder les artisans en train de tisser selon les techniques de l'époque. A noter que vous pourrez aussi visiter les ateliers de basse-lisse de la Manufacture de Beauvais ainsi que ceux de la Manufacture de tapis de la Savonnerie.

14e arrondissement

MUSEE DE LA POSTE

34, boulevard de Vaugirard (14e)

✆ 01 42 79 24 24

Site Internet : www.museedelaposte.fr M° Montparnasse Bienvenüe, Pasteur, Falguière. Ouvert du lundi au samedi de 10h à 18h, sauf les jours fériés. Plein tarif : 5 €. Tarif réduit : 3,50 €. Point de vente Philatélie dans le hall. Boutique ouverte du lundi au vendredi de 10h à 18h, le samedi de 10h à 12h30 puis de 13h30 à 18h.

Tout près de la gare Montparnasse, ce musée dresse un panorama historique de la poste, des origines à nos jours. De manière chronologique, vous découvrirez cette collection variée agréablement mise en valeur et appuyée de nouvelles thématiques. Pour les philatélistes, attardez-vous sur les deux salles consacrées au timbre, vous tomberez sur des petites merveilles. Les enfants s'amuseront, quant à eux, à découvrir les modèles réduits de trains, malle-poste, bateaux, ainsi que des uniformes, des boîtes aux lettres et autres jeux interactifs. Notez que ce musée renferme un centre de documentation, qu'il propose des animations et des expositions temporaires thématiques.

SE DÉTENDRE

FONDATION CARTIER POUR L'ART CONTEMPORAIN
261, boulevard Raspail
✆ 01 42 18 56 50

Site Internet : www.fondation.cartier.fr. M° lignes 4, 6 Raspail ou lignes 4, 6 Denfert-Rochereau. RER B : Denfert-Rochereau. Ouvert du mardi au dimanche de 11h à 20h, jusqu'à 22h le mardi (billetterie fermée une heure avant la fermeture du site). Plein tarif : 6,50 €. Tarif réduit 4,50 € (étudiants, moins de 25 ans, carte senior, demandeurs d'emploi). Gratuit pour les moins de 10 ans.

Créée en 1984, la Fondation Cartier a pour vocation de favoriser le développement de l'art contemporain et d'en diffuser la connaissance. Dans un bâtiment fait de verre et de métal par l'architecte Jean Nouvel, la Fondation est devenue un lieu incontournable d'échanges et de dialogues avec des artistes français et internationaux. Dans cet espace ouvert, l'art contemporain s'exprime sous toutes ses formes : photographies, vidéos, peintures, sculptures... La collection ne cesse de s'enrichir et les expositions mettent en avant cette volonté de s'ouvrir au travail d'artistes venus de divers horizons grâce à une programmation originale et éclectique. La Fondation organise en outre des «soirées nomades» ainsi que des événements liés aux arts de la scène en rapport avec les expositions du moment.

CATACOMBES DE PARIS
1, avenue du Colonel Henri Rol-Tanguy
✆ 01 43 22 47 63

Site Internet : www.carnavalet.paris.fr. M° Denfert-Rochereau. RER B : Denfert-Rochereau. Ouvert du mardi au dimanche de 10h à 17h (fermeture des caisses à 16h). Fermé les jours fériés. Plein tarif : 7 €. Tarif réduit : 5,50 € (plus de 60 ans, famille nombreuse, enseignants, demandeurs d'emploi, bénéficiaires du RMI, titulaires des cartes Améthyste, Emeraude). Tarif jeune (14-26 ans) : 3,50 €. Gratuit pour les moins de 14 ans. Visites conférence : se renseigner.

Dès l'époque romaine, le sous-sol parisien fut exploité pour fournir plâtre et pierre pour la construction des édifices. Ainsi, à la fin du XVIIIe siècle, la capitale comptait environ 160 kilomètres de galeries souterraines. A cette époque, il fallait aussi régler le problème d'insalubrité croissante des cimetières parisiens, devenus trop petits comme celui des Innocents. En 1785, l'Etat ordonna le transfert des ossements dans les carrières de la Tombe-Issoire. La plupart des cimetières de la ville furent également vidés. La visite des lieux se déroule 20 mètres sous terre dans une véritable mise en scène de la mort avec des textes et inscriptions. Les catacombes occupent 65 kilomètres de galeries, dans un espace de 11 hectares délimité par les rues Rémy-Dumoncel, Hallé, d'Alembert et René-Coty. Un spectacle légèrement macabre à déconseiller aux natures sensibles !

15e arrondissement

MUSEE BOURDELLE
18, rue Antoine-Bourdelle
✆ 01 49 54 73 73

Site Internet : www.bourdelle.paris.fr. M° lignes 4, 6, 12, 13 Montparnasse Bienvenüe ou ligne 12 Falguière. Gare SNCF : Montparnasse. Ouvert du mardi au dimanche de 10h à 18h. Fermé les jours fériés. Collections permanentes : entrée gratuite. Expositions temporaires payantes.

Installé dans les ateliers et les jardins où Antoine Bourdelle a vécu et travaillé, ce musée met en scène l'univers créatif du sculpteur. Elève de Rodin, maître à penser de Giacometti, Bourdelle conserva toute sa vie les valeurs essentielles d'une vie simple et rustique. Ce musée vous offre un bel aperçu de son œuvre, qui a marqué son époque. Sculptures en plâtre, marbre et bronze ainsi que des dessins, aquarelles, et pastels sont merveilleusement mis en scène dans cette maison familiale jusque dans les jardins qui sont peuplés de figures allégoriques. La visite est vivante grâce à une muséographie dynamique qui rend cet art incontestablement touchant. N'hésitez pas à vous renseigner sur le panel d'activités pour enfants qu'organise le musée.

MUSEE DU MONTPARNASSE
21, avenue du Maine
✆ 01 42 22 91 96

Site Internet : www.museedumontparnasse.net – E-mail : v.robiani@museedumontparnasse.net. M° lignes 4, 6, 12, 13 Montparnasse Bienvenüe ou ligne 12 Falguière. Gare SNCF : Montparnasse. Ouvert du mardi au dimanche de 12h30 à 19h. Plein tarif : 5 €. Tarif réduit : 4 € (étudiants, plus de 60 ans, demandeurs d'emploi, invalides). Gratuit pour les moins de 12 ans.

Situé dans l'atelier de Marie Vassilieff (1885-1957), le musée du Montparnasse retrace l'histoire du quartier à travers ses artistes : Picasso, Modigliani, Chagall... Ils furent nombreux à arpenter les rues et les cafés de ce quartier mythique. Dans un joli passage vous trouverez des ateliers d'artistes et le musée enfouis sous une verdoyante vigne vierge. D'une grande diversité, les collections et les expositions temporaires (peintures, sculptures, photographies) vous font remonter le temps jusqu'aux années 1920 et tissent des liens avec la création contemporaine. Depuis 2003, le musée abrite des œuvres de Krajcberg (sculptures, tableaux, photos), dons de l'artiste à la Ville de Paris.

MUSEE PASTEUR
25, rue du Docteur-Roux
✆ 01 45 68 82 83

Site Internet : www.pasteur.fr – E-mail : musee@pasteur.fr. M° lignes 6, 12 Pasteur. Ouvert du lundi au vendredi de 14h à 17h30. Fermé les jours fériés et au mois d'août. Plein tarif : 7€. Tarif étudiant : 3€. Boutique.

Situé dans l'institut Pasteur, ce musée ouvert en 1936 conserve le souvenir du célèbre physicien et chimiste. C'est avec émotion que vous visiterez la reconstitution de l'appartement dans lequel Louis Pasteur (1822-1895) passa les sept dernières années de sa vie. Ses grandes découvertes et les épisodes marquants de son incroyable carrière sont rappelés dans la salle des souvenirs scientifiques, à travers de nombreux instruments (microscopes, autoclaves…). C'est avec ces derniers qu'il mena des travaux sur la cristallographie, les virus-vaccins et la prophylaxie de la rage. Son corps repose dans la chapelle funéraire qui est ornée de mosaïques polychromes évoquant toutes ses découvertes.

16e arrondissement

EXPLORADOME
Jardin d'Acclimatation – Bois de Boulogne
✆ 01 53 64 90 40

Site Internet : www.exploradome.com – E-mail : reservation@exploradome.com. M° ligne 1 Les Sablons ou ligne 1 Pont de Neuilly. Ouvert tous les jours de 10h à 18h. Plein tarif : 5€. Tarif réduit : 3,50€ (familles nombreuses, enseignants, étudiants, demandeurs d'emploi, handicapés, seniors). Tarif famille : 18€ (2 adultes et 2 enfants). Entrée du Jardin : de 1,15€à 2,70€. Ateliers scientifiques et multimédia : tous les jours à 10h30, 14h30 et 16h30, sur réservation. Organisation d'anniversaire pour les enfants : se renseigner.

Situé en plein cœur du bois de Boulogne, l'Exploradôme accueille les petits amateurs de sciences et de nouvelles technologies. Dans cet espace interactif de découverte, les enfants peuvent expérimenter, par la manipulation et le jeu, des phénomènes scientifiques, découvrir les outils informatiques ou encore réaliser un document multimédia. Les cinq sens, les secrets de l'illusion, les principes physiques ou de l'architecture n'auront plus de mystères pour ces petites têtes bien faites. Etonnants et amusants, des ateliers et des stages pédagogiques sont adaptés aux enfants de 4 à 14 ans, qui peuvent également profiter des expositions temporaires. L'Exploradôme n'oublie pas les adultes, l'espace fonctionne également comme un organisme agrée pour les formations professionnelles multimédias.

CITE DE L'ARCHITECTURE ET DU PATRIMOINE
Palais de Chaillot – 1, place du Trocadéro – Pavillon d'About 7, avenue Albert-de-Mun
✆ 01 58 51 52 00

Site Internet : www.citechaillot.fr. M° lignes 6, 9 Trocadéro. Ouvert du mercredi au lundi de 11h à 19h, le jeudi jusqu'à 21h. Fermeture des caisses 30 minutes avant la fermeture de la Cité. Fermé les 1er janvier, 1er mai, 15 août et 25 décembre. Plein tarif : 8€. Tarif réduit : 5€. Gratuit pour les moins de 18 ans. Gratuit pour tous le premier dimanche de chaque mois. Expositions temporaires : tarifs variables. Gratuit pour les moins de 12 ans.

Installée depuis 2007 dans le Palais de Chaillot, la Cité de l'Architecture et du Patrimoine est le plus grand centre d'architecture au monde. L'idée est de transmettre à un très large public l'histoire et l'actualité du moment en architecture, urbanisme et paysagisme. La cité regroupe une galerie moderne, des éléments du musée des Monuments Français, un pôle de diffusion contemporaine, l'Institut français d'architecture et enfin le Centre de formation et de hautes études de Chaillot. Trois espaces sont consacrés aux expositions permanentes : la galerie des moulages, celle des vitraux et des peintures et enfin la galerie moderne et contemporaine qui présente les grands changements depuis le milieu du XIXe siècle dans la façon de penser la ville. Une cité accessible au plus grand nombre pour un parcours pédagogique et sensible sur l'art de la ville.

MUSEE NATIONAL
DES ARTS ASIATIQUES GUIMET
6, place d'Iéna ✆ 01 56 52 53 00

Site Internet : www.museeguimet.fr. M° ligne 9 Iéna. Ouvert du mercredi au lundi de 10h à 18h (fermeture de la caisse à 17h15). Fermé le 1er mai, le 25 décembre et le 1er janvier. Plein tarif : 6,50€. Tarif réduit : 4,50€. Exposition temporaire : 7€ (plein tarif), 6€ (tarif réduit). Billet combiné, musée et expo : 8,50€ (plein tarif), 6€ (tarif réduit). Gratuit pour les moins de 18 ans. Gratuit pour tous le premier dimanche de chaque mois. Livret jeux gratuit pour les enfants. Accessible aux personnes handicapées.

Venez découvrir dans un cadre magnifiquement rénové les diverses civilisations asiatiques au musée Guimet. Fondé en 1889 par Emile Guimet, industriel, la collection réunit aujourd'hui plus de 45 000 objets faisant ainsi de ce lieu un des plus riches panoramas des arts d'Asie en Occident. Les nombreux voyages en Extrême-Orient d'Emile Guimet permirent de constituer une partie des collections originelles. Cet enthousiasme pour l'art dit «exotique», répondait à la fin du XIXe siècle à l'intérêt général des passionnés d'art et allait de paire avec la conquête coloniale. D'ailleurs, en 1882, le Louvre ouvrit une section asiatique. Jusqu'en 1938, les collections prennent de l'ampleur se recadrant principalement sur les arts asiatiques à la suite d'expéditions en Chine et en Asie Centrale. De plus, à la même époque, le musée reçoit les œuvres indochinoises du musée du Trocadéro. Un conseil : surveillez les programmes des spectacles et les cycles de films proposés par l'auditorium du musée, ils sont d'une grande qualité (accès indépendant).

FONDATION PIERRE BERGE - YVES SAINT LAURENT
5, avenue Marceau ✆ 01 44 31 64 00

Site Internet : www.fondation-pb-ysl.net. M° ligne 9 Alma Marceau. Ouvert du lundi au vendredi de 9h30 à 13h et de 14h30 à 18h. Fermé les jours fériés. Expositions temporaires au 3, rue Léonce Reynaud. Ouvert du mardi au dimanche de 11h à 18h (dernière entrée à 17h30). Plein tarif : 5 €. Tarif réduit : 3 € (étudiants, carte senior). Gratuit pour les moins de 10 ans, les demandeurs d'emploi.

La Fondation Pierre Bergé – Yves Saint Laurent est l'aboutissement de 40 ans de création. En 1962 s'ouvrait 30 bis, rue Spontini, la maison de couture Yves Saint Laurent. Il est inutile de rappeler le succès sans interruption que connut ce dernier et son influence sur la mode du monde entier. En se servant des codes masculins il apporta aux femmes la sécurité, l'audace, tout en préservant leur féminité. Ces vêtements font partie de l'histoire du XXe siècle (tailleur pantalon, smoking, caban, saharienne, trench coat). En 2002, soit six ans avant sa disparition, Yves Saint Laurent décida de mettre fin à ses activités. La fondation a pour but de perpétuer son œuvre en exposant ses créations et ses croquis. Expositions temporaires toute l'année.

MUSEE DAPPER
35 bis, rue Paul-Valéry
✆ 01 45 00 91 75

Site Internet : www.dapper.com.fr. M° ligne 2 Victor Hugo. Ouvert tous les jours sauf le mardi de 11h à 19h. Fermé le 1er janvier et le 25 décembre. Plein tarif : 6 €. Tarif réduit : 3 € (seniors, demandeurs d'emploi, enseignants, familles nombreuses). Gratuit pour les moins de 18 ans, les étudiants et pour tous le dernier mercredi de chaque mois.

Les cultures issues de l'Afrique sub-saharienne : tel est le thème qui traverse les activités et les expositions du musée Dapper depuis son ouverture en 1986. Ce lieu situé dans un hôtel particulier de 500 m² (1910, architecte Charles Plumet) porte le nom de Olfert Dapper, un humaniste et géographe hollandais du XVIIe siècle. Le musée accueille plusieurs remarquables expositions d'art par an et propose des conférences, concerts, spectacles vivants, etc.

MUSEE D'ART MODERNE DE LA VILLE DE PARIS
11, avenue du Président-Wilson
✆ 01 53 67 40 00

Site Internet : www.mamparis.fr. M° ligne 9 Alma Marceau ou ligne 9 Iéna. Ouvert du mardi au dimanche de 10h à 18h, jusqu'à 22h le jeudi pour les expositions temporaires. Entrée gratuite pour les collections permanentes. Expositions temporaires payantes : tarifs variables. Librairie ✆ 01 53 67 40 45. E-mail : libmamvp@club-internet.fr. Animations : se renseigner.

Installé en 1961 dans un bâtiment construit à l'occasion de l'Exposition Internationale de 1937, le musée d'Art Moderne de la Ville de Paris conserve une des plus importantes collections françaises. Riche de plus de 8 000 pièces, le musée illustre les principales tendances de l'art français et européen du XXe siècle : fauvisme, cubisme, dadaïsme, surréalisme et autres mouvements marquants. On peut y voir notamment l'immense œuvre de Dufy composée de 250 tableaux : «La fée électricité». Au premier étage, un espace appelé «l'ARC» propose une section d'art contemporain offrant une information très pointue sur l'actualité nationale et internationale. Le musée présente également des expositions monographiques et thématiques, ainsi que des ateliers pour enfants en fonction des expositions.

MUSEE DE LA MARINE
Palais de Chaillot
17, place du Trocadéro
✆ 01 53 65 69 69

Site Internet : www.musee-marine.fr. M° lignes 6, 9 Trocadéro. Ouvert tous les jours sauf le mardi de 10h à 18h. Fermé le 1er janvier, le 1er mai, le 25 décembre. Plein tarif : 6,50 €. Tarif réduit : 4,50 € (étudiants de moins de 26 ans, familles nombreuses, enseignants). Gratuit pour les moins de 18 ans, visiteurs handicapés et un accompagnateur, demandeurs d'emploi, bénéficiaires du RMI. Billet couplé musée et grande expo. Plein tarif : 9 €. Tarif réduit : 7 € (étudiants de moins de 26 ans, familles nombreuses, enseignants). Tarif 7-18 ans : 5 €. Tarif 3-6 ans : 3 €. Gratuit pour les moins de 3 ans, les visiteurs handicapés et un accompagnateur, les demandeurs d'emploi, les bénéficiaires du RMI.

Humer l'air du large et larguer vos amarres ! Le fabuleux musée de la Marine, issu d'une collection offerte au roi Louis XV, vous entraîne dans un voyage initiatique à travers l'histoire. Embarquez sur les frégates, galères ou autres cuirassés, rassemblés au palais de Chaillot. Ici chaque histoire racontée aux visiteurs est une aventure extraordinaire : les fameux trois-mâts, la marine à vapeur, la révolution de l'hélice ou encore celle plus récente des célèbres paquebots. Des expositions temporaires remarquables et originales participent à la réputation de ce mythique lieu. Par son ancienneté et la diversité de ses collections, le musée de la Marine de Paris est l'un des plus importants musées maritimes au monde.

MUSEE DE L'HOMME
Palais de Chaillot – 17, place du Trocadéro
✆ 01 44 05 72 72 (serveur vocal)

Site Internet : www.mnhn.fr. M° lignes 6, 9 Trocadéro. Ouvert du mercredi au lundi de 10h à 17h, jusqu'à 18h le week-end. Fermé les jours fériés. Plein tarif : 7 €. Tarif réduit : 5 € (familles nombreuses, 4-13 ans).

L'histoire de l'humanité, des premiers hominidés

à l'homme moderne. Voilà la grande aventure que vous vivrez en arpentant les galeries de ce musée d'anthropologie, de préhistoire et d'ethnologie, situé dans une des ailes du palais de Chaillot. Des expositions portant des titres comme « La Nuit des Temps », « Six milliards d'hommes » ou « Tous parents, tous différents » y sont régulièrement organisées. Elles évoquent la diversité de l'homme sur les plans géographique, culturelle, artistique ou encore technologique.

TENNISEUM – MUSEE DE ROLAND-GARROS
Stade Roland-Garros –
2, avenue Gordon-Benett
✆ 01 47 43 48 48

Site Internet : www.fft.fr – E-mail : tenniseumvisites@fft.fr. M° ligne 10 Porte d'Auteuil. Ouvert mercredi, vendredi, samedi et dimanche de 10h à 18h, hors vacances scolaires de la zone C ; du mardi au dimanche de 10h à 18h pendant les vacances de la zone C. Plein tarif : 7,50 €. Tarif moins de 18 ans : 4 €. Tarif famille : 15 €. Tarif étudiant : 6 €.

Construit sous le court n° 1 depuis 2003, ce musée du tennis retrace l'évolution de ce sport au travers les décennies. Il abrite sur 2 200 m² deux espaces, l'un consacré aux collections permanentes, l'autre à des expositions thématiques. Vous pourrez continuer votre découverte du site en visitant les coulisses du stade ou en vous dirigeant vers la médiathèque ou l'atelier pédagogique. En sortant, allez faire un tour du côté des courts et des allées du stade. On rencontre de temps en temps des têtes connues qui partent à l'entraînement !

MUSEE MARMOTTAN-MONET
2, rue Louis-Boilly
✆ 01 44 96 50 33

Site Internet : www.marmottan.com – E-mail : marmottan@marmottan.com. M° ligne 9 La Muette. RER C : Boulainvilliers. Ouvert du mardi au dimanche de 11h à 18h (fermeture des caisses à 17h30), le mardi jusqu'à 21h (fermeture des caisses à 20h30). Fermé les 1er janvier, 1er mai et 25 décembre. Plein tarif : 9 €. Tarif réduit : 5 € ((étudiants moins de 25 ans). Gratuit pour les moins de 8 ans. Audioguide : 3 €. Concert de 19h30 à 20h30 chaque troisième mardi du mois : sans supplément.

Le musée Marmottan-Monet a installé ses toiles dans un bel hôtel particulier du XIXe siècle, ancien pavillon de chasse de style Empire. C'est au fil du temps que cette demeure de Jules et Paul Marmottan, collectionneurs passionnés, est devenue un haut lieu de l'impressionnisme. Aujourd'hui, le musée conserve la plus importante collection au monde de Monet, grâce à la générosité de madame Donop de Monchy, fille du docteur Georges de Bellio grand ami de Claude Monet, et de Michel Monet, fils cadet du peintre. On peut aussi découvrir des œuvres moins connues du public et une partie de la collection personnelle de Claude Monet qui comprend des œuvres de Caillebotte, Pissarro, Berthe Morisot, Jongkind, Boudin.

PALAIS DE TOKYO
13, avenue du Président-Wilson
✆ 01 47 23 54 01

Site Internet : www.palaisdetokyo.com – E-mail : resa@palaisdetokyo.com. M° ligne 9 Iéna ou ligne 9 Alma Marceau Ouvert du mardi au dimanche de midi à minuit. Plein tarif : 6 €. Tarif réduit : 4,50 € (plus de 60 ans, moins de 26 ans, famille nombreuse, enseignants). Tarif pour les artistes, étudiants et enseignants en art : 1 euro. Gratuit pour les moins de 18 ans, les demandeurs d'emploi et les personnes handicapées.

Construit en 1937 pour l'Exposition universelle, le Palais de Tokyo est devenu en 2002 le site de création contemporaine à Paris. En quelques années, il s'est imposé sur le devant de la scène artistique mondiale comme une plate-forme expérimentale de l'art conceptuel. Le palais est né en 1999 de la volonté de créer un espace ouvert au public, et consacré aux artistes contemporains. C'est à l'initiative de Catherine Trautmann, à l'époque ministre de la Culture et de la Communication, que l'aile ouest du bâtiment s'est transformée en un lieu interdisciplinaire de création émergente en tout genre, grâce au projet de Nicolas Bourriaud et Jérôme Sans. Peinture, sculpture, arts plastiques, design, mode, vidéo, cinéma, littérature, danse… le site se veut un lieu vivant, fédérateur de cultures et d'expériences de tous horizons, sans élitisme.

L'espace de création

Musée et laboratoire de création, le Palais de Tokyo est segmenté en plusieurs parties sur 8 000 m². Tout d'abord, le pavillon est un espace de travail dédié aux artistes, une sorte de laboratoire de la création actuelle. L'espace d'exposition est un grand plateau, malléable, qui s'adapte à toutes les œuvres. Il a été construit sur le modèle de la place centrale de Marrakech, qui se veut comme elle en constante évolution. Vous apprécierez l'aspect «brut de décoffrage», le côté industriel de l'intérieur du bâtiment qui permet une approche moins formelle que dans les musées classiques. De plus, les salles d'exposition offrent un éclairage zénithal et la décoration se trouve uniquement dans la cour en contrebas avec des bronzes de Bourdelle. Ainsi, avec 80 000 visiteurs par an, ce site est véritablement convivial, imaginatif et sans cesse en mouvement créant des rencontres inattendues. Sachez qu'une dizaine de médiateurs sont disponibles pour vous donner des conseils ou des explications sur les œuvres exposées. Si vous avez le temps, faites un tour du côté des jardins. L'un, «le jardin sauvage» a été conçu par des architectes paysagistes et l'autre est un ensemble de jolies parcelles entretenues par des jardiniers amateurs. Découvrez aussi la bibliothèque, la boutique du Palais, et son restaurant très tendance.

18e arrondissement

ESPACE DALI MONTMARTRE
11, rue Poulbot
✆ 01 42 64 40 10

Site Internet : www.daliparis.com – M° ligne 12 Abbesses ou ligne 2 Anvers. Ouvert tous les jours de 10h à 18h30 (fermeture des caisses à 18h). Plein tarif : 10 €. Tarif étudiant et 8-26 ans : 6 €. Tarif plus de 60 ans : 7 €. Gratuit pour les moins de 8 ans.

Si vous êtes passionné par l'univers surréaliste du peintre Salvador Dalí, venez découvrir cet espace sur les hauteurs de la butte Montmartre. Totalement insolite car creusé dans la butte même, le musée présente une collection unique de gravures originales, lithographies, sculptures et aquarelles, toutes représentatives du génie créatif de ce peintre espagnol. Dans une ambiance tamisée, vous déambulerez au son de sa voix dans son monde et aurez l'occasion d'analyser un peu plus de 300 œuvres. Attardez-vous sur la sculpture «Alice aux pays des merveilles», ou encore ces légendaires montres molles qui plaisent beaucoup aux enfants comme celles du «Profil du temps». D'ailleurs, des ateliers et visites interactives sont organisés pour les enfants le mercredi et le dimanche.

MUSEE DE L'EROTISME
72, boulevard de Clichy ✆ 01 42 58 28 73

Site Internet : www.musee-erotisme.com – E-mail : info@musee-erotisme.com. Métro : ligne 2 Blanche. Ouvert tous les jours de 10h à 0h ou plus tard, selon l'affluence. Plein tarif : 8 €. Tarif étudiants et seniors : 5 €.

Si vous passez par Pigalle, près du Moulin Rouge, faites un saut au musée de l'Erotisme. Prenez le temps de grimper ses sept étages pour plonger dans l'histoire de l'érotisme à travers le monde : elle ne vous laissera pas indifférent. Ici, pas de parcours chronologique, mais plutôt un bric-à-brac de statues, d'objets d'art, machines, peintures en tout genre qui vous mèneront d'Amérique latine en Chine en passant par l'Afrique ou encore l'Océanie et l'Inde. En tout, ce sont plus de 2 000 pièces qui sont exposées.

MUSEE DE MONTMARTRE
12, rue Cortot ✆ 01 49 25 89 37

Site Internet : www.museedemontmartre.fr – E-mail : infos@museedemontmartre.fr. M° ligne 12 Lamarck Caulaincourt ou ligne 2 Anvers ou ligne 2 Blanche ou ligne 12 Abbesses. Ouvert tous les jours sauf le lundi de 11h à 18h. Fermé les 1er janvier, 1er mai et 25 décembre. Plein tarif : 7 €. Tarif réduit : 5,50 € (collégiens, lycéens, étudiants, demandeurs d'emploi, seniors et jeunes de moins de 26 ans). Gratuit pour les moins de 10 ans. Audioguide à disposition. Librairie.

Logé dans la plus ancienne maison du village, tout en haut de la butte, le musée de Montmartre retrace l'esprit bohème du quartier au XIXe siècle et de ses artistes. Auguste Renoir y peignit «La Balançoire» et le fameux «Moulin de la Galette», Suzanne Valadon

La Cité des Sciences et de l'Industrie

et son fils Maurice Utrillo y résidèrent mais aussi Raoul Dufy, Poulbot... Nombreux furent ces artistes à vivre dans ce manoir du XVIIe siècle. Les collections de la société historique du vieux Montmartre ont ainsi trouvé un asile digne d'elles. C'est l'occasion aussi de retrouver des décors authentiques comme le bureau du musicien Gustave Charpentier, des affiches et objets évoquant la vie de la butte il y a plus de cent ans déjà. Le musée abrite de superbes collections temporaires ainsi qu'un centre culturel où l'on organise des concerts et des conférences. Vous serez sans nul doute charmé par ce musée dont les fenêtres offrent une vue fantastique sur les jardins et la vigne !

19e arrondissement

CITE DES SCIENCES ET DE L'INDUSTRIE
Parc de La Villette – 30, avenue Corentin-Cariou ✆ 01 40 05 70 00. Serveur vocal ✆ 01 40 05 80 00

Site Internet : www.cite-sciences.fr – E-mail : citeservice@cite-sciences.fr. M° ligne 7 Porte de La Villette. Ouvert du mardi au samedi de 10h à 18h et le dimanche de 10h à 19h. Sont en accès libre pour tous les espaces suivants : Aquarium, Carrefour numérique, Cité de la santé, Cité des métiers, Bibliothèque des sciences et de l'industrie, Bibliothèque espace Jeunesse (extérieur côté sud de la Cité des sciences). Tarifs réduits pour les moins de 25 ans et familles nombreuses.

Si vous ne comprenez pas grand-chose aux sciences, faites un tour à la cité des Sciences et de l'Industrie, laquelle vous permettra d'élucider beaucoup de mystères tout en vous amusant. Construite dans le parc de La Villette, elle présente un panorama complet des sciences, techniques et industries sur un site immense. Il est plutôt recommander de le visiter en plusieurs fois si vous souhaitez voir tous les espaces. Le parcours vous offre la possibilité de découvrir les îlots thématiques d'Explora, d'avoir accès à l'Aquarium, à l'Argonaute (sous-marin), au Cinaxe (cabine mobile de simulation), à la Cité des Enfants , à la Géode (projection de films sur un écran géant hémisphérique), au Planétarium...

MUSEE DE LA MUSIQUE
Cité de la musique – 221, avenue Jean-Jaurès – Parc de La Villette
✆ 01 44 84 44 84

Site Internet : www.cite-musique.fr. M° ligne 5 Porte de Pantin. Ouvert du mardi au samedi de 12h à 18h et le dimanche de 10h à 18h (la vente des billets se termine 45 minutes avant la fermeture des portes). Plein tarif : 8 €. Tarif réduit : 6,40 €. Gratuit pour les moins de 18 ans, les personnes handicapées. Exposition temporaire : 4 €.

Pour retracer l'histoire de la musique de l'Italie baroque à nos jours, le musée de la Musique présente une superbe collection d'instruments. Ouvert en 1997, le musée relate ainsi quatre siècles d'histoire de la musique occidentale et donne une vision globale sur les principales cultures musicales à travers le monde. La collection dévoile de superbes clavecins, clavicordes, cistres, archiluths qui vous épateront tout comme une vertigineuse octobasse de trois ou quatre mètres de haut. La visite est ainsi surprenante car l'on se promène de vitrine en vitrine sur un air musical ou un commentaire ce qui permet de capter l'attention des enfants. Même les non mélomanes apprécieront cette visite sonore, interactive et originale.

20e arrondissement

MAISON DE L'AIR
27, rue Piat ✆ 01 43 28 47 63

M° ligne 11 Pyrénées ou ligne 2 Couronnes. D'avril à septembre : ouvert du mardi au vendredi de 13h30 à 17h30 et les week-ends de 13h30 à 18h30. En mars et octobre : ouvert du mardi au dimanche de 13h30 à 17h30. De novembre à février : ouvert du mardi au dimanche de 13h30 à 17h. Fermé les jours fériés.

La maison de l'Air répond à toutes les questions que l'on peut se poser sur l'atmosphère, la météo, notre respiration ou encore les moyens de mesurer la pollution. Avec une exposition permanente récemment enrichie, elle nous propose une vision globale sur le sujet et nous donne des clés pour participer activement à sa préservation. Tout au long de la visite, vous serez tellement sollicité que vous prendrez vite conscience de l'importance vitale de cet élément. C'est un parcours sympathique pour devenir un éco-citoyen responsable ! Sachez que les enfants peuvent participer à des activités pédagogiques et faire ainsi des expériences et des manipulations amusantes.

LA MUSIQUE

Disquaires généralistes

O'CD
24, rue Pierre-Lescot (1er)
✆ 01 42 33 50 72

Site Internet : www.ocd.net – M° Etienne-Marcel. Ouvert le lundi de 13h à 20h, du mardi au samedi de 11h à 20h, le dimanche de 15h à 19h.

Ce vaste magasin aux murs jaunes est, comme les autres enseignes O'Cd, spécialisé dans la vente de cd et dvd d'occasion. Il y en a vraiment pour tous les goûts : disques de chanson française, rock, reggae, musiques du monde, jazz, électro, films français, américains, asiatiques, mangas, pour enfants... **Autres adresses :** 12, rue Saint-Antoine (4e) ✆ 01 42 72 18 59 • 26, rue des Ecoles (5e) ✆ 01 43 25 62 93 • 46, rue du Commerce (15e) ✆ 01 45 75 01 45.

GIBERT JOSEPH
26, boulevard Saint-Michel (6e)
✆ 01 44 41 88 88
Site Internet: www.gibertjoseph.com
M° Odéon ou Cluny-La Sorbonne. RER Luxembourg. Ouvert du lundi au samedi de 10h à 20h.
Dans ce magasin installé sur deux niveaux dans un ancien cinéma, vous êtes comme dans une Fnac ou un Mégastore où vous pouvez trouver des cd et des dvd, à ceci près que les exemplaires neufs sont mélangés à des occasions dans les bacs et les rayons. Les prix des occases sont souvent très avantageux. Le choix étant important, il n'est pas rare de dénicher ici des albums ou des films rares. Une adresse incontournable pour les passionnés de musique et de cinéma.

JUSSIEU MUSIC
19, rue Linné (5e) ✆ 01 43 31 14 18
Site Internet: www.jussieumusic.com M° Jussieu. Ouvert du lundi au samedi de 11h à 19h30.
Spécialiste du cd et du dvd musical d'occasion, Jussieu Music est un ensemble de trois boutiques thématiques. Au 19, rue Linné, toutes les formes de rock et de chanson française sont proposées sur deux niveaux. En face, au 16, c'est le domaine du classique, tandis que les disques de jazz sont en vente dans la rue située en face du 19. Le choix est copieux et les conseils des vendeurs sont judicieux. Etudiant dans la fac voisine ou pas, tous les mélomanes sont les bienvenus dans ces magasins. **Autres adresses:** JUSSIEU CLASSIQUE 16, rue Linné (5e) ✆ 01 47 07 60 45. JUSSIEU JAZZ 5, rue Guy de la Brosse (5e) ✆ 01 43 36 32 54.

FNAC CHAMPS-ELYSEES
74, avenue des Champs-Elysées (8e)
✆ 0 825 020 020 (0,15 €/min)
Site Internet: www.fnac.com – M° George-V ou Franklin-D.-Roosevelt. Ouvert du lundi au samedi de 10h à 0h, le dimanche de 12h à 0h.
La Fnac des Champs-Elysées est, de même que celle de la Bastille, principalement consacrée à la vente de cd et de dvd; avec également des rayons dédiés aux lecteurs mp3, aux jeux de console et une billetterie spectacle. Le choix est aussi varié dans ces «petits» magasins que dans les grandes Fnac. Singularité du site des Champs-Elysées: il dispose d'un coin pour boire un verre.

VIRGIN MEGASTORE
52-60, avenue des Champs-Elysées (8e)
✆ 01 49 53 50 00
Site Internet: www.virginmegastore.fr
M° F.-D.-Roosevelt. Ouvert du lundi au samedi de 10h à 0h, le dimanche de 12h à 0h.
C'est le navire amiral de la grande enseigne concurrente de la Fnac. Des rayons de cd et de dvd à perte de vue, des espaces livres et matériels électroniques… L'offre est aussi étendue que la superficie de ce magasin établi dans une ancienne banque.

Disquaires spécialisés

URBAN MUSIC
22, rue Pierre-Lescot (1er) ✆ 01 40 13 99 28
Site: www.urbanmusic.fr – M° Etienne-Marcel. Ouvert du lundi au samedi de 10h30 à 19h30.
Hip-hop toute! Pour savoir ce qui se fait de nouveau dans le rap, c'est ici qu'il faut venir, surtout si vous êtes dj et que vous êtes affamé de vinyle. Raps américain et français sont logés à la même enseigne et côtoient des formes voisines telles que ragga, break beat, rythm'n'blues, soul, funk. Pour celles et ceux qui ne manient pas de platines, il y a des rayons cd et dvd.

PAPAGENO
1, rue Marivaux (2e) ✆ 01 42 96 56 54
Site Internet: www.papageno.fr – M° Richelieu-Drouot. Ouvert du mardi au samedi de 13h30 à 19h.
Situé en face de l'Opéra-Comique, ce disquaire est spécialisé dans l'art lyrique. En vinyle, en cd, neufs ou d'occasion, le choix d'opéras et de récitals de vocalistes est impressionnant. Si vous aviez des a priori sur ce genre de musique, on saura ici vous faire découvrir les œuvres des plus grands compositeurs. Une boutique sans fausse note!

PARIS JAZZ CORNER
5-7, rue de Navarre (5e) ✆ 01 43 36 78 92
Site Internet: www.parisjazzcorner.com
M° Place-Monge ou Jussieu. Ouvert du lundi au samedi de 9h à 19h.
Des bacs emplis de vinyles au rez-de-chaussée et une cave pleine de cd. Les collectionneurs sont à la fête dans cette boutique située en face des Arènes de Lutèce, mais les novices peuvent s'y rendre aussi et demander conseil auprès des disquaires, tous des passionnés de jazz.

LA DAME BLANCHE
47, rue de la Montagne-Sainte-Geneviève (5e)
✆ 01 43 54 54 45
Site Internet: www.ladameblanche.fr
M° Maubert-Mutualité. Ouvert du lundi au samedi de 10h30 à 20h, le dimanche de 11h30 à 19h30.
La Dame Blanche vous propose des vinyles et des cd d'occasion en tout genre. Mais sa particularité est de se mettre au service de collectionneurs de disques vinyles, notamment ceux qui recherchent des raretés dans le domaine du classique. Mais oui! Vous croyiez peut-être que vos vieux 33 Tours de solistes ou d'opéra étaient bons pour la poubelle. Eh bien sachez que l'on peut vous en racheter certains ici… après une sélection draconienne, ne rêvez pas trop!

LE CALIF DE BELLEVILLE – GROUND ZERO
23, rue Sainte-Marthe (10e) ✆ 01 40 03 83 08
Site Internet: www.calif.fr – M° Belleville ou Colonel-Fabien. Ouvert du mardi au samedi de 11h30 à 20h.

Dans une petite rue typique du Paris populaire en voie de «boboïsation», cette jolie boutique décorée à l'ancienne est richement achalandée en disques édités par les labels indépendants. Elle réunit deux équipes préexistantes : celle du Calif (première arrivée ici) et celle de Ground Zero (anciennement installée dans le 11e). La première propose des références soul et musiques du monde, la seconde des disques pop, rock et électro. Découvertes garanties !

TECHNO-IMPORT
16, rue des Taillandiers (11e)
✆01 48 05 71 56
Site Internet : www.cyber-production.net
M° Voltaire ou Bastille. Ouvert du mardi au samedi de 12h à 19h30.
Que vous soyez house, techno, hardcore, jungle, acid ou french touch, cette boutique est pour vous. Vitrine d'un distributeur spécialisé dans les disques de musiques électroniques, elle vous permet découvrir sur de nombreux postes d'écoute des vinyles produits en France ou ailleurs. Vous y trouverez aussi des cd.

LE SILENCE DE LA RUE
39, rue Faidherbe (11e) ✆01 40 24 16 16
M° Faidherbe-Chaligny. Ouvert du lundi au samedi de 11h à 19h30.
Si vous cherchez des pressages vinyles ou des cd de groupes plus ou moins obscurs, et cela dans tous les domaines des musiques modernes, vous avez de grandes chances de trouver votre bonheur dans cette boutique qui vend également des t-shirts, badges et fanzines. Bien achalandé en funk, soul et reggae, Le Silence de la Rue propose aussi des quantités d'enregistrements effectués par toutes les chapelles du rock pur et dur. Une adresse à retenir pour les mélomanes électriques !

GROOVE STORE RECORDS SHOP
29, rue des Dames (17e) ✆01 44 90 09 46
Site Internet : www.groove-store.com – M° Place-de-Clichy. Ouvert du mardi au jeudi de 15h30 à 19h30, le vendredi et le samedi de 12h à 19h30.
On réunit sous le terme groove l'ensemble des musiques modernes issues de la grande culture populaire afro-américaine. Aussi, dans cette boutique où cela swingue de façon infernale, vous avez à votre disposition des disques (vinyles de tout format et cd) de soul, hip-hop, funk rytm'n'blues, disco, garage, etc.

DUBWIZE
60, rue Hermel (18e) ✆01 46 06 01 03
Site Internet : www.dubwize-records.com
M° Simplon ou Jules-Joffrin. Ouvert du lundi au samedi de 13h à 19h.
Y a-t-il encore un genre de musique diffusé sous forme de 45 Tours ? Le reggae ! DubWize propose des pressages de Jamaïque et d'ailleurs, ainsi que des maxi et des albums eux aussi fabriqués en vinyle. Les styles roots comme dancehall sont également servis ici où l'on trouve aussi des cd. Par ailleurs, notez que l'équipe qui dirige ce magasin organise des concerts, des sound systems et des voyages sur le thème du reggae.

Instruments de musique

ALIENOR LUTHERIE
4, rue de Madrid (8e) ✆01 45 22 89 81
Site Internet : www.alienorlutherie.com
M° Europe. Ouvert lundi de 10h30 à 18h30, du mardi au samedi de 9h30 à 18h30.
Dans le quartier de l'Europe, derrière la gare Saint-Lazare, se sont implantés la plupart des luthiers parisiens. Vous y trouverez donc bon nombre de boutiques spécialisées dont celle-ci. Aliénor est spécialisée dans la vente d'instruments à cordes : violon, alto, violoncelle, contrebasse, viole de gambe. Elle propose également des accessoires : cordes, étuis, archets, housses, cellules d'amplification, etc.

UNIVERSAL GUITARS
18, rue de Douai (9e) ✆01 45 26 00 27
Site Internet : www.universalguitars.fr
M° Pigalle. Ouvert du mardi au samedi de 10h à 13h et de 14h30 à 19h.
Sur les pentes de la butte Montmartre, en contrebas de la place Pigalle, se sont installées de nombreuses boutiques où vous dénicherez la guitare de vos rêves. Parmi ces magasins, celui-ci a le mérite de proposer un grand choix de «grattes» acoustiques et électriques. Toutes les grandes marques sont ici disponibles : Gibson, Fender, Ibanez, etc. Sont également en vente des amplis, des effets, des micros et autres indispensables accessoires. Des instruments d'occasion ou provenant de déstockage sont régulièrement mis en vente. Tout proche de ce magasin, vous avez une annexe dédiée aux guitares basses. **Autre adresse :** UNIVERSAL BASS 17, rue de Douai (9e) ✆01 53 21 91 19. Ouvert du mardi au samedi de 10h à 13h et de 14h30 à 19h.

LA BAGUETTERIE
36-38, rue Victor-Massé (9e)
✆01 42 81 06 80
Site Internet : www.baguetterie.fr – M° Pigalle. Ouvert du mardi au samedi de 10h à 19h.
Temple de la batterie et des percussions, La Baguetterie a pour principal atout d'offrir un espace sur deux étages qui lui permet d'avoir une petite salle dédiée aux batteries électroniques au rez-de-chaussée, ainsi qu'un large choix de baguettes. La vraie bonne surprise se trouve au sous-sol, avec une foule de percussions provenant des pays chauds qui n'attendent que vos mains ou vos baguettes pour sonner, à côté d'une belle forêt de cymbales. Les vendeurs sont compétents et la possibilité d'essayer le matériel est un réel plaisir dans cet univers où les sensations et le toucher sont primordiaux avant tout achat.

HOME STUDIO
39, rue Victor-Massé (9e) ✆01 42 82 04 63
Site Internet: www.homestudio.fr – M° Pigalle. Ouvert du mardi au samedi de 10h15 à 19h.
Les musiciens soucieux de ne pas laisser s'échapper leur dernière création découvriront dans cette boutique de quoi enregistrer et échantillonner, à travers toute une série de cartes son, d'interfaces midi, logiciels et tables de mixage. Des claviers pour la musique assistée sur ordinateur aux enceintes restituant un son de qualité professionnelle, l'ingénieur du son comme le débutant y trouvera son compte pour créer chez lui un studio personnalisé. Si vous prêtez l'oreille à d'autres sirènes que celles de la musique, toute une gamme d'enregistreurs numériques vous attend également. Voilà qui devrait satisfaire reporters et autres preneurs de sons.

L'OLIFANT
7, rue Michel-Chasles (12e)
✆01 43 46 80 53
Site Internet: www.lolifantparis.com
M° et RER Gare de Lyon. Ouvert du mardi au samedi de 9h30 à 12h30 et de 14h à 18h30.
Vous cherchez un instrument à vent, en bois ou en cuivre: cette adresse vous comblera. Placée sous le signe de l'olifant (corne qu'utilisa Roland pour appeler au secours à Roncevaux!), cette boutique vous propose aussi bien des saxophones, que des trompettes, des flûtes ou des hautbois, ainsi que des accessoires, des méthodes… C'est aussi un atelier où, notamment, l'on vous produit une embouchure sur mesure.

PAUL BEUSCHER
66, avenue de la Motte-Picquet (15e)
✆01 47 34 84 70
Site Internet: www.paul-beuscher.com
M° La Motte-Piquet-Grenelle. Ouvert du mardi au samedi de 10h15 à 19h.
Créée en 1852, Beuscher est une adresse généraliste incontournable pour tous les musiciens: pianos, claviers, guitares, amplis, harmonicas, accordéons, batterie percussions, cuivres, flûtes… On y trouve toujours un large choix de partitions dans de nombreux styles, du jazz manouche à la variété internationale, sur support papier, cd ou dvd. Beuscher s'occupe aussi de la reprise du matériel d'occasion, un service appréciable pour ceux qui sont tentés par un nouvel instrument. **Autre adresse:** 15-27, boulevard Beaumarchais (4e) ✆01 44 54 36 00.

WOODBRASS
11-15, avenue du Nouveau-Conservatoire (19e) ✆01 42 01 24 44
Site Internet: www.woodbrass.com – M° Porte-de-Pantin. Ouvert du mardi au vendredi de 10h à 13h et de 14h à 19h, le samedi de 10h à 13h et de 14h à 18h.
Ce grand magasin s'étend sur 540 m², à deux pas de la Cité de la musique. Ici vous avez un grand choix de guitares électriques et acoustiques, de basses, de synthétiseurs, de pianos, de batteries, de percussions, d'instruments à vent, de cordes frottées (violon, alto, violoncelle, contrebasse), d'accordéons. Certains instruments sont proposés en version enfant. Pas mal non? Mais ce n'est pas tout, car il y a aussi des quantités d'accessoires: pupitres, métronomes, amplis, effets, micros, logiciels, enceintes, boîtes à rythmes… Et puis encore de quoi monter un home studio, ainsi que tout le nécessaire pour les dj's: platines vinyle, tables de mixage, logiciels… Enfin, dans le coin librairie vous avez des méthodes pédagogiques, des partitions…

CENTRE CHOPIN
175, rue des Pyrénées (20e)
✆01 43 58 05 45
Site Internet: www.centre-chopin.com – M° Gambetta. Ouvert du mardi au samedi de 10h à 19h.
Un vaste espace couvert de pianos! Des droits et des «à queue», des noirs et des blancs, des acoustiques et des numériques, des neufs et des occasions… Vous pouvez déambuler dans les travées et faire votre choix en toute tranquillité. Quelques marques proposées: Yamaha, Kawai, Petrof, Seiler, Grotrian. Vous trouverez ici également des pianos silencieux, du mobilier, des accessoires, de même qu'un atelier de réglage et de réparation. Enfin, si besoin est, vous avez la possibilité de louer un piano. Cette adresse mérite vraiment le détour, d'autant plus que les conseils des vendeurs sont pertinents. Le livre d'or du magasin indique combien Bénabar, Juliette ou Laurent Petitgirard ont été ravis du service reçu dans ce grand magasin.

Partitions

LIBRAIRIE MUSICALE DE PARIS
68 bis, rue de Réaumur (3e)
✆01 40 29 18 18
Site Internet: www.paul-beuscher.com
M° Réaumur-Sébastopol. Ouvert du mardi au samedi de 10h15 à 19h.
De AC/DC à ZZ Top en passant par Bach, Miles Davis ou Gainsbourg, vous trouverez ici les partitions de tous vos compositeurs favoris, à partir du moment où leurs œuvres sont disponibles sous forme imprimée dans le commerce. Cette librairie vend également des méthodes pour apprendre la musique ou jouer d'un instrument. Il y a aussi du papier musique, des cahiers scolaires…

OSCAR MUSIC
19, rue de Douai (9e) ✆01 48 74 84 54
M° Pigalle. Ouvert du mardi au samedi de 10h à 19h.
Depuis 1976, Oscar Music met son savoir faire au service des musiciens débutants, avancés ou

confirmés, professeurs et écoles de musique pour les conseiller dans le choix de méthodes, partitions, dvd et accessoires musicaux.

LIBRAIRIE MUSICALE EUROPEENNE
44, rue Amelot (11e)
✆01 42 80 51 91
M° Chemin-Vert. Ouvert du mardi au samedi de 10h à 19h.
Attirant le regard par sa devanture bleue, cette librairie musicale, malgré sa petitesse, regorge de nombreuses partitions. Chacun y trouvera son compte puisque des partitions pour tous les niveaux et pour tous les instruments sont proposées. Vous y trouverez également tous les accessoires nécessaires à l'instrumentiste.

LES BEAUX-ARTS

LA DROGUERIE
9-11, rue du Jour (1er)
✆01 45 08 93 27
Site Internet : www.ladroguerie.com
M° Les Halles. Ouvert lundi de 14h à 18h45, du mardi au samedi de 10h30 à 18h45.
C'est une mercerie de rêve ! On y trouve des laines et des cotons en écheveaux, des rubans des boutons, des perles, des fermoirs, des pompons, des kits de bijoux, des plumes… Et encore plein d'autres choses qui vous permettront de confectionner vous-mêmes vos tenues et vos parures. **Autre adresse :** CORNER RAYON MERCERIE 3e étage du Bon Marché – 24, rue de Sèvres (7e) ✆01 44 39 80 00.

ROUGIER ET PLE
13-15, boulevard des Filles-du-Calvaire (3e)
✆01 44 54 81 00
Site Internet : www.crea.tm.fr M° Filles-du-Calvaire. Ouvert du lundi au samedi de 9h30 à 19h.
Maison fondée en 1854, Rougier et Plé est un établissement spécialisé dans la distribution des outils pour les beaux-arts et les arts graphiques. Depuis 2000, elle s'est unie à Graphigro, autre enseigne bien connue des étudiants en art, de même que des artisans et des artistes, qu'ils soient professionnels ou amateurs. Finalement, depuis 2003, l'entreprise commune a adopté le nom de Créa. Dans ce beau magasin, comme dans les autres adresses, vous trouverez des couleurs, des outils, des supports, des matières, des produits de drogueries, ainsi que des ouvrages pratiques. Notez que les boutiques du groupe Créa vous restituent la différence si vous trouvez l'un de leurs produits moins chers dans les 20 km environnants et qu'elle vous rembourse ce que vous achetez si vous n'êtes pas satisfait (dans un délai de 15 jours). **Autres adresses :** GRAPHIGRO 207, boulevard Voltaire (11e) ✆01 43 48 23 57 – 157-159, rue Lecourbe (15e) ✆01 42 50 45 49.

MAGASIN SENNELIER
3, quai Voltaire (7e)
✆01 42 60 72 15
Site Internet : www.magasinsennelier.com
M° Palais-Royal ou Rue-du-Bac ou Saint-Germain-des-Prés. Ouvert lundi de 14h à 18h30, du mardi au samedi de 10h à 12h45 et de 14h à 18h30.
Couleurs, brosses, pinceaux, couteaux, toiles, papiers, etc. Tout ce qui concerne la peinture, le dessin, la gravure, la calligraphie, les icônes ou l'encadrement est disponible dans ce magasin ouvert au XIXe siècle et qui fut fréquenté par un grand nombre d'artistes parisiens renommés. La décoration de la boutique a d'ailleurs conservé un charme ancien très agréable. **Autre adresse :** 4 bis, rue de la Grande-Chaumière (6e) ✆01 46 33 72 39.

LE GEANT DES BEAUX-ARTS
166, rue de la Roquette (11e)
✆01 46 59 43 00
Site Internet : www.geant-beaux-arts.fr
M° Voltaire. Ouvert du lundi au samedi de 9h30 à 19h.
Au long de vastes allées, vous dénicherez certainement ce qu'il vous faut parmi un choix de toiles de toutes dimensions, une multitude de feuilles de papier colorées, des morceaux de pierre à sculpter… Est donc à portée de main ce qui est nécessaire pour exercer les arts de la peinture, du dessin, de la calligraphie, de la céramique, du modelage, de la sculpture : matières brutes, supports, chevalets… L'espace encadrement est particulièrement bien fourni. Bon à savoir : le magasin vous garantit qu'il vous remboursera votre achat si vous n'êtes pas satisfait.

LOISIRS ET CREATIONS
Galerie du Carrousel du Louvre
99, rue de Rivoli (1er)
✆01 58 62 53 95
Site Internet : www.loisirsetcreation.com – M° Palais-Royal. Ouvert du lundi au dimanche de 10h à 20h.
Les doigts agiles et les imaginations fertiles trouveront ici tout le nécessaire pour leurs projets de loisirs créatifs. Le magasin est vaste, et quel que soit votre domaine de prédilection, l'équipe de vendeurs est là pour aiguiller vos choix. Premiers pas dans le très ludique «décopatch» ? Le bon support, la colle idoine, un très large choix de papiers colorés et des conseils pratiques, et vous êtes prêt à vous lancer. Vous trouverez également un bel étalage de boutons, de perles ou encore de fleurs et paillettes de tous styles pour créer des bijoux ou customiser vos vêtements. Fabrication de bougies, peinture sur porcelaine ou verre, scrapbooking, mosaïque, kits spéciaux pour les enfants… Rien ne manque pour réaliser des décors et des objets très personnels qui donnent la fierté du «fait maison» et l'envie de se perfectionner.

L'ECLAT DE VERRE
10, rue André-Chénier – VERSAILLES
✆01 30 83 27 70
Site Internet: www.eclatdeverre.com – Ouvert le lundi de 9h30 à 13h et de 14h15 à 18h30, du mardi au vendredi de 9h30 à 18h30 et le samedi de 9h30 à 19h. En été, ouvert de 10h à 13h et de 14h15 à 18h du mardi au vendredi et jusqu'à 19h le samedi.
Ce magasin est également le siège du très large réseau de L'Eclat de Verre qui comporte au total une quarantaine de magasins. Il vous propose deux solutions concernant vos encadrements. La première fait en sorte que vous puissiez réaliser vous-même en tant qu'amateur vos encadrements dans le cadre de vos loisirs. Pour cela, L'Eclat de Verre vous propose toutes les fournitures nécessaires afin de réaliser vos travaux, comme le papier, les baguettes, les outils. La deuxième solution consiste en des services de découpe de verre à la mesure et de découpe et assemblage de baguettes pour repartir cadre en main. L'Eclat de Verre vous propose également un service de conseils et d'encadrements traditionnels réalisés en atelier par de véritables maîtres artisans. Les boutiques de l'enseigne profitent également de leur grande superficie (400 m²) pour présenter des objets en cartonnage, un espace carterie, librairie et fournitures de beaux-arts. A Versailles, l'équipe propose en plus des ateliers de découverte de l'encadrement et du cartonnage, une technique de plus en plus tendance. **Autres adresses:** 2 bis, rue Mercœur (11e) 01 43 79 23 88 • 26, rue Vercingétorix (14e) ✆01 43 22 93 60. • 6, rue Paul-Vaillant-Couturier – LEVALLOIS-PERRET ✆01 47 59 99 45.

LA PHOTOGRAPHIE

Numérique et argentique

CIRQUE PHOTO VIDEO
9-9 bis, boulevard des Filles-du-Calvaire (3e)
✆01 40 29 91 91
Site Internet: www.cirquephotovideo.com
M° Saint-Sébastien-Froissart. Ouvert du mardi au samedi de 9h30 à 13h et de 14h à 18h45.
Un très bon choix d'appareils photo, de caméras, de projecteurs neufs à des prix compétitifs, doublé des bonnes affaires que génère le service reprise. Les rayons spécialisés ne sont pas mal non plus avec scanners et imprimantes des marques leaders du marché, labo projection, montage et vidéo numériques, informatique, station multimédia pc et mac.

FNAC DIGITALE
77-81, boulevard Saint-Germain (6e)
✆0 825 020 020 (0,15 €/min)
Site Internet: www.fnac.com – M° Cluny-La-Sorbonne. Ouvert du lundi au samedi de 10h à 19h30.
Dans cette Fnac spécialisée dans tout ce qui est numérique, la photo est très bien représentée. Même chose dans les grands magasins de la même enseigne. Vous sont proposés de nombreuses gammes de boîtiers, optiques, flashs, trépieds, éléments et accessoires de connectique, alimentation, impression, mémorisation… Un rayon Caméscope complète l'offre.

LA MAISON DU LEICA
52, boulevard Beaumarchais (11e)
✆01 43 55 24 36
M° Chemin-Vert. Ouvert du mardi au samedi de 9h30 à 13h et de 14h à 19h.
S'il y a une comparaison à faire dans le monde des appareils photo, on peut dire que Leica est la Rolex du genre. La marque a ici son point de vente et l'on peut ainsi vendre, acheter, échanger tout ce qui la touche, ainsi que quelques autres références et notamment des livres et des jumelles. Si le budget vous manque vous pouvez toujours louer un appareil en échange d'un dépôt de garantie, histoire de réaliser des photos exceptionnelles lors d'une occasion exceptionnelle. La boutique se situe entre deux annexes nommées Moyen Format et Grand Format où sont proposées plus de 1 500 occasions.

L'INSTANTANE
40, boulevard Beaumarchais (11e)
✆01 43 55 02 32
M° Bastille ou Chemin-Vert. Ouvert du mardi au samedi de 9h30 à 13h et de 14h à 19h.
Dans ce magasin on propose du matériel neuf ou d'occasion, pas mal de gammes d'optique aussi, et on effectue des réparations. Adresse utile car parfois la technologie s'enraye pour pas grand-chose et il serait dommage de racheter du matériel qui a juste besoin d'une petite révision.

OBJECTIF BASTILLE
11, rue Jules-César (12e)
✆01 43 43 57 38
Site Internet: www.objectif-bastille.com
M° Quai-de-la-Rapée ou Bastille. Ouvert du lundi au vendredi de 10h à 18h30.
Très grand choix dans ce magasin où l'on trouve du neuf et de l'occasion. Les adeptes de l'argentique et du numérique ont à leur disposition des boîtiers, des objectifs et de nombreux accessoires. Le plus de l'endroit est la présentation de gammes de Caméscope ainsi que de tous les éléments qui constituent la chaîne graphique (scanners, ordinateurs, imprimantes…). En plus de cela, vous avez des outils et accessoires lumière, des consommables (cartes mémoire, encres, films…).

Beaumarchais : le boulevard de la photo

Cela fait plus d'un siècle que les magasins de photographie ont commencé à s'implanter sur le boulevard Beaumarchais, entre la place de la Bastille et le Cirque d'Hiver. Des deux côtés de cet axe (l'un se situe dans le 3e, l'autre dans le 11e), vous avez des boutiques qui vous vendent du matériel neuf et d'occasion, ainsi que des accessoires. Les collectionneurs d'appareils anciens tout comme les photographes attentifs aux dernières nouveautés, ainsi que les preneurs de vue du dimanche, apprécient le contact direct avec des commerçants qui connaissent très bien leur affaire. Vous trouverez ci-contre quelques adresses sélectionnées parmi un ensemble qui en comprend une vingtaine.

PHOTO PRONY CANON
53-55, rue de Prony (17e) ✆ 01 47 63 68 56
M° Wagram. Ouvert du mardi au samedi de 10h à 19h.
Adeptes de la marque Canon ou nouveaux venus, c'est l'endroit idéal pour accessoiriser son appareil ou en racheter un neuf. Des bijoux ultracompacts aux reflex les plus perfectionnés, ils sont tous – ou presque – testés avec une grande précision. Photo Prony propose régulièrement des promotions exceptionnelles sur les kits Reflex – boîtier plus objectif. Les vendeurs sont de bon conseil et orientent vers l'appareil qui répond à vos besoins. La boutique propose toute une gamme de services annexes, du tirage des clichés en self-service à la vente de cartouches d'encre pour imprimante photo, en passant par les cédéroms pour graver. Surtout ne pas manquer la section «occasion» : on y trouve des appareils Reflex, numériques, à des prix défiant toute concurrence. Et sur le site Internet, que des nouveautés au jour le jour avec un forum très intéressant d'utilisateurs confirmés ou néophytes.

Les spécialistes de l'occasion

ODEON OCCASIONS
73, boulevard Beaumarchais (3e)
✆ 01 48 87 74 54
M° Chemin-Vert. Du mardi au samedi de 10h30 à 13h et de 14h à 18h30.
Du matériel d'occasion de toute marque est à dénicher ici, notamment des pièces de collection. Mais si vous ne trouvez pas votre bonheur, notez que ce magasin vous propose également des modèles neufs.

PHOTO VERDEAU
14-16, passage Verdeau (9e)
✆ 01 47 70 51 91
Site Internet : www.verdeau.com – M° Grands-Boulevards ou Richelieu-Drouot. Ouvert du lundi au vendredi de 10h30 à 19h, le samedi de 12h à 19h.
Photo Verdeau est le QG des amateurs de photographie ancienne et récente. En effet, les collectionneurs s'y retrouvent pour dénicher de vieux clichés authentiques ou l'appareil de leurs rêves. Et il y a de quoi faire dans cette boutique, entre les visionneuses, les daguerréotypes, les verascopes, les photosphères, les lanternes de projection, les objectifs ou encore les cartoscopes, les amoureux de la boîte noire deviendront fous. Côté marques, là aussi, la gamme est large : Kodak, Krauss, Leica, Gemflex, etc. Le plus : Photo Verdeau rachète comptant les appareils de collection. Une adresse qui attire également les amateurs éclairés de photos : images de presse, héliogravures de nus de très grande qualité, beaucoup de photos anciennes absolument magnifiques. **Autre adresse :** 17, rue Gay-Lussac (5e) ✆ 01 44 07 61 39.

SE DÉTENDRE

PROCIREP
14-16, boulevard Auguste-Blanqui (13e)
✆01 43 36 34 34
Site Internet: www.procirep.net – M° Place-d'Italie. Ouvert du mardi au vendredi de 10h à 19h, le samedi de 10h à 12h30 et de 14h30 à 19h.
Attention! Boutique de passionnés: vendeurs et clients vouent le même culte à la petite boîte noire. Le magasin vaut le coup d'œil et renferme des trésors en vieilles caméras et appareils anciens. Sur devis gratuit, l'atelier assure la maintenance des plus grandes marques: de l'appareil de grand-papa au dernier cri de la technologie – réparation de tout matériel numérique. Egalement vente d'appareils neufs et d'occasion – garantie un an – des marques Leica, Minolta, Nikon, Pentax.

Accessoires et labo

PROPHOT
28, 37 et 44, rue Condorcet et 2, rue Thimonnier (9e)
✆01 42 80 58 41
Site Internet: www.prophot.fr – M° Anvers ou Poissonnière. Ouvert du lundi au vendredi de 9h à 12h30 et de 13h30 à 18h.
Dans quatre espaces proches les uns des autres, ce distributeur de produits pour les photographes est une adresse incontournable pour qui veut se procurer tout ce qui est nécessaire, que vous soyez pratiquant de l'argentique ou du numérique. Les professionnels et les amateurs éclairés s'y croisent pour acheter films, papiers, produits chimiques, pieds, matériel labo, éclairage, bagagerie, boîtiers numériques, scanners, imprimantes, papiers jet d'encre...

PICTO BASTILLE
53 bis, rue de la Roquette (11e)
✆01 53 36 21 21
Site Internet: www.picto.fr – M° Bastille ou Voltaire. Ouvert du lundi au vendredi de 8h30 à 19h30.
Archi connu des professionnels, ce labo jouit d'une réputation sans faille. Ouvert aux particuliers, il vous propose ses services de développement, tirage, numérisation, retouche, scan, finition... Notez que l'on peut voir des expositions dans ce lieu, notamment des travaux de jeunes photographes.

PHOTO STOCK
126-128, boulevard Sérurier (19e)
✆01 42 00 26 25
Site Internet: www.photostock.fr – M° Porte-de-Pantin. Ouvert du lundi au samedi de 10h à 13h et 14h30 à 19h.
A des prix souvent très intéressants, vous avez ici un large choix de films, papiers, produits chimiques, cartouches d'encre, piles, agrandisseurs, cartes mémoires et petit matériel labo: pince-éprouvette, lampe, thermomètre...

Photographes portraitistes

LE BEAUKAL
22, rue Dussoubs (2e) ✆01 55 34 90 50
Site Internet: www.lebeaukal.fr – M° Sentier ou Réaumur-Sébastopol. Ouvert du lundi au samedi de 10h à 13h et 14h30 à 19h.
Le photographe Christian de Brosses a collaboré vingt ans avec le magazine Paris-Match. Il vous propose une séance de prise de vue en studio de deux heures, à l'issue de laquelle il fait une sélection des meilleurs clichés qu'il vous gravera sur un cd. Vous aurez ensuite un tirage 30 cm x 45 cm (ou deux tirages 20 cm x 30 cm) de la photo qui vous convient. Cet artisan s'occupe de vous également si vous souhaitez réaliser un press-book ou restaurer vos photos anciennes.

STUDIO HARCOURT
10, rue Jean-Goujon (8e) ✆01 42 56 67 67
Site Internet: www.studio-harcourt.eu
M° Champs-Elysées-Clemenceau ou Franklin-D.-Roosevelt.
Créé en 1934, ce studio a très vite connu un vif succès auprès des vedettes, de Marlène Dietrich, à Ludivine Sagnier en passant par Brigitte Bardot, pour ne citer que des comédiennes... Il serait fastidieux de donner la liste de toutes celles et ceux qui sont passés dans ce studio pour se faire tirer un de ces portraits en noir et blanc au style si particulier, dû à de savants éclairages qui mettent superbement en valeur votre minois. Si vous avez l'âme d'une star, on vous propose ici une séance de deux heures permettant une trentaine de prises de vue, avant laquelle on vous aura maquillé et conseillé sur votre tenue vestimentaire. La meilleure photo obtenue est signée Harcourt et livrée en format 24 cm x 30 cm.

ATTRAIT PORTRAIT
10, rue Lantiez (17e) ✆01 42 28 72 84
Site Internet: www.attraitportrait.com
M° Brochant ou Guy-Môquet.
Ce studio est né de l'association de trois professionnels de la photographie issus de la pub, de la mode et du reportage, Dominique Azambre, Frédéric Arnaud et Jean-Marc Lemaître. Ils vous proposent de vous prendre en photo, vous seul ou en groupe, en imaginant des mises en scène à votre convenance, sage ou fantaisiste.

VIDÉO ET DVD

VIDEOSPHERE
105, boulevard Saint-Michel (5e)
✆01 43 26 36 22

Site Internet : www.videosphere.fr – M° RER Luxembourg. Ouvert du lundi au jeudi de 12h à 21h30, le vendredi de 12h à 22h, le samedi de 11h à 22h, le dimanche et jours fériés de 13h à 21h30.

Le format VHS a beau avoir été supplanté par le dvd, il n'en reste pas moins que beaucoup de films ne sont encore disponibles qu'en cassette. Ce loueur s'est efforcé de conserver puis d'acquérir ces désormais raretés, par exemple «Au cœur de la nuit», un formidable fantastique anglais de 1945 prisé des authentiques cinéphiles. En tout, plus de 31 000 œuvres sont en location : classiques, SF, thrillers, comédies, arts martiaux... tous les genres quoi ! En plus de cela, Vidéosphère vend des dvd de films d'auteurs et des classiques que vous aurez du mal à trouver dans les grands magasins (plus de 2 000 titres).

DVD CAFE
48, avenue Claude-Vellefaux (10e)
✆01 42 41 17 98

M° Colonel-Fabien. Ouvert du mardi au dimanche de 11h à 23h.

Ambiance design et conseils avisés de cinéphiles, tel est l'accueil qui vous est réservé dans ce lieu original où vous pouvez boire un café, un verre ou picorer dans une assiette de fromages ou de charcuteries, assis à table ou au bar, en attendant de faire votre choix. Voilà qui est propice à engager des conversations avec les patrons du lieu ou des fanas de cinéma. Outre des nouveautés, vous trouverez ici des intégrales d'auteurs, comme Woody Allen, et quantité de petites perles méconnues ou rares.

POTEMKINE
30, rue Beaurepaire (10e) ✆01 40 18 01 84

Site Internet : www.potemkine.fr – M° République ou Jacques-Bonsergent. Ouvert lundi de 11h à 19h, du mardi au samedi de 11h à 20h, le dimanche de 14h30 à 19h.

Le nom de cette boutique, où l'on peut louer ou acheter des dvd, fait référence à un fameux film d'Eisenstein. A son catalogue figurent des intégrales d'auteurs classiques comme Griffith, Fellini, Tarkovski, Warhol ou Peter Watkins. Notez qu'elle prend soin de vous proposer des éditions de qualité comme celles des labels Criterion ou Carlotta. Enfin sachez que Potemkine dispose d'un espace où chaque visiteur peut prendre le temps de regarder quelques films, en sirotant un café.

HORS-CIRCUITS
4, rue de Nemours (11e) ✆01 48 06 32 43

Site Internet : www.horscircuits.com – M° Parmentier ou Oberkampf. Ouvert du lundi au samedi de 12h30 à 20h30 (de 15h à 21h entre le 14 juillet et le 31 août).

Le nom de ce magasin n'est pas usurpé. Il vous propose à la location et à la vente (neuf et occasion) des films rares. Outre des classiques français et étrangers, vous avez ici des œuvres issues des cinématographies du monde entier, des documentaires, des animations, des réalisations expérimentales et quantité de productions communément nommées «cinéma bis» ou «films culte». Notez que Hors-Circuits vous offre la possibilité de commander les films que vous recherchez et que la boutique présente une sélection de livres et de revues à la vente. Enfin, sachez qu'elle accueille aussi des cinéastes, des auteurs et des éditeurs pour une rencontre, un débat, une signature.

Les grandes enseignes

Pour la vente de dvd, les amateurs savent qu'ils trouveront beaucoup de références dans les magasins Fnac et Virgin. Ils peuvent aussi se rendre chez Joseph Gibert où ils disposeront d'un grand choix de produits neufs et d'occasion. Et pour louer un dvd, ils ont également tout loisir de se rendre dans l'une des boutiques parisiennes du réseau Vidéo Futur où les attendent des milliers de classiques et de nouveautés, ces dernières étant en nombre important afin de satisfaire la demande (adresses sur Site Internet : www.video-futur.com). Mais ces boutiques tendent à disparaître avec les possibilités de louer directement les films via les abonnements Internet-tv.

LA BUTTE VIDEO
49, rue Caulaincourt (18e) ✆ 01 42 59 01 23
Site Internet : www.videoclubdelabutte.com
M° Lamarck-Caulaincourt. Ouvert tous les jours de 14h à 23h.
Une dizaine de milliers de titres sont disponibles ici. Les grands auteurs sont particulièrement bien représentés, ce qui est une aubaine quand on cherche à améliorer sa culture cinéphile. Vous trouvez dans ce club des œuvres de Mankiewicz, Lubitsch, Kurosawa, Mizoguchi, Pasolini, Fellini, Almodovar, Wenders, Bergman, Tarkovski, Chahine…

JM VIDEO
121, avenue Parmentier (11e)
✆ 01 43 57 21 49
Site Internet : www.jmvideo.fr – M° Goncourt ou Parmentier. Ouvert tous les jours de 10h à 22h.
Ce vidéoclub vaut pour son large choix (15 000 titres), notamment en qui concerne le cinéma français, de même que les classiques et les nouveautés provenant du monde entier (films japonais, italiens, indiens, espagnols…). Séries tv, documentaires et courts-métrages sont également disponibles. Des références sont en vente dans cette boutique où vous dénicherez de bonnes occasions et où vous pouvez aussi faire réparer vos cd et dvd selon le procédé Fastrepair.

STUDIO VIDEO
1, rue des Volontaires (15e) ✆ 01 47 83 71 24
M° Volontaires ou Lecourbe. Ouvert du lundi au samedi de 11h à 13h30 et de 15h30 à 21h. Fermé le jeudi matin.
Une fois entré dans cette échoppe haute en couleurs, décorée de vieilles tv, de photos de stars mythiques et de posters de série B, on est vite tenté de voir de plus près ce que le maître des lieux propose à la location ou à la vente : les films récents bien sûr, les grands classiques, les séries tv les plus déjantées, mais aussi des VHS d'œuvres non rééditées en dvd, des longs-métrages méconnus issus de pays étrangers… Tous les genres cinématographiques sont représentés et il y en a pour tous les goûts. N'hésitez pas à demander conseil au patron, c'est un passionné.

CLUBS DE REMISE EN FORME

Le plus convivial

CLUB FEYDEAU
24, rue Feydeau (2e)
✆ 01 42 36 24 13

Site Internet : www.clubfeydeau.com – M° Bourse. Ouvert du lundi au vendredi de 8h à 21h, le samedi et le dimanche de 10h à 14h. Annuel : 650 €.

Petit club de quartier situé juste en face de la Bourse, le Club Feydeau joue la carte de l'esprit familial et convivial, loin des «usines à sport» parisiens. Si le club ne fait que 300 m², vous trouverez néanmoins des machines de musculation et de cardio ultraperfectionnées (le luxe des petites salles en général), une hygiène irréprochable et une ambiance plutôt saine (pas de gros bodybuilders s'admirant sans cesse devant les glaces !). Responsable du club, Régis Tessier propose à ses adhérents un véritable accompagnement personnel, des séances d'entraînement individuelles (résistance, endurance), des cours particuliers (sur rendez-vous) et conseils en diététique. Un club à taille humaine, pour résumer, où vous pourrez même vous faire bronzer grâce aux cabines de bronzage rapide.

Le plus «lounge»

L'USINE
8, rue de la Michodière (2e)
✆ 01 42 66 30 30

Site Internet : www.usineopera.com
M° Opéra. Ouvert du lundi au vendredi de 7h à 23h, le samedi et le dimanche de 9h à 20h. Abonnement annuel individuel : 1 550 €, couple : 1 450 € par personne.

C'est LA salle de sport lounge, classe et raffinée de Paris. Pour autant, on ne vient pas ici pour être vu ou pour faire des rencontres mais bel et bien pour faire du sport. Dès votre inscription, un coach vous prend en main pendant une heure afin de vous proposer un programme de remise en forme personnalisé. Des cours collectifs sont dispensés chaque jour dans la zone playground, par des professeurs jeunes et professionnels : cardio-vasculaire à base de cycling, renforcement musculaire, étirements, relaxation et tonification. La boxe chic consiste en un véritable entraînement, mais les coups ne sont jamais portés, ce qui est quand même vachement plus chic que de se prendre pour Rocky. La relaxation habite aussi les lieux au spa avec hammam, sauna et tout un programme de massages, shiatsu. Les cours individuels proposent entre autres arts martiaux, boxe, Power Plate®, yoga. Une bonne adresse pour s'assurer détente et bien-être.

Le plus stylé

CLUB JEAN-DE-BEAUVAIS
5, rue Jean-de-Beauvais (5e)
✆ 01 46 33 16 80

Site Internet : www.clubjeandebeauvais.fr
M° Maubert-Mutualité. Ouvert du lundi au jeudi de 7h à 22h, le vendredi de 7h à 21h, le week-end de 8h30 à 20h. Un système de cartes propose toute une série d'abonnements, compter par an de 800 € pour les moins de 25 ans à 2 150 € pour un couple et tarifs sur mesure.

Depuis trente ans, on fait tout ici pour personnaliser votre parcours sportif, à l'aide de rendez-vous avec des professeurs, des bilans de forme, pour que le cardio-fitness et la musculation soient un plaisir. Le plaisir vient aussi beaucoup du cadre, on évolue sous de magnifiques voûtes du XVIIe. Si la personnalisation est le maître mot, on peut aussi s'orienter vers trois parcours : cardio-fitness, circuit corporel et circuit dos, une intention louable pour venir à bout de ce mal du siècle. Les cours collectifs concernent la gym douce, le stretching, le yoga, les cours de gym tonifiante, raffermissante ou amincissante ou des thèmes plus spécifiques comme le body sculpt, le pump… Le spa, situé dans la rue voisine, vous attend avec ses soins corporels, ses massages, son hammam, son sauna.

Le plus récent

LADY MOVING
123, boulevard Saint-Michel (5e)
✆ 01 55 42 92 37

Site Internet : www.ladymoving.fr – RER Port-Royal, Luxembourg. Ouvert le lundi et le vendredi de 9h à 20h, le mardi de 9h à 21h, le mercredi de 12h à 20h, le jeudi de 9h à 21h, et le samedi de 9h à 13h. Abonnement mensuel de 89 € ou formule Liberté. Droit d'entrée : 135 €.

Les femmes et la forme ont la cote, décidées à prendre soin d'elles. De plus en plus d'établissements s'y consacrent exclusivement, comme ce petit dernier qui a ouvert ses portes le lundi 2 juillet 2007. Animé par un coach, le circuit minceur et tonicité est censé vous redonner la forme en trente minutes à grand renfort de musculation et de cardio-training, pratique pour les femmes au planning chargé. Séances d'UV, espace spa et coaching sont également au programme. Une adresse féminine à découvrir à deux pas du jardin du Luxembourg.

Le plus tendance

ELEMENT
16, rue de la Grande-Chaumière (6e)
✆ 01 53 10 86 00
Site Internet : www.elementparis.com – M° Vavin. Ouvert du lundi au samedi de 9h à 21h. Séances Pilates à partir de 40 €.
L'un des clubs de remise en forme les plus chic de Paris. Lignes épurées, verrières et confort absolu, Element est le spécialiste de la méthode Pilates, une gymnastique visant à améliorer l'alignement du corps, à travailler les muscles en profondeur tout en relançant vos énergies. Du bien-être pur sans risque et avec les meilleurs coachs de la discipline. Pour ceux qui souhaitent aller plus loin : méthode GyroKinésis au programme (Pilates associé à d'autres formes de relaxation comme le yoga, l'acupuncture ou le tai-chi), réflexologie et massages à la carte (suédois, shiatsu, thaï, ayurvédique… à partir de 80 €).

Le plus «Véronique et Davina»

VIT'HALLES
164, boulevard Diderot (12e)
✆ 01 43 43 57 57
Site Internet : www.vithalles.fr – M° Nation. Ouvert le lundi et le mercredi de 7h à 22h, le mardi, le jeudi et le vendredi de 8h à 22h, le samedi de 9h à 19h, le dimanche de 10h à 19h. 538 € pour un abonnement à l'année.
Vit'Halles propose un large choix d'activités, dans lesquelles on retrouve la patte de Véronique et Davina, ces deux femmes toniques, animatrices de l'émission Gym Tonic au début des années quatre-vingts (Tou tou tou… you tou) : musculation, aérobic, cardio-training, piscine. Un premier rendez-vous permet d'établir un programme personnalisé, suivi par un rendez-vous toutes les six semaines. Dans un registre moins sportif mais tellement agréable après l'effort, hammam et Jacuzzi se trouvent dans les centres situés rue Diderot et boulevard Lannes. Les massages «cinq mondes» devraient vous faire oublier le stress urbain tout comme la possibilité d'avoir un coach personnel qui vous libère l'esprit en vous prenant totalement en charge. Autres adresses sur le site Internet.

Le plus «quartier»

CLUB ENERGYM
6, rue Lalande (14e) ✆ 01 43 22 12 02
Site Internet : www.club-energym.fr
M° Denfert-Rochereau. Ouvert du lundi au vendredi de 9h30 à 21h, le mercredi de 12h à 21h, le samedi de 10h à 17h, le dimanche de 10h à 14h. Forfait annuel : 665 €, 6 mois : 495 €, 3 mois : 295 €.
Voilà une salle de musculation et de cardio-training qui existe depuis 1985, qui possède l'atout d'avoir au sein de sa structure une thalassothérapie où l'on retrouve les soins habituels de spa. Les cours collectifs proposent gym, abdos-fessiers, stretching, body-barre et afro (basé sur la danse africaine). Ces cours sont accessibles aux non-abonnés (10 cours : 190 €). Des cours particuliers prenant en compte les besoins de chaque personne (maigrir, mal de dos…) coûtent 50 € la séance (400 € les 10 séances).

Le plus dansant

CLUB MED GYM
8, rue Frémicourt (15e) ✆ 01 45 75 34 00
Site Internet : www.clubmedgym.fr
M° Emile-Zola. Ouvert du lundi au vendredi de 7h30 à 22h, le samedi de 8h à 20h, le dimanche de 9h à 17h. Forfait annuel de 860 € comprenant serviette de sport propre à chaque visite et une assurance en cas de résiliation et 1 215 € pour les Clubs Waou.
Cet ancien garage classé monument historique offre un espace de sport et de détente sur une surface de 800 m². Parmi les cours collectifs que l'on choisit de suivre en toute liberté, on retrouve les classiques stretch, culture physique et abdos-fessiers. Le point fort de Grenelle, c'est la danse, avec un large choix parmi le hip-hop, le modern jazz, le classique, l'oriental, l'africain et aussi le Nike Dance Work Out, qui propose une nouvelle chorégraphie tous les trois mois, plutôt orientée hip-hop. Autre tendance montante, le Wellness, entendez par là toute activité développant l'assouplissement et le bien-être comme le yoga, le qi-kong, le tai-chi-chuan. Parmi les vingt-deux clubs, certains ont des piscines et cinq sont des clubs Waou avec accès aux Waou Privilèges : coaching, Pilates, spa… Autres adresses sur le site Internet.

Le plus féminin

CURVES PARIS – PASTEUR
32, rue Mathurin-Régnier (15e)
✆ 01 47 34 60 40
Site Internet : www.curves-paris.com – M° Volontaires. Ouvert le lundi de 10h à 14h15 et de 15h45 à 20h30, le mardi de 9h à 14h15 et de 15h45 à 19h30, le mercredi de 9h30 à 14h15 et de 15h45 à 20h30, le jeudi de 9h à 14h15 et de 15h45 à 20h30, le vendredi de 9h30 à 14h15 et de 15h45 à 19h30, le samedi de 9h30 à 12h30.
Curves permet de suivre un programme complet d'aérobic et de musculation en seulement 30 minutes. Ce système utilise des machines à résistance hydraulique conçues spécialement pour les femmes dont le fonctionnement est très simple. Les programmes sont destinés à gérer les problèmes de poids, ainsi que tout le soutien dont les femmes ont besoin pour atteindre leurs objectifs. **Autres adresses :** 42, rue Albert-Thomas (10e) ✆ 01 40 18 05 74 – 67, rue de Charenton (12e) ✆ 01 40 02 00 72.

Le plus amincissant

TOO MINCE

36, avenue Mozart (16e) ✆ 01 42 15 23 01

Site Internet : www.toomince.com – M° Ranelagh. Ouvert lundi de 12h à 18h, le mercredi et le vendredi de 10h à 20h, le mardi et le jeudi de 10h à 20h, le samedi de 10h à 16h. Forfait de 200 € à 400 € par mois. Soins de 40 € à 70 €.

Celles et ceux qui veulent absolument retrouver leur ligne des grands jours en perdant quelques kilos feraient bien de se pencher sérieusement sur le vélo, le Power Plate, le spa jet ou encore Alice, un appareil de stimulation musculaire qui fait augmenter la température du corps à l'aide de rayons infrarouges, futuriste. Un programme diététique mis en place avec un médecin est également proposé.

COURS DE DANSE

Le plus incontournable

CENTRE DE DANSE DU MARAIS

41, rue du Temple (4e) ✆ 01 42 72 15 42

Site Internet : www.parisdanse.com

M° Hôtel-de-Ville ou Rambuteau. Ouvert tous les jours de 9h à 21h.

Situé en plein cœur de Paris, ce centre fait figure de lieu incontournable. Le Tout-Paris s'y presse pour participer à des cours dynamiques et très professionnels. Tous les âges se croisent dans la bonne humeur et parfois (il faut bien l'admettre) dans un gros brouhaha. De nombreux types de danses sont proposés : classiques, africaines, orientales en passant par le flamenco ou le hip-hop, on trouve de tout. Les salles sont de bonne superficie mais malgré cela, il arrive que les participants soient touche-touche. L'influence est telle, certains jours, qu'il vaut mieux se renseigner auprès des professeurs pour connaître les horaires plus calmes. Les professeurs viennent d'horizons divers. Si vous regardez les émissions de téléréalité, vous devriez d'ailleurs en reconnaître certains. Pour les sportives curieuses, vous pouvez aussi tenter les cours de sports (arts martiaux par exemple), de chant ou de théâtre. Les professionnels sont ici encore à la hauteur. Les prix sont raisonnables : en moyenne 18 € la séance.

Le plus danse de salon

GEORGES ET ROSY

20, rue de Varenne (7e) ✆ 01 45 48 66 76

Site Internet : www.georgesetrosy.com

M° Sèvres-Babylone ou Rue-du-Bac. Ouvert du lundi au samedi, les horaires varient selon les cours.

Cette école a été fondée par Georges et Rosy, deux anciens champions du monde de danses de société. Parmi leurs célèbres élèves, Nathalie Baye ou Kristin Scott-Thomas. Aujourd'hui, c'est Roland d'Anna et son équipe qui sont aux commandes. Parmi les disciplines enseignées, la valse anglaise, viennoise, le slow fox, le quick-step, le tango, des danses latines également comme la samba ou le paso-doble, le tango argentin mais aussi le madison, le disco, le reggae. Et même des danses plus anciennes ou typiques comme la polka ou le sirtaki. Les cours de danse de salon durent une heure, l'initiation a lieu le lundi ou le mercredi de 19h à 20h, et le samedi à 13h, 14h et 15h. Il existe quatre niveaux. Dix cours coûtent 150 €. La carte de trois mois est à 290 €, compter 820 € à l'année. Ces forfaits vous permettent d'accéder aux soirées dansantes hebdomadaires du vendredi. A noter : la possibilité de prendre des cours particuliers de 9h à 22h sur rendez-vous. Des stages sont également proposés pour découvrir une nouvelle chorégraphie, une nouvelle danse ou approfondir la technique.

Le plus sexy

PINK PARADISE

49-51, rue de Ponthieu (8e)

✆ 01 58 36 19 20

Site Internet : www.pinkparadise.fr – M° F.-D.-Roosevelt ou George-V ou Saint-Philippe-du-Roule. Ouvert aux débutant(e)s le mardi et le mercredi de 19h à 20h30, le samedi de 16h à 17h30 et de 17h30 à 19h, aux intermédiaires niveau 1, le lundi de 19h30 à 20h30, aux intermédiaires niveau 2, le lundi de 20h30 à 21h30, et enfin aux expert(e) s, le mardi de 20h30 à 21h30.

Véritable temple du glamour à Paris, l'établissement de nuit Pink Paradise abrite la Pink School, école de Pole Dance (danse autour d'une barre) et de Séduction. Créés pour celles qui souhaitent s'initier à cette discipline issue des cabarets de strip-tease anglo-saxons, les cours se déroulent dans une ambiance détendue. Pour 25 €, ils se décomposent en quatre parties : échauffement du corps et renforcement musculaire, technique et mouvements pour apprendre à bouger sensuellement et à se familiariser avec la barre, la chorégraphie et enfin des mouvements de stretching. Mesdames, après de tels cours, vous allez faire tourner de nombreuses têtes... A noter : deux nouveautés cette année, des cours de rattrapage – tous niveaux – le samedi de 14h30 à 16h, et des cours de Sexy Pink School Dance, cours de danse tour à tour de hip-hop, rythm'n'blues, indien, etc., qui intègrent de la Pole Dance, tous niveaux, le lundi et le samedi.

Le plus claquettes

ECOLE SWINGTAP

21, rue Keller (11e) ✆ 01 48 06 38 18

Site Internet : www.swingtap.com

M° Bastille ou Voltaire ou Ledru-Rollin. Ouvert du lundi au samedi, selon niveaux, de 10h à 20h.

L'école Victor Cuno, qui bénéficie d'une solide

réputation, vous propose sept niveaux différents, de l'initiation à l'entraînement professionnel. Tous les styles traditionnels y sont enseignés, la technique est américaine, de Harlem à Broadway en passant par Hollywood. Les frais d'inscription s'élèvent à 25 €, côté forfaits, pour treize cours compter 179 €, jusqu'à 550 € pour cinq cours par semaine. Il existe également d'autres formules, trois cartes de treize cours coûtent, par exemple, 479 €, cela peut aller jusqu'à 1 319 € pour quatre cours par semaine. Si vous n'êtes pas encore équipé(e) en claquettes, vous pourrez trouver chaussure à votre pied sur place, dans leur boutique. Les prix varient entre 45 € et 150 €. Aucune tenue spéciale n'est demandée, prévoyez simplement des pantalons courts et confortables.

Le plus latin

ECOLE DE DANSES LATINES TROPICALES
170 bis, rue du Faubourg-Saint-Antoine – entrée 40, rue des Cîteaux (12e)
✆ 01 43 72 26 26
Site Internet: www.salsadanse.com – M° Faidherbe-Chaligny ou Reuilly-Diderot. Ouvert du lundi au jeudi de 10h à 22h, les cours débutent à partir de 19h.
La capitale connait une véritable déferlante «salsa» depuis quelques années. Fondée par la danseuse Isis Figaro en 1998, cette école offre, outre ses cours stars de salsa – cubaine, portoricaine, etc. –, un choix impressionnant de danses latines comme le merengue, la samba, le zouk, le tango argentin, la samba brésilienne, la danse orientale ou encore la barre au sol. Les professeurs sont excellents. Ils savent dynamiser leurs élèves et entraînent tout leur petit monde dans un univers pimenté, sensuel et follement amusant. Malgré la notoriété du lieu, les prix restent abordables: le forfait de dix mois pour un cours hebdomadaire coûte 365 €, compter 650 € pour deux cours par semaine. Les tarifs sont dégressifs jusqu'à cinq cours par semaine (1 025 €). Vous avez également la possibilité de prendre une carte Liberté, la carte de dix cours valable quatre mois coûte 130 €. **A noter:** des cours pour enfants sont également proposés.

Le plus cosmopolite

AMANA STUDIO
21, rue Froidevaux (14e) ✆ 01 43 22 72 12
Site Internet: www.amanastudio.fr
M° Denfert-Rochereau ou Gaité. Ouvert du lundi au samedi, horaires en fonction des cours.
Différentes tranches d'âge se croissent dans ce studio à la configuration idéale. De nombreuses disciplines sont proposées: danse orientale, barre au sol, danse classique (pour adultes mais aussi pour enfants), modern-jazz, contemporaine, hip-hop, etc. Les professeurs sont vraiment sympathiques. Elles discutent facilement avec les élèves, donnent de nombreux conseils et créent une ambiance vraiment conviviale. Tout le monde finit par se connaître. Les gens apprécient de pouvoir faire la connaissance des habitants du quartier. Les prix sont raisonnables. Pris à l'unité, le cours est facturé 15 €. La carte de douze cours coûte 156 € et est valable quatre mois. Les 36 cours sont à 396 €. Pour toutes les cartes, un droit d'entrée annuel de 16 € est exigé. Les cartes sont utilisables pour toutes les disciplines et l'ensemble des horaires.

Le plus japonais

DANSE COMPAGNIE NUBA
Gymnase des Lilas – 5, rue des Lilas (19e)
✆ 01 40 27 08 83
Site Internet: www.dansenuba.fr
M° Place-des-Fêtes. Les horaires varient selon les cours et la période de l'année.
Encore peu connues en France, les danses japonaises sont pourtant de toute beauté. La professionnelle Juju Alishina améliore sa pratique du Butô depuis plus de vingt ans. Passionnée, elle fait découvrir à de nombreuses Parisiennes cet art si particulier. La pratique du Butô ne nécessite pas une condition physique particulière. Il est possible de commencer dans cette discipline à tout âge. Les cours sont ici construits de façon assez intelligente. Ils poussent chaque personne à participer activement, à penser, imaginer et créer. Les prix sont raisonnables. Quel que soit le lieu que vous choisissiez, les cours à l'unité coûtent 15 € et la carte annuelle est à 350 €. L'inscription est possible toute l'année.

Le plus oriental

ECOLE DE DANSE NEDJMA
41, rue des Solitaires (19e) ✆ 01 42 45 37 11
Site Internet: www.nedjmadanse.com – M° Gambetta. Les cours se déroulent au Centre Momboye – 25, rue Boyer (20e) ✆ 01 43 58 85 01.
Dans cette école, créée en 1989 par Nusch Saïah, trois grands axes jalonnent les cours de danses orientales: restituer la beauté de la technique, apprendre à travers l'histoire et la musique le sens de la danse, et garder l'esprit festif et convivial qui lui sont propres. Chaque élève pourra ainsi découvrir une nouvelle approche du raqs sharqi ou danse orientale par la technique du corps et de l'esprit, et l'éthique que la danseuse restitue à cette danse. Il existe quatre niveaux de formation, de l'initiation à l'atelier de chorégraphie et d'improvisation. Les débutant(e)s opteront pour les cours du lundi de 17h45 à 19h ou bien encore du mercredi de 19h à 20h45. Tous les mois, un stage est également organisé sur un thème différent. Compter 25 € pour l'adhésion annuelle, un cours à l'unité vous coûtera 17 €. Il existe bien évidemment un système de carte, les tarifs étant dégressifs selon le nombre de cours achetés. La carte annuelle de trente-deux cours est à 360 €.

Le plus africain

ASSOCIATION ELIKIA
115, rue de Ménilmontant (20e)
✆01 46 36 45 10
Site Internet: www.danseafricaine.com
Les cours de danses africaines se déroulant au Centre Momboye (25, rue Boyer (20e). M° Gambetta) sont réputés pour leur qualité. L'ambiance est assurée par des professeurs passionnés et par des percussionnistes présents à chaque séance. Quand on débute, mieux vaut s'accrocher car cette façon de bouger n'est pas des plus évidente. Elle nécessite d'ailleurs une bonne condition physique et de n'avoir pas peur des courbatures. Pourtant, on y prend facilement goût et dès les premières heures on s'amuse. Différentes danses sont proposées, notamment la traditionnelle Congo-Kinshasa – tous niveaux le mercredi à 20h45 et le jeudi de 19h15 à 20h45. Les débutant(e)s opteront pour le cours du mardi à 19h15. Pour le ndombolo, rendez-vous le lundi à 19h15. Côté tarifs, compter 15 € pour un cours à l'unité, 65 € pour une carte de cinq cours – valable six semaines –, et 144 € pour une carte de douze cours – valable quinze semaines.

PISCINES

Tarifs et horaires des piscines municipales

Paris compte 38 piscines municipales qui pratiquent les mêmes tarifs en journée : entrée : 3 €, tarif réduit : 1,70 €, forfait 10 entrées : 24 €, forfait 3 mois : 37 €, cours d'aquagym de 40 minutes : 6 € – plus le droit d'entrée –, cours particulier de natation de 13 € : 16 € plus le droit d'entrée. Les piscines sont occupées pendant les périodes scolaires par les écoles et donc interdite au public. Chaque piscine a ses horaires, mais sachez qu'en général on peut venir nager le matin avant 9h, le midi de 11h30 à 13h30, le soir après 17h et le samedi et le dimanche de 9h à 19h environ. La seule piscine qui fonctionne en nocturne c'est la piscine Pontoise dans le 5e, elle reste ouverte certains soirs jusqu'à 23h45.

La plus tamisée

CARION SAINT-JAMES & ALBANY
202, rue de Rivoli (1er) ✆01 44 58 43 21
Site Internet: www.hotel-saintjamesalbany.com
M° Tuileries. Ouvert du lundi au dimanche de 7h15 à 21h15. Entrée : 120 € donnant l'accès à la piscine, au sauna et au hammam.
Ce petit bassin de 15 m x 4 m existe depuis cinq ans, il est baigné d'une lumière bleutée qui dégage d'agréables reflets turquoise. Dans ce cadre épuré aux murs de pierre, l'atmosphère est très zen en raison de la lumière tamisée, douce et reposante. Pour prolonger le plaisir, une formule «spa lunch» est proposée (150 €), comprenant un soin du visage de trente minutes, un massage relaxant de trente minutes ainsi qu'un déjeuner au bar de l'hôtel, l'idéal pour conjuguer gastronomie et détente aquatique, à l'abri des rumeurs de la ville.

La plus olympique

PISCINE SUZANNE-BERLIOUX
10, place de la Rotonde – Forum des Halles niveau 3 (1er) ✆01 42 36 98 44
M° Les Halles. Entrée : 4 €.
Ce bassin long de 50 m situé au cœur des Halles offre un terrain d'entraînement idéal pour ceux qui souhaitent nager dans le sillage des plus grands. Le cadre est lumineux et tropical, mais il y a du monde, notamment à l'heure du déjeuner en semaine. Deux nouvelles activités ont fait leur apparition : l'aquaphobie et l'école de l'eau pour les enfants.

La plus star

RITZ HEALTH CLUB
15, place Vendôme (1er)
✆01 43 16 30 60
Site Internet: www.ritzparis.com – M° Tuileries. Ouvert du lundi au dimanche de 6h30 à 22h. Entrée : 150 € la journée, donnant accès au sauna, au hammam, au Jacuzzi, à la salle de fitness, à la salle de musculation, à la piscine et à l'aquagym.
Voici enfin une piscine d'hôtel qui présente des mensurations correctes pour un nageur (17 m x 8 m), bien que la motivation principale de venir faire trempette au Ritz soit plutôt d'apprécier le décor tout en fresques et mosaïques de ce bassin. Créé en sous-sol en 1988, il affiche un luxe de stars de cinéma non dénué d'élégance, avec une décoration qui rappelle celle des thermes gréco-romains. Luxe et volupté retrouvés.

La plus pédagogique

PISCINE JEAN-TARIS
16, rue Thouin (5e)
✆01 55 42 81 90
M° Cardinal-Lemoine. Accessible aux personnes à mobilité réduite.
Pour nager dans le sillage de Laure Manaudou, rien de tel qu'une bonne leçon personnalisée de natation dans ces bassins de 25 m x 15 m et 15 m x 10 m. En réservant entre une semaine et 15 jours à l'avance, chacun fixe librement son horaire de cours en accord avec le moniteur pendant les horaires d'ouverture de la piscine (7h à 17h30). Ceux qui viennent en perfectionnement pourront aborder les quatre nages principales (brasse, crawl, dos et papillon),

les autres évolueront progressivement d'une nage à l'autre, le temps d'acquérir la bonne technique, celle qui permet de nager sans effort et de garantir un rendement optimal. Une excellente formule pour apprendre de nouvelles nages ou bien confier ses mauvais réflexes sans états d'âme à un moniteur qui ne manquera pas de les corriger.

La plus nocturne

PISCINE PONTOISE
19, rue de Pontoise (5e)
✆01 55 42 77 88
Site Internet : www.clubquartierlatin.com
M° Maubert-Mutualité.
Faisant partie du complexe sportif Pontoise, ce bassin de 33 m x 15 m est une institution et un lieu de rendez-vous pour les étudiants du quartier. Ayant servi de cadre à une partie du tournage du célèbre film de Kieslowski «Bleu», sa beauté d'antan intrigue avec ses 160 cabines qui donnent directement sur le bassin. On fait partie intégrante du décor dès que l'on sort de ces petites merveilles. Outre sa verrière et le charme de son architecture, on ne peut qu'apprécier la possibilité d'y faire trempette le lundi et surtout jusqu'à minuit en semaine, un véritable luxe, qui peut se prolonger à la cafétéria ou dans les vapeurs du sauna.

La plus ancienne

PISCINE CHATEAU-LANDON
31, rue de Château-Landon (10e)
✆01 55 26 90 35
M° Stalingrad ou Louis-Blanc.
Notez que la plus ancienne piscine de Paris est fermée pour travaux jusqu'au 1er décembre 2007, date à laquelle vous retrouverez ses deux bassins de 25 m x 10 m et 15 x 6 m. La piscine Château-Landon fut inaugurée en 1884, un siècle après l'apparition de la notion de «natation». Les organisateurs de la Nuit blanche ne s'y sont pas trompés en transformant pour l'occasion ce lieu en une gigantesque œuvre d'art. Les cours d'aquagym ainsi que toutes les activités proposées offrent une grande souplesse d'organisation : jeux ludiques pour les 4-6 ans, nage avec palmes, natation détente, plongée, water-polo, tout y est pour apprécier cette plongée historique.

La plus naturiste

PISCINE ROGER-LE-GALL
34, boulevard Carnot (12e)
✆01 44 73 81 12
M° Porte-de-Vincennes.
Un bassin olympique en plein Paris est toujours un atout appréciable, un second bassin de 25 m x 12,50 m (découvert) complète le tableau de cette piscine construite en 1967. En plus de son solarium gazonné, la piscine Roger Le Gall offre aux naturistes le plaisir du bain intégral trois soirs par semaine : le lundi, le mercredi et le vendredi de 21h à 23h, étant réservée spécialement par une association naturiste à cette occasion. Autre atout considérable, la possibilité de nager à ciel ouvert de juin et septembre, le grand bassin se découvrant à cette période. Ce cocktail réussi d'espaces verts et de soleil permet aussi de suivre des séances d'aquagym de 45 min le lundi, le mardi et le jeudi à 20h, le mardi et le jeudi à 19h, le samedi à 11h15 et le dimanche à chaque heure de la matinée. Il suffit de prendre rendez-vous avec un maître nageur pour fixer un horaire de cours particulier.

La plus seventies

PISCINE DUNOIS
70, rue Dunois (13e)
✆01 45 85 44 81
M° Nationale.
Bâtie en 1975, la piscine Dunois est représentative de l'architecture des années soixante-dix, que l'on doit à Delage, Tsaropoulos et J.-P. Camion. Son bassin de 25 m x 12,50 m offre une vue relaxante sur un jardin à travers les larges baies vitrées, intégré à un ensemble sportif comprenant un gymnase. On y donne des cours d'aquagym, ainsi que des cours particuliers et collectifs de natation (cours collectifs de 40 min uniquement en période scolaire, le mercredi et le samedi à 14h40). Le mur du fond est couvert d'une mosaïque, c'est une création de 1978 du sculpteur Maurice Kalka, qui évoque le soleil couchant. Faites plaisir aux passants en sortant vos plus beaux maillots, une mezzanine leur permet d'admirer votre coup de palme.

La plus étonnante

PISCINE DE LA BUTTE-AUX-CAILLES
5, place Paul-Verlaine (13e)
✆01 45 89 60 05
M° Place-d'Italie. Accessible aux personnes à mobilité réduite.
Construit en 1925, cet établissement repose sur une nappe d'eau chaude découverte en 1866, encore exploitée de nos jours. Après la création de bains-douches en 1908, la piscine ouvre ses portes au public en 1924. Elle brasse aujourd'hui une clientèle d'habitués qui apprécie autant de nager que de regarder ces vestiges. Le bassin extérieur et le solarium constituent son principal atout lorsque les beaux jours reviennent. La façade en brique rouge de même que l'imposante voûte du bassin intérieur valent le coup d'œil ; la piscine de la Butte-aux-Cailles est l'une des deux piscines classées de Paris, l'autre étant celle des Amiraux dans le 18e arrondissement. Cours de natation, gym-fitness, aquagym et aqua-jogging y sont également pratiqués.

La plus récente

PISCINE JOSEPHINE BAKER
Port de la Gare, quai François-Mauriac (13e)
✆01 56 61 96 50
M° Quai-de-la-Gare.
La première piscine flottante sur la Seine – et même en France – propose un bassin découvrable et un solarium ! Le toit ouvrant s'ouvre lorsque la météo le permet. D'une longueur de 90 m x 20 m de largeur, la piscine est accessible aux plongeurs toute l'année. Un bassin sportif de 25 m par 10 m jouxte une pataugeoire de 50 m² pour les enfants. Un solarium de 500 m² a été aménagé à bord du bateau, et la piscine est également dotée d'un complexe de remise en forme avec fitness, musculation, sauna et hammam. Attention en juillet et août, les tarifs deviennent un peu prohibitifs : 5 € pour les deux premières heures et 5 € par heure supplémentaire... et pour rentrer il faut s'armer de patience surtout le week-end.

La plus ensoleillée

PISCINE KELLER
14, rue de l'Ingénieur-Keller (15e)
✆01 45 71 81 00
M° Charles-Michels ou Javel.
Le solarium est assez limité puisqu'il s'agit des bords de la piscine, pas de verdure ici, on est entouré par les tours du XVe, mais rassurez-vous, sur fond de ciel bleu, ce cadre urbain passe très bien. L'atmosphère assez jeune et bon enfant sait aussi attirer les sportifs. Un deuxième bassin de 15 m permet aux plus jeunes de barboter sans gêner les accros du crawl. Cours d'aquagym, gym douce pour femmes enceintes et cours collectifs de natation devraient reprendre du service à la réouverture de la piscine.

La plus sportive

PISCINE BLOMET
17, rue Blomet (15e)
✆01 47 83 35 05
M° Sèvres-Lecourbe.
Construite après la Première Guerre mondiale, dans les années trente, la piscine Blomet marque sa singularité par sa construction sur plusieurs étages. Un balcon visiteurs s'ouvre sur les cinquante cabines de la galerie, d'où l'on peut admirer les prouesses des adeptes de ce bassin de 50 m x 12 m, qui attire les nageurs de bon niveau. Comme à Keller, les nageurs se répartissent dans les lignes d'eau en fonction de leur niveau, cela évite les embouteillages et les énervements qui font parfois monter la température inutilement. De nombreux clubs s'y entraînent également, attirés par les mensurations de ce sympathique bassin.

La plus hippique

PISCINE D'AUTEUIL
Hippodrome d'Auteuil (16e)
✆01 42 24 07 59
M° La Muette – Fermeture à 13h les jours de courses hippiques.
Située au cœur du domaine de l'hippodrome, la piscine d'Auteuil offre un cadre qui conviendra parfaitement aux familles attirées par le monde équestre, avec son solarium en pleine verdure. Avec ses deux bassins de 25 m x 15 m et de 15 m x 6,50 m, cette piscine a été à l'avant-garde de la mise au point du système de prévention des noyades Poséidon. La surveillance vidéo est couplée à des ordinateurs, de quoi rassurer les parents qui profiteront des larges baies vitrées et du toit ouvrant aux beaux jours. Les cours de natation, par groupe d'une à trois personnes, sont à fixer sur rendez-vous, et les séances d'aquagym ont lieu le mardi et le vendredi à 12h, le mercredi et le jeudi à 12h30, le samedi à 10h30.

La plus collective

PISCINE DES AMIRAUX
6, rue Hermann-Lachapelle (18e)
✆01 46 06 46 47
M° Simplon, Marcadet-Poissonniers, Jules-Joffrin.
La plus collective ne signifie pas que cette piscine de 33 m x 10 m est la plus fréquentée, il s'agit d'un clin d'œil à son histoire : l'immeuble, conçu par Henri Sauvage en 1922, était destiné à loger les familles d'ouvriers de manière collective. Cette volonté des pouvoirs publics de l'époque de donner accès aux loisirs pour tous aboutit à l'inauguration de la piscine en 1930. Deux étages de coursives mènent à des cabines individuelles, les carreaux ornant les plages et la façade extérieure rappellent ceux du métro parisien. On vient y faire de l'aquagym le mercredi à 14h30 et le dimanche à 11h30. Cours de natation sur rendez-vous.

La plus familiale

PISCINE-PATINOIRE PAILLERON
Espace sportif Pailleron – 32, rue Edouard-Pailleron (19e) ✆ 01 40 40 27 70
M° Bolivar.
Construit en 1933 et classé aux Monuments historiques, ce bassin sportif de 33 m x 15 m a été entièrement réhabilité. Fort d'un espace forme, d'une patinoire de 800 m² et d'une cafétéria, ce lieu joue la carte de la polyvalence. Des galeries accueillent les 196 cabines qui entourent le bassin qui bénéficie d'une bonne lumière grâce aux baies vitrées et aux verrières. Les enfants s'éclateront sous les jets d'eau, sur le toboggan ou dans le bassin équipé d'une boule à vagues. Un solarium peut accueillir vingt personnes aux beaux jours, idéal pour souffler après une séance d'aquagym ou de bébé nageur.

La plus tranquille

PISCINE ROUVET
1, rue Rouvet (19e) ✆ 01 40 36 40 97
M° Corentin-Cariou.
A proximité de La Villette, la piscine Rouvet fait aussi partie des plus anciennes de Paris, son allure similaire à celle de Pontoise, en raison des vestiaires répartis sur deux étages, remontant à 1928. Le bassin de 33 m x 12 m est découpé en cinq lignes d'eau qui ne permettent que d'y faire des longueurs, le bon plan pour les nageurs en quête de tranquillité. Les cours de natation s'organisent sur rendez-vous ; quant aux séances d'aquagym, elles se déroulent le lundi, le mardi et le vendredi à 12h30.

La plus polyvalente

PISCINE GEORGES-VALLEREY
148, avenue Gambetta (20e) ✆ 01 40 31 15 20
M° Porte-des-Lilas.
Inauguré lors des Jeux olympiques de 1924, ce bassin de 50 m x 21 m peut être divisé en deux bassins de 25 m. Les nocturnes le mardi et le jeudi y sont appréciées, tout comme le toit ouvrant, le solarium et la cafétéria. Siège de la Fédération française de natation, la piscine Georges Vallerey accueille des compétitions de natation et de water-polo qui peuvent être suivies des gradins, d'une capacité de 1 500 places. Autre particularité, elle dispose d'une fosse spécialement conçue pour la natation synchronisée. Cours d'aquagym et de natation, par groupe de six leçons également au programme.

TENNIS

FEDERATION FRANCAISE DE TENNIS
Stade Roland-Garros – 2, avenue Gordon-Benett ✆ 01 47 43 48 00
Site Internet : www.fft.fr – M° Porte-d'Auteuil.
La Fédération française de tennis (FFT) est une association de loi 1901 chargée d'organiser, de coordonner et de promouvoir le tennis en France. Elle est reconnue par le ministère de la Jeunesse et des Sports et par la Fédération internationale de tennis. En Ile-de-France on compte environ 250 000 licenciés, c'est le deuxième sport francilien après le football. 55 % des licenciés ont moins de 20 ans et c'est une population majoritairement masculine (70 % d'hommes). Enfin 76 % des pratiquants sont non classés.

TERRAINS MUNCIPAUX
Site Internet : www.tennis.paris.fr
Paris compte 43 centres de tennis municipaux, parmi lesquels le tout nouveau court Poliveau dans le 5e arrondissement, ouvert uniquement pendant les vacances. Certains occupent des lieux prestigieux comme les six courts découverts situés au cœur du jardin du Luxembourg, bien que le plus souvent on les retrouve à la périphérie de la ville. Avec des tarifs attractifs – 14 € le court couvert, tarif réduit : 8 € et 7,50 € le court découvert, tarif réduit : 4,50 € –, les places sont chères, d'autant que l'on ne peut réserver qu'au maximum une semaine à l'avance. Pour en bénéficier, il suffit de s'inscrire sur Internet, où l'on vous fera remplir un formulaire d'inscription. Votre identifiant et votre code d'accès vous seront envoyés par e-mail ou par SMS, après quoi vous aurez tout le loisir de réserver votre court en indiquant vos critères de préférences (date, horaires, lieu). Si la voie informatique vous rebute, il suffit de vous présenter dans un centre de tennis, muni d'une pièce d'identité, où l'on vous fera remplir un formulaire. Les pratiquants de longue date qui disposeraient encore de leurs identifiants de connexion du Minitel doivent savoir que ce service est fermé, il leur faut en créer de nouveaux sur internet.

PARIS CENTRAL TENNIS
Impasse Mousset – 81-83, rue de Reuilly (12e) ✆ 01 43 44 10 80
M° Montgallet. Stages jeunes : 540 €. Adultes : 612 € à 740 €. 200 € les cinq leçons particulières. Location annuelle de courts : 480 € à 870 € l'année pour une heure par semaine, les tarifs des créneaux horaires du soir étant plus élevés. Les leçons ont lieu de 15h à 18h le dimanche, le court est ouvert de 8h à 22h30.
Le centre a été rénové au cours de l'été 2009. Niché au fond d'une impasse qui attire les adeptes de petits coins de nature préservés au cœur de la ville. Des maisons de particuliers aux balcons fleuris côtoient une vieille imprimerie à l'architecture de verre, des bambous géants. Après s'être frayé un passage parmi la vigne vierge et les chats, nul doute que ce parfum de campagne en plein Paris vous mettra dans de bonnes dispositions. La réservation est conseillée en juin pour démarrer les cours au 1er octobre.

TENNIS ACTION
13, rue de Rosenwald (15e)
✆01 45 30 91 92
Site Internet : www.tennisaction.fr – M° Plaisance.
Tennis Action existe depuis bientôt trente ans et propose des formules de cours collectifs de tennis, qui se déroulent dans l'un des sept clubs Forest Hill de Paris et de sa proche banlieue. La formule est assez attrayante puisque lors de la durée du stage, on devient membre du club fréquenté, l'idéal pour progresser entre deux cours. Les plus jeunes ont accès au mini-tennis dès l'âge de 4 ans (370 € à 850 € pour un stage de neuf mois comprenant une heure de cours par semaine). Un adulte désirant suivre une session de cinq mois de cours règlera entre 520 € et 720 €, selon le centre qu'il choisira et le nombre de cours dispensé par semaine. Si l'on est motivé pour taper la balle entre deux cours pour profiter pleinement des avantages de la carte club, la formule est plutôt attrayante, à vous de saisir la balle au bond.

STADE JEAN-BOUIN
26, avenue Général-Sarrail (16e)
✆01 46 51 55 40
Site Internet: www.parisjeanbouin.fr – M° Porte-de-Saint-Cloud ou Porte-d'Auteuil. Ouvert de 9h à 19h en semaine, de 9h à 17h le week-end. Adultes : droit d'entrée de 850 € + cotisation annuelle de 970 € – licence incluse. Enfants à partir de 4 ans : droit d'entrée de 250 € + cotisation annuelle de 250 € – licence incluse.
Avec 1 800 inscrits, le stade Jean Bouin séduit les adeptes de la terre battue qui bénéficient dans ce complexe de dix-sept courts (dont quatre se trouvent à l'annexe du stade à 10 min), dont quatorze sont couverts et chauffés. Ceux qui veulent progresser en attendant Roland Garros pourront suivre des cours collectifs réunissant quatre personnes, ces cours hebdomadaires de 1h30 coûtent 700 € l'année. Réservation des cours maximum 48h à l'avance, par Internet, sur place ou par téléphone.

TENNIS CLUB DE PARIS
15, avenue Félix-d'Hérelle (16e)
✆01 46 47 73 90
Site Internet: www.tennisclubdeparis.fr – M° Porte-de-Saint-Cloud. Ouvert tous les jours de l'année de 7h30 à 22h30.
Réparti sur 3 hectares, le Tennis Club de Paris a vu passer de nombreuses gloires du tennis français depuis qu'il a ouvert ses portes en 1895. Sébastien Grosjean et Amélie Mauresmo ont succédé au style de Jean Borotra sur les terrains de ce club privé. Le droit d'entrée s'élève à 1 200 €, auquel s'ajoute une cotisation annuelle de 1 390 €. Ces tarifs sont modulés selon les âges. On s'inscrit pour l'année sportive, qui court du 1er octobre au 30 septembre. Il faut compter environ un an d'attente avant d'espérer intégrer le club. Dix-huit courts en terre battue, GreenSet (la surface de l'US Open), synthétique et parquet vous attendent, huit sont couverts l'été, quatorze l'hiver. Après le sport, restaurant, piscine et salle de gym vous tendent les bras... pour faire le break !

LAGARDERE PARIS RACING
Chemin de la Croix-Catelan (16e)
✆01 45 27 55 85/01 45 67 55 86
Site Internet : www.lagardereparisracing.com
M° RER C Avenue-Henri-Martin. Ouvert de 8h à la tombée de la nuit.
Le club qui a la réputation d'être le plus huppé de France existe depuis 1882 ! Depuis septembre 2006, le mythique Racing Club de France, fondé par des lycéens de Condorcet, a changé de nom, mais pas de lieu. Avec quarante-huit courts extérieurs dont dix-neuf en terre battue, on vient y travailler ses lifts au cœur du bois de Boulogne. La sélection à l'entrée est sévère, il faut être parrainé par deux membres du club pour espérer y jouer, s'acquitter d'un droit d'entrée de 1 950 € pour les moins de dix-huit ans et de 6 100 € pour le plus de dix-huit ans. Ensuite, la cotisation annuelle s'élève de 575 € à 1 645 € en fonction de votre âge. A ce tarif on a le droit de profiter aussi de la piscine, du sauna, du hammam et de la salle de gym. Le mythe a un prix, n'oubliez pas de conserver un budget pour acheter vos balles. A noter, le Racing Club de France a ouvert une petite école qui compte trois courts couverts. Renseignements : 01 40 61 60 90 ou 01 40 61 60 91 ou directement au club situé au 154, rue de Saussure dans le 16e arrondissement.

PARIS COUNTRY-CLUB
121, rue Lieutenant-Colonel-de-Montbrison – RUEIL-MALMAISON ✆01 47 77 64 00
Site Internet : www.pariscountryclub.com
Ouvert de 7h à 22h (possibilité de rester sur place jusqu'à 1h).
Ce club privé présente l'avantage de ne pas avoir de liste d'attente, en revanche pour y entrer il va falloir mettre la main au portefeuille en s'acquittant d'un droit d'entrée de 2 300 € et d'une cotisation annuelle de 2 150 €. A ce tarif, vous avez accès à 21 courts de surfaces variées : terre battue, surface synthétique ou béton, dont dix sont couverts. Une école de tennis, une école de compétition et un sport-études complètent ce tableau du tennis, qui peut s'accompagner de loisirs aquatiques, de fitness, de golf, de salle omnisport, de cinéma, un véritable art de vivre aux portes de Paris.

LIGUE DE TENNIS DE PARIS
Route de l'Etoile (16e) ✆01 44 14 67 89
Site Internet : www.ligue.fft.fr/paris – M° Porte-Dauphine.
Nous invitons les joueurs qui veulent aller plus loin dans leur pratique, par exemple en souhaitant s'inscrire à un club, à consulter le site Internet de la Ligue de Tennis de Paris, où ils trouveront la

liste et les contacts des nombreux clubs existants à Paris. Quelques liens Internet utiles se trouvent sur ce site, comme : http://maxitennis.free.fr, qui se définit comme un annuaire des sites traitant de tennis, pratique.

JOGGING

JARDIN DES TUILERIES

Accès par la place de la Concorde, la place du Carrousel, la rue de Rivoli et le quai des Tuileries, l'avenue Général-Lemonnier et la passerelle Solferino (1er). M° Tuileries ou Concorde ou Palais-Royal. Horaires d'hiver de 7h30 à 19h. Horaires d'été de 7h à 21h. Superficie : 25 ha, longueur de 920 m et largeur de 325 m.

Le plus ancien jardin de Paris est aussi le plus vaste, offrant un terrain de jeu idéal pour les coureurs qui aiment allier le sport à une perspective que des milliers de touristes viennent apprécier en permanence, avec d'un côté la vue sur le Louvre et le Carrousel et de l'autre la place de la Concorde et l'avenue des Champs-Elysées qui monte en pente douce jusqu'à l'arc de Triomphe. Très fréquenté aux beaux jours, le jardin des Tuileries présente de nombreuses contre-allées et des horaires assez généreux qui permettent au coureur lève-tôt de travailler sa foulée sans slalomer au milieu d'une foule compacte. Les ormes rescapés de la graphiose dévastatrice de 1980 font figure de patrimoine naturel, il en reste un beau spécimen devant l'Orangerie. Parmi les statues antiques de 1716, on trouve à l'ouest du jardin des expositions d'art contemporain qui se tiennent dans la galerie du Jeu de Paume. Courir aux Tuileries, c'est aussi côtoyer un musée en plein air avec les sculptures de Rodin, Coysevox ou Carpeaux, mais aussi celles d'artistes contemporains comme Giacometti ou Dubuffet. Sur les pas de Catherine de Médicis, courir aux Tuileries c'est un bol d'air au milieu d'œuvres d'art et d'essences rares.

VOIES SUR BERGES

Les voies sur berges, véritables autoroutes dans la ville, infréquentables en semaine en raison de la densité et de la vitesse du trafic, redeviennent les dimanches des havres de paix à savourer sans modération. Dans le cadre de l'opération «Paris respire», le 1er, le 4e et le 7e arrondissement sont concernés par la fermeture des voies sur berges à la circulation les dimanches et jours fériés de 9h à 17h, de mars à novembre. Les piétons, cycliste et rollers peuvent profiter pleinement d'une balade qui permet de redécouvrir les nombreux monuments des bords de Seine comme l'Assemblée nationale, le musée d'Orsay, l'Institut de France, la Conciergerie… Rive droite, la voie Georges Pompidou est fermée à la circulation depuis l'entrée du souterrain des Tuileries jusqu'à la sortie du souterrain quai Henri IV. Rive gauche, les voies sont fermées à la circulation depuis l'accès quai Anatole France jusqu'à la sortie quai Branly. Très fréquentées aux beaux jours, les coureurs auront intérêt à venir assez tôt le matin pour éviter les croisements intempestifs avec les adeptes du roller et du vélo. Les berges basses de la Seine sont classées Patrimoine mondial de l'humanité par l'Unesco depuis le 10 septembre 1994. Au total, c'est une boucle d'environ 6 km que l'on peut effectuer loin des pots d'échappement et en appréciant un point de vue au ras de l'eau au cœur de Paris.

JARDIN DES PLANTES

Accès par la place Valhubert, la rue Buffon, la rue Cuvier et la rue Geoffroy-Saint-Hilaire (5e)

M° Gare-d'Austerlitz ou Jussieu ou Place-Monge. Horaires d'hiver de 8h à 18h15. Horaires d'été de 7h30 à 19h45. Superficie : 22 ha.

Choisir le jardin des Plantes pour courir, c'est se donner l'occasion de varier sa foulée entre petits chemins tortueux et grandes allées majestueuses. En rentrant dans le jardin par la place Valhubert, une perspective de 500 m mène le regard vers les serres et la Grande Galerie de l'Evolution. Les plates-bandes sont soigneusement entretenues et un étiquetage permet de se familiariser avec la botanique le temps d'un étirement, entre collections de roses, dahlias et fuchsias. L'école botanique permet de découvrir 4 500 végétaux parmi des arbres rares. Devant la galerie de botanique subsiste un des plus vieux arbres de Paris, un robinier faux-acacia planté en 1636. Le jardin alpin présente 2 000 plantes de montagne d'origines diverses, les serres abritent sous leurs serres de 16 m de haut une végétation luxuriante des pays chauds. Si des bruits inhabituels et des odeurs subtiles vous montent au nez, c'est certainement que vous êtes en train de longer la ménagerie et ses 240 mammifères, 500 oiseaux et 130 reptiles. La roseraie et le jardin d'iris complètent cette foulée aux accents botaniques.

JARDIN DU LUXEMBOURG

Accès par le boulevard Saint-Michel, la rue de Vaugirard, la rue Guynemer, la rue Auguste-Comte et la rue de Médicis (6e)

M° Notre-Dame-des-Champs ou RER Luxembourg. A noter, les horaires d'ouverture changent tous les 15 jours car ils suivent les heures de lever et de coucher du soleil. En plein hiver de 8h15 à 16h30. En plein été de 7h30 à 21h30. Superficie : 22 ha.

Attention, le jardin du Luxembourg peut offrir le meilleur comme le pire aux coureurs. Le meilleur en venant tôt le matin, le pire un beau dimanche ensoleillé de printemps où la foule sera trop nombreuse pour apprécier pleinement une bonne tranche de course. Au Luxembourg, le plus simple est de suivre le tour du jardin pour bénéficier d'une distance suffisante et éviter les virages à angle droit, cela permet d'apprécier la perspective du bassin avec au fond le magnifique bâtiment du Sénat. Les fameuses chaises vertes en fer forgé, si représentatives de ce jardin, offrent une halte agréable après une course effrénée. La fréquentation est cosmopolite et, en fonction des heures, on retrouve une atmosphère de quartier, étudiante et contemplative ou bien plus touristique et surchargée. Parmi les espèces classiques ou plus exotiques, on peut apprécier les sculptures de Bourdelle, Rodin ou encore Zadkine pour une foulée aux accents littéraires.

PARC DU CHAMP-DE-MARS

Accès par le quai Branly, l'avenue de la Motte-Piquet, l'avenue de la Bourdonnais et l'avenue de Suffren (7e)

M° Ecole-Militaire, RER C Champ-de-Mars. Superficie : 24,5 ha. Le Champ-de-Mars n'est pas un parc clos, il est donc accessible en permanence bien que l'on déconseille d'y courir de nuit en raison d'un éclairage assez médiocre des larges allées latérales.

La première chose qui frappe lorsqu'on découvre le Champ-de-Mars, c'est une perspective un peu rigide qui mène le regard de l'école militaire au monument contemporain de la paix, jusqu'à la tour Eiffel centenaire. On peut redouter une forte concentration de touristes, mais finalement ils se concentrent sous la tour Eiffel. Le jardin est donc très agréable pour la course si l'on pratique sur les larges allées extérieures, en faisant une boucle juste avant la tour Eiffel. Cela évite de longer le trafic intense des quais et de slalomer entre les admirateurs du symbole métallique de la capitale. La partie centrale du Champ-de-Mars offre des pelouses ouvertes au public, les allées qui les longent sont nettement plus fréquentées que les larges allées latérales, qui ont aussi pour intérêt d'augmenter la distance de ce tour de course rectangulaire. Bourdelle a laissé un buste de Gustave Eiffel dans ce parc qui compte de nombreux arbres plus que centenaires et la présence d'une habitante peu commune en ville : la chouette hulotte.

PARC MONCEAU

Accès par le boulevard de Courcelles, l'avenue Vélasquez, l'avenue Van-Dyck et l'avenue Ruysdael (8e)

M° Monceau. Horaires d'hiver de 7h à 20h. Horaires d'été de 7h à 22h. Superficie : 8 ha.

De grandes grilles de fer forgé rehaussées d'or accueillent le visiteur dans ce jardin de 1796 aux allures aristocratiques. Drainant avant tout, les habitants du quartier, il est isolé par les hôtels particuliers qui l'entourent et forme une ceinture végétale où il est agréable de courir en dehors des heures de pointe. Parmi les nombreuses statues qui l'ornent, il abrite également un érable sycomore aux branches tordues, le plus vieux (1853), le plus gros (4,18 m) et le plus haut de l'arrondissement (30 m), ainsi qu'un platane d'Orient dont la circonférence atteint sept mètres. A voir également pour se défouler intelligemment la célèbre Naumachie, ce bassin entouré d'inspiration antique qui dresse ses colonnes corinthiennes ainsi que la rotonde appelée le «pavillon de Chartres», en bordure de l'actuel boulevard de Courcelles. Le parc Monceau, amputé de moitié depuis sa création en raison de l'aménagement d'hôtels particuliers au XVIIIe siècle, a gardé la forme qu'il avait en 1861 lors de son inauguration par Napoléon III.

QUAIS DU CANAL SAINT-MARTIN

M° Gare-de-l'Est ou Colonel-Fabien ou Jacques-Bonsergent ou Jaurès (10e).

Toute l'année, les quais de Valmy et de Jemmapes qui longent le canal Saint-Martin sont réservés aux piétons le dimanche entre la rue des Ecluses-Saint-Martin, la rue des Récollets, la rue Louis-Blanc, la rue Alexandre-Parodi, la rue Robert-Blache et l'angle de la rue Bichat. Apprécié des bobos et branchés de la capitale, ce quartier fourmille de bars et de restaurants qui rivalisent d'efforts de décoration, alignant des petites terrasses charmantes où il fait bon croire qu'on se trouve dans un village de province. Avant le réconfort, l'effort peut se produire sur les 4,5 km qui relient le bassin de la Villette au port de l'Arsenal. Inauguré le 4 novembre 1825, le canal Saint-Martin évitait aux bateaux la traversée de Paris par les méandres de la Seine en reliant le canal de l'Ourcq à la Seine. Le charme d'antan des écluses et des passerelles métalliques aux marches de bois fonctionne à merveille et offre une possibilité d'effort supplémentaire aux plus sportifs qui n'hésiteront pas à passer d'une rive à l'autre en profitant des différentes perspectives qu'offrent ces passerelles. Les plus courageux pourront poursuivre leur course vers le 19e arrondissement jusqu'à la Villette par les quais de la Loire et de la Marne, le long du bassin de la Villette et du canal de l'Ourcq. Aux beaux jours, faire ses étirements dans le square Villemin le long du canal permet d'associer un espace de verdure à cet univers aquatique, métallique et pavé.

BOIS DE VINCENNES

M° Porte-Dorée ou Château-de-Vincennes (12e). Superficie : 995 ha.

Le bois de Vincennes est le deuxième poumon de la capitale, répondant au bois de Boulogne par 17,5 km de pistes cyclables et de circuits cyclotouristiques et de 32 km de routes fermées à la circulation adaptées à la pratique du jogging. Le zoo du bois de Vincennes s'étend sur une surface de 15 ha au nord, le bois compte quatre lacs, celui de Daumesnil est assez vaste pour offrir un parcours intéressant aux coureurs. Proche du lac, le temple bouddhique accueille des cérémonies depuis 1977. Au sud du lac Daumesnil, la vaste pelouse de Reuilly offre une étendue qui est une véritable invitation à la pratique de sports individuels ou collectifs, en dehors de la présence de la foire du Trône qui y plante ses chapiteaux au printemps. Le jardin colonial, créé pour l'exposition coloniale de 1907, mérite quelques foulées tout comme le château de Vincennes. Une réserve ornithologique, près du rond-point Dauphine, permet d'admirer quelques spécimens peu connus parmi les 150 espèces d'oiseaux qui occupent les lieux.

PARC MONTSOURIS

Accès par le boulevard Jourdan, l'avenue Reille, la rue Gazan, la rue de la Cité-Universitaire, la rue Nansouty et la rue Emile-Deutsch-de-la-Meurthe (14e)

RER Cité-Universitaire. Ouvert de 9h à 17h30 (l'hiver) et 21h30 (l'été). L'horaire de fermeture du soir varie en fonction du coucher du soleil, nous avons précisé ci-dessus les deux horaires du soir les plus extrêmes. Superficie : 15 ha.

Les grottes, cascades et allées sinueuses du parc Montsouris font oublier que cette plaine était auparavant occupée par les carrières de Montrouge puis par une nécropole. Sa légère dénivellation anime les cascades et fait travailler les muscles dans l'effort au milieu d'une foule d'étudiants étrangers qui apprécient cette halte de verdure face à la cité universitaire. Parmi les 1 400 arbres souvent centenaires qui rythment le parc, le ginkgo biloba est apprécié pour les teintes jaunes qu'il offre à l'automne au bord du lac où les canards colverts et les cygnes naviguent en paix. Séquoia géant d'Amérique et platane d'Orient attirent le regard parmi les trois grandes pelouses qui dessinent le parc, reliées entre elles par de petits ponts. La petite île accueille l'hiver de nombreuses espèces d'oiseaux, alors tendez l'oreille entre deux foulées : si vous entendez le cri d'une mouette rieuse, ce ne sera pas le fruit d'hallucinations dues à un effort exagéré.

PARC ANDRE CITROEN

Accès par le quai André-Citroën, la rue Leblanc, la rue Saint-Charles, la rue de la Montagne-de-la-Fage (15e)

M° Lourmel ou Balard ou RER C Boulevard-Victor. Ouvert à 9h, la fermeture varie tous les mois, 17h30 en janvier, 21h30 de mai à août. Superficie : 14 ha.

Inauguré en 1992, ce parc est né sur un terrain autrefois occupé par les usines Citroën. Il s'intègre à une zone de constructions récentes très réussies, créant une sorte de village contemporain qui aime les lignes graphiques et l'atmosphère zen des jardins inspirés d'Asie. Pour courir après un thème ou une couleur, l'endroit est idéal puisque ceux-ci se déclinent dans différents espaces qui permettent de s'échapper de la vaste étendue de la pelouse centrale pour gravir des gradins au milieu d'une végétation touffue et de nombreux jets d'eau. L'attrait du parc est aussi de donner directement sur la Seine, un projet de promenade le long de la Seine entre le parc André Citroën et le parc de Bercy devrait voir le jour. De l'autre côté de la Seine, deux grandes serres de 15 m de haut dominent la pelouse, l'une servant d'orangerie d'octobre à avril, l'autre abritant les plantes de climat méditerranéen des zones australes. Au milieu de ces différents espaces très intellectualisés, chaque couleur de jardin étant associée à un métal, à un jour de la semaine, à un état de l'eau et à un sens, on peut croiser la corneille noire qui peut atteindre un mètre d'envergure, même s'il est peu recommandé de lever la tête en courant.

BOIS DE BOULOGNE

M° Porte-Dauphine ou Porte-d'Auteuil ou RER Porte-Maillot ou Avenue-Foch. Superficie : 846 ha.

Avec 28 km de pistes cavalières et 15 km d'itinéraires cyclotouristiques, le bois de Boulogne, affaibli par la tempête du 26 décembre 1999, continue malgré tout de faire office de poumon de la capitale pour offrir aux coureurs parisiens un fabuleux terrain de jeux entre lacs et sous-bois. Les chênes qui peuplaient l'ancienne forêt de Rouvray cohabitent avec des cèdres, des platanes, des ginkgos bilobas, les itinéraires de course sont donc multiples. Occupé par le Jardin d'acclimatation au nord et le parc de Bagatelle au centre, on peut recommander le parcours du tour du lac inférieur, qui offre en permanence une vue reposante sur les îles et les adeptes du cabotage sur les barques en bois, à deux pas du Racing Club de France. Les adeptes des oiseaux pourront apprécier la réserve ornithologique se situant au carrefour de Longchamp, sur la route de la Grande Cascade. Courir de nuit au bois présente d'autres risques qu'une simple foulure en raison d'un éclairage insuffisant, l'endroit est en effet réputé comme un lieu de prostitution notoire.

BUTTES-CHAUMONT
Accès rue Manin et rue Botzaris (19e)
M° Buttes-Chaumont et Botzaris. Ouvert de 7h à 23h (mai à septembre), 21h (septembre à mai). Superficie : 25 ha.
Attention, courir aux Buttes-Chaumont est réservé aux nostalgiques de la montagne qui aiment les montées douloureuses pour les cuisses et les descentes qui font grincer les genoux. Le parc le plus escarpé de Paris exige bien sûr une bonne condition physique pour oser y trotter, mais avec un peu d'entraînement, pourquoi ne pas tenter l'expérience ? Contrastant avec les jardins à la française, le parc surprend par l'apparition régulière de paysages qui semblent sortis du pinceau d'un artiste. Le petit temple de la Sybille qui se dresse sur l'île rocheuse située au milieu du lac est une réplique du temple de Tivoli. Les 5,5 km de voies et 2,2 km de chemins offrent pas mal de possibilités au coureur et, si la pente est vraiment trop raide, profitez du point de vue offert par la falaise qui s'élève à 30 m de hauteur ou encore de la grotte du lac et de ses fausses stalactites. Cette débauche de décorum artificiel a démarré sous Napoléon III qui, une fois les carrières fermées, décida de transformer cette colline en jardin. Après trois ans de travaux titanesques, le parc fut inauguré le 1er avril 1867, en même temps que l'exposition universelle du Champ-de-Mars.

TOUTES DISCIPLINES

Arts martiaux

ECOLE DU TIGRE VOLANT
Gymnase de l'église américaine
65, quai d'Orsay (7e) ✆ 01 45 79 61 36
Sites Internet : www.arts-martiaux-de-chine.com – www.federation-kungfu-taichi.fr – M° Invalides ou RER C Pont-de-l'Alma. Cotisation annuelle de 300 € pour les adultes, 250 € pour les étudiants. Assurance : 80 €. Cours réservés aux débutants.
Dans l'académie qu'il a créée en 1980, maître Tran-Quang-Kinh initie et forme les élèves à la pratique des arts martiaux traditionnels dans une approche très complète. Durant chaque cours – d'une durée de 1h30 –, ce n'est pas une, mais trois disciplines qui sont enseignées. On débute la séance par du qi-gong, pour s'échauffer en douceur. On enchaîne alors avec le kung-fu, dit art martial externe, et le cours s'achève avec des mouvements de tai-chi, qui a pour vertu de détendre le corps et l'esprit. Notez que des stages en plein air sont également organisés quai Branly (15e).

KABUTO
15 bis, rue de La-Tour-d'Auvergne (9e)
✆ 01 42 81 39 89
Site Internet : www.paris-shoto.com – M° Anvers ou Cadet. Inscription annuelle, adultes : 350 € – participation possible à tous les cours proposés – enfants : 245 € – deux cours de 1h30 par semaine. Le dimanche de 10h30 à 12h, tous niveaux à partir de 13 ans.
Sport traditionnel issu de l'ancestrale culture japonaise, le karaté évolue en permanence. Le credo de l'association est d'enseigner un karaté contemporain sans rester figé sur le karaté traditionnel. Cette ouverture sur la nouveauté va de pair avec la recherche d'épanouissement et de sérénité que cette pratique implique. Sport exigeant, le karaté met en avant aussi une réflexion, une certaine sagesse inhérente à la culture du Levant. Le cours du dimanche a l'avantage de ne pas réunir de trop nombreux pratiquants, il convient particulièrement aux débutants qui ont alors tout le loisir d'exposer leurs attentes. La moyenne d'âge à ce cours tourne autour de 30-40 ans et démarre à partir de 13 ans.

SYSTEMA
Maison de la Culture arménienne – 17, rue Bleue (9e) ✆ 06 60 45 40 23
Site Internet : www.systemafrance.com – M° Cadet. Cours d'essai : 5 €. Cotisation annuelle : 460 € – 1 à 3 cours par semaine –, 390 € pour les étudiants

– assurance comprise. Cours à l'unité : 15 €.
S'il vous prend l'envie de vous frotter à une discipline méconnue, direction la maison de la culture arménienne. Jérôme Kadian y enseigne le systema, un art martial russe qui ne ressemble en rien, ou presque, aux disciplines asiatiques. Dans la forme, pas de salut, de tactiques ou de figures imposées. Cette forme de combat, vieille de plus de dix siècles et développée sous le régime soviétique, pourrait s'assimiler à l'auto-défense. Chaque combat étant différent, le but est de réagir de la manière la plus efficace possible : attaques et parades doivent être adaptées à la situation et à l'adversaire. En plus des exercices de relaxation et de respiration, lesquels sont à la base de la maîtrise physique et mentale, les cours de Systema consistent à apprendre à répondre à toutes sortes d'agressions, en binôme ou à trois.

LE DOJO DE GRENELLE
21-23, rue Amiral-Roussin (15e)
✆ 01 43 06 38 87
Site Internet : www.dojodegrenelle.com
M° Cambronne. Ouvert du lundi au vendredi de 9h à 22h, le samedi de 9h à 20h. Cotisation annuelle, adultes : 600 €, étudiants moins de 25 ans : 520 €. Trimestre, adultes et étudiants : 340 €, jeunes moins de 16 ans : 210 €. Carnet de 10 séances : 190 €. Pour les arts martiaux, licence obligatoire : 32 €.
C'est bien simple, vous êtes ici dans le plus grand espace dédié aux arts martiaux d'Europe, et certainement le plus agréable avec ses quatre grandes salles ouvertes sur l'extérieur. Les activités ne se limitent pas aux arts martiaux, loin de là, mais les infrastructures du dojo de Grenelle sont idéales pour venir seul ou en famille s'initier ou se perfectionner à ces disciplines. Les débutant(e) s peuvent essayer plusieurs activités avant de se décider. Judo, karaté, kung-fu, taekwondo, viet-vo-dao, qi-gong, tai-chi-chuan comptent parmi les plus connues, mais vous pourrez aussi découvrir le kalarippayat, un art martial indien, ou encore le penchak-silat, qui trouve ses origines en Indonésie.

Baseball-softball

PARIS UNIVERSITE CLUB
Stade Charléty – 17, avenue Pierre-de-Coubertin (13e) ✆ 01 44 16 62 62
Site Internet : www.pucbaseball.com
Tramway 3 Stade-Charléty. Adultes : 250 € l'année, tarif réduit : 195 €, jeunes : 190 € + 30 € pour les nouveaux membres. Softball : 140 €.
Envie de pratiquer un sport bath venu tout droit des Etats-Unis ? C'est possible dans le bois de Vincennes qui ne compte pas moins de trois terrains dédiés au baseball et au softball (Pershing, Mortemart et Mortemat). Qu'on ne s'y trompe pas, le softball n'est pas réservé aux femmes délicates ou aux enfants chétifs, il s'agit simplement d'une variante du baseball qui utilise une balle plus grosse, qui se joue sur un terrain plus court et qui est moins agressif physiquement. Le softball permet en général de s'amuser assez rapidement. Si la découverte de ces sports vous séduit, vous n'aurez plus qu'à adhérer à ce club qui compte déjà 250 licenciés et douze équipes qui évoluent au niveau régional. La saison 2009 commence en novembre 2008.

Capoeira

ASSOCIATION ARCO IRIS
5, rue Petion (11e) ✆ 06 85 75 97 83
Site Internet : www.dissidanse.fr
M° Voltaire. 10 € le cours, adhésion à l'année : 343 €, tarif réduit : 275 €, enfants de 5 à 13 ans : 252 €. Premier cours gratuit pour les débutant(e)s. Cours le dimanche de 15h à 18h au gymnase de la Cour des Lions, 9, rue Alphonse-Baudin (11e).
Cette association propose des cours de capoiera angola, dite traditionnelle. Cette forme d'expression héritée d'une lutte exprimée par les esclaves africains met en avant un jeu de malice, rythmé par des instruments de percussion. Une fois par mois, une ronde est organisée le dimanche, moment participatif où l'on met en valeur ses acquis. La pratique de la capoeira va de pair avec la découverte d'instruments traditionnels comme le berimbau (arc musical de bois), le pandero (petit tambourin) ou encore l'agogo (cloches). Sans restriction d'âge, la capoeira allie l'entretien physique au sens de la chorégraphie et du rythme, tout en gardant conscience que les problèmes initiaux soulevés par cette expression sont encore vivaces dans certains pays.

Equitation

CENTRE EQUESTRE PONEY-CLUB DE LA VILLETTE
55, boulevard McDonald (19e)
✆ 01 40 34 33 33
Site Internet : www.equivil.fr
M° Porte-de-la-Villette. De 153 € à 204 € le trimestre pour les cours de poney, selon la saison. De 200 € à 280 € le trimestre pour les cours d'équitation et de 175 € à 245 € pour le poney.
Cette structure située dans un bel espace au cœur de La Villette propose des cours le dimanche matin de 9h30 à 12h30. Poneys Shetland, doubles-poneys et chevaux accueillent un public de tout âge et tout niveau. Il est recommandé de s'inscrire au mois de juin pour le mois de septembre. Par groupe de 10 à 15 personnes, vous monterez dans un grand manège et en carrière extérieure pour perfectionner vos allures. Pendant les vacances, des stages sont proposés en Normandie et en Sologne. Pour monter au cœur de Paris et profiter de l'architecture singulière de la Villette, cette adresse urbaine qui sent bon le foin prouve que l'équitation ne rime pas forcément avec l'éloignement de la capitale.

Fitness

ESPACE FORME DE LA BUTTE-AUX-CAILLES
5, place Paul-Verlaine (13e)
✆ 01 45 89 60 05
Site Internet : www.paris.fr – M° Place-d'Italie. Ouvert le lundi de 18h à 22h, le mardi de 16h à 20h, le mercredi de 10h30 à 14h30 et de 18h à 22h, le jeudi et le vendredi de 11h30 à 14h30 et de 15h30 à 19h30, le samedi de 9h à 13h et de 14h à 18h, le dimanche de 9h à 13h. 10 € la séance de 40 min à 11h.

Par groupes de 20 personnes maximum, cette gymnastique d'entretien fonctionne trois dimanches sur quatre. Il faut réserver à l'avance pour les cours encadrés, pour lesquels une formule de dix entrées à 90 € est proposée pour ceux qui souhaitent faire travailler leur corps sur la durée. L'entrée à la salle de fitness en accès libre coûte 8 € (70 € les 10 entrées). Idéal pour se remettre en forme et retrouver une condition physique défaillante, le fitness permet un travail harmonieux sur l'ensemble du corps, dont vous sentirez les effets bénéfiques lors d'autres pratiques sportives.

Boxe américaine (full-contact)

CENTRE D'ANIMATION MONTGALLET
10, rue Erard (12e)
✆ 01 43 41 47 87
Site Internet : www.claje.asso.fr
M° Reuilly-Diderot. Les cours ont lieu au gymnase Léon-Mottot, 17, cité Moquet (12e). M° Montgallet et au centre sportif Carnot, 26, boulevard Carnot (12e). M° Bel-Air ou Michel-Bizot.

Accros du full-contact, venez y goûter le mardi et le jeudi de 20h30 à 22h30, le samedi de 14h à 15h30 et de 15h30 à 17h. Le full-contact se pratique à partir de 16 ans, la cotisation annuelle coûte de 91,40 € à 274,30 € pour les moins de 26 ans.

Golf

GOLF DE SAINT-CLOUD
60, rue du 19-Janvier – GARCHES (92)
✆ 01 47 01 01 85
Site Internet : www.golfsaintcloud.com – Ouvert en hiver de 8h à 18h et 20h en été. Fermé le lundi. Semaine : 90 € le parcours et 120 € le week-end.

Si vous appréciez l'ambiance feutrée et bien élevée (normalement) des clubs privés, vous vous sentirez sûrement à l'aise dans ce club historique, qui propose à ses membres deux parcours de 18-trous. Un lieu idéal pour améliorer son swing, à seulement 6 km à l'ouest de Paris. Un soin particulier est apporté à la tenue vestimentaire, que vous soyez membre ou invité. Si vous êtes ni l'un ni l'autre, attendez les mois d'été pendant lesquels le club ouvre ses portes aux non adhérents.

AS GOLF DE ROSNY-SOUS-BOIS
12, rue Raspail – ROSNY-SOUS-BOIS (93)
✆ 01 48 94 01 81
Site Internet : www.asgolfrosny.asso.fr
M° RER Bois-Perrier. Ouvert du lundi au vendredi de 9h à 20h, le samedi et le dimanche de 8h30 à 20h, fermeture à 18h l'hiver.

Situé à seulement 4 km à l'est de Paris, ce golf public aligne un vrai 9-trous sur une distance de 2,11 km. L'accès au parcours varie de 15 € à 18 € en semaine et de 23 € à 37 € le week-end. L'abonnement annuel en semaine coûte 770 €, 1 330 € pour un couple, l'abonnement annuel global coûte 1 350 €, 2 020 € pour un couple, tarif réduit à 75 € pour les étudiants. On peut louer des clubs sur place ou bien acheter du matériel au pro shop.

Gymnastique suédoise

FEDERATION FRANCAISE DE GYM SUEDOISE
15, rue Le-Sueur (16e)
✆ 01 45 00 18 22
Site Internet : www.gymsuedoise.com
M° Argentine.

Depuis quelques années, la gym suédoise est en plein boom. En Suède, plus de cinq cent mille sportifs s'y adonnent. Le principe, faire du sport en musique et avec le sourire. Les clés du succès, des mouvements simples, accessibles à tous et des tarifs volontairement bas. On compte six niveaux de difficultés, du standard à l'intensif, en passant par la famille, sans oublier des cours de qi-gong, discipline ancestrale pratiquée en Chine. Concrètement, une séance dure environ une heure. Sur fond de musique entraînante, celle-ci comprend échauffements, étirements, musculation, cardio, course, stretching et se termine par une relaxation bien méritée. Aucun appareil n'est utilisé. Bien-être et convivialité garantis !

A noter : plus de deux cents cours par semaine vous sont proposés dans quarante salles différentes, toutes les infos sont sur le site www.gymsuedoise.com ou par téléphone – voir numéro indiqué.

Gyrotonic

CENTRE UMA
14, rue Choron (9e)
✆ 01 44 53 61 13
Site Internet : www.uma-paris.com
M° Notre-Dame-de-Lorette. Ouvert du mardi au samedi de 10h à 19h.

Mis à part les massages indiens aux huiles, agréables après le sport et les séances de yoga, ce centre pratique le gyrotonic, une méthode qui s'apparente à la rééducation fonctionnelle, en faisant travailler la coordination neuro-musculaire sur des machines, les postures ou encore la tonicité des muscles. Apprécié des femmes enceintes et de toute personne ayant des douleurs articulaires, ligamentaires ou tendineuses, le gyrotonique bénéficie ici d'un encadrement individuel lors des six premières séances d'une heure (300 €). Par la suite, chaque cours coûte de 40 € et vous assure un suivi adéquat, puisque deux coachs s'occupent des quatre machines disponibles.

GYROTONIC
16, passage de la Main-d'Or (11e)
✆01 47 00 02 13
Site Internet: www.whitecloudparis.com
M° Ledru-Rollin. Accueil sur rendez-vous du lundi au samedi de 9h à 21h. 6 premières séances d'une heure: 300 € (350 € les 12 et 550 € les 24).
Le gyrotonic est basé sur une technique d'entraînement qui s'inspire des principes élémentaires du yoga. Les exercices se réalisent en position assise ou debout, grâce à un système d'agrès constitués de sangles, de poids et de poulies. Si cela peut paraître impressionnant au premier abord, sachez que ces dernières sont toujours maniées en douceur par le professeur, qui explique comment bien synchroniser les mouvements avec un contrôle de la respiration. On peut aussi y pratiquer une discipline complémentaire: le gyrokinésis, en cours collectif de six personnes. Il s'agit de réaliser une série d'exercices sans les machines, debout, au sol ou sur un tabouret, il vous en coûtera 20 € par séance de 1h15 (90 € les 6).

HANDISPORT
42, rue Louis-Lumière (20e)
✆01 40 31 45 00
Site Internet: www.handisport.org – M° Gallieni.
Paris poursuit ses efforts pour améliorer l'accès des personnes handicapées au sport, sa région compte cent vingt associations et clubs qui accueillent sur huit départements plus de trois mille licenciés, dans des disciplines aussi diverses que l'athlétisme, le céci-foot, le basket-ball, la natation, le tennis, le tir à l'arc, la voile… Si vous êtes handicapé et que vous souhaitez pratiquer un sport, contactez la fédération ou le club le plus proche de chez vous.

Patinage sur glace

PALAIS OMNISPORTS DE PARIS BERCY
8, boulevard de Bercy (12e)
✆01 40 02 60 15
Sites Internet: http://patinage.francais-volants.org – www.bercy.fr – M° Bercy. Patinoire ouverte au public le mercredi de 15h à 18h, le vendredi de 21h30 à 0h30, le samedi de 15h à 18h et de 21h30 à 0h30, le dimanche de 10h à 12h et de 15h à 18h. Entrée de 3 € à 6 €. Location de patins: 3 €.
Le club des Français volants propose des cours de patinage artistique et de hockey sur glace le dimanche matin à la patinoire de Paris-Bercy. Le cours adultes se déroule de 8h à 9h et coûtent 9 € de l'heure, l'inscription à l'année coûte 505 €. Les plus petits ont accès à un cours de 9h à 10h, la première séance est offerte, une adhésion au club est demandée à ceux qui souhaitent suivre les cours de manière régulière. Depuis 1984, la patinoire Sonia Henie accueille les entraînements de ce club qui compte parmi ses membres de nombreux champions aux palmarès prestigieux.

Pilates

STUDIO PILATES DE PARIS®
39, rue du Temple (4e)
✆01 42 72 91 74
Site Internet: www.studiopilatesdeparis.com
M° Rambuteau ou Hôtel-de-Ville. Ouvert du lundi au vendredi de 8h à 20h et le samedi de 9h à 13h.
C'est Joseph Pilates, athlète autodidacte, qui élabore cet art du contrôle dans le mouvement et construit les appareils pour le pratiquer comme le Reformer ou le Cadillac. Parmi les bénéfices de cette activité très à la mode, vantée par les stars, davantage de souplesse, une meilleure posture, des performances sportives améliorées, etc. Situé en plein cœur du Marais, le Studio Pilates de Paris® vous propose des cours privés et semi-collectifs, ouverts à tous: sédentaires, stressés, femmes enceintes, personnes âgées, artistes de scène… Côté tarifs, l'adhésion coûte 76 € la première année, puis 49 €. Les cours privés à l'unité coûtent 69 €, pour un duo, c'est 54 €, 44 € pour un trio, etc., pour les membres. Il existe également des forfaits de cinq à vingt cours allant de 145 € à 1 180 €. **A noter:** il s'agit de l'unique centre de formation en France de l'école Romana Kryzanowska, maître absolu dans la technique Pilates.

Plongée

BLEU PASSION
94, boulevard Poniatowski (12e)
✆01 43 45 26 29
Site Internet: www.bleu-passion.fr
M° Porte-de-Charenton.
L'école et la boutique sont ouvertes du mardi au samedi de 10h à 19h. L'école est exclusivement encadrée par des moniteurs diplômés d'Etat et dispense des cours de plongée dans le but de préparer au brevet, via la formation internationale, Padi et la formation fédérale, FFESSM ou forme des moniteurs. Les débutants sont les bienvenus (baptême à 30 €), tout comme les enfants (6 séances en piscine: 180 €). Les cours pratiques sont donnés à la piscine Roger Le Gall (34, boulevard Carnot dans le 12e), pour passer le niveau 1 français, il faut compter 295 €, le forfait comprend cinq cours pratiques et quatre cours théoriques. Tout l'univers de la plongée au cœur de Paris.

Le Stade Français

Bien sûr, on connaît surtout le Stade Français pour son équipe de rugby et ses calendriers. Mais on oublie que c'est aussi un club omnisports, rassemblant plus de 12 000 sociétaires autour de 22 activités sportives (tennis, danse, golf, handball, judo, football, basket, escrime, squash, voile, ski, triathlon, volley, rugby bien sûr, mais aussi bridge et échecs, etc.) sur quatre sites. Des écoles de sport, des équipes évoluant en compétition, des entraînements de haut niveau et tout simplement le plaisir du sport-loisir, c'est ce qu'offre le Stade Français à ses adhérents, qui doivent tout de même être parrainés par deux sociétaires du club ayant plus de 3 ans d'ancienneté.

Le siège du Stade Français :

GEO ANDRE
2, rue du Commandant Guilbaud (16e)
✆ 01 40 71 33 33
M° Porte de Saint-Cloud – Site Internet : www.stadefrancais.com

Les trois autres sites :

LA FAISANDERIE
Domaine National de Saint-Cloud
92430 Marnes-la-Coquette
✆ 01 46 02 83 47

HARAS LUPIN
129, avenue de la Celle Saint-Cloud
92420 Vaucresson
✆ 01 47 01 15 04

GOLF DE COURSON
91680 Courson-Monteloup
✆ 01 64 58 80 80

Squash

CLUB MED GYM
149, rue de Rennes (6e) ✆01 45 44 24 35
Site Internet : www.clubmedgym.fr
M° Saint-Placide ou Montparnasse-Bienvenüe. Ouvert du lundi au vendredi de 8h15 à 21h30, le samedi jusqu'à 19h30, le dimanche de 9h à 13h30. 6 courts accessibles aux pratiquants occasionnels aux tarifs suivants : formule «Au passage» : 16 € en heures creuses – en semaine de 8h15 à 17h30 – et 21 € en heures pleines – en semaine de 17h30 à 21h30 et le week-end.
Les pratiquants non abonnés peuvent réserver leur court au maximum 48 heures à l'avance. Tarif étudiant à 8 €. Une carte annuelle d'abonnement de 45 € donne accès à un forfait de dix séances pour 130 €, ainsi qu'à la possibilité de réserver son court trois semaines à l'avance. L'accès aux courts permet de profiter des vestiaires, du hammam et du sauna.

JEU DE PAUME ET DE SQUASH
74 ter, rue Lauriston (16e)
✆01 47 27 46 86
Site Internet : www.jdpsquash.com
M° Victor-Hugo. Ouvert du lundi au vendredi de 9h à 22h, le samedi et le dimanche de 9h à 20h.
Les quatre terrains de squash présentent la particularité d'être voisin d'un terrain de jeu de paume, pour ceux qui auraient envie de taper la balle à l'ancienne. L'abonnement annuel coûte 820 € et permet de jouer à volonté au squash, ainsi qu'au jeu de paume pour 4 € de l'heure. L'abonnement est à 480 € si l'on choisit de ne jouer qu'aux heures creuses – en semaine de 9h à 12h et de 14h à 18h. Les non-membres doivent impérativement téléphoner deux heures avant l'horaire souhaité, il leur en coûtera 25 € l'heure à la paume et 18 € les 45 min au squash ou 15 € en heures creuses. La location du terrain de jeu de paume revient dans ce cas à 50 € l'heure. Pour le squash et le jeu de paume, il faut s'acquitter d'un supplément de quelques € pour bénéficier de la lumière. Saunas, salle de gym et tennis de table sont accessibles à tous.

SQUASH MONTMARTRE
14, rue Achille-Martinet (18e)
✆01 42 55 38 30
Site Internet : www.toymania.org/slot-montmartre/squash-montmartre – M° Lamarck-Caulaincourt. Ouvert du lundi au vendredi de 10h à 22h30, le samedi et le dimanche de 10h à 19h.
Quatre courts sont à disposition des clients, qui bénéficient également de l'accès au sauna et à la salle de musculation. Le forfait de seize quarts d'heure coûte 108 €, de trente quarts d'heure 178 €. Les joueurs qui pratiquent au moins deux fois par semaine auront intérêt à se tourner vers la formule de la cotisation annuelle (560 €) à laquelle il faut ajouter la réservation du court (100 €) les soixante quarts d'heure. Il est possible de louer des raquettes (3 €) ou d'en acheter sur place à la boutique. La réservation des courts s'effectue maximum dix jours à l'avance. Autre atout de ce club, on recherche pour vous des partenaires si vous le souhaitez, quel que soit votre niveau. Notez que le Squash Montmartre dispose d'un jardin privé et d'un joli espace club où les joueurs peuvent se retrouver.

Yoga

RASA YOGA
21, rue Saint-Jacques (5e) ✆01 43 54 14 59
Site Internet : www.rasa-yogarivegauche.com
M° Cluny-La Sorbonne ou RER Saint-Michel. Ouvert le lundi de 7h à 21h30, le mardi de 10h à 21h30, le mercredi de 7h à 21h30, le jeudi de 10h à 21h30,

le vendredi de 7h à 21h30, le samedi de 10h à 18h30, le dimanche de 11h à 18h30.
L'un des meilleurs spécialistes de yoga à Paris, Rasa Yoga propose un espace au design hyperclassieux (murs de pierre, parquet fluide, puits de lumière), véritable havre de paix pour s'initier ou pratiquer le Yoga. Fondé par Daniela Schmid, et mettant à votre disposition une dizaine de professeurs qualifiés, le «Rasa» propose toutes les variantes du yoga (du classique ashtanga au Iyengar plus lent et particulièrement efficace pour la souplesse et l'endurance jusqu'au kundalini, basé sur la respiration et la méditation) avec des cours adaptés aux enfants. Compter 20 € pour un cours de yoga, le forfait de dix leçons coûte 160 €. Le plus du centre : la carte des massages ayurvédiques, la salle de douche idéale après les soins et les ateliers découverte. Accueil agréable, ambiance sympathique qui vous mettra à l'aise.

ECOLE DE YOGA BIKRAM
17, rue du Faubourg-Montmartre (9e)
✆01 42 47 18 52
M° Grands-Boulevards – Site Internet : www.bikramyogaparis.com – M° Rambuteau.
L'hatha-yoga est une forme de yoga plutôt physique, basée sur les mouvements, mais rassurez-vous, elle est accessible à tous et à tout âge. Les cours ont lieu dans une salle chauffée à 42 °C, favorisant une bonne mise en condition musculaire et des étirements plus profonds. Une formule découverte de dix jours permet d'assister à autant de cours que l'on souhaite pendant cette durée (chaque séance dure 1h30). Les cours à l'unité coûtent 25 €, forfait dix cours à 190 €, l'abonnement mensuel se monte à 130 €. Location du tapis à 2 €. **Autre adresse :** 13, rue Simon-Le-Franc (4e) ✆01 42 47 18 52.

S'ÉQUIPER

Magasins généralistes

AU VIEUX CAMPEUR
48, rue des Ecoles (5e) ✆01 53 10 48 48
Site Internet : www.auvieuxcampeur.fr
M° Cluny-La Sorbonne. Ouvert du lundi au mercredi et le vendredi de 11h à 19h30 et 20h du 15 juin au 15 août, le jeudi de 11h à 21h et le samedi de 10h à 20h.
Le Vieux Campeur se distingue par l'originalité de sa structure, éclatée en un village de vingt-six boutiques spécialisées autour de la rue des Ecoles, au cœur du quartier étudiant. L'avantage de cette organisation atypique est que l'on rentre dans un espace qui ne ressemble pas à un hypermarché mais davantage à une petite boutique spécialisée où les vendeurs sont compétents. On y trouve une multitude de produits, répartis à travers quatre univers : Terre (camping, chaussures, couchage, running, spéléologie...), Neige (gants, instrumentation, télémark, snowboard...), Eau (kayak, chasse sous-marine et apnée, plongée, nautisme) et Orientation (des cartes de France et du monde, des cd et dvd).

CITADIUM
50-56, rue Caumartin (9e)
✆01 55 31 74 00
Site Internet : www.citadium.fr
M° Havre-Caumartin. Ouvert du lundi au samedi de 10h à 20h, nocturne le jeudi jusqu'à 21h.
Opérer une fusion entre le sport et la mode. Tel est le créneau qu'ont choisi les fondateurs de Citadium le bien-nommé. Depuis, Citadium est devenu leader sur le marché du sportswear. L'espace de la rue de Caumartin s'étale sur pas moins de 6 000 m², répartis sur quatre étages ! Plus de 250 marques y sont réunies, proposant vêtements et équipements pour tous types de sports ou tout simplement pour s'habiller branché dans des univers street, rock, skate, sport chic... Notez les récents Lazy dog, book shop spécialisé et la «chambre à hair», pour ceux qui voudraient accorder leur mèche à leur nouvelle tenue. Résolument urbain.

ANDASKA
17, cour Saint-Emilion (12e) ✆01 40 02 95 95
Site Internet : www.andaska.com – M° Cour-Saint-Emilion. Ouvert tous les jours de 11h à 21h.
Sur plus de 1 300 m², Andaska réunit tous les articles, produits et services liés au sport de plein air et à l'aventure : équipements, vêtements, accessoires, produits techniques, des livres aux lignes de bagages. Vous trouvez ici le meilleur des marques, lié au style et aux pratiques outdoor : alpinisme, escalade, randonnée, ski, trail-running (le running grandeur nature). Au total, cent cinquante marques et plus de six mille références. Andaska a sélectionné l'essentiel pour vivre terre, mer et montagne dans les meilleures conditions. Sont attendus ici les aventuriers de tout poil, soucieux de préparer au mieux leurs différents périples.

DECATHLON
26, avenue de Wagram (17e)
✆01 45 72 66 88
M° Ternes. Ouvert du lundi au vendredi, de 10h à 20h. Le samedi de 9h30 à 20h.
Incontournable en matière de sport : pêche, golf, glisse, arts martiaux, musculation, natation, sports collectifs, cyclisme... Ce supermarché du sport est des mieux fournis et ce qui ne gâte rien les prix sont très intéressants et parfois imbattables surtout en ce qui concerne la très innovante marque maison. Sur place, l'on découvre un atelier pour le ski, le tennis, le cyclisme et même pour les armes – de chasse uniquement, bien entendu ! Et, chacun dans son rayon, le personnel en connaît un rayon. **Autres adresses :** AQUABOULEVARD 4-6, rue Louis-Armand (15e) ✆01 45 58 60 45 • 23, boulevard de la Madeleine (1er) ✆01 55 35 97 55.

Danse et gymnastique

REPETTO

22, rue de la Paix (2e) ✆01 44 71 83 12

Site Internet : www.repetto.com

M° Opéra. Ouvert du lundi au samedi de 10h30 à 19h30.

C'est en cousant les chaussons de danse de son fils Rolland Petit que Rose Repetto crée la technique du «cousu-retourné». Selon cette dernière, la semelle est cousue à l'envers avant d'être retournée. Cela confère un confort et une souplesse incomparables. Elle fonde sa maison en 1947. Adorées des danseuses, les célèbres ballerines allient confort, simplicité et esthétisme. C'est pour toutes ces raisons que ces souliers sont rapidement sortis des salles de danse. Non loin de l'Opéra de Paris, dans la boutique de la rue de la Paix, vous pourrez trouver des éditions limitées proposées en cuir verni et de nombreux autres trésors qui ne cessent de séduire les stars du monde entier. Autres adresses sur le site Internet.

COTE DANSE

24, rue de Châteaudun (9e)
✆01 53 32 84 84

M° Notre-Dame-de-Lorette. Ouvert du mardi au samedi de 10h30 à 19h. Fins de collections et fins de séries Repetto.

Cette boutique de deux étages regorge de trésors. Vous serez accueilli(e) avec amabilité et judicieusement conseillé(e). Au programme, tout pour la danse classique, quelques modèles jazz, des justaucorps, des tutus, des collants, tee-shirts et autres débardeurs en coton – entre 10 € et 15 € – et des demi-pointes. Vous trouverez également, sur des boîtes empilées, un grand choix de ballerines comme ce modèle rose poudré – 60 € –, des versions fantaisie – fluo, etc., –, des zizis lacés – 60 € –, mais aussi des sandales dorées – 70 € – ou bien encore de très hauts talons – 120 €. Des accessoires très tentants sont également proposés comme ce mini-sac bourse pailleté – 38 € – ou ce grand sac en toile où vous pourrez ranger toutes vos petites affaires de danse – 40 €. **A noter :** les tailles des chaussures vont du 35 au 42, évidemment, les modèles ici ne sont pas disponibles dans toutes les tailles, question de chance !

LYSANDRE

43, rue de la Voûte (12e) ✆01 43 43 04 73

Site Internet : www.boutique-lysandre.fr

M° Porte-de-Vincennes. Ouvert le mardi, le jeudi, le vendredi de 14h30 à 18h30 et le samedi de 11h à 13h et de 14h30 à 18h30.

Une boutique dédiée à la danse sportive et rétro. Concernant les chaussures, vous trouverez des modèles pour la danse latine – 95 € –, des sandales à bracelets chevilles – 130 € –, des paires de tango à brides croisées – 105 €. La collection Prestige devrait séduire celles qui ont un budget plus important, les prix tournent autour de 180 € à 200 €, et les modèles, tous plus ravissants les uns que les autres, répondent aux doux noms de Starlette ou Shéhérazade. Vous trouverez également des chaussures d'entraînement jazz ou rock – 35 € –, des paires dédiées au flamenco ou au tango argentin. Côté vêtements, des bodies – 25 € –, différents modèles de robes, des jupettes latines, etc. Les hommes et les enfants pourront aussi s'équiper en chaussures. Enfin, si le temps ou le courage vous manque, vous pourrez commander en ligne. **A noter :** n'hésitez pas à passer régulièrement, les arrivages sont permanents et les fins de séries, au rendez-vous.

Football

FOOTBAL MONDIAL

3, rue de l'Echelle (1er) ✆01 40 20 43 20

M° Pyramides. Ouvert du lundi au samedi de 10h à 19h ou 20h, le dimanche de 12h à 19h.

Une soixantaine de pays est représentée concernant les maillots nationaux des équipes de foot, que l'on trouve autour de 65 € à 70 € pour les maillots de la saison en cours, ainsi qu'une multitude de maillots de club. Sacs, casquettes, porte-clés, pins sont aussi dans la partie, ainsi que des maillots de rugby. Les maillots des trois années précédentes sont vendus de moins 30 % à moins 50 %. L'accueil est excellent, de plus cette boutique est la preuve que les univers différents que sont le rugby et le foot peuvent finalement cohabiter dans un même lieu de manière harmonieuse.

BOUTIQUE PSG

27, avenue des Champs-Elysées (8e)
✆01 56 69 22 22

Site Internet : www.psg.fr – M° Franklin-D.-Roosevelt. Ouvert le lundi et le dimanche de 12h à 20h, du mardi au jeudi de 10h à 20h, le vendredi et le samedi de 10h à 22h.

Les supporters du PSG y trouveront tous les maillots de leurs stars préférées, mais aussi des shorts, des chaussettes, des ballons, de quoi faire le kéké lors de votre prochain match amical. Si les performances du PSG vous laissent de marbre, vous pourrez toujours vous rabattre sur les maillots de grands clubs européens sue sont le Barça, Manchester, la Juve de Turin et l'Inter de Milan. Les tifosi peuvent aussi s'équiper dans la boutique située au Parc des Princes, ouverte du lundi au samedi de 10h à 19h et les soirs de matchs jusqu'à deux heures après la rencontre : 24, rue du Commandant-Guilbaud (16e) ✆01 47 43 72 91.

Glisse

SNOWBEACH WAREHOUSE

30, boulevard Richard-Lenoir (11e)
✆01 43 38 62 50

Site Internet : www.snowbeach.com – M° Bastille ou

Bréguet-Sabin. Ouvert le lundi de 14h30 à 19h30 et du mardi au samedi de 10h30 à 19h.

Comme la plupart de leurs clients, venez le pantalon extralarge bien bas sur les hanches pour laisser entrevoir votre caleçon, à moins que vous ne cherchiez un skate ou un snowboard. Côté habillage et matériel, il y a tout ce que l'amateur ou le passionné de glisse recherche : matériel neuf, protections, chaussures, tee-shirts, vestes, pantalons amples, shorts taille basse, maillots de bain...

Golf

AMERICAN GOLF

14, rue du Regard (6e) ✆01 45 49 12 52

Site Internet : www.americangolfparis.com

M° Saint-Placide. Ouvert du lundi au samedi de 10h45 à 18h45.

Une petite boutique située au pied de Montparnasse, embusquée au fond d'une cour d'immeuble. Drôle d'endroit pour un magasin qui se veut à la pointe du progrès depuis un quart de siècle. American Golf revendique ainsi avoir été le premier à offrir des rayons spécialisés pour dames, gauchers et enfants ; le premier à vendre du matériel par correspondance, à développer les demi-séries (très rares encore dans les années quatre-vingts) ou à miser sur un site Internet performant. Bref, des pionniers en plein centre de la capitale qui ont consacré leurs efforts depuis leur création au golf et rien qu'au golf.

LE SURPLUS DU GOLF

56, boulevard Berthier (17e)

✆01 42 67 66 27

Site Internet : www.surplusdugolf.com

M° Porte-de-Clichy. Ouvert du mardi au samedi de 10h à 19h, le lundi de 14h30 à 19h

Quinze ans maintenant que ce royaume du déstockage et de la fin de série a ouvert ses portes. Vous trouverez tout ce dont votre sac a besoin (y compris le sac) avec un rabais de 20 % à 50 % sur les classiques produits neufs : hommes, femmes, enfants, gauchers, droitiers, vêtements, accessoires et, bien sûr, clubs sont à votre disposition. Outre les prix attractifs et le renouvellement permanent du stock, un espace dépôt-vente et de location de clubs ainsi qu'un atelier en font une destination privilégiée du nord parisien.

Pêche

PACIFIC ADVENTURE

50, cour Saint-Emilion (12e) ✆01 40 02 91 36

Site Internet : www.pacificpeche.com – M° Cour-Saint-Emilion. Ouvert tous les jours de 11h à 21h.

Pacific Adventure est l'endroit rêvé pour tous les accros à la pêche. La boutique vise toutes les pêches, sportives ou de loisir. Il est possible d'y acheter vêtements, chaussures, leurres, cannes, moulinets, en un mot, tout l'attirail du pêcheur. Les vendeurs vous aident à choisir l'équipement le plus approprié à la pêche que vous pratiquez. Ici, vous pouvez également venir pour dénicher des meubles et objets d'inspiration marine. L'offre est à peu près similaire à celle que vous avez coutume d'avoir dans les coopératives maritimes. A Paris les magasins de ce type sont suffisamment rares pour être signalés. Si l'envie vous prend d'aller pêcher dans la région parisienne, n'oubliez pas de faire un saut auparavant chez Pacific Adventure : ainsi, vous partirez équipé.

Plaisance

LA FLOTTE FRANCAISE

10, rue Perrée (3e) ✆01 48 87 07 84

Site Internet : www.laflottefrancaise.com

M° Temple ou République. Ouvert du mardi au samedi de 10h à 14h et de 15h à 19h, fermeture à 18h le samedi.

Les marins au long cours ou aux petits cours d'eau se raviront de retrouver un univers qui sent bon la marée en pleine ville. Depuis plus d'un siècle, la boutique suit les évolutions de la technologie et propose aujourd'hui une foule de références pour équiper votre embarcation en électronique, outils de navigation, compas, jumelles, sécurité, mouillage, accastillage, cordage, confort à bord, décoration, accessoires, vêtements, douchettes, éviers, plaques de cuisson, sondeurs graphiques, radars, poulies, hublots... bref, tout ce qui est nécessaire pour être parfaitement équipé à bord. Un catalogue de vente par correspondance reprenant tous les articles disponibles pourra à nouveau, être obtenu par fax ou par courrier dans le coutant de l'année 2008.

Plongée

PLONGESPACE

180, avenue Jean-Jaurès (19e)

✆01 42 01 66 66

Site Internet : www.subchandlers.com

M° Ourcq ou Porte-de-Pantin. Ouvert du mardi au samedi de 10h à 14h et de 15h à 19h.

Plongespace s'occupe d'équipement de plongée où la sécurité joue un rôle primordial. Les vendeurs ont essayé le matériel et sauront vous conseiller au mieux selon votre niveau et vos désirs. Ils n'hésiteront pas non plus à vous raconter leurs expériences qui laissent pantois. En 2007, le magasin a développé une offre de produits spécifiques qu'elle distribue en exclusivité comme une combinaison de plongée étanche, un fusil de chasse en bois. Le rayon de la chasse sous-marine est également bien développé, aux côtés de la natation et de la photo sous-marine (caissons, flash...). Le magasin peut même vous tailler une combinaison sur mesure ; il propose des stages et peut vous mettre en contact avec des instructeurs. Le SAV n'est pas un vain mot ici : réparation, entretien et contrôle des détendeurs, bouteilles, stabs, phares, bilan de votre matériel possible.

Roller

NOMADES ROLLER SHOP

37, boulevard Bourdon (4e)
✆01 44 54 07 44

Site Internet: www.nomadeshop.com
M° Bastille. Ouvert du mardi au vendredi de 11h30 à 19h30, le samedi de 10h à 19h et le dimanche de midi à 18h. Une paire de rollers achetée = 1h30 de cours sur la piste d'essais avec les professeurs du Roller Club de France. Location de rollers: 5 € la demi-journée en semaine, 9 € la journée entière le week-end.

Tout, vous trouverez tout ce qu'il faut pour vous équiper dans ce grand magasin proche de la place de la Bastille. Quel que soit votre niveau – débutant(e), intermédiaire, ou confirmé(e) – ou l'utilisation que vous entendez faire de vos rollers, vous trouverez ici le matériel adéquat accompagné de conseils avisés de la part des vendeurs, très pointus dans leur domaine. En plus des nombreuses gammes de patins pour enfants et adultes, adaptées à toutes les utilisations possibles, Nomades est spécialiste des chaussures à roulettes Heelys, ces baskets à roues intégrées plébiscitées par les ados. Vous trouverez aussi un rayon de vêtements, ainsi que des trottinettes. Fans de nouveautés et de sensations, les échasses urbaines à ressort et les planches Ripstick vous attendent! Débutant(e) s précautionneux(ses) ou riders assuré(e)s, vous pouvez aussi venir prendre des cours pour vous initier ou vous perfectionner. Des premiers coups de roues aux techniques plus avancées comme le freinage décalé ou le roller slide, vous apprendrez ici tout ce qu'un rider urbain doit savoir.

Tennis

SPORTS SYSTEM

151, rue de Bagnolet (20e)
✆01 40 31 00 13

Site Internet: www.sportsystem.fr
M° Porte-de-Bagnolet. Ouvert du lundi au samedi de 10h à 19h, en août de 10h à 13h et de 15h à 19h. Pose du cordage: 10 €.

Raquettes neuves ou d'occasion, cordages, balles et autres accessoires d'entraînement d'un côté, polos, shorts, chaussures et casquettes de l'autre. L'enseigne Sports System est le royaume des amateurs de la balle jaune. Les deux adresses parisiennes, l'une consacrée au matériel, la seconde à l'habillement, permettent d'équiper de pied en cap les joueurs apprentis et confirmés. L'avantage d'un magasin spécialisé, c'est que vous trouverez toujours un conseil pertinent, et les prix ne dépassent pas ceux des grandes enseignes généralistes. Qui plus est, il est possible d'effectuer vos achats en ligne sur le site Internet. **Autre adresse:** 155, rue de Bagnolet (20e) ✆01 40 30 31 28.

Vélo

BOUTICYCLE

156, rue Saint-Honoré (1er)
✆01 42 60 06 19

Site Internet: www.bouticycle.com – M° Louvre-Rivoli. Ouvert du lundi au vendredi de 10h à 13h et de 14h à 19h, le samedi de 14h à 19h uniquement.

Cette boutique appartenant à un très grand réseau de concessionnaires – cent quarante disséminés dans toute la France – commercialise des vélos neufs ainsi que tous les accessoires dont vous pourriez avoir besoin. Vêtements, chaussures, roues, pneus, paniers et sacoches, lumières, éléments réfléchissants, compteurs... Le magasin dispose même d'un rayon diététique. Que ce soit pour votre vtt, pour votre vélo de ville ou pour vos enfants, un très large choix est disponible dans ce grand magasin situé au centre de la capitale. L'accueil y est sympathique et les réponses à vos questions sont apportées par des professionnels compétents. A noter: le montage de votre vélo est assuré au magasin sur demande, tout comme le suivi complet de votre matériel.

AU REPARATEUR DE BICYCLETTES

44, boulevard Sébastopol (3e)
✆01 48 04 51 19

Site Internet: www.aureparateurdebicyclettes.com – M° Châtelet. Ouvert du lundi au samedi de 10h15 à 19h30.

Un grand magasin idéalement situé au bord des pistes cyclables du boulevard Sébastopol. Vous pouvez venir ici demander un devis pour faire réparer votre vélo à toute heure et sans rendez-vous. Cet atelier de réparations est unique en son genre. Ici, on répare tous types de vélos à des prix défiant toute concurrence. S'il y a bien une adresse à se souvenir si on tombe en panne dans Paris, c'est bien celle-ci!

VELO SERVICES

25, rue Crozatier (12e) ✆01 43 07 39 05

Site Internet: www.veloservices.fr
M° Reuilly-Diderot. Ouvert le lundi de 14h à 19h, du mardi au samedi de 9h à 19h. Demi-journée: 9 €, journée: 14 €. Semaine: 25 €. 49 € pour le mois.

Une boutique familiale et un accueil chaleureux. Vélo services propose plusieurs types de vélos de ville à la location – tous à trois vitesses –, avec mise à disposition d'un cadenas et porte-bébé si besoin. Pas de relations impersonnelles ici. L'accueil est toujours sympathique, les vélos d'excellente qualité et bien entretenus. Ici on mise sur la location longue durée, avec des tarifs très attractifs au mois par exemple. Le plus: si vous louez un vélo pour deux ou trois mois, on vous en donne un nouveau tous les mois, pendant que votre ancien part à la révision.

RANDO CYCLES
9, rue Fernand-Foureau (12e)
✆ 01 43 41 18 10
Site Internet: www.rando-cycles.fr
M° Porte-de-Vincennes. Ouvert du mardi au samedi de 10h à 13h et de 14h30 à 19h, sauf le samedi 18h.
C'est vraiment la bonne adresse non seulement pour faire réparer son vélo mais aussi pour en acheter un qui correspond à vos besoins: pour les sportifs, les touristes ou les campeurs, les modèles ont été soigneusement sélectionnés. Rando Cycles est également l'un des rares fabricants de vélos sur mesure à Paris et c'est aussi un centre d'essai vélos couchés. Dans la même rue, au numéro 1, Rando-boutique propose un grand choix d'accessoires et de vêtements consacrés uniquement au cyclotourisme.

VELO ET CHOCOLAT
77, quai de Seine (19e) ✆ 01 46 07 07 87
M° Riquet. Ouvert du mercredi au dimanche de 10h à 19h. Brunch le week-end de midi à 16h. Location en semaine: 5€ pour 3h, 7€ la journée, le week-end: 6€ les 3h, 10€ la journée.
Deux petites tables en terrasse, devant une rangée de vélos. Ce n'est pas une convention de cyclistes en goguette dans le 19e arrondissement, mais bien le concept de ce café-atelier. Cyclistes d'un jour ou de toujours, vous pouvez ici acheter ou louer une bicyclette – vélo de ville homme de 249€ à 499€, vtt de 209€ à 999€ –, ou faire réparer votre bécane – uniquement en après-vente – tout en savourant un bon chocolat chaud – 2€ – et des pâtisseries maison – cake carotte noix de pécan – deux tranches 3€. C'est le repaire idéal des cyclistes parisiens, qui viennent aussi bien pour les conseils de professionnels sympathiques que pour le brunch du week-end! Il faut dire qu'avec les boulistes non loin, qui taquinent le cochonnet, la brise venue du quai de Seine et les cuis cuis d'oiseaux diffusés en fond sonore, ce café a un petit air bucolique. Au printemps, des promenades à travers le Paris insolite sont proposées le dimanche matin. Et si vous asseoir entre roues et guidons ne vous tente pas, demandez votre chocolat chaud à emporter – 3€ –, à savourer assis au bord de l'Ourcq.

Découvrir Paris

À PIED

ANTECIA
✆ 06 20 45 11 96
Site Internet : www.antecia.fr E-mail : contact@antecia.fr – Durée moyenne des visites : 1h30. Groupes de 1 à 20 personnes, à partir de 15 € par personne.
Qui a dit que sciences rimait avec… somnolence ? Certainement pas Tanguy Schindler, jeune médiateur, qui propose de visiter Paris d'une toute nouvelle manière : à la découverte du riche patrimoine scientifique dissimulé un peu partout dans la capitale. A vos blouses ! Au programme, tout récent, de ces visites d'un nouveau genre : l'histoire de la médecine (au musée de l'Assistance publique des hôpitaux de Paris) ou la chimie de Pasteur (au musée du même nom). A noter, la très originale balade à travers les rues « savantes », dans le nord-ouest de Paris, de la rue Biot (mathématicien et physicien) à la rue Lamarck (biologiste, précurseur de Darwin) en passant par le cimetière de Montmartre. Grande histoire et petites anecdotes de sciences, le tout mâtiné d'une vulgarisation vivante : ce n'est là qu'un début pour ces visites innovantes et bienvenues. Les sciences telles qu'on ne les connaissait pas encore ! A découvrir, pour tous les publics.

PARIS PAR RUES MECONNUES
Maison des Associations de Paris 20 – 1-3, rue Frédérick-Lemaitre (20e)
✆ 01 42 79 81 71/06 59 96 26 93
Site Internet : www.paris-prm.com
Paris Par Rues Méconnues, une association au concept novateur pour découvrir un Paris méconnu à travers des balades originales. Vous irez à la rencontre des habitants, artistes, artisans et commerçants qui racontent leur quartier et lui donnent vie. Une manière authentique de visiter un Paris cosmopolite et insolite, fait de cours intérieures cachées, de personnages hauts en couleurs et de découvertes architecturales variées, tout au long de ces balades urbaines ludiques et conviviales. Ouvert toute l'année, les visites durent environ deux heures et sont également modulables en fonction de la demande. Tarif : 12 €.

EN BATEAU

LES VEDETTES DE PARIS
Port de Suffren (7e) ✆ 01 44 18 19 50
Site Internet : vedettesdeparis.com – Plein tarif : 11 €. Tarif moins de 12 ans : 5 €. Gratuit pour les moins de 3 ans. D'octobre à avril : départs de 11h à 18h ; d'avril à à septembre : départs de 10h à 23h. 1 à 3 départs par heure. "Croisière de l'exploratrice Pétunia", pour les enfants, tous les mercredis à 14h45 et tous les jours pendant les vacances scolaires zone C, sauf le week-end.
Un classique, bien sûr ! Mais avec un esprit très renouvelé pour le genre... Les Vedettes de Paris ont en effet opté pour des bateaux à taille humaine et à l'ambiance plus intime. Résultat très probant : le visiteur, dans une ambiance boisée et moderne, apprécie tout à fait de ne pas être pris pour une sardine... La famille Obama avait d'ailleurs choisi les Vedettes de Paris lors de son dernier séjour. Toujours dans la même démarche de qualité, les croisières sont adaptées aux sourds et malentendants (boucles magnétiques aux guichets et surtitrages des commentaires) et bénéficient d'une certification environnementale. À la croisière traditionnelle d'une heure sur la Seine s'ajoutent une croisière spéciale enfant en compagnie d'une certaine Pétunia et, plus chic, une croisière Champagne animée par un sommelier les jeudis, vendredis et samedis.

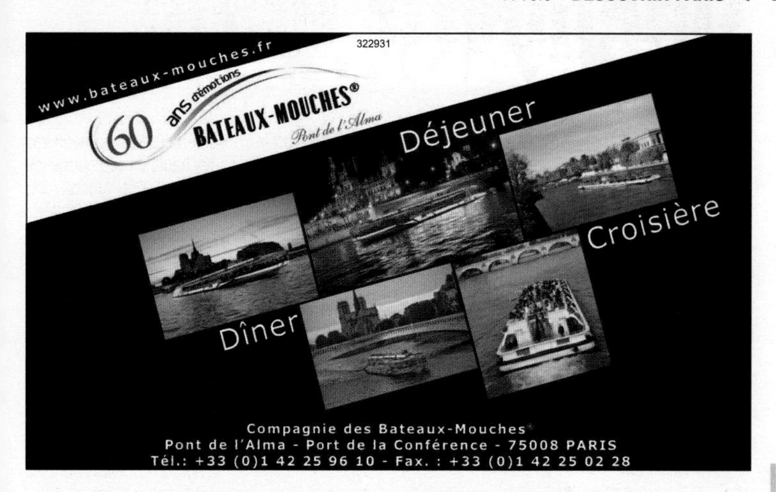

COMPAGNIE DES BATEAUX-MOUCHES®
Pont de l'Alma Rive Droite (8e)
✆ 01 42 25 96 10
Site : www.bateaux-mouches.fr M° Alma-Marceau. Ouvert toute l'année. Adultes : 7 €. Enfants (4 à 12 ans) : 4 €. Moins de 4 ans : gratuit. Horaires d'avril à fin septembre : De 10h à 20h, départ toutes les 30 minutes. De 20h à 23h, départ toutes les 20 minutes. D'octobre à mars : Départ garantis à 11h, 14h30, 16h, 18h et 21h.
Voilà plus de 50 ans qu'ils promènent Parisiens et touristes dans leur vaisseau de verre sur la Seine. Cette idée tout à fait novatrice pour l'époque revient à un certain Jean Bruel. Depuis, elle a fait le bonheur de plusieurs générations et ravi des milliers d'enfants et leurs parents. Découvrir la ville lumière autrement en voguant sur la Seine, c'est ce que propose la Compagnie. La promenade qui dure un peu plus d'une heure commence à l'embarcadère du port de la Conférence situé aux abords du pont de l'Alma et non loin de la Tour Eiffel. De là, votre bateau-mouche vous mènera à la rencontre des principaux monuments de Paris qui bordent la Seine.

À VÉLO

De jour comme de nuit, il existe un grand nombre de manières de découvrir Paris au gré de ses envies, de ses capacités, de ses centres d'intérêt ou du temps dont on dispose. Ces balades ne sont pas de simples randonnées mais bien de véritables visites guidées, commentées par de véritables professionnels du tourisme. Plusieurs associations et organismes permettent ainsi de pédaler en s'instruisant et en s'amusant dans Paris.

PARIS CHARMS SECRETS
Place Vendôme (1er) ✆ 01 40 29 00 00
Site Internet : www.parischarmssecrets.com M° Tuileries. 45 € pour 4h.
Ce sont des balades un peu particulières que propose Marie-Antoine Olivier puisqu'il s'adresse à ceux qui n'ont pas envie d'appuyer sur les pédales mais qui souhaitent visiter Paris à vélo. Elle propose des vélos électriques pour découvrir un Paris secret, truffé d'anecdotes.

PARIS BIKE TOUR
38, rue Saintonge (3e) ✆ 01 42 74 22 14
Site Internet : www.parisbiketour.net
Visite : 30 € par personne. Réservation 24h à l'avance au minimum par téléphone ou Internet.
Situé au cœur de Paris, face à l'île Saint-Louis, Paris Bike tour propose, outre un service de location de bicyclettes, trois visites organisées à partir de sa boutique. La première, baptisée «rive droite», traverse dans un premier temps le Marais en passant par la place des Vosges et le musée Picasso avant de rejoindre le Palais-Royal via Beaubourg. Après être passé par le Louvre, vous longerez la Seine et effectuerez des haltes au Pont-Neuf à Notre-Dame et sur l'île Saint-Louis. La visite intitulée «rive gauche» vous permettra pour sa part de (re)découvrir le superbe Ve arrondissement en empruntant un itinéraire passant par la place Saint-Michel, l'église Saint-Sulpice, le Luxembourg, la Sorbonne, le Panthéon et le jardin des plantes. Enfin, choisissez la nouvelle promenade «Paris la nuit» pour apprécier la capitale sous un aspect différent sur un parcours qui vous mènera de la rive gauche à la rive droite. Nouveauté 2009 : la location de vélo couplée avec le Pass Museum afin de se déplacer facilement entre deux musées parisiens que ce soit pour une journée ou plus.

EPICURISME.COM
29, rue Buffon (5e) ✆ 08 71 73 14 38
Site Internet: www.epicurisme.com
M° Gare-d'Austerlitz. Tarif: 45 €. Durée: 3h à 4h. Prêt du vélo électrique, prêt d'une cape de pluie. Réservation sur le site Internet. Les visites ont lieu tous les jours à 9h30, 14h30 et 20h, ce dernier circuit emprunte un trajet différent et dure 3h.
Le but de cette boutique en ligne vise à faire découvrir des produits originaux difficilement trouvables dans les circuits de distribution habituels. Pas étonnant donc que des visites guidées sur vélo à assistance électrique trouvent leur place dans les offres distillées par Epicurisme.com. Se déroulant dans le Paris historique, ces visites prévues pour des groupes de 10 à 20 personnes partent de la place Vendôme pour passer par la Butte-aux-Cailles, les Buttes-Chaumont, Montmartre ou encore l'Opéra.

PARIS A VELO C'EST SYMPA
22, rue Alphonse-Baudin (11e)
✆ 01 48 87 60 01
Site Internet: www.parisvelosympa.com
M° Richard-Lenoir. Ouvert hors saison du lundi au vendredi de 9h30 à 13h et de 14h à 17h30, les week-ends de 9h30 à 13h et de 14h à 18h. En saison, du lundi au vendredi de 9h30 à 13h et de 14h à 18h – fermé le mardi après-midi –, les week-ends de 9h à 13h et de 14h à 19h. 25 €: le week-end, 20 €: 24h, 12 € la demi-journée, caution obligatoire: 250 € en chèque ou passeport. Prix comprenant le vélo, le guide et l'assurance.
Les précurseurs en la matière, «copiés» ensuite par Roue Libre et les autres sociétés proposant des balades guidées. Outre la vente (hors saison) et la location classique de bicyclettes, Michel Noë, le responsable de «Paris à vélo c'est sympa» propose en effet plusieurs itinéraires de balades organisées dans Paris intra-muros depuis 1993. Un véritable passionné Michel, vivant par et pour la bicyclette. Les visites sont garanties bilingues, sur demande, les groupes peuvent également les effectuer en compagnie de guides parlant le néerlandais, l'allemand, l'italien ou l'espagnol. Parmi les balades proposées, l'itinéraire «Cœur de Paris», que l'on peut effectuer de jour ou de nuit, est un véritable voyage dans le temps à travers les quatre premiers arrondissements. Plus surprenante encore, la balade «Paris contraste» allie nature et architecture moderne, et vous mènera de canaux en petites maisons avec jardinets, le tout à deux pas de la Cité de la Villette. Il existe également une balade «Spécial jeunes». On peut louer un tandem pour 50 € le week-end.

MIEUX SE DEPLACER A BICYCLETTE
32, rue Raymond-Losserand (14e)
✆ 01 43 20 26 02
Site Internet: www.mdb-idf.org
M° Gaité. Ouvert le lundi, le mardi et le vendredi de 9h à 13h et de 14h à 17h, le mercredi de 9h à 13h et de 14h à 19h, le jeudi de 9h à 12h30.
Il est à noter que MDB organise des randonnées et balades à vélo tous les week-ends. Si la majorité d'entre elles se déroulent au-delà des frontières de Paris, quelques-unes se tiennent également dans les recoins inexplorés de la capitale. Attention, les balades sont réservées aux membres de MDB ayant acquitté leur cotisation «sortie» (30 € qui comprend un abonnement au bimestriel «Roue Libre»).

VELO PARIS
44, rue d'Orsel (18e) ✆ 01 42 64 97 39
Site Internet: www.veloparis.com
M° Anvers. Location de vélo à partir de 10 €. Adultes: 25 € la visite touristique, 30 € la visite thématique. Réservation conseillée 24 heures à l'avance.
Cette maison spécialisée dans l'organisation de visites à vélo se trouve à deux pas de Montmartre. Elle propose sept itinéraires différents classés par niveaux de difficulté et par thèmes. Trois d'entre eux permettent donc de privilégier les parcours convenant le mieux à vos capacités et votre résistance. Petite boucle, le parcours Bleu permet de découvrir un Paris institutionnel et touristique. Passant par l'Opéra Garnier, vous rejoindrez ensuite la place Vendôme, puis celle de la Concorde, avant de passer par l'Assemblée nationale et les Invalides. De là, vous irez en direction de la tour Eiffel et de l'arc de Triomphe, avant de rejoindre votre point de départ. L'itinéraire blanc dessine de son côté un 8 pour descendre via l'Opéra et l'Hôtel de Ville vers Notre-Dame avant de longer sur la rive gauche la Seine jusqu'aux Invalides par Madeleine, le Louvre et la gare de l'Est. Le parcours rouge traverse de son côté les XIXe et XXe arrondissements pour vous faire découvrir les Buttes-Chaumont, Belleville, le Père-Lachaise et Bastille avant de passer par l'Hôtel de Ville, Beaubourg et le Sacré-Cœur. Autre angle de vue, quatre parcours thématiques sont aussi proposés: les itinéraires «nature», «nocturne», «sportif» et enfin «romantique». Ce dernier vous mènera de surprise en surprise (le programme n'est pas connu à l'avance) en compagnie évidemment de votre chéri(e).

SE DÉTENDRE

ESCAPADE NATURE

Site Internet : www.escapade-nature.org

Adultes : 22 €, incluant la balade guidée et la location du vélo. Participant avec vélo personnel : 17 €. Ces balades sont destinées aux groupes de 6 personnes minimum déjà constitués. Toute l'année sur demande. Réservation sur le site Internet.

Douze thèmes de balades (de 3h environ chacune) à vélo dans la capitale sont organisés par cette association. Rive droite ou rive gauche, les parcours «Paris médiéval et Renaissance» vous emmènent sur les chemins du Paris historique, passant pour l'un par la plus ancienne maison de la capitale, pour l'autre, par le palais abbatial de Saint-Germain des Prés. Autre concept, la visite «Autour de la Petite Ceinture» permet de suivre cette ancienne voie ferrée où la végétation a repris ses droits et qui servait autrefois à relier Paris et les villages alentour. D'autres propositions ? Enfourchez votre bicyclette à la découverte du «Beau Paris» ; suivez les routes de «La Campagne à Paris» à travers l'est parisien. Et pourquoi ne pas s'offrir une petite escapade dans le temps, à la découverte d'un Paris disparu ? La balade du «bas-Belleville industriel» permet de s'immiscer quelques heures au temps des vieux ateliers et des maisons de métallos.

MAIRIE DE PARIS

✆ 01 49 57 94 37

Site Internet : www.jardins.paris.fr – rubrique Parcs et Jardins : Loisirs au vert. Plein tarif : 6 €, jeunes moins de 25 ans : 3 €. Durée des visites : 3h environ.

La mairie de Paris organise des balades à vélo indépendamment du service «Roue Libre» dans les bois de la capitale. L'idéal est de venir muni de sa bicyclette, mais des points de location sont disponibles à proximité des lieux de départ. Aucune inscription préalable n'est nécessaire, sauf pour les groupes.

Bois de Vincennes : Vous découvrirez ses aspects paysagers, de la réserve de bois de chauffe et de chasse aux aménagements haussmanniens, écologiques, de l'ancien jardin d'agronomie tropicale à l'exposition coloniale de 1907, et historiques, de Saint-Louis à l'Empire en passant par les rois de France.

Bois de Boulogne : Tous les aspects faisant ses charmes sont vus et évoqués. Le fleuriste municipal, l'Hippodrome de Longchamp, le lac des pêcheurs, le couvert d'arbres centenaires, le tout dans une végétation forestière longeant ruisseaux et sentiers.

Les randonnées à vélo

Dans un registre un peu différent, les randonnées à vélo organisées permettent, outre la découverte d'endroits privilégiés pour circuler à Paris, de nouer des contacts avec d'autres amateurs parisiens de la petite reine tout en circulant de façon très sécurisante. En bref, un excellent moyen de découvrir les spécificités du vélo à Paris, en découvrant les trucs et astuces ainsi que les pièges à éviter aux côtés de connaisseurs.

PARIS RANDO VELO

✆ 06 64 17 90 44

Site Internet : www.parisrandovelo.com

Réunion tous les vendredi à 21h30 et chaque 3e dimanche du mois à 10h30 devant l'Hôtel de Ville.

L'Association Paris Rando Vélo, créée en 1998, organise chaque vendredi soir ainsi que tous les troisièmes dimanche du mois à partir de 10h30 des balades totalement gratuites dans les rues de la capitale. Mots d'ordre ? Sécurité et convivialité. Grand succès populaire, ces balades réunissent régulièrement plus de 500 cyclistes lors de chaque réunion hebdomadaire. Les conditions de sécurité sont optimales avec la présence systématique d'un encadrement d'une quarantaine de personnes et d'un véhicule de la Croix-Rouge française en cas d'urgence. Les parcours effectués à l'occasion de ces balades diffèrent chaque semaine même si certaines règles sont obligatoirement respectées à chaque fois. Les organisateurs sont ainsi tenus de prévoir des balades durant entre 2h30 et 3h et faisant parcourir aux cyclistes des distances comprises entre 25 km et 30 km. Toutes les balades se déroulent également dans Paris intra-muros. Si l'idéal est bien entendu de venir avec son propre vélo, il est également possible d'en louer à proximité. Attention, les balades sont annulées en cas d'intempéries pour des raisons évidentes de sécurité.

LA CUSTOM BRIGADE

Site Internet : www.custombrigade.com

Réunion chaque 2e vendredi du mois à 22h sur le parvis de Notre-Dame. Gratuit. Pour plus d'informations envoyez un mail à info@custombrigad.com

Le mouvement Custom Brigade organise chaque deuxième vendredi du mois une randonnée dans Paris réunissant des propriétaires de vélos customisés. Les parcours, différents à chaque fois, durent trois heures environ, pause comprise. Notez que ces randonnées très conviviales qui réunissent entre 30 et 80 personnes ont la particularité de compter dans leur cortège la «boombox», remorque qui diffuse de la musique ainsi que la «foodbox» qui de son côté assure le ravitaillement à la pause. Sachez également que la Custom Brigade organise le premier dimanche du mois de mai à septembre une randonnée pique-nique le long du canal de l'Ourcq.

VÉLIB : LE VÉLO EN LIBRE-SERVICE !

Site Internet : www.velib.paris.fr

Par manque d'espace pour le stocker, ou par peur de vous le faire voler, vous ne voulez pas acquérir de vélo. Louer, vous trouvez ça bien un temps, mais les contraintes d'horaire et de lieu de rendez-vous fixes vous fatiguent ? Depuis le 15 juillet 2007, une nouvelle solution pour faire du vélo à Paris s'offre à vous par l'intermédiaire d'un dispositif de vélos en libre-service dans l'ensemble de la capitale baptisé Vélib. S'inspirant notamment de l'incroyable succès des Vélo'V dans la ville de Lyon, mais aussi d'autres exemples français et européen, la Mairie de Paris a en effet décidé de franchir le pas en adoptant à son tour ce procédé permettant de circuler sur des bicyclettes robustes et confortables, par le biais d'un système disponible 7j/7 et 24h/24. Depuis son lancement le Vélib' connaît un grand succès et de nouvelles stations sont installées régulièrement ou d'autres agrandies afin de répondre à la demande sans cesse croissante. Notez que les stations sont distantes de 300 m environ. On peut imprimer un plan des stations à partir du site Internet ou en acheter un en librairie.

Le mode de fonctionnement

Après avoir souscrit à un abonnement de courte ou longue durée, vous pouvez vous identifier à une borne électronique permettant de sélectionner un vélo et d'en disposer à votre guise (pour une durée de 2h maximum) avant de le restituer dans n'importe quelle autre borne de la capitale. Véritable révolution à Paris, ce système innovant de location de vélo s'adapte idéalement à tous vos déplacements : sortir, faire ses courses, ou travailler, sans jamais avoir à s'enquiquiner avec les problèmes d'antivols !

Vélib' devant le Sacré Cœur

Les vélos proposés

Ils ont été pensés pour une sécurité optimale. L'éclairage des feux avant et arrière s'effectue ainsi dès le début de l'utilisation et pendant 120 secondes après l'arrêt du vélo, pour offrir une meilleure visibilité. Des bandes réfléchissantes sont aussi apposées sur toutes les roues dans ce but. Pour ne pas risquer de rencontrer de mauvaises surprises au freinage, les freins avant et arrière sont aussi intégrés dans les moyeux des roues. Les vélos sont de toute façon, vérifiés par un service d'entretien et de maintenance s'activant 24h/24 : vous avez l'assurance d'emprunter des vélos en parfaite condition de fonctionnement. Le confort n'a pas non plus été négligé et les vélos sont mixtes, afin d'être utilisables sans distinction par les hommes et par les femmes. Autre bon point, les changements de vitesse s'effectuent de manière simple et rapide par le biais d'un mécanisme qui évite tout risque de déraillement. Les plus petits ne seront pas obligés de pédaler sur la pointe des pieds et les plus grands de se prendre des coups de genoux dans le menton, les selles étant, bien entendu, réglables en hauteur. Un grand panier avant permet également d'aller faire ses courses ou tout simplement de transporter son sac à dos.

Les abonnements

L'abonnement annuel

Pour tous ceux souhaitant s'adonner à une utilisation quotidienne ou même régulière de Vélib', l'abonnement annuel est la meilleure solution. Afin de souscrire aux douze prochains mois consécutifs, il vous suffit de renvoyer un formulaire d'abonnement accompagné des pièces demandées. Notez qu'il vous est également possible d'accéder à ce formulaire d'abonnement en vous rendant sur le site internet de Vélib' et en cliquant sur la rubrique «Tarifs et Abonnements». Comptez une quinzaine de jours avant de recevoir votre carte d'abonnement Vélib'. L'abonnement annuel revient à 29 € et donne droit à un nombre illimité de trajets pendant 12 mois, la première demi-heure de chaque utilisation étant systématiquement gratuite.

Pour 24h ou 1 semaine

Si vous souhaitez utiliser Vélib' de façon occasionnelle, il vous est aussi possible de vous abonner temporairement le temps d'une journée (24h) ou d'une semaine (7 jours consécutifs). Dans un tel cas de figure, il vous suffit de vous rendre à n'importe quelle borne de station Vélib' muni de votre carte bancaire et de suivre les indications apparaissant sur l'écran. L'abonnement quotidien coûte 1 € tandis que l'abonnement hebdomadaire revient à 5 €.

Sachez qu'au cas où vous devriez utiliser un vélo du réseau Vélib' plus de 30 min, que vous ayez souscrit à un abonnement temporaire ou annuel, il vous suffit de créditer votre compte par le biais de votre carte bancaire dans l'une des stations du réseau ou en vous rendant sur le site Internet de Vélib' ou en envoyant un chèque de 5 € ou 10 €. Au-delà de 30 min d'utilisation, le coût du service sera alors débité de votre compte au tarif de 1 € pour une demi-heure supplémentaire, de 2 € pour une autre demi-heure supplémentaire et de 4 € par demi-heure supplémentaire à compter de la 3e demi-heure.

Conseil futé : vous approchez de la demi-heure d'utilisation et vous ne trouvez pas de place pour déposer votre vélo dans une station ? Pour éviter de payer une demi-heure supplémentaire : repassez votre carte d'abonné ou votre ticket à la borne qui affiche complet : vous disposez alors de 15 min supplémentaires gratuites pour vous rendre dans une autre station.

Important à savoir

- Il vous est possible de consulter le solde de votre compte sur l'écran situé sur les bornes et sur le site internet de Vélib'.
- Si les enfants de moins de 14 ans ne sont pas autorisés à souscrire à un abonnement Vélib', les mineurs âgés de 14 à 18 ans peuvent en revanche utiliser ce service sous couvert de l'autorisation du tuteur légal.
- Vos amis étrangers veulent essayer ce service mais craignent de ne pas comprendre les explications ? Pas de panique, les informations disponibles sur les bornes d'abonnement sont disponibles en 8 langues : français, anglais, espagnol, allemand, italien, arabe, chinois et japonais.
- Vous êtes dans l'obligation d'être titulaire d'une police d'assurance Responsabilité civile pour utiliser Vélib'.
- Les cartes Vélib' sont nominatives et il est interdit de transporter un passager.

Le Vélib' en banlieue

Certaines communes de la petite ceinture parisienne viennent de s'équiper de Vélib' : Clichy, Neuilly, Levallois, Bagnolet, Vanves, Aubervilliers et c'est loin d'être fini…

Take A Pix Media - Fotolia.com

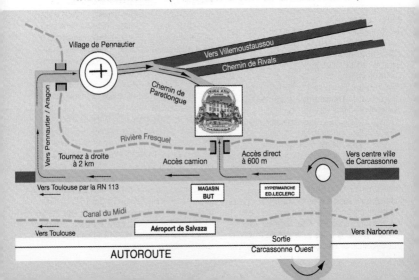

Grands magasins

CENTRES COMMERCIAUX

FORUM DES HALLES
1-7, rue Pierre-Lescot (1er)
✆ 01 44 76 96 56

Site Internet : www.forumdeshalles.com – M° Les Halles ou Châtelet ou RER Châtelet – Les Halles. Ouvert du lundi au samedi de 10h à 20h. Cinémas et restaurants ouverts le dimanche. Parking ouvert tous les jours 24h/24 : 01 40 39 03 67.

Le Forum des Halles est le centre commercial parisien le plus fréquenté. Bâti à l'emplacement d'une partie des anciennes grandes halles de Paris, transférées à Rungis, il s'est ouvert en 1979 après de longs travaux. Il est constitué de 5 niveaux dont 4 en sous-sol, en partie autour d'un puits de lumière. Vous pouvez y accéder par 6 «portes» dotées d'escaliers mécaniques, par le métro et le RER ou un grand parking. Le projet Canopée va transformer l'aspect extérieur du Forum, lequel sera couvert par une verrière géante en forme de vague et en partie végétalisée. Commencé en 2008, le chantier devrait durer jusqu'en 2012. Pendant les travaux, le Forum poursuivra ses activités. On y trouve de l'alimentation et des douceurs (Monop', Jeff de Bruges, La Compagnie Anglaise des Thés…), des parfums, des cosmétiques (Franck Provost, Yves Rocher Institut, Marionnaud, Sephora…), des marchands de lunettes (Alain Afflelou, Vogue Optique…), de bijoux et d'horlogerie (Agatha, Cleor…), de jouets et de cadeaux (Le Nez de Pinocchio, Micromania, Nature et Découvertes…), deux cinémas multiplexes UGC, plus le Forum des Images (réouverture en décembre 2008), des magasins de sport (Courir, Go Sport), de quoi équiper votre maison (Habitat, Maisons du Monde, Muji…). Deux mastodontes, l'un de l'électroménager (Darty), l'autre du livre, du disque, du dvd, de la hi-fi et de l'électronique (Fnac) sont également présents. Voilà qui est déjà remarquable, mais c'est du côté vêtement que l'offre est très importante. Il y a dans le Forum 27 boutiques de mode féminine (Comme Ça des Halles, Comptoir des Cotonniers, Etam, Jennyfer, Kookaï, Nafnaf, Pimkie, Promod, Zara…), 15 magasins pour homme (Celio, Jules, Levi's Store, Old River…), 12 enseignes mixtes (Benetton, Gap, H & M, New Look…) et 4 adresses pour habiller les enfants (Catimini, Du Pareil au Même, H &M, Petit Bateau). Sont aussi à votre disposition 8 espaces Créateurs (Pedro Williams Borquez, Xuly Bët…), des chausseurs (André, Bata, Manfield, Orcade-Minelli…), ainsi que des boutiques de lingerie et d'accessoires. Si avec ça, vous ne ressortez pas couvert… Vous pouvez faire des haltes pour boire quelque chose (Nolita Caffe, Starbucks Coffee…) ou manger rapidement (Mc Donald's, Pomme de Pain, Quick …), ou encore vous attabler pour un vrai repas (Bert's, Flunch, Oh ! Poivrier !...). Autres services et commerces : pharmacie, agence de voyages, labo photo, location de vélos, Poste…

BERCY VILLAGE
Cour Saint-Emilion (12e)
✆ 01 40 02 90 80

Site Internet : www.bercyvillage.com – M° Cour Saint-Emilion. Ouvert tous les jours de 11h à 21h. Restaurants ouverts tous les jours jusqu'à 2h.

En marge de l'ancien village de Bercy s'est élevé ici un ensemble de bâtiments occupés par des négociants en vin et en spiritueux au XIXe siècle. Les précieux liquides étaient acheminés par la Seine et en partie réexpédiés par train. Peu à peu désaffecté, ce grand espace agrémenté d'arbres a été réaménagé. Il a été en partie rasé du côté du palais omnisport dans les années 70 et réorganisé à son autre extrémité pour laisser place notamment à un jardin public, des immeubles d'habitation, la Cinémathèque française (ex-American Center) et ce centre commercial établi dans les chais rescapés. Dans ce joli cadre se sont installés des commerces essentiellement tournés vers les activités de loisir et de l'art de vivre. La mode est présente (Agnès B), de même que des enseignes spécialisées dans le bien-être et la beauté : Sephora, spa Omnisens, boutique Résonances, coiffeur Sergio Bossi, Waou Club Med Gym, L'Occitane en Provence (parfums et de soins de la peau). Pour préparer vos voyages, vous avez Pacific Adventure (agence de voyage, équipement mer et pêche), Andaska (équipement). Vous êtes plutôt casanier ? Rendez-vous Côté Maison, ou chez Alice Délice (épicerie et équipement de cuisine), ou encore à Loisirs et Création (beaux-arts…). La librairie Album vous propose ses BD, Animalis ses animaux de compagnie, La Civette de Bercy ses cigares, tandis que la Fnac Eveil & Jeux présente de quoi occuper les enfants. Fine bouche ? Prenez la direction de la biscuiterie-confiserie-chocolaterie La Cure Gourmande et d'Oliviers & Co (olives, tapenades, biscuits, condiments). Au cas où vous souhaitez vous désaltérer et vous sustenter de suite, sachez qu'il y en a pour tous les goûts : Buffet d'Italie, Chai 33, Hippopotamus, La Compagnie des Crêpes, Le Saint-M', Le Vinea Café, Nicolas (également boutique de vin), Partie de Campagne, T pour 2 Café, The Frog at Bercy Village. Pour finir, notez que tout au long de l'année sont ici présentées des expositions.

ITALIE 2

30, avenue d'Italie (13e) ✆ 01 45 80 72 00

Site Internet : www.italie2.com – M° Place d'Italie. Ouvert du lundi au vendredi de 10h à 20h, nocturne le jeudi jusqu'à 21h et de 9h à 22h pour Champion. Les horaires diffèrent pour certains magasins.

Beaucoup, beaucoup d'adresses dans ce centre commercial qui trône au cœur du 13e arrondissement. De grandes enseignes sont ici présentes comme le Printemps, Sephora, Yves Rocher, Marionnaud, La Grande Récré, Nature & Découvertes, André, Eram, Heyraud, Minelli, Franck Provost, Club Med Gym, Fnac, France Loisirs, Micromania, Tati, Bricorama, Darty, MontBlanc, Princesse Tam Tam, Générale d'optique, Grand Optical, Lissac Opticien, Alain Afflelou, Petit Bateau, Etam, Jennyfer, Pimkie, Promod, Célio, Jules, Aigle, La Redoute, Quiksilver, Timberland, Zara, Levi's, Courir, GO Sport, FootLocker… Autrement dit, il y a là tout ce qu'il faut pour se vêtir, s'équiper en électroménager, se cultiver, jouer, être coiffé, lunetté, chaussé, etc. Et aussi manger sur le pouce (croissanteries, Mac Donald's), chinois (Le Tigre Impérial), tex-mex (El Rancho) ou des pièces de viande (Hippopotamus). Quant aux amateurs de café (Segafredo), de chocolats et de glace (Häagen-Dazs), ils sont également servis ! En plus de ces boutiques, vous trouverez également dans ce centre des services divers et variés (centre médical, pressing…) et un supermarché Champion. Une vraie petite ville !

GRANDES ENSEIGNES

BHV

52, rue de Rivoli (4e)

✆ 01 42 74 90 00

Site Internet : www.bhv.fr – M° Hôtel-de-Ville. Ouvert du lundi au samedi de 9h30 à 19h30, jusqu'à 21h mercredi.

En 1852, un quincaillier lyonnais, nommé Xavier Ruel, s'installe dans le quartier de l'Hôtel de Ville où il vend des articles de bonneterie. Quelques années plus tard, les affaires marchent si bien qu'il finit par ouvrir un magasin dans un lotissement en construction rue de Rivoli, nouveau grand axe de la capitale. Le Bazar de l'Hôtel de Ville était né, et un siècle et demi plus tard, le BHV a toujours autant de succès auprès des Parisiens. La principale raison est qu'il s'agit d'un grand magasin dont l'offre de produits est pléthorique et très diversifiée, ce qui est évidemment à la fois pratique et plein de charme. Des rayons consacrés à la parfumerie, la maroquinerie, la bureautique, la librairie, les beaux-arts, aux luminaires, à la mode féminine, aux arts de la table, mercerie, aux tapis, à la hi-fi, aux jouets et jeux vidéo, à la musique, à la mode enfant, aux meubles, à la literie : un vrai bazar en somme ! En sus, le sous-sol vous plonge dans le monde du jardinage, du camping, mais il fait surtout figure de terre bénie des bricoleurs : outillage, pièces détachées, accessoires. Les hommes ont leur propre magasin et le BHV se décline aussi en annexes : BHV Carrelage, BHV la Niche, BHV Vélo, BHV La Cave, BHV Moto, à deux pas de la maison mère (voir le site Internet).

GALERIES LAFAYETTE

40, boulevard Haussmann (9e)

✆ 01 42 82 34 56

Site Internet : www.galerieslafayette.com – M° Havre-Caumartin ou Chaussée d'Antin. Ouvert du lundi au samedi de 9h30 à 20h, jusqu'à 21h jeudi.

En quelques années, au tournant des XIXe et XXe siècles, les Galeries Lafayette ont investi plusieurs immeubles du prestigieux boulevard Haussmann pour que se constitue un grand «grand magasin» connu dans le monde entier. «La mode en mouvement» est aujourd'hui le concept de la maison. Aussi, toutes les griffes qui comptent sont présentes ici, notamment les plus luxueuses. Des centaines de marques sont représentées. De la jeune adolescente à la femme mûre, toutes peuvent trouver leur bonheur. Au 1er étage, vous découvrirez plus de cent trente marques de vêtements et d'accessoires – plus de 600 mètres carrés consacrés entièrement au jean, et plus de cent marques de chaussures réparties sur 1 300 mètres carrés. Au 2e étage, il y a 5 600 mètres carrés de mode tendance, avec notamment les espaces chic et glamour – Anti-Flirt, Armani Collezioni, Ange… Au 3e étage, 3 200 mètres carrés de mode séduction dédiés aux marques les plus prestigieuses – Escorion, Elena Miro… Au 4e étage, les imperméables, fourrures et manteaux… Tout ce qui fait l'air du temps peut être trouvé dans ce magasin sachant parfaitement théâtraliser la mode. Des tableaux mettant en scène les nouveautés ponctuent les étages. Les marques sont organisées dans des espaces clairement définis : bijoux fantaisie ou haut de gamme, accessoires, bagagerie, beauté, lingerie, prêt-à-porter femme, cuir et fourrure… Quant à l'espace Lafayette Homme, il propose sur trois niveaux tout l'univers mode au masculin. Grand centre d'intérêt de la maison : l'espace créateurs du 3e étage avec, entre autres, Bikkembergs, Dsquared, Dolce & Gabbana, Lagerfeld, Lanvin, Rykiel Homme, Vivienne Westwood… Autres points de rendez-vous à ne pas manquer : le rez-de-chaussée où vous trouverez accessoires – ceintures, cravates, écharpes, montres, cosmétiques, petite maroquinerie, bijoux… – et ligne mode Lafayette Homme. Au niveau 2, vous avez les marques sportswear : Mexx, Marlboro Classic ou Murphy and Nye. Les bébés et les enfants ont également leurs espaces dans ce temple élevé aux belles choses où se découvrent également un magasin Lafayette Maison – mobilier, linge, vaisselle, luminaires, décoration, librairie… – et un Lafayette Gourmet. Enfin, sachez que de nombreuses possibilités de restauration vous sont offertes. Si vous cherchez un endroit vraiment spécial pour faire une petite pause, dirigez-vous vers le bar de la terrasse, la vue sur la capitale y est exceptionnelle. Attention toutefois, son ouverture est étroitement liée à la météo… **Autre adresse :** Centre commercial Tour Montparnasse – 22, rue du Départ (15e) ✆01 45 38 52 87. Ouvert du lundi au samedi de 10h à 20h.

PRINTEMPS
64, boulevard Haussmann (9e)
✆01 42 82 50 00
Site Internet : www.printemps.com – M° Havre-Caumartin. Ouvert du lundi au samedi de 9h35 à 19h, jusqu'à 22h jeudi.
Le premier magasin du Printemps a été ouvert en 1865, puis s'est agrandi dans les années suivantes. Un incendie en 1881 entraîne une reconstruction qui s'accompagne d'une électrification de l'éclairage très remarquée. La façade et la coupole Art nouveau sont classées Monument historique. En tout, trois établissements renferment des milliers de trésors : la Maison, l'Homme et bien sûr la Mode. Pour cette dernière thématique, le Printemps n'a pas lésiné sur les moyens. Six étages sont dévolus aux créations, des plus sobres aux plus folles. Au sous-sol, vous trouverez la lingerie, au rez-de-chaussée les accessoires – sacs, bijoux, foulards, chapeaux… –, au 4e étage le prêt-à-porter, au 5e les chaussures… Des marques peu connues mais très intéressantes comme Abaco, Ed Hardy, Michal Negrin côtoient des piliers : Agatha, Emporio Armani, Longchamp, Petit Bateau. Pour les accessoires : Luella, Velvetine, les bijoux Thomas Sabo… Pour les chaussures : Kurt Geiger, Guiseppe Zanotti Design, Marni… Le Printemps de l'Homme réunit lui sur cinq étages une foule de marques adaptées à tous les profils : branchouille, classique, businessman ou streetwear. Au rez-de-chaussée, c'est le royaume des accessoires – maroquinerie, boutons de manchettes, cravates, chapeaux, horlogerie, lunettes solaires –, avec comme grands classiques Paul Smith, Kenzo ou Burberry. L'étage Urban Select propose pour sa part une sélection de marques ultra pointues et souvent présentées en exclusivité – Juicy Couture, RaRe, YMC, Junk de Luxe ou Mc Q Alexander Mc Queen –, ainsi qu'un bar-denim pour accrocs du jean : Nudie Jeans, Acne Jeans, Edwin… Le 2e étage est consacré aux créateurs, le 3e aux casual et sportswear, le 4e au prêt-à-porter ville classique et contemporain et le dernier étage aux chaussures. En plus de cela, le Printemps accueille également agence de voyage, restaurants, billetterie, coiffeurs et salons de beauté. Sur la terrasse du 9e étage, vous pouvez déjeuner ou prendre un verre au Déli-cieux, qui, entre nous, porte bien son nom… Une adresse située à proximité est entièrement dévolue à plus de deux cent cinquante marques qui s'adressent aux jeunes, c'est le magasin Citadium. Outre deux Printemps installés du côté des places de la Nation et d'Italie. **Autres adresses :** Printemps Citadium. 50-56, rue Caumartin (9e) ✆01 55 31 74 00. Ouvert du lundi au samedi de 10h à 20h, jusqu'à 21h jeudi • Printemps Italie 2. Centre commercial Italie 2. 30, avenue d'Italie (13e) ✆01 76 75 90 00. Ouvert du lundi au samedi de 10h à 20h • Printemps Nation. 21-25, cours de Vincennes (20e) ✆01 43 71 12 41. Ouvert du lundi au samedi de 10h à 19h30, jusqu'à 21h jeudi.

LE BON MARCHE
5, rue Babylone (7e)
✆01 42 22 05 63
Site Internet : www.treeslbm.com – M° Vaneau ou Sèvres-Babylone. Ouvert lundi, mardi, mercredi et vendredi de 9h30 à 19h, de 10h à 21h jeudi, de 9h30 à 20h samedi.
Un premier magasin fut fondé en 1838 par les frères Videau, lequel fut transformé par les Boucicaut une dizaine d'années plus tard. Ce faisant, ils ont créé ici le premier grand magasin de la capitale. Choix de produits important dans un vaste espace, prix fixés, accès direct à la marchandise : tels sont quelques-uns des atouts de ce commerce d'un nouveau genre et promis à un grand avenir. Emile Zola a raconté à sa manière l'histoire de cette aventure dans son roman Au bonheur des Dames. Toujours très prisée, cette adresse est aujourd'hui devenue synonyme de luxe. Mode, beauté, déco, mais aussi culture sont proposées sur plusieurs niveaux. Les créateurs importants sont là : Chloé, Costello Tagliapietra, Dries Van Noten, Jean-Paul Gaultier… La part belle est faite au shopping chic et cher. Ne vous attendez donc pas à trouver beaucoup d'accessoires ou de vêtements à bas prix. Balthazar, l'espace mode homme du Bon Marché, se trouve au rez-de-chaussée. Dans un cadre ultra épuré, bon chic bon genre avec un décor de colonnes, de lampes blanches à profusion et de marbre au sol, vous découvrez les plus grandes marques de prêt-à-porter – Hugo Boss, Paul Smith, Arrow, Paul & Joe, Prada, Miu Miu, Jil Sander –, un espace créateurs – Wooyoungmi, APC – et la marque maison, Balthazar. Très spacieuse, la Grande Epicerie est consacrée à l'alimentation. Elle vaut vraiment le détour avec d'excellents plats cuisinés, des bonnes pâtisseries et des produits qui vont du moyen de gamme au très haut de gamme, de même que l'espace design où se trouvent Cappellini et Vitra, ainsi que Knoll – bureaux –, Bang & Olufsen – hi-fi –, Apple – informatique… Enfin, notez que salades, soupes, tartines, pâtisseries, sandwiches, plats vapeur, thé, café ou jus de fruits vous attendent pour des pauses réconfortantes dans cinq cafés et bars soigneusement décorés à l'intérieur du magasin et qu'un restaurant est ouvert à tous.

LES MAINS ET LES ONGLES

CENTRE BEAUTY NAILS
11, rue du Marché-Saint-Honoré (1er)
✆ 08 11 02 10 11
M° Tuileries. Prendre obligatoirement un rendez-vous.
Dans un des quartiers les plus fashions de la capitale, venez vous faire poser des ongles américains. Ces derniers sont de faux ongles constitués de résine acrylique ou de gel. Ils permettent de présenter des mains toujours impeccables avec un minimum d'entretien et d'effort. Dans les instituts traditionnels, ils sont relativement coûteux (plusieurs dizaines d'euros). Les Parisiennes ne souhaitant pas leur consacrer un tel budget peuvent se rendre (sur rendez-vous uniquement) dans ce petit espace du 1er arrondissement. Elles y seront très bien accueillies par des apprentis désireux d'améliorer leur technique. L'attente peut être longue tout comme la pose mais qu'importe, nous faisons des économies ! La pose d'ongles américains dépasse ici rarement les 10 €.

MANUCURIST
4, rue de Castellane (8e) ✆ 01 42 65 19 30
Site Internet : www.manucurist.com – M° Tuileries ou Pyramides. Ouvert du lundi au samedi de 10h à 19h.
Voici l'une des meilleures adresses de Paris pour ce qui est de la beauté des ongles. Cet institut au look coloré et moderne est spécialisé dans la beauté des ongles à l'américaine. Les Parisiennes y vont pour la french manucure à l'airbrush (pistolet qui projette de la peinture à l'eau blanche pour un bord blanc sublime). Ce soin frisant la perfection n'est même pas cher : 36 € ! Les professionnelles de cet institut se font également un plaisir de soigner vos ongles dédoublés ou abîmés. Une spécialiste peut vous faire un bilan complet et vous proposer un traitement immédiat accompagné d'un soin sur la durée pour seulement 45 €. L'endroit met aussi en vente toute une gamme de produits sélectionnés pour leur efficacité. Avec tout cela, si vos mains et vos pieds ne sont pas magnifiques, vous n'avez plus aucune excuse ! **Autre adresse :** 13, rue de la Chaussée-d'Antin (9e) ✆ 01 47 03 37 33

INSTITUT CITRON VERT
46, rue du Montparnasse (14e)
✆ 01 40 47 80 64
Site Internet : www.citron-vert.fr – M° Montparnasse. Ouvert du lundi au vendredi de 10h à 20h, et le samedi de 10h à 19h.
Quel drôle de nom ! Les instituts Citron Vert font souffler un vent de nouveauté sur Paris. Sans rendez-vous et très rapides, ils ont tout compris ! Les plus pressées adorent ! L'univers est plutôt moderne et chaleureux. Rien de tape-à-l'œil dans la décoration, on s'y sent tout de suite bien. Les esthéticiennes sont diplômées, cela assure la bonne qualité des soins. Avec ou sans abonnement, ces derniers présentent des prix malins. Pour une souscription mensuelle de 9,90 € (frais de dossier 16 €), vous avez droit à des tarifs encore plus avantageux. La manucure traditionnelle vous sera facturée au maximum 13 €, la manucure tiède 15 €, 5 € la pose de vernis, 7 € le French vernis et 42 € (toujours maximum) pour la pose de faux ongles. **Autres adresses :** 49, rue Sainte-Anne (2e) ✆ 01 42 96 45 26 • 60, rue de Provence (9e) ✆ 01 48 74 93 30.

L'ONGLERIE
81, avenue Raymond-Poincaré (16e)
✆ 01 47 55 02 03
Site Internet : www.l-onglerie.com – M° Victor-Hugo. Ouvert du lundi au vendredi de 9h à 20h et le samedi jusqu'à 18h.
Pour des ongles de stars ou tout simplement des mains parfaites, rendez-vous à cette adresse. A l'Onglerie, vos mains et vos pieds sont les rois. Les prix sont relativement bas : manucure avec pose de vernis simple 30 €, comptez 40 €, avec la french manucure. Le personnel est charmant. L'ambiance est digne de celle d'un salon de coiffure de quartier. On vient et on papote, confortablement installée dans un des fauteuils. A force, on connait bien les esthéticiennes et la manucure se transforme en vrai rendez-vous. Les produits utilisés ne sont pas très chers et d'excellente qualité. N'hésitez pas à demander conseils avant votre achat. Le Durcisseur Actif (8,50 €) est un classique tout comme le Gel Calcium (8,20 €). **Autres adresses :** 143, boulevard Raspail (6e) ✆ 01 56 24 07 07 • 19, boulevard des Batignolles (8e) ✆ 01 43 87 07 83 • 34, rue Godot-de-Mauroy (9e) ✆ 01 42 65 49 13 • 18, boulevard Beaumarchais (11er) ✆ 01 48 06 90 20 • 187 ter, rue Tolbiac (13e) ✆ 01 45 81 01 01 • 162, rue de la Convention (15e) ✆ 01 45 30 33 00.

CHRIS ONGLES
238, rue du Faubourg-Saint-Antoine (12e)
✆ 01 43 79 19 67
M° Faidherbe-Chaligny. Ouvert du mardi au vendredi de 10h à 19h et le samedi de 10h30 à 19h30.
Ici, le choix des soins esthétiques du visage et du corps sont innombrables. Eh oui, l'enseigne est trompeuse, car si l'on s'occupe de vos mains, on prend en charge votre bien-être complet. Vous

n'avez pas beaucoup de temps mais le visage qui fait grise mine ? Optez pour la beauté express visage à 25 € puis, revenez plus tard pour vous faire poser des ongles US pour 61 €. Votre silhouette est également prise en charge avec le célèbre CelluM6 – douze séances plus deux séances gratuites pour 540 € –, l'électro-stimulation, les amincissements, les soins au chocolat avec les produits «sensation chocolat», visage et corps – 1h30 – pour 89 €. Tous les soins basiques du visage, manucure, pose de faux ongles, épilation à la cire traditionnelle jetable... De quoi y passer et y repasser pour des moments de pure détente.

COIFFEURS

A LA TETE DU CLIENT
154, rue Saint-Honoré (1er)
✆01 40 20 40 19
M° Palais-Royal, Louvre Rivoli ou Les Halles. Ouvert du mardi au vendredi de 11h à 20h et le samedi de 11h à 19h.
La rue Saint-Honoré renferme bien des trésors. Le salon «A la Tête du Client» est l'un d'entre eux. Une clientèle constituée majoritairement d'habituées vient se faire couper les cheveux dans une ambiance détendue et apaisante. Enfin un salon de coiffure situé en plein Paris qui échappe au stress ambiant ! Le personnel est qualifié et sympathique. On discute tranquillement (parfois même entre amies) pendant que l'équipe réalise une coupe de cheveux qui nous ira à ravir. Visagistes et professionnelles jusqu'au bout de leurs ciseaux, les coiffeuses connaissent les tendances et arrivent à cerner la personnalité de chaque personne entrant dans le salon. Il y a fort à parier que vous ressortirez de là métamorphosées. Cette adresse de quartier est précieuse. Faites-en profiter vos meilleures amies.

MONTECINO
7, rue du Louvre (1er) ✆01 40 26 18 07
M° Louvre, Rivoli ou Palais-Royal ou Musée-du-Louvre. Ouvert du mardi au samedi de 10h à 20h.
Montecino est bien plus qu'un salon de coiffure. L'endroit propose un concept global de détente et de bien-être. Quelle que soit l'option que vous choisissiez, vous ressortirez de cet endroit en pleine forme, détendue et toute belle ! Au sous-sol, dans de grandes cabines de massage, venez découvrir des soins exotiques ou plus occidentaux. Au rez-de-chaussée, les coiffeurs sont les seuls maîtres à bord. L'espace est plutôt épuré et moderne. Le personnel est aussi doué en coiffure qu'en massage du cuir chevelu. La détente et la beauté n'ont jamais fait aussi bon ménage. Les prix restent raisonnables : le brushing est à 25 € quant au shampoing, il coûte 7 €.

COIFFURE CREATIVE
30, rue de Gramont (2e) ✆01 42 92 02 44
Ouvert du lundi au samedi de 10h à 19h sans interruption.
Installé dans un ancien théâtre, ce charmant salon de coiffure mixte accueille une clientèle variée : hommes d'affaires, comédiens et autres étudiants. Vous croiserez certainement des danseuses de l'Opéra Garnier, situé à quelques encablures des lieux... Avec ou sans rendez-vous, la charmante équipe de professionnelles de ce salon vous proposera en plus des coupes, ses services de visagiste et de coloriste. Autre possibilité, des coiffures pour la future mariée. Maître d'apprentissage confirmée, la gérante des lieux vous conseillera avec le sourire. Très ponctuelle, vous repartirez toujours à l'heure. Comptez 31 € pour un shampoing, une coupe et un brushing si vous êtes une femme, 23 € si vous êtes un homme. Les balayages et les couleurs (à partir de 32 €) sont également très abordables. Côté produits, le salon travaille avec les produits L'Oréal et Redken. A noter : – 20 % pour les étudiants. Pourquoi s'en priver !

TONI AND GUY
18, rue Tiquetonne (2e)
✆01 40 41 11 00
Site Internet : www.toniguy.com – M° Palais-Royal, Musée-du-Louvre ou Pyramides. Ouvert le lundi de 12h à 20h, mardi de 10h à 20h, du mercredi au vendredi de 11h à 21h et samedi de 10h à 20h.
Fondé à Londres par deux frères, Toni and Guy propose des coupes hyper-tendance. Cette volonté de faire dans le branché se retrouve dans la décoration et l'ambiance des salons. La musique moderne est diffusée à fond, les coiffeurs ont tous un look très travaillé. Il n'y a pas à dire, si vous souhaitez donner un bon coup de jeune à votre silhouette, c'est ici qu'il faut aller. Les coupes sont travaillées avec soin et toutes offrent un petit «plus» tendance. Ne vous inquiétez tout de même pas, vous pouvez garder votre côté sage si vous le voulez. Les coiffeurs sont d'excellents visagistes. Ils travaillent les cheveux en fonction de votre visage mais aussi de votre allure et de votre mode de vie. Les prix restent raisonnables : entre 49 € et 96 € selon le grade du coiffeur qui vous aura pris en main. **Autres adresses :** 248, rue du Faubourg-Saint-Honoré (1er) ✆01 40 20 98 20 • 122, rue du Faubourg-Saint-Honoré (8e) ✆01 40 20 15 93 • 6, rue de Charonne (11er) ✆01 43 14 01 43.

INSTITUT CAPILLAIRE MARRY PASCUAL
106 bis, rue de Rennes (6e) ✆ 01 45 44 65 72
Site Internet : www.soindescheveux.com – M° Saint-Germain-des-Prés ou Saint-Sulpice. Ouvert le mercredi de 15h à 19h, le jeudi et le vendredi de 10h à 21h et le samedi de 10h à 18h.
Cet institut propose depuis 1976 des soins des cheveux, des massages et des colorations sur mesure. Bonnes odeurs de plantes fraîches, huiles essentielles et autres produits naturels embaument le lieu. Tout ici est fait pour nous rapprocher de la nature. Tony, naturopathe, et son épouse coiffeuse et coloriste, Marry, mettent tout leur savoir-faire pour que vos cheveux reprennent vie. Les produits chimiques sont interdits. L'effet n'en est que meilleur. Si vous souhaitez récréer un peu de tout cela chez vous, rendez-vous à l'adresse indiquée ou sur le site de l'institut pour acheter les produits destinés aux cheveux. Fluides traitants (34 € en moyenne), shampooing (environ 25 €) et autres soins vous y attendent. A découvrir également, le diagnostic cheveux en ligne.

TRAINING JEAN-MARC MANIATIS
35, rue de Sèvres (6e) ✆ 01 45 44 16 39
Site Internet : www.maniatis.com – M° Saint-Germain-des-Prés, Mabillon, Saint-Sulpice ou Sèvres-Babylone. Ouvert du lundi au samedi de 9h30 à 19h.
Les étudiantes qui connaissent cette adresse sont vraiment heureuses : les coupes y sont excellentes et totalement gratuites ! Seul hic, vous n'êtes pas sûres que les professionnels présents acceptent de vous coiffer. En effet, il faut commencer par prendre un rendez-vous par téléphone, vous rendre sur place et voir avec les personnes présentes si votre «cas» est intéressant. Si vous ne correspondez pas à leurs attentes et à leurs besoins, vous êtes gentiment reconduites à la porte. Par contre, s'ils sont d'accord pour vous coiffer, un monde merveilleux s'offre à vous : les coupes sont imposées mais toujours parfaitement étudiées pour mettre votre visage en valeur et le résultat est complètement gratuit ! De quoi faire de belles économies tout au long de l'année ! **Autres adresses :** 12, rue du Four (6e) ✆ 01 46 34 79 83 • 18, rue Marbeuf (8e) ✆ 01 47 23 30 14.

INSTITUT OPALIS
63, rue de Ponthieu (8e) ✆ 01 45 62 51 55
Site Internet : www.opalisparis.com – M° George-V ou Franklin-D.-Roosevelt. Ouvert du mardi au samedi de 10h30 à 19h.
Le décor de cet institut est particulièrement cosy. On y retrouve le charme de la cave voûtée, un beau parquet, des fauteuils profonds et confortables ainsi que du mobilier en bois massif. Une musique relaxante est diffusée. Des odeurs enivrantes s'échappent de toute part. Il ne vous reste plus qu'à fermer les yeux et à vous laisser aller. Un professionnel vous prend en charge. Il commence par un diagnostic de vos cheveux. Chaque produit, chaque plante, chaque huile essentielle sont alors choisis pour vous. Les massages prodigués dans cet institut sont extraordinaires. Le Soin Suprême par exemple démarre par un massage des épaules, de la nuque et du visage. Un cataplasme de plantes est appliqué sur vos cheveux. Après le rinçage avec de l'eau, des huiles essentielles et de l'eau florale, la douceur du séchage naturel vous ramène lentement à la réalité. Le tout dure 1h30 et coûte 87 €. Bien d'autres merveilles de ce genre sont proposées.

TCHIP
1, rue de Maubeuge (9e) ✆ 01 48 78 58 76
Site Internet : www.tchip.fr – M° Notre-Dame-de-Lorette, Saint-Georges, Cadet ou Le Peletier. Ouvert du lundi au samedi de 9h30 à 19h30.
Le slogan de ces salons de coiffure en dit beaucoup : «Ce serait moche de payer plus !» A l'origine du concept se trouve l'envie de permettre à toutes les femmes d'accéder à la coiffure. Ici les prix sont tout riquiqui : un shampooing suivi d'une coupe et d'un brushing coûte 18 €, ajoutez 6 € pour un soin, la même chose avec une couleur : 28 €, avec une permanente 38 € et avec un balayage 48 €. Autant dire qu'à ce prix-là on se fait couper les cheveux tous les mois ! Le revers de la médaille est que le salon ne désemplit pas, le lieu est plutôt bruyant et les fauteuils à touche-touche. On remarque aussi que les professionnels n'ont pas le temps de travailler des coupes vraiment élaborées. Ce type de salon est plutôt à réserver à la coupe mensuelle des pointes. Si vous cherchez un endroit pour profiter d'un moment de bien-être et de relaxation, passez votre chemin ! **Autres adresses :** 26, rue de la Pépinière (8e) ✆ 01 45 22 05 99 • 10, avenue de la République (11er) ✆ 01 43 38 00 48 • 337, rue Lecourbe (15e) ✆ 01 44 26 47 11.

ACADEMIE RIVE DROITE
14, avenue de la République (11er)
✆ 01 47 00 73 73
M° République, Oberkampf ou Parmentier. Ouvert du lundi au vendredi avec une session à 9h30 et une autre à 13h30, quelques journées salon sont organisées de 9h30 à 16h30.
En provenance directe du Japon, ces professionnels sont avant tout dans notre pays pour apprendre nos techniques et découvrir des styles et astuces de coupes bien françaises. Souvent fort bons, ils permettent de se faire coiffer à des prix vraiment tout petits. Si vous souhaitez changer de tête, vous pouvez leur confier vos cheveux sans crainte. En quelques minutes, ils sauront définir avec vous la coupe qui vous ira le mieux. Les prix sont très intéressants. Lors du premier rendez-vous, vous ne pouvez avoir accès qu'au forfait shampooing-coupe-brushing à 10 €. Si vous souhaitez une couleur ou un balayage, il vous faudra en discuter avec les professionnels qui accepteront de vous donner un second rendez-vous si votre demande intéresse les stagiaires. La couleur vous sera alors facturée 20 €, les mèches pour la tête complète sont à 30 €.

ÉPILATION

BODY MINUTE

2, rue Française (1er) ✆01 40 26 25 85

Site Internet : www.bodyminute.com – M° Etienne-Marcel, Sentier ou Les Halles. Ouvert du lundi au vendredi de 10h30 à 19h30 et le samedi de 10h à 18h30.

En tout, près de 150 instituts Body Minute sont répartis partout en France. Les prix y sont particulièrement attractifs. Moyennant un abonnement de 9,90 € par mois, tous ces centres vous sont ouverts. Aucune prise de rendez-vous n'est nécessaire. Ce système convient parfaitement aux Parisiennes pressées. Les prix sont tout doux. Dès 4,30 €, vous pouvez vous faire épiler. De nombreux soins sont également proposés. Comptez entre 32 € et 68 € pour un soin visage, entre 17 € et 53 € pour un soin du corps. Certains centres mettent gracieusement à la disposition de leurs clientes les machines à UV... Bref, gain de temps et économies font ici bon ménage. On peut toutefois regretter l'ambiance qui règne souvent dans ces salons. Dommage que la décoration n'ait pas été suffisamment travaillée ! **Autres adresses :** 8, rue de Port-Mahon (2e) ✆01 42 66 67 10 • 49, rue Saintonge (3e) ✆01 42 71 35 60 • 1, passage des Patriarches (5e) ✆01 43 31 55 33 • 5, rue des Ciseaux (6e) ✆01 46 33 37 90 • 12, rue Notre-Dame-des-Champs (6e) ✆01 42 84 19 02 • 155, rue de Grenelle (7e) ✆01 45 51 16 79 • 5, rue de Surène (8e) ✆01 40 07 19 72 • 96, rue des Entrepreneurs (15e) ✆01 45 78 28 50 • 2, rue de Lagny (20e) ✆01 43 67 64 94.

ESPACE EPILATION

3, rue Etienne-Marcel (1er) ✆01 53 40 72 20

M° Etienne-Marcel, Les Halles ou Sentier. Ouvert du lundi au samedi de 10h à 20h.

Ne vous fiez pas à son nom, cette adresse ne propose pas que des épilations. On trouve aussi des soins du visage, du corps et de la manucure. L'endroit est plutôt sympathique. Grâce à la gentillesse du personnel, on y entre souvent stressé mais on en ressort détendu et sur un petit nuage ! De nombreuses sortes d'épilation sont possibles. Les prix varient de 3,80 € (pour les demi-jambes à la cire classique lorsqu'on est abonné) à 38 € (pour le maillot intégral à la cire sans bandes et sans abonnement). Le soin du visage Escale Beauté est un véritable délice (30 mn pour 23 € ou 35 €) tout comme le Aroma Luxe Massage du corps (1 heure pour 60 € ou 80 €). L'institut propose une carte abonnement très intéressante pour les plus fidèles d'entre nous !

CENTRE LASER SORBONNE

218, rue Saint-Jacques (5e) ✆01 53 10 10 01

Site Internet : www.centrelasersorbonne.com – M° Cluny – La Sorbonne. Ouvert du lundi au samedi de 8h à 21h. Tous les vendredis, nocturne jusqu'à 22h.

Ce centre est spécialisé dans la technique du laser. Tatouage, taches pigmentaires, couperose, varicosités et autres disgrâces peuvent disparaître facilement. Les poils sont également l'un de leur domaine de compétence. Grâce au laser, l'épilation se fait définitive. Terminée les épilations mensuelles qui font souffrir et qui nécessitent un vrai budget. La durée des séances varie de 10 minutes à 1h30 en fonction de la surface à traiter. En dehors d'une sensation de chaleur et de picotements momentanés, les séances ne sont généralement pas douloureuses. Pour connaître les prix, mieux vaut vous rendre directement au centre. A titre indicatif, les demi-jambes et le maillot ou les aisselles pour une femme peuvent être facturé 350 €. La lèvre supérieure et le menton, 130 €. Ces prix doivent naturellement être multipliés par le nombre de séances nécessaires.

INSTITUT DE BEAUTE PYRENE

2, rue Greffulhe (8e)

✆01 42 68 08 10

M° Havre-Caumartin, Saint-Augustin ou Madeleine. L'espace beauté est ouvert le lundi de 9h15 à 19h30, le mardi de 9h15 à 21h, le mercredi et le jeudi de 9h15 à 19h30, le vendredi de 8h30 à 20h et le samedi de 9h15 à 19h30.

Parce que les femmes savent bien qu'il n'est pas toujours facile d'être détendue lorsqu'elles vont se faire épiler, ce centre fait l'effort de soigner la décoration. Les Parisiennes entrent dans ce lieu souvent stressées et en ressortent relaxées au maximum. Le pari est gagné ! Epilation temporaire ou définitive, à vous de choisir. De nombreuses techniques sont proposées : épilation à l'orientale, à la cire jetable ou non mais aussi épilation par laser (Lumière Pulsée Contrôlée) ou électrique (électrolyse), vous n'avez que l'embarras du choix. Le plus simple est certainement de demander conseil aux professionnelles de cet institut. Selon la zone à traiter et vos impératifs budgétaires, elles vous donneront de précieux renseignements.

GALET BLEU

✆06 13 82 25 56

Site Internet : www.galetbleu.com – Ouvert du lundi au vendredi de 7h à 20h et le samedi matin.

Parce qu'il n'est pas toujours facile de bloquer une matinée pour aller à l'autre bout de Paris se faire épiler, cette astucieuse société propose de faire venir des professionnelles chez vous. Différentes prestations sont possibles : des massages aux soins de beauté en passant par de la manucure, le choix est large. L'épilation est à compter au nombre des propositions. Pour 75 €, une esthéticienne se déplace à domicile et réalise une épilation des demi-jambes, du maillot et des aisselles. Le tout en 45 minutes. Le prix comprend les produits naturels utilisés. Pour 80 €, vous pouvez bénéficiez de l'épilation complète des jambes, du maillot et des aisselles. Le temps à la fin de la séance pourra être utilisé pour vous procurer des soins à la carte (modelage du visage et du cou par exemple).

LES INSTITUTS DE BEAUTÉ

EPIDERM INSTITUT

10, rue du Roule (1er) ✆ 01 40 13 06 06

Site Internet : www.epidermbyzo.com – M° Louvre-Rivoli, Pont-Neuf ou Les Halles. Ouvert du lundi au vendredi (10h-20h) et le samedi (10h-19h).

Cela fait maintenant quelques années que cet institut existe. Zohra Lekhnati et sa très sympathique équipe vous accueillent avec un large sourire. L'endroit est chaleureux et confortable. Ecoute personnalisée, relation suivie... Tout est pensé pour que la clientèle vive un inoubliable moment de bien-être. De nombreux soins sont proposés. On craque tout particulièrement pour le modelage esthétique manuel de 45 mn coûtant 55 € et pour préparer l'exposition au soleil, le gommage au sel de la Mer Morte (45 mn à 55 €). Des forfaits économiques sont proposés : 5 séances de soins + une gratuite à 375 € ou les demi-jambes + le maillot + les aisselles à 40 €. Le prix de la pose d'une French Manucure défie toute concurrence : 15 €. Quant au maquillage, la teinture des sourcils est à 15 €, la permanente des cils à 50 € et le maquillage du soir à 50 €. Il n'y a pas à hésiter, foncez !

AROMA

22, rue Etienne-Marcel (2e) ✆ 01 42 36 81 81

M° Etienne-Marcel, Les Halles ou Sentier. Ouvert du lundi au samedi (10h-19h30).

Quelle que soit votre envie, un joli hâle, un soin du visage ou du corps, ou un massage, vous trouverez ici votre bonheur ! Le rapport qualité-prix est excellent : 55 € le soin ultra raffermissant anti-âge et 55 € le soin éclat du visage Oxygénation détente. La Pause Tonique d'Arôma est incontournable : gommage au sucre, enveloppement d'algues et modelage aromatique. Les working-girls et urbaines pressées goûteront avec délice au soin défatiguant des jambes à 40 €. Des soins saisonniers invitant au dépaysement sont également proposés comme le Arôma en Egypte (démaquillage du visage, gommage au sucre et au miel, modelage relaxant et masque aux feuilles d'or, 1h30, 70 €) ou le Arôma au Maroc (gommage du corps au sucre et au miel, modelage oriental aux pétales de roses, pierre chaude et thé à la menthe, 2h30, 80 €) proposés uniquement l'été. Côté parfums, les charmantes vendeuses se feront un plaisir de vous faire découvrir des senteurs incroyables et des univers que l'on ne retrouve pas dans les parfumeries traditionnelles. Au programme, des matières premières naturelles et les fragrances orientales de Serge Lutens, les cologness italiennes Acqua di Parma, les essences rares et précieuses de Parfum d'Empire ou The Different Company, ou bien encore Parfum Frapin et ses accords inspirés du monde du cognac. Alors, un seul conseil, tentez l'expérience ! **Autre adresse :** 85, rue Montmartre (2e) ✆ 01 42 33 44 33. Une parfumerie et un institut classique qui proposent des soins Guinot.

IL FAIT BEAU

51, rue des Archives (3e) ✆ 01 48 87 00 00

Site Internet : www.ilfaitbeau.fr – M° Rambuteau. Ouvert du lundi au vendredi de 8h30 à 21h, le samedi de 9h à 19h et le dimanche de 13h à 19h.

Renforcement musculaire, soins esthétiques ou d'épilation radicale par lumière pulsée, quelle que soit votre envie du moment, cet institut très complet vous accueillera avec sourire et professionnalisme. Laissez-vous chouchouter dans un cadre moderne et une atmosphère conviviale. Epilation des sourcils, gommage, soin anti-âge, rien ne manque ! Besoin de vous relaxer ? Le massage aux pierres chaudes (95 € pour 1h15) vous transportera sous d'autres latitudes. Pour sculpter votre corps, le coaching personnalisé et les appareils derniers cris sont à votre disposition, comme la PowerPlate ou bien encore l'Icoone qui fait suite au célèbre CelluM6, pour réduire l'effet peau d'orange. A noter : des facilités de paiement sont proposées. Les femmes adorent, les hommes aussi !

PIERRE RICAUD

62, rue Saint-Placide (6e) ✆ 01 53 63 02 27

Site Internet : www.ricaud.com – M° Saint-Placide. Ouvert le lundi (13-19h) et du mardi au samedi (10h-19h).

Les instituts Pierre Ricaud offrent de formidables moments de détente à petit prix. On y vient pour échapper au stress parisien et on y retourne pour l'effet formidable de certains soins. A chaque rencontre, un bilan de la peau est effectué. Des fiches de suivi sont dressées pour permettre aux esthéticiennes de suivre sur la durée leurs clientes. Ces dernières sont entièrement prises en main. On crée autour d'elles une ambiance apaisante, on leur explique pendant le soin les différents gestes effectués et de nombreux conseils sont donnés. Chaque soin est lié à une gamme de produit. Le soin Anti-âge Découverte est particulièrement réussi. Pendant une heure, l'esthéticienne effectue un gommage «effet peau neuve», puis un modelage énergisant anti-âge, un masque énergisant et enfin une remise en beauté. Le tout pour 49 €. Les clientes aiment aussi beaucoup le soin Silhouette Tonicité Modelage raffermissant corps d'une durée de 50 minutes (85 €. Le forfait de 4 soins est à 255 €). Les temps forts de ce soin sont : un massage relaxant, puis un modelage complet du corps et enfin un traitement raffermissant par zone. Que du bonheur ! **Autres adresses :** 28, rue de Rivoli (4e) ✆ 01 44 61 92 92 • 64, avenue du Général-Leclerc (14e) ✆ 01 45 41 18 85 • 351, rue de Vaugirard (15e) ✆ 01 53 68 14 15.

ROMEO JULIETTE
185, rue de Grenelle (7e) ✆ 01 53 59 35 04
Site Internet : www.romeo-juliette.fr – M° Ecole Militaire. Ouvert du mardi au samedi (10h-19h).
L'endroit porte bien son nom puisqu'il est ouvert à la fois aux hommes et aux femmes. Le cadre est luxueux, lumineux et apaisant. Le salon de coiffure cohabite avec un institut de beauté. Mieux vaut donc bloquer toute une après-midi pour profiter pleinement des différentes activités apaisantes du lieu. Les coiffeurs sont expérimentés et savent travailler en prenant en compte votre visage et votre personnalité. L'institut de beauté propose de nombreux soins adaptés à tous les types de peau. Gommage, modelage personnalisé, relaxation, buste, épaule, nuque... Les professionnels s'occupent de tout. En quelques minutes, vous serez dans un nuage de bien-être absolu. Le soin par micro-dermabrasion est très efficace pour atténuer les rides, les tâches pigmentaires et les varicosités.

LANCOME FAUBOURG SAINT-HONORE
29, rue du Faubourg-Saint-Honoré (8e)
✆ 01 42 65 30 74
Site Internet : www.lancome.fr – M° Concorde ou Madeleine. Ouvert du lundi au samedi (10h-19h).
En plein cœur de capitale, dans une des artères les plus luxueuses de Paris, se trouve l'institut Lancôme. Le décor est soigné. Le rose et le violet sont les couleurs dominantes. On y retrouve les différentes facettes de l'univers de la marque. Chaque espace renferme une multitude de trésors. Du lounge convivial au make-up bars ludiques et professionnels, il n'y a qu'un pas. Des cours de maquillage peuvent être dispensés aux femmes par des professionnelles extrêmement sympathiques. L'épilation des sourcils ou des lèvres est à 30 €, les soins pour le corps débutent à 58 € et il existe des forfaits. Pendant que ces dames se refont une beauté, les hommes peuvent profiter du soin Velours, un soin hammam qui purifie tout en douceur. Pendant une heure (le temps de la durée du cours de maquillage), ils ont ainsi droit à un soin visage, un gommage et masque et un massage du visage et du cuir chevelu. Je connais certains hommes qui vont devenir plus coquets que jamais...

L'INSTITUT DE LA BEAUTE INGRID MILLET
9, rue Royale (8e) ✆ 01 47 42 36 60
Site Internet : www.ingridmillet.com – M° Madeleine ou Concorde. Ouvert du lundi au vendredi (10h-20h) et le samedi (10h-19h).
Idéalement situé entre la place de la Concorde et celle de la Madeleine, cet institut est lumineux, aérien et surtout confortable. L'atmosphère ouatée et chaleureuse permet de se détendre en un clin d'œil. Le personnel est prévenant et très souriant. On se sent tout de suite à l'aise. Les esthéticiennes privilégient le «sur-mesure». Les produits de soin sont adaptés à votre peau et à votre désir. Le parfum des huiles essentielles embaume l'air ambiant. Des boissons et collations sont gratuitement offertes tout comme de nombreux échantillons de produits. Ces derniers évoquent majoritairement la mer. Grâce aux soins, vous pouvez en une ou deux heures oublier tous les tracas quotidiens. Le soin du visage «Visible Jeunesse» aux perles de caviar (1h30, 135 €) est très apprécié, tout comme le soin Absolue Minceur Le Corps (1h30, 130 €) qui est fondé sur le choc thermique (Effet Glaçon et Effet Sauna). L'établissement n'accueille pas les hommes.

LATITUDE ZEN
89, rue Léon Frot – 158, rue de la Roquette (11e) ✆ 01 43 72 41 77
Site Internet : www.latitudezen-institutdebeaute.com – M° Rue-des-Boulets ou Charonne. Ouvert le lundi (12h30-19h30), du mardi au samedi (10h30-19h30). Le jeudi, nocturne jusqu'à 21h.
L'ambiance est plutôt chaleureuse et souriante. Le cadre est soigné sans toutefois jouer sur le côté luxueux que d'autres instituts mettent si bien en avant. Un grand nombre de soins est proposé. Maquillage permanent, massage énergétique, manucure, beauté des pieds, épilation intégrale, cure d'amincissement, épilation radicale et indolore à la lumière pulsée... Il y a vraiment de quoi faire. L'endroit est parfait pour les femmes débordées qui souhaitent gagner du temps au quotidien. Ainsi, elles peuvent effectuer dans cet institut une pose de maquillage permanent et pourquoi, se laisser tenter par l'épilation définitive. Les professionnels sont qualifiés. Il n'y a pas de crainte à avoir quant aux résultats. Les prix restent quant à eux tout à fait abordables.

PARADIS D'UNE FEMME
222, boulevard Voltaire (11e)
✆ 01 43 48 63 14
Site Internet : www.soins.fr – M° Rue des Boulets ou Nation. Ouvert du lundi au vendredi (9h-19h), et le samedi (9h-18h).
Une invitation au dépaysement. Une fois passé le vaste salon marocain, offrez-vous une parenthèse de bien-être dans un cadre cocooning aux couleurs de Marrakech. Des esthéticiennes confirmées vous prodigueront des soins de détente et d'amincissement alliant tradition et nouvelles technologies. L'originalité de cet institut, c'est surtout de proposer quatre Paradis pour femmes, quelles que soient vos envies, et même un univers masculin. Le Studio Tonic vous permettra de tester le WaterBike, de profiter d'un soin éclat en quinze minutes (15 €) ou bien encore de pratiquer le PowerPlate. Les amatrices d'intimité feutrée apprécieront le Boudoir, dans un esprit baroque. Enfin, le Beauty Spa, centre de dermo-esthétique, pour les cures et les soins du visage, devrait séduire toutes celles qui recherchent des résultats visibles.
Autres adresses : Studio Tonic By Paradis d'une Femme - 17, rue Faidherbe (11e) ✆ 01 40 09 94 14 •

Le Boudoir By Paradis d'une Femme - 43, boulevard Henri-IV (4e) ✆01 42 72 30 23 • Beauty Spa By Paradis d'une Femme - 30, rue Joseph-Kessel (12e) ✆01 43 46 51 15 • L'Atelier 0 Masculin By Paradis d'une Femme - 222, boulevard Voltaire (11e) ✆01 43 48 63 14.

INSTITUT BERNARD CASSIERE
12-14, rue Raymond Losserand (14e)
✆01 43 20 66 70
Site Internet : www.bcparis.com – M° Pernety ou Gaité. Ouvert du mardi au samedi (10h-19h).
Pour une fois qu'un institut porte le nom d'un homme… Nous ne sommes pas déçues ! Le décor est à la fois design et ethnique. Une atmosphère cosy s'en dégage. Les esthéticiennes sont adorables et discrètes. Le concept de l'institut Bernard Cassière est plutôt original. Les gourmandes l'adorent ! De nombreux soins sont réalisés à partir de chocolat comestible. Il y a également des soins au bambou ou même, pour les peaux les plus sensibles, des soins aux myrtilles. Les peaux déshydratées et agressées par la pollution urbaine ressortent de cet endroit en pleine forme. Le soin sculptant des fesses aux cinq épices est particulièrement intéressant, tout comme le soin Clarifiant peaux à problèmes. Des petits «plus» sont également proposés comme la permanente ou la teinture des cils et la manucure. Les peignoirs, serviettes et mules sont mis à disposition.

CENTRE AQUATHERMES COURCELLES
1, rue de Chazelles (17e) ✆01 44 40 00 15
Site Internet : www.aquathermes.com – M° Courcelles, Ternes ou Monceau. Ouvert du lundi au samedi (10h-19h30), sauf le vendredi (9h-21h).
Ce centre Aquathermes vaut tout d'abord le détour pour l'accueil qui est réservé aux clientes. Les esthéticiennes sont aux petits soins. Il n'est pas rare qu'elles se transforment en confidentes auprès des clientes les plus fidèles. Le cadre est plutôt sympathique. On est loin ici des endroits ultra luxueux et très chers de la capitale. Au niveau des soins, le centre vous offre un bilan complet de votre corps et de votre visage. Vous avez ensuite le choix entre de nombreux soins. Notre chouchou reste le peeling et hydra-peeling (92€) qui en 45 minutes rend à votre peau tout son éclat et toute sa jeunesse. L'Ioni-masseur est également très demandé. Il permet en un seul geste de reprendre trois actions minceur. L'efficacité anticellulite est démultipliée. Des cabines d'UV sont installées. Vous pouvez les coupler avec un gommage pour plus d'efficacité. **Autres adresses :** 22, rue des Ecouffes (4e) ✆01 44 59 32 32 • 85 ter, rue Didot (14e) ✆01 45 40 35 44 • 248, rue de la Convention (15e) ✆01 45 30 04 04.

HAMMAMS, SPAS, MASSAGES

Les hammams

LES BAINS DU MARAIS
31-33, rue des Blancs-Manteaux (4e)
✆01 44 61 02 02
Site Internet : www.lesbainsdumarais.com – M° Rambuteau ou Hôtel-de-Ville. Ouvert pour les femmes les lundis (10h-20h), mardis (10h-23h) et mercredis (10h-19h). Ouvert pour les hommes les jeudis (10h-23h) et vendredis (10h-20h). Journées mixtes avec port de maillot de bain obligatoire les samedis (10h-20h) et dimanches (10h-23h). Entrée (hammam, sauna et salle de repos) à 35€.
Pour cette même somme, vous pouvez également demander un massage et un gommage. Très complets, les bains du Marais regroupent un hammam mais aussi un restaurant, un salon de thé, un salon de coiffure et un coin beauté. Autant dire qu'il est impossible de s'y ennuyer. Le personnel est chaleureux, l'ambiance sympathique. Tout cela participe à créer une atmosphère détendue favorisant les rencontres amicales. Il n'est en effet pas rare de converser avec les autres femmes présentes. N'ayez donc pas peur d'y aller seule. Avec un peu de chance, vous pourrez y faire de belles rencontres. Un conseil : évitez d'y aller pour une ou deux heures simplement. Bloquez-vous une après-midi et profitez des nombreux instants de détente proposés. Un vrai bonheur !

HAMMAM DE LA MOSQUEE
39, rue Geoffroy-Saint-Hilaire (5e)
✆01 43 31 18 14
Site : www.la-mosquee.com M° Censier-Daubenton. Ouvert pour les femmes les lundis, mercredis, jeudis et samedis de (10h-21h) et le vendredi (14h-21h). Ouvert pour les hommes les mardis (14h-21h) et les dimanches (10h-21h). Entrée de 15€ à 58€.
Le hammam de la Mosquée est devenu une institution dans la capitale notamment pour la qualité de ses prestations. La salle de vapeur se divise selon trois niveaux de chaleur. Les seaux d'eau froide permettent de vous rafraîchir de temps en temps. Après cette pause relaxation profitez d'un gommage fait par une personne de l'établissement avec un gant de crin et du savon noir, la formule à 58€ vous permet également de savourer un couscous à l'agneau ou un tagine, un thé à la menthe, une pâtisserie et une boisson. Après cette petite pause, vous serez véritablement requinquée. Le personnel est vraiment charmant. L'ambiance est plutôt conviviale. On passe vraiment un excellent moment loin du stress de la vie parisienne. Les massages sont également à ne pas oublier de 10, 20 ou 30 minutes (10€, 20€ ou 30€), un pur moment de détente histoire de penser vraiment à soi et rien qu'à soi !

LES THERMES SAINT-GERMAIN
5, passage de la Petite-Boucherie (6e)
✆01 56 81 31 11
Site Internet : www.lesthermestgermain.com – M° Saint-Germain-des-Prés. Ouvert tous les jours de 10hà 20h, nocturne le jeudi jusqu'à 23h et ouvert le dimanche de 13h à 21h.
Un havre de paix élégant au cœur de la ville. Dans un décor de mosaïques orientales et dans une ambiance zen, vous apprécierez un moment de détente complète. Immersion dans cette cave voûtée éclairée à la bougie puis dans des cabines douillettes où vous seront prodigués des soins tels que les massages aux pierres chaudes, massages aux bambous ou californiens, ou tout simplement un passage au hammam… Une formule Hammam Massage est proposée à 50 €, et une autre, comprenant le hammam, un gommage au gant et 30 minutes de massage, coûte 65 €. La Cure Détente, qui dure 3h30, est à 190 €. Enfin, le très réputé Massage Chocolat est à 85 €. Si vous êtes étudiante, sachez que des tarifs préférentiels peuvent vous être proposés. Revigorée et apaisée, direction le salon de thé oriental pour une pause gourmande. De nombreux délices traditionnels vous attendent. L'espace est dépaysant et très confortable. Que demander de plus ?

LES BAINS DE SAADIA
30, rue des Solitaires (19e)
✆01 42 38 61 68
Site Internet : www.lesbainsdesaadia.com – M° Jourdain. Ouvert du lundi au jeudi (11h-20h), sauf le vendredi et le samedi (ouverture à 10h). Réservé aux femmes.
Les Bains de Saadia sont le premier hammam en Tadelakt (enduit traditionnel de Marrackech) à Paris. Les produits naturels utilisés viennent des pays du Sud. Pour la plupart, ils ont été fabriqués par des coopératives de femmes. Sitôt franchie la porte de cet espace détente, on se sent déjà plus zen. L'accueil est chaleureux, le personnel avenant. Tout concours au repos du corps et de l'âme. Même les prix sont particulièrement attrayants ! Il faut compter 25 € pour l'accès au hammam avec drap de bain, serviette, paréo, savon noir et thé. L'entrée au hammam, avec un gommage, est à 32 €. Pour 48 €, vous avez droit à l'accès au hammam, un gommage et un massage de 30 minutes. Sur rendez-vous. Ce serait vraiment dommage de s'en priver !

Les spas

PREMIER SENS
3, rue du Louvre (1er)
✆01 40 20 07 50
Site Internet : www.premiersens.fr – M° Louvre-Rivoli, Palais Royal ou Musée du Louvre. Ouvert du mardi au samedi (10h-20h).
Comment font les Parisiennes stressées qui ne connaissent (pas encore) Premier Sens ? On peut vraiment se poser la question tant ce petit institut est formidable. Outre l'accueil irréprochable du personnel et l'atmosphère conviviale qui y règne, les clientes applaudissent des deux mains les soins qui y sont prodigués. Quel que soit le temps dont vous disposez ou les parties de votre corps que vous souhaitez voir chouchouter, le personnel se plie en quatre pour vous satisfaire. Les massages sont personnalisés. Ils se construisent avec vous. Vous pouvez ainsi «commander» une heure de massage qui comprendra 15 minutes de massage des pieds (22 €), 30 minutes de massage du cuir chevelu et 15 minutes de massage du dos. On adore !

RITUEL DES SENS
16, rue Saint-Marc (2e)
✆01 42 36 03 30
Site Internet : www.ritueldessens.com – M° Bourse ou Etienne Marcel. Ouvert du lundi au samedi de 11h à 20h.
De discrets jeux de lumière subliment le lieu. Avec ses grands fauteuils baroques, ses tableaux et ses longs drapés, l'ex Spa Renaissens évoque un peu les anciens boudoirs des femmes. Une bibliothèque est ouverte pour que vous puissiez faire une pause. Il y a également un espace zen aux faux airs de jardin japonais et un bar pour une pause thé ou café voire même pour déjeuner. On s'y sent bien presque immédiatement. L'endroit est raffiné. Les esthéticiennes sont souriantes et discrètes. A découvrir absolument, le massage «French Touch», à base de fruits et de légumes frais, qui associe la détente d'un massage aux vertus cutanées des ingrédients proposés. Ce dernier peut être décliné selon vos envies : pomme, fraise, banane, ou encore cerise noire et figue de barbarie. N'hésitez pas à demander au personnel de vous aider à choisir le fruit associé au bénéfice que vous recherchez.

SPA NUXE 32 MONTORGUEIL®
32, rue Montorgueil (1er)
✆01 55 80 71 40
Site Internet : www.nuxe.com – M° Etienne-Marcel. Ouvert du lundi au vendredi (9h-21h) et le samedi (9h-19h30).
Toutes les adeptes des produits Nuxe, et les autres, vont fondre pour ce superbe spa ! Pierres médiévales, vestiges du XVIIe siècle, sol en béton blanchi, rivière reconstituée… Chaque détail de la décoration a été soigné, mélange luxueux d'Orient et d'Occident. Dans cet espace de 450 m², doté de six cabines immenses, vous découvrirez les soins du visage fondamentaux, notamment le soin Eclat Immédiat, aux plantes et fleurs d'eau (70 €) ou bien encore les soins du corps, comme le Soin Prodigieux ®, un gommage sous vapeur, avec enveloppement hydratant et modelage régénérant

(125 € pour 1h15). A la carte également, trois massages exclusifs Nuxe, contre la fatigue physique, le stress nerveux ou musculaire (120 € pour 1h15 chacun) et des massages variés comme le massage rythmique sur fond de jazz (77 € les 45 minutes). Sans oublier le hammam, le bain aromatique, les soins orientaux, les soins des mains et des pieds, les forfaits, etc. pour un tête-à-tête en amoureux, il est possible de privatiser la cabine pour une heure ou deux…

SPA COMFORTZONE
49, rue Quincampoix (4e)
✆01 44 78 64 64
Site Internet : www.spa-comfortzone.com – M° Châtelet, Hôtel-de-Ville ou Rambuteau. Ouvert du mercredi au samedi (11h-20h), le jeudi en nocturne jusqu'à 22h et le dimanche (12h-20h).
Aussi surprenant que cela puisse paraître, certaines connaisseuses vont chercher du repos dans une rue qui vit jour et nuit ! En plein cœur d'un quartier dynamique, se trouve un véritable havre de paix. Sur 350 m², le décor est somptueux. Moderne, sophistiqué et dépaysant, il évoque l'univers oriental des mille et une nuits. Articulé autour d'une verrière centrale, à 4 mètres de hauteur sous plafond, l'espace de repos séduit bien des Parisiennes. Trois univers sont proposés : eau, soin et détente. Le hammam au plafond étoilé est le petit chef d'œuvre de la zone humide. Les prix sont raisonnables. Le Rituel Bien-être (50 min.) avec hammam, gommage et massage à base d'huiles essentielles coûte 120 €. Le soin raffermissant Action Sublime (1h15) est à 105 €. **Autre adresse :** 8 ter, rue Quentin-Bauchart (8e) ✆01 40 70 18 26.

CINQ MONDES
6, square de l'Opéra-Louis-Jouvet (9e)
✆01 42 66 00 60
Site Internet : www.cinqmondes.com – M° Opéra ou Havre-Caumartin Ouvert les lundis, mercredis et vendredis (12h-20h), en nocturne les mardis et jeudis jusqu'à 22h, et le samedi (10h-20h).
Le fondateur de ce spa, Jean-Louis Poiroux a passé plus de dix années à parcourir le monde à la recherche des meilleurs soins. Passionné par les massages, l'aromathérapie et les cosmétiques, il a réuni tous ses centres d'intérêt dans ce bel endroit parisien. 500 m² décorés dans un style zen invitent à la sérénité. L'éventail des massages et soins possibles est large. Pour une détente rapide, le massage du Cuir Chevelu et du Visage (48 € les 30 mn) s'inspirant de la technique AMMA Japonaise fait des merveilles. Un peu plus long, le massage Balinais (90 € de l'heure) associe des étirements doux Thaï à des lissages traditionnels. Le tout avec du baume fondant aux noix tropicales. Egalement très agréable, le Massage Taoïste (90 € ou 125 € pour 1h ou 1h30) est d'origine chinoise. Il se pratique avec de l'huile chaude et permet de travailler sur des points d'acupression pour équilibrer la circulation d'énergie et harmoniser le corps et l'esprit.

OMNISENS
23, rue des Pirogues-de-Bercy (12e)
✆01 43 41 96 96
Site Internet : www.omnisens.fr – M° Cour Saint-Emilion. Ouvert le lundi (12h-20h), le mercredi (11h-20h), le jeudi et le vendredi jusqu'à 23h.
Le quartier de Bercy Village réserve toujours de belles surprises. Entre les restaurants branchés ou familiaux, le gigantesque cinéma et les boutiques de mode, se dresse un des meilleurs temples du bien-être de la capitale. Sur 600 m², de multiples espaces ont été créés selon les activités pratiquées : hammam, jacuzzi, soins esthétiques, cours de gym et bien sûr massages. Ces derniers sont tout simplement divins. Le massage aux pierres chaudes est un pur moment de détente à petit prix (105 € de l'heure). Comble du luxe, le massage aux Pierres semi-précieuses (même prix, même durée) permet de s'évader un instant et offre un bon sujet de conversation avec les copines par la suite. Le massage ayurvédique est également exceptionnel. Moins surprenante, la réflexologie n'en est pas moins efficace (90 € de l'heure). Idem pour le massage Stretching Suédois (même prix, même heure).

SULTANE DE SABA
78, rue Boissière (16e)
✆01 45 00 00 40
Site Internet : www.lasultanedesaba.com – M° Victor-Hugo ou Boissière. Ouvert du lundi au vendredi (10h30-19h30), le jeudi jusqu'à 22h.
Luxe, calme et volupté. Comment ne pas craquer devant un tel paradis ? A la croisée de l'Orient et de l'Asie, le lieu a été décoré avec beaucoup de raffinement. Des lampes vénitiennes vous guident vers les cabines habillées de meubles syriens, ramenés tout droit de Damas ou d'Alep. Certaines sont réservées à l'épilation orientale, d'autres sont destinées aux soins du visage, aux soins aux galets ou aux modelages ayurvédiques. En tout, 300 m² sont transformés en temple de la beauté. A l'étage, un salon de thé syrien propose de délicieuses douceurs orientales. Huiles parfumées pour le corps, laits, savons noirs, beurre de karité, masques au miel… Les soins proposés apportent un bien-être difficilement égalable. Les prix sont justes : 100 € pour la formule Détente à l'Orientale (hammam, gommage au savon noir eucalyptus visage et corps + gants offerts, un enveloppement au rassoul et beurre de karité + Shirodara (bol ayurvédique), un modelage aux huiles précieuses orientales (20 mn), un masque visage à la boue du désert + une huile). **Autre adresse :** 8 bis, rue Bachaumont (2e) ✆01 40 41 90 95 • 22, rue Lejemptel (94300) Vincennes ✆01 48 08 19 09.

VILLA THALGO TROCADERO
8, avenue Raymond-Poincaré (16e)
✆ 01 45 62 00 20
Site : www.villa.thalgo@thalgo.com – M° Trocadéro. Ouvert du lundi au samedi (8h30-20h), et le dimanche (10h-18h).
La renommée de ce spa n'est plus à faire. Sur plus de 850 m², Villa Thalgo Trocadéro vous propose à cette nouvelle adresse une approche en trois temps : vitalité (fitness, aquagym), bien-être (bassin sensoriel et bar-lounge ouvert sur un jardin extérieur), et enfin relaxation profonde (hammam marin et soins). Vous découvrirez le bassin sensoriel et ses animations hydromassantes, vous vous détendrez grâce à la chromathérapie et profiterez des vidéos relaxantes projetées. Le point fort de l'institut : les cours d'aquagym, sans oublier le hammam de la mer et son atmosphère iodée, la diffusion de ses sels minéraux et son bassin central rafraîchissant pour les jambes. Des mains expertes se feront un plaisir de vous gommer dans la tradition orientale. Enfin, les massages sous affusion devraient achever de vous séduire. Imaginez, vous détendre sous une pluie de fines gouttelettes… Comptez entre 95 € et 110 € pour un massage d'une heure, et 170 € pour goûter aux différents rituels d'émotion marine. Tout un programme ! Prendre rendez-vous par téléphone pour les cours de fitness et d'aquagym (horaires différents). Il est possible de privatiser le spa pour des opérations exceptionnelles.

Les massages

L'APPARTEMENT 217
217, rue Saint-Honoré (1er) ✆ 01 42 96 00 96
Site : www.lappartement217.com – M° Tuileries ou Pyramides. Ouvert du mardi au samedi de 10h à 19h.
Dans un bel immeuble haussmannien, venez goûter au plaisir des massages ayurvédiques. Le cadre est chic et sophistiqué. Cheminées, moulures et parquets forment une ambiance chaleureuse. Chaque élément de la décoration a été choisi et placé en parfait accord avec la philosophie Feng Shui. Les énergies circulent d'un espace à l'autre et vous aident à vous ressourcer. De nombreux soins sont proposés. Pour un pur moment de relaxation, optez pour un massage. Réalisé par des professionnels qualifiés, il vous transporte hors de Paris en un clin d'œil. Comptez 95 € pour un massage d'une heure et 120 € pour une heure trente. Le massage kiné-harmonisant est relativement long et nécessite des pressions fortes. Le massage Ayurveda procure rapidement un lâcher prise et une détente profonde. Il est à essayer au moins une fois dans sa vie.

TELLEMENT ZEN
35-37, rue Beaubourg (3e) ✆ 01 46 07 10 72
Site Internet : www.tellementzen.fr – M° Rambuteau ou Les Halles. De 9h à 20h, du lundi au samedi, sur rendez-vous.
Créateur de Tellement Zen, David Barbion a été formé à l'institut de massage assis Touchline, à la Fédération Française de Shiatsu ainsi qu'à l'Ohashi Institute. Autant dire qu'il est expert en massage et qu'il propose des soins purement divins. Il a d'ailleurs pu renforcer son expérience par des passages très remarqués dans les grands palaces français. Son équipe est également très qualifiée. Masseurs, kinésithérapeutes, ostéopathes ou praticiens du bien-être, chaque membre a sa spécialité. Les prestations offertes sont haut de gamme. Elles peuvent se dérouler à l'institut ou dans le lieu de votre choix. Les prix sont convenables : 50 € pour une heure de Shiatsu après un premier rendez-vous et 70 € pour une heure de massage aromatique (incroyablement déstressant !).

BAN SABAÏ
12, rue de Lesdiguières (4e)
✆ 01 42 71 37 10
Site Internet : www.bansabai.fr – M° Bastille. Ouvert du lundi au samedi de 10h à 20h.
Besoin d'un dépaysement total ? Imaginez, un régiment de 25 masseuses formées à l'enseignement Wat Po en Thaïlande, 480 m² entièrement voués à la détente… Tout est fait pour vous relaxer : décoration zen, bougies et personnel aux petits soins. Parmi les formules proposées, le massage traditionnel (Nuad Bo-Ram) pour acquérir bien-être et harmonisation des réseaux d'énergie (85 €, 1h), ou le massage aux plantes avec application d'herbes aromatiques et médicinales chauffées à la vapeur (120 €, 1h30). A découvrir également, le massage des pieds, vieux de 3 000 ans, réalisé à l'aide d'un stick en bois (75 €, 1h15) ou bien encore le massage aux huiles essentielles, neutres ou aromatiques. Le nirvana ! **Autre adresse :** 14, rue Piccini (16e) ✆ 01 45 00 99 99

WISSAÏ
80, rue de Vaugirard (6e) ✆ 01 42 22 00 70
Site Internet: www.massage-thailandais-paris.com – M° Rennes. Ouvert du lundi au samedi de 11h à 20h30.
En plein cœur du VIe arrondissement de Paris, venez découvrir des pratiques enseignées depuis plus de 2 500 ans dans des temples thaïlandais. Le décor est plutôt zen et épuré. Les cabines sont relativement spacieuses. Certaines offrent même la possibilité d'y aller à deux. On s'y détend en un clin d'œil. Les masseurs et masseuses sont tous diplômés des Temples Wat Po. Ils vous transportent dans un ailleurs de détente et de plénitude. Massage Traditionnel Nuad Bo'Rarn (80 € l'heure), aux Huiles Essentielles (95 € l'heure ou 135 € pour 1h30), aux Plantes Aromatiques, Réflexologie plantaire Nuas-Thao ou Massage Amincissant Slim-Thaï (120 € l'heure), ils méritent tous le détour ! Ils constituent des expériences uniques. On en ressort transformées physiquement et mentalement. Une petite collation peut vous être proposée après

votre massage. Une vraie parenthèse bien-être ! **Autre adresse :** 71, avenue Raymond-Poincaré (16e) ✆ 01 45 53 29 23

SERENITY PLUS

32, avenue de Friedland (8e) ✆ 01 56 68 95 45

Site Internet : www.serenity-plus.com – M° Charles-De-Gaulle Etoile ou George-V. Ouvert du lundi au samedi de 9h à 20h, nocturne le jeudi jusqu'à 22h.

Ce centre est situé au deuxième étage d'un immeuble assez chic. Le style de la décoration est plutôt zen. L'atmosphère apaisante est renforcée par la musique douce diffusée. L'équipe de professionnels vous prend en main dès votre arrivée. Massage anti-stress, shiatsu, massage ayurvédique, réflexologie plantaire, ito-thermie zen… Le panel des possibles est vaste. Les prix sont un peu élevés mais le bien-être est toujours au rendez-vous. Le massage anti-stress d'une heure coûte 90 €, tout comme le massage Thaï aux huiles. Si vous aimez les expériences «nouvelles» qui réveillent votre corps en douceur, tentez le massage ayurvédique abyanga (1h, 90 €). Les massages duo sont également très agréables. Ils débutent tous par un massage anti-stress et sont complétés par le soin de votre choix (1h30 minimum, à partir de 130 €). Des forfaits et abonnements avantageux sont proposés. Un système de parrainage permet également de faire de belles économies. Pour chaque personne parrainée, vous obtenez 25 % de réduction sur votre prochaine prestation.

INSTITUT BUNTHIYA

80, boulevard Beaumarchais (11e)

✆ 01 43 57 40 35

E-mail : bunthiya@hotmail.fr – M° Chemin Vert. Ouvert du lundi au samedi de 11h à 20h.

Offrez-vous une pause relaxante dans un cadre zen et chaleureux à la fois. Institut de massages thaïlandais, Bunthiya propose également une carte complète de soins esthétiques. Savoir-faire et accueil personnalisé sont au rendez-vous. A vous de choisir entre massage thaï traditionnel (80 € pour 1h), massage à base d'huiles essentielles (90 € pour 1h), ou bien encore massage thaï aux plantes. A découvrir également, la réflexologie plantaire et les soins duos. Côté esthétique, des soins visages et des gommages vous feront oublier le stress de la vie parisienne. Des abonnements de 5 ou 10 séances vous permettront de bénéficier de réductions. La carte de fidélité vous donnera droit quant à elle à une séance offerte au bout de la dixième achetée. A noter, des chèques cadeaux sont également disponibles. Détente garantie !

LAÏ THAÏ

20, passage de la Bonne-Graine (11e)

✆ 01 45 77 72 06

Site Internet : www.laithai-paris.com – M° Ledru-Rollin. Ouvert du lundi au dimanche de 11h à 20h.

Envie de découvrir tout l'art du massage thaïlandais dans un cadre dépaysant ? Alors rendez-vous au cœur du quartier de la Bastille, pour un moment de détente. Bois sombre, décoration mêlant influences asiatiques et design contemporain, chaque détail invite au voyage. Toutes les masseuses sont diplômées de l'école du Wat Po. Parmi les prestations proposées, l'incontournable massage thaï traditionnel (70 € l'heure) pour équilibrer les énergies, le massage aux huiles essentielles pour soulager du stress (80 € l'heure) ou bien encore le massage aux plantes aromatiques pour un effet tonifiant. Impossible de repartir sans avoir succombé à une séance de réflexologie plantaire, tête et visage (80 € l'heure). Pour les plus fidèles d'entre vous, des abonnements à des tarifs avantageux sont également proposés.

pub à
Dublin ?
crêperie
à Paimpol ?

ESPACE SOI-MEME
128, rue du Château (14e) ✆ 01 42 18 12 53
M° Pernety. Ouvert du lundi au samedi de 10h30 à 19h30.
Tout proche de la gare Montparnasse, l'Espace soi-même a ouvert ses portes il y a deux ans. Un institut de quartier dirigé par trois jeunes femmes diplômées de l'école de Wat Po et qui s'est spécialisé dans les massages thaï traditionnels. Accueilli au rez-de-chaussée par un verre de thé, vous êtes invité à une heure de massage aux herbes aromatiques ultra-relaxantes ou aux huiles essentielles avec, en option, une séance de réflexologie plantaire, idéale pour se décontracter totalement. Principal atout de cet institut : la carte de massages express à partir de 35 € les 30 minutes, une bonne idée si vous avez un train à prendre dans la foulée.

KIETUD
5 bis, passage Doisy (17e) ✆ 08 92 69 30 17 (0,34 € la minute)
Site Internet : www.kietud.com – M° Ternes. Ouvert du lundi au samedi, sur rendez-vous.
Stress, pression quotidienne, agenda surbooké… la vie parisienne vous a transformé en boule de nerfs. Pour ne pas finir en asile de fous, une solution : foncez chez Kiétud'. Institut nouvelle génération ouvert l'année dernière, Kiétud' propose une relaxation complète de l'esprit et du corps grâce à des équipements ultra-technologiques et insolites. Pour une première expérience, tentez le Cocon de flottaison (à déconseiller aux claustrophobes) : une heure en apesanteur (80 €) dans une eau maintenue à température du corps où l'absence de force de gravité vous déconnecte de toute réalité en un rien de temps et vous assure un repos musculaire complet. Encore plus fort, l'Energy-Sphère (à partir de 20 €) est un siège acoustique qui, par l'association de suggestions vocales et de stimulations visuelles, va réparer certains dysfonctionnements liés au stress. Si l'expérience est amusante, les effets de relaxation sont réels. On y resterait volontiers plus longtemps. **Autre adresse:** 80, quai de Jemmapes (10e) ✆ 08 92 69 30 17 (0,34 € la minute).

LES PARAPHARMACIES

PARASHOP
20, avenue de l'Opéra (1er) ✆ 01 42 96 21 23
Site : www.parashop.fr – M° Pyramides, Palais-Royal ou Opéra. Ouvert du lundi au samedi de 10h à 19h30.
En tout, soixante magasins Parashop sont installés en France. L'accueil et les conseils apportés à la clientèle sont la plupart du temps à la hauteur. Ces parapharmacies sont spacieuses, bien éclairées et toujours bien organisées. On peut trouver sans problème en quelques minutes ce que nous sommes venues chercher. Si vous êtes curieuse de nature, n'hésitez pas à flâner dans les rayons. Vous ferez de belles découvertes à coup sûr. Le choix des produits est extrêmement vaste. Soins pour le corps, d'hygiène, de beauté, maquillage… On trouve de tout et pour toute la famille ! Les prix sont compétitifs. Sans aller jusqu'à dire que de belles affaires peuvent se faire dans ce genre d'endroit, il arrive qu'on ait de bonnes surprises. A essayer au plus vite ! **Autres adresses :** 55, rue du Faubourg-Saint-Antoine (4e) ✆ 01 43 54 02 42 • 94, rue de Rivoli (4e) ✆ 01 42 76 98 80 • 165, rue de Rennes (6e) ✆ 01 45 49 11 99 • 46, rue de la Chaussée-d'Antin (9e) ✆ 01 49 70 84 25 • 18, rue de Dunkerque (10e) ✆ 01 45 26 92 77 • 29, avenue du Général-Leclerc (14e) ✆ 01 43 20 10 93 • 10, rue des Belles-Feuilles (16e) ✆ 01 44 05 91 12.

PARAPHARMACIE DE L'EUROPE
46, rue d'Amsterdam (9e) ✆ 01 40 16 91 17
M° Liège, Saint-Lazare ou Trinité-d'Estienne-d'Orves. Ouvert du lundi au vendredi de 10h à 20h, et le samedi de 10h à 19h30.
La longue rue d'Amsterdam offre bien des possibilités pour faire un shopping beauté et santé. L'une des meilleures adresses du quartier reste celle de la Parapharmacie de l'Europe. Les habitantes du quartier s'y bousculent pour trouver les produits de soin ou de beauté dont elles raffolent. L'endroit est très bien organisé. Les marques sont facilement accessibles. On ne passe pas de longues minutes hébétées à essayer de trouver ce pour quoi nous nous sommes déplacées. Cela est suffisamment rare pour que ce soit signalé. Les vendeuses sont chaleureuses et souriantes. On aimerait parfois qu'elles soient plus avenantes et qu'elles viennent plus facilement aider la clientèle. Elles connaissent parfaitement les produits vendus et sont de bon conseil. Les promotions sur certains soins sont intéressantes.

PHARMACIE DU SOLEIL
75, boulevard de Strasbourg (10e)
✆ 01 47 70 31 56
M° Château d'Eau, Gare de l'Est. Ouvert du lundi au vendredi de 8h à 20h et le samedi de 9h à 19h.
Malgré son nom fort sympathique, la pharmacie du soleil n'est pas toujours très accueillante. Tout dépend des jours et de la fréquentation de l'endroit. Si vous êtes reçues avec une certaine froideur, mieux vaut ne pas vous en formaliser. Dites-vous que la prochaine fois, les choses se dérouleront autrement. L'endroit n'est pas gigantesque mais on y retrouve tous les classiques et les grandes marques qu'on affectionne tant. Les prix sont assez intéressants. Ils sont relativement bas toute l'année et à cela s'ajoute des promotions régulières qui font descendre encore un peu le montant noté sur les étiquettes. De vraies bonnes affaires peuvent se faire toute l'année grâce à des lots (trois pour le prix de deux par exemple) ou à des réductions pures.

PARAPHARMACIE SUPRA PHARM
Angle 26, rue du Four (6e) et 49, rue Bonaparte (6e) ✆ 01 46 33 20 81
M° Mabillon, Saint-Sulpice ou Saint-Germain-des-Prés. Ouvert du lundi au vendredi de 8h30 à 20h et le samedi de 9h à 20h.
Etalée sur deux étages, cette grande parapharmacie est toujours bondée de monde. Et pour cause, son succès ne se dément pas ! Depuis de nombreuses années maintenant, elle traîne une réputation des plus enviées : celle d'être la parapharmacie la moins chère de Paris. Même les stars ne restent pas insensibles à ses charmes. Il n'est pas rare d'y croiser de célèbres actrices habitant le quartier. Très bien achalandé, ce lieu propose une infinité de produits à des prix défiant toute concurrence. Si vous n'aimez pas la promiscuité ou si vous souhaitez demander conseils aux vendeuses, privilégiez le matin... En journée et surtout le week-end, tout ce petit monde est submergé par une clientèle de connaisseuses. L'ambiance qui y règne rappelle souvent celle des journées de soldes.

PARFUMERIES ET COSMÉTIQUES

JO MALONE
326, rue Saint-Honoré (1er) ✆ 01 47 03 01 66
Site : www.jomalone.fr – M° Tuileries ou Louvre-Rivoli. Ouvert du lundi au samedi de 10h30 à 19h30.
Pour sa première boutique à Paris, la maison britannique Jo Malone a vu grand. Un superbe espace de 120 m² vous invite à découvrir l'art du «fragrance combining», un concept consistant à associer deux fragrances à votre choix pour un parfum complètement personnalisé. Dans la boutique subtilement aménagée façon maison chic à l'anglaise (buissons à l'entrée, rangée de vitrines toutes blanches, corbeilles de citron vert pour la touche gracieuse), vous pourrez découvrir toutes les fragrances et vous essayez aux meilleurs assemblages (tentez le nutmeg ginger associé au pomegranate noir par exemple ou le Lime Basil mandarin allié au vétiver), sentir les parfums raffinés des huiles de bain et bougies ou vous offrir à l'atelier des senteurs un massage des bras et des mains, offert pour toute visite. Les prix commencent à 42 € pour une eau de Cologne de 30 ml, comptez 80 € pour le format 100 ml. Les parfums Jo Malone sont tous mixtes, vous trouverez sans aucun problème la fragrance la plus adaptée à votre personnalité.

L'ARTISAN PARFUMEUR
2, rue de l'Amiral-de-Coligny (1er)
✆ 01 44 88 27 50
Site : www.artisanparfumeur.com – M° Louvre-Rivoli. Ouvert du lundi au samedi de 10h à 19h30.
Emblème et joyau de la marque, cette boutique du premier arrondissement rassemble tout l'univers de l'Artisan Parfumeur. Une marque fondée en 1976 et qui bâtit son succès et sa réputation sur des parfums d'ambiance et eaux de toilette originales et audacieuses. Au rez-de-chaussée de la boutique, vous pourrez découvrir, tester, sentir toutes les fragrances de la marque (notre préférée : «Fou d'Absinthe» pour homme) ou vous offrir quelques cadeaux de prestige (bougie de luxe Bottega Veneta, gris-gris parfumés). Comptez 65 € pour une eau de toilette de 50 ml et 90 € pour 100 ml. A l'étage, vous profiterez de services pratiques comme l'Atelier de parfums (avec stages d'initiation) ou le comptoir du sur-mesure pour créer le parfum à son image. Un conseil : allez-y en couple ! **Autres adresses :** 34, rue des Francs-Bourgeois (3e) ✆ 01 42 77 80 28 • 32, rue du Bourg-Tibourg (4e) ✆ 01 48 04 55 66 • 24, boulevard Raspail (7e) ✆ 01 42 22 23 32 • 22, rue de Sèvres (7e) ✆ 01 45 44 58 09 • 22, rue Vignon (9e) ✆ 01 42 66 32 66.

L'OCCITANE
Carrousel du Louvre – 99, rue de Rivoli (1er)
✆ 01 42 97 44 05
Site Internet : www.loccitane.com – M° Palais Royal – Musée du Louvre. Ouvert du lundi au dimanche de 10h à 20h, le mardi de 10h à 19h.
La marque de beauté made in Provence tient au Carrousel du Louvre sa plus jolie boutique. Dans un décor couleur ocre où les machines de presse, broyeuses et chaudrons sont exposés, L'Occitane propose une multitude de ligne cosmétiques et parfums d'intérieur, toutes classées par genre : lavande, miel, olive mais aussi karité et Immortelle. Pour les hommes, la marque propose lignes cosmétiques, eaux de toilette (Eau des Baux, eau de toilette Vétyver) et parfums d'intérieur avec panneaux signalétiques pratiques («pour calmer le feu du rasoir», «pour lutter contre les anti-âge»). A découvrir la ligne formulée à partir du Cade, un

arbrisseau caractéristique des garrigues et maquis et son produit phare : le concentré de jeunesse. Conseils experts et accueil très agréable. A venir : la ligne de thés/verveines L'Occitane. Dernière nouveauté en date, l'ouverture d'un Spa, 47 rue de Sèvres (6e) ✆01 42 22 88 62. Ouvert du lundi au samedi (9h30-19h30), nocturne le jeudi jusqu'à 21h. **Autres adresses :** Forum des Halles niveau -3 (1er) ✆01 44 82 59 21 • 1, rue d'Arcole (4e) ✆01 55 42 06 11 • 17, rue des Francs-Bourgeois (4e) ✆01 42 77 96 67• 84, rue de Rivoli (4e) ✆01 42 78 74 01 • 55, rue Saint-Louis-en-l'Isle (4e) ✆01 40 46 81 71 • 103, rue Mouffetard (5e) ✆01 43 31 98 12 • 95, rue de Rennes (6e) ✆01 42 22 48 74 • 4, rue de Sèvres (6e) ✆01 45 44 70 26 • 26, rue Vavin (6e) ✆01 43 25 07 71 • 84, avenue des Champs-Elysées (8e) ✆01 53 76 00 06 • Passage du Havre – 109, rue Saint-Lazare (9e) ✆01 44 53 62 36 • 8, rue Halévy (9e) ✆01 40 17 91 43 • Gare du Nord – Salle Eurostar –18, rue de Dunkerque (10e) ✆01 45 26 14 35 • 42, Cour Saint-Emilion (12e) ✆01 43 42 57 79 • Gare de Lyon – Galerie Diderot (12e) ✆01 43 43 14 78 • 60, Faubourg-Saint-Antoine (12e) ✆01 43 41 64 09 • 27, rue du Commerce (15e) ✆01 45 75 59 81 • Galerie Passy Plazza – 53, rue de Passy (16e) ✆01 40 50 78 29.

PARFUMS ET SENTEURS DU PAYS BASQUE
18, place des Vosges (4e) ✆01 42 77 43 58
Site Internet : www.lemarcheduparfumeur.com – M° Bastille ou Saint-Paul. Ouvert tous les jours de 11h à 19h, fermé entre 13h et 14h.
C'est au cœur du Marais, et sur l'une des plus belles places de Paris, que vient de s'installer Christian Louis, créateur et maître parfumeur, célèbre au Pays basque où il possède déjà plusieurs boutiques. Cette première enseigne parisienne séduit déjà les fashionistas, qui découvrent avec plaisir les senteurs aux noms éloquents : «Euskadi», «Espelette», «Un jour à Bayonne», «les Jardins de Boudha», «Siddharta», «La Féria», «Bleu Mogador», «Cuir rouge», «Eau de Cythère»... Parfums de prestige parfois élaborés pour rendre hommage à des personnalités comme le Dalaï Lama, Alain Delon et Mireille Darc, Michel Drucker, Anne Etchegoyen ou encore Ségolène, avec «Esprit de Parfum Royal» ... On aime la boutique aux couleurs chaudes, ocre et terre, idéalement située sous les magnifiques arcades de la place des Vosges. Un lieu inspiré, à découvrir !

DIPTYQUE
34, boulevard Saint-Germain (5e)
✆01 43 26 77 44
Site Internet : www.diptyqueparis.com – M° Maubert-Mutualité. Ouvert du lundi au samedi de 10h à 19h.
Célèbre dans le monde entier, adresse fétiche des stars, la boutique Diptyque a été fondée en 1961 par trois amis issus du monde des beaux-arts et de la décoration. Elégance de la calligraphie et du dessin, subtilité des senteurs, les bougies Diptyque (à partir de 30 €) ont fait la réputation de la maison et se déclinent ici en 54 senteurs herbacées (basilic, foin, lierre), florales (iris, jasmin, muguet), épicées (laurier, safran, musc), boisées (santal, bois ciré, cuir) ou fruitées (figuier, oranger). Autre ligne proposée, celle des fragrances pour le corps avec 14 eaux de toilettes mixtes dont notre préférée : eau de lierre. Une adresse parisienne à connaître pour tous ceux qui souhaitent donner un peu de classe à leur appart ou à eux-mêmes. **Autre adresse :** 8, rue des Francs-Bourgeois (3e) ✆01 48 04 95 57.

KIEHL'S
72 bis, rue Bonaparte (6e) ✆01 55 42 03 06
Site : www.kiehls.com – M° Saint-Germain-des-Prés. Ouvert du lundi au samedi de 10h30 à 19h30.
Implantée rive gauche, la pharmacie new-yorkaise spécialisée dans les soins pour la peau et les cheveux, Kiehl's (fondée en 1851), a aujourd'hui pignon sur rue. Une boutique fidèle à la légendaire officine de Manhattan où l'on retrouve les éléments clés du décor new-yorkais comme la Harley Davidson vintage, le squelette Mr Bone ou les lustres en cristal. Génial ! Pour vous familiariser à l'univers de la cosmétique-dermatologique, la signalétique des linéaires a été pensée de façon intelligente (idéal pour ceux qui ne s'y connaissent pas vraiment) : illustrations, codes visuels pratiques, conseils sur les ingrédients... Testez les produits phare : la crème de corps, le Lip Balm ou le Blue Astringent, des produits sans colorant ni parfum. Enfin, si vous souhaitez faire un cadeau, vous pouvez composez dans cette boutique le panier rempli des produits de votre choix. **Autre adresse :** 15, rue des Francs-Bourgeois (3e) ✆01 42 78 70 11.

LUSH
30, rue de Buci (6e) ✆01 43 25 33 17
Site Internet : www.lush.fr – M° Mabillon ou Saint-Germain-des-Prés. Ouvert du lundi au samedi de 11h à 20h.
Marque de cosmétiques anglaise, Lush (qui distribuait auparavant au Body Shop) a ouvert sa boutique en 2005. Une marque revendiquant son respect pour l'environnement et sa conscience citoyenne (refus des tests sur les animaux) et qui propose dans une ambiance de marché à la Parisienne (blocs de savon vendus au poids, écriteaux décrivant la composition des produits, slogans accrochés aux murs) une multitude de produits naturels et confectionnés à la main à partir de légumes et de fruits frais. Ici, les hommes sont les bienvenus et généralement à l'aise, l'ambiance marché décomplexant de nombreux mâles. Parmi nos produits favoris : la Dream Cream, une crème hydratante spéciale corps conçue pour les peaux sèches et le soin Bogoss, un soin hydratant visage conçu pour tous les hommes n'ayant jamais utilisé de produits de beauté de leur vie !

NATURA BRASIL
2, carrefour de la Croix-Rouge (6e)
✆ 01 42 22 12 59
Site Internet : www.naturabrasil.fr – M° Saint-Sulpice ou Sèvres-Babylone. Ouvert du lundi au samedi de 10h30 à 19h30.
Marque brésilienne de «cosmétique bien-être» (travaillant avec les différentes communautés d'Amérique du Sud et associant biodiversité et développement durable), Natura a ouvert un espace exceptionnel dans le 6e arrondissement de Paris. Une maison à deux niveaux au décor ultra zen (lianes, fontaine avec cascade d'eau ruisselante, parquet en bois de canela utilisé dans les vieilles demeures – les fazendas – du XIXe siècle) made in Brasil. Principal centre d'intérêt de la boutique : la Table aux essences, un plateau de pierre où trône les ingrédients et compositions de la ligne maison, Ekos. A l'étage, une Table d'hôte avec plateau en verre occupe l'espace, c'est là que les huiles essentielles, soins du visage, produits de douche ou laits au café verde, cupuçau ou argile blanche d'Amazonie sont exposés avec, sur rendez-vous, des salons de massages et un bar. Bonus : les ateliers massages sont proposés tous les troisièmes mardis du mois.

TATOUAGES ET PIERCINGS

AMERICAN BODY ART
7, rue des Innocents (1er) ✆ 01 40 26 51 94
Site Internet : www.americanbodyart.com – M° Châtelet ou Les Halles. Ouvert du lundi au samedi de 10h à 21h et le dimanche de 12h à 20h.
American Body Art fait figure de référence tant au niveau du body piercing que des tatouages. Les professionnels sont sympathiques et très sérieux. Ici, on ne transige pas avec l'hygiène et avec les conseils donnés à la clientèle. Cette dernière est généralement ravie des prix pratiqués. De nombreuses promotions sont organisées. Les soldes sont également intéressants. Pour encore plus d'avantages, vous pouvez également demander une carte de fidélité. En plus de se faire percer ou tatouer, on peut acheter de nombreux bijoux. Branchés ou plus sages, tous les styles sont représentés. Les accros de la mode sont aussi de plus en plus nombreuses à demander une pose de strass dentaire. Toutes les grandes stars américaines ont cédé à cette tendance. Pourquoi pas vous ?
Autres adresses : 91, rue de Saint-Denis (1er) ✆ 01 40 26 54 83 • 24, boulevard de Sébastopol (4e) ✆ 01 40 29 15 80 • 25, rue des Lombards (4e) ✆ 01 48 87 47 02.

ARTCORPUS
49, rue Greneta (2e) ✆ 01 40 13 07 34
Site Internet : www.artcorptattoo.com – M° Sentier, Les Halles ou Etienne-Marcel. Ouvert du lundi au samedi de 12h à 20h.
Comme souvent dans ce genre de lieu, la décoration est un brin effrayante. Couleurs sombres tachées de rouge, têtes de mort et symbolique démoniaque tiennent le haut du pavé. Les hommes s'y sentent facilement à l'aise... Les femmes un peu moins. Heureusement que le personnel est là pour nous prendre en main. Avec beaucoup de gentillesse et de professionnalisme, il conseille et rassure. En aucun cas, il ne force les clientes à prendre une décision rapidement. Arcades, oreilles, nez, nombrils, seins... Toutes les parties du corps peuvent être percées mais avant de passer à l'action, les professionnels de ce salon abordent toutes les questions de leur métier. Les tatouages sont faits par de vrais artistes. Avant la performance, ils cherchent à mettre votre morphologie en valeur. Vous pouvez leur faire confiance : le résultat n'est jamais décevant.

TIN-TIN TATOUAGE
37, rue de Douai (9e) ✆ 01 40 23 07 90
Site Internet : www.tin-tin-tattoos.com – M° Pigalle ou Blanche. Ouvert du lundi au samedi de 12h à 20h.
C'est dans les anciens ateliers de couture d'Yves Saint-Laurent que le plus célèbre des tatoueurs français tient aujourd'hui boutique. Tatoueur pour les plus grands magazines français et internationaux, tatoueur des stars (Yannick Noah, Zazie, Jean-Paul Gaultier...), Tin-Tin est devenu la référence du tatouage mondial. Pour espérer vous faire tatouer par la star, mieux vaut prendre rendez-vous à l'avance (attente de plusieurs mois selon les périodes). Le lieu respecte bien entendu les normes d'hygiène et foisonne d'éléments de déco liés à l'univers de l'artiste : têtes de mort, imagerie gothique, pin-up manga, jeux d'épées, grands dragons rouge...

ALL TATTOO
16, rue Saint-Sabin (11e) ✆ 01 43 38 64 64
Site Internet : www.all-tattoo.fr – M° Bastille. Ouvert le lundi sur rendez-vous et du mardi au samedi de 10h à 12h30 et de 14h30 à 20h.
Ce salon est agréable. On s'y sent tout de suite à l'aise. Les clientes sont accueillies par des jeunes gens souriants et avenants. L'ambiance est plutôt «cool» tout en restant respectueuse. Si certains vous tutoient, ne prenez pas la mouche ! L'équipe qui sévit ici est formée d'excellents professionnels capables de réaliser des créations purement époustouflantes. Si vous cherchez un gros et grand tatouage sortant de l'ordinaire, vous pouvez venir ici sans crainte. Les clientes plus timides ou plus sages trouveront aussi leur bonheur avec un large éventail de dessins plus discrets. Comme toujours, en plus de tatouages, des piercings sont proposés. L'attente dépasse rarement quelques minutes. Les Parisiennes pressées sauront apprécier cette qualité !

PRÊT-À-PORTER POUR FEMMES

Glamour

KOOKAÏ

155, rue de Rennes (6e) ✆ 01 45 48 26 36

Site Internet : www.kookai.com – M° Montparnasse-Bienvenue, Saint-Placide ou Rennes. Ouvert du lundi au samedi de 10h30 à 19h30.

Leur slogan «je ne suis pas jolie, je suis pire», résume bien l'esprit de la marque. Chic, glamour, terriblement féminin sans une once de vulgarité, Kookaï a su s'imposer auprès des jeunes filles chics et libres. Les vêtements créent une allure résolument sensuelle et pleine de charme. Difficile de ne pas craquer pour les tops (45 €) ou les robes (90 €) toutes plus magnifiques les unes que les autres. L'avantage de la marque, rester dans l'air du temps sans pour autant proposer des créations déjà vues. Les pantalons (50 €) sont de bonne qualité et sont surtout parfaitement coupés. Les accessoires sont souvent très raffinés. Kookaï récompense également ses clientes les plus fidèles grâce à la carte «Kookaï loves you», remise sur simple demande. A chaque euro dépensé correspond un point. A vous les chèques-cadeau, avant-premières et autre services exclusifs. Depuis deux saisons, Kookaï propose une nouvelle ligne de sacs en cuir pleine fleur et aux volumes «oversize». On adore ! **Autres adresses :** Nouveau 8, rue des Rosiers (4e) ✆ 01 42 72 54 71. Ouvert le dimanche de 14h à 19h30. Place des Innocents • 46, rue Saint-Denis (1er) ✆ 01 40 26 40 30. **Magasin de déstockage :** 82, rue Réaumur (2e) ✆ 01 45 08 93 69.

SINEQUANONE

16, rue du Four (6e) ✆ 01 56 24 27 74

Site Internet : www.sinequanone.com – M° Mabillon, Saint-Sulpice, Saint-Germain-des-Prés. Ouvert du lundi au samedi de 10h30 à 19h30.

De mieux en mieux ! Les collections embellissent d'année en année. Le mot d'ordre de la marque, «la libre féminité». Incontestablement, Sinéquanone sait surfer sur les tendances modes. Son positionnement est clair : proposer qualité et originalité à ses clientes. Le pari est réussi. Les collections conservent ce petit «je ne sais quoi» branché et dans l'air du temps tout en restant uniques. Si vous cherchez une jolie robe pour une soirée un peu habillée, foncez dans cette boutique, vous y trouverez de véritables joyaux à partir de 60 €. Les tops ne sont pas mal non plus : 45 € pour de ravissants modèles aux imprimés fleuris et colorés. **Autre adresse :** Forum des Halles (1er) – Porte Rambuteau, niveau 3 ✆ 01 42 36 71 23.

NAF NAF

10, avenue des Ternes (17e)

✆ 01 42 67 30 30

Site Internet : www.nafnaf.com – M° Ternes. Ouvert du lundi au samedi de 10h à 20h.

Le temps où la marque mettait en avant sa mascotte cochon est bien fini. Aujourd'hui, Naf Naf se veut plus glamour. Après une période où la créativité n'était pas toujours au rendez-vous, la marque a su se reprendre en main et propose dorénavant des collections jeunes et dynamiques. Les silhouettes sont féminines, chics et urbaines. La qualité est toujours au rendez-vous et les prix restent raisonnables. Des jeux de matières peuvent être soulignés par des tops en soie plein de subtils froufrous. Les robes de soirée (120 €) étourdiront les shoppeuses les plus raisonnables. On adore aussi les pantalons (dès 45 €) proposés dans différentes matières qui tombent parfaitement et durent des années. Les vestes en cuir (à partir de 100 €) sont également très abordables. **Autres adresses :** 25, boulevard Saint-Michel (5e) ✆ 01 43 29 36 45. • 52, avenue des Champs-Elysées (8e) ✆ 01 45 62 03 08.

Décontracté

AMERICAN APPAREL

31, place du Marché-Saint-Honoré (1er)

✆ 01 42 60 03 72

Site Internet : www.americanapparel.net – M° Pyramides, Tuileries. Ouvert du lundi au samedi de 10h à 20h, nocturne le jeudi jusqu'à 22h et le dimanche de 12h à 19h.

Vous aimez les basiques de qualité, sans pour autant renoncer au style, direction American Apparel. Depuis quatre ans maintenant, cette marque star Outre-Atlantique aux publicités provocantes séduit les milieux branchés de la capitale. Au delà d'une qualité de coton irréprochable, c'est le concept éthique de la marque sans logo qui plaît. En effet, les collections sont estampillées «made in downtown Los Angeles». Côté boutique, ne vous attardez pas sur l'accueil parfois un peu glacial, et ruez-vous sur les innombrables t-shirts disponibles dans plus de quarante couleurs, du vert menthe au bleu layette en passant le jaune citron. Les plus pointues d'entre vous craqueront pour les leggings version lamé à 35 € qui électriseraient n'importe quelle garde-robe. Parmi les nombreux best-sellers, le t-shirt à manches courtes en jersey à 18 €, le top manches longues unisexe à 38 €, ou bien encore le célèbre gym bag en nylon (26 €). **Autres adresses :** 41, rue du Temple (4e) ✆ 01 42 74 71 03 • 10, rue Beaurepaire (10e) ✆ 01 42 49 50 01.

ESPRIT
9, place des Victoires (2e) ✆ 01 40 39 00 95
Site Internet : www.esprit.com – M° Bourse ou Sentier. Ouvert le lundi de 11h à 19h et du mardi au samedi de 10h à 19h.
Urbaine et branchée, la mode Esprit propose une allure féminine, parfois rebelle, toujours tendance. Les vestes (de 70 € à 130 €) d'apparence classiques ont souvent un petit détail qui leur apporte une touche de sophistication supplémentaire. Ainsi, le col peut être travaillé de façon à paraître plus long que la moyenne, à noter également les vestes en jean très cintrées pour renforcer la finesse des tailles. Les pantalons bien coupés tournent autour de 60 €. Qu'elles soient élégantes ou plus décontractées, les jupes se vendent rarement en dessous de 50 €. On craque résolument pour les robes chics dont les prix savent se faire tout petits : de 50 € à 70 € en moyenne pour les plus habillées. A partir d'une quinzaine d' €, il est possible de s'acheter des soutiens-gorge classiques et pour quelques € de plus, d'acquérir des «push up». Pyjamas, peignoirs, rien n'est oublié. Vous trouverez vraiment de tout ! **Autre adresse :** 133, rue de Rennes (6e) ✆ 01 53 63 01 06.

BENSIMON
8, rue des Francs-Bourgeois (3e) ✆ 01 42 77 06 08 et 12, rue des Francs-Bourgeois (3e) ✆ 01 42 77 16 18
Site Internet : www.bensimon.com – M° Saint-Paul ou Chemin-Vert. Les deux boutiques sont ouvertes du lundi au samedi de 11h à 19h et le dimanche de 13h30 à 19h.
Arts de la table, décoration, parfum… On trouve de tout chez Bensimon. La mode y est jeune et décontractée, tendance sans être branchée. Pour bien comprendre le succès de cette marque familiale, il faut revenir quelques années en arrière. En 1980, une idée révolutionnaire germe dans la tête des dirigeants : se servir des surplus militaires (uniformes, vêtements de travail, chaussures…) pour proposer une mode unique et colorée. Le pari est risqué : teindre en de nombreuses teintes toutes ces pièces voire les customiser. Leur succès culmine avec leurs tennis en toiles déclinées en de très nombreuses couleurs et modèles (lacets, élastique, ballerine ou montante). Toujours aussi incontournables, elles se vendent autour de 24 €. **Autre adresse :** 54, rue de Seine (6e) ✆ 01 43 54 64 47.

LACOSTE
93-95, avenue des Champs-Elysées (8e) ✆ 01 47 23 39 26
Site Internet : www.lacoste.com – M° George-V. Ouvert du lundi au samedi de 10h à 20h et le diamnche de 12h à 20h.
Déjà 75 ans que cette marque chic, sportive et désormais «fashion» depuis l'arrivée de Christophe Lemaire à la direction artistique, séduit. Trois lignes sont disponibles, «Club», plus pointue, reconnaissable à son crocodile argent, «Sportswear» et «Sport». Côté shopping, la boutique est spacieuse et design, l'accueil soigné. Partout, des piles de t-shirts multicolores, parfaitement au carré. Comptez tout de même 76 € pour le célèbre polo, best seller de la maison. Parmi les autres modèles tentants, les cardigans, bermudas pour vos escapades en bateau ou bien encore ces ravissantes robes un brin rétro. Vous trouverez également des sacs, des lunettes que vous pourrez même essayer online, des chaussures, des montres et des ceintures. **Autres adresses :** 55, rue de Sèvres (6e) ✆ 01 42 84 80 09 • 70-72, rue du Faubourg-Saint-Antoine (12e) ✆ 01 43 45 03 09.

UNITED COLORS OF BENETTON
51-53, boulevard Haussmann (9e) ✆ 01 55 27 49 70
Site Internet : www.benetton.com – M° Havre-Caumartin. Ouvert du lundi au samedi de 10h à 20h. Le jeudi, ouverture jusqu'à 21h.
Quand on pense à Benetton, on se souvient souvent des campagnes de publicités tapageuses et en un sens révolutionnaires. Cela est bien dommage car éclipser leurs collections de prêt-à-porter est une erreur. Elles sont là et bien là et continuent de compter dans l'univers de la mode. Un terme vient souvent en tête quand on passe la porte de ce magasin parisien : gigantesque. Et oui, plus de 5 000 mètres carrés dédiés à la mode qu'elle soit pour les femmes, les hommes ou les enfants. Sur cinq niveaux, on découvre des créations basiques certes mais colorées et de bonne qualité. Les pulls, incontournables coûtent pour les modèles les plus simples une trentaine d'euros et sont rangés par gammes de couleurs, de la plus claire à la plus flashy. Sac, lingerie, petits chapeaux ou bijoux, le choix est large et les prix relativement bas aux vues de la qualité. **Autre adresse :** 66, avenue des Champs-Elysées (8e) ✆ 01 42 25 81 00.

PETIT BATEAU
50, rue des Abbesses (18e) ✆ 01 42 52 81 76
Site Internet : www.petit-bateau.fr – M° Abbesses. Ouvert du lundi au samedi de 10h à 19h.
Ce n'est pas que pour les enfants ! Nous aussi shoppeuses pouvont trouver notre bonheur en matière de basiques mais pas seulement. Bienvenue chez Petit Bateau, temple du t-shirt fondé en 1893 et qui propose une gamme de coloris aux noms évocateurs. Pour un débardeur seconde peau, il vous faudra débourser 18 €, environ 10 € pour un t-shirt manches courtes à col cocotte (légèrement cranté). Vous trouverez également la célèbre culotte si confortable (8 €), des marinières et même des cabas en maille. N'oubliez pas de regarder du côté des bikinis, bien coupés et ultra-abordables. Dès 60 € d'achat, une carte de fidélité vous sera remise. Ainsi vous accéderez à des ventes privées, recevrez des réductions et cumulerez des toupies. Vous pouvez également acheter en ligne, comptez un délai maximum de sept jours ouvrés pour la livraison. **Autres adresses :** 16, avenue du Général-Leclerc (14e) ✆ 01 43 22 15 79 • 55, rue du Commerce (15e) ✆ 01 45 77 88 00.

TRUSSARDI

Jeune

BERSHKA

128, rue de Rivoli (1er) ✆ 01 40 13 78 23

Site : www.bershka.fr – M° Pont-Neuf, Châtelet, Louvre – Rivoli. Ouvert du lundi au samedi de 10h à 20h.

Cette enseigne espagnole fait partie du même groupe que Zara, et séduit les fashionistas de 35 pays déjà. Ici, on fait son shopping au son parfois assourdissant de la dance. Sur deux étages, des collections cool, sportswear, tendance. Au programme, t-shirts funs et jeans slim déclinés dans de nombreuses couleurs pop. Les amatrices de cuir craqueront pour les blousons esprit motard, les plus sages, opteront pour les tops à manches ballons à partir de 10 € et les robes chemisiers. N'oubliez pas les accessoires, les sacs en simili cuir et autres chaussures sont souvent réussis et vous permettront de rester tendance sans vous ruiner. Attention, certains modèles taillent petits, ne vous formalisez pas si vous devez opter pour la taille au-dessus de celle que vous prenez habituellement. Certains pantalons sont proposés dès la taille 32. **Autre adresse :** Forum des Halles – Porte Saint-Eustache, niveau -3 (1er) ✆ 01 40 28 10 22.

MISS SIXTY

32, rue Etienne Marcel (1er) ✆ 01 40 39 09 82

Site : www.misssixty.com – M° Les Halles ou Etienne-Marcel. Ouvert du lundi au samedi de 11h à 19h30.

La mode chic et choc pour les jeunes filles disposant déjà un certain budget. On découvre des modèles urbains, aux imprimés géométriques. Les coupes se veulent près du corps. Une certaine forme de féminité est mise en avant. Les fashionistas rebelles trouvent ici une panoplie complète pour affronter dans la jungle parisienne. Toute la palette des couleurs est utilisée : du jaune au rouge en passant par le bleu électrique... Il y en a pour tous les goûts. Ne vous attendez pas à trouver des robes classiques chics, les coupes proposées sont plutôt déstructurées. Les filles plus sages trouveront aussi leur bonheur en fouillant parmi le large choix de jeans. Très bien taillés, ils s'adaptent parfaitement aux différentes morphologies. C'est suffisamment rare pour être signalé. Pour parfaire votre look, la marque propose également de la maroquinerie, des talons hauts, des montres, des lunettes de soleil et même de la lingerie.

COP COPINE

37, rue Etienne-Marcel (2e) ✆ 01 53 00 94 80

Site Internet : www.cop-copine.com – M° Les Halles, Etienne-Marcel. Ouvert du lundi au samedi de 10h30 à 19h, sauf le mardi de 11h à 19h.

L'accueil dans cette boutique est vraiment sympathique. Ce n'est pas toujours le cas dans d'autres magasins de la rue, alors cela mérite d'être signalé ! Dans un style très «street», parfois atypique, on trouve des vêtements aux coupes déstructurées et beaucoup d'effets froissés. Les adolescentes rebelles vont adorer. Les teintes sont sombres et neutres : blanc cassé, gris, bleu-gris, noir... Pas de grosses taches de couleurs. Quelques modèles sortent du lot : des jupes d'été très sympas pouvant être portées par des femmes de tout âge, des tops un peu plus colorés que la moyenne... Les prix sont un peu élevés : comptez en moyenne 60 € pour un haut et plus de 100 € pour une robe mais la qualité est au rendez-vous. **Autres adresses :** 80, rue Rambuteau (2e) ✆ 01 40 28 03 72 • 3, rue Montfaucon (6e) ✆ 01 42 34 70 26.

STRADIVARIUS

58 bis, rue de la Chaussée-d'Antin (9e) ✆ 01 49 70 99 90

Site Internet : www.stradivarius.es – M° Chaussée d'Antin, Trinité d'Estienne d'Orves. Ouvert du lundi au vendredi de 10h à 20h.

L'enseigne présente dans vingt pays et dont l'emblème est une clé de sol, fait elle aussi partie du groupe Zara. Dans cette grande boutique de deux étages, l'accueil comme le décor sont soignés, l'ambiance y est design : papier peint élégant, murs sombres et grand lustre. Côté style, les collections sont jeunes, trendy, parfois flashy. Comptez 25 € pour un jean slim décliné en d'innombrables teintes, 30 € pour une robe longue en coton, et 79 € pour un blouson en cuir. Les imprimés des t-shirts attirent l'œil. Quant aux accessoires, escarpins (13 €) ou ballerines (30 €), ils sont irrésistibles ! Seul bémol, les petits prix vont parfois de pair avec la qualité. **Autres adresses :** Centre commercial Evry 2 – 131, place de l'Agora (91) ✆ 01 60 77 16 16 • Centre commercial Les Trois Moulins – 1, avenue Aristide-Briand (92) ✆ 01 41 33 00 90.

Les créateurs

CLAUDIE PIERLOT

1, rue Montmartre (1er) ✆ 01 42 21 38 38

Site Internet : www.claudiepierlot.fr – M° Les Halles. Ouvert du lundi au samedi de 10h30 à 19h.

Née en 1984, la marque Claudie Pierlot a immédiatement connu un grand succès. Depuis, elle continue d'habiller les Parisiennes et connaît de belles réussites en dehors de nos frontières. La boutique de la rue Montmartre est relativement sobre. A l'image des vêtements qu'elle abrite, elle peut être qualifiée de chic sans que son luxe soit ostentatoire. On aime les collections toujours raffinées, les matières nobles et parfaitement travaillées. Les modèles sont classiques avec toutefois toujours un élément fantaisie (dans la coupe, la matière ou l'alliance des couleurs). Manteaux, vestes (à partir de 150 €), jupes (environ 110 €) et autres petits pulls (comptez pour ces derniers une centaine d'euros) subliment la féminité. Des jeunes flashions victimes aux quinquagénaires, tout le monde y trouvent son bonheur. **Autre adresse :** 23, rue du Vieux-Colombier (6e) ✆ 01 45 48 11 96.

LES PETITES
3, rue Montmartre (1er) ✆01 40 28 45 55
Site Internet : www.lespetites.fr – M° Les Halles. Ouvert de 10h30 à 19h30 du lundi au samedi.
Elégante, raffinée, tout en sachant rester discrète, la mode Les Petites est une perle de bon goût. Les boutiques renferment des mines de trésors tant au niveau de l'originalité des créations que des matières employées. Ses dernières sont avant tout délicates : soie, mousseline, broderie, dentelles, etc. Les formes sont intemporelles : certains modèles nous transportent quelques décennies en arrière, quand les femmes apportaient un soin ineffable à leurs toilettes. Les silhouettes qui se dessinent sont romantiques à souhait, un brin sensuelles et tellement charmantes... C'est comme un rêve éveillé. On conseille tout particulièrement les robes légères et vaporeuses (195 €). Les petits hauts (80 €) d'inspiration ethnique sont également adorables. **Autres adresses :** 98, rue Vieille-du-Temple (3e) ✆01 42 77 49 07 • 41, rue des Francs-Bourgeois (4e) ✆01 44 59 36 54 • Galerie Passy Plaza 53, rue de Passy (16e) ✆01 42 24 48 88.

MANOUSH
75, rue Vieille-du-Temple (3e)
✆01 44 54 54 59
Site Internet : www.manouch.com – M° Rambuteau ou Saint-Paul. Ouvert du lundi au samedi de 10h30 à 19h30 et le dimanche de 12h30 à 19h30.
Manoush est l'œuvre d'une ancienne styliste du bureau de style «accessoires» de chez Morgan, Frédérique Trou-Roy. En 2002, lors d'un voyage à Marrakech, elle découvre des petits ateliers et artisans qu'elle met immédiatement à contribution. Le résultat séduit le tout Paris. Les boutiques Manoush baignent dans une atmosphère unique. Teintées de rose et d'or, elles s'ornent de détails rococo. Leur décoration est gaie et pétillante. De nombreux styles y sont brassés. Bouts de dentelles et cuir martelé, paniers bordés de sequins et pompons... Les modèles évoquent la bohème et oscillent sans cesse entre kitch et raffinement bourgeois. Le mélange est osé mais plutôt réussi ! Quels que soient leurs formes et leurs imprimés, les sacs sont irrésistibles (à partir de 70 € environ). Les babouches retravaillées avec des imprimés de visage de femme et des grosses perles font déjà figure de classiques : 130 € en moyenne. **Autre adresse :** 12, rue du Jour (1er) ✆01 44 88 28 08. • 16, avenue Montaigne (8e) ✆01 58 12 00 00.

ET VOUS
6, rue des Francs-Bourgeois (3e)
✆01 42 71 75 11
Site Internet : www.etvous.fr – M° Saint-Paul. Ouvert le lundi de11h à 19h30 et du mardi au samedi de 10h30 à 19h30.
Maison familiale fondée en 1983, Et Vous a beaucoup évolué depuis ses débuts, passant d'un style casual à un positionnement plus haut de gamme. Et le succès ne s'est pas fait attendre. C'est dans une boutique sombre, élégante et spacieuse, dans un esprit loft, que vous découvrirez l'univers chic et sobre de la marque. Au choix, un t-shirt sérigraphié (environ 50 €), un pantacourt rayé, un pull tout en lin (130 €). Les couleurs sont en demi-teintes, on croise des taupes, des gris, relevées par endroit de pointes d'exubérance. En plus des vêtements, vous succomberez certainement aux accessoires sélectionnés, comme ces sacs "boule" en cuir qui donneront du style à n'importe quelle tenue, ou ces petites pochettes à franges, irrésistibles! **Autres adresses :** 72, rue de Passy (16e) ✆01 45 20 47 15 • 42, rue Etienne-Marcel (2e) ✆01 55 80 76 10.

ZADIG & VOLTAIRE
42, rue des Francs-Bourgeois (3e)
✆01 44 54 00 60
Site Internet : www.zadig-et-voltaire.com – M° Saint-Paul. Ouvert du lundi au samedi de 10h30 à 19h30, et le dimanche de 13h30 à 19h30.
Une griffe rock chic créée par Thierry et Amélie Gillier. Implanté dans un magnifique hôtel classé datant de l'époque Renaissance, la dernière boutique du créateur qui fait tourner la tête aux Parisiennes frappe fort. Parmi les best-sellers la maison, les pulls en cachemire à message mais aussi les matières précieuses comme la soie lavée, le satin ou bien encore le cuir irisé. Au rez-de-chaussée, sous les poutres apparentes, les portants métalliques supportent des collections toujours dans l'air du temps avec des vêtements légers : petites robes (dès 80 €) ou tee-shirts en voile de coton (99 €). Les sacs, souples et patinés, coûtent en moyenne 130 €. La cave, transformée en grande cabine d'essayage vous permettra d'affiner votre choix. L'accueil est à l'image du lieu et de la marque : sympathique et chaleureux. **Autres adresses :** 3, rue du Vieux-Colombier (6e) ✆01 45 48 39 37 • 22, rue de Sèvres (7e) ✆01 45 44 22 30 • 18-20, rue François-Ier (8e) ✆01 40 70 97 89.

SHOPPING

BASH
22, rue des Francs-Bourgeois (4e)
✆01 42 78 55 10

Site Internet : www.ba-sh.com – M° Hôtel-de-Ville ou Rambuteau. Ouvert du lundi au samedi de 11h à 19h30 et le dimanche de 13h à 19h.

En trois mots, une mode simple, chic, romantique, pour tous les jours. Amies d'enfance, Barbara Boccara et Sharon Krief fondent leur marque en juillet 2003. On retrouve au fil des collections des imprimés, et toujours des matières raffinées comme le voile de coton ou le cachemire mis en valeur par des coupes féminines. La boutique, zen et cosy, comme les vendeuses, discrètes et de bon conseil, vous mettront en de bonnes conditions pour vous lancer dans un shopping effréné. Au programme, des t-shirts à en coton très doux (55 €), mais aussi des robes imprimées et des blouses travaillées dans des teintes douces et des matières précieuses, ou bien encore des bottes plates de la marque Tatoosh à 185 €. Il vous sera bientôt possible d'acheter en ligne. **Autres adresses :** 80, rue des Saint-Pères (7e) ✆01 42 22 06 37 • 158, rue de Courcelles (17e) ✆01 47 63 19 11.

MAJE
9, rue des Blancs-Manteaux (4e)
✆01 44 78 03 33

Site Internet : www.maje-paris.fr – M° Rambuteau. Ouvert le lundi de 11h à 19h30, du mardi au samedi de 10h30 à 19h30 et le dimanche de 13h à 19h30.

Vrai coup de cœur, les modèles Maje semblent chers au premier coup d'œil mais au second on se dit que finalement c'est le prix de la qualité et de la création. L'inspiration se veut ethnique chic. On adore les différents vêtements en soie hyper doux, les matières nobles comme le cachemire… et bien sûr, la collection de lingerie fine. On trouve des robes 100 % soie à 180 € et des pulls en lin et coton à 100 €. Pour Maje, des créatrices talentueuses (Corinne Philippon, Marine de Diesbach…) conçoivent également des bijoux très raffinés. **Autre adresse :** 16, rue Montmartre (1e) ✆01 42 36 36 75 • 267, rue Saint-Honoré (2e) 01 42 96 84 93 • 42, rue du Four (6e) ✆01 42 22 43 69.

COMPTOIR DES COTONNIERS
59 ter, rue Bonaparte (6e)
✆01 43 26 07 56

Site Internet : www.comptoirdescotonniers.com – M° Saint-Germain-des-Prés ou Mabillon. Ouvert le lundi de 11h à 19h30 et du mardi au samedi de 10h à 19h30.

Ce n'est pas un hasard si depuis des années, le Comptoir des Cotonniers met à l'honneur dans ses campagnes publicitaires des couples mère-fille. Celles-ci trouvent ici leur bonheur. Les matières sont naturelles, les couleurs douces : beige, bleu, blanc, etc. Petit inconvénient, un certain nombre de vêtements doit être porté au pressing si on veut en conserver toute la beauté. Cela a un coût qui s'ajoute à celui des modèles. Les pantalons très agréables à porter sont vendus dans les 120 €, les robes d'été dans les 140 € et les hauts autour de 80 €. Certes, tout cela n'est pas donné mais on trouve rarement une boutique proposant autant de modèles classiques avec simplement un petit détail (dans la coupe, les couleurs, les matières, etc.) qui apporte une discrète touche d'originalité. **Autres adresses :** 342, rue Saint-Honoré (1er) ✆01 42 60 10 75 • 78, rue Saint-Dominique (7e) ✆01 47 53 06 38.

VANESSA BRUNO
25, rue Saint-Sulpice (6e)
✆01 43 54 41 04

Site Internet : www.vanessabruno.com – M° Saint-Sulpice. Ouvert du lundi au samedi de 10h30 à 19h30.

Dans le très chic quartier de Saint-Sulpice, non loin de l'église, se trouve la boutique de Vanessa Bruno. Comme toutes les autres adresses de la capitale, elle présente les créations dans un espace sobre, où le parquet d'aspect vieilli contraste avec la modernité de certains meubles. Un arbre planté au beau milieu de l'espace surprend à coups sûrs les visiteurs. Les vêtements sont féminins, bien coupés et d'une beauté toute raffinée. Sans chichi ni prétention, ils habillent avec élégance les jeunes femmes comme les personnes plus mûres. On aime les robes, les petits hauts mais aussi les chaussures. Difficile de résister… Les prix sont un peu élevés. Comptez en moyenne 250 € pour une robe habillée voire pour un pull. **Autres adresses:** 12, rue de Castiglione (1e) ✆ 01 42 61 44 60 • 100, rue Vieille-du-Temple (3e) ✆ 01 42 77 19 41.

PAUL & JOE
2, avenue Montaigne (8e)
✆ 01 47 20 57 50

Site Internet : www.paulandjoe.com – M° Alma-Marceau ou Franklin-D.-Roosevelt. Ouvert du lundi au samedi de 10h à 19h.

Avenue Montaigne, la boutique Paul & Jo fait figure de privilégiée. Située au tout début de l'avenue, en face de la Tour Eiffel, elle bénéficie d'une vue imprenable sur la belle dame de fer. Son entrée se fait par une grille relativement haute entourant un petit jardin. L'intérieur présente quelques éléments dorés (comme le comptoir ou les étagères) qui renforcent l'impression de luxe. Les modèles de la marque sont présentés sur deux étages. De belles fleurs en mosaïques décorent les murs de l'escalier. Très féminines, les créations mettent en valeur les silhouettes. Vêtements, bijoux, accessoires, maroquinerie et même cosmétiques sont proposés. Vous pourrez vous acheter des bottines pour 550 €, des chaussures de soirée pour 465 €, une très jolie ceinture pour 260 € et un petit sac pour 185 €. Vous l'aurez compris, certains produits restent relativement abordables. Pour d'autres, comme cette belle robe de soirée, il faut compter plusieurs dizaine de milliers d'euros. **Autres adresses :** 46, rue Etienne-Marcel (2e) ✆ 01 40 28 03 34 • 62-64-66, rue des Saints-Pères (7e) ✆ 01 42 22 47 01. Et pour la ligne bis, Paul & Joe Sister: 56-58, rue Vieille-du-Temple (3e) ✆ 01 42 72 42 06 • 47/49, rue du Four (6e) 01 42 22 34 10.

ISABEL MARANT
16, rue de Charonne (11e)
✆ 01 49 29 71 55

Site Internet : www.isabelmarant.tm.fr – M° Bastille ou Ledru-Rollin. Ouvert du lundi au samedi de 10h30 à 19h30.

C'est en 1994, après quatre ans d'existence, que la ligne Twen devient Isabel Marant. Son premier défilé est un succès et notre talentueuse créatrice ouvre bientôt deux boutiques, l'une au 16, rue de Charonne (11e), l'autre au 1, rue Jacob (6e). Son style ethno-urbain fait des ravages. Ses jupes froissées et jupons (dans les 80 €) séduisent le plus grand nombre. Elle propose un large choix de couleurs ce qui contribue à la faire aimer majoritairement par des femmes plutôt jeunes. Son style «baba chic» en avance sur son temps n'est pas toujours compatible avec une certaine image de la féminité. Tout n'est donc pas bon à acheter mais de véritables perles peuvent se trouver sans grand effort. Il est également important de signaler que depuis août 2003, une seconde griffe dénommée Etoile propose des créations encore plus sophistiquées à des prix bien plus accessibles. **Autre adresse :** 1, rue Jacob (6e) ✆ 01 43 26 04 12.

AGNES B
5, cour Saint-Emilion (12e)
✆ 01 43 47 36 59

Site Internet : www.agnesb.com – M° Cour-Saint-Emilion. Ouvert tous les jours de 11h à 21h.

La marque au lézard stylisé existe depuis plus de trente ans. Mondialement connue pour ses lignes de vêtements et de maquillage, elle compte une grosse dizaine de boutiques dans la capitale. Dans l'un des anciens chais du cour Saint-Emilion, cet endroit en pleine mutation, on retrouve toutes les collections de la créatrice. L'espace est grand et même en cas d'affluence, on conserve une certaine tranquillité. Tout l'esprit Agnès B sur fond de pierres apparentes, les lignes femmes, hommes, sports, enfant, et «pour attendre» bien pensé pour les futures mamans. Des basiques toujours sagement déclinés dans l'air du temps. Comptez 25 € pour une ceinture, environ 100 € pour les fameuses chemises, plus de 200 € pour une robe et à partir de 65 € pour un cardigan à pression. **Autre adresse :** 2-3, rue du Jour (1er) ✆ 01 40 39 96 88.

Les intemporels

CAROLL
138, rue de Rivoli (1er)
✆ 01 40 41 11 68

Site Internet : www.caroll.fr – M° Louvre – Rivoli, les Halles ou Châtelet. Ouvert du lundi au samedi de 10h à 20h.

Etalée sur deux étages, cette grande boutique est très agréable : lumière et espace y sont réunis pour vous faire apprécier votre instant shopping. Les vendeuses y sont d'une extrême gentillesse et toujours de bons conseils. Fermées par de grands rideaux, les cabines d'essayage vous offrent une place suffisante pour enfiler sans contrainte les vêtements. De tout âge, les clientes aiment l'esprit chic et raffiné qui règne en maître sur les modèles. Le mauvais goût est banni de l'endroit. Les matières sont légères et douces. Les coupes toujours impeccables. Elégantes, working-women ou modernes, les femmes peuvent trouver de magnifiques robes à 150 €, des pulls en crochets faits main à 75 € et des blazers à 140 €. On craque aussi pour les très beaux sacs en cuir (180 €) et les chaussures (95 €). Les prix sont plus élevés que dans d'autres boutiques de prêt-à-porter mais la qualité et l'élégance sont toujours au rendez-vous. Difficile de ne pas acheter quelque chose… **Autres adresses :** 156, boulevard Saint-Germain (6e) ✆ 01 44 07 39 00 • 8, rue Halévy (9e) ✆ 01 42 65 20 58.

VENTILO
27 bis, rue du Louvre (2e) ✆ 01 44 76 84 87
Site Internet : www.ventilo.fr. – M° Sentier. Ouvert du lundi au samedi de 10h30 à 19h.
Cette grande boutique au parquet vieilli couvert de tapis propose bien des folies : jupes légères, robes brodées… Difficile de ne pas craquer. Les silhouettes sont romantiques, un rien bohème chic. Les jeux de matière sont importants : mousseline, soie... Que du doux et du féminin. La palette de couleurs utilisée est large et harmonieuse. Violet, rouge, vert… On trouve de tout. Les pantalons en lin (179 €) sont vraiment très agréables à porter l'été tout comme les jupes aériennes (325 €). Les accessoires font aussi preuve de bon goût et d'un habile savoir-faire. Pour 200 € environ, on peut repartir avec un sac unique très loin de ce qui se fait actuellement mais tellement dans l'air du temps. Dans cette boutique, un espace est également dédié à la vente de livre et un autre s'est métamorphosé en salon de thé. Un pur bonheur… **Autres adresses :** 13-15, boulevard de la Madeleine (1er) ✆ 01 42 60 46 40 • 10, rue des Francs-Bourgeois (4e) ✆ 01 40 27 05 58.

LES ATELIERS DE LA MAILLE
13, rue des Francs-Bourgeois (4e)
✆ 01 42 77 11 13
Site Internet : www.lesateliersdelamaille.com – M° Saint-Paul. Ouvert le lundi de 12h à 19h30, du mardi au samedi de 11h à 19h30 et le dimanche de 12h à 19h.
Nature-à-porter, une expression qui résume bien l'esprit de la marque. Depuis 1979, Les Ateliers de la Maille travaillent uniquement les fibres végétales et naturelles. Ici, pas d'extravagance, que ce soit dans les coupes ou les couleurs, le style est simple et épuré. Bambou, cachemire, soie et même soja, ce sont les matières qui font surtout la différence. Innovantes, elles raviront celles qui ne portent pas de synthétique. C'est dans un cadre chic et zen que vous découvrirez la large de gamme de coloris proposés, du beige chiné au fuschia, en passant par le liège. Les coupes, féminines, réservent de bonnes surprises. Comptez environ 80 € pour une robe travaillée, le pull tunique en cachemire est à 120 €. Possibilité d'acheter en ligne. **Autre adresse :** 70 bis, rue Bonaparte (6e) ✆ 01 43 54 50 50.

1.2.3
42, rue de la Chaussée-d'Antin (9e)
✆ 01 40 16 80 06
Site Internet : www.1-2-3.fr – M° Chaussée-d'Antin. Ouvert du lundi au samedi de 9h30 à 20h.
L'esprit de la marque, rendre le haut de gamme accessible à toutes les femmes. Les silhouettes proposées sont dans l'air du temps. On trouve de tout : des petits hauts à porter avec un jean (de 20 € à 50 €), des jupes pour aller travailler (environ 70 €), des foulards et des bijoux (20-30 €), des sacs (120 €), des chaussures et des robes de soirée (une centaine d'euros). La palette de couleurs permet de s'habiller dans des teintes chocolat, vert anis, taupe ou fuchsia. Décontractées, urbaines ou glamour, chacune peut trouver son bonheur. On apprécie tout particulièrement le soin apporté aux coupes, au choix des matières ainsi que la possibilité de se créer un look complet grâce aux modèles coordonnables. N'hésitez pas à demander la carte Diva qui vous sera remise à condition d'avoir réalisé au moins 120 € d'achats en une ou plusieurs fois (dans ce cas, pensez à conserver les différents tickets de caisse). Nouveauté, vous avez droit dès l'ouverture de la carte à un bon de réduction de 10 € à valoir sur vos prochains achats. Vous recevez également des offres exclusives. A partir de 250 € d'achats, une carte définitive et personnalisée vous est remise. Elle permet d'accéder à de nouveaux privilèges. **Autres adresses :** 67, rue de Rivoli (1er) au 3e étage d'Etam (Cité de la Femme). M° Châtelet, Pont-Neuf ou Louvre-Rivoli ✆ 01 40 20 97 01 • 116, rue de Rennes (6 e). M° Rennes ✆ 01 45 48 23 87 • 76 bis, rue du Commerce (15e). M° Commerce ✆ 01 48 28 60 20

Les pépites de quartier

LE MONT SAINT-MICHEL
29, rue du Jour (1er) ✆ 01 53 40 80 44
M° Etienne-Marcel ou les Halles. Ouvert du lundi de 13h à 19h et du mardi au samedi de 10h30 à 19h.
Si vous aimez les mailles rétro mais décalées, mais aussi les beaux basiques, vous adorerez le Mont Saint-Michel, marque de vêtements de travail quasi centenaire reprise par Alexandre Milan. Un souffle rock'n'roll souffle dans cette petit boutique, le grapheur rennais Poch y a même réalisé une fresque. Vous y serez accueillie avec beaucoup de sympathie. Qualité, style pointu et couleurs affriolantes, tel est le mélange détonnant que vous retrouverez dans les collections. Le secret, mélanger pièces rétro et ultra modernes, pour créer un style unique. Ici les pulls à motifs jacquards en forme de lion de Normandie côtoient les mini-jupes en satin de coton. Comptez 58 € pour un t-shirt sérigraphié argent, 95 € pour un pull à manches courtes noué et 165 € pour un cardigan en laine et cachemire. Les escarpins et autres ballerines lurex sont irrésistibles comme les sacs que toutes les modeuses s'arrachent. Une ligne enfant ainsi qu'une ligne homme sont également disponibles.

ZINA ET RAPHAEL
18, rue Duphot (1e) ✆ 01 42 60 66 45
M° Madeleine. Ouvert du lundi au vendredi de 10h à 19h et le samedi de 10h30 à 19h.
Si vous passez près de la Madeleine, prenez le temps de vous arrêter dans cette jolie boutique de quartier. L'endroit idéal pour trouver une sélection tendance à prix doux (entre 50 € et 300 €). Vêtements, sacs, chaussures, accessoires… rien

ne manque ! Les marques (Aquaverde, Spoom, Ethnochic, Aridza Bross, Gat Rimon...) reflètent l'esprit du lieu, proposer une gamme de produits à petits prix tout près de la très chic rue Saint-Honoré. Femme d'affaire ou fashionista, en quête du jean dernier cri, d'une petite robe de cocktail, impossible de repartir les mains vides. Cerise sur le gâteau, vous serez accueillie avec le sourire et bénéficierez d'excellents conseils. Alors, courez-y si ce n'est pas encore fait !

ALMOST FAMOUS
65, rue d'Argout (2e) ✆ 01 40 41 05 21
M° Etienne-Marcel ou Sentier. Ouvert du lundi au samedi de 11h30 à 19h30.
C'est David Hermelin, jeune styliste diplômé de l'atelier Chardon-Savard qui a ouvert cette charmante petite boutique multimarque dans le quartier très pointu d'Etienne-Marcel. Les marques sélectionnées, Cacharel, Isabel Marant, See By Chloé, Bruun's Bazaar, sont désormais bien établies. Côté bijoux, vous craquerez entre autres pour les créations rock chic d'Elia Stone. Les portants regorgent également de griffes plus confidentielles voire inédites dans l'hexagone. Sans oublier, les propres modèles de David Hermelin (son atelier privé se trouve sous la boutique). Gage de branchitude, les Japonaises sont nombreuses à passer la porte, «the place to shop» ! L'accueil est très soigné et les conseils bien sentis.

JOY
38, rue du Roi-de-Sicile (4e)
✆ 01 42 78 94 88
M° Saint-Paul. Ouvert du mardi au samedi de 11h30 à 20h et le dimanche de 14h30 à 19h.
Située en plein cœur du Marais, la boutique Joy associe une ambiance Art Déco à un déco plus «brute» avec son parquet gris perle et ses meubles ivoires. L'écrin est idéal pour accueillir chic parisien, glamour et fantaisie. De Robert Normand à Sylvie Rielle, une «jeune» styliste, les créations se suivent et ne se ressemblent pas. La collection de Stella McCartney pour Adidas, Sonia de Sonia Rykiel ou les sacs (à partir de 250 €) de Martine Sitbon raviront les fashion victimes. La propriétaire des lieux, Valentina Stevens, propose également des bijoux, comme ces boucles d'oreilles Iris & Joy, entre 45 € et 60 €. Enfin une boutique où il fait bon flâner !

SWILDENS
38, rue Madame (6e) ✆ 01 45 44 66 20
Site Internet : www.1et1font3.com – M° Saint-Sulpice. Ouvert du lundi au samedi de 10h30 à 19h.
C'est la deuxième boutique de Juliette, loin d'être une débutante dans le métier puisque c'est elle qui a créé 1et1font3, la marque pour femmes enceintes. Aujourd'hui, chez Swildens, ce sont les modeuses aguerries qui jouent des coudes pour se procurer la pièce vue dans tous les magazines. Ses péchés mignons, les couleurs passées, les matières naturelles, les coupes décontractées qui mettent en valeur la silhouette. Le tombé des vêtements reste irréprochable, avec cette fois un vent bohème rock qui vient secouer les collections. Objets de désir, les tops imprimés (55 €), les pantalons à bretelles (115 €), les mailles à superposer, etc. Les accessoires eux aussi valent le détour, notamment les petits sacs à franges (115 €) et autres cabas oversize, sans oublier les ballerines étoilées (105 €), le pied ! **Autre adresse :** 22, rue de Poitou (3e) ✆ 01 42 71 19 12.

SHYDE
28, rue Saint-Sulpice (6e)
✆ 01 46 34 02 82
M° Mabillon ou Saint-Sulpice. Ouvert du lundi au samedi de 10h30 à 19h30.
On l'attendait toutes et enfin la voici. Leislie Laznowski, donne enfin un écrin à Shyde, griffe qu'elle fonde il y a six ans. Parmi ses thèmes de prédilection, la sensualité, le romantisme et la simplicité. Que vous ayez 20 ou 40 ans, que vous soyez mutine ou garçonne glamour, vous devriez succomber aux sirènes de ses collections. La prescription pour cet hiver, des camaïeux de pourpre et autres lie-de-vin, une petite robe à bretelles à superposer avec une délicate chemise imprimée à col claudine, et pour la touche finale, un bonnet tricoté agrémenté d'une fleur... Pour une effet pop, ajoutez des escarpins moutarde un brin rétro, ou des collants ajourés coquille d'œuf sous votre robe en maille. Côté bourse, comptez 100 € pour une chemise en soie vaporeuse, et 125 € pour une veste en coton.

LES PRAIRIES DE PARIS
6, rue du Pré-aux-Clercs (7e)
✆ 01 40 20 44 12
Site Internet : www.lesprairiesdeparis.com – M° Saint-Germain-des-Prés ou Rue-du-Bac. Ouvert du lundi au samedi de 10h30 à 13h30 et de 14h30 à 19h.
Laetitia Ivanez s'est inspirée de ses souvenirs d'enfance marseillais, (petite, elle aimait regarder son père teindre des jupons en gaze, et les laisser sécher au soleil) pour reprendre l'entreprise paternelle, mettant de côté ses rêves de comédienne. Sa mode, aux accents délicieusement colorés, est romantique et pleine de fraicheur. Dans cette charmante boutique, quel que soit votre âge, vous craquerez certainement pour les coupes flatteuses et les détails raffinés qui changent tout, les blouses légères, les robes glamour (à partir de 300 €) et ces pantalons au tombé impeccable (environ 200 €). Les accessoires sont eux aussi irrésistibles : ballerines, bottines et même des bijoux. Une ligne enfant est également disponible. **Autre adresse :** 23, rue Debeylleme (3e) ✆ 01 48 04 91 16.

JUJU S'AMUSE

15, rue Hippolyte-Lebas (9e) ✆ 01 40 23 01 41

M° Notre-Dame-de-Lorette ou Le Peletier. Du lundi au samedi de 11h à 14h30 et de 15h à 19h30 et le dimanche de 11h30 à 13h30.

Judith Lacroix, créatrice de mode pour enfants a ouvert trois boutiques à Paris pour les mamans cette fois. Des collections qu'elle supervise uniquement, des basiques tendance et surtout à des prix intéressants : des blouses (entre 20 € et 35 €), des tee-shirts (à partir de 15 €), des jeans (55 €), des petites vestes (85 €)... Les couleurs sont tentantes : gris, écru, beige rosé, et les coupes piles dans la tendance de la saison. On y trouve aussi des pièces vintage chinées par la créatrice en personne. Et des petites idées cadeaux : porte-clés et autres canards installés à deux pas de la caisse. A ne manquer sous aucun prétexte ! **Autres adresses :** 93, rue Monceau (8e) ✆ 01 42 93 31 10.

HORTENSIA LOUISOR

14, rue Clauzel (9e) ✆ 01 45 26 67 68

M° Notre-Dame-de-Lorette. Ouvert le lundi de 14h30 à 19h et du mardi au samedi de 11h30 à 19h30.

Quelle boutique formidable ! On est accueilli par les créatrices, deux sœurs fort sympathiques : Caroline et Monique. Les vêtements sont à leur image : chics et fantaisistes. Chaque année, nos deux sœurs donnent des noms à leurs modèles commençant tous par la même lettre. En plus d'être rigolote, cette pratique permet de se rendre compte des modèles qui sont reconduits depuis des années. La lettre de l'actuelle collection par exemple est le U. Elle côtoie des modèles dont les noms commencent par un B... Ce qui signifie que ces derniers sont reconduits depuis plus de 10 ans ! Les collections sont également marquées par des thèmes ou des formes qui prédominent : la spirale est indétrônable. Il y a également des cœurs, des poissons, etc. Bref, tout un univers à découvrir ! Les prix sont raisonnables : 100 € pour une robe, 85 € pour une jupe ou un pantalon. On adore également les très jolies bagues avec nacre et bouton à 15 €.

FRENCH TROTTERS

30, rue de Charonne (11e) ✆ 01 47 00 84 35

Site Internet : www.frenchtrotters.fr – M° Ledru-Rollin ou Bastille. Ouvert le lundi de 11h30 à 19h30 et du mardi au samedi de 11h30 à 19h30

Les French Trotters, Carole et Clarent, deux jeunes photographes passionnés de mode, de culture urbaine et de voyages, parcourent le monde en quête des dernières tendances de mode et d'art. Chaque saison, une nouvelle ville est à l'honneur grâce à une sélection exclusive de créateurs de mode et d'artistes. Vous serez accueillie chaleureusement dans cette boutique duplex qui offre un espace créateur et une galerie à l'étage. Au menu, vêtements, chaussures, sacs, mais aussi cosmétiques, cd, etc. Parmi les derniers arrivés, les vêtements Lemaire, Soun, Surface to Air, les chaussures Avril Gau, Cynthia Vincent, The Jackson et pour les bijoux, Miss Bibi ou Virginie Monroe. Attention, révélateur de talents !

CACHE-CACHE

63, rue Lecourbe (15e)

✆ 01 43 06 49 92

Site Internet : www.cache-cache.fr – M° Sèvres-Lecourbe ou Volontaires. Ouvert le lundi de 11h à 19h30, du mardi au vendredi de 10h à 19h30 et le samedi de 10h à 19h.

C'est une petite adresse qu'on se refile entre copines. Unique boutique Cache-cache de la capitale, elle est particulièrement aimée des gens du Sud qui connaissent souvent bien cette marque. La mode y est décontractée, un peu branchée sans être vulgaire et toujours follement jeune. Pantalons, jupes (40 €), pulls et vestes (45 €) se marient à l'envie et donnent à votre silhouette quelque chose d'unique. Originaux, les modèles ne se voient pas dans d'autres boutiques. Les couleurs sont gaies et lumineuses : on note la présence de nombreux tons orangés. De ravissants bijoux et des sacs sont également en vente.

LIGHTA

94, rue Cambronne (15e) ✆ 01 58 45 22 84

M° Vaugirard. Ouvert non stop du mardi au vendredi de 10h30 à 19h30.

L'élégance à l'italienne, qu'y a t-il de mieux? Voilà un peu plus d'un an que Sandro Ferrone a confié sa griffe en exclusivité à la jolie et souriante Galia. Mission : conquérir le cœur des Parisiennes les plus glamour ! Dans sa boutique, elle a sélectionné pour nous et avec passion des modèles très féminins, uniques de ce créateur romain. Outre ce coté très « couture », on apprécie aussi les prix raisonnables, appréciables par les temps qui courent. Une très jolie adresse que nous vous recommandons.

ANIS

19, rue Houdon (18e)

✆ 01 42 64 40 54

M° Pigalle. Ouvert du mardi au samedi de 12h à 19h30 et le dimanche de 14h à 19h30.

Vous en avez assez des boutiques aseptisées ou toutes les créations se ressemblent ? Passez donc voir cette adresse, vous ne serez pas déçu. Dans cette petite boutique, deux charmantes stylistes proposent des modèles vraiment originaux. On y trouve notamment des robes qui mettent superbement en valeur le corps féminin. Les matières sont douces et discrètement colorées. Les prix sont vraiment abordables : comptez une bonne centaine d'euros pour une jupe. Des accessoires irrésistibles sont également en vente : chapeaux et sacs valent vraiment le détour.

OMIZ

8, rue des Abbesses (18e) ✆ 01 42 52 13 30

M° Abbesses. Du mardi au samedi de 11h à 20h et le dimanche de 14h à 19h30.

Une toute petite boutique qui regorge de trésors. A deux pas du métro Abbesses, arrêtez-vous chez Omiz, il est quasiment impossible de ressortir les mains vides. Ici les griffes sélectionnées sont vendues au prix juste, politique assez peu répandue (surtout dans le quartier) pour être soulignée. Sans cesse à l'affût des dernières tendances, le magasin propose des pièces rares. Vous pourrez notamment découvrir dans une ambiance joviale, sur les portants bien remplis, une robe bustier panthère Reko (105 €), les t-shirts aux imprimés pop de Toupy (35 €), mais aussi les créations de Marion Mille, Gat Rimon, Scarlett Roos, etc. Et comment résister aux accessoires, avec des broches fantaisie à partir de 5 €, des escarpins Mellow Yellow à 85 €, ou encore des boucles d'oreilles Miss Sugar Cane (environ 30 €) et autres merveilles.

Pour les futures mamans

MAMMA FASHION

17, rue de Nevers (6e) ✆ 01 46 34 89 37

Site : www.mammafashion.com – M° Odéon. Ouvert du lundi au samedi de 11h à 19h.

Lovée dans une ruelle du quartier latin, la boutique appelle au calme, à l'intimité, à la conjugaison de la grossesse et du glamour… à l'italienne. Car la demoiselle qui est à l'origine de ce havre de mode nous vient tout droit de Toscane ! Elle mélange des modèles conçus pour les femmes enceintes à d'autres qui, sans en avoir préalablement conçu le dessein, enveloppent à merveille les courbes de celles-ci. Résultat : qu'ils soient "faits pour" ou détournés, les vêtements redonnent aux futures mamans leurs galons de féminité. Une adresse ultra plébiscitée par les ex-futures mamans.

1 ET 1 FONT 3

3, rue de Solférino (7e) ✆ 01 40 62 92 15

Site Internet : www.1et1font3.com – M° Solférino. Ouvert du lundi au samedi de 10h30 à 14h et de 15h à 19h. Deux autres boutiques dans le 16e arrondissement.

Maman baba chic, fan de confort de mode, 1 et 1 Font 3 est LA boutique à dévaliser. Juliette Swildens conçoit des collections en jersey de coton, maille, dans des tons aubergine, jaune moutarde, toujours idéalement découpées pour un résultat faussement négligé, 100 % fashion. Compter environ 100 € pour une robe, 150 € pour un gilet.

FRUIT DE LA PASSION

111, rue du Théâtre (15e) ✆ 09 54 35 07 48

Site Internet : www.fruit-de-la-passion.com – M° Commerce, Emile Zola, La Motte-Picquet-Grenelle. Ouvert le lundi de 13h à 19h30, du mardi au samedi de 12h à 19h.

Parce qu'on peut être enceinte tout en restant fashion, la boutique multimarque Fruit de la Passion donne rendez-vous aux modeuses au ventre arrondi. Cet espace multimarque dédié aux futures mamans propose vêtements, accessoires, lingerie et autres idées cadeaux. Les deux maîtresses des lieux ont su piocher des vêtements qui allient à merveille mode, confort, qualité et ultra rare, des dessous d'allaitement chic et sexy signés Amoralia – à partir de 48 € le soutien-gorge. Tout est testé par Nathalie et Joanna qui possèdent quelques belles exclusivités, comme la très belle marque anversoise Cercle d'O. Si le bas de gamme est honni, la palette de prix est très large : pour un jean, il faudra compter entre 55 € et 255 €. Mais laissez-vous guider, prenez votre temps dans ce petit boudoir qui n'attendait que vous !

PRÊT-À-PORTER POUR HOMMES

Grandes enseignes

WE

148, rue de Rivoli (1er) ✆ 01 58 62 55 25

Site Internet : www.wefashion.com – M° Louvre-Rivoli. Ouvert du lundi au samedi de 10h à 20h.

Au premier étage de ce grand magasin, un espace entièrement dédié entièrement aux hommes avec plusieurs espaces de mode classique, sportswear et fashion à petits prix. Jeans à partir de 60 €, chemises à partir de 25 €, vestes de costumes à 100 €, tee-shirt à 10 € et blousons à partir de 60 €. Une marque façon H & M mais moins branchée, qui vaut le coup d'œil pour ses basics et sa ligne d'accessoires (ceintures, lunettes, bracelets, gants, écharpes…). Les + : un cadre chic avec murs à effets capitonnés et lignes de rayonnage aérées, un service pro et accueillant. **Autres adresses :** Centre commercial Forum des Halles niveau -3.

SHOPPING

ZARA
140 bis, rue de Rennes (6e) ✆01 42 84 44 60
Site Internet : www.zara.fr – M° Rennes. Ouvert du lundi au samedi de 10h à 20h.
Chaîne de prêt-à-porter d'origine espagnole, Zara c'est aujourd'hui plus de 650 boutiques à travers le monde. Dans la boutique de la rue de Rennes, rendez-vous au premier étage, un aménagement minimaliste mais suffisamment cosy pour shopper en toute tranquillité et où vous pourrez dénicher costumes, chemises, vêtements branchés, sportswear, chaussures de ville à des prix raisonnables. Le gros avantage de la marque : réagir immédiatement aux goûts du marché (grâce à sa formule «Just in Time») en proposant chaque semaine de nouveaux modèles et copier le style des grandes marques de luxe pour séduire le plus large public. Les produits Zara sont bon marché et durent généralement une saison, un très bon compromis pour rester tendance toute l'année. A découvrir pour les fanas de la marque, Zara Home a ouvert au 2, boulevard de la Madeleine dans le 9e arrondissement. Une quinzaine d'adresses parisiennes présentent les collections mixtes ou exclusivement hommes ; on les retrouve sur le site Internet de l'enseigne.

Décontracté

MONSIEUR POULET
24, rue de Sévigné (4e)
✆01 42 74 35 97
Site Internet : www.monsieurpoulet.com – M° Saint-Paul. Ouvert le lundi de 13h à 19h, du mardi au samedi de 11h à 19h et le dimanche de 14h à 19h.
Un concept original pour des produits équitables, graphiques et abordables. Monsieur Poulet est un site Internet participatif où artistes et passionnés se rencontrent autour d'un concours permanent et rémunéré. Un dessin est soumis aux votes des internautes, celui qui fait l'unanimité est imprimé. Chaque produit est édité à 1 000 exemplaires maximum. Votre bonne conscience ne sera pas mise à mal, le coton utilisé est 100 % équitable, quant à l'impression, réalisée dans le Sud de la France, elle est certifiée Imprim'Vert. A découvrir, des t-shirts et autres sweats aux couleurs vitaminées, aux imprimés drôles et originaux, pour hommes et femmes ainsi qu'une ligne d'accessoires. Une boutique en ligne hautement sympathique est également à votre disposition. L'occasion de ne pas ressembler à votre voisin, amusez-vous !

AIGLE
139, boulevard Saint-Germain (6e)
✆01 46 33 26 23
Site Internet : www.aigle.com – M° Saint-Germain-des-Prés. Ouvert du lundi au samedi de 10h à 19h30.
Elégance, qualité, fonctionnalité, la marque Aigle est depuis des années une référence du vêtement 100 % outdoor. Vêtements techniques, sportswear ou casual, la marque propose dans sa boutique de Saint-Germain tous les produits liés aux activités montagne, chasse et pêche, ski, équitation, nautisme et voyage avec pour chaque catégorie des accessoires et chaussures technologiquement très pointus. Nos produits préférés : le sac à dos New Hekou 18 avec système d'aération dos et multipoches, le sac équipage étanche Sark et la tong sport Clumb. **Autres adresses :** 41, boulevard des Capucines (2e) • Centre Commercial Italie 2 • 30, avenue d'Italie (13e) • 1, avenue des Ternes (17e).

MICHEL AXEL
121, boulevard Saint-Germain (6e)
✆01 43 26 01 96
Site Internet : www.michelaxel.com – M° Saint-Germain-des-Prés. Ouvert du lundi au samedi de 10h à 19h15.
30 ans que cette boutique vend pantalons, costumes et cravates aux hommes. Une boutique où la déco n'a quasiment jamais changé avec vieux comptoir circulaire pour vous accueillir (pas forcément des plus agréables d'entrer avec une caisse juste en face) et collections de vêtements sur deux étages. Vous n'êtes pas ici dans l'un des temples du fashion parisien mais dans un espace s'adressant prioritairement aux hommes mûrs (à partir de 45 ans) privilégiant matières confortables et pratiques. Un simple aperçu des vitrines vous donnera le ton et l'esprit des collections présentées.

FRIDAY WEAR
37, rue de Constantinople (8e)
✆01 53 04 00 97
M° Villiers. Ouvert du lundi au samedi de 10h30 à 19h.
Une boutique pour gentlemen-workers. Baptisée «Friday Wear», en référence aux tenues décontractées du vendredi adoptées par la plupart des entreprises aujourd'hui, la boutique offre un cadre extrêmement agréable avec grandes étagères en bois, grande table présentoir et cornes de cerfs aux murs. Vous y trouverez des tenues de week-ends très «smart», mélange de décontraction et de style avec entre autres Peter Hadley, New England, vintage & Co et les très belles chemises Hartford. Les costumes sportswear sont la spécialité de la maison, courez-y, l'adresse idéale pour changer du costume étriqué traditionnel. **Autre adresse :** 29, avenue Bosquet (7e).

LOFT DESIGN BY
22, avenue de la Grande-Armée (17e)
✆01 45 72 13 53
Site Internet : www.loftdesignby.com – M° Argentine. Ouvert du lundi au samedi de 11h à 19h.
Boutique-loft, cette enseigne à succès propose dans un décor très loft new-yorkais mixant

poutres métalliques noires et parquet naturel, du prêt-à-porter chic et décontracté mettant à l'honneur mailles fines et légères, basics classiques, vestes et pantalons sportswear. Les matières sont confortables et souples, les coupes sport et mode à la fois. A découvrir également les accessoires – boutons de manchette, pochettes et portefeuilles et linge pour bébé, pour un look père/fils en totale harmonie. Très bon rapport qualité-prix. **Autres adresses :** 20, rue des Francs-Bourgeois (3e) • BHV Homme 55, rue de la Verrerie (4e) • 12, rue de Sévigné (4e) • 56, rue de Rennes (6e) • 18, avenue Franklin-Roosevelt (8e) • Lafayette Homme 40, boulevard Haussmann (9e) • 22, avenue de la Grande-Armée (17e).

JO
47, rue Orsel (18e)
✆01 55 79 99 16
M° Abbesses. Ouvert du lundi au samedi de 11h à 19h30.
Boutique référence du quartier des Abbesses, Jo propose du classique, du sportswear ultra qualitatif. Dans un décor typé loft, vous retrouverez les collections de la marque américaine French Connection (sublimes polos, mailles et vestes militaires) et d'Emile Lafaurie, du casualwear au costume à très bon prix. Super exclu de la boutique : les chaussures Springcourt, inventées dans les années 30 pour les joueurs de tennis, ultra confortables et dotées des célèbres quatre trous pour une ventilation naturelle. On adore !

L'HOMME ÉLÉGANT
LA MANUFACTURE DE BEAUX VETEMENTS
21, rue des Halles (1er)
✆01 42 21 02 22
Site Internet : www.manufacturedebeauxvetements.com – M° Châtelet ou Les Halles. Ouvert du lundi au samedi de 11h à 19h30.
Affiches des plus grandes stars d'Hollywood aux murs (Paul Newman, Steve Mc Queen…), vieux comptoir en bois et vitrines vintage, la Manufacture propose dans son décor très old school 50's un dressing très dandy rétro avec rééditions (veste de la série «Le Prisonnier», costume 3 pièces gilet de Steve dans l'«Affaire Thomas Crown», imperméable d'Humphrey Bogart dans «Casablanca», smoking de James Bond dans «Bons baisers de Russie», chaussures «Spy Suits» des films d'espionnage des années 60…) et nouveautés : chemises, cravates en soie (à partir de 50 €), boutons de manchette (compter environ 70 €), pulls en cachemire et laine, costumes classiques, chaussures derbys et Richelieu… Si l'accueil est parfois un peu hautain, le vestiaire vaut le coup d'œil.

BRUCE FIELD
4, boulevard Malesherbes (8e)
✆01 42 66 18 25
Site Internet : www.brucefield.com – M° Villiers. Ouvert du lundi au samedi de 11h à 19h30.
Depuis plus de 20 ans, la marque Bruce Field habille les hommes d'un style élégant et précieux. Collections classiques, matières nobles (cachemire, soie, laine), les tissus comme les coupes proposées sont soignés. Accueil très courtois dans cette boutique classieuse du 6e. **Autres adresses :** 24, rue du Pont-Neuf (1er) • 136, boulevard Saint-Germain (6e) • 20, avenue Franklin-Roosevelt (8e) • 7, rue de la Boétie (8e) • 24, rue Marbeuf (8e) • 2, rue Poussin (16e) • 80, rue d'Alesia (14e) • Hall Vasarely Gare Montparnasse – 11, boulevard Vaugirard (15e) • 26, rue de Jouffroy-d'Abbans (17e) • 112, boulevard de Courcelles (17e).

GANT
194, boulevard Saint-Germain (7e)
✆01 42 22 65 22
Site Internet : www.gant.com – M° Rue du Bac. Ouvert du lundi au samedi de 10h à 19h.
«Un style américain et du charme à l'européenne», voilà comment se définit Gant, marque sportswear américaine qui s'est notamment fait connaître par ses polos colorés très classieux, de belles chemises, pulls et pantalons pour un look dandy décontracté. La boutique fait dans le minimalisme avec bois clair et gros abat-jour dans l'espace homme, espace bagagerie et vitrines montres, lunettes de soleil et boutons de manchette. Bon rapport qualité-prix.

VICTOIRE
15, rue du Vieux-Colombier (6e)
✆01 45 44 28 02
Site Internet : www.victoire-paris.com – M° Rennes. Ouvert du lundi au samedi de 10h30 à 19h.
Boutique multimarques dans les années 80 (Kenzo, Jil Sander, Prada), Victoire distribue aujourd'hui ses propres collections. Une mode intemporelle et sans paillettes et de bon goût pour dandys urbains, bohèmes et relax. **Autres adresses dans le 1er arrondissement:** 10, rue du Colonel-Driant et 4, rue Duphot.

ATEL'SON
26, rue du Bac (7e)
✆01 42 61 21 26
M° Rue-du-Bac. Ouvert du lundi au samedi de 10h30 à 19h30.
Fondée en 1968, l'enseigne Atelson est associée aux plus belles étoffes pour l'homme, à l'élégance classique, aux coupes irréprochables et tissus les plus précieux. Dans la boutique de la rue du Bac, vous serez accueilli par d'excellents conseillers en vente. Au choix : sahariennes, pulls cachemire, costumes à rayures ou unis, chemises Hartford, manteaux en tweed, cabans, cardigans, boutons de manchette. Du classique chic, aux couleurs sobres et adaptées aux saisons, la qualité au rendez-vous. **Autre adresse :** 93-95, rue de Longchamp (16e).

IZAC

12, rue Auber (9e) ✆01 42 66 27 16

Site Internet : www.izac.fr

RER Auber ou M° Opéra. Ouvert du lundi au samedi de 10h à 19h30, jeudi jusqu'à 21h.

Enseigne de prêt-à-porter exclusivement masculine, Izac propose du chic accessible. Déco ultra épurée (murs blancs, luminaire design, écran plasma) au sous-sol de la boutique où sont proposés les grands basics de la marque (vestes en velours, vestes de soirée à partir de 175 €, chemises à partir de 45 €), plus design 70's à l'étage où vous trouverez costards à partir de 200 €, cravates en soie, blousons, manteaux et pantalons. Accueil un peu limite mais excellent rapport qualité-prix.

COMPTOIR DU DESERT

72-74, rue de la Roquette (11e) – M° Bréguet-Sabin ✆01 47 00 57 80

Ouvert du lundi au samedi de 11h à 19h30.

Avec ses deux boutiques (homme et femme), le Comptoir du désert est la bonne adresse pour des virées shopping en couple. L'espace homme, une boutique multimarques dédiée aux «travelers» chics, propose une large collection de chemises et pantalons en lin, tuniques, sahariennes, treillis ou mailles col marocain, les couleurs dominant étant le kaki, le chocolat ou le safran. Côté accessoires, quelques sacs pour partir en vacances, des cheichs à 15 € et une sélection de chaussures sportswear et chic avec comme références Fred Perry ou Kenzo. Le choix est vaste et l'on repart avec l'irrésistible envie de partir rapidement au soleil !

FACONNABLE

9, rue du Faubourg-Saint-Honoré (8e)
✆01 47 42 72 60

Site Internet : www.faconnable.com – M° Concorde ou Tuileries. Ouvert du lundi au samedi de 10h30 à 19h.

En 1961, dans le Sud de la France, Albert Goldberg reprit l'atelier de confection classique de son père en introduisant sa propre collection de vêtements sports et élégants. Il l'appela «Façonnable» du mot «façonner», une riche palette colorée inspirée par le ciel et la mer Méditerranée et associée aux plus beaux tissus d'Italie et du monde entier. Aujourd'hui la marque est devenue le chouchou des quarante ans et plus avec collection de polos, chemises, costumes sur mesure et chaussures. Dans la boutique de la rue Saint-Honoré : 4 niveaux et décor tout en boiserie. Le truc en plus : le large choix de cravates et de boutons de manchette. **Autres adresses :** 174, boulevard Saint-Germain (6e) – 27, rue Marbeuf (8e).

OLD ENGLAND

12, boulevard des Capucines (9e)
✆01 47 42 81 99

Site Internet : www.old-england.fr – M° Opéra. Ouvert le lundi au samedi de 10h30 à 19h30.

Magasin fondé en 1886 et tout récemment rénové, Old England réunit les plus belles et les plus célèbres marques britanniques de luxe. Dédié à la «gentleman-attitude», la boutique propose au rez-de-chaussée un large choix d'accessoires (chapeaux, panamas, plaids, bagageries, écussons, flasques), un coin barbier et soins du visage (avec quelques marques en exclusivité : Penhaligon's, Floris, Miller Harris, Acqua di Parma) ainsi que les corners des marques Hackett ou La Marina. Du chic british qu'on retrouve au sous-sol de la boutique où vous pourrez commander les meilleurs costumes sur mesure, oser l'essayage de kilts et vous habiller en vrai prince pour une partie de chasse à cour (Purdey). La boutique vaut le coup d'œil. Entre boiseries, moquette rouge et personnel dans le plus bel habit, vous sentirez le vrai parfum de la «british touch», le passé et toute la magie de ce lieu unique à Paris. A conseiller aux plus de 35 ans.

Streetwear

DELAVEINE

61, rue de Rivoli (1er) ✆01 42 36 35 12

Site Internet : www.delaveine.com – M° Châtelet ou Louvre – Rivoli. Ouvert du lundi au samedi de 10h à 19h30.

Créée en 1962, la première boutique Delaveine choisit comme politique de proposer de la mode à prix discount pour tous les hommes. Aujourd'hui, si le concept de la mode à bas prix n'a pas changé, c'est l'esprit de la marque qui a été révolutionné. Ciblant avant tout les 15/25 ans, Delaveine est devenue l'une des enseignes du branché pas cher, attirant une foule de jeunes chaque samedi, ressortant, certes, tous vêtus de la même manière, mais les sacs garnis avec des jeans à partir de 20 €, sweats à 10 € et costumes à 50 €. Du fashion pour ados qui s'intéressent à leur look. **Autres adresses :** 13, boulevard Montmartre (2e) • 47-49, boulevard Saint-Michel (5e) • 101, rue Saint-Lazare (9e) • 54, rue du Faubourg-Saint-Antoine (12e) • 100, avenue du Général-Leclerc (14e) • 58, avenue de Clichy (18e).

EXPRESS YOUR TEE

83, rue des Archives (3e) ✆01 42 77 35 86

Site Internet : www.expressyourtee.com – M° Arts et Métiers. Ouvert du lundi au samedi de 10h à 19h.

C'est le temple de la Tektonik à Paris. Ici, tous les amateurs du mouvement se rejoignent tous les samedis près de cette boutique pour performances et shopping. L'atelier Express Your Tee propose en effet de customiser tous vos tee-shirts, sweats ou débardeurs de motifs flashy, luminescents ou drôles. La boutique fonctionne comme un atelier avec un grand comptoir où vous déposez votre choix d'impression avant de récupérer votre vêtement personnalisé. Soyez patients, tous les samedis c'est la grosse file d'attente jusque dans la rue. Egalement

à la vente les meilleures compil's de Tektonik.
Le + : le site Internet avec boutique en ligne et possibilité de se faire envoyer son tee-shirt à distance.

BOY'Z BAZAAR BASICS
5, rue Sainte-Croix-de-la-Bretonnerie (4e)
✆01 42 71 94 00
Site Internet : www.boyzbazaar.com – M° Hôtel-de-Ville. Ouvert du lundi au jeudi de 12h à 20h30, vendredi et samedi jusqu'à 22h, dimanche de 12h à 20h30.
Plantée juste à côté de la boutique mère Boy'z Bazaar Collections, Boy'z Bazaar Basics réunit comme son nom l'indique des pièces classiques, plus streetwear ou sportswear. Même ambiance que chez le voisin avec musique techno à forte puissance et vendeurs ultralookés, seules les marques distribuées changent. Ici vous trouverez principalement tee-shirts et polos Fred Perry, Franklin Marshall ou Henley's mais aussi jeans G-Star et baskets New Balance ou Gola. Pas mal d'accessoires sacs Gola, quelques montres Diesel et la collection de sous-vêtements 2xist. **Autre adresse (annexe):** 5, rue des Guillemites (4e).

CITADIUM
50/56, rue Caumartin (9e) ✆01 55 31 74 00
Site Internet : www.citadium.com – M° Havre-Caumartin. Ouvert du lundi au samedi de 10h à 20h, le jeudi de 10h à 21h.
Référence du sport et de la street-culture, Citadium a ouvert ses portes en 2000. Sur 6 000 mètres carrés, le magasin propose plus de 250 marques allant des marques-phares (Adidas, Nike, Puma) aux labels émergents les plus créatifs des scènes street, denim ou skate comme Loreak Mendian (marque basque espagnole), Aem'Kei ou Carhartt. Dédié au streetwear (chaussures, accessoires, montres) et à l'univers skate (Element, Cliché, Volcom), le rez-de-chaussée offre pléthore de marques. Entièrement dédié à l'homme, le premier étage mixe lui marques vintage (lignes Heritage et Respect m.E d'Adidas, Franklin & Marshall), sportstyle, hip-hop (Ecko, Akademiks), basket (Champion USA, Nike, And1), jeans et surfwear (Billabong, QuikSilver) alors que le troisième et dernier niveau cible les sports performance avec entre autres matériel de glisse, football, running, roller, fitness, golf et tennis. Alors jouez-la comme Beckham, foncez et dévalisez le magasin, vous y trouverez tout l'esprit relax et mode des marques sport les plus tendances du moment.

CARHARTT
38 bis, rue du Faubourg-Saint-Antoine (12e)
✆01 40 02 02 20
Site Internet : www.carhartt-streetwear.com – M° Bastille. Ouvert du lundi au samedi de 10h30 à 19h.
Fondée en 1890, Carhartt est d'abord réputée pour sa fabrication de vêtements de travail robustes et longue durée, fournissant les combinaisons et salopettes des ouvriers des chemins de fer américains. Ce n'est qu'il y a une dizaine d'années que la marque s'est spécialisée parallèlement dans le vêtement streetwear proposant dans sa boutique proche de Bastille lignes de sweats, pantalons baggy, joggings rétro, chandails zippés, chaussures, sneakers et accessoires. C'est l'une des marques favorites des skaters et amateurs de surf. **Autre adresse :** 66, rue Saint-Honoré (1er) ✆01 40 13 99 93.

Authentique

CHEVIGNON
26, rue Etienne-Marcel (1er) ✆01 42 33 60 20
Site Internet : www.chevignon.com – M° Etienne-Marcel. Ouvert le lundi de 11h à 19h et du mardi au samedi de 10h30 à 19h30.
Fondée en 1979, la marque de Charles Chevignon tient dans sa boutique de la rue Etienne-Marcel une superbe vitrine. Un espace très «authentique», très «american life» avec décor de pneus et de murs de briques et graffitis. Au rez-de-chaussée, vous trouverez, outre les collections sportswear, le corner jeans, l'étage étant consacré aux vêtements plus classiques et coloris noir et bleu marine. Cuirs, parkas et manteaux sont à regarder avec attention. **Autres adresses :** 36, rue du Faubourg-Saint-Antoine (11e) • 122, rue d'Alésia (déstockage) (14e).

IKKS SHOP
3, rue d'Argout (2e) ✆01 40 28 18 38
Site Internet : www.ikks.com – M° Etienne-Marcel. Ouvert du lundi au samedi de 10h30 à 19h30.
En lieu et place du Shop, IKKS, marque mariant esprit authentique et vintage, a ouvert l'année dernière une boutique-loft de plus de 600 mètres carrés. Un espace étonnant où l'attraction principale réside dans l'alambic géant (5 m de large, 3,5 m de haut), sorte d'immense serpentin de tuyaux de verre contenant les lettres I, K, K et S et se remplissant d'un liquide rouge sang. Outre la déco, le rez-de-chaussée présente les collections homme, femme et enfant (avec diffusion de dessins animés dans les cabines enfants), le département homme, sur fond de briques rouges, proposant un large choix de tee-shirts, chemises, pantalons... Sous l'immense verrière, le sous-sol lui est consacré au concept I-Code. Un espace dédié aux 20/35 ans avec pour vous accueillir table de drapier capitonnée, miroirs vintage, mobilier détourné et succession de mini-pièces voûtées où vous pourrez découvrir les marques très branchées d'Aem'Kei (marque de prêt-à-porter urbain chic www.aemkei.com) ou de Scotch & Soda (www.scotch-soda.com). L'une des adresses mode les plus surprenantes de Paris. Pour trentenaires modernes. **Autre adresse :** 114, avenue des Champs-Elysées (8e).

Créateurs

BILL TORNADE

44, rue Etienne-Marcel (2e) ✆ 01 42 33 66 47

Site : www.billtornade.com – M° Etienne-Marcel. Ouvert du lundi au samedi de 11h à 19h30.

L'une des marques les plus populaires à Paris. Collections à l'esprit créateur, mailles colorées légères et sexy, chemises à broderies, vestes de soirée, pantalons brillants, matières souples... L'esprit Bill Tornade c'est le luxe accessible. Dans la boutique toute black de la rue Etienne-Marcel, typée loft, vous découvrirez un large choix de produits masculins, un immense miroir pour vous juger et des conseils plutôt avertis. A découvrir : la ligne de bijoux hommes Ursul. **Autre adresse :** 5 bis, rue des Rosiers (4e) ✆ 01 44 54 07 77.

L'ECLAIREUR

12, rue Mahler (4e) ✆ 01 44 54 22 11

Site Internet : www.leclaireur.com – M° Saint-Paul. Ouvert du lundi au samedi de 11h à 19h.

Boutique avant-gardiste, L'Eclaireur a été dans les années 80 la première à mettre en avant les créateurs les plus tendance, faisant découvrir entre autres Marithé & François Girbaud aux Parisiens de la rue des Rosiers. Fondée en 1990, la boutique de la rue Malher est exclusivement dédiée aux hommes. Un endroit sublime au décor original (écran priva-lite en vitrine s'opacifiant sur commande et diffusant des vidéos), typé loft new-yorkais (très Soho dans l'âme) où sont présentés les créateurs les plus tendances du moment dont Dries Van Noten, Comme des Garçons, Martin Margiela, CP Company ou Ann Demeulmeester. L'endroit est une mine d'or pour tous ceux qui souhaitent se construire un vrai look (prévoir un budget conséquent) et la référence de tout modeux parisien qui se respecte. A se procurer également les bougies Diptyque dans l'espace senteurs de la boutique. **Autres adresses :** 10, rue Herold (1er) (mixte) • 3 ter, rue des Rosiers (4e) • 10, rue Boissy-d'Anglas (8e) • 26, avenue des Champs-Elysées (8e).

OLIVER

119, boulevard Saint-Germain (6e)

✆ 01 43 26 08 53

M° Saint-Germain-des-Prés. Ouvert du lundi au samedi de 10h à 19h30.

Si la boutique mériterait un bon relifting (le décor frisant le ringard), les plus de 45 ans trouveront ici des costumes de fins de série à bon prix ainsi que les marques de référence comme Armani, Cerruti, Hugo Boss, Canali, D&G ou Versace. Un choix de grandes marques pour hommes mûrs détestant les boutiques concept ou trop mode.

PAUL SMITH

3, rue du Faubourg-Saint-Honoré (8e)

✆ 01 42 68 27 10

Site Internet : www.paulsmith.co.uk – M° Madeleine. Ouvert du lundi au samedi de 10h30 à 19h.

Premier concept-store (lancé en novembre 2006) de la marque aux célèbres rayures multicolores, la boutique Paul Smith tout proche de Madeleine est sans conteste l'une des plus jolies de Paris. Devanture en bronze et marche en mosaïque pour vous accueillir, la visite commence par le rez-de-chaussée et son enfilade de pièces avec parquet ancien, papier peint années 40 et bric-à-brac de luxe (mobilier-antiquités, vieille caisse enregistreuse et sublime meuble en verre grimpant jusqu'au premier étage). Au premier étage, même ambiance : peintures aux murs, portraits du créateur, «curiosity shop» (vieux bouquins de collection, mobilier, lampes), coin bibliothèque et collections femmes. C'est au fond du couloir que se cache l'espace homme, la «Copper Room», où vous retrouverez, entre collections de vieilles pièces anglaises et luminaires d'antiquité, les pièces-phares du créateur : costumes, chemises, cravates. La visite se clôt par un passage dans la chambre blanche, un espace dédié aux collections plus contemporaines (jeans, tee-shirt, casualwear). Un endroit unique, vous l'aurez compris, à l'ambiance très «hôtel particulier» où vous n'aurez aucun mal à dépenser... **Autre adresse :** 22, boulevard Raspail (7e).

RALPH LAUREN

2, place de la Madeleine (8e)

✆ 01 44 77 53 50

Site Internet : www.ralphlauren.fr – M° Concorde ou Madeleine. Ouvert le lundi de 11h à 19h, du mardi au samedi de 10h30 à 19h.

Sport ultra élégant, le polo est à la base du succès de Ralph Lauren. Un emblème aujourd'hui reconnu par tous pour une marque lancée en 1967 avec une simple série de cravates larges aux couleurs flamboyantes. Aujourd'hui, la marque n'en finit plus de séduire les hommes élégants et sportifs avec dans sa boutique de la place de la Madeleine les lignes sport, sportswear et ville. Une adresse atypique, construite comme une grande maison bourgeoise avec profusion de boiseries, petits escaliers pour descendre au sous-sol et l'élégance partout. Vous retrouverez outre les lignes de vêtements, les fragrances de la marque ainsi que différents accessoires : lunettes de soleil, boutons de manchette...

AGNES B HOMME

1, rue Dieu (10e) ✆ 01 42 03 47 99

Site Internet : www.agnesb.com – M° République. Ouvert du lundi au samedi de 11h à 19h.

Style parisien chic et décontracté, Agnès B Homme est devenue une marque référence dans la capitale. Pour éviter les bousculades de la rue du Jour où la créatrice y a développé quantité d'enseignes, rendez-vous place de la République où entre quelques photos des Sex-Pistols, de Blondie, vous pourrez dénichez les basics Agnès B (tee-shirts col ronds, marinières) et vous essayez aux

modèles plus «créateur» ou tendance rock. Si le design des vêtements Agnès B reste minimaliste, l'effet est en général réussi, l'important étant de se faire remarquer sans provoquer. Accueil agréable, parfois insistant. **Autres adresses :** 3, rue du Jour (1er) – 10-12, rue du Vieux-Colombier (6e) – 17, avenue Pierre-Ier-de-Serbie (8e) – 38-38 bis, avenue George-V (8e) – Cours Saint-Emilion – Chais N°5 (12e).

PRÊT-À-PORTER ENFANTS

ZEF

32, rue de Richelieu (1er) ✆ 01 42 60 61 04

M° Pyramides. Ouvert du lundi au samedi de 11h à 19h. Egalement dans les 3e et 6e arrondissements.

Une boutique cosy où Mariu de Andreis laisse libre cours à son imagination. Et ça donne de belles matières, des couleurs passées très tendance, un style trendy absolument irrésistible, symbolisé par des étoiles ravissantes qui parsèment ça et là les collections. Ce n'est pas donné, mais c'est véritablement hors norme en termes de qualité, de style… Le résultat pourrait être qualifié de néo-romantico baba, bobo en diable !

LE MARCHAND D'ETOILES

65, rue de Turenne (3e) ✆ 01 42 71 68 12

M° Chemin Vert ou Saint-Sébastien Froissart. Ouvert du mardi au samedi de 11h à 19h et le dimanche de 14h à 19h.

Trois mamans, dépitées par les pyjamas proposés aux p'tits loups ont décidé de lancer Le Marchand d'Etoiles, une marque de sous-vêtements et de linge de nuit pour les 0-8 ans. La jolie boutique du Marais habille les petits pour la nuit : beaux pyjamas à pois argentés ou rayés, doudou "mange-cauchemars", ballerines en cuir verni rose gansées de violet – plein de coloris –, des "leggings" imprimés à pois à porter dessus-dessous. A découvrir aussi : le linge de maison, avec des parures de lit et des coussins fleuris ravissants.

PETIT PAN

39, rue François-Miron (4e) ✆ 01 42 74 57 16

Site Internet : www.petitpan.com – M° Hôtel-de-Ville. Ouvert du lundi au samedi de 10h30 à 14h et de 15h à 19h30. Egalement dans le 12e arrondissement.

Une ligne de mode et de décoration enfantine qui revisite et réinterprète les formes de l'Orient, mélange les couleurs et les imprimés avec gaîté, joue les patchworks avec délicatesse et goût du détail. Les créations sont ornées de motifs que les grands-mères chinoises cousaient à la naissance de leurs petits-enfants. Pour un résultat chatoyant, des dessins géométriques déclinés dans des couleurs pétillantes – bleu pousse-pousse, vert pomme, jaune maïs, rose pivoine… – sur les vêtements mais également sur les plaids, le linge de lit, les matelas d'appoint, les coussins, les boîtes et, bien sûr, les cerfs-volants, spécialités maison.

NUMAE

4, rue de Grenelle (7e) ✆ 01 45 48 08 01

Site Internet : www.numae.fr – M° Saint-Sulpice ou Sèvres-Babylone. Ouvert du mardi au samedi de 11h à 19h.

La boutique vêtements et accessoires aux couleurs chaleureuses, dans des matières choisies selon la saison, est principalement dédiée aux tout-petits. Coton en été, velours en hiver. Des motifs liberty, rayé ou étoilé sur des tissus rouge bordeaux sont déclinés dans toutes les gammes, et donnent une dimension un peu "fashion", loin des motifs traditionnels. La collection de sacs à langer, qui par définition s'emportent partout avec soi, vous donnera un cadeau original, pratique et esthétique. Pour les naissances d'hiver, une belle couverture en cachemire – 75 €.

ALICE A PARIS

64, rue Condorcet (9e) ✆ 01 48 78 17 31

M° Anvers. Ouvert le lundi de 14h à 19h30 et du mardi au samedi de 11h à 19h30. Egalement dans le 6e arrondissement.

Toute jeune marque, Alice à Paris mise sur la relative mixité de ses modèles, le renouvellement fréquent de ses imprimés et ses prix, pour le moins attractifs, et ses modèles, très modes, qui combleront les mamans modeuses. Sa clientèle d'habitués vient régulièrement aux nouvelles afin de savoir si tel article va bientôt entrer en magasin ou si tel autre qui n'est plus en stock va être fabriqué à nouveau. Peu de couleurs vives, la marque s'entiche plus volontiers de tons passés et de délicats imprimés fleuris pour les filles. Un vrai succès de quartier, qui s'explique sans doute aussi par l'absence de marques "pas chères" sur le créneau de la sobriété.

JUDITH LACROIX

3, rue Henri-Monnier (9e) ✆ 01 48 78 22 37

Site Internet : www.judithlacroix.com – M° Saint-Georges. Ouvert du mardi au samedi de 11h30 à 19h30.

On ne présente plus notre créatrice fétiche. Elle sait avec une touche de grâce et de magie créer des tissus aux tons doux, délicats, colorés et gais à la fois, aux imprimés inégalés… Judith Lacroix travaille sur une base classique, en jouant sur les associations subtiles de couleurs, de matières et d'imprimés faits maison pour le plus grand plaisir de nos petits. Elle complète sa gamme par de la maille enfant très douce, des modèles en cachemire et un tee-shirt enfant à motifs malicieux. Dans sa jolie boutique de la rue Henri-Monnier, prenez votre temps, palpez, regardez… et faites-vous plaisir !

GAP
6, rue du Commerce (15e)
✆01 44 37 03 76
M° Commerce, La Motte-Piquet-Grenelle. Ouvert du lundi au samedi de 10h à 20h.
Avec "Baby Gap" de la naissance à 2 ans et "Gap Kids" à partir de 3 ans, la marque internationale fait fureur auprès des jeunes parents, notamment parisiens. Les coupables de cette popularité ? Des vêtements de qualité, sobres mais tendance, basiques mais avec un "on-ne-sait-quoi" de plus qui fait la différence. Ou plutôt si, on sait : des tee-shirts en coton épais finitions impeccables, qui ne perdent ni leur couleur, ni une taille au lavage.

MAGASINS SYMPA
Boulevard de Rochechouart – Rue d'Orsel (18e) ✆09 50 66 70 18
M° Anvers. Ouvert du lundi au vendredi de 10h30 à 19h30 et le samedi de 9h45 à 19h30.
Vous êtes patiente, adorez les bonnes affaires, jouer des coudes ne vous effraie pas... Alors courez sans attendre chez Sympa. Avec presque une dizaine d'adresses dans le quartier Anvers-Sacré Cœur, cet empire des bonnes affaires ne désemplit pas... ni de clientes, ni de bonnes affaires. Petit Bateau, Cyrillus, Sergent Major à des prix défiant toute concurrence.

SACS

Féminins

MISS JUNE
41, rue du Caire (2e)
✆01 42 33 41 55
Site Internet : www.miss-june.com – M° Réaumur-Sébastopol. Ouvert du lundi au vendredi de 9h à 18h.
Le personnel de cette boutique vous réserve un accueil particulièrement sympathique. On aimerait trouver le même dans d'autres boutiques du quartier. Les sacs sont ici en tissu, brodés de milles petits trésors. Dans un style exotique, oriental voire africain, il est possible de trouver de vraies merveilles à des prix tout riquiqui. Rendez-vous compte : dès 40 €, vous pouvez vous offrir une très jolie création. Best-seller du moment, le Miss June Africa s'arrache à prix d'or : 89 € seulement. Encore plus dépaysant, le Miss June Tropic avec ses nombreux miroirs et ses couleurs d'une grande gaieté ne coûte que 59 €. Si vous franchissez la porte de cette boutique, il y a fort à parier que ces sacs s'imposeront comme les accessoires indispensables de votre été.

BRONTIBAY PARIS
6, rue de Sévigné (4e) ✆01 42 76 90 80
Site Internet : www.brontibay.fr – M° Saint-Paul. Ouvert du lundi au samedi de 11h à 20h et le dimanche de 13h30 à 19h30.
A l'origine de cette boutique, une belle histoire d'amour. Celle d'un globe trotteur, Olivier Naim qui rencontre à Melbourne en Australie Pénélope Robertson. Celle-ci lui sert un capuccino et un an plus tard, elle pose ses valises à Paris ! Ils vendent leurs premières créations quelques temps plus tard aux puces et rencontrent Maud Terseur, jeune créatrice de mode. Naît alors la boutique Brontibay. Les accros des sacs y sont comme au paradis : il y en a de toutes les formes et de toutes les couleurs ! En cuir ou en nylon, les sacs s'exposent dans une boutique à la décoration futuriste : grosse boule en plexi transparente, éclairage au néon... On part dans une autre galaxie. Violet, jaune, rose et même vert... La palette de couleurs est importante et follement gaie. La qualité du cuir est irréprochable. De nombreuses formes sont disponibles : du sac bourse au sac de shopping, on a envie de tout acheter. Les prix sont raisonnables : 150 € un petit format en cuir et plus de 200 € pour un grand format. Des porte-monnaie sont aussi présentés dans de différentes teintes. Irrésistible !

JEROME DREYFUS
1, rue Jacob (6e)
✆01 43 54 70 93
Site Internet : www.jerome-dreyfuss.com – M° Mabillon ou Saint-Germain-des-Prés. Ouvert le lundi de 11h à 19h, du mardi au vendredi de 11h à 14h et 15h à 19h et le samedi de 11h à 19h30.
Chouchou des rédactrices de mode, adulé des fashionistas, Jérôme Dreyfus a d'abord expérimenté l'univers du vêtement avant de se lancer (à raison) dans la maroquinerie en 2002. Quatre ans plus tard, il lance son label Agricouture synonyme de respect de l'environnement et des animaux : teintures végétales, cuir bio, etc. Ses créations «roots de luxe» portent des prénoms masculins, parmi les best-sellers le cabas Billy ou bien encore Diego, le polochon. A découvrir ou redécouvrir dans ce nouvel écrin du 6e arrondissement, dans une ambiance inspirée des salles de sport des années 50, avec ses murs vert amande et ses orchidées délicates. Incontournable !

PETITE MENDIGOTE
23, rue du Dragon (6e)
✆01 42 84 20 07
Site Internet : www.petitemendigote.fr – M° Saint-Germain-des-Prés ou Saint-Sulpice. Ouvert le lundi de 13h à 19h, du mardi au vendredi de 11h à 19h et le samedi de 10h30 à 19h30.
Sybille Roger-Vasselin avoue être accro à la mode, à Marylin Monroe et à Hello Kitty. Elle fonde Petite Mendigote en 2003 pour offrir à ses clientes des accessoires élégants, girly et tendances à des prix abordables. Effectivement, sa boutique à

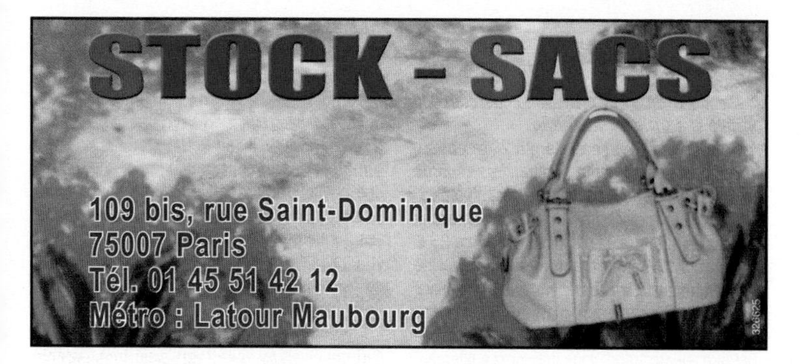

la devanture rose ressemble bien à un boudoir très fille. Vous trouverez pêle-mêle des trousses plastifiées à message pour ranger votre maquillage ou votre petit linge (à partir de 40 €), des mini sacs polochons en cuir gold (60 €), des modèles en coton relevés de strass (60 €) ou bien encore des petites besaces en cuir vert vif (80 €). Cet univers poudré ne serait pas complet sans une sélection de bijoux raffinés avec des marques comme Sous le Sable et ses colliers nœuds, Hop Hop Hop ou bien encore Médecine Douce.

STOCK SACS
109 bis, rue Saint-Dominique (7e)
✆ 01 45 51 42 12
M° La Tour-Maubourg. Ouvert du lundi au samedi de 9h30 à 19h15.
Depuis presque trente ans, Stock Sacs propose une multitude de modèles à des prix défiant toute concurrence. Quel que soit l'accessoire que vous cherchez, vous devriez le trouver sans effort dans cette boutique. De grandes marques y sont vendus bien moins chères qu'ailleurs : Le Tanneur, Pourchet, Delsey, Samsonite, Kesslord, Mac Douglas, Eastpack, Sabrina, etc. Sacs à main, besaces, cartables, valises et autres accessoires de maroquinerie attendent les shoppeuses les plus pointues comme les plus classiques. Difficile de résister tant le rapport qualité-prix est excellent et le choix immense. Les acheteuses sensibles à la qualité de l'accueil et des conseils ne seront là encore pas déçues : les vendeuses sont réellement très agréables. Une belle sélection de parapluie est également proposée.

UN JOUR UN SAC
6, rue des Saussaies (8e)
✆ 01 42 65 00 03
Site Internet : www.unjourunsac.com – M° Miromesnil, Champs-Elysées – Clemenceau ou Saint-Augustin. Ouvert du lundi au samedi de 11h à 14h15 et de 15h15 à 19h.
Quelle bonne idée ! Le créateur de cette boutique, François Rénier, propose un concept vraiment innovant qui séduit à coup sûr les fashionistas les plus blasées. Il permet à tous d'assortir deux poignées en cuir ou PVC, à un sac en tissu, papier ou cuir. Les formes, tailles et couleurs peuvent être choisies tout comme les pochettes intérieures. Ce jeu d'accessoires propose à chacun de participer en jouant des multiples combinaisons possibles pour s'approprier l'objet. Le sac devient alors quelque chose de vraiment personnel et il y a peu de chance que vous croiser quelqu'un avec le même dans la rue ! Les vendeuses connaissent très bien leur métier. Elles vous conseillent avec une extrême gentillesse et il y a fort à parier que vous ressortirez de l'endroit emballées… avec en prime, le plus beau des sacs ! Les prix sont tous doux : vous pouvez créer un sac dès 50 € environ.
Autre adresse : 27, boulevard de Raspail (7e) ✆ 01 45 49 26 88.

LOUISON
20, rue Saint-Nicolas (12e)
✆ 01 43 44 02 62
M° Bastille ou Ledru-Rollin. Ouvert du mardi au samedi de 11h30 à 19h.
Certains mois, la boutique ouvre aux mêmes horaires le lundi. Fondée par Agnès et Jacques Choï, cette boutique est une mine de trésors. On y trouve des chaussures relativement classiques mais avec toujours le petit «plus» qui fait la différence et bien sûr des tonnes de sacs ! Les filles au look un peu «girly» adorent cette adresse. Elles peuvent y trouver des sacs originaux brillants, pailletés et tout simplement irrésistibles. Diverses couleurs existent. En fonction de la teinte choisie, vous pourrez vous donner un style excentrique, tendance ou tout simplement élégant. Ainsi, le sac Ray (130 €) ou la besace Maxibulle (114 €) qui brillent de mille feux et qui en blanc-argenté peuvent habiller des robes du soir très chics. Pour la vie de tous les jours, le sac à main Flash à moins de 150 € peut être acheté en noir. Il donne alors une touche d'originalité à votre tenue sans pour autant attirer tous les regards sur vous.

LES BOUQUETS ROSES
243, rue des Pyrénées (20e)
✆01 40 33 03 31
M° Gambetta. Ouvert du mardi au samedi de 10h30 à 13h45 et de 15h à 19h30.
A quelques encablures de la place Gambetta, se cache une toute petite boutique qui regorge d'accessoires. Ici, dans cet univers très romantico-baroque, il faudra choisir entre les nombreux modèles de la marque Lollipops, à partir de 25 € pour une mini bourse en lin et simili cuir. Une sélection fantaisie, très parisienne, avec ces sacs en coton vert à fermoir rétro (environ 60 €) ou bien encore ces petits miroirs très raffinés de la marque Les Cakes de Bertrand. Vous trouverez également d'autres accessoires, des bijoux Satellite, des bérets et autres écharpes. Pour poursuivre chez vous cette expérience, des parfums d'ambiance gourmands au chocolat ou au citron meringué... quelques paires de chaussures comme ces compensées rouge vernies à 65 € vous sont proposées.

Masculins

JACK GOMME
6, rue Montmartre (1er)
✆01 40 41 10 24
M° Etienne-Marcel. Ouvert du lundi au samedi de 11h à 14h et de 14h30 à 19h30.
Créateurs sympathiques et accueillants, Sophie Renier et Paul Droulers proposent dans leur atelier-boutique leurs propres créations de sacs et bagagerie. Une ligne masculine moderne et fonctionnelle en toile enduite finition mat ou cuir propose sacs cabas, sacoches, sacs week-ends, grandes et petites besaces ou sacs messengers. Un style 100 % urbain, chic et au très bon rapport qualité-prix. Modèles à partir de 50 €.

JEROME GRUET
9, rue Saint-Roch (1er)
✆01 42 92 03 20
M° Tuileries. Ouvert du lundi au vendredi de 10h30 à 14h et de 15h à 19h30, le samedi de midi à 19h30.
Créateur d'accessoires de mode et de bagagerie, Jérôme Gruet offre une vraie alternative au traditionnel attaché-case et serviette VRP. Ici, les besaces, sacs cabine, sacs pour ordinateurs portables s'ornent d'écussons et de touches chics (collection «Eat Caviar» ou têtes de mort love pour l'été). Les trentenaires branchés et Japonais de passage s'arrachent les sacs «percés», casquettes «Mega Yach Trip Club», vestes militaires tête de mort (à partir de 120 €) ou les sacs (pièces uniques) confectionnés à partir de tee-shirts. Prenez le temps de fouiner dans la boutique, vous tomberez sur des petits trésors d'accessoires mode et bijoux. Nos préférés : les boutons de manchette coccinelle, libellule et fraise.

ISAAC REINA
38, rue de Sévigné (3e) ✆01 42 78 81 95
Site Internet : www.isaacreina.com – M° Saint-Paul. Ouvert du mardi au samedi de 11h à 19h30.
Créateur catalan ayant fait ses classes chez Antonio Miro et Hermès, Isaac Reina a ouvert fin 2006 son atelier-showroom-boutique dans le Marais. Une boutique-loft au style minimaliste et épuré, toute vêtue de blanc, où Isaac conçoit et présente ses derniers modèles. Du sac cabas noir, blanc ou chocolat à la ligne bowlings, peau de vache ou cheval, le créateur marie le classique sobre mais toujours stylé à l'originalité pure. Petites pochettes, sacs pour ordinateurs, portefeuilles, porte-monnaie ou étuis à cartes, le choix est large, les matières séduisent et les modèles surprennent par leur simplicité, leurs proportions justes et ces petits détails qui font toute la différence. Nos préférés : la pochette black ou chocolat et sa ligne perforée, le sac cabas couleur cognac et le big sac 48 heures noir. Les prix sont élevés, mais justifiés. Accueil adorable.

Unisexes

TEXIER
348, rue Saint-Honoré (1er) ✆01 42 97 59 34
Site Internet : www.texier.fr – M° Tuileries. Ouvert du lundi au samedi de 10h à 19h.
Cette entreprise fondée il y a 50 ans est encore aujourd'hui l'un des grands noms de la maroquinerie française. Des ateliers Texier sortent chaque saison des collections pour hommes et pour femmes dont les points communs sont la qualité des matières et du travail, et l'aspect pratique. «On ouvre, on trouve» ; tous ceux qui ont déjà passé de longues minutes à chercher leurs clés ou leur téléphone en balade au fond de leur sac devraient adopter cette définition des sacs Texier. A l'étage de la boutique, une large collection de cartables en cuir, sacoches, baise-en-ville, serviettes, sacs à ordinateur, pochettes, sacs cabas, weekenders et autre bagagerie pour hommes. Du classique au moderne, les lignes s'adaptent à tous les âges. Côté femmes, des modèles très féminins comme le Elvis en cuir vernis clouté ou le City en cuir chocolat, à porter à l'épaule ou à la main. De la qualité et des prix élevés mais qui se méritent.

STEPHANE VERDINO
10, rue Charlot (3e) ✆01 42 66 16 02
Site Internet : www.stephaneverdino.com – M° Filles du Calvaire. Ouvert du mardi samedi de 13h à 19h.
Ancien bras droit de Renaud Pellegrino, assistant de Paloma Picasso, Stéphane Verdino redore le marché du sac au masculin dans sa boutique de la rue du Roi-de-Sicile ouverte fin 2006. Un espace au style épuré et aux lignes minimalistes, mêlant design des années 60 et mobilier noir et blanc stratifiés, où vous trouverez les sacs les plus tendances du

moment. Cabas en cuir vernis, sacs de voyage 48 heures, besaces façon sacoche de plombier d'antan revue et corrigée, les modèles s'affichent sans logo et sont pour la plupart unisexes. Des lignes plus fantaisistes – sacs rose bonbon, couleur bronze, or ou turquoise, imprimés et graffitis – sont aussi disponibles pour les purs fashion-victimes et les nombreux Japonais qui viennent s'approvisionner ici. A découvrir aussi : petite maroquinerie, bijoux fantaisie, écharpes et tee-shirts. Accueil parfois limite.

LA MAROQUINERIE PARISIENNE
30, rue Tronchet (9e) ✆01 47 42 83 40
Site Internet : www.lamaroquinerieparisienne.com – M° Havre-Caumartin, Saint-Lazare ou Opéra. RER Auber. Ouvert le lundi de 13h à 19h et du mardi au samedi de 10h à 19h.
Qualité, élégance et choix sont les maîtres mots de La Maroquinerie Parisienne depuis 1947. Située en plein cœur du quartier des grands magasins, cette boutique propose à sa clientèle des produits élégants, pratiques et ingénieux. Sur trois étages, elle expose les modèles choisis parmi les meilleures marques. Delsey, Eastpack, Kipling, Texier, Séquoia, Paquetage, Nannini, Lancel, Le Tanneur, Longchamp, Mac Douglas… Elles sont toutes là ! Du classique au tendance, la sélection est éclectique. Les 900 mètres carrés regorgent de merveilles d'excellente qualité. Porte chéquiers, étuis de clés, sacs à roulettes, à dos, de sport, valises, trousses à crayon, trousses de couture… Les modèles sont innombrables. Il n'y a plus qu'à se laisser séduire !

Urbain et pratique

MATIERES A REFLEXION
19, rue de Poitou (3e) ✆01 42 72 16 31
Site Internet : www.matieresareflexion.com – M° Filles-du-Calvaire ou Saint-Sébastien-Froissard. Ouvert du lundi au samedi de 11h à 19h30 et le dimanche de 14h à 19h30.
C'est en plein cœur du Haut-Marais que Laetitia Azpiroz et Cyrille Railliet, le couple fondateur de cette marque de sacs en 2003, s'est installé. Le concept, se servir de vêtements vintage comme matière première. Le point de départ pour créer un modèle est souvent un détail repéré par exemple sur une veste années 80. En plus des sacs exposés dans la boutique-atelier (entre 85 € et 590 €), vous pourrez opter pour le demi-mesure, en sélectionnant l'une des vestes en stock ou en apportant directement votre vêtement. Parmi les modèles disponibles : la mini pochette Baby Moon, la besace Colombine, le Cabas Square tout en patchwork. Comptez un mois pour la réalisation. Vous découvrirez également une sélection de créateurs de prêt-à-porter (Karine Jean, Eple & Melk, Please Don't) et de bijoux (Eva Gozlan, Adeline Cacheux, House of Done). Pour acheter en ligne, www.invisiblearmada.com. une ligne unisexe, [MàR]UrbanBags, est également proposée.

SOPHIE SACS
149, rue de Rennes (6e) ✆01 45 48 00 69
Site Internet : www.sophiesacs.com – M° Saint-Placide. Ouvert du lundi au samedi de 10h30 à 19h.
Le temple du sac urbain. Dans cette boutique-bazar, vous trouverez la célèbre marque Eastpak avec sac à dos en plus de 20 couleurs, sacs de voyage et cabine, sacs bandoulière mais aussi les besaces US, Bensimon, Royal Wear et sacs ordinateurs Francinel. Une toute petite boutique aux allures de souk où l'accueil de Sophie vous mettra très à l'aise. Pas de pression ici, on fait son shopping en toute liberté. Prix à partir de 20 €.

ACCESSOIRES

Les gants et ceintures

MAISON FABRE
128-129, Galerie de Valois (1er)
✆01 42 60 75 88
Site Internet : www.maisonfabre.com – M° Palais Royal - Musée du Louvre. Ouvert le lundi de 14h à 19h et du mardi au samedi de 11h à 19h.
Découvrez tout le savoir-faire de cet artisan gantier, au cœur des Jardins du Palais Royal. Fondé en 1924, à Millau, capitale française du gant, la maison travaille en collaboration avec de prestigieuses marques comme Christian Dior, Yves Saint-Laurent ou Chanel. A vous la qualité, la perfection des coupes, les peaux rares et souples (agneau, crocodile, reptile…). Parmi les modèles proposés, que ce soit pour homme ou femme, vous retrouverez des classiques ou pourrez vous laisser aller à des fantaisies fort tentantes : moufles, mitaines, etc. Des couleurs étonnantes, un choix immense, bref, impossible de résister !

RICHARD GAMPEL
39, rue Montmartre (2e) ✆01 42 36 20 10
Site Internet : www.richardgampel.com – M° Etienne-Marcel ou Sentier. Ouvert du lundi au vendredi de 9h à 19h et le samedi de 13h à 19h.
Quel que soit votre style, si vous cherchez une ceinture, vous ne devriez pas ressortir bredouille de cette boutique. Cela fait maintenant plus de vingt ans que Brigitte et Richard se sont lancés dans l'aventure. Ici, l'accueil est charmant, le choix vaste et les matières sélectionnées, nobles. Parmi les nombreux modèles, vous trouverez des boucles recouvertes de cuir camel, façon écaille ou crocodile, matelassées, mais aussi des ceintures lien métal argenté et cuir tressé. Les prix commencent à 50 €. D'autres petits accessoires sont également proposés (bijoux fantaisies, porte-clés, etc.) ainsi qu'une ligne masculine. Il est possible d'acheter sur Internet. **Autre adresse :** 20 bis, rue de Chartres – NEUILLY-SUR-SEINE ✆01 46 37 20 27.

LOSCO
20, rue de Sévigné (4e) ✆ 01 48 04 39 93
M° Saint-Paul. Ouvert lundi et mardi de 14h à 19h, du mercredi au vendredi de 11h à 13h et 14h à 19h, le samedi de 11h à 19h et le dimanche de 14h à 19h.
Nous nous trouvons ici dans la boutique d'un «artisan ceinturier», comme il est écrit sur la vitrine. Les accros des accessoires viennent y chercher des ceintures d'excellente qualité et des boucles vraiment originales. Tous les cuirs sont à l'honneur : vachette mais aussi lézard ou crocodile. Les fashionistas adorant le sur-mesure sont comblées : elles peuvent choisir, le cuir, la couleur, la taille et la boucle de leur futur accessoire qui sera confectionné sur place. Le système de boucle est un excellent moyen pour changer régulièrement de ceintures et de look sans se ruiner. Pour une trentaine d'euros, une boucle très jolie peut vous être proposée. Le rapport qualité-prix est excellent : comptez une quarantaine d'euros pour une belle et grosse boucle, 260 € pour une ceinture en crocodile et 150 € pour un modèle en lézard. **Autre adresse :** 5, rue de Sèvres (6e) ✆ 01 42 22 77 47.

MURIEL
4, rue des Saussaies (8e) ✆ 01 42 65 95 34
M° Miromesnil. Ouvert du lundi au samedi de 10h30 à 18h30.
Il fut un temps où les femmes n'envisageaient pas de sortir de chez elles sans une magnifique paire de gants. Cette tradition se perd d'année en année... Heureusement, dans la capitale, quelques boutiques raffinées proposent aux coquettes des créations chics et féminines. Muriel est l'une d'entre elle. A l'intérieur, plusieurs centaines de modèles vous attendent. En cuir, en laine, en tricot... il y en a pour tous les goûts et toutes les bourses. Car qui a dit que la passion des gants était coûteuse ? Pour quelques dizaines d'euros, vous pouvez vous offrir une très jolie paire qui vous accompagnera dans votre vie de tous les jours ou à des soirées uniques. L'accueil est chaleureux. On sent que les personnes qui y travaillent aiment leur métier et leurs accessoires. N'hésitez pas à suivre leurs conseils, elles connaissent très bien leur boutique et les règles de l'élégance parisienne.

Les chapeaux et parapluies

ANTOINE
10, avenue de l'Opéra (1er) ✆ 01 42 96 01 80
Site Internet : www.antoine1745.com – M° Palais Royal – Musée du Louvre ou Pyramides. Ouvert du lundi au samedi de 10h30 à 13h et de 14h à 18h30. Fermé le lundi au mois d'août.
Spécialiste de la canne et du parapluie depuis 1745, Antoine est le rendez-vous des amoureux des accessoires. Les dandys y trouvent de magnifiques parapluies, aussi élégants que pratiques. Les femmes pressées lui préfèrent des créations plus légères et pliantes. Raffinés ou originaux, fantaisistes ou discrets, les modèles se suivent et ne se ressemblent pas. On adore les formes asymétriques, rectangulaires ou plus classiques. On aime le grand choix de poignées, les ombrelles et la grande variété de cannes. Si vous avez l'impression d'être perdue devant un tel choix, n'hésitez pas à demander conseil aux vendeuses. Avec beaucoup de gentillesse et de professionnalisme, elles vous orienteront vers la meilleure solution et vous feront découvrir des petites merveilles dont vous ne soupçonniez même pas l'existence. A découvrir également, la belle sélection de foulards et gants.

GILLES FRANCOIS
4, rue Pélican (1er) ✆ 01 40 28 96 65
Site Internet : www.gilles-francois-chapeaux.com – M° Louvre-Rivoli ou Palais Royal – Musée du Louvre. Ouvert le lundi de 10h à 17h et du mardi au samedi de 10h à 19h.
Depuis 1989, Gilles François crée des chapeaux comme des accessoires urbains et faciles à vivre. Le designer ne se limite pas à certaines matières, il utilise entre autres du plastique, du lin enduit, du cuir poney, de la fourrure, du lurex, de la dentelle, de l'organdi, etc. Cette jolie boutique dans un esprit atelier, cosy et intime, se trouve dans une charmante petite rue. Ici, la décoration, ce sont les chapeaux. L'accueil est agréable et les collections très colorées. Au programme, des chapeaux de pluie (environ 65 €), des mélanges de tulle et de plastique (80 €), de coton et d'agneau plongé (70 €), mais aussi des modèles habillés pour vos occasions entre 130 € et 180 €.

ANTHONY PETO
56, rue Tiquetonne (2e) ✆ 01 40 26 60 68
Site Internet : www.anthonypeto.com – M° Etienne Marcel. Ouvert du lundi au samedi de 11h à 19h.
Créateur anglais, ce chapelier du quartier Etienne-Marcel a ouvert sa boutique en 1992. Un endroit plein de charme tout en bleu clair où vous trouverez une collection de panamas, derbies, hauts-de-forme ou casquettes tout en couleurs, imprimés et modèles variés (du classique à l'ultra branché). Parmi les autres accessoires proposés, les foulards et écharpes Peckham Rye ou cravates Duchamp, parfaits pour un style «dandy british» et décalé. Accueil et conseils passionnés.

CELINE ROBERT
82, boulevard Sébastopol (2e)
✆ 01 42 72 59 72
Site Internet : www.celinerobert.com – M° Réaumur-Sébastopol. Ouvert du lundi au samedi de 11h à 19h.
Borsalinos, casquettes, stetson ou chapeaux de cérémonie, c'est ce que vous propose Céline Robert dans sa boutique très Art déco du boulevard Sébastopol. Une chapellerie créée en 1899 avec

grands lustres à boule, vieille commode années 50 et vitrines d'antiquités. Le choix des formes comme des couleurs est large et vous pouvez bénéficier ici de services sur mesure pour la couleur (teintures réalisées au sein de l'atelier sous un délai de 10 jours, supplément de 15 € à 30 €). Bon rapport qualité-prix avec des premiers prix à partir de 30 €.

LES CANOTIERS DU MARAIS
11, rue Sainte-Croix-de-la-Bretonnerie (4e)
✆ 01 48 87 25 61
Site Internet : www.canotiersdumarais.fr – M° Hôtel-de-Ville. Ouvert du lundi au vendredi de 11h à 19h, le samedi, dimanche et jours fériés de 13h30 à 19h. Ouvert tous les jours de 13h30 à 19h au mois d'août.
Plus de 55 ans que cette chapellerie propose aux amateurs de chapeaux comme aux professionnels du théâtre ou du cinéma un large choix de couvre-chefs : panamas (à partir de 45 €), bérets (à partir de 35 €), borsalinos en cuir (à partir de 250 €), visières (à partir de 90 €) ou casquettes, hauts-de-forme, chapeaux melon et tricornes. Un choix unique et une sélection de vêtements, d'accessoires (pipes, gants en cuir, bretelles…) et de produits d'intérieur (papier d'Arménie, encens, beauty soaps) issus du commerce équitable. Une institution en plein cœur du Marais gay. Accueil sympathique.

LA CERISE SUR LE CHAPEAU
11, rue Cassette (6e) ✆ 01 45 49 90 53
Site Internet : www.lacerisesurlechapeau.com – M° Rennes. Ouvert du mardi au samedi de 13h à 19h.
Le panama vissé sur la tête et le sourire aux lèvres, Cerise a ouvert son atelier-boutique au mois d'avril. Un lieu de travail où la charmante créatrice confectionne sur mesure des chapeaux au masculin et au féminin et propose à la vente une sélection de modèles variant selon les saisons. Ici vous choisirez selon vos envies la couleur du feutre ou de la paille qui vous plaît, la couleur du gros-grain (ruban à poser autour du chapeau) et du passant à y associer. Pas besoin de commande, ici tout est prêt en 10 minutes. Du classique panama type années 40 au modèle Colourful (chapeau teint à la main), So Sunny ou le Trendy d'été, prenez le temps de trouver le modèle qui vous sied le mieux (à partir de 100 €). Pour info, la créatrice organise régulièrement ses événements «coup de chapeau», des soirées portes ouvertes où d'autres artistes (sculpteurs, créateurs de mode, artisans) sont invités à présenter leurs créations.

Les écharpes

CASHMERE STORE
124, rue de Courcelles (17e) ✆ 01 47 63 40 04
Site Internet : www.nko-cashmerestores.com – M° Courcelles ou Ternes. Ouvert le lundi de 14h à 19h et du mardi au samedi de 10h à 19h.
Créé à Paris en 1999, Cashmere Store dédie tout son espace à cette matière noble qu'est le cachemire, sous toutes ses formes. Parmi les arguments en sa faveur, outre sa douceur, il est sept fois plus léger et plus chaud que laine. A côté des collections de maille, superfins, cache-cœur, tunisiens et autres, on découvre les écharpes proposées en différentes qualités de fil. Unies, à côtes, bicolore ou rayées, à volants, à torsades, mais aussi version châles. Comptez environ 100 €. Pour la touche finale, vous trouverez également des bonnets et des gants. A noter : il est possible de commander en ligne. **Autres adresses :** 12, rue Gustave-Courbet (16e) ✆ 01 45 53 15 60 • 69, rue de Grenelle (7e) ✆ 01 42 22 38 10.

DIWALI
40, rue Saint-André-des-Arts (6e)
✆ 01 43 29 10 09
M° Saint-Michel ou Odéon. Ouvert le lundi de 11h30 à 21h, du mardi au samedi de 10h30 à 21h et le dimanche de 11h30 à 21h.
Si vous aimez les couleurs et les influences lointaines, vous devriez succomber aux sirènes de Diwali. Ici, les étudiantes croisent les accros de mode ethnique. Comme une invitation au voyage, la boutique à la décoration indienne, propose une large sélection d'écharpes et d'étoles de toutes les couleurs (entre 20 € et 30 €), en coton, soie, laine, etc. Les prix varient entre 18 € (pour un cheich) et 60 € pour les modèles les plus travaillés. Pour compléter votre panoplie, des trousses (de 10 € à 15 €), des petits sacs et des porte-monnaie (8 €), des tongs en cuir argenté (25 €) mais aussi une sélection de jolis bijoux, bracelets, boucles d'oreilles, et autres bagues en bois.

Les cravates

TIE-RACK
Galerie du Carrousel du Louvre (1er)
✆ 01 42 96 02 74
Site Internet : www.tie-rack.co.uk – M° Palais-Royal – Musée-du-Louvre. Ouvert tous les jours de 10h à 20h, le mardi de 11h à 19h.
Marque britannique, Tie Rack est le spécialiste de la cravate à Paris. Un choix étonnant avec rayures, unis, imprimés et motifs «arty» (à partir de 29,95 €) mais aussi boutons de manchettes (à partir de 24,95 €) et étuis, bretelles, accessoires de rangements, parapluies et chemises. Si tous les modèles ne sont pas forcément du meilleur goût, Tie-Rack reste une référence au très bon rapport qualité-prix. **Autres adresses :** 84, avenue des Champs-Elysées (8e) • Passage du Havre 67, rue Caumartin (9e) • rue de Dunkerque (10e) • Centre commercial Italie 2 (13e) • Centre commercial Montparnasse 11, rue de l'Arrivée (15e) • 77/81, boulevard Saint-Germain (6e).

NODUS

9, avenue Niel (17e) ✆ 01 56 68 04 00

Site Internet : www.nodus.fr – M° Ternes. Ouvert du lundi au samedi de 10h45 à 19h30 (fermé entre 14h et 15h).

Bien connue pour ses chemises modernes et colorées, la marque Nodus fait également des cravates. Avec un millier de modèles de cravates en soie, vous êtes sûr de trouver celle qui vous convient ! Classique, bayadère, colorée… le choix de la cravate est révélateur de l'homme. Chez Nodus, vous trouverez un vaste choix de couleurs et de styles, mais une qualité et un accueil bien constants. Les collections renouvelées chaque saison. Comme toutes les autres adresses parisiennes, la boutique du 17e propose également des chemises et des accessoires (boutons de manchette, caleçons). Une référence dans la chemiserie parisienne et un rapport qualité-prix très honorable. Petit bonus : allez faire un tour sur le site de Nodus, tous les nœuds de cravates vous sont expliqués step-by-step, une petite astuce pour les non-initiés. **Autres adresses :** 274, rue Saint-Honoré (1er) • 22, rue Vieille-du-Temple (4e) • 107, rue de Rennes (6e) • 191, rue du Faubourg-Saint-Honoré (8e) • 74, avenue des Champs-Elysées (8e) • 26, rue des Mathurins (9e) • 46, rue de Passy (16e) • 97, rue de Longchamp (16e).

CHAUSSURES

Chaussures pour femmes

CASTANER

264, rue Saint-Honoré (1er) ✆ 01 53 45 96 12

Site Internet : www.castaner.com – M° Tuileries, Pyramides ou Palais-Royal – Musée-du-Louvre. Ouvert du lundi au samedi de 10h à 19h.

La maison Castañer est fondée en 1927 par le grand-père Luis Castañer et son cousin Tomás Serra, grâce à l'héritage d'un ancien atelier d'espadrilles remontant à 1776. Le déclic mode aura lieu dans les années 60 lorsqu'Yves Saint-Laurent demande à la deuxième génération de Castañer de lui créer des espadrilles à talons. Depuis, la marque a investi le secteur de la haute couture et fabrique pour les grands noms du luxe comme Hermès ou Céline. Vous hésiterez entre des modèles compensés imprimés vichy ou géométrique, et sandales unies, lilas, vert vif, jaune poussin. Les prix s'échelonnent entre 80 € et 150 € pour les modèles les plus travaillés. Pour compléter votre look, des sacs coordonnés tour à tour sages ou flashy vous sont proposés. Pour commander depuis son salon, www.lamodestreet.com

EDEN SHOES

1, rue Pierre-Lescot (1e) ✆ 01 45 08 55 52

Site Internet : www.edenshoes.fr – M° Les Halles. Ouvert du lundi au samedi de 10h à 20h.

Le premier magasin a ouvert ses portes en 1993 dans le XVe arrondissement de Paris. Depuis cette marque ne cesse de gagner du terrain dans la capitale. Facilement reconnaissables, ses boutiques blanches et fuchsia ont été conçues par le designer de Jennifer, Etam, Pimkie, etc. Les clientes sont jeunes, élégantes et soucieuses de trouver la mode à des prix accessibles (de 20 € à une bonne centaine d'euros en moyenne). De nombreux modèles sont proposés… Difficile de ne pas en trouver au moins un à son goût. Le rapport qualité-prix est convenable : le prix des chaussures en cuir tourne autour des 50 €. L'accueil n'est pas toujours très chaleureux et les boutiques peuvent parfois êtres jugées trop exigües. **Autres adresses :** 71, avenue des Champs-Elysées (8e) ✆ 01 43 59 98 86 • 102, avenue des Champs-Elysées (8e) ✆ 01 45 63 44 71 • 94, rue Saint-Lazare (9e) 01 53 16 30 80.

OSMOSE

17, rue Pierre-Lescot (1er) ✆ 01 42 36 12 79

M° Les Halles ou Etienne-Marcel. Ouvert du lundi au samedi de 10h30 à 20h et le dimanche de 13h à 19h.

Cette boutique tout en profondeur réserve un très bon accueil aux accros du shopping. Les vendeuses sont vraiment sympathiques et souriantes. On découvre un grand nombre de modèles Osmose : des chaussures à talons immenses, couvertes de paillettes, de miroirs ou de fausse peau de lézard, brodées de fils de toutes les couleurs, vernies… Bref, elles sont toutes différentes et vous entraînent dans un univers gai et coloré, dépourvu de vulgarité. Le rapport qualité-prix est excellent : une paire coûte en moyenne 50 €. Quelques autres marques sont également vendues au gré des coups de cœur des propriétaires : Pan Tulipani qui propose des souliers originaux dans un style un peu tibétain (environ 90 € pour les plus chères) ou Angeli Inquieti. Quelques accessoires sont parfois proposés mais la plupart du temps on ne trouve que des modèles de chaussures.

58 M

58, rue Montmartre (2e) ✆ 01 40 26 61 01

M° Les Halles ou Sentier. Ouvert du lundi au vendredi de 10h à 19h et le samedi de 10h à 19h30.

Dans cette boutique très chic on trouve des chaussures pour femmes élégantes qui aiment vivre avec leur temps. Plusieurs marques sont présentées : Michel Vivien, Michel Perry, Repetto ou Givenchy… En un mot que du beau et de la qualité. Une paire de chaussures n'est pas donnée mais les soldes sont vraiment intéressantes. On note aussi que quelques sacs sont en vente. Ils sont dans le même esprit que les souliers : à la mode sans être trop tendance. La qualité du cuir est palpable. Les accros des bijoux vont aussi pouvoir découvrir de très jolies créations de Tzuri Gueta. On craque sans hésiter pour ses longs colliers en latex noir à 170 €. Très original et raffiné, ce type de bijoux se marie parfaitement à des robes habillées ou à des tenues plus décontractées.

HOSES
41, rue de Poitou (3e) ✆ 01 42 78 80 62
M° Saint-Sébastien-Froissart ou Filles-du-Calvaire. Ouvert du mardi au samedi de 12h à 19h30.
Les shoppeuses les plus averties ont aussi leur multimarque pour les chaussures. Hoses se situe à la pointe de la tendance. Comment pourrait-il en être autrement ? Elle a été fondée par la rédactrice de mode Valéry Duboucheron ! Située dans un quartier très tendance, cette boutique sélectionne pour nous les chaussures les plus pointues du moment. Que l'on soit à la recherche de souliers pour une soirée élégante ou d'une paire de chaussures tendance à porter avec un jean, on trouve de tout ! L'endroit est petit mais plein de ressources. De nombreux modèles sont présentés. Ils ont tous issus des collections des grands noms du monde de la chaussure : Marc Jacobs, Avril Gau, To & Co, Rupert Sanderson, Walk that walk, etc. Quelques griffes de sacs sont également présentées : Nathalie Brilli ou Kenkenken. Les prix sont élevés, mieux vaut avoir un bon budget.

ERIC FILLIAT
24, rue Vieille-du-Temple (4e)
✆ 01 42 74 72 79
M° Hôtel-de-Ville ou Saint-Paul. Ouvert tous les jours de 11h à 19h30.
Une petite boutique située en plein cœur du Marais, ouverte le dimanche et qui propose des chaussures élégantes à petits prix, oui c'est possible chez Eric Filliat, un commerçant bien sympathique spécialiste de la chaussure de ville chic avec bottines, derbies, richelieus ou des modèles plus sportswear (à partir de 100 €). Vous trouverez également ici une sélection de vêtements très urbanwear avec Gas, IKKS ou Imperial, les jeans RWD et mailles Pull Box. Autres accessoires en vente : ceintures à partir de 40 € et chaussettes Jipépé. Accueil sympathique et familial. Un bon plan.

MELLOW YELLOW
43, rue des Francs-Bourgeois (4e)
✆ 01 44 54 11 51
Site Internet : www.mellowyellow.fr – M° Saint-Paul ou Hôtel-de-Ville. Ouvert du lundi au vendredi, le samedi, fermeture à 19h30 et le dimanche de 13h à 19h.
Bruno Van Gaver, fondateur, décide de commercialiser sa ligne de chaussures dès 2003. Clin d'œil au cultissime titre des années 60, on retrouve au fil des saisons des collections pleines d'humour et d'originalité. Sur deux étages, on pénètre dans un univers design et plein d'énergie, avec une décoration pop relevée de touches colorées. L'équipe de vente, aux petits soins, vous aidera à faire votre choix sans vous forcer la main. Autre avantage non négligeable, ici les prix, démocratiques, ne dépassent pas les 100 €, ce qui s'explique par des coûts réduits, Mellow Yellow étant fabriquant. Les chaussures sont audacieuses et tendance, cuir façon daim, perforé, mélangé à de la toile, couleurs flashy, etc. Comptez environ 80 € pour des une paire d'escarpins, 100 € pour une paire de bottines. Un seul mot d'ordre, foncez ! **Autres adresses :** 32, rue de Turbigo (3e) ✆ 01 42 74 19 22 • 13, rue des Canettes (6e) ✆ 01 56 81 01 65.

PARCOURS
59, rue Beaubourg (4e) ✆ 01 42 78 40 25
M° Rambuteau ou Hôtel-de-Ville. Ouvert du lundi au samedi de 11h à 19h.
Avant toute chose, il faut savoir que Parcours et Colisée de Sacha font partie de la même maison à la différence que la première est moins chère en raison notamment de ses semelles extérieures qui ne sont pas en cuir. On retrouve donc dans cette boutique à la décoration disons industrielle et basique, les modèles Parcours de la saison. Parmi les marques de fabrique de la marque, une inspiration rétro, des talons portables, des cuirs vernis, des salomés, etc. Le prix moyen tourne autour de 130 €. Quel que soit votre âge et votre style, vous devriez craquer pour ces modèles souvent indémodables. Vous trouverez entre autres perles des bottines gris anthracite à 99 €. Sans oublier la collection Charles Kammer (encore la même maison) plus classique, avec notamment ces compensées noires (99 €). Poussez vos investigations jusqu'au fond du magasin, des fins de séries vous attendent à prix réduit !

ACCESSOIRE DIFFUSION
6, rue du Cherche-Midi (6e) ✆ 01 45 48 36 08
Site Internet : www.accessoire-diffusion.com – M° Saint-Sulpice ou Sèvres-Babylone. Ouvert du lundi au samedi de 11h à 19h.
Le créateur de la marque, Jean-Paul Barriol sait parler aux femmes. Il a commencé sa carrière dans le Sud de la France en confectionnant des sandales en cuir naturel. Depuis, il a su évoluer et a créer quelques lignes de chaussures. Accessoire Diffusion est la marque fétiche de bien des accros de la mode. L'été, les femmes élégantes apprécient les souliers légers ornés de perles et autres cristaux qui, par leurs éclats, mettent subtilement en valeur les jambes bronzées. Portées par le perfectionnisme du créateur, les chaussures sont d'une excellente qualité. Les prix sont élevés, certes… mais comment pourrait-il en être autrement ? Ni trop classiques ni trop tendances, les souliers en vente chez Accessoire Diffusion sont parfaits pour les femmes cherchant une forme d'élégance atemporelle. Les pieds sensibles y trouvent également leur bonheur : la plupart des modèles offre un confort incomparable ! **Autres adresses :** 8, rue du Jour (1er) ✆ 01 40 26 19 84 • 11, rue du Pré-aux-Clercs (7e) ✆ 01 42 84 26 85.

JAIME MASCARO

28, rue du Dragon (6e) ✆01 45 49 46 31

Site Internet : www.jaimemascaro.com – M° Saint-Germain-des-Prés ou Saint-Sulpice. Ouvert le lundi de 14h à 19h et du mardi au samedi de 11h à 14h et de 15h15 à 19h.

La première chose que l'on remarque, c'est certainement la devanture chic voire luxueuse de cette boutique. Argenté, noir et rose mettent en valeur des créations ultra-féminines. L'accueil est vraiment agréable. Les vendeuses n'hésitent pas à multiplier les allers et venues pour trouver la paire qui vous conviendra le mieux. Les modèles sont élégants et créatifs. On trouve du très branché comme des modèles beaucoup plus sages. Que vous cherchiez des souliers à porter tous les jours ou des créations vraiment originales pour une soirée, cette adresse est la bonne. Un point commun existe entre les différentes chaussures vendues chez Jaime Mascaro : la qualité. Elles sont toutes réalisées dans un cuir à la fois souple et résistant. Le savoir-faire et le bon goût sont ici palpables.

MODA

45, rue de Saint-Placide (6e) ✆01 45 49 32 60

M° Saint-Placide, Rennes ou Notre-Dame-des-Champs. Ouvert du mardi au samedi de 10h15 à 19h.

Difficile de ne pas craquer pour une belle paire de chaussures dans cette boutique. Accompagnée d'une charmante vendeuse, vous découvrez des tonnes de trésors à tout petit prix. Les fashionistas adorent l'endroit. Elles y trouvent les chaussures de leurs rêves enfin abordables. Les griffes les plus sophistiquées et novatrices du moment sont ici mises en vente : Marc Jacobs, Sergio Rossi, le brillantissime Rodolphe Ménudier ou encore Sonia Rykiel... Les modèles sont issus de leurs collections passées. Pour une quarantaine d'euros, vous pouvez acquérir une paire de chaussures qui fera jalouser vos amies. Il n'y a vraiment pas à dire, cette boutique est à visiter d'urgence !

ROBERT CLERGERIE

5, rue du Cherche-Midi (6e) ✆01 45 48 75 47

Site Internet : www.robertclergerie.com – M° Saint-Sulpice ou Sèvres-Babylone. Ouvert du lundi au samedi de 10h30 à 19h.

Robert Clergerie a notamment travaillé chez Charles Jourdan. Dans les années 1970, il décide de reprendre la Société Romanaise de la Chaussure plus connue sous le nom de sa marque UNIC. L'aventure commence alors vraiment. De nombreuses boutiques sont ouvertes et de nouvelles lignes voient le jour. Parmi ces dernières, signalons la ligne Espace permettant d'acquérir des souliers à des prix plus abordables (une petite centaine d'euros la paire). Haut de gamme sans être hors de prix, la marque Robert Clergerie propose des chaussures d'excellente qualité pour les femmes aimant vivre l'élégance au quotidien. Les créations réussissent le pari d'allier une forme d'atemporalité à des lignes vraiment dans l'air du temps. Pour une bonne centaine d'euros minimum, il est possible d'acquérir de très beaux souliers qui sauront mettre discrètement en valeur votre silhouette. **Autre adresse :** 18, avenue Victor-Hugo (16e) ✆01 45 01 81 30.

LA BOITE A SOPHIE

14, rue Cadet (9e) ✆01 53 34 80 54

M° Cadet ou Le Peletier. Ouvert du lundi au samedi de 11h à 19h, ouverture exceptionnelle certains dimanches.

C'est en descendant cette petite rue que l'on découvre l'antre de Sophie. L'espace est lumineux et l'accueil plutôt agréable. La sélection est pertinente et tendance, quant au rapport qualité-prix, il est excellent. Parmi les marques sélectionnées, on découvre des modèles Birkenstock (de 49 € à 80 €), des sandales Paul & Joe Sister (110 €), des bottes Mellow Yellow (130 €), des escarpins Bronx (89 €), des bottines Les Lolitas (139 €) et la liste est encore longue. Les fans de Buffalo ne seront pas en reste. En y regardant de plus près, on découvre des fins de séries alléchantes, attention celles-ci ne vous seront ni échangées, ni remboursées. Les prix ne dépassent pas 150 €, alors pourquoi se priver !

KARINE ARABIAN

4, rue Papillon (9e) ✆01 45 23 23 24

Site Internet : www.karinearabian.com – M° Poissonnière ou Cadet. Ouvert du lundi au samedi de 10h à 19h.

Karine Arabian... Souvenez-vous de ce nom, il devrait faire parler de lui dans quelques années. La créatrice, très talentueuse, a appris une bonne partie de son métier chez des grands noms de la mode : Chanel et Swarowski. Elle a ensuite décidé de créer une griffe à son nom et d'ouvrir une première boutique dans le IXe arrondissement de Paris. Ses créations séduisent à coup sûr les femmes amoureuses de l'élégance au quotidien. On retrouve dans ses chaussures un «je-ne-sais-quoi» de discrètement luxueux et couture. Tous les modèles se portent facilement... A tel point qu'on a envie d'acheter une paire pour chaque jour de la semaine. Les prix sont un peu élevés, mais comment pourrait-il en être autrement ? Le talent de notre créatrice est mis au service d'une mode raffinée et terriblement féminine. On adore !

PASCALINE

24, rue des Martyrs (9e) ✆01 49 95 02 31

M° Notre-Dame-de-Lorette ou Pigalle. Ouvert du mardi au samedi de 10h30 à 14h et de 15h à 19h30.

C'est en montant la très animée rue des Martyrs que l'on découvre cette petite boutique de quartier à la vitrine souvent très tentante. On vient ici pour faire de bonnes affaires, acheter des grandes marques en fin de séries (des réductions allant de 20 % à 50 %)

comme Free Lance mais aussi pour la sélection de petites marques à prix doux, particulièrement Mellow Yellow et ses bottes camarguaises en cuir perforé. Vous trouverez aussi des bottes Minska à 210 € sans oublier la propre marque de la boutique, Pascaline et ces escarpins vernis à 129 €. Avant de partir, n'oubliez pas de jeter un œil à la sélection de bijoux, très fins et féminins, vous trouverez des bagues fines à breloques délicates (60 €) ou des pendentifs (49 €). Irrésistible ! Des collections homme et enfant sont également proposées.

EMILIO BALATON
20, rue Juliette-Dodu (10e) ✆ 01 42 02 22 99
M° Colonel-Fabien ou Goncourt. Ouvert du lundi au samedi de 11h à 19h.
Voilà une adresse qui se transmet discrètement, entre connaisseuses. C'est à deux pas de la place du Colonel-Fabien, dans une petite rue, que l'on découvre une boutique à la décoration un peu surannée mais dont la qualité des modèles fait oublier le cadre. Ici, l'accueil est familial et chaleureux. Le choix est intéressant et la qualité du cuir, au rendez-vous. Quant aux talons, même hauts, ils restent toujours confortables. Parmi les trouvailles, surtout des modèles classiques mais aussi des paires habillées et tendance. Par exemple, des ballerines noires souples (49 €), des mocassins (49 €), des escarpins à bout pointu (80 €) ou encore des sandales noires à talons aiguilles et finition strass (80 €). L'enseigne propose également des sacs en cuir Sisley ou Benetton (à partir de 50 €), des parapluies et même des chaussons Isotoner. Tout au fond, les plus petits aussi devraient trouver chaussures à leur pied. Juste à côté, une boutique homme.

PRET A MARCHER
6, boulevard Bonne-Nouvelle (10e)
✆ 06 09 17 26 96
M° Strasbourg-Saint-Denis. Ouvert tous les jours, sauf le dimanche de 10h30 à 19h30.
Une véritable mine d'or pour vos pieds à deux pas de la porte Saint-Denis. Le principe est on ne peu plus simple, toutes les paires sont à 20 €, quel que soit le modèle, la taille ou la marque. 20 €, un point c'est tout. Un concept unique en France. Grégory et son équipe de choc vous réserveront le meilleur des accueils et vous aideront à choisir la paire de vos rêves sans vous forcer la main. Vous trouverez même des modèles de grandes marques provenant de stocks d'usines, des échantillons de collection ou de saisies. Tous les styles sont au rendez-vous, du plus classique au plus excentrique. N'hésitez pas à passer régulièrement pour trouver chaussure à votre pied. Arrivage quotidien tout au long de l'année, été comme hiver. Une institution dans le quartier, vivement recommandée. A noter : vous trouverez également pour toute la famille des grandes marques de chaussures de sport.

MAGENTA CHAUSSURE
158, boulevard de Magenta (10e)
✆ 01 42 85 32 27
Site Internet : www.magentac.com – M° Barbès-Rochechouart ou Gare du Nord. Ouvert du mardi au samedi de 10h à 19h.
Le Xe arrondissement de Paris réserve aussi de belles surprises en matière de mode. Cette adresse en est la meilleure preuve. L'immense boutique renferme un nombre incroyable de modèles. Femmes, hommes et enfants peuvent venir y farfouiller. On dégote sans trop de problème de très jolies chaussures pour quelques dizaines d'euros. De nombreuses marques vendent aussi ici leurs fins de série. Les griffes varient en fonction des arrivages. Quelques modèles ne semblent pas pouvoir durer dans le temps mais dans l'ensemble, les souliers présentés sont de bonne qualité. Certains jours, l'affluence est de rigueur mais elle reste supportable grâce au bel espace dont disposent les clientes. Les vendeuses font preuve de dynamisme et d'écoute même en cas de forte demande.

CLICHY FACTORY
9, avenue de Clichy (17e) ✆ 01 43 87 32 34
M° Place de Clichy. Ouvert du lundi au samedi de 9h30 à 19h30.
Cette boutique ne convient pas à toutes les fashionistas. Elle s'adresse avant tout aux Parisiennes ayant un petit budget et ne recherchant pas forcément des paires chics et branchées. Clichy Factory s'étale sur deux étages. Une partie de l'espace est dédiée aux hommes. Malgré cela, le choix pour les femmes reste énorme. On trouve de tout à des prix très doux. De nombreuses marques connues (comme Puma, Bata ou Rip Curl) côtoient des souliers peu chers mais dont la qualité est parfois discutable. Ici, pour une toute petite dizaine d'euros, vous pouvez acquérir une paire de chaussures. Les fans de chaussures de sport peuvent trouver de nombreux modèles dont les prix défient toute concurrence. Il faut tout de même faire attention car au milieu de ces bonnes affaires, on croise parfois des paires vendues au prix fort. A vous d'être vigilantes !

GROLLE
110 bis, rue Ordener (18e) ✆ 01 42 64 68 46
M° Jules-Joffrin. Ouvert le mardi de 11h à 13h et de 15h30 à 19h30, du mercredi au samedi de 10h à 13h et de 15h à 19h15.
On ne vient pas dans cette boutique pour sa décoration qui, il faut le reconnaître mériterait un rafraîchissement, mais pour ses belles marques françaises et internationales proposées à prix réduits. Les boîtes de chaussures grimpent jusqu'au plafond, ne laissant aucun répit au moindre mètre carré. Le choix est impressionnant. Parmi les modèles exposés, on retrouve des espadrilles Pare Gabia en cuir gold à 90 €, des bottes de pluie imprimées arty à 39 €, des escarpins Aérosoles à 79 € mais aussi des ballerines à carreaux Elite, et des baskets Complices (18 €). Sans oublier toutes ces petites marques plus confidentielles comme Tamaris et Jessica et leurs escarpins classiques à partir de 49 €. **Autre adresse :** 393, rue des Pyrénées (18e) ✆ 01 43 66 14 87.

Chaussures pour hommes

J.M WESTON
1-3, boulevard de la Madeleine (1er)
✆ 01 42 61 11 87
Site Internet : www.jmweston.com – M° Madeleine. Ouvert du lundi au samedi de 10h à 19h30.
Marque de chaussure mythique, J.M Weston (anciennement Weston depuis son rachat en 1974) est la référence mondiale de la chaussure de luxe. Fondée en 1891 à Limoges par un certain Edouard Blanchard, Weston (du nom d'une ville aux Etats-Unis où Eugène Blanchard, le fils, parti étudier les techniques du cousu Good Year) n'a jamais cessé de mixer élégance et savoir-faire, s'adaptant aux évolutions. La boutique du boulevard de la Madeleine propose les grands classiques de la maison dans une ambiance ultra chic et très confortable (salons en cuir pour l'essayage) avec bien entendu tous les accessoires et matériel de cirage disponible. Le + : le site Internet avec vidéo d'une vraie leçon de cirage et glaçage. **Autres adresses :** 49, rue de Rennes (6e) • 114, avenue des Champs-Elysées (8e) • 97, avenue Victor-Hugo (16e) • 98, boulevard de Courcelles (17e).

ANATOMICA
14, rue du Bourg-Tibourg (4e)
✆ 01 42 74 10 20
M° Hôtel-de-Ville. Ouvert du lundi au samedi de 11h à 19h, le dimanche de 15h à 19h.
Les mauvaises habitudes poussant à mal se chausser, Pierre Fournier a eu l'idée il y a dix ans de créer une boutique proposant uniquement des modèles ergonomiques ou orthopédiques, mais toujours tendances. Fréquentée par une clientèle très Bobo, nombreux touristes japonais, top-models et jeunes acteurs, la boutique de ce maître-bottier propose les célèbres Birkenstock et Adlen Shoe, des marques fabriquées en Allemagne ou aux Etats-Unis et distribuées ici en exclusivité. Vous trouverez également plusieurs collections de vestes, chemises et chapeaux, toujours dans l'esprit «mode d'antan». Prenez le temps d'essayer plusieurs modèles, ici les vendeurs vous conseillent sur le style comme sur la forme des chaussures la mieux adaptée à votre morphologie. L'ambiance est familiale dans ce lieu véritablement atypique dans le quartier et un conseil : n'achetez pas trop petit, vous risquez de déclencher la fureur du patron !

ANAMORPHOSE
28, rue des Archives (4e) ✆ 01 44 54 57 90
M° Hôtel-de-Ville. Ouvert le lundi de 14h à 19h, du

mardi au vendredi de 10h à 13h et de 14h à 19h, le samedi de 11h à 19h30.
En plein cœur du quartier gay du Marais, cette boutique de chaussures (également cordonnerie et atelier de réparation) réunit les marques les plus tendances du moment. Un cadre ultra moderne avec écrans plasma et néons en vitrine, hyper tendance. Clientèle du quartier oblige, vous trouverez ici les marques du moment avec Bikkembergs pour l'esprit sport, plus chic et glam avec Patrick Cox ou carrément drôlissimes avec Crocs. Si l'accueil du patron n'est franchement pas terrible, l'endroit vaut le détour également pour ses différentes marques de sacs et de bagagerie (esprit futuriste avec Wakamatsu, plus urbain avec Fire First, tradi et qualité avec la Cordonnerie Anglaise) et sa sélection de vêtements : vestes, chemises et chaussures Calvin Klein et jeans Evisu. Si vous avez vraiment envie d'acheter, demandez conseil à la vendeuse, plus sympathique et plus dispo que monsieur le patron.

BEXLEY
39, boulevard Raspail (7e) ✆01 45 48 43 98
Site Internet : www.bexley.com – M° Sèvres-Babylone. Ouvert du lundi au samedi de 10h à 20h.
Née en 1985 à Lyon, l'enseigne Bexley joue sur le chic et pas cher. Des boutiques toutes conçues sur le même principe (déco bois et ornements or) et des collections de mocassins, richelieus, derbies, boots, boucles ou sportswear à partir de 129 € la paire (deux paires proposées pour 209 €). Des modèles classiques parfaits pour travailler et la qualité au rendez-vous. Egalement en vente en boutiques : chaussettes (à partir de 7 €), ceintures (à partir de 29 €) et matériel d'entretien de chaussures (embauchoirs en cèdre rouge, pommadiers, rénovateurs, brosse en crin de cheval, coffret cireur, chausse-pied, housses, semelles, lacets…). Service impeccable et aimable. **Autres adresses :** Galerie Les Trois Quartiers 23, boulevard de la Madeleine (1er) • 35, boulevard Henri-IV (4e) • 4, rue Chauveau-Lagarde (8e) • Palais des Congrès 2, place de la Porte-Maillot (17e) (ouvert le dimanche).

PARABOOT
9, rue de Grenelle (7e) ✆01 45 49 24 26
Site Internet : www.paraboot.com – M° Saint-Germain-des-Prés. Ouvert le lundi de 14h à 19h, du mardi au samedi de 10h à 19h.
C'est en découvrant les boots sur semelle gomme lors d'un voyage aux Amériques que vient l'idée à Rémy Richard-Ponvert, fondateur de Paraboot, de combiner le cuir et le latex pour faire des chaussures de qualité «inusable» pour les femmes et les hommes qui marchent. Depuis 100 ans, la marque continue de séduire, une valeur sûre, avec des modèles entièrement coupées et piquées à la main (cousu norvégien utilisé à l'origine pour les chaussures de montagne, cousu Goodyear pour les modèles plus luxe). Dans les boutiques Paraboot, où s'affichent des photographies noir et blanc des processus de fabrication ; vous trouverez donc les modèles classiques, casual ou outdoor, modèles pour femmes et enfants, matériel de cirage et ceintures. **Autres adresses :** 304, rue Saint-Honoré (1er) • 13, rue Vignon (8e) • 129 bis, rue de la Pompe (16e).

CAMPER
14/16, rue du Faubourg-Saint-Honoré (8e)
✆01 42 68 13 65
Site Internet : www.camper.com – M° Concorde ou Madeleine. Ouvert du lundi au vendredi de 10h30 à 19h et le samedi de 10h30 à 19h30.
Lancée en 1975, la marque de chaussures Camper est d'abord une entreprise familiale, celle d'Antonio Fluxa, cordonnier à la fin du XIXe siècle et dont les méthodes de fabrication (chaussures ergonomiques) et de production ont été reprises par ses héritiers. Refusant de suivre les courants de la mode, Camper a réussi aujourd'hui à imposer son style, son image, celui de la chaussure confort et mode avec de nombreux modèles pour les hommes. La boutique de la rue Saint-Honoré présente sur une seule et immense table présentoir toutes les collections femmes, enfants, hommes et mixtes. La surprise : une cinquantaine d'abat-jour pendant du plafond en forme de jupes, pantalons, shorts et robes tout en blanc. Drôle et étonnant ! **Autres adresses :** 9, rue des Francs-Bourgeois (4e) • 1, rue du Cherche-Midi (6e) • 10-12, rue Mogador (9e) • 171, boulevard Mac Donald (19e).

CROCKETT & JONES
14, rue Chauveau-Lagarde (8e)
✆01 44 94 01 74
Site Internet : www.crockettandjones.fr – M° Madeleine. Ouvert du lundi au vendredi de 10h30 à 19h30.
Marque britannique fondé en 1879, Crockett & Jones s'est imposée comme l'une des marques les plus prestigieuses de chaussure. Savoir-faire exceptionnel (2 mois de travail pour la fabrication d'une paire de chaussures), esprit d'artisan (entreprise familiale) et réputation d'excellence (fabricant des chaussures Ralph Lauren, Paul Smith, Brook Brothers), la marque offre dans sa boutique du 8e un choix inégalé de modèles habillés, sport (à tester la «driving shoes»), classique (sublimes derbies en velours couleurs) ou tendance, aux finitions réalisées à la main et une qualité des peausseries incomparable. Principale originalité de la boutique, l'atelier du maître bottier Dimitri Gomez qui permet de réaliser des modèles sur mesure. Si l'expérience vous tente : prévoir un budget conséquent et patientez ! L'exercice impose 6 mois de travail, de la prise d'empreintes à la livraison. **Autre adresse :** 33, boulevard Raspail (7e) ✆01 45 44 19 30.

MEPHISTO
116, avenue du Général-Leclerc (14e)
✆ 01 45 40 74 75
Site Internet : www.mephisto.fr – M° Alesia. Ouvert le lundi de 11h à 19h, du mardi au samedi de 10h à 19h.
Avec ses 300 mètres carrés d'exposition, le Mephisto Shop du 14e est la plus grande boutique en Europe. Une marque référence ayant acquis sa réputation par la qualité et le confort de ses modèles, conçus pour prendre soin de nos pieds (formes anatomiques, laçage sans pression, maintien ferme, talons spécial amortisseur, semelle coussin d'air et absorbant les chocs, modèles chaussant large…). Si l'adresse est surtout fréquentée par les personnes âgées, une clientèle nouvelle et bobo s'intéresse aujourd'hui de plus en plus à la marque. **Autres adresses :** 46, rue Batignolles (17e) • 99 bis, rue de la Convention (15e) • 78, rue des Saints-Pères (7e) • 91, rue de Sèvres (6e) • 49, rue de la Gaîté (14e).

BRITISH & AMERICAN SHOES
51, boulevard des Batignolles (17e)
✆ 01 42 93 29 60
M° Villiers. Ouvert du mardi au vendredi de 12h à 18h45, le samedi de 10h à 18h45.
C'est l'une des adresses les plus pointues en chaussures américaines et britanniques. Dans un décor très british (rideaux écossais, fauteuils club en cuir, parquet au sol et vieux lustres), vous trouverez ici les fins de série des marques les plus populaires du Royaume-Uni avec entre autres : Clarks, Church's, Dr Martens ou Timberland. **Autres adresses :** 8, rue de Prague (12e).

Chaussures de sport

VANS SHOP
93, rue Saint-Honoré (1er) ✆ 01 40 28 40 21
Site Internet : www.vans.fr – M° Les Halles ou Louvre-Rivoli. Ouvert le lundi de 14h à 19h, du mardi au samedi de 10h30 à 19h30.
De retour il y a 4 ou 5 ans, après une période de gloire dans les années 80, Vans a ouvert en 2006 une boutique très trendy rue Saint-Honoré, tout proche du Forum des Halles. Une vraie renaissance pour cette marque culte fondée par Paul Van Doren, un fabricant en gros de la côte est américaine, passée dans le giron VF et désormais associée à l'image des plus grands skaters comme Mike Carroll et stars du hip-hop comme Pharrell Williams. Pour plonger dans l'univers Vans, rendez-vous dans la seule boutique parisienne, un cadre chic et sport pour la célèbre chaussure à damier avec planche de surf en vitrine, murs en pierre de taille, et présentoirs noir et blanc avec tous les modèles skate, séries limitées et accessoires : ceintures à 40 €, casquettes, tee-shirts à imprimés tête de mort, sacs à dos et jeans slim. Un concept-store qui attire principalement une clientèle d'hommes jeunes, très sport attitude. L'accueil est limite (la coutume serait-elle d'ignorer le client ?), le look des vendeurs un peu cliché (tenues skate et casquette), mais les collections plutôt intéressantes.

PUMA STORE
22, boulevard Sébastopol (4e)
✆ 01 44 59 65 15
Site Internet : www.puma.com – M° Châtelet ou Les Halles. Ouvert du lundi au samedi de 10h30 à 19h30.
Située juste entre le quartier des Halles et le Centre Beaubourg, la boutique Puma jouit d'un emplacement ultra stratégique. Rien d'étonnant à ce qu'elle soit toujours bondée ! Sur deux niveaux, c'est tout l'univers de la marque qui est décliné avec au rez-de-chaussée les équipements sports (maillots, shorts), accessoires (sous-vêtements, parfums et ligne de bain Puma) et à l'étage toute la collection de chaussures, des derniers modèles de baskets aux modèles luxe et city. Pour trouver la paire de vos rêves, tentez de vous faire une place sur le canapé d'essayage (pas toujours facile) puis commandez à l'un des vendeurs deux ou trois modèles. Depuis quelques mois, la boutique propose également un bar à customisation pour habiller votre Puma comme vous l'entendez.

ADIDAS PERFORMANCE – STORE CHAMPS ELYSEES
22, avenue des Champs-Elysées (8e)
✆ 01 56 59 32 80
Site Internet : www.adidas.fr – M° Champs-Elysées-Clemenceau. Ouvert du lundi au jeudi de 10h à 20h, le vendredi et samedi de 10h à 22h et le dimanche de 11h30 à 19h30.
Plus grand magasin au monde de la marque (1 750 mètres carrés), l'Adidas Performance Store a été inauguré en septembre 2006. Un espace unique tourné vers l'innovation et le design avec au rez-de-chaussée du magasin le «Mi-Innovation Center», une machine unique permettant à chaque visiteur de concevoir la paire de chaussures la mieux adaptée à son sport, à sa morphologie et à son look. Après une étude technique et informatisée des foulées, un vendeur expert vous propose le modèle de chaussure vous correspondant le plus. Puis place à la customisation. A la manière de Keanu Reeves dans Matrix, vous commandez à distance les différentes étapes d'habillage de votre chaussure et découvrez grâce à un miroir virtuel le résultat final (compter 3 semaines pour obtenir

la chaussure de vos rêves). Petit conseil pour la route : compter un bon quart d'heure, en dehors des périodes de pointe. Enfin, outre la machine, le magasin propose sur ses deux niveaux un choix étonnant d'équipements sport, du foot au tennis en passant par le running, le yoga ou le golf.

NIKE
67, avenue des Champs-Elysées (8e)
✆01 42 25 93 80
Site Internet : www.nike.com – M° Champs-Elysées-Clemenceau ou F.-D.-Roosevelt. Ouvert du lundi au jeudi de 10h à 22h, le vendredi et samedi de 10h à 23h, le dimanche de 10h à 21h.
Rivale d'Adidas, la boutique Nike est un immense concept-store au décor ultra design s'étendant sur plus de 1 100 mètres carrés. Un lieu unique proposant sur trois niveaux toutes les nouveautés, dernières innovations et produits «culte» de la marque avec au rez-de-chaussée l'espace Event et vintage, au premier étage les collections femme et enfants et au sous-sol les équipements et tenues traditionnelles (foot, golf, basket, running). Parmi les espaces clés, ne pas manquer le Nike Lab pour customiser sa paire de chaussures comme vous le souhaitez et le Nike ID, un «desk-office» qui vous permet d'avoir accès aux modèles les plus rares, matières originales (ex : cuir d'autruche) et coloris non disponibles en boutique. Même si vous n'êtes pas fana de sport, prenez le temps de visiter le magasin, ici les derniers modèles (ex : Nike +, chaussure intégrant le système iPod) sont exposés comme des œuvres d'art, une bonne façon de se mettre au sport !

ZOOM
112, boulevard de Rochechouart (9e)
✆01 42 55 06 83
M° Pigalle ou Anvers. Ouvert du lundi au dimanche de 10h30 à 19h.
Toutes les accros aux bons plans et autres modeuses du quartier et d'ailleurs connaissent cette adresse. Des piles entières de baskets de grandes marques des saisons passées occupent l'espace. Il faut faire abstraction de la décoration sommaire et de l'accueil minimal. Le choix est infini. Vous trouverez des modèles Vans, Asics, Adidas, Puma à des prix variant entre 35 € et 55 € en moyenne. En fouillant, vous tomberez peut-être sur la série fleurie Sleets de la marque aux trois bandes, ou bien encore sur des modèles imprimé camouflage, rose, gris et noir, des gazelles, etc. Près de la caisse, vous découvrirez les quelques sacs disponibles, notamment un petit modèle en simili cuir vernis rose ou jaune flou (10 €) ou bien encore cette besace camel (20 €), le tout Puma. Des arrivages tous les quinze jours.
Autres adresses : 9, boulevard de Bonne-Nouvelle (2e) ✆01 45 08 07 48 • 36, avenue de Wagram (8e) ✆01 40 68 01 09.

Chaussures pour enfants

6 PIEDS TROIS POUCES
223, boulevard Saint-Germain (7e)
✆01 45 44 03 72
Site Internet : www.6pieds3pouces.com – M° Assemblée-Nationale ou Rue du Bac. Ouvert du lundi au vendredi de 10h30 à 19h et le samedi de 10h à 19h. Egalement dans les 1er, 16e, 17e et 20e arrondissements.
C'est LE spécialiste de la chaussure enfantine et ado haut de gamme. Ici, on oublie le mauvais goût, et les mamans branchées comme classiques trouvent leur bonheur parmi les Start Rite, Bensimon, Spring Court, Aster et bien d'autres encore…

FROMENT LEROYER
55, avenue de la Bourdonnais (7e)
✆01 45 51 90 55
Site Internet : www.froment-leroyer.fr – M° Ecole-Militaire. Ouvert le lundi de 14h30 à 19h et du mardi au samedi de 10h à 19h.
Cette vieille maison, dont raffolent les gens chics de la rive droite, propose le meilleur de la chaussure pour enfants : bateaux Armani ou Dockside, Ballerines Camper, mocassins Swamp, baskets Lacoste… Profitez de l'expérience des vendeuses pour choisir le modèle… et la taille adaptée au pied de votre rejeton.

CHUPI BOOTS
114, rue de la Roquette (11e)
✆01 40 09 00 02
Site Internet : http://chupiboots.free.fr – M° Voltaire. Ouvert mardi et jeudi de 10h à 13h, puis de 14h à 19h30, mercredi, vendredi et samedi de 10h à 19h30. Egalement dans le 18e arrondissement.
Voilà une bien belle boutique à souliers qui donne envie d'assortir les pieds de nos petits avec chacune de leurs tenues ! Des couleurs avec Kickers, du très confortable avec Aster, de vraies Converse couleur prune, mais aussi des Palladium et les superbes Babybotte Forever… Un peu plus et on va être jaloux, c'est sûr !

PETITS PETONS
115, rue d'Alésia (14e)
✆01 45 42 80 52
Site Internet : www.petitspetons.com – M° Alésia. Ouvert lundi, mardi, jeudi et vendredi de 10h30 à 14h30 et de 15h à 19h et les mercredi et samedi de 10h à 19h. D'autres magasins dans les 4e, 8e, 11e et 17e arrondissements.
Avec Petits Petons, on sait où l'on va pour ce qui est de la qualité – la marque est plébiscitée par les parents – et du prix. Du 17 au 39, trois collections, bébé, cadet et junior déclinent des modèles classiques, élégants, fonctionnels, qui privilégient le velcro. Une adresse qui mérite le détour pour toutes les mamans qui privilégient confort, simplicité et aspect pratique !

LINGERIE

Lingerie féminine

SOLEIL SUCRE
156, rue Montmartre (2e)
✆ 01 42 33 61 65
Site Internet : www.soleilsucre.com – M° Bourse ou Grands-Boulevards. Ouvert du lundi au samedi de 10h30 à 14h30 et de 15h30 à 19h15.
De la lingerie sexy à petits prix. L'enseigne créée en 1999 propose aux amatrices de dessous affriolants de se faire plaisir aussi souvent qu'elles le désirent. Ici, la priorité n'est donc pas donnée à la décoration assez sommaire. Par contre, sur les portants, vous découvrirez des ensembles soutien-gorge et culotte à partir de 25 €, des strings de toutes sortes à 3 €, des guêpières qui en feront fondre plus d'un (33 €), dans des coloris (framboise, moka, turquoise, anis, mandarine) et des imprimés plein de fraicheur et de féminité, fleurs, pois, etc. Une carte de fidélité vous est proposée dès le premier achat. **Autres adresses :** 67, rue de la Verrerie (4e) ✆ 01 42 77 07 05 • 91, rue de la Boétie (8e) ✆ 01 53 96 09 02.

UN AMOUR DE LINGERIE
80, rue Montmartre (2e)
✆ 01 42 36 15 54
M° Sentier ou Bourse. Ouvert le lundi de 12h à 19h et du mardi au samedi de 11h à 19h.
Un petit espace tout de rose, plutôt bien aménagé et qui affiche régulièrement des promotions. Ici, le choix de grandes marques de dessous est vaste. Toutefois, l'accueil manque parfois un peu de convivialité. Mais n'en restez pas là, vous passeriez à côté d'une sélection alléchante : strings (25 €) et shorty en dentelle noire Huit (39 €), soutiens-gorge de tous styles, sophistiqués, basiques ou invisibles (autour de 40 €) et autres parures Calvin Klein, Simone Pérèle, Wacoal, Aubade, Chantelle, etc. Vous trouverez également des maillots de bain deux pièces (à partir de 110 €) et des collants effet cuissarde Chantal Thomass pour les grands soirs !

WOMEN SECRET
87, boulevard Saint-Germain (7e)
✆ 01 40 51 09 00
Site Internet : www.womensecret.com – M° Odéon ou Mabillon. Ouvert du lundi au samedi de 10h à 20h.
Cette enseigne espagnole propose un échantillon complet de tout ce dont on peut avoir besoin ou envie en lingerie, quel que soit son style ou son âge. En effet, dans cette grande boutique, on retrouve des lignes classiques, basiques, casual, notamment des soutiens-gorge qui s'adaptent à tous les décolletés (à partir de 25 €), des culottes en microfibres qui s'effaceront sous vos robes d'été les plus légères (environ 13 € les trois) ou bien encore de ravissants pyjamas. Les adolescentes devraient également s'y retrouver avec des collections déclinées en coton imprimé, fantaisie et très girly. Une jolie sélection de maillots de bain et autres accessoires de plage (tongs, sacs, etc.) est disponible. **Autre adresse :** 24, rue du Commerce (15e) ✆ 01 40 58 14 20.

MASSIMO DUTTI SOFT
34, rue Tronchet (8e)
✆ 01 49 24 19 20
Site Internet : www.massimodutti.fr – M° Havre-Caumartin ou Madeleine. Ouvert du lundi au samedi de 10h à 20h.
Juste à côté de la boutique principale de la marque espagnole fondée en 1985, se trouve un petit espace qui gagne à être connu. Dans ces quelques mètres carrés, vous découvrirez la ligne de lingerie de Massimo Dutti, tout en féminité et en délicatesse, le tout à des prix démocratiques. En effet, les matières ici sont naturelles et douces (soie, coton), la gamme de couleurs (jaune pâle, parme, blanc) et d'imprimés très fraîche. A chaque fois, des détails (dentelle, boutons façon nacre, etc.) rendent leurs modèles irrésistibles. Vous craquerez pour leurs caracos à petites fleurs tout en soie (35 €), leurs culottes en maille, ou bien encore leurs pyjamas ultra doux. Certains modèles sont si raffinés que l'on peut même les porter sur un jean !

CAPRICES
102, rue de Charonne (11e)
✆ 01 43 73 80 88
Site Internet : www.lingerie.typepad.com – M° Charonne. Ouvert du lundi au samedi de 10h à 19h.
Près du quartier de la Bastille se trouve un véritable temple de la lingerie de grandes marques à petits prix. L'accueil est sympathique dans cette boutique dédiée aux dessous dégriffés. Au programme, des parures Lise Charmel à 69 € ou bien encore des soutiens-gorge Calvin Klein ou Chantal Thomass à partir de 15 €. Vous craquerez ou hésiterez entre les (très) nombreux modèles Etincelle, Allumette, Aubade, Simone Pérèle, etc. De beaux maillots de bain (Huit, Princesse Tam Tam) sont également exposés. Bref, impossible de repartir les mains vides ! La maison propose aussi des collants, chaussettes ainsi qu'une sélection de sous-vêtements pour hommes.

L'INDUSTRIE LINGERIE
7, rue Sedaine (11e) ✆ 01 47 00 41 19
M° Bréguet-Sabin ou Bastille. Ouvert du mardi au samedi de 16h à 22h.
C'est Gérard Leflem, le patron du Café de l'Industrie qui a eu l'idée originale d'ouvrir ce petit boudoir. Ainsi, si l'envie vous prend entre deux verres de vous offrir une parure de lingerie pour épicer votre fin de soirée, vous n'aurez qu'à traverser la rue. Dans cette petite boutique toute de bois, à

dominante rouge et noir, les marques de lingerie sont confidentielles et hype, et les modèles souvent coquins. Vous découvrirez entre autres des parures en dentelle à partir de 100 €, les créations sexy de la marque Folies By Renault, les modèles affriolants de Madame V ou bien encore Rosapois Vous trouverez également des huiles de massage et autres accessoires (sac corset, mules, etc.). Ne jetez pas votre ticket de caisse, si vous consommez au Café de l'Industrie, il vous donnera droit à un petit bonus de -5 %.

DIM
38, rue de Passy (16e) ✆ 01 45 20 67 39
Site Internet : www.dim.fr – M° Passy ou La Muette. Ouvert du lundi au samedi de 10h à 19h.
C'est en 1958 que la marque Dim fait son apparition. Sa philosophie, rendre la séduction et la qualité accessibles à toutes. Aujourd'hui, on retrouve des ensembles coordonnées (basiques, techniques ou sexy), des slips et des tops dépareillés, ou bien encore de la lingerie de maintien pour les poitrines les plus généreuses. Parmi les nombreuses tentations, les parures Body Touch à enfiler comme une seconde peau (40 € l'ensemble), la ligne Smoothie à base de mousse légère (25 € le soutien-gorge) ou bien encore des modèles plus sophistiqués comme les tulles brodés (17 € le string). Des collections conçues en association avec des grands noms de la mode sont souvent proposées. **Autres adresses :** Centre Commercial Les Quatre Temps 15, parvis de la Défense ✆ 01 40 81 03 03 • 1ter, rue des Louviers – SAINT-GERMAIN-EN-LAYE ✆ 01 30 61 27 13.

NUITS DE SATIN
5, rue Jean-Bologne (16e)
✆ 01 40 50 31 24
Site Internet : www.nuitsdesatin.com – M° Passy ou La Muette. Ouvert du lundi au samedi de 10h à 18h.
Cette griffe d'inspiration rétro est née de la rencontre de Ghislaine Rayer, fan du «Bonheur des Dames» et de Patrice Gaulupeau, collectionneur, amateur d'art et de lingerie. A deux, ils vont constituer un immense musée privé de dessous et de corsets et créer la collection «Nuits de Satin Paris» pour offrir aux femmes d'aujourd'hui toute l'excellence des coupes et des matières d'hier. Installé au cœur du 16e arrondissement, vous découvrirez un paradis de la lingerie ancienne, un royaume entier de guêpières, porte-jarretelles, jupons, combinaisons, et autres bas de soie. Comptez entre 50 € et 400 € pour des modèles qui rivalisent de froufrou et de féminité.

NIKITA
22, rue de Lévis (17e) ✆ 01 47 66 72 41
M° Villiers. Ouvert du lundi au samedi de 10h à 19h30.
Cet arrondissement est trop souvent délaissé des shoppeuses. Il renferme pourtant de bonnes adresses. Nikita en est la meilleure preuve. A l'intérieur de cette boutique de lingerie, vous découvrirez de nombreux modèles de marques des années précédentes. Une belle ristourne est accordée sur l'étiquette puisqu'en moyenne, les produits partent à – 40 %. Certains modèles vont même jusqu'à être bradés à – 50 %. Autant dire qu'il y a de bonnes affaires à faire. Aubade, Barbara, Empreinte, Boléro, Lejaby, Lise Charmel, Lou... Toutes les marques que l'on aime sont là. Dans de grands bacs vous trouverez aussi des strings à 1 euro, parfaits pour porter avec un jean le week-end ou pour faire du sport. L'accueil est vraiment sympathique. Discret sans être froid, le personnel laisse les clientes relativement libres. Les arrivages étant permanents, essayez de passer régulièrement.

CHANTELLE
Centre commercial Les Passages de l'Hôtel de Ville – 5, rue Tony-Garnier
BOULOGNE-BILLANCOURT
✆ 01 41 31 90 11
Site Internet : www.chantelle.com – M° Boulogne – Pont-de-Saint-Cloud ou Marcel Sembat. Ouvert du lundi au samedi de 10h à 20h.
Griffe de lingerie couture depuis 1876, Chantelle offre un style typiquement parisien, synonyme d'élégance et de sensualité. Installée au cœur de Boulogne-Billancourt, ce premier écrin spacieux et chaleureux met en scène l'esprit glamour de la marque. Les vendeuses se feront un plaisir de vous aider à choisir entre des modèles naturels, emboîtants, plongeants, ou galbants. Comptez 140 € pour un ensemble sexy avec soutien-gorge corbeille et shorty, une trentaine d'euros pour un string très travaillé. Vous découvrirez un univers complet, décliné au travers d'accessoires, de vêtements et même de cosmétiques.

Lingerie masculine

PULL-IN
8, rue Française (2e)
✆ 01 42 36 91 06
Site Internet : www.pull-in.com – M° Etienne-Marcel. Ouvert du lundi au samedi de 11h à 19h30, sauf mardi et jeudi, ouverture à 11h30 .
Après Hossegor, Aix-en-Provence et Miami, la marque de sous-vêtements Pull-in s'est installée il y a près de deux ans rue Française à Paris. La boutique de 80 mètres carrés reprend les couleurs de la marque, le noir et l'argent, que l'on retrouve sur les murs laqués et le mobilier (cuir noir, chrome, aluminium brossé). Les collections proposées, hommes et femmes, irradient la boutique de couleurs, d'imprimés rigolos, très graphiques, souvent fashion. Les garçons de 15 à 25 ans en raffolent. Passé 30 ans, fuyez !

L'HOMME INVISIBLE
13, rue du Roi-de-Sicile (4e)
✆01 42 76 98 95
M° Saint-Paul. Ouvert tous les jours de 13h à 20h.
Créée en juin 2006, la boutique de l'Homme Invisible propose dans une ambiance confortable (comptoir capitonné, vitrines métallisées) des modèles de boxer, shortys et strings aux imprimés couleur et fantaisie (poupée russe mamoushka, cachemire, dragon, tatoo, scotish, bayadère), pas toujours du meilleur goût (à éviter le modèle Jimmy Hendrix ou tête de mort)... mais plutôt agréables à porter. Gros atout de la boutique : son «service mannequin cabine», soit la possibilité de faire venir un mannequin en boutique afin de vous présenter rien que pour vous les modèles que vous êtes susceptibles d'acheter. Outre la lingerie, la marque vend également pyjamas, vêtements d'intérieur et accessoires (bijoux argent massif, petite maroquinerie). Petit + : les clients fidèles peuvent bénéficier d'une carte privilège, avec remise d'un boxer collector au bout de 8 articles achetés.

ARTHUR
71, rue de Rennes (6e)
✆01 45 44 14 04
Site Internet : www.arthur.tm.fr – M° Saint-Sulpice. Ouvert du lundi au samedi de 10 h à 19h.
Marque de lingerie et de vêtements d'intérieur, Arthur répond au concept du «Homewear Family Chic», en français : un esprit cocooning et bien-être idéal pour les pères de famille. Pyjamas, pyjashorts, chemises grand-père, robes de chambre, peignoirs velours, chaussons, caleçons, boxers et chaussettes aux imprimés fantaisie et humour composent l'essentiel de la collection. Parmi les modèles les plus demandés, le caleçon «Arthur Club» et sa coupe américaine (avec empiècement sur les fessiers), ultra confortable et garantissant un maintien parfait sans compression. Adresse pour «papa-poule» uniquement. **Autres adresses :** 19, rue Tronchet (8e) • 46, rue du Commerce (15e) • 124, avenue Victor-Hugo (16e) • 63, rue de Levis (17e).

VILEBREQUIN
5, rue du Vieux-Colombier (6e)
✆01 42 22 75 83
Site Internet: www.vilebrequin.com – M° Saint-Sulpice. Ouvert du lundi au samedi de 10h à 19h.
Lancée dans les années 70 à Saint-Tropez, la marque Vilebrequin est aujourd'hui une référence sur le marché du maillot de bain pour hommes. Dans ses trois boutiques parisiennes, vous pourrez choisir entre 6 modèles (du court au long à ceinture élastique aux coupes stylisées) et plus de 80 imprimés (rayures, pois et fantaisie). Si les prix sont élevés (à partir de 100 €), la qualité des matières (toile de spinnaker pour un séchage ultra rapide) et l'esprit de la marque, très «famille chic», valent véritablement le coup. Parmi les modèles qui font fureur, le «père-fils» : un maillot de bain pour papa coordonné à celui du fiston. **Autres adresses :** 20, rue du Boccador (8e) • 281, rue Saint-Honoré (8e).

INTIMO
38, rue François-Ier (8e)
✆01 47 23 41 37
M° George-V. Ouvert du lundi au vendredi de 10h à 19h, le samedi de 11h à 19h.
Dédiée aux dessous chics, Intimo (aussi présent au 18, rue de la Paix dans le 2e arrondissement) est la boutique des hommes soucieux de leur intimité. Dans un décor sobre, à l'accueil discret vous sont proposées les grands classiques, matériaux et tissus de grande qualité, un choix plutôt vaste du caleçon en soie aux chaussettes de fil d'Ecosse, pyjamas, robes de chambre et kimonos en purs cotons d'Egypte. Si vous avez un peu de temps, attardez-vous sur les marques Brioni, Zimmerli et Torregiani, trois marques stars d'Intimo aux modèles classiques ou imprimés fantaisie (pois, rayures multicolores...). A conseiller aux hommes élégants, cadres sup et businessmen.

CUIRS ET FOURRURES

AGNES GERCAULT (G.K.O FOURRURES)
164, rue du Faubourg-Saint-Honoré (8e)
✆01 45 62 06 07
Site Internet : www.agnes-gercault.fr – M° Saint-Philippe-du-Roule. Ouvert du lundi au samedi de 10h à 19h, tous les dimanches de novembre à janvier de 10h à 19h.
Agnès Gercault bénéficie d'une expérience familiale de plus de trente-cinq années dans le domaine de la fourrure. Elle a ainsi ouvert sa propre boutique à deux pas de Saint-Philippe-du-Roule. Dès l'entrée, l'accueil se montre personnalisé et chaleureux. Nous sommes dans un véritable salon privé, le cadre est superbe et tout en élégance. Mais Agnès Gercault, c'est d'abord une femme qui a la passion de la fourrure et souhaite la transmettre. Elle saura trouver la pièce qui vous sierra à merveille parmi les fourrures, pelisses, manteaux, cuirs et peaux lainées. Entre classique et tendance, l'éventail est large. Une adresse incontournable, qui en plus reprend vos fourrures contre l'achat d'une nouvelle et en assure l'entretien (réparation, nettoyage, garde). Profiter de l'été pour mettre au goût du jour votre ancienne fourrure, le devis est gratuit. Des facilités de paiement sans frais vous sont également proposées.

PACHA BOUTIQUE
14, rue des Halles (1er) ✆01 40 41 93 32
M° Châtelet, les Halles. Ouvert du lundi au samedi de 10h à 19h30.
C'est dans cette boutique étroite que vous pourrez trouver des blousons en cuir zippés, des vestes classiques ou bien encore des modèles plus travaillés inspirés de la haute couture. L'atelier se trouve là, sous les quelques modèles exposés. L'ambiance est familiale et les prix parfois négociables. Comptez 300 € pour un petit blouson souple et cintré en cuir d'agneau, noir, marron, rouge, camel, etc. Réalisé sur mesure, il vous en coûtera 50 € de plus. Comptez une semaine de délai (variable selon les coupes) pour la réalisation. Le perfecto raccourci est à 500 €. Des modèles en vachette (plus épais), veau velours, et chèvre sont également proposés. Ce fabricant réalise également des retouches (changement de doublure, de fermeture) et des transformations.

JEAN-CLAUDE JITROIS
38/40, rue du Faubourg-Saint-Honoré (8e)
✆01 47 42 60 09
Site Internet : www.jitrois.com – M° Madeleine. Ouvert du lundi au samedi de 11h à 19h.
Le plus jet-set des couturiers français, mais aussi le spécialiste des cuirs. Jean-Claude Jitrois a inventé le cuir stretch en 1993 puis le cuir smoké en 2001, depuis son nom et sa griffe sont synonymes de cuir haute couture pour hommes et femmes. Pantalons, vestes, doudounes… l'artiste propose à chaque collection des pièces rares (python, autruche, agneau…) dans sa boutique toute laquée de noir et pleine de néons transparents. Pantalons et des vestes très ajustés pour un look motard glam', mais aussi ceintures, vestes trois-quarts et vestons en cuir noir à porter sur du blanc dans un esprit dandy urbain très graphique. Adresse à conseiller uniquement aux gros portefeuilles.

CUIRS ET FOURRURES DU FRONT DE SEINE
15, boulevard de Charonne (11e)
✆01 40 09 09 35
Site Internet : www.cuirsetfourrures.com – M° Nation. Ouvert du lundi au samedi de 10h à 13h30 et de 14h30 à 19h.
Blousons, manteaux, vestes, jupes, depuis trente ans, cette enseigne propose une très large gamme de cuirs et fourrures. Côté cuirs, vous choisirez entre différentes peaux et finitions : agneau plongé, velours, voilé, waxy, etc. Les coupes sont souvent cintrées et bien ajustées. Comptez 499 € pour un blouson zippé chocolat en agneau plongé et 299 € pour une jupe tulipe dans la même matière. Côté fourrures, on trouve du lapin notamment, version gilet à capuche très tendance (165 €), ou bien encore poncho tricoté (269 €). Pensez au site web, vous y trouverez des promotions toute l'année ! **Autre adresse :** 2, rue de Clichy (9e) ✆01 40 82 11 10 • 31, quai André-Citroën (15e) 01 45 79 29 29.

ENTRETIEN

Les retouches et réparations

MAISON PERRIN
29, rue des Petits-Champs – 2e étage (1er)
✆01 42 97 53 49
M° Pyramides ou Bourse. Ouvert du lundi au vendredi de 10h à 12h30 et de 13h30 à 18h.
Les fashionistas le savent bien : on tient parfois autant à un pull qu'à la prunelle de nos yeux. Pour celles qui craignent de confier leurs vêtements préférés à n'importe qui, voici une des meilleures adresses de Paris. L'endroit est plutôt chic et mieux vaut vous prévenir tout de suite : le personnel n'est pas habitué à raccommoder des jeans. Par contre, tout ce qui est veste, tailleur et autres pièces précieuses, vous pouvez compter sur leur agilité et leur incomparable savoir-faire. Quel que soit votre problème, votre vêtement ressortira de l'endroit en parfait état. Personne ne pourra deviner qu'il a subi des réparations. En plus, pour ne rien gâcher l'accueil est excellent. Pas de mauvaise surprise au moment de payer : le travail commence après l'établissement et l'accord d'un devis.

ACCROC-CUIR
35, rue de Cotte (12e)
✆01 43 41 95 94
Site Internet : www.accroc-cuir.fr – M° Ledru-Rollin. Ouvert du lundi au samedi de 9h à 18h30.
Depuis plus de vingt ans, les propriétaires de cette boutique font figure de spécialistes du cuir. Les bikers et autres accros du cuir n'hésitent pas à leur confier leur blouson chéri. Les prix sont raisonnables : 50 € pour mettre en place une poche dorsale, 40 € pour changer une fermeture éclair sur braguette, 60 € pour raccourcir les manches d'un blouson de moto ou 150 € pour changer la peau d'un plateau de coussin normal. Bon à savoir : vous pouvez également leur confier votre vieux canapé en cuir pour qu'ils le restaurent.

LE CHAT ET L'AIGUILLE
2, rue Gervex (17e)
✆01 48 88 91 35
Site Internet : www.lechatetlaiguille.fr – RER Pereire. Ouvert du mardi au vendredi de 9h à 19h et le samedi de 9h à 13h.
Voilà une excellente adresse ! L'accueil est vraiment sympathique. Tous les travaux de couture peuvent y être demandés. Les vêtements peuvent être modifiés pour correspondre à votre morphologie ou à la nouvelle mode. Il est possible de faire customiser certains modèles achetés dans le commerce. Passementeries, motifs, changements de boutons… Elles savent tout faire. Les retouches sont bien entendu proposées (ourlets, longueurs de manche, changement des fermetures éclair) tout comme les raccommodages. Des vêtements peuvent être

commandés sur mesure. Les couturières peuvent également réaliser des travaux de décoration comme les rideaux, voilages, coussins ou housses de siège. Bref, elles savent tout faire !

Cordonniers

CORDONNERIE DU REGARD
4, rue du Regard (6e) ✆01 42 22 16 82
M° Saint-Placide, Rennes, Sèvres-Babylone, Vaneau. Ouvert du mardi au samedi de 8h30 à 13h et de 14h à 19h. Téléphoner pour les horaires du samedi.
De prime abord l'endroit peut surprendre. Une belle qualité de chaussures est entassée ici et là. C'est peu habituel, surtout dans un quartier aussi chic. Mieux vaut ne pas s'en formaliser. Seule la qualité du travail effectuée importe. Dans cette cordonnerie, vous pouvez être assurée que le travail sera bien fait. Vous ressortirez de là en vous sentant dans vos chaussures comme dans des chaussons. L'expérience est unique. Le propriétaire peut élargir ou rétrécir vos souliers, changer les talons, les faire changer de couleurs… Bref, il répond à toutes vos envies. Les prix pratiqués sont peu élevés. On aurait décidément tort de s'en priver !

ATELIER CATTELAN
128, rue de Grenelle (7e)
✆01 45 55 17 70
Site Internet : www.ateliercattelan.eu – M° Rue du Bac. Ouvert du mardi au vendredi de 10h30 à 14h et de 15h à 19h, le samedi, ouverture de 9h30 à 14h et de 15h à 18h30.
Il n'y a rien à dire, vos chaussures sont ici entre de très bonnes mains. Fondée en 1956, la première boutique de Tullio Cattelan se situe encore dans le XIXe arrondissement de Paris. Le décor est classique et parfaitement aménagé. On découvre sur de belles étagères en bois de nombreuses chaussures alignées avec soin. Ces ateliers sont agréés par de grandes marques comme Paraboot, Christian Dior, Rodolph Menudier, Michel Perry, Patrick Cox et bien d'autres. Les femmes peuvent y faire changer leurs talons à partir de 55 € ou retoucher leurs bottes dès 75 €. Les prix peuvent paraître élevés mais il ne faut pas oublier que l'on fait ici de l'excellent travail. **Autre adresse :** 2, rue Melingue (19e) ✆01 42 08 58 18.

BVF CORDONNERIE
22 rue des Volontaires (15e)
✆01 45 67 74 06
Ouvert du mardi au vendredi de 8h à 14h et de de 14h30 à 19h. Le samedi de 9h à 14h et de 14h30 à 18h.
Une vraie petite mine que cette boutique de quartier. Evidemment, le travail de cordonnerie est sérieux et s'adapte à toutes les demandes (traditionnel, chaussure entière etc.). Mais il n'est pas nécessaire d'avoir un problème de soulier pour pousser la porte de l'endroit : clés, tampons, cartes de visites, tout type de gravures ou plaques d'immatriculation, on se charge de tout, et avec un souci du travail bien fait et du juste délai très appréciable ! Facile d'accès, et les horaires d'ouverture sont bien commodes.

DÉPÔTS-VENTES

AU TROC MONTORGUEIL
34, rue Saint-Sauveur (2e)
✆01 40 13 08 48
M° Sentier, Les Halles, Etienne-Marcel ou Bourse. Ouvert du mardi au vendredi de 11h30 à 19h15 et le samedi de 14h à 19h15.
Cette petite boutique à l'accueil fort sympathique est une mine de bonnes affaires. On y découvre des vêtements installés sur de simples portants mais qui irradient de féminité et de glamour. Les grands noms sont bien présents : Kenzo, Dolce & Gabbana, Prada, Free Lance, Patrick Cox… La qualité est toujours au rendez-vous. Difficile d'imaginer que tous ces vêtements, chaussures et accessoires entament leur seconde vie. Les clientes raffolent de l'endroit. Elles traversent parfois tout Paris pour venir fureter dans ce petit temple de la mode à bas prix. Ces derniers sont effectivement intéressants. Des pantalons de grandes marques s'arrachent à moins de 70 €, des souliers à moins de 100 € et des pulls à moins de 40 €. Les bonnes affaires peuvent se trouver à chaque coin de portant, alors n'hésitez pas à farfouiller partout !

PLUS QUE PARFAIT
23, rue des Blancs-Manteaux (4e)
✆01 42 71 09 05
M° Saint-Paul ou Rambuteau. Ouvert le lundi de 15h à 20h, du mardi au samedi de 12h à 20h, le dimanche de 15h à 19h.
Messieurs, vous êtes ici dans le dépôt-vente le plus tendance de Paris. Ouvert il y a deux ans, Plus que Parfait propose aux hommes les vêtements d'occasion des créateurs les plus fashion (Dries Van Noten, Comme des Garçons) et grandes griffes de luxe (Dior, Hermès, Rykiel Homm). Si les prix sont parfois un peu gonflés, les vêtements déposés (lundi au vendredi uniquement) sont souvent en parfait état et proviennent de collections récentes. Boutique agréable et soignée et vitrine spéciale accessoires plus qu'intéressante. Précipitez-vous !

CHERCHEMINIPPES
102, rue du Cherche-Midi (6e)
✆ 01 45 44 97 96 – 114, rue du Cherche-Midi (6e) ✆ 01 42 84 37 26
Site Internet : www.chercheminippes.com – M° Duroc ou Vaneau. Ouvert du lundi au samedi de 11h à 19h et pour les dépôts du lundi au samedi de 10h30 à 17h.
Niché au cœur de Saint-Germain-des-Prés, l'endroit est bien connu de bien des Parisiennes. Créé en 1970, Chercheminippes compte désormais six boutiques : femme branchée, couture, accessoires, hommes, enfants et décoration. Au numéro 102, on déniche des vêtements de grandes marques : Isabel Marant, Maje, Sandro, Zadig & Voltaire... Le choix est réellement intéressant et l'accueil sympathique. Autre avantage, les vêtements n'ont parfois même pas été portés ! Celles qui ne jurent que par les grands couturiers apprécieront la boutique du numéro 114. Ici, Céline côtoie Chanel et Yves Saint-Laurent, sans oublier les créateurs japonais comme Issey Miyake ou Yohji Yamamoto. Les plus chanceuses repartiront avec un sac Paddington Chloé à moins de 600 € ou bien encore une veste Chanel (environ 300 €). Pour compléter votre silhouette, des lunettes, chaussures et autres carrés vous sont également proposés. Alors transformez-vous en chasseuse de bonnes affaires et n'hésitez pas à passer régulièrement, les arrivages sont quotidiens !

CHERCHEMINIPPES ACCESSOIRES
124, rue du Cherche-Midi (6e)
✆ 01 45 49 20 22
Site : www.chercheminippes.com – M° Duroc ou Vaneau. Ouvert du lundi au samedi de 11h à 19h.
Cette boutique d'accessoires féminins ouverte depuis janvier dernier est la dernière-née des dépôts-ventes Chercheminippes. Dès l'entrée, le ton est donné, toutes les marques tendance et créateurs sont réunies. Indispensable sélection pour mettre une touche finale à votre tenue. Ici, les pièces sont toutes récentes et triées sur le volet. Côté maroquinerie, vous trouverez entre autres les best-sellers de Vanessa Bruno, les cuirs souples de Zadig & Voltaire (environ 200 €). Vos pieds seront ravis de se glisser dans des chaussures Mellow Yellow, Repetto ou Sergio Rossi, mais aussi dans des marques plus sport. Sans oublier les lunettes de soleil, Ray Ban notamment, les bijoux de Gas ou Réminiscence, les foulards, carrés, écharpes en cachemire, etc. Les petites marques ne sont pas en reste, chacune pourra trouver son bonheur, voilà pourquoi l'adresse circule de mère en fille !

GRIFF'TROC
119, boulevard Malesherbes (8e)
✆ 01 45 61 19 47
M° Villiers. Ouvert du lundi au samedi de 10h30 à 19h. Dépot du lundi au vendredi de 11h à 18h, le samedi de 11h à 14h.
Ce dépôt-vente de prêt-à-porter féminin réunit

astucieusement tenues de ville et de soirée dans un cadre chic et cosy. Mère et fille, à la tête de cette boutique, offrent des regards complémentaires sur la mode. Robes longues, couture, à choisir parmi les plus grands couturiers français et internationaux : Chanel, Hermès, Christian Dior, Lacroix, Yves Saint-Laurent, Versace, Kenzo, Paco Rabanne, Prada, Max Mara et Gucci. On retrouvera les créations de ces grands noms pour le dressing ville. Des pièces griffées qui affichent des prix pouvant aller jusqu'à 50 % de réduction. Des accessoires élégants : chapeaux extravagants, longs gants pour habiller vos bras, étoles enveloppantes. Pour la touche finale, succombez à la sélection de sacs proposée. Faites votre choix entre lunettes, bijoux Chanel et Hermès ou encore foulards et carrés. Par ailleurs, l'effort est constant pour mettre en avant de jeunes griffes. Vous trouverez également des chapeaux de créateurs pour vos mariages : capeline, bandeaux…Il ne reste plus qu'à caler dans son agenda une soirée over chic. Le bon plan : ces vêtements, n'ayant servi que pour de grandes occasions, sont quasi neufs et vendus à des prix imbattables – l'excellence !

TROC EN STOCK
6, rue Clauzel (9e) ✆01 48 78 20 80
M° Saint-Georges ou Pigalle. Ouvert Du mardi au samedi de 10h à 19h30.
Vous serez accueillie avec punch et convivialité par Sophie, qui tient son petit dépôt-vente d'une main de maître. Ici, chaque centimètre carré est exploité, les portants regorgent de vêtements de tous styles pour notre plus grand bonheur de chineuse. La sélection de marques est pointue, à deux pas de la très hype rue des Martyrs, comment pourrait-il en être autrement ? Les griffes créateurs, Vanessa Bruno ou Isabel Marant côtoient Comptoir des Cotonniers, Claudie Pierlot ou Maje. On trouve aussi des marques de luxe comme Balenciaga, Chloé ou Céline à moindre coût. Parmi les tentations, une robe Jean-Paul Gaultier noire à 100 € ou bien encore veste manches courtes Balenciaga à 80 €. Côté chaussures, vous craquerez également les modèles Michel Vivien, ou les escarpins pointus gris de Gucci (120 €). Des accessoires irrésistibles : bijoux délicats, solaires, maroquinerie, ceintures et même quelques cosmétiques !

BAMBINI'TROC
26, avenue Bel-Air (12e) ✆01 43 47 33 76
M° Nation. Ouvert du lundi au samedi de 10h30 à 19h.
Voici une excellente adresse de quartier où vous trouverez votre bonheur de la grossesse jusqu'à… 16 ans. L'accueil est très prévenant, le rayon pour femmes enceintes est conséquent, on trouve également un espace puériculture et meubles d'enfant plébiscité par les mamans du quartier. Côté nippes, de belles marques : Jacadi, Cyrillus, Lili Gaufrette, Baby Dior, Catimini, Chipie, Timberland pour les juniors.

RECIPROQUE
95, rue de la Pompe (16e)
✆01 47 04 30 28
Site Internet : www.reciproque.fr – M° Rue de la Pompe ou Trocadéro. Ouvert du mardi au vendredi de 11h à 19h et le samedi de 10h30 à 19h.
Impressionnant ! 700 mètres carrés de mode à prix dépôt-vente, toute une rue colonisée, bref, on peut y passer une journée entière ! La boutique du numéro 95 propose une sélection de vêtements de ville, de fourrures et de chaussures. En fouillant dans cette multitude de portants et autres bacs, vous pourrez dénicher une jupe Isabel Marant à 60 €, des bottes en veau velours violine à 115 € ou bien encore d'adorables gants en cuir à partir de 35 €. Le nombre de griffes représentées est extrêmement vaste, de Christian Lacroix, à Irié Wash, en passant par Jil Sander, Burberry ou Vanessa Bruno. Mention spéciale pour leur étiquetage intelligent qui indique toujours l'état du produit (neuf, tel quel, etc.). Toujours pour femme, les tenues de soirées sont au numéro 93, au numéro 101, les manteaux, imperméables, foulards, la maroquinerie et les bijoux fantaisie, enfin vos dépôts, direction le numéro 97, sur rendez-vous, au 01 47 04 82 24.

DEPOT-VENTE DEMOURS
25, rue Pierre-Demours (17e)
✆01 45 74 61 21
M° Ternes ou Pereire. Ouvert du mardi au samedi de 10h30 à 19h.
A noter d'urgence dans son agenda, même si certaines garderont jalousement secrète cette excellente adresse ! La vitrine donne le ton : celui de l'élégance et du bon goût. L'hiver, la collection de fourrures en fait succomber plus d'une, quant aux manteaux et vestes de grands couturiers aux lignes sobres et classiques, le choix ne manque pas non plus. Les beaux jours venus, le chic se fait plus léger avec cette pointe d'excentricité apportée par les jeunes créateurs. Au fil des saisons, les découvertes sont incessantes. En un mot, vous trouverez tout pour faire de vous une femme encore plus glamour et ce jusqu'au bout des doigts grâce à de beaux bijoux. Côté accessoires : chapeaux, ceintures et sacs occupent des rayons entiers… Le luxe a un prix dit-on, ici en tous cas, il est des plus attractifs. Plus qu'un «dépôt», un coffre aux mille trésors à découvrir sans attendre !

DEPOT-VENTE HOMMES FABIENNE
77 bis, rue Boileau (17e)
✆01 45 25 64 26
Site Internet : www.depotventehomme.com – M° Exelmans. Ouvert du mardi au samedi de 10h à 13h30 et de 14h30 à 19h.
Vêtements de ville (parkas, costumes, blazers, manteaux, impers, chemises, pantalons, cuirs, polos, cravates, chaussures), accessoires (boutons de manchette, montres, ceintures, stylos) et petite maroquinerie, Fabienne consacre depuis 15 ans son temps aux vêtements de luxe d'occasion pour homme. Une boutique toute charmante, un accueil confortable et une organisation digne d'une vraie boutique luxe, avec comme références : Thierry Mugler, Cerruti, Ralph Lauren, Givenchy, Kenzo, Boss, Dior, Weston, Pierre Cardin ou Smalto. Prix très abordables et qualité des vêtements souvent irréprochable.

OUISTITI POP
19, rue Ramey (18e)
✆01 42 58 03 54
Site Internet : www.ouistitipop.fr – M° Château-Rouge. Ouvert du mardi au samedi de 10h à 19h.
Ce dépôt-vente montmartrois consacré aux petits de 0 à 6 ans est l'une de nos adresses favorites, d'abord pour l'allure authentiquement rétro de la boutique, ensuite pour l'accueil adorable des patrons du lieu et enfin pour leur sélection. Les prix sont très doux et les articles bien choisis : jolis et faciles à porter, avec une gamme de prix très large, comme la sélection des marques – de DPAM à Baby Dior. Place est faite également aux créateurs avec des vêtements – neufs – de la créatrice Louise Valentin ou les gigoteuses afro de Fanlele. Vous trouverez également des jouets neufs vintage ou en bois et dans la salle du fond, un grand nombre d'articles de puériculture déstockés ou d'occasion. Seul bémol : le choix des vêtements pas assez étoffé, alors mamans, un seul mot d'ordre : confiez à Ouistiti Pop les vêtements trop petits de vos bambins !

L'OCCASERIE
134, boulevard de Charonne (20e)
✆01 40 24 10 89
M° Alexandre-Dumas. Ouvert du mardi au samedi de 11h à 19h30.
Les dépôts ont lieu aux mêmes horaires. Enfin une boutique qui offre un vrai service personnalisé ! Tout petit l'endroit croule sous les vêtements et autres accessoires de mode. Derrière un rideau noir, se cachent dans l'arrière-boutique de nombreux trésors attendant de séduire leur futur propriétaire. La maitresse des lieux Ross Renata écoute avec beaucoup de chaleur la cliente et va pour elle farfouiller dans son arrière-boutique à la recherche de la perle rare. Et comme elle connaît bien sa boutique et les femmes, elle en ressort la plupart du temps avec l'incarnation d'un rêve. Très discrète et souriante, elle ne force jamais la vente et sait mettre sa clientèle à l'aise. De Nina Ricci à Issey Miyake en passant par Max Mara ou Armani, de nombreuses griffes sont ici réunies. Elles se vendent à des prix cassés. Ainsi, des pantalons de grands créateurs se vendent à moins de 50 € et des vestes autour de 100 €.

OPTIQUE

Les chaînes

ALAIN AFFLELOU

104, avenue des Champs-Elysées (8e)
✆01 43 59 87 99

Site Internet : www.alainafflelou.com – M° Georges-V ou Charles-de-Gaulle – Etoile. Ouvert du lundi au samedi de 10h à 22h et le dimanche de 11h à 21h.

En 1972, Alain Afflelou ouvre sa boutique à Bordeaux, on compte 894 magasins à son nom. Déjà dix ans que ce magasin phare de l'enseigne a investi les Champs-Elysées. Parmi les offres disponibles et à côté des montures de grandes marques, des collections éponymes (500 montures optiques et solaires), des lentilles de contact jetables à moins d'un €, des verres spéciaux (Affinité, Protect, Cent pour cent), etc. Par ailleurs, la marque s'engage sur différents points : garantie casse de vos montures pendant trois ans ou bien encore garantie d'adaptation de vos verres valable pendant trois mois. Vous trouverez également des collections exclusives comme Escada ou Marsupilami pour les plus jeunes. Les prix des montures de lunettes de vue commencent à 80 €. Pour les 30 ans de la maison, l'offre Tchin Tchin vous donnera droit à deux paires de lunettes de plus pour 1 € supplémentaire. **Autres adresses :** 140, rue de Rivoli (1er) ✆01 44 76 94 76 • 72 bis, avenue de Flandres (19e) ✆01 40 36 30 06.

GENERALE D'OPTIQUE

91, rue Saint-Lazare (9e)
✆01 40 16 03 26

Site Internet : www.generale-optique.com – M° Saint-Lazare ou Trinité – d'Estienne-d'Orves. Ouvert du lundi au samedi de 10h à 19h30.

La fin des lunettes chères ? En tous cas, l'enseigne dont le premier magasin a ouvert en 1993, s'efforce de réduire ses coûts en éliminant les intermédiaires, toutes les montures et les verres sont centralisés et montés dans leur laboratoire. Les tarifs quant à eux sont établis pour une paire de lunettes complète avec une monture et deux verres correcteurs, quelle que soit la correction. Les forfaits adultes sont proposés à partir de 39 €, comptez 139 € pour des verres progressifs. Côté solaires, il vous faudra débourser 49 € pour une monture à choisir parmi plus de 75 modèles et des verres correcteurs. Vous trouverez également des lentilles journalières à 0,89 €. **Autres adresses :** 25, rue du Commerce (15e) ✆01 45 77 72 20 • 76, rue de Passy (16e) ✆01 40 50 01 11.

GRAND OPTICAL

69, boulevard Haussmann (9e)
✆01 47 42 31 53

Site Internet: www.grandoptical.com – M° Opéra ou Richelieu-Drouot. Ouvert du lundi au vendredi de 9h30 à 19h30, le samedi de 10h à 19h30.

Credo de cette chaîne d'optique : la fabrication de lunettes en 1h. Lancée il y a 20 ans par Daniel Abittan et Mickaël Likierman, Grand Optical naît d'un voyage à New York où les deux hommes s'aperçoivent que des opticiens affichent la prouesse de fabriquer des verres en un temps record. Quelques mois plus tard, le concept est adapté au marché français en intégrant un laboratoire dans chaque magasin et en stockant dans chaque espace plus de 9 000 verres et 1 500 montures que les opticiens, experts en visagisme, vous aideront à choisir au mieux. Et de nombreux services et garanties sont proposés dans les formules de vente. Parmi les marques distribuées : les incontournables Gucci, Hugo Boss, Prada, Ralph Lauren, Ray Ban ou Armani, quelques grands créateurs comme Alain Mikli, Koali, Starck ou Dilem et les collections exclusives Studio 123, Maxilight ou Erri. Premiers prix à partir de 29 €. L'enseigne compte une douzaine d'autres magasins dans Paris, toutes les adresses sur le site Internet de la chaîne.

Les classiques

OPTIQUE LECOURBE

17, rue Lecourbe (15e)
✆01 45 66 80 47

M° Sèvres-Lecourbe ou Pasteur. Du mardi au samedi de 10h à 19h et le lundi de 16h à 19h.

Ne passez pas à côté de cette excellente adresse. Elu Meilleur Opticien de Paris et Meilleur Ouvrier de France, cet opticien a étudié la psychomorphologie. Par ailleurs, la boutique offre la possibilité d'essayer virtuellement des montures adaptées à votre visage. Les plus difficiles d'entre vous devraient repartir satisfaits. En effet, le magasin ne propose pas moins de 3 000 montures parmi lesquelles de grandes marques (Trussardi ®, Emporio ®, Giorgio Armani ®, Yves Saint-Laurent ®, Gucci ®, Versace ®, Dior ®, Marc Jacobs ®, Ralph Lauren ®...) avec des remises de 25 % sur les montures et verres, et 10 % sur les lentilles. Un stock important de lentilles usuelles sur place. Possibilité de paiement en trois fois sans frais. A votre demande, on peut également modifier une monture ou teindre les verres selon vos envies. D'autre part, Optique Lecourbe met à votre disposition une nouvelle machine capable d'analyser les caractéristiques de votre vision afin d'élaborer des verres parfaitement uniques (véritable empreinte physiologique de votre œil). Côté service, cette boutique de proximité met tout en œuvre pour vous satisfaire grâce à une écoute attentive, des conseils pertinents, un service personnalisé et à un réel savoir-faire. **Autres adresses :** Atol 43, rue Lecourbe (15e). M° Sèvres-Lecourbe ✆01 44 49 78 80 • Liberté Optique – 130, rue de Paris (93). M° Les Lilas ✆01 48 97 09 80.

1-DAY ACUVUE
MOIST
OU
CIBA VISION
DAILIES
AquaComfort Plus
1€ la paire*
en stock : boîtes de 90 lentilles
TRUSSARDI

LES FRERES BISMUTH
7, boulevard du Temple (3e) ✆01 48 87 45 12
M° Filles-du-Calvaire. Ouvert du mardi au vendredi de 10h30 à 12h30 et de 14h à 18h.
Un large éventail de marques vous est proposé ici et le choix n'en est que plus compliqué. Mais heureusement, voilà presque un siècle que les Frères Bismuth sont des spécialistes reconnus de l'optique, un domaine qui évolue si rapidement. Leurs conseils éclairés et très précieux viendront appuyer votre choix ! Ces opticiens sont particulièrement en pointe sur les verres progressifs et basse vision. On retiendra, côté monture grand luxe : Dior, Gucci, Prada, Vogue, Dolce & Gabbana... Pour les jeunes : Esprit, Nike, Dolce & Gabbana... Enfin, pour les enfants : Barbie, Haribo, Puka et Chupa Chups. L'enseigne des Frères Bismuth propose aussi des verres et des lentilles à prix réduits. Des formules très intéressantes : pour 1 € de plus, une vraie seconde paire de lunettes est offerte (suivant conditions en magasin). – 20% sur votre nouvelle monture en échange de votre ancienne paire de lunettes offerte à Lunettes Sans Frontières, une initiative à soutenir par les petits futés qui se verront également offrir un étui de marque. A noter : les modèles et les marques sont renouvelés très régulièrement, notamment pour les jeunes et les enfants. **Autres adresses** (ouvertes du mardi au samedi de 9h30 à 12h30 et de 14h15 à 19h15) : Magasin principal 6, boulevard Galliéni (face au RER) – AULNAY-SOUS-BOIS (93) • 8, rue Velpeau (face à la gare RER) – ANTONY (92).

SOS OPTIQUE
57, boulevard Gouvion-Saint-Cyr (17e)
✆01 48 07 22 00
Site Internet : www.sos-optique.com – M° Porte Maillot. Ouvert le lundi de 9h30 à 19h30, mardi, mercredi et jeudi de 9h à 20h, vendredi et samedi de 9h30 à 19h30 . Assistance téléphonique 24h/24, 7j/7.
Cette adresse est des plus intéressantes. La boutique propose un grand nombre de marques : Dolce & Gabbana, Prada, Ray Ban Solaire, Jean-François Rey, Bellinger, etc. Vous pouvez aussi y trouver des lentilles, des produits d'entretien et y passer des examens de la vue. L'accueil est des plus sympathiques. Quant aux prix pratiqués, ils sont tout à fait raisonnables. Au numéro de téléphone indiqué plus haut, vous pouvez avoir 24h/24h et 7j/7 de précieux conseils. Que votre monture soit cassée ou que vous ayez perdu vos lentilles de contact, pas de panique, ils prennent en compte votre demande et y apportent une solution dans les plus brefs délais. Un opticien visagiste peut même se déplacer à votre domicile ! Que demander de plus ?

Les spécialistes

OPERA VISION, L'OPTICIEN DU SPORT
12, rue de la Chaussée d'Antin (9e)
✆01 48 24 80 35
Site Internet : www.opticien-du-sport.com – M° Opéra ou Chaussée d'Antin. Ouvert du mardi au vendredi de 10h à 19h et le samedi de 10h à 18h.
Les sportifs connaissent bien cette adresse. Adidas, Nike, Oakley... Toutes les marques sont là ! Un espace est spécialement dédié aux sports les plus divers (alpinisme, apnée, cyclo-cross, danse, équitation, etc.). Chaque paire de lunette peut être équipée à la demande de verres correcteurs. Un peu plus loin, les urbains découvrent des marques plus coutures à porter tous les jours. La qualité est toujours excellente et le choix est tellement vaste qu'il est impossible de ne pas trouver une paire dans son budget. Un «atelier-laboratoire» intégré à la boutique offre la possibilité de faire retravailler ses achats. Bref, vous l'aurez compris, cette adresse est des plus complètes. A essayer sans plus attendre !

LAFONT
12, rue de Sévigné (4e) ✆ 01 42 74 20 45
Site Internet : www.lafont.com – M° Saint-Paul ou Pont-Marie. Ouvert du mardi au samedi de 11h à 13h30 et de 14h à 19h et le dimanche de 13h à 19h.
A l'origine, il y a un couple, Laurence et Philippe Lafont, elle, styliste, lui, stratège. Leur point commun, une passion dévorante pour les belles lunettes et les montures rétro. Parmi les best-sellers, les modèles Génie, Chat et Mai. Depuis, leurs deux fils ont rejoint l'entreprise et leurs lunettes sont vendues sur les cinq continents. Parmi les valeurs perpétuées, l'élégance à la française, le savoir-faire et la qualité. Derrière cette façade verte, on découvre l'univers chic et cosy de la boutique, un style très parisien qui se décline dans des modèles classiques ou très avant-gardistes. Les modèles en titane tournent autour de 300 €, les imitations écaille ou corne autour de 200 €. Les plus excentriques d'entre vous craqueront pour des solaires fantaisistes en bois (200 €). Des rééditons et des modèles vintage des années 20 et 30 complètent la collection.

E DANS L'O
8, rue Gabriel-Lamé – Bercy Village (12e)
✆ 01 44 74 83 80
Site Internet : www.edanslo.fr – M° Cour-Saint-Emilion. Ouvert du mardi au samedi de 9h à 19h.
Cette boutique-showroom est entièrement dédiée aux lunettes percées sur mesure (sans monture), correctrices et solaires. Ici, vous choisissez le modèle qui vous fait envie sur catalogue parmi 238 formes (modèles classiques ou «coques» équipées de protections latérales, «pailletées» avec profils des verres s'irisant à volonté, «trouées» avec verres percés de petits décors : bulles, étoiles, cœurs, initiales…). Toutes les extravagances sont permises ; vous pouvez-même dessiner vous-même la forme de vos prochains verres ! Et les verres découpés sont bien sûr tout aussi solides et adaptés à votre vue. Les enfants adopteront plus facilement leurs premières lunettes si elles sont en forme d'oursons ou de pommes ! Le choix fait, vous vous soumettez au test sur ordinateur pour ne pas vous tromper. La boutique est en effet équipée du système vidéo-informatique «Optiform», une simulation sur écran, permettant de trouver la paire de lunettes la plus adaptée à son visage. Laissez-vous guider par les opticiens, l'accueil est ici vraiment charmant ce qui ne gâche rien ! Côté prix : lunettes correctrices à partir de 254 € la paire, lunettes solaires à partir de 183 € la paire.

Les branchées

MARC LE BIHAN
22, rue Etienne-Marcel (2e) ✆ 01 42 36 22 32
M° Etienne-Marcel ou Les Halles. Ouvert du lundi au samedi de 10h30 à 19h30.
Véritable opticien de la mode, Marc le Bihan a réuni dans cette boutique lumineuse et design au mobilier framboise toutes les grands noms de la lunette chic mais surtout une sélection de griffes ultra pointues, parfois underground, qui vous donneront un style unique et trendy à souhait. Ici, l'accueil est très chaleureux, les vendeurs prennent leur temps pour vous conseiller. Vous trouverez entre autres des pilotes en cuir rose pâle Chanel (320 €), des modèles Dior, Marc Jacobs, Ray Ban, Alain Mikli, Starck, mais aussi des marques américaines comme Dita, Blinde ou Adam Kimmel sans oublier Véronique Branquinho ou Dries Van Noten. **Autre adresse :** 37, galerie de Montpensier (1er) ✆ 01 49 27 06 55.

MODE DE VUE
53, rue de Turenne (3e)
✆ 01 42 77 02 88
M° Chemin-Vert ou Saint-Sébastien-Froissart. Ouvert du lundi au samedi de 10h30 à 19h30.
Derrière cette façade vert amande très stylisée, on découvre une boutique élégante et branchée, avec ses meubles bas noirs et laqués et son sol façon galets. Si vous recherchez des lunettes originales et tendances, vous êtes à la bonne adresse. Les initiées côtoient ici les touristes de passage. Vous serez accueilli avec le sourire par un passionné au look très étudié. Parmi les marques exposées, vos yeux s'arrêteront certainement sur la large gamme Cutler and Cross proposée, une marque tout en modernité et en sobriété, ou bien encore sur les modèles Blinde et leur dégradé de couleurs (environ 200 €), Christian Roth ou Ini+lum. Les griffes incontournables sont aussi de la partie : Chloé, Marc Jacobs, Tom Ford, Yves Saint-Laurent, Prada… Des lunettes vintage sont également en vente, comptez environ 170 €.

OPTICAL DISCOUNT
10, rue Vivienne (2e)
✆ 01 42 60 13 43
Site Internet : www.opticaldiscount.com – M° Bourse ou Pyramides. Ouvert du mardi au vendredi de 10h à 14h30 et de 15h30 à 19h30, le samedi de 10h à 13h et de 14h30 à 19h.
Créé en 1995, Optical Discount compte aujourd'hui 46 points de vente. Parmi les marques représentées, Bulgari, Dolce & Gabbana Eyewear, Vuarnet ou bien encore Henri Jullien. L'enseigne offre différentes garanties : qualité (fournisseurs français de verres optiques), services (quinze jours pour réfléchir et changer de monture), etc. Par ailleurs, la carte Prévision qui coûte 29 € vous permettra de remplacer vos verres et montures cassés pendant trois ans. Enfin, parmi les offres du moment, un pack produits et lentilles vous est proposé pour sept € par mois. Le compte Fidéli, programme de fidélité récompensera les plus assidus d'entre vous, vous cumulerez des points à chaque achat ou à chaque parrainage. **Autres adresses :** 22,

boulevard Saint-Michel (6e) ✆01 43 54 98 • 146, boulevard Magenta (10e) ✆01 40 40 07 09.

OPTICAL CENTER
46, rue des Ecoles (5e)
✆01 46 33 12 12

Site Internet : www.optical-center.fr – M° Maubert-Mutualité ou Cluny-La Sorbonne. Ouvert du lundi au samedi de 10h à 19h.

Optical Center naît en 1991 à Boulogne-Billancourt. Aujourd'hui, on trouve plus de 3 000 modèles dans leurs boutiques. Parmi les créateurs en exclusivité, Filium, Level, Lukkas. L'enseigne propose différents régulièrement forfaits, unifocal, solaire à la vue, progressif, progressif solaire à des prix compétitifs. Pour se démarquer de ses (nombreux) concurrents, l'enseigne vous offre une deuxième paire de lunettes, de marque cette fois, à choisir parmi toutes les collections optiques et solaires en magasin, et de valeur inférieure à la monture achetée. Vous trouverez également des packs contactologie, six mois à 66 €, un an à 120 € (lentilles et solution). Sans oublier, les engagements, comme le remboursement de la différence si vous trouvez moins cher ailleurs dans les quarante jours ou bien encore la vérification gratuite de votre vue sans rendez-vous. **Autres adresses :** 48, boulevard de Charonne (11e) ✆01 40 24 25 26 • 88, boulevard des Batignolles (17e) ✆01 42 93 03 90.

LES OPTICIENS MUTUALISTES
68, boulevard Beaumarchais (11e)
✆01 43 55 63 73

M° Chemin-Vert. Ouvert du mardi au samedi de 10h à 18h30.

On ne vient pas ici pour la décoration sobre et austère, mais pour le large choix de montures, verres et lentilles de contact et les prix, intéressants. On retrouve ici toutes les grandes marques, classiques ou mode, standard ou griffées : Armani, Gucci, Yves Saint-Laurent, Max Mara, Hugo Boss, Ray Ban, Dior, etc. Sur certains modèles, la réduction peut aller jusqu'à 30 € à 40 €. L'ajustage et l'entretien sont gratuits. Par ailleurs, un espace d'optométrie est à votre disposition. En prenant rendez-vous, vous pourrez ainsi faire un bilan de votre vue et vérifier si vos lunettes sont bien adaptées. Les porteurs de lentilles ne sont pas oubliés avec un espace contactologie pour les guider dans leur utilisation. Des facilités de paiement sont proposées. **Autre adresse :** 43, Grande Rue – JUVISY-SUR-ORGE ✆01 69 21 13 30.

LES BIJOUX ET MONTRES

Les joailliers

BOUCHERON
26, place Vendôme (1er)
✆01 42 61 58 16
Site Internet : www.boucheron.com – M° Tuileries ou Opéra. Ouvert du lundi au samedi de 10h30 à 19h.
Créée en 1858 par Frédéric Boucheron, cette grande maison n'en finit pas de nous séduire. Ses créations tant en matière de haute joaillerie, de bijouterie ou de joaillerie sont d'une beauté époustouflante. Elles mettent en avant l'inventivité et le savoir-faire exceptionnels de l'entreprise. Marquée dès le départ par l'innovation, Boucheron fait figure de pionnier dans bien des domaines. Frédéric Boucheron est le premier grand joaillier à s'installer en 1893 sur la fameuse place Vendôme. Il sera rapidement suivi par les autres grands noms de son secteur. Frédéric Boucheron est également le premier à avoir fait des expériences dans la gravure du diamant et a été le précurseur du style naturel. Des parfums de la marque ont également été créés. **Autre adresse :** 32, rue du Faubourg-Saint-Honoré (8e) ✆01 44 51 95 20.

CHAUMET
12, place Vendôme (1er) ✆01 44 77 24 00
Site Internet : www.chaumet.com – M° Concorde ou Tuileries. Ouverture du lundi au samedi de 10h30 à 19h.
Dans cette boutique historique, l'un des grands noms de la joaillerie française présente depuis plus de 220 ans ses différentes collections. L'atelier est encore abrité dans ses lieux chargés d'histoire. Dès l'entrée le ton est donné : un portrait de l'impératrice Marie-Louise de Habsbourg-Lorraine vous accueille. Deuxième épouse de Napoléon Ier, elle porte sa robe de couronnement et les joyaux réalisés pour elle par le fondateur de Chaumet, Marie-Etienne Nitot. Au premier étage, se trouve le somptueux salon d'apparat classé Monument Historique depuis 1927. L'intégralité des archives de Chaumet depuis 1832 est également conservée. Signe de modernité, un ascenseur en verre relie les deux étages. En tout 300 m^2 séduisent des visiteurs ébahis tant par les sublimes créations que par le lieu. **Autre adresse :** 56, rue François-1er (8e) ✆01 56 88 50 20.

VAN CLEEF & ARPELS
24, place Vendôme (1er)
✆01 53 45 35 50
Site Internet : www.vancleef-arpels.com – M° Pyramides, Tuileries et Madeleine. Ouvert du lundi au vendredi de 10h30 à 19h et le samedi de 11h à 19h.
Cela fait plus de 100 ans que cette célèbre maison offre aux femmes des créations plus somptueuses les unes que les autres. Installée depuis 1906 sur la place Vendôme, Van Cleef ✆Arpels a su évoluer au fil des années en innovant et en poussant toujours plus loin son étonnant savoir-faire. Cette prestigieuse enseigne a fait sienne les motifs liés aux contes de fées. Ils essaiment encore aujourd'hui les collections. La haute joaillerie lui doit de nombreux brevets comme par exemple le «Serti mystérieux» mis au point en 1933 et permettant de créer un pavage de pierres sans en laisser deviner l'assemblage. Bref, vous l'aurez compris, nous sommes ici dans un endroit où rêve et glamour sont renforcés par l'incomparable magie des pierres. Les prix sont très élevés, luxe oblige. N'hésitez par contre pas à aller voir les vitrines ou même à entrer, vous en ressortirez avec des étoiles plein les yeux ! **Autre adresse :** 3-5, rue de la Paix (2e) ✆01 53 45 35 60.

CARTIER

154, avenue des Champs-Elysées (8e)
✆ 01 40 74 01 27

Site Internet : www.cartier.fr – M° Opéra. Ouvert du lundi au samedi de 10h30 à 19h sans interruption, et le dimanche de 12h à 18h.

C'est en 1899 qu'Alfred Cartier ouvre cette prestigieuse boutique au 13, rue de la Paix. Admiré et respecté pour son immense savoir-faire, il devient le fournisseur officiel de nombreuses cours royales. Plus de 100 ans après, les créations de cette grande maison sont toujours aussi époustouflantes. Les bijoux sont magiques, presque irréels et les prix… inabordables. Qu'importe, un détour par cette boutique historique s'impose. Elle abrite encore les bureaux privés de Louis Cartier. Le dôme de son hall central a été vitré afin que l'on puisse apercevoir les ateliers de joaillerie. Un tel endroit nous propulse évidement au cœur du luxe et de l'élégance mais aussi au cœur de la création et du savoir-faire à la française. **Autres adresses :** 23, place Vendôme (1er) ✆ 01 44 55 32 20 • 17, rue du Faubourg-Saint-Honoré (8e) ✆ 01 58 18 00 88.

Les bijouteries classiques

CLEOR

Rue des Pilliers, niveau -3 – Forum des Halles (1er) ✆ 01 40 39 92 02

Site Internet : www.cleor.com – M° Les Halles, Châtelet ou Etienne-Marcel. Ouvert du lundi au samedi de 10h à 20h.

L'accueil est tout simplement charmant dans cette bijouterie. Les vendeuses sont disponibles, souriantes et toujours de bons conseils. Elles cherchent avant tout à connaître les goûts de leurs clientes et ne les forcent jamais à acheter. La boutique est parfaitement agencée. Très lumineuses, les vitrines permettent d'apprécier les pierres à leur juste valeur. Les modèles exposés séduisent par leurs lignes sobres et leurs petits prix. En moyenne, il faut compter entre 15 € et 600 € pour acquérir un bijou. Classiques ou originales, les créations sont finalement assez simples bien que toujours en adéquation avec l'air du temps. Si vous cherchez des bijoux vraiment tendance ou sortant de l'ordinaire passez votre chemin. **Autre adresse :** Passage du Havre – 9, rue Saint Lazare (9e) ✆ 01 48 78 29 19.

MATY

4, place de l'Opéra (2e) ✆ 01 47 42 94 00

Site Internet : www.maty.com – M° Opéra ou Quatre-Septembre. Ouvert du lundi au samedi de 10h à 18h45.

Cette marque fait figure d'institution. Qui n'a jamais eu entre les mains, un de ses fameux catalogues de vente par correspondance ? Pour les adeptes des achats en boutique, Maty a ouvert un bel espace dans le quartier des bijouteries à Paris. Sur deux étages, vous pourrez découvrir l'ensemble de ses créations. L'ambiance est chic sans être trop sérieuse. Les vendeurs sont discrets et très serviables. On y trouve moult modèles pouvant aller à des hommes ou des femmes de tout âge. Classiques, branchées ou simplement originales, les créations mettent en valeur les métaux, pierres ou perles de toutes les couleurs. Les prix restent toujours abordables. Quelques dizaines d'euros suffisent pour acheter une bague ou un pendentif. Pour quelques centaines d'euros vous avez de très jolis modèles brillant de mille feux. N'hésitez également pas à passer sur leur site Internet. Vous y verrez de nombreux modèles qu'il est possible d'acheter en ligne.

HISTOIRE D'OR

86, rue de Rivoli (4e) ✆ 01 48 04 52 40

Site Internet : www.histoiredor.fr – M° Châtelet ou Hôtel-de-Ville. Ouvert du lundi au samedi de 10h à 20h.

La rue de Rivoli accueille une grande boutique Histoire d'Or. Vous y trouverez tout ce dont vous rêvez à des prix toujours raisonnables. Le choix est conséquent. Que vous ayez envie de quelque chose de classique ou de sophistiquée, vous devriez trouver votre bonheur parmi les centaines de modèles exposés. Pas de soucis au niveau de la qualité qui est excellente. Seul bémol : comme bien souvent dans les bijouteries, les modèles sont sur-éclairés. Pour éviter tout risque de déception, demandez à essayer les créations et éloignez-vous un peu des lampes. Vous serez ainsi certaine de la couleur et de l'éclat des pierres. Une carte de fidélité est délivrée gratuitement sur simple demande. Elle offre plusieurs avantages dont une petite ristourne au bout d'un certain nombre d'achats. N'hésitez pas à vous la procurer. **Autres adresses :** Forum des Halles (1er) – Porte de Rambuteau, niveau -3 ✆ 01 40 13 85 45 • Passage du Havre (9e) ✆ 01 40 82 62 43 • Centre Commercial Italie 2 – 30, avenue d'Italie (13e) ✆ 01 45 80 18 44.

MARC ORIAN

Centre commercial Italie 2– 30, avenue d'Italie (13e) ✆ 01 45 80 90 05

M° Place d'Italie. Ouvert du lundi au samedi de 10h à 20h, le jeudi fermeture à 21h.

On aime entrer dans cette bijouterie pour l'accueil toujours souriant des vendeuses et les nouveautés qui viennent régulièrement enrichir les vitrines. De très nombreuses références sont présentées. Le choix est vraiment important tant au niveau des bijoux que des montres. Ces dernières sont issues de différentes marques. Les adeptes des camées notamment pourront y découvrir une très jolie collection. Les autres apprécieront les signes religieux et les bagues empierrées. Compte tenu de la qualité, les prix sont tout à fait abordables. Il faut compter une quelques centaines d'euros pour acquérir des modèles déjà assez chics. On notera également un petit plus qui ne gâche rien : le service après-vente est toujours de qualité.

ANTOINE CAMUS
9, rue de la Tour (16e)
✆ 01 45 20 00 87
Site Internet : www.antoinecamus.fr – M° Passy. Ouvert du mardi au samedi de 12h à 19h.
Si vous aimez les pièces originales et hors du temps, ruez-vous dans cette magnifique boutique ! Ici les bijoux sont véritablement mis en scène dans de très belles vitrines. Joaillier mais aussi gemmologue, Antoine Camus est un créateur qui réalisera la bague de vos rêves ! Une fois vos désirs bien précisés (pierre, taille, monture), l'artiste réalisera d'abord un prototype en pâte à modeler pour une bonne appréciation des volumes, puis en cire dure, retouché jusqu'à ce qu'il corresponde exactement à votre demande. Vous pouvez aussi opter pour de magnifiques créations sur son catalogue. Ses sources d'inspiration du moment, la nature en fleur et les insectes mais aussi l'architecture et la mer. Autre possibilité, choisir des bijoux anciens très glamour ou transformer un bijou de famille et changer sa monture. Un excellent choix de pierres précieuses et semi-précieuses (Antoine Camus va les chercher lui-même en Asie) vous est également proposé. Pour les diamants, vous pourrez être mise directement en rapport avec des fournisseurs d'Anvers. On peut aussi vendre un bijou de famille proposé alors en magasin à un prix très intéressant. Les montres d'occasion haut de gamme sont aussi d'excellentes affaires ! Tout est possible, le conseil est aussi patient que pertinent, et les prix abordables... qui dit mieux ?

Les bijouteries «fantaisie»

CAMILLE ET LUCIE
206 et 232, rue de Rivoli (1er)
✆ 01 42 96 41 90
Site Internet : www.camille-lucie.com – M° Tuileries ou Concorde. Ouvert du lundi au samedi de 10h à 19h, les dimanches et jours fériés de 11h à 19h.
Deux prénoms qui sonnent familièrement aux oreilles des modeuses fanatiques de bijoux. 120 points de vente dans le monde, plus de 200 modèles de bagues fantaisie de luxe, 30 € la bague, 50 € les deux, cela donne le vertige. Les équipes des boutiques de la rue de Rivoli, idéalement placées, vous réserveront un accueil des plus sympathiques. Vous passerez du temps à «essayer» des bagues élégantes, créées d'après les grandes tendances de la joaillerie internationale. Un luxe, sauf que l'on est sûr de repartir cette fois avec la ou les bagues de ses rêves à moindre coût. Les modèles sont confectionnés sur une bague en métal sans nickel et recouvertes de rhodium ou dorées (couleur 18 carats). Parmi les tentations du moment, des styles très différents qui mettront d'accord toutes les générations, des plus classiques aux plus avant-gardistes. Brillez de mille feux, éblouissez sans vous fâcher avec votre banquier ! **Autres adresses :** 115, boulevard Voltaire (11e) ✆ 01 43 72 75 87 • 51, rue de Rennes (6e) ✆ 01 45 49 21 89.

ABSOLUMENT DELICIEUSE
56, rue Notre-Dame-des-Victoires (2e)
✆ 01 40 28 09 89
Site Internet : www.absolument-delicieuse.com – M° Grands Boulevards. Ouvert du lundi au samedi de 10h à 19h.
Il y a moins d'un an, deux sœurs ouvrent leur petite boutique de bijoux, à deux pas de la Bourse. Un cadre sobre et chaleureux dans un très vieil immeuble, agrémenté de beaux miroirs. On pousse la porte pour l'accueil personnalisé et les conseils de Ghislaine, Isabelle et Josette mais aussi pour les modèles de bijoux dans l'air du temps et à prix doux (entre 6 € et 150 €). Des créations uniques et fantaisie dans un esprit gai et très coloré, en argent, nacre et autres pierres semi-précieuses. Parmi les best-sellers, les grands sautoirs ou bien encore les petits bracelets animaux en argent et en nacre (entre 19 € et 55 €). Que ce soit pour trouver une idée cadeau ou tout simplement vous faire plaisir, vous deviendrez vite accro !

GAS BIJOUX
26-28, rue Daniel-Casanova (2e)
✆ 01 42 97 58 80
Site : www.gasbijoux.fr – M° Pyramides ou Madeleine. Ouvert du lundi au samedi de 10h à 19h30.
Des bijoux colorés, ethniques et baroques, reflet de voyages et de métissages. L'histoire débute à Saint-Tropez, il y a plus de trente ans. André Gas, diplômé des Beaux-Arts, vend alors ses créations artisanales et ses porte-bonheur sur les plages. Dans ce petit écrin, à deux pas de la place du Marché-Saint-Honoré, la décoration est soignée, l'ambiance légèrement tamisée et l'accueil des plus agréables. Au menu, de l'argent brossé, des mélanges de matières et de couleurs (émail et résine, nacre et tissus, corail et turquoise), des bracelets peace and love, des bracelets liens en cuir, des sautoirs perlés (45 €) et autres bijoux de portables (crocodile, danseuse, etc.). L'univers de la marque s'est étoffé avec la ligne de vêtements Gas Bijoux by Marie ainsi que le parfum «Ensoleille moi». **Autres adresses :** 44, rue Etienne-Marcel (2e) ✆ 01 45 08 49 46 • 8, avenue George-V (8e) ✆ 01 53 23 88 00.

AGATHA
97, rue de Rennes (6e) ✆ 01 45 48 92 57
Site Internet : www.agatha.fr – M° Saint-Sulpice, Rennes, Saint-Placide, Sèvres-Babylone. Ouvert du lundi au samedi de 10h15 à 19h.
La marque Agatha fait figure d'incontournable dans l'univers de la bijouterie fantaisie. Elle propose un nombre impressionnant de modèles renouvelés très régulièrement. Les collections surfent sur l'air du temps et savent donner une petite touche tendance aux silhouettes les plus classiques. On aime tout particulièrement les montres ornées du petit chien, symbole de la marque, qui coûtent environ 150 €. Certains bracelets et bijoux semblent sertis de véritables pierres tant ils scintillent de mille feux. Les prix sont vraiment attractifs. Pour quelques dizaines d'euros vous pouvez acheter un bijou fantaisie d'excellente qualité. Fait remarquable chez Agatha : on n'a pas l'impression de porter de la quincaillerie. Le service après-vente est également intéressant. Si votre bijou s'est terni au fil du temps, ils acceptent de vous le reprendre quelques jours, le temps de le redorer ! Vous le retrouverez comme neuf ! **Autres boutiques :** Carrousel du Louvre – 99, rue de Rivoli (1er) ✆ 01 42 96 03 09 • 45, rue Bonaparte (6e) ✆ 01 46 33 20 00 • 26, avenue des Champs-Elysées (8e) ✆ 01 43 59 68 68 • Passage du Havre – 109, rue Saint-Lazare (9e) ✆ 01 40 16 08 19.

GUDULE
72, rue Saint-André-des-Arts (6e)
✆ 01 44 07 05 04
Site : www.gudule.com – M° Odéon, Saint-Michel ou Mabillon. Ouvert du lundi au jeudi de 10h30 à 21h30, nocturne le vendredi et le samedi jusqu'à 22h30.
Temples des bijoux anciens et des bons prix, les bijouteries Gudule ont un fonctionnement bien particulier. Les bijoux en argent sont achetés au poids. Ils sont ainsi à la portée de tous les budgets. On trouve de tout : des pièces modernes ou plus anciennes, avec ou sans pierres, dans un style ethnique ou européen… Bref, le choix est vraiment large. Bagues, bracelets, pendentifs, colliers, boucles d'oreilles… Allez farfouiller dans ces boutiques, vous trouverez forcément quelque chose qui vous plaira. Les stocks sont très régulièrement renouvelés. Des objets sont aussi mis en vente. Tabourets, repose-têtes et autres accessoires ethniques donneront un bon coup de jeune à votre intérieur. **Autres adresses :** 52, rue de Richelieu (1er) ✆ 01 47 03 93 50 • 14, rue des Petits-Carreaux (2e) ✆ 01 40 26 04 17 • 120, rue de La-Boétie (8e) ✆ 01 43 59 03 76 • 3, rue de la Roquette (11e) ✆ 01 47 00 82 83.

METAL POINTU'S
13, rue du Cherche-Midi (6e)
✆ 01 45 44 96 99
M° Saint-Sulpice ou Sèvres-Babylone. Ouvert du lundi au vendredi de 10h30 à 19h (sauf fermeture exceptionnelle tous les lundis matin pour le réassort, ouverture entre 11h et 11h30) et le samedi de 10h30 a 19h.
Voilà une boutique qui porte bien son nom ! Imaginez des pics, des triangles ou des ronds en métal liés les uns aux autres d'une façon follement originale… Et bien vous avez à peu près l'esprit de la marque. Cette dernière connaît un succès croissant dans la capitale. On aime venir y dégoter des bagues délirantes composées de cubes ou de rectangles. Les prix affichés sont tout à fait raisonnables : dès 40 €, vous pouvez acheter une très belle création. Personne ne pourra imaginer que vous l'avez payée ce prix-là ! Les colliers coûtent une centaine d'euros. **Autres adresses :** 13, rue du Jour (1er) ✆ 01 42 33 51 52 • 2, rue du Marché Saint-Honoré (1er) ✆ 01 42 60 01 42 • 19, rue des Francs-Bourgeois (4e) ✆ 01 40 29 44 34 • 9, rue de Charonne (11e) ✆ 01 47 00 81 60.

TEMOA
75, rue Oberkampf (11e) ✆ 01 43 57 63 03
Site Internet: www.temoa.fr – M° Parmentier ou Oberkampf. Ouvert du mardi au samedi de 10h30 à 14h30 et de 15h30 à 20h et le dimanche de 9h30 à 14h.
Voir rubrique «Maison – Décoration».

CECILE ET JEANNE
49, avenue Daumesnil (12e) ✆ 01 43 41 24 24
M° Porte Dorée. Ouvert du lundi au samedi de 11h à 19h.
Deux femmes sont à l'origine de cette fabuleuse marque. C'est Jeanne qui crée les bijoux avec tout son talent. Hyper féminin, ils réussissent une forme d'exploit : être originaux et d'excellente qualité. Les prix sont parfois un peu élevés pour

de la bijouterie fantaisie mais n'oublions pas que nous sommes ici dans une boutique assez haut de gamme. Dès 40 € vous pouvez acquérir une très jolie création. Les prix tournent généralement autour de la centaine d'euros. Les matériaux utilisés sont colorés, glamours, chics et peu banals. **Autres boutiques :** Carrousel du Louvre (1er) ✆ 01 42 61 26 15 • 12, rue des Francs-Bourgeois (3e) ✆ 01 44 61 00 99 • 14, rue des Rosiers (3e) ✆ 01 42 71 21 93.

CORPUS CHRISTI

6, rue Ravignan (18e) ✆ 01 42 57 77 77

Site Internet : www.corpuschristi.fr – M° Abbesses. Ouvert du mardi au dimanche de 11h à 19h.

Enfin des bijoux fantaisie qui ont une véritable personnalité ! Créée par Thierry Gougenot, cette marque à la philosophie très «carpe diem» (profitons de la vie pendant qu'il en est temps) actualise avec beaucoup de finesse des éléments religieux (crânes et croix) et autres symboles de féminité. Une corne de cerf en guise de poignée de porte, le ton est donné. C'est dans un écrin très théâtral, Deyrolle et ses animaux naturalisés sont passés par là, que vous découvrirez des bijoux véritablement mis en scène et qui transmettent un message. Chaque détail est soigné, les matières sont fines et délicates (vermeil, argent, perles d'eau douce, nacre, etc.). Particulièrement tentantes, les bagues fleur blanche (environ 55 €) et autres anneaux mélangés, ou bien encore les colliers en argent et leur petite croix (70 €). Des bijoux pour hommes sont également proposés.

EMMANUELLE ZYSMAN

81, rue des Martyrs (18e) ✆ 01 42 52 01 00

Site Internet : www.emmanuellezysman.fr – M° Pigalle ou Abbesses. Ouvert du mardi au vendredi de 11h à 19h, le samedi de 12h à 20h et le dimanche de 15h30 à 19h.

Un univers tout en féminité et en délicatesse. Après avoir grimpé la rue des Martyrs, vous découvrirez une boutique où chaque détail est soigné. Déjà dix ans qu'Emmanuelle Zysman a créé sa griffe, et ces bijoux comme autant de précieux talismans pour shoppeuses raffinées. Au programme, des petites tourmalines, des émeraudes, du quartz, et toujours des montures extrêmement fines en argent, vermeil ou en or. Les anneaux martelés en argent sont à 35 €, les colliers médaille et corail quant à eux tournent autour de 97 €. Vous craquerez aussi pour ces petites gourmettes adaptées aux plus grandes et pour leurs petits mots doux «petit chat», «mon ange», ou bien encore «mon loup». Une jolie sélection de vêtements (Velvet, Polder, etc.), des gants, ainsi que des sacs et autres objets décoratifs sont également mis à votre disposition.

Les bijoux pour hommes

ABRAXAS

5, rue du Marché-Saint-Honoré (1er)
✆ 01 40 15 62 20

Site Internet : www.abraxas.fr – M° Tuileries ou Pyramides. Ouvert du lundi au jeudi de 10h à 20h, le vendredi et le samedi de 10h à 21h.

Si l'endroit est d'abord réputé comme la meilleure adresse tatouages et piercings de Paris (cabines à l'hygiène impeccable, décor épuré ambiance très médicale), l'endroit passe aussi pour une bijouterie haut de gamme. Vitrines au sol, lumière assistée par ordinateur, excellente acoustique, Abraxas propose des collections de bijoux tendance et très viriles (bague en argent, bracelets carbone en acier chirurgical, bracelets-gourmettes, chaînes de portefeuilles motifs dragon ou tête de mort, pendentifs croix, os ou fantômes). Une boutique devenue une référence dans le quartier des cadres sup, avocats et businessmen qui viennent s'offrir quelques souvenirs sous leurs costards. **Autre adresse :** 9, rue Saint-Merri (4e) ✆ 01 48 04 33 55.

BOUTIQUE 26 PASSAGE

26, passage Verdeau (9e) ✆ 01 47 70 02 26

Site : www.gwajoaillerie.com – M° Le Peletier ou Richelieu-Drouot. Ouvert du lundi au vendredi de 10h à 18h30 et le samedi de 13h à 18h.

C'est dans l'un des plus vieux passages parisiens que Sophie Thobie et Franck Montalioux, deux créateurs de bijoux aux univers différents mais complémentaires, ont choisi d'ouvrir il y a deux ans leur boutique commune. Un espace comme un écrin, aux tons parme et chocolat, où vous pouvez découvrir plusieurs lignes de bijoux entièrement masculines privilégiant le travail de l'argent rhodié et des pierres fines (bagues «dandy», alliances, chevalières, boutons de manchette) ou or et pierres précieuses. Le + : la possibilité de commander des créations sur mesure.

Les bijoux anciens et de collection

BIJOUTERIE MILLER

233, rue Saint-Honoré (1er) ✆ 01 42 61 63 13

Site : www.miller.fr – M° Tuileries, Pyramide ou Opéra. Ouvert du lundi au samedi de 11h à 18h.

Grand spécialiste du bijou ancien signé des plus grands joailliers, Miller transporte les femmes dans un univers atemporel où luxe et glamour côtoient… les bonnes affaires ! Les bijoux mis en vente sont tout simplement sublimes. Leur prix est certes élevé mais il ne faut pas oublier qu'ils se situent toujours entre 40 % et 50 % sous la valeur du neuf ! Pas de risque de vous tromper. Cette boutique est tenue par des experts qui font subir à chaque objet de rigoureux tests d'authenticité et de qualité. Qualité des pierres, état du serti, état des poinçons, contrôle auprès de la maison mère… Rien ne leur échappe ! Ainsi, vous pourrez découvrir de fabuleuses bagues Chopard à près de 3 000 € et bien d'autres créations signées Piaget, Repossi, Mellerio, Mauboussin, Van Cleef & Arpels…

DARY'S
362, rue du Faubourg-Saint-Honoré (1er)
✆ 01 42 60 95 23
M° Madeleine, Concorde ou Opéra. Ouvert du lundi au vendredi de 10h à 18h, et le samedi de 12h à 18h.
C'est juste en face de Costes que vous trouverez les vitrines or et argent de Dary's. Depuis 1932, la maison propose des bijoux anciens de tous styles et de toutes époques ainsi que des objets de curiosité. Une fois que l'on vous aura ouvert la porte (sécurité oblige), vous serez conseillé avec passion par de véritables professionnelles, diplômées en gemmologie. Les pièces que vous aurez sélectionnées vous seront présentées dans les règles de l'art, sur un petit plateau de présentation violet. Vous trouverez de délicats bracelets en argent à partir de 80 €, des boucles d'oreilles rehaussées de grenat à 150 € mais aussi un vaste choix de camées, broches, croix, etc.

LES ANTIQUAIRES DU LOUVRE
2, place du Palais-Royal (1er)
✆ 01 42 97 27 27
Site Internet : www.louvre-antiquaires.com – M° Palais-Royal – Musée du Louvre. Ouvert du mardi au dimanche de 11h à 19h.
Dans le très chic quartier du Palais Royal, à deux pas du Louvre s'étale sur 10 000 m² la plus grande vitrine d'antiquités au cœur de Paris. Le cadre est résolument moderne. Sur trois niveaux, 250 antiquaires présentent des objets d'une rare beauté. Les galeries sont réparties selon leurs spécialités. Arts de la table, bibelots, tableaux, mobilier, bijoux… Ces derniers sont résolument de qualité. Si vous souhaitez vous acheter un beau bijou, comptez quelques centaines d'euros. En dessous, il est peu probable que vous trouviez quelque chose. Pour vous reposer entre deux boutiques, n'hésitez pas à passer au bar ou au restaurant. Leur ambiance apaisante vous guidera dans des rêves nourris par les trésors que vous venez de découvrir. Soignez tout de même votre tenue car l'endroit est chic. Quoi qu'il en soit, on ressort du Louvre des antiquaires ébloui par tant de beauté !

ARCHI-NOIRE
19, rue Victor-Massé (9e) ✆ 01 48 78 01 82
M° Pigalle ou Saint-Georges. Ouvert du mercredi au samedi de 14h à 19h30.
C'est dans un esprit très brocante que l'on découvre la jolie sélection de bijoux anciens que Dorothée Renault a amassés ici depuis trente ans, à des prix raisonnables pour la plupart. Ici, les chineuses côtoient la clientèle bobo du quartier. Parmi les trouvailles, un collier en perles rouges (73 €), des boucles d'oreilles à clips qui ressemblent à des Smarties (14 €) ou bien encore un sautoir Angela Caputi (188 €). Les chineuses craqueront également pour les pics à cheveux rétro (55 €). Avant de repartir, n'oubliez pas de jeter un œil aux objets design exposés, des années 30 à 80 : mobilier, tableaux, vaisselle et autres cartes postales. Les prix varient entre 10 € et 300 €.

Les montres

CHEZ MAMAN
4, rue Tiquetonne (2e) ✆ 01 40 28 46 09
Site Internet : www.chezmaman.com – M° Etienne Marcel. Ouvert du lundi au samedi de 11h à 20h.
La boutique la plus branchée côté montres. Avec des vitrines «stickerisées» tous les mois, un décor très urbain avec pierres apparentes et table à cristaux liquides, Chez Maman est l'adresse «in». Outre les célèbres montres digitales de Starck, vous trouverez les marques les plus délirantes de montres (compter entre 50 € et 250 €), des ultra design d'Axcent ou Tokyo Flash aux modèles fantaisie (Julius & Friends, Casio Games, Nooka) ou bling-bling (Nixon, Vestal), la montre crée ici le style, fait l'allure et déclenchera dans votre entourage jalousie et étonnement. Gardez l'adresse pour vous !

LOUIS PION
19, boulevard Montmartre (2e)
✆ 01 42 96 94 58
Site Internet : www.louis-pion.fr – M° Richelieu-Drouot. Ouvert du lundi au samedi de 10h30 à 19h.
Les montres sont des bijoux comme les autres ! Louis Pion nous le prouve depuis des années. Spécialisée dans l'horlogerie «mode» depuis 1928, la marque possède un slogan bien explicite : «Habillez-vous d'une montre». Dans ces boutiques, se vendent des créations de nombreuses marques : Swatch, Zénith, Tissot, Bell & Ross, etc. L'éventail des prix proposés est large. De la petite montre sympa que l'on porte l'été sur la plage à celle que l'on réserve aux soirées habillées, il y a de tout. A côté d'elles, vous découvrirez la ligne de montres fabriquées par Louis Pion. D'excellente qualité, elles ont des lignes plus ou moins originales et tendance. Les prix varient de 20 € à 200 €. Autant dire qu'elles sont une affaire ! **Autres adresses :** 47, rue Saint-Placide (6e) ✆ 01 42 22 96 66 • 9, place de la Madeleine (8e) ✆ 01 42 65 00 43 • 52, avenue des Champs-Elysées (8e) ✆ 01 42 25 31 10 • 9, rue Auber (9e) ✆ 01 42 65 40 33 • 40, rue du Commerce (15e) ✆ 01 45 75 25 24.

LA MONTRE DU MARAIS
20, rue de la Verrerie (4e) ✆ 01 44 61 04 40
M° Hôtel de Ville. Ouvert le lundi de 15h à 20h, du mardi au samedi de 11h à 20h, le dimanche de 15h à 20h.
D'accord on vous l'accorde, la boutique est toute petite, mais que cela ne vous empêche pas de jeter un œil à l'intérieur, vous risqueriez de passer à côté de montres issues de grandes marques – Diesel, Storm, Nixon… Vendues à des prix inférieurs en moyenne de 20 % par rapport à ceux du marché,

vous serez à l'heure à partir de 35 €. Il est temps de faire de bonnes affaires et pour les fanas, de surveiller les arrivages d'imports spéciaux du Japon et des montres collector.

SWATCH
104, avenue des Champs-Elysées (8e)
✆ 01 56 69 17 00
Site Internet : www.swatch.com – M° George-V ou Franklin-D.-Roosevelt. Ouvert du lundi au samedi de 10h à 23h, et le dimanche de 12h à 20h.
Vous connaissez certainement la célèbre marque de montres Swatch. Sport, géométriques, urbaines, psychédéliques, chics... tous les styles sont au rendez-vous et peuvent convenir à une large clientèle ! Plus d'une centaine de modèles existent. N'hésitez pas à jeter un œil à leur collection de bijoux. Du très coloré, comme ce collier à grosses boules multicolores sur lesquelles sont dessinées des fleurs, mais aussi des bijoux plus sobres réalisés en acier de couleur or ou argenté. On aime beaucoup les bagues avec des perles en cristal blanc cassé ou celles plus originales encore en argile de polymère bleu. Pour moins de 100 €, il est possible de s'acheter un modèle assez sympa.
Autres adresses : 134, rue de Rivoli (1er) ✆ 01 42 21 10 85 • 16, place Vendôme (1er) ✆ 01 42 97 20 00 • 2, rue du Cherche-Midi (6e) ✆ 01 45 48 09 60.

LES CARTERIES ET PAPETERIES

Affiches et Posters

YELLOW KORNER
8, rue des Francs-Bourgeois (3e)
✆ 01 49 96 50 23
Site Internet : www.yellowkorner.com – M° Saint-Paul. Ouvert du lundi au jeudi de 11h à 19h, le vendredi de 11h à 19h30, le samedi de 10h30 à 20h et le dimanche de 12h30 à 19h30.
Une magnifique galerie de 250 mètres carrés au fond d'une cour du 3e arrondissement. Les "best sellers" de Yellow Korner sont disponibles à la Fnac, mais vous trouverez ici leur gamme complète de très belles photographies d'art en série limitée. Paysages du monde, désertiques ou boisés, New York, Tokyo, instants volés dans la rue ou même photos de stars, Yellow Korner met en avant aussi bien des photographes de renommée internationale que de jeunes talents soigneusement sélectionnés par un comité. La plupart des photos en format moyen sont à 59 €, et des œuvres déjà encadrées et emballées à 39 € – 20 x 30 cm – sont également disponibles. Si vous voulez offrir un très beau cadeau, de magnifiques photos au format minimum de 60 x 90 séduiront un amateur de photos contemporaines – environ 150 €. Et si vous ne savez pas quoi choisir, vous avez la possibilité de vous rabattre sur des chèques-cadeaux, directement envoyés au destinataire et valables à la fois dans la galerie et sur la boutique en ligne.

LE CADRE D'OLIVIER
6, rue de la Cerisaie (4e) ✆ 01 48 04 38 48
Site Internet : www.cadre-olivier.com – M° Bastille. Ouvert mardi, jeudi, vendredi, samedi de 10h à 19h, mercredi de 13h à 19h. Lundi et mercredi matins sur rendez-vous.
Ce magasin qui entre dans sa cinquième année d'existence propose environ 300 références de posters et d'originaux. La spécialité de la maison tourne autour de la BD, on peut néanmoins y trouver quelques affiches de cinéma (tirage pigmentaire du 5e élément) ou encore de grands noms de la photographie comme Philip Plisson ou Yann Arthus-Bertrand. Si vous souhaitez mettre en valeur votre nouvelle acquisition, ne bougez pas, vous êtes également à la bonne adresse pour l'encadrement.

L'ILE AUX IMAGES
– GALERIE SYLVAIN DI MARIA
51, rue Saint-Louis en l'Ile (4e)
✆ 01 56 24 15 22
Site Internet : www.lileauximages.com – M° Pont-Marie. Ouvert du lundi au samedi de 14h à 19h.
Voici un lieu à ne pas manquer pour les amateurs d'Art nouveau et d'Art déco, ici on ne vend que des documents originaux, lithographies, affiches et documents des années 1900. De nombreux thèmes sont abordés comme des anciennes publicités sur le champagne, la gastronomie, les caricatures. On y retrouve aussi des affiches d'expositions de Picasso, Matisse. Ces œuvres originales se vendent de 100 à 1000 €. Ce petit bout d'île offre une belle plongée authentique dans cette période si marquante à Paris. L'île aux images est aussi experte en photographie d'art de 1860 à 1960.

SHOPPING

MAEGHT EDITEUR
42, rue du Bac (7e) ✆ 01 45 48 19 55
Site Internet : www.maeght.com – M° Rue-du-Bac. Ouvert le lundi de 9h à 18h, et du mardi au samedi de 9h à 19h.
Juste à côté de la célèbre galerie du même nom, la boutique vous emmène à travers l'Histoire de l'Art du XXe siècle. Joan Miró, Georges Braque, Marc Chagall, autant de grands noms dont vous retrouverez les lithographies, quadrichromies ou livres thématiques à leur sujet. Certaines lithographies originales, numérotées et signées, peuvent se vendre jusqu'à plusieurs centaines d'euros, mais vous avez également un large choix de reproductions d'œuvres contemporaines à partir de 22 €. Il y a aussi de belles lithographies sur l'automobile, ayant pour objet les constructeurs ou les grands prix. Des objets, comme des statuettes africaines – 32 € –, peuvent aussi constituer un très beau cadeau pour un amateur d'objets d'art. Très pointue en matière d'Art moderne, la boutique possède par ailleurs une belle collection de livres rares, d'anciens numéros de revues d'art et autres éditions que vous ne trouverez nulle part ailleurs.

AFFICHE CINE
1, rue des Roses (18e) ✆ 01 44 72 95 09
Site Internet : www.affiche-cine.com – M° Marx-Dormoy. Ouvert du mardi au samedi de 13h30 à 19h30.
Fanatiques du 7e art, montez dans cette petite boutique du nord de Paris qui existe depuis quatre ans. Elle réunit l'un des plus gros stocks de la capitale en matière d'affiches de cinéma d'origine avec 50 000 références. De la pièce rarissime comme «le pirate noir», premier long-métrage couleur des années 1920 (environ 5 000 €) à des films beaucoup plus récents et donc plus accessibles, par exemple «2001, Odyssée de l'espace» (120 €), il y en a pour tous les goûts et tous les budgets à partir de 10 €. Incontournable pour un cadeau 100 % cinéma et 100 % authentique.

Correspondance

COMPTOIR DES ECRITURES
35, rue Quincampoix (4e) ✆ 01 42 78 95 10
Site Internet : www.comptoirdesecritures.com – M° Châtelet ou Rambuteau. Ouvert du mardi au vendredi de 11h à 19h, le samedi de 11h à 18h.
Vous êtes ici dans le temple de la calligraphie. Qu'il s'agisse des encres, du papier, de la plume, du stylographe ou autres outils d'écriture, rien n'est affaire de hasard. Point de coffrets tout prêts ou de kits d'initiation : si vous voulez offrir un cadeau à un vrai passionné de calligraphie, vous devrez savoir vers quel type d'écriture et de support vous diriger, car chaque chose se choisit au millimètre. Mais vous ne pouvez pas vous tromper, il n'y a que du matériel professionnel, et vous bénéficierez des conseils d'un personnel extrêmement compétent. Et la très grande qualité des produits ne veut pas forcément dire budget élevé : on peut faire un très joli cadeau à un fondu d'écriture à partir de 20 €.

L'ECRITOIRE
61, rue Saint-Martin (4e) ✆ 01 42 78 01 18
Site Internet : www.ecritoire.fr – M° Hôtel-de-Ville ou Châtelet. Ouvert du lundi au samedi de 11h à 19h.
La spécialité de ce lieu minuscule ne laissera pas indifférents les adeptes de la belle et drôle correspondance puisqu'il s'agit d'enveloppes loufoques qui prennent des formes aussi originales que le triangle, la carré, l'octogone ou le carré. La dernière nouveauté est la «missive gaufrée», une carte gaufrée qui se plie en trois pour faire office d'enveloppe, fermée par un élastique (7,90 € les six). Quarante couleurs d'encre et vingt couleurs de cire vous attendent, ainsi que des stylo-plumes et porte-plumes en bois. Des petits kits sont également proposés comme le «kit-encre» qui comprend plume, buvard et encre, ou le «kit-cire» qui comprend sceau et cire. A l'heure des e-mails, cette boutique remet au goût du jour tout le plaisir de correspondre avec style.

MELODIES GRAPHIQUES
10, rue du Pont-Louis-Philippe (4e)
✆ 01 42 74 57 68
M° Pont-Marie ou Saint-Paul. Ouvert du mardi au samedi de 11h à 19h.
Une boutique qui présente ses accessoires d'écriture comme on présenterait des instruments de musique. Dans un décor à l'ancienne, on y trouve des cahiers d'exercice à l'écriture, comme à l'école, des coffrets de tampons créatifs, des calepins, des jeux de cartes et de tarot, des instruments de calligraphie, et toute une gamme de carterie fantaisiste de très haute qualité. La boutique propose également des objets décoratifs autour de l'écriture, et notamment les œuvres d'une sculptrice sur livre, qui pourraient, par exemple, orner la bibliothèque d'un grand lecteur –160 €.

ELYSEES STYLOS MARBEUF
40, rue Marbeuf (8e) ✆ 01 42 25 40 49
Site Internet : www.stylos-marbeuf.com – M° Franklin-D.-Roosevelt. Ouvert du lundi au samedi de 9h30 à 19h.
Une ambiance feutrée, une boutique à la décoration raffinée, vous n'aurez ici que le meilleur des grandes marques d'écriture, et des articles de maroquinerie qui y sont traditionnellement liés. Idéalement située dans ce que l'on nomme le triangle d'or de Paris, la boutique vous fournira des cadeaux d'écriture élégants et de très haut de gamme. Marques prestigieuses, conseils éclairés et service digne d'une enseigne de luxe, les produits que vous aurez choisi d'offrir vous seront présentés dans un écrin. En tout cas, pas d'erreur possible sur le style, ici, il est éternel.

HERISSON
17, rue de l'Abbé-Groult (15e)
✆01 48 56 86 09
Site Internet : www.herisson-creation.com – M° Commerce. Ouvert du mardi au vendredi de 11h à 13h et de 14h30 à 19h30, samedi de 11h30 à 19h30.
Hérisson est une marque de carterie-papeterie très colorée dont l'univers poétique et féminin plaît particulièrement aux enfants et aux adolescents. On y trouve aussi des accessoires autour de l'enfant comme des tee-shirts, des doudous ou des bodys pour bébés. Le rose, le fuchsia et le violet dominent nettement parmi les cahiers, blocs, grandes ou petites cartes, stylos, trousses, sacs. Les femmes de tout âge trouveront de quoi correspondre de manière ludique entre copines sans se ruiner : la carte double «Religieuse» ne coûte que 3 €. Une adresse piquante et créative.

MUJI
51, avenue des Ternes (17e) ✆01 40 55 55 90
Site Internet : www.muji.fr – M° Ternes. Ouvert du lundi au vendredi de 10h à 19h30, samedi de 10h à 20h.
Ceux qui aiment écrire avec un design contemporain et l'usage de matières plastiques trouveront certainement leur bonheur au rayon papeterie de Muji, qui compte également sept autres magasins dans la capitale. Des stylos modulables en aluminium, des stylos multi-couleurs, des mini porte-mines, des carnets à croquis en kraft ou encore des boîtes à archives en acrylique. Les matières jouent la carte du translucide et des couleurs aux tons pastel en proposant aussi des accessoires qui trouveront leur place sur votre bureau comme ce destructeur de papier manuel pour ceux qui veulent faire un peu d'exercice entre deux missives. L'enseigne japonaise compte sept autres boutiques dans Paris. Autres adresses : voir le site Internet.

LE STYLO D'OR
62, avenue des Ternes (17e) ✆01 45 74 72 17
M° Ternes. Ouvert du lundi au samedi de 10h à 19h30.
Une boutique spécialisée dans les stylos et la maroquinerie, au décor boisé et épuré. Toutes les grandes marques y sont représentées : Cross, Mont Blanc, Cartier, ST Dupont, mais aussi Waterman. Les stylos sont sous vitrine, comme dans une bijouterie, et sont accompagnés d'articles de maroquinerie – Mulberry, Filofax –, et de multiples accessoires comme ces coffrets conçus pour le rangement des stylos, en plusieurs tailles, et fabriqués en bois de citronnier – entre 200 € et 300 €. Une vitrine «cadeaux» est là pour vous aiguiller si les idées vous manquent un peu, et si vous cherchez des articles un peu plus généralistes comme des horloges ou de la maroquinerie de prestige.

STYLOS WAGRAM
13, avenue de Wagram (17e)
✆01 43 80 20 71
Site Internet : www.styloswagram.com – M° Place-des-Ternes ou Charles-De-Gaulle-Etoile. Ouvert le lundi de 12h à 19h30, du mardi au samedi de 9h30 à 19h30.
Une impressionnante liste de marques de stylos est au palmarès de cette enseigne, spécialiste de l'écriture depuis plus de soixante-dix ans. Caran d'Ache, Pelikan, Cross, Delta, Montegrappa, Faber-Castell, Lamy, Omas, Mont Blanc, Pilot, Namiki, Parker, ST Dupont ou Waterman, tout y est. Par ailleurs, le catalogue s'est diversifié au fil des années puisqu'on y trouve aujourd'hui, en plus de tout le matériel d'écriture, des montres, des bijoux et des accessoires de bureau. Côté montres, des modèles de chez Balmain, Burberry, Diesel, Armani, Guess, Calvin Klein, Lotus, ou bien Seiko. Côté bijoux, là aussi la boutique n'offre que des marques en vue, en proposant du Guess, du Dolce & Gabbana et du Calvin Klein. Un grand choix dans toutes les collections, qui vous garantira de trouver des idées cadeaux pour tous les prix.

Papeterie

PAPETERIES REAUMUR
116, rue Réaumur (2e) ✆01 40 26 72 14
Site Internet : www.graphicbusiness.fr – M° Sentier. Ouvert du lundi au vendredi de 9h à 18h30. Fermé le samedi sauf périodes de rentrée et fin d'année.
Une vraie papeterie et de vrais professionnels qui courent les salons internationaux pour proposer une large gamme de produits que ce soit pour les particuliers ou les professionnels. La papeterie possède une très grande collection de papeterie plutôt «tendance». Vous pourrez aussi y commander tous vos travaux d'imprimerie (cartes de visites, lettres, invitations) et faire réaliser des tampons personnalisés. Autre adresse : 3, place de la Porte-de-Champerret (17e) ✆01 45 72 43 22. Ouvert le samedi de 10h à 13h et de 14h30 à 19h.

PAPIER +
9, rue du Pont-Louis-Philippe (4e)
✆01 42 77 70 49
Site Internet : www.papierplus.com – M° Pont-Marie. Ouvert du lundi au samedi de 12h à 19h.
Une véritable papeterie d'art, bien connue de tous les amateurs de beaux papiers, au confort d'écriture ou de dessin incomparable. On vient donc ici remplir son panier de livres bibles, bien connu pour son papier éponyme quasi mythique, opaque, très mince et de couleur ivoire, de beaux livres d'or, également utilisés pour le dessin en raison de leur qualité ou de livres blancs disponibles en plusieurs formats. On trouve également de très beaux albums photos en magasin ainsi que des boîtes de présentation, des cartons à dessins très résistants ou encore de nombreux press-books à spirales.

BOOKBINDERS DESIGN
130, rue du Bac (7e) ✆01 42 22 73 66
Site Internet : www.bookbindersdesign.com/france – M° Sèvres-Babylone. Ouvert du lundi au samedi de 10h à 19h.
Nous ne sommes pas là n'importe où mais dans le point de vente français d'une firme qui est parvenue à donner à la reliure traditionnelle une toute nouvelle perspective. Des designers et des professionnels de la reliure conçoivent en effet des produits uniques depuis Stockholm pour sans cesse renouveler l'éventail des livres, cahiers, albums photos, classeurs, agendas ou boîtes d'excellente qualité en vente ici. De nombreux accessoires sont également vendus en association étroite avec toute la gamme de reliures. Vous pourrez donc ainsi trouver des stylos, des tableaux magnétiques, des crayons ou des cadres. **Autre adresse :** 53, rue Vieille-du-Temple (4e) ✆01 48 87 86 32.

PAPETERIE EXELMANS
144, avenue de Versailles (16e)
✆01 45 27 77 17
Site Internet: www.exelmans.fr – M° Chardon-Lagache. Ouvert du mardi au samedi de 9h30 à 19h.
Ce magasin a fait ses preuves depuis des années et il y a absolument tout le matériel nécessaire au bureau. Pas de grande fantaisie dans les produits proposés mais une qualité irréprochable et un vaste choix avec le conseil personnalisé en plus. Le catalogue pour les scolaires est très bien fourni avec les plus grandes marques: Conquérant, Clairefontaine, Canson, Avery, 3M, Esselte, Uhu, Reynolds, Lefranc Bourgeois, Conté, Stabilo, BIC, etc.

TRAIT
52, rue des Abbesses (18e) ✆01 42 23 25 32
Site Internet : www.trait.fr – M° Abbesses – Ouvert du lundi au samedi de 10h à 19h.
Une boutique tout en long dans le très vivant quartier des Abbesses. L'alliance de la qualité et de la fantaisie est au cœur de cette papeterie haute en couleur, qui présente à la fois de beaux papiers à lettres, des stylos, des cahiers, et des objets déco originaux pour le bureau et pour ailleurs. Un porte-plume en bois à 12 €, des tampons ludiques et humoristiques pour agrémenter ses enveloppes, un coffret cire et sceau à 26 €, autant d'accessoires pour les fans de la correspondance papier. On y trouve aussi des cahiers de tous horizons, Italie, Népal ou Inde, et des cahiers plus personnalisés, selon l'occasion pour laquelle on l'offre : cahier «Jour d'anniversaire» – 16 € –, ou albums photos créés par 100drine pour les enfants, les amoureux, et pour bébé. **Autre adresse :** 35, rue Jussieu (5e) ✆01 43 25 28 24.

LES FLEURISTES

LUC GAIGNARD
13, rue du Bouloi (1er) ✆01 42 21 42 00
Site Internet : www.lucgaignard.com – M° Palais Royal ou Louvre-Rivoli. Ouvert du lundi au vendredi de 10h à 20h, le samedi de 11h à 20h.
Un fleuriste «high-tech» en quelque sorte, puisque Luc Gaignard s'autorise des folies autour du monde végétal. Les plantes vendues ici sont en effet utilisées de façon à ressembler à de véritables œuvres d'art. Beaucoup de fleurs exotiques, bien évidemment, pour parvenir à cet incroyable résultat ainsi que des roses, des orchidées et des cactus. Une adresse d'exception qu'il faut connaître, pour un petit plaisir ou pour aider à la décoration de vos grandes occasions.

YANNICK VINCENT
4, rue des Petits-Pères (2e) ✆01 42 86 13 09
Site Internet : www.yannickvincent.fr – M° Bourse. Ouvert du mardi au samedi de 10h30 à 20h.
Cette boutique est entièrement consacrée aux orchidées. Le patron, Yannick Vincent, se définit comme un artisan. Les orchidées sont magnifiquement présentées dans un décor chic avec tentures en taffetas et velours moka. On y trouve des orchidées de toutes sortes, certaines d'exception. Il faut compter entre 15 € et 30 € pour

un bouquet de fleurs coupées, de 25€ à 200€ pour les plantes. D'autres accessoires comme des cache-pots, des vases, des soliflores ou boules de verre soufflé sont également à la vente. Et pour ceux qui n'ont pas la main verte, l'orchidéiste a inventé la fleur et son vase rempli d'eau. On ne peut plus pratique. Pour qu'offrir des fleurs devienne enfin un cadeau chic et original.

BOIS VIOLETTE
7, rue du Pont-aux-Choux (3e)
✆01 42 74 44 49
M° Saint-Sébastien Froissart. Ouvert du mardi au dimanche de 11h à 20h30. Le mercredi de 14h30 à 20h30.
Cette bonbonnière violette, ouverte par une ancienne spécialiste en assurances, est un bonheur autant pour les yeux que pour les sens ! Clotilde Rouart se régale à mettre en scène des roses choux qui exhalent leur parfum, des orchidées en pots ou coupées, des roses de jardins d'Ile-de-France, en passant par les pivoines et les pois de senteur qu'affectionne particulièrement la maîtresse des lieux. A la recherche perpétuelle de la «belle fleur» de saison, Clotilde Rouart enrichit ce qu'elle considère comme un «cabinet de curiosités». Ce Bois Violette apporte un vent de fraîcheur vraiment bienvenu ! En voilà une qui a bien fait de changer de métier…

AU NOM DE LA ROSE
4, rue de Tournon (6e) ✆01 46 34 10 64
Site Internet : www.aunomdelarose.fr – M° Odéon ou Mabillon. Ouvert tous jours de 9h à 21h, le dimanche de 9h à 14h et de 15h à 18h.
La célèbre chanteuse Dani est l'une des fondatrices de ce magasin au concept unique, que l'on retrouve dans 28 adresses parisiennes. Dans la ravissante boutique située entre Saint-Germain-des-Prés et la place de l'Odéon, la Rose a ravi la vedette à toutes ses concurrentes : tulipes, hortensias, œillets, lys, gypsophiles... C'est en vain que vous chercheriez ici ces suivantes malheureuses, définitivement éclipsées par la seule rose. Si vous aimez cette fleur mythique, sachez que vous la trouverez ici déclinée sous toutes ses formes : roses rouges d'Afrique, bouquet rond, bottes de roses, roses blanches, roses safran... Ce lieu dédié à la rose met également à votre disposition des parfums de maison et des gourmandises, parfumées, comme il se doit, à la rose. Autres adresses sur le site Internet.

DANIEL GUITTAT
68, boulevard de la Tour-Maubourg (7e)
✆01 47 05 49 93
Site : www.daniel-guittat.fr – M° La Tour-Maubourg. Ouvert du lundi au samedi de 9h30 à 20h.
Daniel Guittat est Meilleur ouvrier de France, une référence ! Vous trouverez dans ce splendide magasin une équipe absolument passionnée par la nature vous proposant de très nombreuses compositions florales de couleurs vives, tendres ou pastel ainsi qu'un très large choix de bouquets réalisables à partir d'un très grand nombre d'essences. Beaucoup de roses sont également en magasin, que vous les aimiez blanches, roses, rouges, classiques ou précieuses. Des plantes vous sont également proposées en magasin, comme des hortensias, des orchidées ou des plants de muguet.

MONCEAU FLEURS
260, boulevard Voltaire (11e)
✆01 40 09 05 01
Site Internet : www.monceaufleurs.com – M° Rue de Boulets. Ouvert tous les jours de 7h30 à 20h.
Pas impossible que vous ayez déjà croisé un magasin de cette enseigne dans Paris, Monceau Fleurs disposant de pas moins de dix-sept points de ventes dans la capitale – listés sur le site Internet. Vous trouverez dans tous ces magasins un très grand choix de fleurs à prix très abordables. Celles-ci sont présentées sous forme de libre-service : vous effectuez donc votre choix avant que les spécialistes du magasin ne composent votre bouquet, effectuent l'emballage et ne s'occupent de la livraison. Notez que de nombreuses plantes vertes sont également disponibles en magasin. Autres adresses sur le site Internet.

AROM
73, avenue Ledru-Rollin (12e)
✆01 43 46 82 59
M° Ledru-Rollin. Ouvert le lundi de 11h à 20h, du mardi au samedi de 9h30 à 20h, le dimanche de 10h à 14h.
Un fleuriste d'exception ! Pas franchement des essences classiques dans ce magasin puisque l'on trouve exclusivement des anomalies de la nature et des fleurs particulières. Dans une atmosphère enivrante, on vient ici se fournir en roses grises, en fleurs noires mates ou brillantes ou encore en pivoines qui changent de couleur… Le choix est tout de même très étendu puisque l'on trouve des branches, des écorces, des feuillages, des roses anciennes ou encore des fleurs rares. Une adresse où bon goût, originalité et accueil sympathique ne sont pas de vains mots.

IF
24, rue Brézin (14e) ✆01 45 40 06 16
M° Mouton-Duvernet. Ouvert du jeudi au samedi de 10h à 13h et de 15h à 20h.
Attention, on ne se rend pas dans ce magasin pour acheter un bouquet lambda déjà fait et avec des fleurs cultivées. Eric Bourgy vend en effet des compositions florales réalisées sur demande et en fonction des saisons de production. Et il se positionne donc davantage sur le terrain du naturel et de l'authenticité que sur celui des fleurs «aseptisées». Notez que l'activité du maître de maison le fait également travailler à l'aménagement de balcons et de terrasses, c'est la raison de la fermeture du magasin en début de semaine.

CONCEPT FLORAL
23, rue des Volontaires (15e)
✆ 01 47 83 75 88
Site Internet : www.conceptfloral-event.net – M° Volontaires. Ouvert du lundi au samedi de 10h à 19h30.
Son nom l'indique : cette enseigne est plus qu'un fleuriste... Bien sûr dans cette jolie petite boutique, vous trouverez tout ce qu'il faut pour offrir ou agrémenter votre chez-vous : bouquets, plantes d'intérieur et d'extérieur (classiques ou exotiques), accessoires... Mais l'équipe de Concept floral a plus d'une corde à son arc. Aux entreprises, aux boutiques ou lors d'événements (salons, mariages...), elle propose depuis cinq ans des prestations de décoration végétale (création et entretien) ou d'abonnement «floral» au goût sûr. Chez vous, qu'il s'agisse d'agencer votre petit balcon ou de remodeler votre immense jardin, cette petite entreprise mettra aussi en oeuvre ses compétences de paysagisme. Enfin, et c'est une nouvelle (excellente) idée : plutôt que d'offrir, une fois, une imposante composition de fleurs, Concept floral propose de livrer un beau bouquet dans un vase à la personne de votre choix, et ce chaque semaine pendant tout le temps qu'il vous plaira ! Pour faire durer le plaisir...

FLEURS D'AUTEUIL
225, rue de la Convention (15e)
✆ 01 48 28 99 02
Site Internet : www.fleursdauteuil.fr – M° Convention. Ouvert du lundi au samedi.
Il n'est pas toujours aisé de trouver un fleuriste ouvert le dimanche. Pourtant, il est très fréquent d'en avoir un besoin impérieux, précisément ce jour-là. Un déjeuner improvisé chez des amis ? Une visite chez ses parents ? Un anniversaire malencontreusement oublié ? Et vous voilà à déambuler dans toutes les rues, à la recherche d'un bouquet salvateur. Fleurs d'Auteuil est un magnifique magasin qui propose un choix de fleurs à l'infini. L'accueil y est très chaleureux et le conseil franchement efficace. Quel que soit votre budget, vous n'avez pas de mal à trouver un joli petit bouquet, qui fera plaisir. Autres adresses sur le site Internet.

LA VIE FLEURIE
101, rue Lecourbe (15e) ✆ 01 45 66 79 66
Site Internet : http://laviefleurie.florajet.com – M° Volontaires ou Cambronne. Ouvert du mardi au samedi de 9h à 20h, le dimanche de 9h à 13h30.
La Vie Fleurie est une boutique de quartier très chaleureuse située au cœur du 15e arrondissement, mais aussi un atelier floral où se réalisent vos rêves les plus fous. Lieu de création mais aussi de vie, vous trouverez ici un accueil toujours convivial ainsi que des conseils très avisés vous aidant à trouver le bouquet, le cadeau ou la plante que vous cherchiez. Le choix est ici très large et vous ne pourrez qu'hésiter entre les bouquets ronds, les bouquets originaux, les bouquets structurés et même les locations de plantes vertes. Service livraison 7j/7 avec Florajet.

VERONIQUE MISS
155, avenue de Suffren (15e)
✆ 01 45 66 49 47
Site Internet : www.veroniquemiss.fr – M° Sèvres-Lecourbe. Ouvert du lundi au samedi de 9h à 20h, le dimanche de 10h à 14h.
A la tête de sa boutique de fleurs depuis 15 ans, Véronique Miss déborde d'enthousiasme et d'imagination pour concevoir de véritables petits joyaux de compositions florales. Parmi ses spécialités : des végétaux assemblés par masse – elle travaille les espèces par groupes : roses avec roses, arums avec arums… –, mais aussi les contenants eux-mêmes – comme les corbeilles de mousse. Chaque saison est marquée par ses spécialités, Véronique Miss surfe cependant sur une nouvelle tendance écologique, celle des plantes grasses (aloe vera, senseveria...) qui présentent l'énorme avantage d'être peu consommatrice d'eau.

AU NOM DE L'ORCHIDEE
67-69, avenue Paul-Doumer (16e)
✆ 01 40 50 08 08
M° La Muette. Ouvert du lundi au samedi de 9h à 21h, le dimanche de 11h à 18h.
Deux magasins pour se laisser tenter par la beauté secrète et mystérieuse de fleurs aux formes harmonieuses et aux couleurs surprenantes, superbement présentées dans une collection de vases et de vanneries sobres et contemporaines. Les orchidées vendues ici sont originaires d'Asie, d'Europe et de France et toujours choisies pour leur caractère esthétique et leur fraîcheur. Notez que l'on peut également se rendre dans ce magasin afin d'acheter des livres sur la question ou des bougies aux senteurs d'orchidées. **Autre adresse :** 112, rue de Courcelles (17e) ✆ 01 47 66 01 83.

PRIMFLEUR
80, avenue de Villiers • 126, avenue de Wagram – Deux entrées (17e)
✆ 01 42 27 13 06
Site Internet : www.primfleur.fr – Ouvert tous les jours de 9h à 19h30.
Impossible de ne pas trouver votre bonheur dans cette boutique immense et enchanteresse. Plantes et fleurs se déploient sur plus de 1 000 m². Orangers, citronniers ou oliviers… Plusieurs types d'arbres sont proposés pour donner un petit air de Sud à votre environnement. D'autres opteront plus volontiers pour un simple bouquet de roses ou de tulipes dont le magasin offre un intéressant choix. Une vaste collection d'hortensias est également exposée en saison. Le plus : si vous faites un cadeau à l'improviste, vous pourrez également acheter le vase qui va avec le bouquet. Service Interflora pour livraison à domicile.

LA JAVA BLEUE
21, rue de la Villette (19e)
✆01 42 01 22 33
M° Pyrénées. Ouvert du mardi au jeudi de 10h à 20h, le vendredi de 10h à 21h, le samedi de 10h à 21h et de dimanche de 10h à 14h.
La Java Bleue n'est pas seulement une chanson, c'est aussi tout un poème. Ici, les pivoines côtoient les roses anciennes parfumées et l'on entre pour respirer autant l'odeur que l'atmosphère. Les fleurs exotiques présentées possèdent des noms pour le moins évocateurs : hélicona, nutans, vanda ou encore nénupharsici... Dominique Colombi a su faire de son magasin un univers différent où les compositions florales côtoient les galeries d'art. Notez qu'une braderie des fleurs est organisée chaque dimanches soir de 17h à 20h et que tous les végétaux coupés sont vendus à la moitié de leur prix.

Fleurs artificielles

BOUTIQUE HERVE GAMBS
9 bis, rue des Blancs-Manteaux (4e)
✆01 44 59 88 88
Site Internet : www.hervegambs.com – M° Hôtel-de-Ville ou Saint-Paul. Ouvert le lundi de 14h à 19h30, du mardi au samedi de 11h à 19h30, le dimanche de 13h30 à 19h30.
Vous aimez les fleurs mais en avez assez de continuellement jeter les bouquets fanés ? Cette boutique vous permet de trouver des fleurs non périssables, les fleurs en tissus de qualité n'étant plus depuis longtemps assimilées à la décoration kitch. En plus de leur qualité esthétique, toutes ces fleurs vendues en composition ou à l'unité sont également parfumées. Dix-huit senteurs sont ainsi disponibles, qu'il s'agisse de parfums locaux comme l'herbe coupée, la lavande ou le muguet ou de senteurs plus exotiques, comme la canelle-épice, le thé à la menthe ou la vanille orientale. Notez que la maison vend également des bougies parfumées. **Autres points de vente :** 21, rue Saint-Sulpice (6e) ✆01 70 08 09 08 • Espace Galeries Lafayette Maison – 35, boulevard Haussmann (9e)

EMILIO ROBBA
63, rue du Bac (7e)
✆01 45 44 44 03
Site Internet : www.emiliorobba.com – M° Rue-du-Bac. Ouvert de 10h à 19h du lundi au vendredi, de 11h à 19h le samedi.
Les points de vente Emilio Robba sont la preuve que la décoration en fleurs artificielles ouvre la porte à des possibilités quasi infinie en matière de décoration. Ces fleurs disposant d'une durée de vie illimitée permettent en effet de pousser au maximum les possibilités d'associations entre vases et fleurs ainsi qu'entre les fleurs et leur environnement immédiat. Travaillant beaucoup avec des professionnels, Emilio Robba propose également ses créations aux particuliers. En poussant la porte de ses boutiques, vous entrerez dans un univers haut de gamme où les fleurs d'illusion côtoient des produits uniques, sur mesure et haut de gamme. **Autre adresse :** Showroom 29-33, galerie Vivienne (2e) ✆01 42 60 43 46.

LES GADGETS

COLETTE
213, rue Saint-Honoré (1er)
✆01 55 35 33 90
Site Internet : www.colette.fr – M° Tuileries ou Pyramides. Ouvert du lundi au samedi de 11h à 19h.
Un magasin atypique dont le but depuis sa création en 1997 est de tenter de réinventer la notion de shopping. Et pour y parvenir, Colette ne lésine pas sur les moyens et dispose d'un show-room de 700 m² étalé sur trois niveaux. En entrant, on trouve donc un choix très étonnant de gadgets, de jouets collector, ou le high-tech dernier cri, tout cela dans un bazar savamment organisé et surtout très cher.

RESONANCES
Carrousel du Louvre
99, rue de Rivoli (1er)
✆01 42 97 06 00
Site Internet : www.resonances.fr – M° Palais-Royal. Ouvert tous les jours de 10h à 20h.
Trois adresses parisiennes pleines de bonnes idées, notamment pour dénicher les objets futés que l'on a du mal à trouver ailleurs. Pour votre salle de bains, par exemple, vous trouverez ici des porte-serviettes en laiton chromé, des ampoules pour miroir lumineux en chrome ou de jolies appliques murales en porcelaine. Des objets voués à la détente aussi, comme cette série de bouillottes au charbon de bambou, ces boules de relaxation en métal ou encore ce surprenant canard antistress. Assez des hivers sans fin et de la grisaille parisienne ? Offrez-vous des réveils en douceur grâce aux réveils sunrise-sunset reproduisant les couchers et les levers de soleil et recréant les sons de la nature. **Autres adresses :** 3, boulevard Malesherbes (8e) ✆01 44 51 63 70 • 9, cour Saint-Emilion (12e) ✆01 44 73 82 82.

LE LABO
4, passage du Grand-Cerf – entrée par le 145, rue Saint-Denis ou rue Dussoubs (2e)
✆01 40 13 01 58
M° Etienne-Marcel ou Réaumur-Sébastopol. Ouvert du mardi au samedi de 11h30 à 19h.
Un lieu pas comme les autres, pensé comme

un petit cocon recelant des secrets magiques et mystérieux, tout cela coincé entre l'effervescence du Sentier et le tape-à-l'œil du Paris branché. Vous y trouverez un méli-mélo d'articles en partance pour une seconde vie, de la boîte d'artisan sortie d'un ancien atelier à un globe de marié récupéré dans un grenier de banlieue. Un coup de cœur aussi pour les charmantes demoiselles en fil de fer – disponibles en classique, chic, couple, famille, parigot, manif ou danseuses – à poser ou à suspendre. De très belles lampes aussi, plus surprenantes les unes que les autres.

OMAN
21, passage de Choiseul (2e)
✆01 42 96 35 19
M° Pyramides ou Quatre-Septembre. Ouvert du mardi au samedi de 11h à 15h et de 15h30 à 19h.
Les magasins Oman proposent toute une série d'accessoires branchés pour l'homme moderne, destinés à la personne ou à son bureau. En visitant ces beaux magasins, vous trouverez, par exemple, des montres, des stylos ou des cadres photos ainsi que de nombreux objets dessinés par Philippe Starck, Nathalie Grasset ou Marc Berthier, comme des horloges de bureau. Les designers étrangers ne sont pas oubliés et vous trouverez ici les réveils à projection lumineuse de l'Italien Giovanoni Stefano ou encore les dévidoirs à Scotch et agrafeuses du Japonais Takhashi Kato. Un lieu qui rassemble de nombreux objets atypiques que l'on ne trouve pas ailleurs. **Autre adresse :** 72, rue de la Verrerie (4e) ✆01 48 04 37 84.

LA CHAISE LONGUE
20, rue des Francs-Bourgeois (3e)
✆01 48 04 36 37
Site Internet : www.lachaiselongue.com – M° Saint-Paul. Ouvert du lundi au samedi de 11h à 19h, le dimanche de 14h à 19h.
Une collection de produits acidulés, pratiques et ludiques, pour tous ceux qui aiment que leurs accessoires de cuisine, de salle de bains ou de jardinage soient aussi des gadgets. Un téléphone Hamburger à 24,90 €, un tapis de souris repose poignet patte de chat à 15,90 €, vous ne manquerez pas d'idées cadeaux à offrir à ceux qui aiment mettre de la bonne humeur et de l'humour dans leurs ustensiles. Côté jardin, on peut y trouver un set d'outils «smiley» – 7 € –, accompagné d'un tabouret pliant à 49 €. Une gamme de mobilier de jardin est également proposée, allant de la chaise longue à la table «champignon"» pour enfant. Un panier pique-nique aux couleurs fluos saura faire plaisir aux nomades, d'autant que si les assiettes sont en plastique pour éviter la casse, les couverts, eux, sont bien solides. **Autre adresse :** 8, rue Princesse (6e) ✆01 43 29 62 39.

BATHROOM GRAFFITI
4, rue de Sèvres (6e)
✆01 45 48 08 01
Site Internet : www.bathroomgraffiti.com – M° Saint-Sulpice ou Sèvres-Babylone. Ouvert du lundi au samedi de 10h à 19h.
Si vous cherchez un coussin Beatles, des pansements en forme de tatouages ou encore un grille-pain noir façon biker, c'est là que vous devez vous rendre sans hésiter. Du gadget rétro à l'accessoire rigolo, vous ressortirez forcément avec un cadeau original. On y trouve des objets insolites comme l'horloge réalisée à base de couverts à 24,90 € mais aussi des objets pratiques et ludiques : pèse-bagage à 10,90 €, vaporisateur de vinaigre balsamique fera plaisir à tous les gourmets, et mini-bar rouge en forme de réfrigérateur américain qui trouvera aisément sa place dans un bureau ou une chambre. Sans oublier la collection «vach'parade», vaches colorées et «arty» pour tous les fans d'objets un peu décalés, ainsi qu'une large gamme de produits et d'accessoires Hello Kitty, qui ravira les enfants comme les nostalgiques. Un vivier de gadgets et d'objets créatifs qui piquent la curiosité. **Autre adresse :** 7, avenue des Ternes (17e) ✆01 43 80 52 38.

L'AUTO-ECOLE
101, rue Oberkampf (11e) ✆01 43 55 31 94
M° Oberkampf. Ouvert du mardi au samedi de 12h à 14h et de 14h30 à 20h30 (ouverture continue le samedi), lundi de 16h à 20h30.
Si vous aimez le kitsch, un mélange entre le pop' art et l'art oriental, les couleurs vives, les perles, ce magasin deviendra votre quartier général du petit cadeau à la fois indispensable comme ce cabas du Cambodge fait en sac de riz issu du commerce équitable ou bien totalement accessoire comme les fausses moustaches ou le canard pour le bain. La majorité des objets est toutefois utilitaire et s'adresse à tous les âges pour un budget allant de 1 € à 70 €. Les objets de créateurs y côtoient ceux des grossistes.

MINUTE PAPILLON
34, rue Lecourbe (15e) ✆01 40 51 74 79
Site Internet : www.minutepapillon.com – M° Sèvres-Lecourbe. Ouvert du mardi au samedi de 10h30 à 19h.
Derrière sa devanture jaune et bleue, Minute Papillon cache de vraies bonnes idées d'accessoires et gadgets, de la flasque tête de mort au kit de golf miniature, échiquier, bougies-sardines ou sac pour ordinateur portable, porte-passeport ou étuis à carte de parking. Outre les sacs Eastpak et Bensimon, le magasin propose également des lignes de vêtements d'intérieur avec comme marques-phares Bensimon, Arthur ou Idéo (textile bio). Accueil sympathique. **Autre adresse :** 56, rue Notre-Dame-des-Champs (6e) ✆01 40 51 74 79.

BLACKBLOCK
13, avenue du Président-Wilson (16e)
✆01 47 23 37 04
Site : www.blackblock.org – M° Pont-de-l'Alma ou Iéna. Ouvert tous les jours de 12h à minuit.
Créée par l'artiste André, cette incroyable boutique se situe au cœur du Palais de Tokyo. Elle est sans conteste l'un des endroits parisiens où se nichent le plus d'étrangetés au mètre carré. Spécialisée dans la sérigraphie de produits dérivés d'œuvres d'artistes, on y trouve tee-shirts, disques, jouets, bijoux, peluches, affiches, épicerie, vidéos, produits de drugstore. La boutique juxtapose gadgets, créations, vêtements et articles parfois rares (voir notamment les disques). Ici, vous verrez des objets qui sortent de l'ordinaire, ce qui ne signifie pas qu'ils soient toujours du meilleur goût, ils ont au moins l'avantage de convenir à tous les budgets dans un éventail de prix allant de 0,50€ à 2 000€.

FRENCH TOUCHE
1, rue Jacquemont (17e) ✆01 42 63 31 36
Site Internet : www.frenchtouche.com – M° La Fourche. Ouvert du lundi au vendredi de 11h à 14h30 et de 15h30 à 20h, le samedi de 11h à 20h.
Très branchouille cette boutique de déco des Batignolles. Vous y trouverez absolument tout ce qu'il faut pour être tendance, des stickers à motifs d'oiseaux, de papillons ou de pissenlits, des luminaires à motifs d'anémones ou des salières, poivrières, théières ou tasses à café plus originales les unes que les autres. Beaucoup de produits rappelant les seventies également, comme ces abat-jour psychédéliques. Le Japon semble aussi très en vogue et on trouve de nombreux articles liés aux graphismes du pays du Soleil-Levant comme des lampes ou des cahiers.

PYLONES
7, rue Tardieu (18e) ✆01 46 06 37 00
Site Internet : www.pylones.com – M° Anvers ou Abbesses. Ouvert tous les jours, de dimanche à jeudi de 10h30 à 19h, le vendredi de 10h30 à 19h30, et le samedi de 10h à 20h30.
Cette boutique colorée et joyeuse décline dans chaque gamme de produits quatre ou cinq motifs aux accents psychédéliques, dans différents univers : déco, jardin, bijoux, bureau, cuisine ou enfants. Chaque objet pratique est ici interprété de façon ludique : les couverts à salade ont un manche en forme de plongeuse des années 1950, les pelles à tarte sont faites en forme de souris, les pics pour l'apéritif ont des têtes de diable, la passoire à thé est en forme de fleur... Le tout pour des prix on ne peut plus abordables – entre 8€ et 35€. Si vous voulez faire un cadeau un peu plus conséquent, mais non moins coloré, vous trouverez un toaster fleuri pour 49€ ou des chaises pliantes flashy au motif un peu «pop» à 75€ l'unité. En tout cas, vous ferez plaisir à quelqu'un qui aime les couleurs et les gadgets du quotidien. **Autres adresses :** 98, rue du Bac (7e) ✆01 42 84 37 37 • 57, rue Sainte-Croix-de-la-Bretonnerie (4e) ✆01 48 04 80 10.

LES JEUX ET JOUETS

Jouets traditionnels

CENTRAL TRAIN
81, rue Réaumur (2e) ✆01 42 36 70 37
Site Internet : www.central-train.fr – M° Sentier. Ouvert du lundi au samedi de 10h30 à 18h30.
Central train est sur les rails à cette adresse depuis 1964, autant dire que l'expérience en matière de trains électriques et de maquettes de bateaux en bois, les deux spécialités du chef de gare, est conséquente. Environ 150 trains électriques différents vous attendent ainsi qu'une centaine de maquettes de bateaux, de quoi satisfaire les goûts les plus variés. Quelques maquettes en plastique et d'aéromodélisme complètent ce choix. Les prix varient de 5€ à 5 000€, Central train assure aussi la réparation des pièces défectueuses dans la mesure du possible.

LULU BERLU
2, rue du Grand-Prieuré (11e)
✆01 43 55 12 52
Site Internet : www.lulu-berlu.com – M° Oberkampf. Ouvert du lundi au samedi de 11h à 19h30.
Lulu Berlu est un paradis pour les collectionneurs de jouets allant des années 60 à nos jours. Alors il n'y a pas que des petites têtes blondes qui se pressent dans cette boutique mais aussi pas mal de trentenaires tentés de retrouver des saveurs d'enfance face à leurs héros d'antan comme Goldorak, Albator, Astro le petit robot, Casimir ou encore les Chevaliers du Zodiac. La spécificité du lieu est bien ce choix de plus de 20 000 pièces entre

jouets anciens et contemporains. Des importations américaines et japonaises viennent agrémenter ce large choix qui permettra aux parents d'acheter leur propre jouet en même temps que leurs enfants sans qu'ils passent pour des hurluberlus.

LA MAISON DU CERF-VOLANT
7, rue de Prague (12e) ✆01 44 68 00 75
Site : www.lamaisonducerfvolant.com – M° Ledru-Rollin. Ouvert du mardi au samedi de 11h à 19h.
Jouet pour adultes ou pour enfants, le cerf-volant fait rêver à tout âge, depuis des siècles. On l'a bien compris à la Maison du cerf-volant, qui est une sorte de centre-conseil qui existe depuis 1993. Amateurs et passionnés désirant pratiquer le cerf-volant de loisirs, le cerf-volant sportif (pilotable) ou bien piloter une aile de traction terrestre y trouveront tous les accessoires nécessaires en pièces détachées, y compris de quoi fabriquer eux-mêmes leur cerf-volant, afin que leur rêve d'Icare soit encore plus personnel et source de plaisir. Dans le domaine de la traction terrestre, buggys et mountainboards côtoient ces nombreuses ailes. Notez la présence d'un parking à 100 mètres du magasin.

PAIN D'EPICES
29-33, passage Jouffroy (9e)
✆01 47 70 08 68
Site Internet : www.paindepices.fr – M° Grands-Boulevards. Ouvert lundi de 12h30 à 19h, mardi au samedi de 10h à 19h, nocturne le jeudi jusqu'à 21h.
Le jouet classique en bois règne en maître dans cette belle boutique, dégageant un parfum d'antan agréable et finalement intemporel. Maison de poupée en kit (149 €), cadeau de naissance qui peut être présenté dans un ballon transparent (doudou, boîte à musique...), kit vitrine à composer soi-même (40 €), les occasions de se piquer au jouet sont nombreuses puisqu'on peut aussi fabriquer soi-même son ours en laine ou en mohair (à partir de 24 €) en suivant les conseils fournis dans les kits, illustrés par des photos. Pain d'épices est aussi dépositaire de la marque Moulin Roty, aux mêmes accents traditionnels et qualitatifs des autres produits que l'on trouve ici. Vente par correspondance.

PUZZLE MICHELE WILSON
116, rue du Château (14e) ✆01 43 22 28 73
Site Internet : www.pmw.fr – M° Gaîté. Ouvert du mardi au vendredi de 10h à 20h et le samedi de 10h à 19h.
Cette boutique propose des puzzles incroyables. Les amateurs n'en reviendront pas. L'ensemble de ces pièces uniques est fabriqué près de Tournus en Bourgogne par des artisans passionnés. Les pièces de bois sont découpées manuellement, grâce à un savoir-faire unique, les puzzles deviennent de véritables chefs-d'œuvre en prenant toutes les formes possibles : éventails, sarcophages, vases chinois, masques africains... mais aussi des reproductions de Gauguin, Pissaro, sans oublier les superbes photos d'Arthus-Bertrand. Du grand art, mais si la patience n'est pas votre maître mot, allez-y quand même pour faire des cadeaux originaux. Les puzzles oscillent de 40 pièces (11 €), à 250 pièces (64 €), pour monter jusqu'à 5 000 pièces, de quoi s'occuper. **Autres adresses :** 97, avenue Emile Zola (15e) ✆01 45 75 35 28 • 39, rue de la Folie-Méricourt (11e) ✆01 47 00 12 57.

Jouets pour enfants

LE CIRQUE A PUCES
112 ter, rue Marcadet (18e) ✆01 42 23 01 82
M° Jules Joffrin. Ouvert du mardi au samedi de 10h30 à 13h et de 15h30 à 19h.
Que l'on arrive avec une idée précise ou à la recherche d'un cadeau original, on est sûr de trouver son bonheur au Cirque à Puces. Dans cette boutique enchantée, la sélection de jouets – Playmobil, Vilac, Papo... – , déguisements et vêtements – Wowo, Robeez – est idéale et saura séduire les bambins et leurs parents, à des prix très raisonnables, ce qui ne gâche rien. L'adorable patronne connaît parfaitement les goûts des marmots et saura vous aiguiller et vous réconcilier en cas de choix divergents. La bonne surprise de la boutique, c'est son immense circuit de train en bois Brio, avec lequel les enfants peuvent jouer pendant que l'on prépare le paquet-cadeau. Du coup, cette adresse est devenue LA valeur sûre des parents du 18e arrondissement.

LES NOUVEAUTES PARISIENNES
101, rue du Temple (3e) ✆01 42 72 77 48
Site Internet : lesnouveautes.free.fr – M° Rambuteau. Ouvert du lundi au vendredi de 10h à 18h et le samedi de 9h à 12h.
Ici, c'est le royaume du bon plan... pour des idées cadeaux, un goûter d'anniversaire, un Noël, c'est l'adresse à découvrir d'urgence, à condition de respecter les règles, un minimum de 35 € d'achat et venir sans ses enfants, car à la base, les Nouveautés Parisiennes sont spécialisées dans le gros et le demi-gros. Quand vous trouvez une Barbie à 10 € ou un robot Transformers à 4 €... pas question de faire la fine bouche !

PINTEL
10, rue de Paradis (10e) ✆01 44 83 84 00
M° Château d'Eau et Gare de l'Est. Ouvert du mardi au samedi de 9h30 à 18h30.
Au cœur d'un quartier plus réputé pour ses commerces exotiques que pour ses vitrines de Noël se niche un véritable supermarché du jouet. Au bout du chemin pavé (pratique pour laisser sa poussette), Pintel s'étend sur deux vastes pièces emplies de joujoux en tous genres et pour tous les âges. Le rayon bébé se situe tout près de l'entrée. Les marques traditionnelles (Berchet, Smoby, Fisher Price, Playmobil...) sont représentées en égale proportion, à des prix légèrement plus doux que dans la plupart des magasins spécialisés.

Jeux de société

LE BRIDGEUR
27, rue du Quatre-Septembre (2e)
✆ 01 42 96 25 50

Site Internet : www.lebridgeur.fr – M° Opéra. Ouvert du lundi au samedi de 10h à 19h.

Réservé aux vieux bourgeois étriqués le bridge ? Pas si sûr, la passion du tapis vert saute les générations, la preuve étant que cette boutique existe depuis plus de quarante ans. Jeux de carte, matériel spécifique, tables, étuis, les bridgeurs de salon et de club trouveront tous les accessoires susceptibles de faciliter leur jeu. Quelques jeux de société classiques ainsi que le poker complètent ce choix. Editeur de livres et de logiciels sur le bridge sous forme de CD, Le Bridgeur vend deux revues mensuelles qui intéresseront les amateurs : «Le bridgeur» pour les joueurs de bon niveau (10 €) et «Bridgerama» pour les joueurs de niveau moyen (3,50 €), accompagné d'une offre d'abonnement.

DOCTEUR STRATAGEME
42, rue de Maubeuge (9e) ✆ 01 42 80 91 14

Site Internet : www.docteurstratageme.com – M° Cadet. Ouvert du lundi au samedi de 10h à 19h.

Accros du bluff et du face-à-face, vous dénicherez le bon stratagème chez ces spécialistes du poker qui proposent jetons, cartes et livres pédagogiques. Une école de poker intègre des cours une fois par semaine (50 € à 80 €). Cette session qui réunit dix à douze joueurs aborde des thèmes généralistes ou des aspects plus pointus comme le face-à-face ou encore l'agressivité, idéal pour progresser. Des jeux de stratégie de figurines sont aussi organisés dans le magasin, du super-héros au médiéval fantastique. Ne cherchez pas les classiques Monopoly ou Bonne Paye, les jeux de plateau et de stratégie sont ici plus anciens ou bien plus complexes. Le public spécialisé devrait s'y retrouver, d'autant que Docteur Stratagème a pour voisins un spécialiste des comics et un autre des mangas.

JEUX DESCARTES
6, rue Meissonier (17e) ✆ 01 42 27 50 09

Site Internet : www.jeux-descartes.fr – M° Wagram. Ouvert du lundi au samedi 10h30 à 19h.

A l'affût des nouveautés pouvant venir d'Allemagne, des Etats-Unis, d'Angleterre et de France, Descartes propose aussi bien des jeux de société classiques comme le Monopoly ou le Cluedo que des jeux plus pointus, disposant d'une centaine de références en moyenne. Les wargames tournent assez régulièrement avec un choix allant de 50 à 150 pièces selon les mois. Les deux autres domaines présents sont les jeux de rôles et les figurines. Quelques romans fantastiques et de science-fiction complètent cet univers. **Autre adresse :** 52, rue des Ecoles (5e) ✆ 01 43 26 79 83.

L'OEUF CUBE
24, rue Linné (5e)
✆ 01 45 87 28 83

Site Internet : www.oeufcube.com – M° Jussieu. Ouvert du lundi au samedi de 10h15 à 19h.

Plus de trente ans pour l'Œuf Cube, de quoi avoir acquis une belle palette de jeux de rôles, neufs ou d'occasions, de cartes à l'unité à collectionner (Pokémon, Dragon Ball...) et de jeux de plateau qui feront fonctionner votre cerveau. Les wargames font aussi partie du tableau, sur la seconde guerre mondiale, toujours appréciée des amateurs du genre, mais aussi, pour varier le plaisir, sur l'Antiquité, le Moyen Age et le XVIIIe. L'intérêt de l'Œuf tient aussi à son rayon d'occasion, où vous pourriez bien retomber sur un jeu qui vous avait transporté lors d'une séance lointaine.

STARPLAYER
16, rue Lagrange (5e)
✆ 01 44 07 39 64

Site Internet : www.starplayer.fr – M° Maubert-Mutualité. Ouvert du lundi au vendredi de 10h30 à 20h, samedi de 10h30 à 19h.

Les jeux de rôles de type Donjons et Dragons ont la part belle ici, aux côtés des cartes à collectionner comme Magic ou des jeux de figurines comme Starwars miniature. Parmi les jeux de plateau, on trouve un choix classique à l'image de Jungle Speed et plus spécialisé comme peut l'être Le trône de fer. Les joueurs de poker ne seront pas en reste. Des jeux de cartes à collectionner et de figurines sont organisés une fois par semaine.

TABAC

A LA CIVETTE
157, rue Saint-Honoré (1er) ✆ 01 42 96 04 99

M° Palais-Royal. Ouvert du lundi au samedi de 10h à 19h.

Juste derrière le musée du Louvre, vous trouverez dans ce bureau de tabac un assortiment d'accessoires pour fumeurs, ainsi qu'une cave à cigares fermée au fond du magasin. Pipes de toutes marques, cendriers Havana Club, coupe-cigares, briquets de 30 € à 100 €, vous trouverez également de belles boîtes à cigares en bois. Si votre budget est restreint, des articles de maroquinerie, comme les poches à cigares Davidoff, feront un beau cadeau pour un fumeur. Quant à la cave à cigares, il faudra obligatoirement demander à un vendeur de vous y faire accéder… pour le meilleur des choix.

EL BADIA
12, rue de la Ferronnerie (1er)
✆ 01 45 31 29 51

Site Internet : www.el-badia.com – M° Châtelet. Ouvert du lundi au samedi de 10h à 13h et de 15h à 19h.

Il y a un monde en dehors des fumeurs de cigares, de cigarettes et de pipes. El Badia l'a bien compris depuis plus de dix ans et propose toute une gamme de narguilés et de chichas avec leurs accessoires. La palette de modèles et de motifs est riche : vous aurez donc le choix dans les couleurs et le design, mais aussi dans les prix puisqu'on peut trouver un mini narguilé à 25 €. Sans oublier tous les accessoires nécessaires, charbons, tuyaux, pinces à charbon ou la mallette de rangement. Ou si vous voulez offrir le kit complet sans vous ruiner, optez pour le narguilé Bambino haut de 27 centimètres et livré avec sa mallette de transport – 45 €. Et pour les accros, le modèle portable Leila, à emporter partout avec soi comme un paquet de cigarettes – 59 €. Et si vous ne pouvez pas vous déplacer, ou que vous voulez faire livrer votre cadeau, allez voir la boutique en ligne !

LA TABATIERE ODEON
128, boulevard Saint-Germain (6e)
✆ 01 46 34 21 89

M° Odéon. Ouvert du lundi au vendredi de 8h30 à 20h, samedi de 10h à 20h, dimanche de 13h à 20h.

Près de 400 références de cigares vous attendent dans cet endroit où l'on prend le temps de vous donner des conseils avisés. Vers Saint-Domingue, l'Arturo Fuente peut être un bon choix pour ceux qui veulent conjuguer douceur et personnalité qui se rapproche du cubain (double corona : 8,50 €, réserve supérieure 12,50 €). Au Honduras, le Fleur de selva proposé en fagot de 25 pièces ne coûte que 72,50 € en robusto. Les adeptes d'une douceur encore supérieure à la production du Honduras goûteront au Bundle de Saint-Domingue (30,40 € le fagot de 16 pièces). Dans une gamme de prix plus élevée, subtilité et personnalité se retrouvent dans le Trinidad (19 € en robusto extra).

LA BOITE A CIGARES
23, rue de Rome (8e) ✆ 01 45 22 29 49

M° Gare-Saint-Lazare. Ouvert du lundi au vendredi de 7h à 19h, samedi de 10h à 18h.

Une soixantaine de cigares différents vous attendent, en vente à l'unité de 6 € à 15 € ou en boîtes de 10 ou 25 unités. Les cigares cubains représentent 98 % de l'offre avec les Cohiba, les Monte-Cristo. Quelques pièces de Saint-Domingue pour la douceur et de Sumatra pour le parfum pourront convenir à ceux qui ne cèdent pas au matraquage cubain. Les accessoires autour des cigares et de la cigarette sont nombreux : pipes, cendriers, briquets, caves à cigares, fume-cigarette, guillotine... de quoi les couper avec style.

DRUGSTORE PUBLICIS
133, avenue des Champs-Elysées (8e)
✆ 01 44 43 77 64

Site Internet : www.publicisdrugstore.com – M° Charles-De-Gaulle-Etoile ou George-V. Ouvert tous les jours de 11h à 23h30.

Au sous-sol, le vendeur spécialiste saura vous guider dans les méandres de la cave à cigares, et vous donnera d'excellents conseils sur le choix. Vous y trouverez des articles à partir de 2 € et ceux à des sommes astronomiques, telles ces éditions limitées des cigares de grandes marques, du type El Septimo. Sont également en vente tous les accessoires indispensables, humidificateurs, guillotines, cendriers, mais aussi des pièces moins courantes comme les «Cigar Case» de voyage en robuste plastique noir – 63 € pour cinq cigares, 152 € pour trente cigares. Les horaires de fermeture tardifs sont l'un des avantages du Drugstore.

LA CAVE A CIGARES
4, boulevard de Denain (10e)
✆ 01 42 81 05 51

M° Gare-du-Nord. Ouvert du lundi au vendredi de 7h45 à 19h, samedi de 10h30 à 18h30.

Les cigares cubains occupent à 95 % une centaine de références parmi lesquelles on trouve aussi des cigares de Saint Domingue et du Honduras. Ici on s'attache plutôt au haut de gamme, afin d'éviter les écarts de qualité que l'on remarque davantage dans les productions «premier prix». Les Cohiba et autres Partagas vous tendent les bras, le patron a néanmoins un coup de coeur personnel pour l'Epicure n°2 d'Hoyo de Monterrey, qu'il juge «assez puissant mais pas trop fort, il tire bien sans être rugueux.» A chacun de se faire son idée sur ce plaisir.

A LA PIPE DU NORD
21, boulevard Magenta (10e)
✆ 01 42 08 23 47

Site Internet : www.alapipedunord.com – M° Jacques-Bonsergent. Ouvert du mardi au samedi de 10h à 19h.

Artisan pipier depuis 1867, et fait suffisamment rare pour être mentionné, cette famille de trois générations tient toujours les rênes de la boutique depuis cent quarante ans. Il y a là un incroyable choix dans les formes, les matières et les fabricants : Comoy's, Peterson, Savinelli, Dunhill, Pierre Morel, Porsche Design. Vous en trouverez pour tous les budgets, à partir de 28 €. Une des pipes sculptées de la collection, en écume véritable, aux formes étonnantes comme la tête de Bacchus ou celle de l'éléphant, constituera un magnifique cadeau pour un collectionneur du genre. La boutique propose par ailleurs un large choix d'accessoires pour les amateurs de pipe, mais aussi d'articles pour fumeurs en général, que ce soit des fume-cigarette, des caves à cigares, des blagues à tabac ou des briquets. Avec la garantie de pouvoir toujours les faire réparer dans les meilleures conditions, puisque le propriétaire des lieux tient également son atelier en arrière-boutique.

LA CIVETTE
242, avenue Daumesnil (12e)
✆ 01 43 43 72 24
M° Michel Bizot. Ouvert du lundi au samedi de 9h à 20h.
Des cigarettes mais aussi une belle cave à cigares dans cette Civette un peu excentrée des passages touristiques. Il y en a pour toutes les bourses du petit cigare à 1,50 € au gros Havane à 25 €, voire plus. Le conseil est avisé pour les néophytes qui souhaitent faire un cadeau.

BOUTIQUE 22
22, avenue Victor-Hugo (16e)
✆ 01 45 01 81 41
M° Kléber. Ouvert du lundi au samedi de 10h à 19h.
Environ 300 références vous attendent à la Boutique 22, les cigares cubains représentent 70 % de l'offre, les 30 % restants concernant Saint-Domingue, le Nicaragua et le Honduras. Les fumeurs aimant la force des cubains se tourneront vers le classique Epicure n°2, qui se vend par boîte de 25 à 265,50 € (10,50 € l'unité). Les adeptes de la douceur allumeront le Fleur de selva (taille robusto) venu du Honduras (165,50 € la boîte de 25). Pour un compromis entre la présence du cubain et la douceur du Honduras, la marque Cumpay du Nicaragua pourrait convenir avec son caractère intermédiaire (100 € la boîte de 20).

FLOR DE CUBA
1, avenue Raymond-Poincaré (16e)
✆ 01 47 04 90 50
M° Trocadéro. Ouvert lundi de 13h à 20h30, du mardi au samedi de 8h à 20h30, dimanche de 11h à 20h30.
Le cigare cubain règne en maître parmi un choix d'environ 150 pièces, dont le cigare cubain le plus vendu en France, le fameux D4 de Partagas (12 € l'unité) qui dégage un parfum très puissant et complexe, qui ne convient pas à tout le monde. La production française n'est pas à négliger pour s'initier à ces plaisirs, le Navarre, fabriqué près de Pau, se vend 11 € en module robusto, 18 € en module double corona. Philippins et dominicains attendent aussi de s'enflammer auprès des cubains, dont on peut noter la nouveauté chez Romeo y Julieta avec le Shortchill, vendu 8,80 € l'unité. Quelques accessoires contemporains méritent l'attention comme cet étui en carbone, qui tranche avec le cuir traditionnel.

BECS SUCRÉS

Chocolatiers - Confiseurs

CHOCOLAT MICHEL CLUIZEL
201, rue Saint-Honoré (1er)
✆ 01 42 44 11 66
Site Internet : www.chocolatmichelcluizel.com M° Palais-Royal – Musée du Louvre. Ouvert du lundi au samedi de 10h à 19h.
Cette ravissante boutique est tenue par Catherine, qui n'est autre que la fille de Michel Cluizel, fondateur de la marque, qui jouit d'une belle notoriété dans le cœur des amateurs de chocolats fins. Les quatre enfants du créateur sont impliqués dans l'élaboration des chocolats fabriqués dans le laboratoire situé dans le sud normand. Dans la boutique de la rue Saint-Honoré, vous pourrez composer votre assortiment de bouchées, ou bien choisir parmi les ballotins déjà prêts. A moins que vous ne craquiez pour l'une des nombreuses tablettes de chocolat de dégustation aux origines les plus variées et les plus nobles. Ne manquez pas les fruits confits au chocolat et les dernières spécialités de la maison : les Macarolats, de fines coquilles de chocolat noir en forme de macarons, fourrées praliné-feuilleté et ganaches caramel et café. Des merveilles...

MACARONS ET CHOCOLATS – PIERRE HERME
4, rue Cambon (1er)
✆ 01 58 62 43 17
Site Internet : www.pierreherme.com M° Concorde. Ouvert du lundi au samedi de 10h à 19h.
La dernière-née de Pierre Hermé et la première de la rive droite – une autre adresse doit ouvrir boulevard Hausmann –, cette boutique ouverte en juillet 2008 est uniquement consacrée aux macarons et chocolats, comme son nom l'indique. Le chocolat se décline en bonbons de chocolat et tablettes. On peut également y acheter des pâtes de fruits, des confitures, des biscuits secs.
Autres adresses : 185, rue Vaugirard (15e) ✆ 01 47 83 89 96 – 72, rue Bonaparte (6e) ✆ 01 43 54 47 77.
Voir page 360.

JEAN-PAUL HEVIN
231, rue Saint-Honoré (1er)
✆ 01 55 35 35 96.
Fax : 01 55 35 35 97 www.jphevin.com M° Concorde, Tuileries ou Opéra. Ouvert du lundi au samedi de 10h à 19h30.
Cette adresse abrite aussi le seul salon de thé Jean-Paul Hévin de la capitale. L'occasion de déguster, sur place, des trésors pâtissiers qui font la part belle au chocolat. Elu meilleur ouvrier de France en pâtisserie-confiserie de l'année 1986, cet artisan passionné, doté d'un grand sens des affaires, ouvre dans la foulée sa première boutique parisienne. Aujourd'hui, il est à la tête d'un véritable réseau plusieurs boutiques à Paris et au Japon. Ses chocolats sont tous divins, ganaches extra noires, pralinés et chocolats au lait, déclinés en plusieurs lignes, épicées, fruités, caramels et liqueurs. Le plus difficile est encore de choisir. Pour un goûter chic, rendez-vous au premier étage de la boutique, le chocolat chaud est sublime et bien cacaoté. Autres adresses sur le site Internet.
Autres adresses : 23 bis, avenue de la Motte Picquet (7e) ✆ 01 45 51 77 48 – 3, rue Vavin (6e) ✆ 01 43 54 09 85.
Voir page 360.

JOSEPHINE VANNIER
4, rue du Pas-de-la-Mule (3e)
✆ 01 44 54 03 09
Site Internet : www.chocolats-vannier.com M° Bastille. Ouvert du mardi au dimanche de 11h à 13h et de 14h30 à 19h et le dimanche de 14h à 19h.
Une boutique qui pourrait presque faire penser à une galerie d'art dans la présentation des chocolats et les sculptures – en chocolat bien sûr – qui l'ornent. Ici la gourmandise devient des objets en fonction des saisons, des évènements, des envies et de l'imagination du chef : masques, palette de peinture, mini-piano, etc. C'est beau, c'est bon et c'est original. Glaces et sorbets complètent bien ce péché de gourmandise.

CHOCOLATS ROCHOUX
16, rue d'Assas (6e)
✆ 01 42 84 29 45
Site Internet : www.jcrochoux.frhttp://www.jcrochoux.fr M° Rennes. Ouvert du mardi au samedi de 10h30 à 19h30, le lundi de 1'h30 à 19h30.
Formé, entre autres à l'école de Michel Chaudun, Jean-Charles Rochoux s'est installé fin 2004 près de Saint-Germain-des-Prés. Son magasin est tout à la fois un régal pour l'œil et le palais avec des sujets originaux moulés ou sculptés de petites et grandes tailles, suivant ses inspirations du moment mais aussi les évènements de l'année. Il répond également aux envies de ses clients et crée des sculptures à la demande. A la carte, une quarantaine de chocolats et une vingtaine de tablettes. Parmi ses spécialités : la ganache à la rose ou un chocolat au bourbon américain, créé pour une marque de whisky.

MAISON RICHART
258, boulevard Saint-Germain (7e)
✆01 45 55 66 00
M° Solférino. Ouvert du lundi au samedi de 10h à 19h.
La particularité de ces chocolats c'est qu'ils sont faits avant tout pour la dégustation comme on déguste des vins ou des champagnes. Ils sont classés en sept familles aromatiques ; on joue à en reconnaître les arômes. Les petits carrés sont identifiés par un dessin propre à chacune des saveurs. Il y a par exemple, les floraux avec un géranium rosea en ganache, les herbacés avec une verveine-menthe en ganache, les épicés avec du curry en praliné, les fruités avec du caramel au beurre salé en coulis. La maison Richart innove régulièrement et crée au fil des saisons un carré de jardin qui est en général inoubliable.

PHILIPPE CASTELANNE
17, rue Vignon (8e) ✆01 40 07 19 33
Site Internet : www.castelanne.com M° Madeleine. Ouvert du lundi au samedi de 10h à 19h.
Philippe Castelanne, un célèbre maître artisan chocolatier nantais, a ouvert sa première boutique à Paris. La décoration, sobre et chaleureuse, a été réalisée à partir de matériaux nobles : chêne clair verni, granit rose, etc. Au sein de cet espace agréable, ce n'est que du plaisir pour l'œil et le palais, procuré par la création perpétuelle dans les arômes de cacao, fruits, fleurs et épices. Toutes les occasions sont bonnes pour l'imagination du chocolatier, qui peut créer par exemple un sac à main de votre marque préférée en chocolat…

CHOCOLATERIE GALLER
13, rue d'Aligre (12e) ✆01 43 40 34 45
M° Ledru-Rollin. Ouvert du mardi au samedi de 9h à 13h30 et de 15h à 19h30. Le dimanche de 9h à 14h.
Alice et Yves Filleul adorent les bons produits et dans leur petite boutique, ils ont choisi de mettre à l'honneur les chocolats Jean Galler fabriqués dans la pure tradition artisanale. Des chocolats sans sucre pour celles et ceux qui font attention à leur ligne, et des chocolats très fins pour les gourmets dans des déclinaisons volcaniques, florales, marines, etc.

MAISON BOISSIER
148, avenue Victor-Hugo (16e)
✆01 45 03 50 77
M° Rue-de-la-Pompe. Ouvert du mardi au samedi de 10h à 13h et 14h à 18h.
La Maison Boissier est une institution dans le quartier puisqu'elle date de 1827. Tous les chocolats sont faits maison dans la tradition classique. Elle a connu un certain succès avec les trois chocolats des médailles des Monuments de Paris qui ne sont plus fabriqués. Mode oblige, elle s'est tournée vers des chocolats plus tendance comme les «Pétales de chocolats» en forme de pétales de fleurs et aromatisés à la rose, à la violette, au jasmin etc. On trouve également pour les accompagner, du thé ou des confitures.

LES AUBERGES DURET
50, rue Henri Guillaumet – (78) PLAISIR
✆06 22 34 81 39
Site Internet : www.french-gift-boxes.com – Gare SNCF de Plaisir-Grignon. Fermé le dimanche.
Avec les Auberges Duret, on part pour un tour de France des douceurs : caramels de Bretagne, sucre de Pomme de Rouen, pâtes de fruits d'Auvergne, berlingots de Nantes présentés dans de jolis ballotins. Mais certains concepts d'emballages qui étonnent : bouchons en liège ou bouteille de bordeaux pour présenter les fameux Bouchons de Bordeaux qui se présentent sous la forme d'un petit-four cylindrique évoquant la forme des bouchons des bouteilles de vin. Il est constitué

de pâte d'amande, truffé de raisins mi-confits et parfumé à la fine de Bordeaux Napoléon. Autre idée de cadeau pour le moins originale : une superbe boîte métal au couvercle joliment décoré à 34 €. Il suffit de décoller l'étiquette dorée, puis d'écarter soigneusement le papier de soie afin de découvrir un livret de 48 pages rempli d'anecdotes sur l'origine des confiseries proposées et sur l'histoire des régions concernées... Ces confiseries provenant de 16 régions françaises différentes sont disposées dans des alvéoles dorées dont la forme représente la carte de la France.

Glacier

CAFE SCOOP
154, rue Saint-Honoré (1er) ✆01 42 60 31 84
M° Louvre. Ouvert tous les jours de 10h à 18h.
Dans un décor new-yorkais, avec un comptoir en «Corian» couleur vanille, du plexiglass framboise ou encore du bois laqué chocolat, on découvre les fameux Frozen Custards américains. Ce sont des mélanges solide-liquide, chaud-froid ou sucré-salé avec des parfums étonnants comme la réglisse, l'abricot-pignons, la noix de pécan grillée et salée, ou le sirop d'érable du Vermont. On peut également y prendre un petit en-cas le midi, comme des soupes originales, des salades ou des pâtisseries faites maison.

MYBERRY
25, rue Vieille-du-Temple (4e)
✆01 42 74 54 48
M° Rambuteau. Ouvert tous les jours de midi à minuit et jusqu'à 2h du matin le vendredi et samedi.
Il paraît que la glace fait grossir. Pas chez Myberry. Cette nouvelle enseigne de la rue Vieille-du-Temple propose des glaces light basées sur un mélange de fruits frais, de fruits secs et de yaourts 0 %, agrémentés selon vos envies de noix de pécan, amandes grillées, ou riz soufflé au miel. L'inventeur Franck Albou a décidé de baptiser sa marque Myberry en clin d'œil à tous les fruits rouges dont le nom se termine par «berry» en anglais. La décoration de la boutique est aussi rafraîchissante que les glaces présentées dans des bacs de couleur vert chlorophylle. L'adresse commence à être connue et il n'est pas rare de faire la queue pour savourer également des jus de fruits pressés.

GELATI D'ALBERTO
45, rue Mouffetard (5e) ✆01 77 11 44 55
M° Place-Monge. Ouvert tous les jours de 10h à 20h.
La glace italienne a toujours autant de succès. Depuis plus de dix ans, Alberto confectionne ses gelati du jour en fonction des produits du marché, avec le même rituel et le même plaisir. Son petit plus : il sculpte ses glaces et les transforme en fleurs, le cornet servant de tige et les parfums colorés de pétales ; un savoir-faire hérité de son grand-père et exporté par ses soins depuis son Italie natale. Outre les parfums classiques, la gamme s'évade vers les kiwis, tiramisu, orange sanguine et autres douceurs. **Autre adresse :** 12, rue des Lombards (4e) ✆01 77 11 44 55.

GROM
81, rue de Seine (6e) ✆01 40 46 92 60
M° Mabillon. Ouvert tous les jours de midi à minuit.
Un grand espace ouvert sur la rue donne tout de suite envie d'aller voir ce qui se passe à l'intérieur. Grom, la célèbre marque de glaces italiennes, s'installe à Paris après New York. Laurent Boquillet, le gérant de la boutique, explique que les deux créateurs turinois, Federico Grom et Guido Martinetti, sont de vrais puristes. Ils n'utilisent que des produits naturels AOC et font particulièrement attention à l'aspect diététique de leurs glaces. La matière première vient d'Italie, mais tout est fabriqué sur place. Il suffit juste de plonger la cuillère dans le pot pour se rendre compte de la belle texture crémeuse ; des effluves de parfums s'en échappent et le goût est bien restitué. Chocolat, noisettes, pistaches, amandes, mais aussi réglisse, citron, chocolat, melon, fraise, etc. Difficile de choisir entre toutes ses saveurs. Et pour la période hivernale, les deux Italiens ont même pensé au chocolat chaud.

MARTINE LAMBERT
192, rue de Grenelle (7e) ✆ 01 45 51 25 30
M° Varenne. Ouvert tous les jours de 10h à 19h30.
On aime beaucoup les créations inspirées de Martine Lambert ! Installée en Normandie, possédant déjà un magasin à Deauville, elle a ouvert ici sa boutique de vente à emporter pour en faire profiter les Parisiens ! Elle cherche en permanence de nouveaux parfums, réinventant l'équilibre entre le connu et l'exotique, le sucré et le frais. Tout est fabriqué de façon artisanale, sans colorants ni conservateurs. Aujourd'hui, ce sont plus de 50 parfums à la carte, comme la Martiniquaise (vanille, écorces d'oranges confites et rhum) ou le Baobabana, un savoureux mélange de miel, de fleurs de baobab et des petits morceaux de bananes flambées ou encore des macarons glacés. Ne passez pas à côté sans vous arrêter !

HAAGEN-DAZS
49/51, avenue des Champs-Elysées (8e)
✆ 01 53 77 68 68
Site Internet : www.haagen-dazs.fr – M° Franklin-Roosevelt. Ouvert tous les jours de 7h à 2h. Sur place ou à emporter.
La marque américaine Häagen-Dazs a ouvert une sorte de palais de la glace sur les Champs-Elysées qui n'a rien à voir avec les autres boutiques. C'est un immense espace sur trois niveaux, avec une grande terrasse, des écrans plats et accès à Internet. Au premier étage, le luxe avec la Gold Room : une table d'hôte laquée et toute blanche, entourée de sièges blanc et or. Enfin le dernier niveau est conçu comme un lounge, plus particulièrement destiné à la nuit. Sur un fond musical, on découvre des cocktails à base de crème glacée. La maison crée en permanence de nouvelles saveurs ; on se régale par exemple de la glace au caramel avec coulis de pomme et crumble croustillant. Autres adresses sur le site Internet.

PASCAL LE GLACIER
17, rue Bois-le-Vent (16e) ✆ 01 45 27 62 84
M° La Muette. Ouvert du mardi au samedi de 10h30 à 19h.
Une jolie adresse, toute discrète, pleine de cœur et de saveurs. Avec Michelle, sa femme, Pascal Combette s'attache à réaliser des glaces le plus naturellement possible. Les sorbets fleurent bon le verger et les petits fruits frais du jardin, les glaces sont crémeuses sans l'être trop. Depuis plus de vingt ans, Pascal invente des parfums avec quelques notes d'alcool : litchie-saké, pêche-rivesaltes, ti-punch… Bref, on aime cette adresse, qui respire la simplicité dans un quartier qui en manque parfois !

MISTER ICE
6, rue Descombes (17e) ✆ 01 42 67 76 24
M° Porte-de-Champerret. Ouvert du mardi au vendredi de 14h à 19h et le samedi de 11h à 13h et de 14h à 19h30. Cornet à partir de 2,10 €.
Bientôt 20 ans que Fabien Foenix fait des merveilles. A son actif, plus d'une centaine de parfums créés, dont certains, ô combien originaux, sont aussi surprenants que divins ! Certaines glaces, sucrées, salées ou les deux à la fois, se révèlent comme des trésors en accompagnement de certains plats. Une glace au Carambar gourmande, une glace à la menthe fraîche légère et intense, une citron-basilic désaltérante ou encore une agrumes-wasabi qu'on aurait aimé inventer soi-même !

LA BUTTE GLACEE
14, rue Norvins (18e)
✆ 01 42 23 91 58
M° Abbesses. Ouvert du lundi au jeudi de 10h à 20h et du vendredi au dimanche de 10h à 22h30.
L'adresse est juste avant ce que l'on appelle le Calvaire et pourtant elle n'a rien d'un calvaire bien au contraire même si arriver jusque-là demande quelques efforts à nos gambettes… Mais quelle récompense ! De la bonne glace dans un décor digne d'Amélie Poulain. Des parfums classiques, pas de grands mélanges audacieux et un vrai travail d'artisan. Et dans ce quartier à touristes, on pourrait penser que les prix chauffent, pas du tout, ils restent dans la limite du très raisonnable.

Miel

LA MAISON DU MIEL
24, rue Vignon (9e)
✆ 01 47 42 26 70
Site Internet : www.maisondumiel.com M° Madeleine. Ouvert du lundi au samedi de 9h30 à 19h. Pots de 250 g, 500 g et 1 kg.
Coffrets découverte de 6 pots de 50 g ou de 10 pots de 125 g. Ouverte initialement rue Richelieu, en 1898, la Maison du Miel est installée rue Vignon depuis 1905. C'est dire si c'est une institution ! L'enseigne reste très attachée à sa vocation première, faire bénéficier les Parisiens des miels de toutes les régions de France, et l'a étendue à des miels venus de contrées bien plus lointaines (Vietnam, Roumanie, Canada.). Tous les miels sont ici proposés à la dégustation, afin que vous repartiez avec des miels que vous aurez préalablement pu goûter et approuver. A vous de faire votre choix parmi les multiples textures, les régions d'origine, les compositions florales… Comptez 6,20 € pour un pot de 500 grammes de miel d'acacia, le plus prisé de tous les miels monofloraux, pour sa douceur et sa texture liquide. La Maison du Miel propose également gelée royale, propolis, pollen, et produits d'épicerie fine à base de miel.

LES ABEILLES
21, rue de la Butte-aux-Cailles (13e)
✆ 01 45 81 43 48
Site Internet : www.lesabeilles.biz M° Corvisart. Ouvert du mardi au samedi de 11h à 19h. Miel à la tireuse (acacia et châtaignier) : 5 € les 500 g.

Ouverte en 1993 sur la Butte-aux-Cailles, cette boutique est tenue par un apiculteur passionné, qui continue d'exploiter ses ruches en région parisienne. Les amateurs de miel connaissent bien désormais ce drôle de commerçant, Jean-Jacques Schakmundès, qui n'hésite pas à transmettre son savoir. Impensable pour lui de se contenter de vendre un produit à la fois si apprécié et si méconnu. Et si, d'aventure, vous voulez vous lancer dans l'apiculture dans votre jardin, vous trouverez là un bon conseiller, qui vous aidera aussi à bien vous équiper puisqu'il vend tout le matériel nécessaire. Mais si vous venez tout simplement chercher votre miel, le meilleur accueil vous sera également réservé ! Vous pourrez y trouver du miel d'amandier, corsé et légèrement amer, assez rare à dénicher, du miel de trèfle à 4,80 €, du miel d'acacia et de châtaigne, etc. La boutique est connue mondialement et les Japonais la fréquentent en nombre.

CAFÉS, THÉS ET TISANES

Cafés

VERLET
256, rue Saint-Honoré (1er)
✆ 01 42 60 67 39
Fax : 01 42 60 05 55. Site Internet : www.cafesverlet.com M° Tuileries. Ouvert du lundi au samedi de 9h30 à 19h
Eric Duchaussoy, torréfacteur et homme de terrain, est à la tête de cette institution depuis 1995. Incontournables, les Cafés Verlet sont implantés à cette adresse depuis le début du XXe siècle, et le café y est torréfié depuis 1965 dans une pure tradition. Aujourd'hui, la boutique offre un choix étourdissant : des cafés venus d'Amérique, d'Afrique et d'Asie, des grands crus d'origine dont le Blue Mountain de Jamaïque – le café le plus cher au monde –, des mélanges maison tel le dernier-né, le mélange romain, un arabica corsé, «à l'italienne», idéal pour les amateurs d'expresso. La maison Verlet présente aussi une immense sélection de thés, plus d'une centaine, sans compter les produits raffinés comme les fruits confits de chez Lilamand. Les salons du rez-de-chaussée et du premier étage permettent de déguster dans une ambiance très feutrée.

LA BRULERIE DES GOBELINS
2, avenue des Gobelins (5e)
✆ 01 43 31 90 13
M° Gobelins. Ouvert du mardi au dimanche de 9h à 19h.
Entrez dans la belle Brûlerie des Gobelins où des sacs en toile de jute venus des quatre coins du monde servent de décoration. Puis humez l'air qui y flotte : il est agréablement chargé des effluves de café fraîchement torréfié. Vous allez adorer cette adresse, l'une des plus réputées de Paris. Et pour cause : Jean-Paul Logereau qui a grandi dans les odeurs de café, perpétue avec cœur la tradition familiale en offrant un large choix de cafés, des pures origines, des mélanges maison subtils et équilibrés. Il y en a pour tous les goûts, et les amateurs ne s'y trompent pas qui viennent y faire leurs achats. On ne peut que vous conseiller de goûter de nouveaux cafés de temps à autre, pour le plaisir de la découverte, et pour offrir de nouvelles sensations à vos fins palais. Vous serez toujours aimablement conseillé et servi ! Et si vous aimez le thé vous en trouverez ici un choix intéressant et varié ainsi que des miels et des confitures.

LES COMPTOIRS RICHARD
73, rue Lecourbe (15e)
✆ 01 40 65 20 07
www.richard.fr M° Sèvres-Lecourbe ou Volontaires. Ouvert du mardi au samedi de 9h30 à 19h30 et le dimanche matin de 9h30 à 13h.
Plus connu comme distributeur de cafés dans les restaurants, cafés, bars et autres brasserie, les Comptoirs Richard disposent d'une jolie et belle boutique dans le 15e arrondissement où ils vendent leur sélection de cafés torréfiés, en vrac, mais aussi des accessoires utiles à la dégustation. Cafetières et autres machines à faire le café, tasses en verre ou en porcelaine, bols. De la jolie vaisselle pour l'heure du café, mais aussi pour celle du thé ou du chocolat chaud. Car les Comptoirs Richard proposent également des thés, tisanes, chocolats à boire ou à croquer... Autres adresses sur le site Internet.

Thés et tisanes

HERBORISTERIE DU PALAIS-ROYAL
11, rue des Petits-Champs (1er)
✆ 01 42 97 54 68
Site Internet : www.herbosante.com M° Pyramides. Ouvert du lundi au samedi de 10h à 19h.
Une adresse comme un musée, comme une invitation au voyage, où l'on aime prendre son temps, respirer à plein nez les doux parfums connus et inconnus. L'Herboristerie du Palais-Royal réunit plus de 400 variétés de plantes, de bois, d'écorces et de fleurs. Vous pourrez donc y trouver absolument tout ce que vous cherchez, et y choisir de quoi vous faire des tisanes originales, à moins que vous n'optiez pour les grands classiques, également présents : verveine, menthe, tilleul. Michel Pierre et son équipe féminine arborent le sourire et le calme des gens qui travaillent en un lieu serein et aimé. Le temps de votre visite, ils contribuent à vous apaiser même avant que d'avoir bu votre tisane. Ils savent aussi vous orienter vers un généraliste si votre cas est plus sérieux. La boutique propose également des produits bio alimentaires ou pour la beauté.

LE THE DES ECRIVAINS
16, rue des Minimes (3e) ✆ 01 40 29 46 25
Site Internet : www.thedesecrivains.com – M° Chemin-Vert. Ouvert du mardi au samedi de 13h30 à 19h.
En pénétrant dans cette boutique, on se demande si l'on ne s'est pas trompé. Des bouquins, de la papeterie et du thé. Le créateur Georges-Emmanuel Moralli a voulu démontrer que tous ces «ingrédients» se marient parfaitement. Une dizaine de thés enfermés dans des boîtes en fer rondes se veulent des expériences à la fois littéraires et gustatives. Leurs saveurs sont nées d'une longue recherche pour aboutir à des parfums représentatifs des littératures choisies : une tasse avec Tolstoï où se mêlent arômes de vodka et de thé de Chine, une autre de thé indien avec Proust, une autre encore avec Goethe venant de Chine où l'amertume de la gentiane est contrebalancée par la douceur du chocolat et de la mangue. Bref, une idée qui a fait son chemin et qui connaît un certain succès.

MARIAGE FRÈRES
30, rue du Bourg-Tibourg (4e)
✆ 01 42 72 28 11
Site Internet : www.mariagefreres.com M° Hôtel-de-Ville. Ouvert tous les jours de 10h30 à 19h30.
La célèbre maison Mariage Frères est bien représentée à Paris, avec plusieurs points de vente dans des lieux stratégiques, et connue dans toute la France. Il faut dire que depuis le XVIIe siècle, cette famille a été l'envoyée spéciale de la Compagnie des Indes orientales. Une référence. Les lieux ont conservé ce côté ancien-chic, tout en boiserie ; l'ambiance est feutrée comme dans une bibliothèque où les livres sont remplacées par de superbes boîtes à thé. Les vendeurs servent en gants blancs avec une certaine déférence. Les provenances sont quasiment planétaires et on ne compte pas moins de 400 thés. De goûts classiques ou issus de mélanges subtils sans cesse renouvelés, les thés sont de grande qualité. Mariage Frères propose aussi de nombreux accessoires de dégustation. Les prix en revanche sont assez élevés et il faut souvent s'armer de patience pour être servis. **Autres adresses :** 13, rue des Grands-Augustins (6e) ✆ 01 40 51 82 50 • 260, rue du Faubourg-Saint-Honoré (8e) ✆ 01 46 22 18 54. Et dans de nombreux grands magasins comme Lafayette Maison, Le Bon Marché, Printemps Haussmann.

MAISON DES TROIS THES
1, rue Saint-Médard (5e) ✆ 01 43 36 93 84
M° Censier-Daubenton. Ouvert du mardi au samedi de 13h à 18h30.
Une adresse onéreuse, indiscutablement, mais une adresse d'exception ! Une expérience à vivre pour les amoureux des infusions. Il y a fort à parier que vous ne goûterez plus vos thés de la même manière lorsque vous aurez découvert la subtilité des thés préparés ici par la maîtresse du thé, Yu Hui Tseng. L'ambiance est tout à fait authentique avec des bouilloires où l'eau est toujours maintenue à la bonne température. Les thés viennent de Chine et de Taïwan. C'est la plus grande cave à thés au monde avec plus de 1 000 variétés proposées, que du haut de gamme ou presque. Si vous décidez de casser votre tirelire pour vous offrir du thé, une théière, vous recevrez ici tous les conseils utiles : comment culotter votre théière, et comment préparer au mieux le thé choisi. Pour la dégustation, il est préférable de réserver, surtout en fin de semaine.

KUSMI-TEA
56, rue de Seine (6e) ✆ 01 46 34 29 06 Site Internet : www.kusmitea.com – M° Mabillon. Ouvert tous les jours de 10h30 à 19h30.
Fournisseur officiel des stars, Pavel Michailovitch Kousmochoff a fui la Révolution russe et s'est installé à Paris en 1917. Aujourd'hui, on est loin de la maison traditionnelle des thés style comptoir anglais. La décoration est très contemporaine avec des matériaux comme le Plexiglass et des couleurs qui «pètent» : rouge, vert, blanc et orange. Une cinquantaine de variétés de thés identifiées par des étiquettes de couleurs différentes en fonction des provenances ornent les étagères. Parmi les thés de Ceylan, de Chine, d'Inde ou de Russie alliant des mélanges aromatisés, l'un des best-sellers : le Prince Wladimir, ce sont des thés de Chine mariés aux essences naturelles d'agrumes, de vanille et d'épices. Les jolies boîtes de Kusmi-Tea sont identifiables parmi mille, avec les tons colorés, pimpants et prometteurs. La marque a ouvert une autre boutique dans le 17e. **Autre adresse :** 75, avenue Niel (17e) ✆ 01 42 27 91 46.

Herboristeries

HERBORISTERIE DU PALAIS-ROYAL
11, rue des Petits-Champs (1er)
✆ 01 42 97 54 68
www.herbosante.com M° Pyramides. Ouvert du lundi au samedi de 10h à 19h.
Une adresse comme un musée, comme une invitation au voyage, où l'on aime prendre son temps, respirer à plein nez les doux parfums connus et inconnus. L'Herboristerie du Palais-Royal réunit plus de 400 variétés de plantes, de bois, d'écorces et de fleurs. Vous pourrez donc y trouver absolument tout ce que vous cherchez, et y choisir de quoi vous faire des tisanes originales, à moins que vous n'optiez pour les grands classiques, également présents : verveine, menthe, tilleul. Michel Pierre et son équipe féminine arborent le sourire et le calme des gens qui travaillent en un lieu serein et aimé. Le temps de votre visite, ils contribuent à vous apaiser même avant que d'avoir bu votre tisane. Ils savent aussi vous orienter vers un généraliste si votre cas est plus sérieux. Et puis, business oblige, la boutique propose des produits bio alimentaires ou pour la beauté.

HERBORISTERIE PIGAULT-AUBLANC NATURA
30, rue Pasquier (8e)
✆01 42 65 36 21
M° Saint-Augustin ou Havre-Caumartin. Ouvert du mardi au samedi de 10h à 14h et de 14h30 à 19h.
Une magnifique herboristerie à l'ancienne fondée en 1920 où les sachets de plantes sont délicatement emballés. Les conseils de la propriétaire Christine Brelet ou de ses vendeuses sont judicieux pour effacer tous vos maux et repartir avec des compositions qui promettent que ça va aller mieux très vite. En effet, ici les préparations sont réalisées immédiatements ou sur commande, uniquement à base de plantes médicinales. Elles sont livrées en gélules, tisanes ou liquides, accompagnées de conseils soit notifiés sur l'emballage soit sur une fiche à part pour des posologies plus complexes. A moins que vous ne veniez chercher des huiles essentielles, des huiles de massage, des produits cosmétologiques naturels ou des compléments alimentaires. Les rayons en sont également très bien fournis. **Autre adresse :** 38, rue du Montparnasse (6e) ✆ 01 45 48 34 81

L'HERBORISTERIE DE LA PLACE CLICHY
87, rue d'Amsterdam (18e)
✆01 48 74 83 32
M° Place de Clichy. Ouvert du mardi au vendredi de 10h à 13h et de 14h à 19h.
L'Herboristerie de la place de Clichy, qui a conservé sa belle façade du siècle dernier, renferme environ 900 espèces de plantes. Le pharmacien est là pour donner tous les conseils et adapter la préparation à vos besoins. Une tisane pour maigrir ? Elle existe et porte tout simplement le nom de Tisane minceur à laquelle on ajoute un modérateur d'appétit à base d'algues à pendre avant les repas. Il y a aussi des crèmes anticellulite, des huiles essentielles pour favoriser la circulation, etc. Tout est bien rangé dans des petits pots ou des sachets placés sur de vieux meubles d'apothicaire en bois. Et pour en savoir plus, des bouquins sont là pour expliquer les bienfaits de telle ou telle plante. Côté prix, ce n'est pas plus cher que les sachets que l'on vend en pharmacie pour couper la faim. La tisane minceur c'est 10 jours de cure pour 17 €.

ÉPICERIES

Généralistes

COMPTOIR DE LA GASTRONOMIE
34, rue Montmartre (1er)
✆01 42 33 31 32
Site Internet : www.comptoir-gastronomie.com – M° Les Halles ou Etienne Marcel. Ouvert lundi au samedi de 6h à 23h.
Le Comptoir de la Gastronomie existe depuis 1894, mais il s'est ouvert aux particuliers plusieurs décennies plus tard. Aujourd'hui l'enseigne, tenue depuis plus de 20 ans par Dominique Loï, est bien connue des gourmets de la capitale qui viennent s'y approvisionner en mets fins et en produits d'épicerie fine. Vous y trouverez tous les ingrédients nécessaires à un repas de fête, jusqu'aux vins, champagnes et spiritueux dont la sélection est aussi large que qualitative ! La maison est spécialisée dans les foies gras, les confits, les poissons fumés, la charcuterie faite maison et elle a un sens du service rare. Même après la fermeture de l'épicerie, si vous savez exactement ce dont vous avez besoin, vous pourrez être «sauvé» en passant par le restaurant ! G. DETOU 58, rue Tiquetonne (2e) ✆ 01 42 36 54 67 M° Etienne-Marcel. Ouvert du lundi au samedi de 8h30 à 18h30. C'est tout simplement une adresse incontournable pour tous ceux qui font de la pâtisserie, professionnels ou particuliers. Mais si elle est réputée pour cela, elle l'est aussi pour ses nombreux autres produits d'épicerie, parfois rares ; le choix est vaste, les rayons disparaissent sous leur nombre, et l'on se réjouit des prix particulièrement doux ! En effet, il suffit d'être prêt à acheter certains produits en quantité pour accéder à des prix très intéressants. Pour les fanas de chocolat pour pâtisserie, nous vous conseillons les pastilles de chocolat de couverture, vendues en paquet d'1 kilo. C'est si vite utilisé !

LA GRANDE EPICERIE DE PARIS – LE BON MARCHÉ
38, rue de Sèvres (7e)
✆01 44 39 81 00
Site Internet : www.lagrandeepicerie.fr M° Sèvres-Babylone. Ouvert du lundi au samedi de 8h30 à 21h. Livraison possible (8,50 € rive gauche, 14,50 € rive droite).
Sans conteste parmi les plus belles vitrines culinaires et gastronomiques de la capitale. La Grande Epicerie de Paris doit sa notoriété internationale à son caractère avant-gardiste et à sa recherche de produits rares, nouveaux et de grande qualité ! Plus de 5 000 produits triés sur le volet, sélectionnés pour leur excellence. La directrice des achats, Françoise Flament, parcourt le monde en quête des meilleurs produits, à la rencontre des plus authentiques producteurs. Résultat : l'espace épicerie rassemble les meilleurs produits d'épicerie, faisant une part de plus en plus belle au commerce équitable dès lors qu'il donne naissance à des produits irréprochables. A noter, une sélection remarquable d'huiles d'olive (plus de 80 variétés), et de pâtes. Un seul hic, et de taille : on a envie de tout acheter, tout goûter, tout essayer, et ça c'est le vrai danger car les prix jouent plutôt dans la catégorie haut de gamme et ne sont donc pas à la portée de toutes bourses.

ALBERT MENES
41, boulevard Malesherbes (8e)
✆ 01 42 66 95 63
Fax: 01 40 06 00 61. Site Internet: www.albertmenes.fr M° Saint-Augustin. Ouvert le lundi de 15h à 19h, et du mardi au vendredi de 10h30 à 14h et de 15h à 19h.
Vous entrez là dans l'unique boutique Albert Ménès, le seul endroit où l'intégralité des produits est présentée. La marque d'épicerie fine, notamment reconnue pour la qualité de ses conserves de poissons et ses dizaines d'épices, décline ses trésors de raffinement et de gourmandise en cinq collections aux noms évocateurs. On fond devant les conserves de ventrèche de thon germon et les sardines millésimées, on se régale avec les mousselines de légumes. On plonge volontiers sa cuillère (ou son doigt !) dans les pots de confitures les plus classiques et les plus rares. La Corne d'Or des fruits secs rencontre un joli succès fort mérité. On aime tout particulièrement les pignons de pins, incomparables… A ne pas manquer, une des dernières nouveautés : les «petits» petits-beurre de Lorient au chocolat noir (3,50 € la boîte de 65 g) ! Nathalie Roze tient cette boutique comme si elle confectionnait elle-même chacun des délicieux produits qu'elle saura vous aider à choisir. Malheureusement, la boutique est fermée le samedi. Mais vous pourrez retrouver une sélection de produits Albert Ménès dans les Monoprix et de nombreuses autres enseignes.

HEDIARD
21, place de la Madeleine (8e)
✆ 01 43 12 88 88
M° Madeleine. Ouvert du lundi au samedi de 9h à 21h.
Présente dans la capitale depuis 1854, la marque d'épicerie fine a connu de glorieuses années, et a su se créer un nom qui s'exporte d'ailleurs très bien. Aujourd'hui, son image est un peu désuète, mais elle reste une référence, une valeur sûre dans le monde de l'épicerie fine de luxe. Hédiard, c'est plus de 200 références de thés, conditionnés dans les fameuses petites boîtes rouges aux inscriptions noires et un grand choix de cafés. Spécialiste de la transformation et de la conservation des fruits, la marque produit ses propres confitures, pâtes de fruits, fruits confits. La gamme d'épices est aussi très reconnue. C'est tout cela, et bien d'autres belles et bonnes choses que vous trouverez dans la boutique de la place de la Madeleine, et dans les autres points de vente Hédiard ! **Autres adresses :** 31, avenue George-V (8e) • 106, boulevard de Courcelles (17e) ✆ 01 47 63 32 14 • 70, avenue Paul-Doumer (16e) ✆ 01 45 04 51 92.

SUR LES QUAIS – PAUL VAUTRIN
Marché d'Aligre (12e)
✆ 01 43 43 21 09
M° Ledru-Rollin. Ouvert du mardi au vendredi de 9h30 à 13h et de 16h30 à 19h30, le samedi de 9h30 à 13h30 et de 16h à 19h30 et le dimanche de 9h30 à 13h30.
Ingénieur agronome passionné de design, Paul Vautrin laisse libre cours aux mille idées qui lui trottent dans la tête, pour notre plus grand bonheur. Il présente sa sélection des meilleurs huiles, épices et condiments dans des packagings innovants, sous la marque Sur les Quais. Après avoir proposé son huile en spray, il crée des condiments qu'il met dans des tubes, façon tube de peinture en alu (recyclable, of course) ! Il vient de mettre au point trois merveilles, étonnantes dans leur goût et dans leur forme : le caviar de cornichon Skoff, le ketchup Bloody Mary, inspiré du célèbre cocktail, et le caviar de poivrons jaunes Peperoni. Tout simplement réjouissants et délicieux (6,50 €) !

BEAU ET BON
81, rue Lecourbe (15e) ✆ 01 43 06 06 53
Site Internet : www.beauetbon.com – M° Volontaires ou Sèvres – Lecourbe. Ouvert du mardi au samedi de 10h30 à 13h et de 15h à 19h30 et le dimanche matin de 10h30 à 13h.
Valérie Gentil, ex-pubarde, a changé de cap pour ne vendre que du bon et pas n'importe comment. Au fil du temps et avec pas mal de persévérance, elle a su se faire une clientèle fidèle, car ce qu'elle propose des produits sélectionnés chez des artisans français ou des coopératives ouvrières qu'elle visite tous les ans pendant ses vacances. Elle déniche des spécialités un peu folles : sa piétinade de l'Hérault est une sorte de tapenade de pois cassés au vin, à l'huile d'olive avec sauge et menthe. Les pâtes au germe de blé et noir de seiche qui viennent d'Italie sont vraiment originales. Le tabasco vert est presque introuvable dans la plupart des épiceries. Il y a également un très grand choix d'huiles ou de vinaigres aromatisés, de confitures qui sont presque hors normes tellement elles sont bonnes. Valérie se risque aussi à avoir une petite cave, et pour moins de 10 €, vous vous offrez une très bonne bouteille.

ETS LION
7, rue des Abbesses (18e) ✆ 01 46 06 64 71
M° Abbesses. Ouvert du mardi au samedi de 10h30 à 20h et le dimanche de 11h à 19h.
Al'endroit même où se dressait, dans un autre siècle, l'épicerie Houdon, a fleuri un drôle de magasin. A mi-chemin entre le fleuriste, l'herboristerie, la graineterie, l'épicerie et la branchouille ! Montmartre oblige, des prix pas si doux, mais des idées et des trouvailles, plein les jolis rayonnages. Une sélection de thés en vrac du Palais des Thés, des pâtes italiennes colorées de chez Zanier, de l'huile d'olive au détail, du riz violet, les épices d'Olivier Roellinger, d'authentiques vinaigres de Banyuls, des bocaux de légumes AOC comme les haricots de Soissons ou les lentilles de Saint-Flour ou des semences de graines oubliées. Mais la liste est tellement longue que l'on s'arrêtera là. Il faut absolument visiter ce magasin tenu par Sophie Monti et Philippe Letteron.

LA CAMPAGNE A PARIS

210, rue des Pyrénées (20e) ✆ 01 46 36 88 57

M° Gambetta. Ouvert du mardi au samedi de 9h30 à 13h et de 15h30 à 20h, le dimanche de 10h30 à 12h45 et le lundi de 15h30 à 19h45.

La devanture est, à elle toute seule, un appel à pousser la porte. Sa couleur verte, son look inqualifiable et son côté caverne d'Ali Baba de la bonne «bouffe» donnent envie. A l'intérieur, un curieux escalier en colimaçon attire l'œil. Dans le même temps, on aperçoit le grand sourire du patron, jamais avare de conseils et raisonnable sur ses prix. Les petits producteurs de qualité fournissent les rayons, et que ce soit pour du sucré ou du salé ou même du vin, on a le choix.

Saveurs d'ailleurs

IZRAEL

30, rue François-Miron (4e) ✆ 01 42 72 66 23

M° Saint-Paul. Ouvert du mardi au samedi de 9h30 à 13h et de 14h30 à 19h.

Cette caverne d'Ali Baba est assurément l'un de nos coups de cœur ! On ne peut pas simplement jeter un coup d'œil et repartir. Les étagères montent haut le long des murs de cette petite boutique et sont pleines à craquer. Les parfums qui y flottent vous transportent au bout du monde. Des épices et des condiments de tous les continents, des produits rares. Françoise Izraël-Solski semblent les connaître tous. Qui ne s'est pas retrouvé un jour démuni en exécutant une recette thaï ou mexicaine, découvrant un ingrédient inconnu et quasi introuvable en nos contrées, ne peut comprendre l'immense bonheur qu'est la fréquentation de cette épicerie !

LEVANT & CO

24, rue Pascal (5e) ✆ 01 43 31 83 75

Site : www.levant-co.com M° Les Gobelins. Ouvert du mardi au samedi de 10h à 19h30, dimanche de 10h30 à 14h30.

Levant & Co est avant tout une marque innovante dans l'univers des gastronomies méditerranéenne et orientale. Elle propose des spécialités authentiques et raffinées provenant de l'Anatolie, notamment une huile d'olive grand cru «Les Huiles du Levant», élaborée sur les collines du golfe de Smyrne, face à la mer Egée. Une seule variété, un seul verger, une seule pression, un seul jour. Elle est vendue dans cette boutique mais également dans plusieurs épiceries fines de Paris dont la Grande Epicerie de Paris (14 € les 50 cl). D'autres spécialités sont proposées : le sel très particulier de la mer Egée, des tomates séchées, plus d'une trentaine d'épices, les vins rouge, blanc ou rosé d'Anatolie. Smyrne fournit les figues et les raisins séchés ainsi que les câpres et les olives. Les plaisirs sucrés : la douceur des loukoums à la rose, à la noix ou à la pistache et différentes confitures. Enfin il ne faut pas oublier le café turc et son rituel. Tous les jeudis on peut suivre des cours de cuisine, le samedi s'initier au café turc et depuis début juillet on peut déjeuner sur place d'un plat unique à 6,50 €.

BELLOTA BELLOTA

18, rue Jean-Nicot (7e) ✆ 01 53 59 96 96

M° La Tour-Maubourg. Ouvert du lundi au samedi de 11h à 15h et de 18h à minuit.

L'Espagne, et le meilleur des jambons, dont le Bellota, célèbre jambon issu d'un porc essentiellement nourri aux glands (d'où son nom, qu'il ne semblait pas nécessaire de doubler.). Mais passons, c'est bien la seule faute de goût commise en ces lieux qui ne proposent que d'excellents produits. Outre une très belle charcuterie espagnole, vous pourrez vous y procurer des huiles, des conserves de poissons. Bellotta Bellotta est aussi un restaurant, plutôt hors de prix, mais quand on aime ! Ce sera ainsi l'occasion de déguster les meilleurs jambons espagnols sur les assiettes Volcan spécialement conçues pour optimiser les conditions de dégustation : sous l'assiette conique, un petit chauffe-plat permet de faire légèrement fondre le gras du jambon qui exhale alors toutes ses saveurs. Un délice !

VELAN

83-87, passage Brady (10e)

✆ 01 42 46 06 06

Site Internet : www.e-velan.com – M° Strasbourg-Saint-Denis ou Château d'Eau. Ouvert du lundi au samedi de 10h à 20h30.

Pas de mystère, les meilleures épiceries indiennes de la capitale, vous les dénicherez passage Brady. Pour trouver cette rue pas comme les autres, il suffit d'humer l'air ambiant, dans lequel flotte les effluves des épices, aromates et condiments, plus fortes que la pollution de la ville ! Allez, on vous aide : l'entrée du passage Brady se situe au niveau du 48, rue du Faubourg-Saint-Denis ou du 33, boulevard de Strasbourg. Dépaysante à souhait, une visite ici sera l'occasion de faire le plein d'épices, de poudres et de pâtes exotiques, de thés et tisanes aux mille vertus, de masalas. Dans cette boutique aux airs de Caverne d'Ali Baba, vous trouverez un grand choix de pickles et de chutneys. La seule faute de goût serait de ne pas déjà connaître l'adresse ou de ne pas courir la découvrir !

DA RITA

67, avenue du Docteur-Arnold-Netter (12e)

✆ 01 43 41 74 92

M° Picpus. Ouvert du mardi au samedi de 10h à 13h et de 16h à 20h.

Rita règne en sa toute petite boutique sur sa selezione de tous les produits d'Italie qu'elle aime. Animée par une réelle envie de nous faire partager les trésors culinaires et gastronomiques de ce beau pays, elle vous accueillera toujours avec gentillesse. Vous y dénicherez entre autres délices de beaux produits sardes, puisque la Sardaigne est la région de cœur de cette boutique ! Huiles, fromages, charcuteries, vinaigres, antipasti, pâtes et douceurs… tout y est et en plus c'est une grande spécialiste de la mortadelle ! N'oubliez pas un paquet de giandujas à déguster avec votre café, un vrai bonheur.

PARIS STORE
44, avenue Ivry (13e) ✆ 01 44 06 88 18
M° Tolbiac ou Porte-d'Ivry. Ouvert du mardi au dimanche de 9h à 19h30.
Une grande enseigne bleu, moins discrète que sa concurrente Tang, mais on retrouve la même atmosphère vivante et fourmillante des magasins asiatiques. En entrant à gauche, ce sont les sauces et accompagnements : Nuoc-mam, nam pla, sauce d'huîtres, sauce chili, sauce soja (disponible en jerrycans de 5 litres), sauce Worcestshire de la marque Léa & Perrins, etc. A droite, un grand rayon de surgelés qui vaut vraiment le coup. On trouve des sorbets aux parfums exotiques mais aussi des crevettes, des brochettes, des nems et différents raviolis vapeur vendus par sac de 50 à des prix défiant toute concurrence. Pour les riz, on n'a que l'embarras du choix avec les célèbres sacs de 50 kg de riz Papillon, les brisures de riz, les nouilles, notamment des nouilles japonaises, les thés, les boissons en canette ou encore les soupes instantanées. Un rayon entier est dédié aux épices et condiments, et les alcools sont bien représentés, il faut éviter le vin français qui n'est pas d'une grande qualité. Pour tout ce qui est fruits et légumes, le choix est époustouflant. L'ail, par exemple, est trois fois moins cher que dans les supermarchés, on a même découvert des gousses d'ail surgelées… C'est vraiment aussi bien que chez Tang. On retrouve néanmoins le problème des étiquettes, pas ou mal traduites, l'accueil plutôt froid, les vendeurs qui ne sont que moyennement francophones et l'attente aux caisses surtout en fin de semaine.

CAP HISPANIA
23, rue Jouffroy-d'Abbans (17e)
✆ 01 46 22 11 60
Site Internet : www.caphispania.fr – M° Malesherbes ou Wagram. Ouvert du lundi midi au samedi soir, de 10h à 14h et de 16h à 19h.
Un des plus grands professionnels vous attend en ces murs où vous aurez le bonheur de l'embarras du choix, et du meilleur, s'il vous plaît ! Côté charcuterie, les jambons Serrano et Ibérico Bellota, mais aussi le lomo et les chorizos, côté fromages, le Manchego, l'Ibérico trois laits – brebis, vache et chèvre –, la Tetilla de Galice… Sans oublier les huiles merveilleuses et les vinaigres de Jérez, les conserves de poisons et quelques douceurs dont seule l'Espagne a le secret. Pour accompagner ces mets subtils, vous choisirez quelques vins espagnols venus de Rioja, Rueda, Ribera del Duero… Le conseil est ici une seconde nature, les conversations s'étirent parfois, et l'on repart les bras chargés de victuailles.

LA CIGOGNE BENELLI
5, rue Damrémont (18e) ✆ 01 42 62 13 39
M° Lamarck-Caulaincourt. Ouvert du mardi au samedi de 10h à 14h30 et de 17h à 21h30.
Un petit bout d'Italie à Paris, et du meilleur choix ! Décor en bois d'origine (1927) – juste un petit coup de peinture pour passer du blanc au jaune en 2008 – et des parfums subtils. Le lieu est idéal pour présenter tant de belles et bonnes choses ! Vous y trouverez tous les produits régionaux et spécialités italiennes ainsi que des plats à emporter irréprochables : tomates et fenouil frais, foie de veau à la vénitienne, patacchio di coniglio (lapin préparé avec du laurier, de la sauge, du romarin, des tomates et de l'huile d'olive), riz pour risotto (safran, encre de seiche et champignons). Le jambon de Parme est ici très bon, tout comme les pâtes fraîches au pesto, aux épinards ou aux quatre fromages. Les desserts faits maison sont comme là-bas : le tiramisu est sans aucun doute la spécialité. La Cigogne propose aussi vins italiens, huiles d'olive de Toscane et des Abruzzes, grappa.

Saveurs régionales

A LA VILLE DE RODEZ
22, rue Vieille-du-Temple (4e)
✆ 01 48 87 79 36
M° Saint-Paul ou Hôtel-de-Ville. Ouvert du mardi au samedi de 8h à 13h et de 15h à 20h.
Que de délices venus tout droit des terroirs aveyronnais et auvergnats ! La boutique d'Alice et Guy Boillot regorge de mets plus savoureux les uns que les autres, sans se cantonner à la charcuterie ! Bien sûr, vous y trouverez des saucissons en pagaille, des jambons en veux-tu en voilà, des tripoux, des foies gras mais aussi une belle sélection de fromages savoureux et parfaitement affinés, des fruits en bocaux et bien d'autres appels à l'agape entre amis, comme les truffes fraîches en janvier et février ou du gibier en automne !

CHARCUTERIE LYONNAISE
58, rue des Martyrs (9e) ✆ 01 48 78 96 45
M° Pigalle. Ouvert du mardi matin au dimanche midi, de 9h à 19h30.

Dans la rue la plus commerçante de ce quartier riche de bonnes adresses de bouche, la charcuterie de Jean-Jacques Chrétienne ne dénote pas. Il y propose nombre de spécialités maison, comme ses excellents pâtés en croûte, ses terrines goûteuses (poulet en gelée, canard au poivre vert), et quelques salades charcutières dont on se régale. On aime tout particulièrement ses vol-au-vent (on avoue volontiers qu'on ne parvient pas à en faire de si bons !). Il vend également des produits régionaux notamment des saucissons lyonnais à cuire qu'il sélectionne avec soin.

LA PETITE CHALOUPE
7, boulevard du Port-Royal (13e)
✆01 47 07 69 59
M° Les Gobelins. Ouvert du mardi au dimanche de 10h30 à 13h30 et de 15h à 20h30.
Alain Boutin est le capitaine de ce navire chargé de produits de la mer. Il sélectionne majoritairement des marques connues et reconnues pour leur qualité : soupes de poissons de la Belle-Illoise, des filets de thon Germon à l'huile d'olive, le caviar d'artichauts à la quiberonnaise et bien d'autres. Et pour les accompagner des galettes bretonnes, des sauces, des crèmes de salidou. Alain Boutin est intarissable sur son métier et on embarque toujours avec plaisir sur son bateau.

COMPTOIR CORREZIEN
8, rue des Volontaires (15e) ✆01 47 83 52 97
M° Volontaires. Ouvert du lundi midi au samedi.
Des trésors venus de cette belle région qu'est la Corrèze, et qui regorge de spécialités ancrées dans son solide terroir : des foies gras dans tous leurs états, mais aussi des champignons séchés, des magrets, des truffes en conserve, des petits pâtés bien goûteux, des confits. La sélection n'est effectuée qu'auprès de très bons producteurs, reconnus localement et bien au-delà des frontières régionales. Vous y trouverez quelques produits frais, selon la saison : champignons, truffes. Et juste avant les fêtes, la maison, qui soigne encore plus qu'à l'habitude son alléchante vitrine, ouvre ses portes le dimanche matin.

FROMAGES ET AUTRES PRODUITS LAITIERS

LA FROMAGERIE
8, rue des Petits-Carreaux (2e)
✆01 42 33 04 07
M° Sentier. Ouvert du mardi au samedi de 8h30 à 20h30 et le dimanche de 8h30 à 14h.
Les habitants du quartier affirment que c'est le meilleur marchand de fromages de tout Paris. Une pointe de chauvinisme sans doute, en tout cas le patron de la boutique confirme que ses clients ne sont pas tous de la rive droite ni du 2e arrondissement. Un vaste choix de fromages, tous fermiers ou presque, et dégustés avant d'être mis en vente. Si vous trouvez mieux ailleurs, la maison serait même prête à vous rembourser la différence…

LA FROMAGERIE ALAIN BOULAY
131, rue Mouffetard (5e) ✆01 47 07 18 15
M° Censier-Daubenton. Ouvert du mardi au samedi de 8h à 20h et le dimanche de 8h à 13h.
Une belle fromagerie qui s'inscrit bien dans ce quartier vivant de la «Mouf'» où l'alimentaire de qualité tient une place importante. Ici la tradition est de mise : tous les fromages sont affinés avec précision. Pour les fêtes de décembre, quelques préparations apportent au plateau des pointes d'originalité comme le brie truffé ou le coulommiers aux figues. Le reste de l'année, quelques autres fromages bien choisis se parent de farce légère comme la fourme d'Ambert, par exemple, qui accueille des noix.

LA FERME SAINT-AUBIN
76, rue Saint-Louis en l'Ile (4e)
✆01 43 54 74 54
M° Pont-Marie. Ouvert du mardi au dimanche de 8h à 19h45.
Une des trois affaires fromagères dans lesquelles le boucher Christian Le Lann est impliqué… jusqu'aux papilles. Qu'importe le fromage que vous cherchez, il aura de quoi satisfaire tous les gourmets : dans ses magnifiques caves datant du XVIIe siècle – que les curieux pourront visiter sur simple demande –, sont affinées des spécialités de presque toutes les régions de l'Hexagone : camembert d'Isigny, saint-nectaire, tomme de Savoie, brie de Meaux, bleu d'Auvergne, chèvre de Rocamadour, tomme de Corse, gaperon – un goûteux fromage creusois à base de poivre –, ossau-iraty, chabichou et de nombreux autres plus méconnus comme l'étonnant pouligny saint-pierre, ou l'etivaz, un gruyère d'origine suisse très recherché que peu de fromagers vendent. **Autres adresses** : 1, rue du Retrait (20e). ✆01 43 66 64 00 et 60 • Rue Monge (5e). ✆01 43 36 07 08.

FROMAGERIE MARIE-ANNE CANTIN
12, rue du Champ-de-Mars (7e)
✆01 45 50 43 94
Site : www.cantin.fr M° Tour-Maubourg ou Ecole-Militaire. Ouvert du mardi au samedi de 8h30 à 19h30, le lundi de 14h à 19h30 et le dimanche de 8h30 à 13h.
Marie-Anne, c'est tout simplement la fille du fondateur de la Guilde des fromagers. Elle a repris la maison Cantin, fondée par son père Christian en 1950, et s'est fait un sacré prénom. Maître affineur fromager reconnue, elle travaille aujourd'hui avec son mari, Antoine, et leur fille Audrey. Dans sa délicieuse boutique, elle propose de fameux fromages au lait cru, et bien d'autres spécialités fromagères ; une spécialité maison : le saint-antoine – en l'honneur de son mari –, un délicieux triple crème affiné, qui ressemble en plus petit à un brillat-savarin. Les rayonnages, très soignés, présentent également quelques produits laitiers triés sur le volet, parmi lesquels un excellent beurre de baratte. Et comme Marie-Anne est passionnée et déborde d'énergie, elle trouve aussi le temps de proposer des ateliers de dégustation et de promouvoir la tradition fromagère de l'Hexagone.

FROMAGERIE ANDROUET
93, rue de Cambronne (15e) ✆01 47 83 32 05
Site : www.androuet.com M° Sèvres-Lecourbe, Cambronne. Ouvert du mardi au samedi de 9h à 13h et de 16h à 19h30, et le dimanche de 9h à 13h30.
Cette saga fromagère débute en 1909, année d'ouverture d'un premier commerce destiné à faire goûter aux Parisiens les spécialités régionales. Quelques années plus tard, de nombreux amateurs avaient fait de la fromagerie Androuët leur QG gourmand. Pierre Androuët, décédé en 2005, avait vendu son nom et sa société. Désormais tenues par Stéphane Blohorn, les fromageries perpétuent la tradition. Vous trouverez dans cette boutique plus de 250 fromages présentés au fil de l'année, dont plus de 80 % proviennent de nos terroirs. Les maîtres fromagers qui officient dans les caves des différents points de vente Androuët affinent avec bonheur et talent les fromages que vous y choisirez selon les saisons et vos goûts. Autres adresses sur le site Internet.

DUBOIS ET FILS
80, rue de Tocqueville (17e) ✆01 42 27 11 38
M° Malesherbes. Ouvert du mardi matin au dimanche midi de 9h à 13h et de 16h à 19h45.
Martine et son équipe travaillent toute l'année pour offrir le meilleur des spécialités fromagères de nos terroirs, sans oublier quelques belles références italiennes ou le beurre en baratte de chez Bordier. Cette fromagère n'est pas peu fière que ses deux fils aient choisi des métiers de bouche : Sébastien dans sa propre fromagerie à Saint-Germain-en-Laye, et Ludovic dans les cuisines de grandes tables internationales. Les habitués de la fromagerie Dubois ne s'y trompent pas, ils lui font une confiance absolue. Période de grande activité, la fin de l'année voit fleurir sur ses étals des Mont d'Or délicieux, des roqueforts à tomber, des fromages vieux très goûteux, et toute l'année des inventions maison : terrines de fromages, verrines, mille-feuille de fourme d'Ambert, etc. **Autre adresse :** 16, rue de Poissy – SAINT-GERMAIN-EN-LAYE ✆01 34 51 00 66.

FROMAGERIE QUATREHOMME
9, rue du Poteau (18e) ✆01 46 06 26 03
M° Jules-Joffrin. Ouvert du mardi au samedi de 8h30 à 13h et de 16h à 19h45.
Marie a ouvert cette troisième boutique dans cette rue où les bons commerces de bouche se succèdent ! Pour bénéficier d'un service irréprochable, découvrir de nouveaux fromages ou retrouver vos spécialités préférées, poussez la porte. Pour la raclette, en plus de proposer de très bons fromages, la maison prépare un plateau complet avec de la charcuterie d'excellente qualité. Un bon choix de fromages persillés et surtout une très rare tomme cerronnée. Des trois boutiques, celle de la rue de Sèvres reste néanmoins la grande vitrine. **Autres adresses :** 118, rue Mouffetard (5e) ✆01 45 35 13 19 • 62, rue de Sèvres (7e) ✆01 47 34 33 45.

LE FROMAGER DU PERE LACHAISE
5, place Auguste-Métivier (20e)
✆01 43 66 50 22
M° Père-Lachaise. Ouvert du mardi au samedi de 8h à 20h.
La boutique a conservé ce charme des anciennes crèmeries parisiennes. Le temps n'a pas eu d'effet sur elle et l'on se régale rien qu'en entrant, conquis par les lieux et les produits qu'ils renferment. De beaux fromages bien goûteux, choisis avec

soin parmi les producteurs qui aiment travailler autrement, dans le respect du savoir-faire artisanal. Pour les amateurs, la vieille mimolette est à tomber.

FRUITS ET LÉGUMES

AUX BEAUX FRUITS DE FRANCE
304, rue Saint-Honoré (1er) ✆ 01 42 60 45 26
M° Tuileries. Ouvert du mardi au samedi de 7h à 20h30 et le dimanche de 7h à 13h.
Des fruits à croquer à pleines dents, des légumes qui vous donnent de l'inspiration. Un étal aussi beau qu'il est bon ! Au fil des saisons, rien d'extraordinaire, juste des primeurs savoureux et un sens du service et du conseil. Rien d'extraordinaire ? Sauf si l'on considère que les adresses de cette qualité et de cette constance se font de plus en plus rares, hélas, dans la capitale !

HARRY COVER
133-135 rue Saint-Dominique (7e)
✆ 01 53 59 94 42
M° Ecole-Militaire. Ouvert du mardi au samedi de 8h à 19h30 et le dimanche matin.
Le nom fait sourire et on se dit que dans cette famille qui se passe la main depuis quatre générations, on aime l'humour et la vie. Gérard Loli accueille une clientèle exigeante qui recherche avant tout qualité et originalité. Très souvent les produits arrivent directement comme la truffe noire du Vaucluse et du Périgord, la truffe blanche d'Alba, les asperges vertes de Perthuis… Egalement sur les étals des produits hors saison et des légumes rares ou oubliés, mais aussi du pain Moisan, des vins Yves Legrand et des fromages Eric Lefebvre. Livraison gratuite. **Autre adresse :** 52 bis, rue du Cherche-Midi (6e) ✆ 01 42 22 56 22.

O COMME TROIS POMMES
25, rue Mouton-Duvernet (14e)
✆ 01 45 40 48 02
M° Mouton-Duvernet. Ouvert du mardi au vendredi de 8h à 13h et de 16h à 20h, le samedi de 8h à 18h.
Marjorie Launay est bien de la partie, puisque son compagnon n'est autre que Michel Charraire, des Vergers Saint-Eustache et des Halles Trottemant, à Rungis, qui fournit de nombreux restaurants parisiens. Avec Virginie, son associée, elle offre des primeurs de qualité aux particuliers du quartier dans une boutique toute rénovée. Ces deux-là vont même plus loin, en proposant des légumes «préparés», comme le font nos bouchers pour les abats, elles nous font gagner du temps, et redonner goût à la cuisine, en équeutant pour nous les haricots, en écossant les petits pois, en lavant les salades. Elles mettent aussi à la disposition de leurs clients des recettes de saison, et proposent de belles corbeilles de fruits à offrir ou à s'offrir ! Et comme le compagnon de Virginie est un grand professionnel du saumon, un corner de saumon est en bonne place !

LE FRUITIER DE MONTMARTRE
32, rue Ramey (18e) ✆ 01 42 54 50 41
Site : www.fruitier75.com M° Jules-Joffrin ou Château-Rouge. Ouvert du mardi au samedi de 8h à 13h et de 16h à 20h, le dimanche matin de 8h30 à 13h.
Le Fruitier de Montmartre, situé au pied de la Butte à quelques mètres de la mairie du 18e, est tenu depuis plus de 30 ans par famille Da Costa. Aujourd'hui, Catherine et Pedro connaissent bien tous leurs producteurs et ils n'hésitent jamais à leur rendre visite, en compagnie de leurs employés, afin d'avoir une meilleure connaissance des produits vendus en boutiques. Quelques-uns sont même transformés en soupe, salade de fruits frais, compotes, barquette de légumes épluchés bien pratiques pour les ménagères pressées. Pour les repas de fête, la maison prépare des plateaux de fruits ou de légumes, des brochettes de fruits, etc. L'accueil et le professionnalisme du personnel sont un bonheur pour le client d'autant que l'on peut vous livrer à domicile. **Autre adresse :** Le Fruitier d'Auteuil, 5, rue Bastien Lepage (16e) ✆ 01 45 27 51 08. Ouvert du lundi au samedi de 8h à 13h et de 15h30 à 19h30.

Jus de fruits, smoothies

LOOD JUICE BAR
79, rue de Richelieu (2e) ✆01 42 60 04 21
M° Bourse ou Quatre-Septembre. Ouvert du lundi au vendredi de 9h à 16h. De 5,50 € à 6,70 € pour un smoothie.
Lood, c'est le raccourci de Liquid Food. Dans un cadre contemporain symbolisant le monde végétal imaginé par Olivier Laude, le fondateur, on fait le plein de vitamines, d'anti-oxydants et de micronutriments, très à la mode aujourd'hui. Les fruits et les légumes arrivent tous les matins et les jus sont pressés devant le client. Les smoothies au lait de vache, yaourts ou lait de soja portent des noms évocateurs : Saut du lit (orange, banane, vanille), Nirvana (datte séchée, orange, germe de blé), Douce violence (orange, banane, fruits rouges), etc. On peut également manger des soupes, des salades, des sandwiches.

SOUPI FRUTTI
1, rue Alexandre-Parodi (10e)
✆01 42 05 44 00
M° Louis-Blanc. Ouvert du lundi au vendredi de 11h30 à 23h30 et le dimanche de 11h30 à 17h30. Fermé le mardi soir et le samedi midi.
Ca sent le printemps, même en plein automne ! C'est frais, naturel et gaiement vitaminé, bref exactement ce qu'il nous faut pour nous requinquer ! Une simple orange pressée ou tout autre agrume, à moins que vous ne préfériez un bon cocktail de fruits (de 3,90 € à 4,90 € les 25 cl à emporter). Vous pourrez aussi vous régaler d'un jus carotte-betterave-pomme. On peut même booster son jus avec du gingembre, du guarana, du ginseng, du pollen ou de la spiruline. Et pour celles et ceux qui préfèrent les légumes, sachez que les soupes à emporter sont délicieuses et toute fraîches (4,80 € les 40 cl).

Truffes

LA MAISON DE LA TRUFFE
19, place de la Madeleine (8e)
✆01 42 65 53 22
M° Madeleine. Ouvert du lundi au samedi de 9h à 21h.
La Maison de la Truffe fondée en 1932 s'est offert un nouveau visage il y a deux ans, au même endroit, sur la même superficie. La partie restaurant a pris ses aises et le comptoir boutique-traiteur, légèrement réduit, est sur votre gauche en entrant. La bonne nouvelle, c'est que la vente à emporter s'est considérablement recentrée sur la truffe !

TERRE DE TRUFFES
21, rue Vignon (8e)
✆01 53 43 80 44
Site Internet : www.terredetruffes.com – M° Madeleine. Ouvert tous les jours de 12h à 14h et de 19h à 22h.
Difficile de trouver un plus grand choix de truffes et produits dérivés à Paris. Fraîche en saison, ou en conserve toute l'année, la truffe est représentée ici dans toute sa diversité : tuber melanosporum, brumale, uncinatum, magnatum. Elles sont toutes là, en provenance de tous les pays truffiers ! Vous trouverez ici foie gras truffé, sauces aux truffes, huile à la truffe, divers alcools aromatisés à la truffe, sans oublier les accessoires et livres dédiés à cet ingrédient parfumé et magique. Le personnel de Terre de Truffes est passionné et fort bien formé; ici chacun prend plaisir à guider et conseiller, ce qui ne fait qu'ajouter au plaisir.

PAINS, VIENNOISERIES ET PÂTISSERIES

Boulangeries

BOULANGERIE GOSSELIN
125, rue Saint-Honoré (1er)
✆01 45 08 03 59
M° Louvre – Rivoli. Ouvert du dimanche au vendredi de 7h à 20h.
Philippe Gosselin, fils et petit-fils de boulanger, est un artisan heureux, doté d'une belle clientèle, et distingué parfois de récompenses bien méritées. Ce fut le cas en 1996, lorsque sa baguette reçut le prix de la meilleure de Paris. Comme chacun le sait, cette distinction n'est pas seulement honorifique, puisque le boulanger est alors fournisseur de l'Elysée pendant une année. Dix ans plus tard, la qualité et le goût sont toujours au rendez-vous. Et cette baguette est un pur délice, qu'on dévorerait presque avant d'arriver à la maison : une croûte croustillante et une mie juste cuite. Les viennoiseries et pâtisseries faites maison sont aussi très bonnes, et belles à regarder, ce qui ne gâte rien, d'autant que le service est particulièrement aimable. On aime entre autres le Pont Neuf, un biscuit aux marrons, mousse aux marrons, bavarois vanille et brisures de marrons glacés. Autre adresse : 258, boulevard Saint-Germain (7e) ✆01 45 51 53 11.

LA FONTAINE GAILLON
15, rue Gaillon (2e)
✆01 47 42 22 49
M° Opéra ou Quatre-Septembre. Ouvert du lundi au vendredi de 6h30 à 20h30.
A deux pas de chez Drouant et du restaurant de notre Gégé national, cette boulangerie propose une très bonne baguette, version classique et tradition. L'enseigne réalise aussi des viennoiseries et pâtisseries de belle facture, ainsi que des sandwiches faits maisons tout frais et généreusement garnis. Service traiteur et restauration rapide (quiches,

pizzas, plats du jour maison...). Une preuve intangilble de qualité ? La boulangerie Gaillon ne désemplit pas...

LE BOULANGER DE MONGE
123, rue Monge (5e)
✆01 43 37 54 20
M° Les Gobelins ou Censier-Daubenton. Ouvert du mardi au dimanche de 7h à 20h30.
En entrant dans la boutique de Dominique Saibron, faite de bois d'ardoise et tout en transparence, le fournil s'impose en maître des lieux et l'on voit comment se fabriquent les pains. Mais la vedette ici, c'est la baguette du Boulanger de Monge – ne pas confondre avec la baguette Monge d'Eric Kayser –, très jolie, bien alvéolée, avec une mie douce comme une caresse. L'accueil y est aimable et très souriant. Autre adresse : 48, rue de la clef (5e) ✆01 47 07 28 19. Ouvert du vendredi au mercredi, de 7h à 20h.

POILANE
8, rue du Cherche-Midi (6e)
✆01 45 48 42 59
Site Internet : www.poilane.fr M° Saint-Sulpice ou Sèvres-Babylone. Ouvert du lundi au samedi de 7h à 20h.
On ne compte plus les points de vente de cette maison devenue une référence en France ! Lionel Poilâne, trop tôt disparu, avait succédé à son père Pierre qui avait créé la boulangerie en 1932. Sa fille, Apollania, a repris le flambeau et poursuit l'œuvre de son père. Dans la boutique mère, toute la gamme de la maison est à portée de bras. Le fameux pain Poilâne classique, bonne niche faite à partir de farine de blé broyée à la meule de pierre, sel marin et levain naturel, pèse un peu moins de 2 kg. Il se conserve une semaine, et se déguste avec à peu près tous les aliments, frais ou grillé. Il y a aussi le pain de seigle (900 g), le pavé aux raisins de Corinthe (650 g) et les petits pains aux noix du Périgord (320 g). Des viennoiseries, des tartes aux pommes et surtout les «punitions» qui n'ont absolument rien de désagréable car ce sont d'excellents petits sablés au beurre. A remarquer, les biscottes artisanales de la Chantéracoise, un produit rare en France.

BESNIER PERE ET FILS
40, rue de Bourgogne (7e)
✆01 45 51 24 29
M° Varenne ou Invalides. Ouvert du lundi au vendredi de 7h à 20h.
La famille Besnier a rénové cette petite boulangerie devenue une belle boutique moderne et élégante. Claude, le père, et Olivier, le fils, travaillent avec passion et ils se complètent parfaitement. Le premier est boulanger et le second pâtissier. Du coup, en mêlant leurs savoir-faire respectifs, ils créent des produits aux saveurs originales : du pain aux figues avec de la farine de châtaigne, le pain Norlarder, un pain noir aux graines de tournesol concassées, ou encore le «mille épices» où se marient différentes épices : paprika, fenugrec et coriandre. La bombe aux amandes est une «tuerie».

A LA RENAISSANCE – ARNAUD DELMONTEL
39, rue des Martyrs (9e)
✆01 48 78 29 33
Site Internet : www.arnaud-delmontel.com – M° Saint-Georges. Ouvert tous les jours sauf le mardi de 7h à 20h30.
Un magasin à la bonne odeur de pain chaud qui désemplit rarement et où l'on patiente gentiment, car Arnaud Delmontel fait partie des gens connus du monde de la «boulange» : Sa baguette de tradition Renaissance a été couronnée en 2007. L'homme est un créatif et il invente ses pains. Le benoîton (pain de seigle à la cannelle, aux raisins et céréales), le «6 céréales, 4 graines» qui réunit blé, orge, seigle, avoine, riz, maïs, tournesol, soja, millet et lin ! La maison est très réputée pour ses pâtisseries : son Dôme ou son Royal au chocolat sont somptueux et que dire du Madras, une dacquoise, mousse noix de coco et chutney d'ananas ou de la dernière trouvaille : des macarons de toutes les couleurs dans une boule en plastique. Autre adresse : 57, rue Damrémont (18e) ✆01 42 64 59 63. Ouvert tous les jours sauf le lundi de 7h à 20h30 et jusqu'à 14h30 le dimanche.

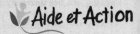

STEPHANE VANDERMEERSCH
278, avenue Daumesnil (12e)
✆01 43 47 21 66
M° Porte-Dorée. Ouvert du mercredi au dimanche de 7h à 20h.
Stéphane Vandermeersch est un boulanger-pâtissier talentueux qui a fait ses armes chez Fauchon et Ladurée, et aux côtés de Pierre Hermé. Dans sa boutique aux décors anciens datant en partie de sa création en 1910, il sélectionne toutes ses matières premières avec le plus grand soin et confectionne des baguettes et des pains d'une qualité gustative de très haute volée ! On achète des pains de campagne à la coupe comme dans le temps et ses miches peuvent faire jusqu'à 10 kg... Sans compter que ses viennoiseries et pâtisseries sont tout à fait remarquables.

LA FOURNEE D'AUGUSTINE
96, rue Raymond-Losserand (14e)
✆01 45 43 42 45
M° Plaisance. Ouvert du lundi au samedi de 7h30 à 20h.
Baguette d'or en 2004, la baguette de Pierre Thillieux est une des belles valeurs sûres de Paris, et les riverains qui peuvent en croquer tous les jours ont bien de la chance. Les pains et les viennoiseries se révèlent généreux et de très bon goût, d'une grande fraîcheur et cela invariablement ! Quant au décor, il est recherché : parquet, meubles en bois, théières émaillées, et autres témoins du temps passé.

BOULANGERIE BONNEAU
75, rue d'Auteuil (16e)
✆01 46 51 12 25
Site Internet : www.bonneau.fr M° Porte-d'Auteuil. Ouvert du mercredi au dimanche de 7h à 20h.
Laurent Bonneau, un compagnon du Devoir, est l'un des meilleurs boulangers de Paris pour la fabrication de la baguette. Tout est fait de manière artisanale, d'ailleurs sur sa façade, il affiche «L'artisan boulanger pâtissier». Il s'amuse avec ses pains du jour qui varient en fonction de son imagination. La Baguetine à l'orge et à l'avoine est un pur délice tout comme le pain au levain naturel et sel de Guérande. Pâtisseries et viennoiseries sont également de bonne facture avec au hit-parade un majestueux Baron : un entremets de mousse au chocolat sans sucre et feuillantine de nougatine.

BOULANGERIE CONNAN
38, rue des Batignolles (17e)
✆01 45 22 45 04
M° Rome. Ouvert du lundi au vendredi de 6h45 à 20h et le samedi 7h à 14h.
La baguette artisanale de Laurent Connan fait partie des meilleures baguettes de Paris. Elle a été distinguée en 2003 pour sa «Prestige d'or», ce qui a valu au boulanger l'honneur de livrer à l'Elysée. Sa galette aux amandes a également reçu un prix en 2005. Pourtant cet homme a le triomphe modeste et sa petite boulangerie reste tout à fait anodine. En revanche, vu la queue parfois devant sa boutique, on se dit que les clients ne se trompent pas.

LA BOULANGERIE PAR VERONIQUE MAUCLERC
83, rue de Crimée (19e)
✆01 42 40 64 55
M° Laumière ou Botzaris. Ouvert du jeudi au lundi de 8h à 20h.
Véronique Mauclerc a repris avec succès cette boutique des années 20, classée aux abords des Buttes-Chaumont. Elle y propose une grande variété de pains, tous aussi bons les uns que les autres, fabriqués à partir de farines bio, et des pâtisseries délicieuses. Sa fougasse à la cannelle et aux pistils de safran, ou sa baguette aux herbes de Provence sont superbes en bouche. Elle a disposé quelques tables dans la petite salle où trône encore un très vieux four à bois toujours en activité. Les habitués ne tarissent pas d'éloges, et les promeneurs se régalent !

LA TRADITION
196, rue des Pyrénées (20e)
✆01 46 36 08 09
M° Gambetta. Ouvert du samedi au jeudi de 8h30 à 20h.
Chaque jour Philippe Vasseur sort du fournil une quarantaine de pains différents, de la classique baguette aux pains plus originaux comme celui au brie de Meaux. Le succès du moment c'est le Tordu au levain, tout en mie et à la croûte craquante. Les pâtisseries varient en fonction des saisons et les viennoiseries sont réalisées au beurre des Charentes. Une adresse qui ne fait pas beaucoup de bruit, mais qui respecte la qualité.

Le macaron, excellence parisienne !

Fondant et croquant à la fois, entre meringue et confiture, il est à coup sûr devenu le plaisir sucré le plus couru de la capitale. Né à Paris à la fin du XIXe siècle dans sa forme actuelle, le macaron se décline aujourd'hui par centaines de combinaisons de parfums différentes, au point de constituer un véritable exercice de style pour pâtissiers audacieux. Chocolat, caramel au beurre salé, mangue-jasmin, rose, bergamotte et même vanille-huile d'olive… Ces experts parisiens rivalisent d'imagination pour étonner les palais curieux. Voici notre revue d'effectif gourmande, entre maisons au savoir-faire séculaire et nouveaux talents turbulents !

Les historiques

LADUREE

21, rue Bonaparte (6e) ✆ 01 44 07 64 87

www.laduree.fr M° Saint-Germain-des-Prés Ouvert tous les jours de 8h30 à 19h30 et le samedi ouvert de 8h30 à 20h30.

A prononcer son nom, on a du mal à ne pas y ajoindre par reflexe le mot "macaron". C'est incontestablement la maison-star du petit biscuit parisien. Fondée en 1862 au 16, rue Royale, l'enseigne a ouvert plusieurs boutiques à Paris. Si bien qu'il se vend chaque année près de 135 tonnes de macarons Ladurée (soient 20 000 petites bouchées par jour !). Cassis-violette, fleur d'oranger, menthe glaciale, chocolat amer ou mangue-jasmin, le macaron atteint ici l'excellence. Toutes les adresses sur le site Internet.

DALLOYAU

101, rue du Faubourg-Saint-Honoré (8e) ✆ 01 42 99 90 00

www.dalloyau.fr M° Saint-Philippe-du-Roule. Ouvert tous les jours de 8h30 à 21h.

La maison deux fois centenaire reste fidèle à la sûreté du classique : les meilleurs ingrédients (gousse de vanille bourbon…) et le soin apporté à la garniture (ganache, confiture ou crème). Et ça marche : pas moins de 55 tonnes de macarons sortent de ses laboratoires chaque année ! Chaque mois, Dalloyau invente un nouveau macaron, très saisonnier (3,60 euros pièce, 70 euros le kg). Si vous ne pouvez pas profiter de la gentillesse de l'accueil que réservent généralement les hôtesses des six boutiques Dalloyau parisiennes, vous pouvez toujours commander via le site Internet de la maison. Toutes les adresses sur le site Internet.

LENÔTRE

48, avenue Victor-Hugo (16e) ✆ 01 45 02 21 21

www.lenotre.fr M° Victor Hugo. Ouvert tous les jours.

C'est l'un des noms historiques de la pâtisserie à Paris. Installé à Paris à la fin des années 1950, Gaston Lenôtre prépare et commercialise la fameuse gamme de gâteaux Succès, dont la crème si particulière se conjuque avec des amandes et des craquelins de nougatine. Le macaron du même type deviendra un incontournable du genre. A côté de cela, on trouve dans ces boutiques très apprêtées des macarons tout chocolat et tout vanille, qui font de Lenôtre un maître du classicisme. L'enseigne compte plus de 10 adresses dans Paris, sans compter ses boutiques de Neuilly, Boulogne, Parly II. Toutes les adresses sur le site Internet.

Espoirs et talents confirmés

MACARONS ET CHOCOLATS – PIERRE HERME

4, rue Cambon (1er) ✆ 01 58 62 43 17

www.pierreherme.com M°Concorde. Ouvert du lundi au samedi de 10h à 19h.

C'est une petite bonbonnière uniquement consacrée aux macarons et aux chocolats dans les tons de marron glacé foncé, le tout agrémenté de carrés colorés et lumineux qui rappellent les emballages. De sublimes parfums pour les macarons : vanille, ambre, rose, jasmin, cannelle… et pour cet hiver quelques nouveautés comme le macaron au wasabi et pamplemousse confit ou au chocolat « pure origine ». **Autres adresses :** 185, rue Vaugirard (15e) ✆ 01 47 83 89 96 – 72, rue Bonaparte (6e) ✆ 01 43 54 47 77.

Macarons

JEAN-PAUL HEVIN

231, rue Saint-Honoré (1er) ✆ 01 55 35 35 96

www.jphevin.com M° Concorde, Tuileries ou Opéra. Ouvert du lundi au samedi de 10h à 19h30.

C'était en 2005 : Jean-Paul Hévin recevait le prix du meilleur macaron de Paris, catégorie classique. Il faut dire qu'en matière de cacao ou de praliné, ce chocolatier d'excellence a des arguments. Et son style tout en sobriété lui vaut un succès constant. Du chocolat de très haute qualité, donc, notamment dans le Grand macaron au chocolat mais également des saveurs moins ordinaires : chocolat-figue-estragon, mangue-coriandre, bergamotte et… fromage ! Oui, jean-Paul Hévin a aussi inventé le premier macaron apéritif… Au programme : pont-l'Evèque, époisses, roquefort… **Autres adresses :** 23 bis, avenue de la Motte Picquet (7e) ✆ 01 45 51 77 48 – 3, rue Vavin (6e) ✆ 01 43 54 09 85.

GERARD MULOT

6, rue du Pas-de-la-Mule (3e) ✆ 01 42 78 52 17

www.gerard-mulot.com M° Chemin-Vert. Ouvert du mardi au dimanche de 9h à 20h30.

Gérard Mulot a ouvert cette nouvelle adresse en 2007 – la maison historique étant située 76, rue de Seine. Ses fameux macarons ont fait sa réputation ; leur cœur est tendre et moelleux et leurs parfums délicats. Une carte classique et des nouveautés qui changent tous les mois en fonction des saisons ou de l'imagination du chef. Ils sont désormais « vendus au mètre », une façon de désigner la taille des boîtes. **Autres adresses :** 76, rue de Seine (6e) ✆ 01 43 26 85 77 – 93, rue de la Glacière (13e) ✆ 01 45 81 39 09.

PAIN DE SUCRE

14, rue Rambuteau (3e) ✆ 01 45 74 68 92

ww.patisseriepaindesucre.com M° Rambuteau. Ouvert du jeudi au lundi de 10h à 20h.

C'est un avis presqu'unanime : l'adresse monte, monte, monte… Les maîtres des lieux, Nathalie Robert et Didier Marthray, ont été longuement chefs pâtissiers chez le chef étoilé Pierre Gagnaire avant de s'installer dans une boutique rénovée par un designer. Côté macarons, vous craquerez pour le pistache-griotte, le fleur de sureau, le chocolat feuilleté praliné et, surtout, le seul macaron à l'Angélique de Paris ! Pour le reste, les productions classiques sont à tomber (mention toute spéciale pour le mille-feuille), et les créations contemporaines sont renversantes : la tarte Roberto, par exemple (pâte sablée aux amandes, crème ricotta et fraises des bois), mais aussi la centaine de verrines qui varient régulièrement.

ARNAUD LARHER

57 Rue Damrémont (18e) ✆ 01 42 55 57 97

www.arnaud-larher.com – M° Lamarck-Caulaincourt. Ouvert du mardi au samedi de 10h à 19h30. Derrière sa devanture orange, des sourires et des gourmands. Chocolatier, pâtissier et glacier, accroché sur le flanc de la Butte Montmartre, Arnaud Larher – un ancien de chez Fauchon – travaille aussi consciencieusement que discrètement. Et pourtant, il fut élu pâtissier de l'année en 2000 et obtint le premier prix de la ganache amère au salon du chocolat… Les chanceux voisins, et les promeneurs occasionnels, se régalent donc des éclairs pistache et des Montecristo, des chocolats et, surtout, des macarons faits maison aux saveurs étonnantes… Une découverte ! **Autre adresse :** 53, rue Caulaincourt (18e) – ✆ 01 42 57 68 08.

Pâtisseries

ANGELINA
226, rue de Rivoli (1er)
✆01 42 60 82 00

M° Concorde. Ouvert tous les jours de 8h à à 19h, le samedi et dimanche de 9h à 19h.

Angelina est sans aucun doute le plus célèbre des salons de thé parisiens. On y vient avant tout pour l'Africain, un onctueux et épais chocolat chaud, et l'incontournable Mont-Blanc, une meringue fourrée de crème fouettée recouverte de crème de marrons. Sébastien Bauer, ancien chef pâtissier chez Pierre Hermé, arrivé il y a tout juste un an, dévoile à chaque saison ses collections tel un styliste. En 2008, il avant fait défiler sur son podium Eva, une tartelette chocolat à la pulpe de framboise sauvage, Carla, un dôme mousse de marron et cheese-cake cassis, Olympe, un biscuit macaron à la violette, gelée de fraise et framboise, un Choc africain, un petit gâteau aux deux chocolats, et une réinterprétation du paris-brest avec une crème aux noix de pécan. Le cadre a conservé son charme d'antan avec ses grandes peintures et ses miroirs dorés. A l'été 2009, Angelina a trouvé un nouvel écrin dans la Maison du Suisse, à l'entrée du Petit Trianon de Versailles, et propose une offre salée et sucrée pour tous les moments de la journée à emporter ou à consommer sur l'agréable terrasse de 80 places assises.

AUX DELICES DE MANON
400, rue Saint-Honoré (1er)
✆01 42 60 83 03

M° Concorde. Ouvert tous les jours de 7h à 22h, sauf le dimanche.

Cette adresse est tout simplement un délice ! Restaurant, boulangerie, pâtisserie, salon de thé et traiteur. Toutes les envies sont à conjuguer avec Manon ! Située sur les lieux mêmes où vécut Robespierre, cette enclave gourmande est le paradis des saveurs sucrées ou salées. Un endroit où l'on aime se poser avant le bureau autour d'un petit déjeuner (histoire de se donner du courage !), d'un déjeuner qui, sans être gastronomique, se situe dans le très convenable, ou à l'heure du thé avec les copines. Tous les gâteaux donnent envie même pour les moins gourmands et les prix restent dans une limite raisonnable, même en ces temps de crise. **Autres adresses :** AUX DESIRS DE MANON 129, rue Saint-Antoine (4e) • MISS MANON 87, rue Saint-Antoine (4e) • AUX PAINS DE MANON 31, rue de l'Annonciation (16e) • AUX DELICES DE BAGATELLE 1, rue Ernest-Deloison – NEUILLY-SUR-SEINE (92) • AUX DELICES DE MANON 79 bis, avenue Jean-Baptiste-Clément – BOULOGNE-BILLANCOURT (92).

GERARD MULOT
6, rue du Pas-de-la-Mule (3e)
✆01 42 78 52 17

Site Internet : www.gerard-mulot.com M° Chemin-Vert. Ouvert du mardi au dimanche de 9h à 20h30.

Gérard Mulot a ouvert cette nouvelle adresse en 2007 – la maison historique étant située 76, rue de Seine. Son esprit vagabonde entre innovation et tradition, toujours dans le respect de la qualité et du raffinement. Ses clafoutis aux fruits ou ses fameux macarons ont fait sa réputation. Ici c'est Mathieu Lacroix qui donne le ton. Il ajoute à la carte des créations du maître ses propres envies comme le Kaossa, une mousse au chocolat au lait, ananas et épices douces sur spéculos. Autres adresses page 361.

AOKI
56, boulevard de Port-Royal (5e)
✆01 45 35 36 80

Site Internet : www.sadaharuaoki.com M° RER Port-Royal. Ouvert tous les jours de 8h à 19h30.

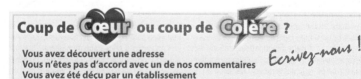

Une adresse d'exception ! Sadaharu Aoki est un artiste tokyoïte installé en France depuis 1991, et qui a trouvé son propre chemin, à la croisée du classique, de la créativité et de l'ailleurs. Difficile de ne pas être admiratif et de ne pas devenir inconditionnel des éclairs au sésame noir, aux fruits rouges mariés aux marrons, au caramel salé, ou encore des tartes au thé mâcha (pâte sucrée, ganache ivoire au thé vert et feuillantine pralinée) ou au caramel. Et que dire du merveilleux zen (pâte sucrée sésame, cognac, macaron au thé mâcha, biscuit dacquoise noisette, crémeux de sésame et crème chocolat ivoire), sinon que c'est super bon. Chacune de ses créations est une pure merveille, qui étonne et charme ! Vous n'avez jamais mangé de pâtisseries pareilles, c'est sûr, mais le revers de la médaille ce sont les prix, ils sont loin d'être légers. Autre adresse sur le site Internet.

PATISSERIE VIENNOISE
8, rue de l'Ecole-de-Médecine (6e)
✆01 43 26 60 48
M° Odéon. Ouvert du lundi au vendredi de 9h à 19h.
Tout est dit dans l'intitulé. Dans ce décor des années 30, on dévore des pâtisseries autrichiennes, dont la fameuse sachertorte: gâteau au chocolat noir et à la confiture d'abricot. Remarquées parmi les nouveautés, une excellente tarte pavot-groseille et une non moins savoureuse tarte cannelle-amandes-citron.

STEPHANE SECCO
20, rue Jean-Nicot (7e)
✆01 43 17 35 20
M° Pont-de-l'Alma ou Invalides. Ouvert du mardi au samedi de 8h à 20h30.
Ancien pâtissier chez Christian Constant, Stéphane Secco a été pendant huit ans le chef pâtissier du groupe Costes. Et cela se voit. Un rayon pâtisserie garni de gâteaux plutôt classiques mais tout à fait délicieux. Il en revisite souvent la forme, comme il l'a fait avec sa tarte au citron qu'il présente en barquette, et change sa gamme suivant les saisons. La boulangerie, juste à côté de la pâtisserie, offre une large gamme de pains spéciaux.

LADUREE
75, avenue des Champs-Elysées (8e)
✆01 40 75 08 75
Site Internet: www.laduree.fr M° George-V. Ouvert tous les jours de 7h30 à 0h30.
Dans un cadre royal digne de la plus belle avenue du monde, la maison Ladurée s'est donné un petit coup de jeune en confiant la décoration de son bar à Roxane Rodriguez. On peut s'y restaurer ou simplement choisir les fameux macarons, une pâtisserie ou un dessert imaginés par Michel Lerouet.

LES CAKES DE BERTRAND
7, rue Bourdaloue (9e)
✆01 40 16 16 28
M° Notre-Dame-de-Lorette. Ouvert du lundi au vendredi de 12h à 18h.
Dans une ancienne chocolaterie, Didier Bertrand et Adolphe Besnard ont imaginé un petit salon de thé bonbonnière à la déco pop romantique. Là, on savoure les meilleurs cakes faits maison de la capitale qui accompagnent une large carte de thés ou de cafés. Le Cake d'Amour, à base de pain de Gênes, de cerises Amarena, de mandarine confite et de sirop de rose, est à tomber par terre, tout comme, plus exotique, le cannelle, gingembre et zeste d'orange. Le must est que de mi-avril à mi-octobre, la maison s'installe dans le jardin du musée de la Vie romantique, rue Chaptal (9e), du mardi au dimanche de 11h30 à 18h.

LA BAGUE DE KENZA
106, rue Saint-Maur (11e)
✆01 43 14 93 15
M° Saint-Maur. Ouvert tous les jours de 9h à 22h.
Maghreb. Vous marchez rue Saint-Maur, et en arrivant à hauteur du numéro 106, vous êtes interpellé par des pyramides de petites bouchées sucrées qui semblent vous faire de l'œil et vous inviter à entrer, en vous appelant presque par votre prénom? Tout est normal, vous êtes devant la Bague de Kenza, bien plus irrésistible pour les gourmands que la plus jolie boutique de fringues pour la plus incorrigible des fashionitas. Pénétrez en ce temple de la pâtisserie orientale, et laissez les odeurs d'ailleurs vous envahir: dattes, figues, oranges, amandes, pistaches, miel. Elles sont toutes là. Ces petits trésors ne sont ni trop gras ni trop sucrés, juste comme là-bas, succulents. En sortant de la boutique, c'est sûr, quel que soit le moment de la journée, vous risquez de décréter que c'est l'heure du thé. À moins que vous ne croquiez dans un gâteau dès votre sortie de la boutique! **Autres adresses:** 173, rue du Faubourg-Saint-Antoine (11e) ✆01 43 41 47 02 • 233 rue de la Convention (15e) ✆01 42 50 02 97.

BLE SUCRE
7, rue Antoine-Vollon (12e) ✆01 43 40 77 73
M° Ledru-Rollin. Ouvert du mardi au samedi de 8h30 à 19h30 et le dimanche matin.
Après avoir fait ses armes au Bristol et au Plazza, Fabrice Le Bourdat a eu la bonne idée d'ouvrir une boulangerie-pâtisserie, entre Bastille et Nation. Ah, les chanceux habitants du quartier! Ils vont pouvoir se régaler au quotidien (ou presque!) des délicieuses pâtisseries confectionnées avec cœur et talent. Une mention spéciale pour le sabayon chocolat noir et crémeux vanille ou son Trousseau, une mousse au chocolat et crémeux de framboise. Les tartelettes toutes simples ne déméritent pas d'autant que leur prix est tout doux (2,50 €). Le pâtissier propose également quelques créations maison fort réussies, à goûter de toute urgence.

PATISSERIE THEVENIN
119, avenue du Général-Leclerc (14e)
✆01 45 40 48 64
M° Porte-d'Orléans. Ouvert du jeudi au mardi de 7h à 20h.
Claude Thévenin est boulanger-pâtissier et sa formation s'est faite dans les douceurs et sucreries en tout genre. Il reste dans un registre classique, mais il s'amuse parfois à célébrer des mariages comme un macaron fraise-coquelicot, une mousse pistache-mûre sur génoise. Et si vous avez envie d'un gâteau un peu original, il sait devenir créatif.

DUCORNET-RAY
175, rue de la Convention (15e)
✆01 42 50 63 81
M° Convention. Ouvert du lundi au vendredi de 7h à 20h.
Corinne Rey et Pascal Ducornet sont frère et sœur dans la vie comme dans les affaires. A eux deux, ils ont su mettre en avant le savoir-faire acquis chez les uns et les autres. De la pâtisserie classique à de petites fantaisies plus élaborées, comme la tourtière de Gascogne agrémentée de quelques pépites de chocolat qui lui donnent une certaine modernité et un goût original.

CHEZ CARETTE
4, place du Trocadéro (16e) ✆01 47 27 98 85
M° Trocadéro. Ouvert tous les jours de 7h à minuit.
Toujours digne de la première place au banc d'essai des éclairs au chocolat d'un grand quotidien national obtenue il y a deux ans ! Fidèles à la tradition, les babas à la crème, les tartes aux pommes et à la cannelle ou le gâteau normand ne détrônent pas la spécialité : le macaron. En taille normale ou en assiette de petits échantillons colorés comme des confettis, ils sont très demandés ; celui au chocolat est sans doute le meilleur de la capitale. On peut même en commander un géant qui servira de gâteau d'anniversaire et qui régalera tout le monde. Les serveuses ont gardé leur tablier blanc rétro et traitent le client avec beaucoup d'égards. En revanche, ici tout se paye cher !

LECUREUIL
96, rue de Lévis (17e) ✆01 42 27 28 27
Site Internet : www.lecureuil.fr M° Malesherbes. Ouvert du mardi au samedi de 9h à 19h.
Une bien belle boutique aux couleurs chatoyantes et entièrement dédiée au beau et au bon ! C'est le petit temple de Laurence Edeler, descendante d'une longue lignée de pâtissiers et mariée à Ralf Edeler, pâtissier-chocolatier, ancien directeur de la pâtisserie chez Potel et Chabot. Résultat : que du bonheur, avec les dernières nouveautés comme le Retour de Balagne (biscuit à la farine de châtaigne, marmelade de clémentines corses, crème de marron glacé), la religieuse en «habits d'automne» avec mirabelles poêlées et crème parfumée à la mirabelle ou en «habits d'hiver» avec marron glacé et whisky. Et toujours, le Beaumont (un des best-sellers) le Tonka, le Kara, l'Intense, l'Ivoire, etc. Et depuis début septembre 2009, la maison Lecureuil est présente sous le marché couvert des Batignolles au 96, rue Lemercier (17e) du mercredi au dimanche aux heures de marché. L'idée est dans un premier temps de proposer une gamme «marché» (mêmes recettes, mêmes matières première, même savoir-faire que rue Levis) à petit prix (2,90 € l'individuel), et d'intégrer progressivement et en fonction des besoins et des demandes des clients des gâteaux plus sophistiqués.

LES PETITS MITRONS
26, rue Lepic (18e) ✆01 46 06 10 29
M° Blanche. Ouvert du jeudi au mardi de 7h30 à 20h, le dimanche 7h30 à 18h.
Une adresse adorable avec sa devanture dans les tons de rose et bleu aux dessins naïfs, nichée dans sa minuscule boutique dont les vitrines sont de véritables pousses-au-crime. Hakim Didda travaille de façon artisanale et ajoute toujours des nouveautés. Les incontournables tartes maison, à la pâte feuilletée et caramélisée, font la part belle aux fruits de saison et sont toutes aussi jolies que bonnes. Les cookies sont au tableau des dernières créations : au chocolat noir et blanc, au chocolat blanc et noix de pécan ou encore au lait et chocolat au lait et caramel. Un petit banc a été installé devant le magasin pour permettre aux gourmands pressés de s'asseoir un moment, le temps de savourer leur tarte confortablement !

SUCRE CACAO
89, avenue Gambetta (20e) ✆01 46 36 87 11
M° Gambetta. Ouvert du mardi au samedi de 9h à 19h30 et le dimanche de 9h à 18h30.
Comme si ça ne suffisait pas, James Berthier, le maître des lieux au sens artistique bien affûté, a eu l'ingénieuse idée de sortir des «collections», nouvelles créations saisonnières qui viennent compléter une offre déjà si gourmande ! La carte des gâteaux et des entremets est donc renouvelée régulièrement et elle est toujours irrésistible. Le service d'Anne-Sophie Berthier et de son équipe est adorable, ce qui ne gâche rien.

PATRICK DUMONT
– AUX DELICES DE LA FOURCHE
201, avenue Jean-Jaurès – (92) CLAMART
✆01 47 36 32 85
Bus 189 arrêt Lazare-Carnot. Ouvert de 7h à 20h, sauf mercredi et jeudi.
Patrick Dumont a un sacré palmarès : premier prix (catégorie salarié) du meilleur croissant au beurre AOC Charentes-Poitou 2008, premier prix des Hauts-de-Seine de la meilleure galette aux amandes 2006 et les clients lui donnent un premier prix au quotidien. Le fraisier est de tous les anniversaires, le mille-feuille a fait des convertis, les croissants gagnent des prix… Les créations sucrées de Patrick Dumont font les délices de Clamart. Dans cette pâtisserie-boulangerie familiale, le jeune artisan met au point avec un talent évident des pâtisseries saisonnières et très gourmandes. Comment choisir entre le Caramélice, le Tentation, le Cardinal ou encore le Tropique qui tient toutes ses promesses d'exotisme. Ne faites pas l'impasse sur les entremets à partager comme le «Frisson» chocolat – un grand succès parmi les habitués – ou les verrines et entremets glacés qu'il est possible de commander pour des occasions particulières. Les macarons sont une autre fierté de la maison ; la gamme suit les saisons et l'imagination de

Patrick Dumont. Son petit dernier, abricot-noix, est le quatorzième d'une famille colorée qui comptait déjà, entre autres saveurs, des cassis-violette, chocolat-noisettes, chocolat au lait-passion. Allez-y les yeux fermés, on vous recommande vivement cette adresse à l'accueil des plus sympathiques.

FREDERIC CASSEL
71, rue Grande – (78) FONTAINEBLEAU
✆ 01 64 22 29 59
Site Internet: www.frederic-cassel.com Ouvert du mardi au vendredi de 7h30 à 19h30, le samedi de 7h à 20h, et le dimanche de 7h à 14h.
Chouchou de Pierre Hermé, Frédéric Cassel, un ancien chez Fauchon- bénéficie d'une réputation en or. Pâtissier de l'année en 1999 et en 2007, rien que cela... Sorte d'empereur du dessert, il est d'ailleurs président de l'association Relais-Desserts et il est toujours à la recherche d'innovation. Il n'exerce pas seulement ses talents en pâtisserie, même s'il excelle en la matière. Tartes, entremets, macarons, glaces… Sa dernière trouvaille un macaron au cœur moelleux de chocolat qui laisse une impression de champagne rosé en bouche… Ne passez pas à Fontainebleau sans faire un détour par sa boutique historique tenue par sa femme Hélène, ou son salon de thé. **Autre adresse:** 21, rue des Sablons – FONTAINEBLEAU ✆ 01 60 71 00 64. Ouvert du mardi au samedi de 10h à 19h et le dimanche de 9h à 13h.

CANELAS
62, avenue Emile-Zola – (93) PIERREFITTE
✆ 01 48 21 84 51
M° Saint-Denis – Université. Ouvert du mardi au samedi de 9h à 13h et de 15h à 19h et le dimanche de 9h à 13h.
Cette boulangerie-pâtisserie portugaise gérée par Antonia et Carlos Gonçalves est une petite merveille. Les chanceux habitants de Pierrefitte ou de Saint-Denis connaissent leur bonheur et profitent de ces délices quotidiennement. Canelas fournit également les professionnels et restaurateurs dans toute l'Ile-de-France ; eux aussi apprécient la qualité régulière des pains et des pâtisseries telles que l'authentique Pasteis de Nata, Bolas de Berlim, Pao de Lo, Broa de Milho… autant de noms chantants le soleil et la gourmandise du Portugal ! Ne manquez pas cette bonne adresse.

POISSONS, FRUITS DE MER ET CAVIAR

LA MAREE DU MARAIS
19, rue de Bretagne (3e) ✆ 01 53 72 88 88
M° Fille-du-Calvaire. Ouvert du mardi au vendredi de 9h à 13h et de 16h à 20h. Le samedi de 9h à 20h et le dimanche de 9h à 13h.
Mickaël Brazao adore son métier et il aime ce qu'il vend. Il s'approvisionne dans les ports français, que ce soit pour les poissons et les crustacés. Il dispose également d'un rayon traiteur et livre à domicile. Et si vous ne pouvez pas attendre de rentrer chez vous pour déguster votre douzaine d'huîtres, pas de souci, on vous fera une petite place. On retrouve également une poissonnerie Brazao sous le marché couvert Saint-Martin dans le 10e.

POISSONNERIE LACROIX
44, rue Oberkampf (11e) ✆ 01 47 00 93 13
M° Oberkampf. Ouvert du mardi au samedi de 9h à 13h et de 16h30 à 20h et le dimanche de 9h à 13h30.
Une poissonnerie de quartier qui sait donner le meilleur d'elle-même ; les produits sont tous de grande qualité dans un prix raisonnable. Charly et ses employés sont aux petits soins pour les clients. Tous les matins, le boss part à Rungis faire son marché et rapporte des poissons sauvages ou d'élevage. Du bon et aussi du bio notamment pour le saumon. Les poissons sont préparés à votre guise, les fruits de mer cuits tous les jours. La fraîcheur est vraiment au rendez-vous.

DAGUERRE MAREE
9, rue Daguerre (14e) ✆ 01 43 22 13 52
M° Denfert-Rochereau. Ouvert du mardi au dimanche de 9h à 19h30.
Une enseigne régulière, sans surprise, en toute confiance. L'arrivage quotidien alimente les étals des différents points de vente, où les habitués comme les nouveaux venus trouvent un service et un conseil à la hauteur ! Tous les jours plus de 200 produits de la mer qui sont proposés aux clients à des prix très compétitifs ; en revanche, les plats cuisinés sont en général assez chers. **Autre adresse :** 4, rue Bayen (17e) ✆ 01 43 80 16 29.

POISSONNERIE DU DOME
4, rue Delambre (14e) ✆ 01 43 35 23 95
Site Internet: www.poissonneriedudome.com – M° Vavin ou Edgar-Quinet. Ouvert du mardi au samedi de 8h à 13h et de 16h à 19h, et le dimanche de 8h à 12h30. Fermeture annuelle en août. Livraisons gratuites dans Paris à partir de 50 € d'achats.
Jean-Pierre Lopez est installé au cœur du quartier Montparnasse depuis 1987, et y fournit un travail remarquable de qualité et de constance. A pied d'œuvre au milieu de la nuit pour choisir le meilleur des arrivages quotidiens, il est sur le pont avec son équipe dès 6h du matin pour préparer les étals de sa poissonnerie. Quand c'est la pleine saison le bouquet breton de Saint-Gilles-Croix-de-Vie met 36 heures pour arriver sur votre table. Un métier difficile qu'il fait avec passion, offrant même des services précieux, comme la livraison à domicile, et une sélection de plats à emporter (pour les plats chauds, il est impératif de commander la veille). L'œil vif, l'écaille brillante : son poisson est irréprochable et les prix très intéressants.

LES SAMOURAIS DES MERS
69, rue Castagnary (15e) ✆ 01 42 50 01 77
Site Internet : www.lessamouraisdesmers.com – M° Plaisance. Ouvert du mardi au samedi de 9h à à 21h, le dimanche de 9h à 19h.
Le phare de la Criée est toujours là, mais la maison s'est totalement transformée avec la reprise en main d'Eric Roussel. Les Samouraïs des Mers évoluent toujours sur les 2 000 mètres carrés qui ont été réorganisés. Ils conservent néanmoins la même activité : la poissonnerie en gros et au détail. Poissons, coquillages et crustacés de toute fraîcheur et de belle qualité sont pêchés par des petits bateaux des ports bretons ou méditerranéens, à des prix très avantageux. L'espace possède également endroit assez unique : une halle aux Huîtres, où l'on propose à la vente et à la dégustation une sélection des meilleures huîtres de tous les bassins de France. Enfin, une épicerie discount permet de compléter son cabas en toute tranquillité pour le porte-monnaie.

POISSONNERIE LE SAINT-PIERRE
23, rue des Gâtines (20e)
✆ 01 44 62 06 68
M° Gambetta. Ouvert du mardi matin au dimanche midi de 8h à 12h45 et de 16h à 19h30.
Le Saint-Pierre est un poisson raffiné et délicat ; un nom bien choisi pour cette poissonnerie ouverte depuis plus de dix ans. Le couple Louveau travaille à la qualité de ses produits que Daniel va chercher très tôt le matin à Rungis. Toutes les semaines des promotions sont à l'ardoise en fonction des arrivages. Un coin traiteur, où tout est fait sur place, complète bien le rayon de la mer.

Saumon, caviar

AUTOUR DU SAUMON
60, rue François-Miron (4e) ✆ 01 42 77 23 08
M° Saint-Paul. Ouvert du lundi au samedi de 9h30 à 22h et le dimanche de 10h à 19h.
Un seul nom pour trois boutiques dans la capitale, où il est possible de manger sur place puisque la petite salle compte quelques places assises. La décoration est chaleureuse, comme l'accueil. C'est également, surtout même, un bon endroit pour se fournir en beaux produits, à la découpe ou préemballés, tel ce très bon saumon sauvage de la Baltique (99 € le kilo). Et si vous aimez ça, vous pourrez vous offrir des œufs de saumon délicieux (108 € le kilo). A déguster avec blinis, vodka...
Autres adresses : 116, rue de la Convention (15e) ✆ 01 45 54 31 16 • 3, avenue de Villiers (17e) ✆ 01 40 53 89 00.

PETROSSIAN
18, boulevard de la Tour-Maubourg (7e)
✆ 01 44 11 32 22
Site : www.petrossian.fr M° La Tour-Maubourg. Ouvert du lundi au samedi de 9h30 à 20h.
La célèbre boutique bleue ouverte depuis 1920 reste un temple du caviar. Avec ses deux autres boutiques à New York et Los Angeles, la famille Petrossian continue d'offrir du caviar de grande qualité, souvent iranien, mais aussi russe, girondin. : Baeri, Beluga, Ossetra, Alverta. Sans compter que le spécialiste propose aussi de nombreux produits autour, dont de superbes œufs de saumon de la mer de Béring (8 € les 50 g).

PARIS CAVIAR
130, rue Lecourbe (15e)
✆ 01 55 76 69 20
Site : www.pariscaviar.fr – M° Vaugirard. Ouvert du mardi au samedi 10h à 19h. Fermé en juillet et août.
Les caviars frais d'Iran, de Russie et de France, les oeufs de poissons, les saumons fumés de Norvège, d'Ecosse, d'Irlande et le sauvage de la mer Baltique fumés au bois de chênes sont tous présents à l'étalage pour tenter le gourmand averti. Pour accompagner tous ces trésors de la gastronomie plus de 80 sortes de vodka, russe 100 % grains et polonaise à la pomme de terre et aux multiples parfums. Cette gamme est complétée régulièrement par des produits découverts au fur et à mesure des voyages avec des thés, des épices, des confitures et l'art de la table qui font de cette épicerie de luxe le bonheur des gourmets et des curieux. Dans la boutique du 9e, la dégustation est possible sur

place, en extérieur et en intérieur. Autre adresse : 13, rue des Martyrs (9e) ✆ 01 48 78 30 53. Ouvert tous les jours de la semaine sauf en juillet et août, fermeture le lundi.

LA MAISON NORDIQUE
229, rue du Faubourg-Saint-Honoré (8e)
✆ 01 53 81 02 20
Site Internet : www.lamaisonnordique.com M° Ternes. Ouvert du lundi au samedi de 10h à 14h30 et de 15h30 à 19h30.
La première boutique, autrefois appelée Comptoir Nordique, a ouvert ses portes à Paris en 1987. Aujourd'hui, les 3 points de vente proposent une assez large sélection de caviars venus d'Iran, d'Aquitaine, de Russie. Le saumon arrive tout droit de Norvège et d'Ecosse. A goûter, le saumon fumé suédois biologique ! Et pour les amateurs, de très bons œufs de saumon (4,50 € les 50 g). **Autre adresse :** 125, boulevard de Grenelle (15e) ✆ 01 40 56 97 96. Ouvert du mardi au samedi de 10h à 14h et de 15h30 à 19h.

PRODUITS BIO

Boulangeries

BOULANGERIE MARTIN
40, rue Saint-Louis-en-l'Ile (4e)
✆ 01 43 54 69 48
M° Pont-Marie. Ouvert du mardi au samedi de 7h15 à 13h30 et de 15h30 à 20h.
Cette boulangerie de l'île Saint-Louis, une des meilleures incontestablement, fait quotidiennement du pain à base de farine biologique. Ici, il n'est pas nommé bio, mais tout naturellement pain au levain. Croquant à souhait, avec une mie généreuse sans l'être trop, il est juste délicieux. Et comme ici l'accueil est doux, on n'hésite pas à traverser l'île pour pousser cette porte-là plutôt qu'une autre.

LE PAIN AU NATUREL
5, place d'Aligre (12e)
✆ 01 43 45 46 60
M° Gare-de-Lyon ou Ledru-Rollin. Ouvert du mardi au samedi de 7h15 à 13h30 et de 15h30 à 20h.
Michel Moisan est un ambassadeur incontournable du bon pain dans la capitale, et jusque dans le Val-de-Marne, avec sa boutique de Villejuif. Il fait partie de la poignée de boulangers qui fournissent à eux seuls l'essentiel des bons établissements qui ne font pas eux-mêmes leurs pains. Cet artisan travaille exclusivement de la farine biologique, et réalise de divines baguettes blanches grâce à sa maîtrise du poolish. Les quatre adresses Moisan proposent également de nombreux pains, pavés, miches, tourtes, et autres spécialités boulangères, sans oublier les très belles viennoiseries, et des sandwichs d'un croquant et d'une fraîcheur qu'on salue ! **Autres adresses :** 4, avenue du Général-Leclerc (14e) ✆ 01 43 22 34 13 • 59, rue Fondary (15e) ✆ 01 45 75 34 85 • 8, rue René-Thibert – VILLEJUIF ✆ 01 49 58 10 48. Epiceries, boutiques et supermarchés

BIO MOI
35, rue Debelleyme (3e) ✆ 01 42 78 03 26
M° Filles-du-Calvaire. Ouvert du mardi au samedi de 10h à 20h et le dimanche de 10h à 14h.
Une jolie boutique dans les couleurs mauve et anis, tenue par un passionné de bio. Il a décliné les produits en trois thèmes : mon frais, mes fruits et légumes, et mon corps. Au menu : quinoa et céréales, lentilles Markal, pâtes complètes, beurre cru, flocons d'azukis et tout ce qui est issu de l'agriculture raisonnée. Quand ce que l'on recherche n'est pas en magasin, pas de problèmes, on vous le commande.

SHOPPING

HEDONIE
6, rue de Mézières (6e) ✆01 45 44 19 16
Site : www.hedonie.com – M° Saint Sulpice ou Rennes. Ouvert le lundi de 12h à 20h et du mardi au samedi de 11h à 20h.
En plein cœur de Paris ce magasin propose plus de 4000 produits d'alimentation «frais», d'épicerie et de produits spécialisés dans la puériculture, le bien-être, l'aromathérapie et les compléments alimentaires... Un positionnement «nature et plaisir» avec près de 75 % de la marchandise labélisée bio et 25 % issue de petits producteurs (étiquetage clair pour les différencier). Des cerises séchées aux succulents avocats en passant par le grand choix de pâtes ou bien encore les préparations cuisinées en bocaux : la sélection est sans faille ! On découvre ici des produits originaux de grande qualité. Tout est prévu pour faire saliver le client dès son entrée, les pâtisseries, les soupes, les produits gourmets traiteur, le café fraîchement moulu, les vins et les champagnes ainsi que le pain frais de Poujauran – artiste boulanger du 7e– ou des pains sans gluten.

BIOCOOP GLACIERE
55, rue de la Glacière (13e) ✆01 45 35 24 36
Site Internet: www.biocoop.fr M° Glacière. Ouvert du lundi au samedi de 10h à 20h sans interruption.
Biocoop est né du regroupement de plusieurs coopératives toutes soucieuses de protéger l'environnement. Ces supermarchés pas comme les autres vendent des produits alimentaires issus de l'agriculture biologique. Mais Biocoop est plus que cela, par ses prises de position claires sur les OGM et son soutien au commerce équitable. Légumes, viandes, poissons, céréales, laitages, desserts... Tout le bio est représenté et le choix est énorme. Parmi les points forts : un rayon fruits et légumes de première qualité souvent moins chers que du «non bio» dans un supermarché, des petits pots Babybio et de délicieux jus de fruits pour les enfants. Les fromages à la coupe sont excellents. Enfin, un système de vente en libre-service de céréales, graines, légumes secs, pâtes, riz et fruits secs présentés dans de grands bacs transparents. A noter également un rayon vins et apéritifs de qualité très honorable et une gamme de produits à prix phares toute l'année. Livraison à domicile.
Autres adresses : 44, boulevard de Grenelle (15e) ✆01 45 77 70 14 • 88, avenue Aristide-Briand – ANTONY (92) ✆01 57 19 03 28 • 131, avenue Pierre-Brossolette – LE PERREUX (94) ✆01 43 24 82 91 • 286, avenue Napoléon-Bonaparte – RUEIL-MALMAISON (92) ✆01 41 42 18 61 • 9, avenue Dutartre – LE CHESNAY (78) ✆01 39 54 46 38.

CANAL BIO
46 bis, quai de la Loire (19)
✆01 42 06 44 44
M° Jaurès. Ouvert le lundi de 14h30 à 19h30, du mardi au samedi de 10h à 14h et de 15h30 à 20h, et en continu le samedi.
Ce supermarché bio, situé au bord du canal de l'Ourcq, est desservi par la piste cyclable du même nom, alors pas d'hésitation : alliez l'utile à l'agréable, d'autant que les Vélib' ne vous donnent plus aucune excuse ! Si vous faites vos courses familiales pour la semaine, qu'à cela ne tienne : vous pourrez recourir au service de livraison à domicile. Sur plus de 300 m², Canal Bio offre un très large choix en produits d'alimentation, mais aussi en éco-produits cosmétiques, ménagers. Au total, plus de 7 000 références. Parmi les atouts de cette grande surface spécialisée, les rayons libre-service fruits et légumes, la poissonnerie, la large palette de pains, et un rayon traiteur de surgelés allant des légumes aux pizzas sans oublier des glaces aussi savoureuses que légères.

MARCHÉS BIO MARCHE BOULEVARD RASPAIL
Boulevard Raspail (6e)
M° Rennes. Dimanche de 9h à 14h, sur le terre-plein du boulevard Raspail, entre les rues du Cherche-Midi et de Rennes.
C'est un des trois marchés parisiens entièrement consacrés aux produits issus de l'agriculture biologique, c'est le plus ancien. Vous pourrez y boire un jus d'herbe (comptez 2 € à 3 € le verre, à déguster dans les allées du marché), mais aussi y remplir votre panier de fruits et légumes d'autrefois,

de pain bio, de miel du Gâtinais ou de volaille fermière. C'est probablement l'un des plus chers de la ville, sans doute parce que c'est aussi un des plus tendance, fréquenté qu'il est par les gens du quartier, parmi lesquels de nombreuses célébrités, et par les bobos de tous les arrondissements qui viennent y faire leur marché dominical. Il n'en reste pas moins que les étals y rivalisent de joliesse, et qu'on ne s'arrête qu'une fois le panier plein et parfois le portefeuille vide.

Et aussi :

MARCHE DES BATIGNOLLES (8e)
M° Rome ou Place Clichy. Samedi de 9h à 15h.
Terre-plein boulevard des Batignolles.

MARCHE DE LA PLACE BRANCUSI (14e)
M° Gaîté. Samedi de 9h à 15h.

TRAITEURS

LA CUISINE DU BUISSON ARDENT
44, rue Saint-Honoré (1er) ✆01 42 36 42 60
Site Internet : www.lebuissonardent.fr M° Les Halles. Ouvert du lundi au vendredi de 9h à 20h30 et le samedi de 11h à 16h.
Jean-Thomas Lopez à la tête du Buisson Ardent, un authentique bistrot parisien dans le 6e arrondissement, a lancé un service un peu différent pour les clients pressés qui n'ont pas le temps de se mettre aux fourneaux. Dans sa «nouvelle cuisine», soit on mange sur place, soit on emporte son déjeuner ou encore on se fait livrer. Les plats sont loin d'être compliqués et ils sont réalisés à partir de produits du terroir français ou étrangers : Parmentier de canard confit revu et corrigé, pavé de lieu noir aux épinards, tartes aux fruits de saison pour finir en douceur. Il a même pensé aux végétariens en créant des assiettes spécifiques.

FAUCHON
24-26, place de la Madeleine (8e)
✆01 70 39 38 00
Site Internet : www.fauchon.fr M° Madeleine. Ouvert du lundi au samedi de 8h à 21h.
Fauchon, présent à travers 450 points de vente dans 37 pays du monde, ne ménage pas sa peine pour présenter le meilleur de son savoir-faire dans sa ville berceau. Elle règne en maître sur la place de la Madeleine, où elle continue de tout faire pour prétendre au titre de référence du luxe alimentaire contemporain ! Aux numéros 24-26 de la place, l'espace cuisine-traiteur présente de petites merveilles. Des produits sélectionnés avec le plus grand soin, pour leur qualité irréprochable, mais aussi pour leur rareté et leur originalité. Des fruits présentés en une mise en scène savante chaque matin, en passant par les plus belles charcuteries et les saumons les plus délicieux… Et à leurs côtés, au rythme des saisons, Fumiko Kono imagine des salades, entrées, plats cuisinés audacieux et savoureux, petites merveilles d'équilibre. Le raffinement a un prix…

MAISON BOUVIER
8, rue de Lévis (17e) ✆01 43 87 25 85
M° Villiers. Ouvert du mardi au jeudi de 8h30 à 13h30 et de 15h30 à 20h, le vendredi et le samedi de 8h30 à 20h et le dimanche de 8h30 à 13h.
La maison Bouvier fait partie des magasins très animés de la rue de Lévis. Ce charcutier est connu pour les bons petits plats qu'il mitonne. Gérard Kouris propose des saveurs du terroir faits maison : fromage de tête (médaille d'or), jambon de Paris (médaille d'or), jambon persillé et andouillette. Il prépare également de bons plats cuisinés à base de poisson comme la raie au beurre noir ou la morue à la provençale et de belles rôtisseries. Et depuis quelque temps déjà, il s'est penché sur la question du sucré, et réalise donc des desserts franchement réussis.

SHOPPING

BOUTIQUE FESTINS
211, avenue Daumesnil (12e)
✆01 43 44 86 36
Site Internet : www.festins.fr – M° Daumesnil Ouvert tous les jours de 8h à 21h30.
Dans la boutique, la carte est un repas à elle toute seule : salades fraîches, plats cuisinés variant au gré des saisons, foies gras d'oie et de canard, terrines de légumes, de poissons et de viandes, pâtisseries salées, desserts... Vous trouverez également un grand choix d'alcools, de vins régionaux, de champagne, d'épicerie fine, de confiseries, de cadeaux gourmands... Mais Festins ne s'arrête pas là. Ce traiteur organise tous les repas de la petite à la grande réception. Pour les plus pressés ce sera des plateaux-repas, pour les autres des menus pour 4 personnes minimum. Festins défend les vraies valeurs de la bonne cuisine et offre son talent en tenant compte des goûts et des souhaits de chacun.

VIANDES, VOLAILLES, GIBIERS ET TRIPES

Boucheries, charcuteries

BOUCHERIE BECQUEREL
113, rue Saint-Antoine (4e) ✆01 48 87 89 38
M° Saint-Paul. Ouvert du mardi matin au dimanche midi, de 9h à 12h45 et de 16h à 19h45.
La boucherie foisonne de bons produits, à commencer par d'excellentes volailles de Bresse : les poulets AOC y sont rejoints en fin d'année par les rois des tables de fêtes : les poulardes et les chapons, les foies gras et autres produits des Landes. Les viandes des meilleures origines (agneau du Limousin, veau de Corrèze, blonde d'Aquitaine) sont choisies avec soin par Alain Becquerel qui, avec son équipe, les prépare au mieux pour le plus grand plaisir des habitués du quartier !

BOUCHERIE JEAN-PAUL GARDIL
44, rue Saint-Louis-en-l'Ile (4e)
✆01 43 54 97 15
M° Pont-Marie. Ouvert du mardi au samedi de 9h à 12h45 et de 16h à 19h45 et le dimanche matin.
Les Ludoviciens – c'est ainsi que se nomment les habitants de l'île Saint-Louis – qu'ils soient de souche ou d'adoption, tous connaissent cette honorable maison ouverte en 1905. Jean-Pierre Gardil n'achète, ne prépare et ne vend que de la viande dont le goût est celui de nos terroirs et les provenances clairement indiquées. Ainsi de superbes pièces de viandes bovine, porcine et autres volailles de Bresse, mais aussi quelques produits bien rares en nos contrées, tel l'incomparable Prosciutto di Parma, de près de 30 mois de maturation ou le fameux «rex du Poitou» un lapin réputé ! Les trophées exposés sur les murs témoignent du travail accompli depuis plus d'un siècle. En 2007, il avait remporté la médaille d'argent pour sa saucisse sèche au canard. Son fils, à bonne école, prendra sans doute la relève.

AU BELL VIANDIER
4, rue Lobineau (6e) ✆01 40 46 82 82
M° Mabillon. Ouvert du mardi au samedi de 8h à 13h et de 16h à 20h30, et le dimanche de 8h à 13h30.
Dans le marché couvert Saint-Germain, l'enseigne est connue et reconnue pour la qualité de ses produits, et pour la jovialité de Serge Caillaud et de son équipe ! La viande est sélectionnée avec soin, persillée à souhait, parfaitement préparée. De quoi donner de l'inspiration aux «cuisiniers at home» en panne... A côté des belles pièces de porc, veau, agneau, bœuf et volaille, une offre charcutière tout aussi alléchante, notamment pâtés et terrines.

MICHEL BRUNON
Marché couvert Beauvau – Place d'Aligre (12e) ✆01 43 40 62 58
M° Ledru-Rollin. Ouvert du mardi au dimanche de 7h30 à 13h et de 16h à 19h30.
Ce Normand, né dans une ferme, ne laisse rien au hasard. On ne la lui raconte pas et la viande, il est tombé dedans quand il était petit. Qu'elles soient charolaises, limousines, ou parthenaises, ses viandes passent par une maturation de dix jours minimum avant de se retrouver sur l'étal. Son porc fermier est élevé en plein air tout comme ses volailles. Quelques belles préparations comme le rôti de bœuf à l'ancienne, les saucisses aux herbes ou autres délices complètent le choix offert par Michel Brunon.

BOUCHERIE REGALEZ-VOUS
45, rue Boulard (14e) ✆01 45 40 76 67
Site Internet : www.regalez-vous.com M° Denfert-Rochereau. Ouvert du mardi au samedi de 7h à 13h et de 16h à 20h.
Hugo Desnoyer est exigeant et cette qualité lui a valu de nombreuses récompenses. Il propose notamment une côte de veau de premiers laits soyeuse et savoureuse à souhait, de la viande bovine excellente (Limousin, Salers, Aubrac), un porc fermier de Dordogne, un beau canard de Challans, un remarquable poulet fermier jaune des Landes de chez Marie Hot, sans oublier les divines volailles de Bresse Miéral ! Les préparations sont exceptionnelles : le rôti de veau piqué Parme, olives, gruyère, est étonnant, l'épaule d'agneau au beurre d'escargot est succulente et les brochettes de poulet marinées à la coriandre pour ne citer que celles-ci sont vraiment goûteuses. La maison fournit un nombre impressionnant de grands chefs qui ne jurent que par l'excellence de ses produits. On aime, on adore, d'autant qu'ici l'accueil est d'une gentillesse rare.

BOUCHERIE JACKY LESOURD
7, rue Lecourbe (15e) ✆ 01 45 67 02 48
M° Sèvres-Lecourbe. Ouvert du mardi matin au dimanche midi, de 8h30 à 13h et de 15h30 à 19h30.
Une bien belle boucherie, l'une des meilleures du quartier. Jacky Lesourd y propose de belles pièces de viande, choisies avec soin et traitées avec savoir-faire dans un labo irréprochable. L'espace vente est lui aussi très bien tenu et agréable. La maison Lesourd fait également un peu de charcuterie et pourra vous obtenir des produits tripiers de qualité et d'une grande fraîcheur, sur commande.

CHARCUTERIE DES FONTAINES
219, avenue de Versailles (16e)
✆ 01 46 51 38 28
M° Porte-de-Saint-Cloud. Ouvert du mardi au vendredi de 8h30 à 13h30 et de 16h à 20h, le samedi de 8h30 à 20h et le dimanche de 8h30 à 13h30.
Philippe Chevalier sait ce que « tradition » signifie. Une grande partie de la fabrication des produits est faite maison et il ne lésine pas sur la qualité des viandes. Le jambon à l'os ou les grillons font partie des spécialités dont on ne se lasse pas. Les verrines, très à la mode, côtoient l'éternel pâté en croûte ou le pâté périgourdin pour lequel Philippe Chevalier a été primé (son fromage de tête a également été couronné...). Les plats cuisinés et les salades sont de véritables délices et composent à eux seuls de véritables repas gastronomiques. Une adresse qui, en matière de charcuterie, se place dans le haut de la gamme.

MAISON BOUVIER
8, rue de Lévis (17e) ✆ 01 43 87 25 85
M° Villiers. Ouvert du mardi au jeudi de 8h30 à 13h30 et de 15h30 à 20h, le vendredi et le samedi de 8h30 à 20h et le dimanche de 8h30 à 13h.
Voir la rubrique «Traiteur».

JACKY GAUDIN
50, rue des Abbesses (18e) ✆ 01 46 06 40 38
M° Abbesses. Ouvert du mardi matin au dimanche midi de 8h à 13h et de 15h30 à 20h.
Une bonne blague, un trait d'humour, et une viande choisie avec cœur et talent par ce boucher de la très fréquentée rue des Abbesses. Peu de charcuterie hors nos frontières, mais des pâtés et terrines délicieux, telle celle de campagne, des foies gras faits maison, des saucissons. Vous pourrez également y acheter votre poulet rôti, mais attention, le dimanche, mieux vaut le réserver avant de faire ses courses... Quitte à boire un petit café en terrasse en attendant qu'il finisse de dorer. N'hésitez pas non plus devant les poulets de Bresse de Jacky Gaudin, ni devant langue de veau et autre foie !

COURBALAY
110, rue de Meaux (19e) ✆ 01 42 08 71 64
M° Laumière. Ouvert du mardi matin au dimanche midi de 8h à 13h et de 15h30 à 20h.
Ariane et Christian Courboulay évoluent chacun dans leur domaine dans leur petite boutique, grande comme un mouchoir de poche. On fait souvent la queue dehors mais quelle récompense ! Une mention spéciale pour la tendreté et la saveur du veau du Limousin élevé sous la mère, du bœuf fermier race Maine-Anjou, l'agneau du Poitou ou encore les volailles de Bresse ! La charcuterie est préparée sur place ; les terrines, pâtés et jambons sont plus qu'appétissants. Le conseil est toujours avisé pour la préparation ou la cuisson d'une viande.

BOUCHERIE LE LANN
242 bis, rue des Pyrénées (20e)
✆ 01 47 97 12 79
M° Gambetta. Ouvert du mardi au samedi de 8h à 13h et de 15h à 20h et le dimanche de 8h à 13h.
Qui ne connaît pas ce grand professionnel ? La boutique est tenue par la famille depuis 1922. Christian Le Lann, maître boucher, poursuit la tradition de la boucherie et de la charcuterie. Dans sa toute petite boutique, il réussit le tour de force de proposer un large choix, d'excellente qualité. Les promotions et les préparations du jour sont placardées afin que nul ne puisse les éviter. La liste des recettes est originale et impressionnante. Sans conteste, son agneau de pré-salé du Mont-

Saint-Michel est un incroyable délice, tout comme ses veaux du Limousin, sa viande à fondue et sa sélection de charcuterie corse ou alsacienne. La maison propose aussi quelques volailles «prêtes à cuire», déjà farcies : exquises ! Christian Le Lann possède également l'amour du fromage. Ne manquez pas de découvrir sa Cave aux Fromages, au n°1 de la rue du Retrait, dans le 20e, et ses deux autres fromageries, sur l'île Saint-Louis et rue Monge.

Volailles et gibiers

LE COQ SAINT-HONORÉ
3, rue Gomboust (1er) ✆ 01 42 61 52 04
M° Pyramides. Ouvert du mardi matin au samedi midi, de 8h à 12h30 et de 16h à 19h.
Aux abords immédiats de la place du Marché-Saint-Honoré, l'adresse est réputée pour la belle qualité de ses volailles tout au long de l'année. Jan-Dominique Fröding a gagné ses lettres de noblesse, et la confiance de nombreux chefs de la capitale, en sélectionnant le meilleur, en tout. Poule, poulet, poularde, chapon et autres volailles de haute volée vous attendent dans cette discrète boutique : pintades et canards de Challans, lapins «rex du Poitou», dinde rouge des Ardennes, volailles de Bresse. A côté, des charcuteries de la maison Conquet, du bœuf du Bourbonnais, de l'agneau de Pauillac.

PIETREMENT LAMBERT
58, rue Jean-Jacques Rousseau (1er)
✆ 01 42 33 30 50
M° Les Halles. Ouvert du lundi au vendredi de 6h à 18h30, et le samedi de 6h à 13h.
Ce n'est pas par hasard si François Guiot approvisionne de nombreuses bonnes tables de la capitale, ni si ses clients habitués lui sont devenus fidèles dès leur première visite. Ses volailles sont tout simplement superbes, et demandent une cuisson sans fioriture pour donner le meilleur d'elles-mêmes. Et quand vient l'automne, il nous fait profiter de quelques gibiers tout aussi délicieux : perdrix, chevreuils, biches…

AU BELL VIANDIER
4, rue Lobineau (6e) ✆ 01 40 46 82 82
M° Mabillon. Ouvert du mardi au samedi de 8h à 13h et de 16h à 19h30, et le dimanche de 8h à 13h.
Voir la rubrique «Boucherie».

AU CHAPON D'ALIGRE
Place d'Aligre (12e) ✆ 01 43 41 68 92
M° Ledru-Rollin. Ouvert du mardi au samedi de 8h à 13h et de 16h à 19h30 et le dimanche de 8h à 13h.
Deux Dominique – Angelillo et Fromentin – poursuivent la tradition de cette maison créée en 1948 et qui a changé souvent de mains. Ce boucher volailler du marché couvert d'Aligre est connu bien au-delà du quartier pour ses belles volailles, en provenance des élevages les plus réputés, et notamment des régions bressane et landaise. Il est difficile de passer devant l'étal sans avoir envie de s'offrir une belle volaille ou un beau lapin. A la saison, un grand choix de gibiers et pour les amateurs un rayon triperie. Le Chapon d'Aligre offre également des produits tripiers fort bien préparés. Il ne vous restera qu'à choisir votre morceau préféré, langue, foie, onglet, pieds de porc ou joue de bœuf. Vous retrouvez également les mêmes produits sur le marché de la place Beauvau, le marché de Reuilly et le marché Jeanne-d'Arc.

Tripiers

BOUCHERIE-TRIPERIE SAINT-MEDARD
119, rue Mouffetard (5e) ✆ 01 45 35 14 72
M° Censier – Daubenton. Ouvert du mardi matin au dimanche midi, de 7h à 20h.
Il y a quelques années, les gourmets citaient volontiers cette adresse parmi les meilleurs tripiers de Paris. Aujourd'hui, c'est toujours une bonne adresse en la matière, mais c'est tout de même avant tout une boucherie traditionnelle. Pascal Gosnet, installé depuis 1991, a recentré son activité sur ce beau métier qu'est la boucherie classique. Fort heureusement, il continue de proposer toute l'année des produits tripiers de grande qualité, comme son gras-double et sa tête de veau qui sont succulents !

TRIPERIE VADORIN
176, rue Lecourbe (15e) ✆ 01 48 28 03 32
M° Vaugirard. Ouvert du mardi au samedi de 5h à 13h et de 15h à 20h.
Maurice Vadorin est un véritable ambassadeur des produits tripiers. Ils ne s'y trompent pas, les grands chefs qui s'y fournissent en abats. Joue de porc, ris de veau, rognons. Tout y est succulent, des meilleures origines, extrêmement goûteux. Les amateurs n'hésitent pas à traverser plusieurs arrondissements pour venir jusqu'à cette triperie, avec l'assurance de se régaler !

ALAIN COMBES
43, rue d'Avron (20e) ✆ 01 43 73 34 50
M° Buzenval. Ouvert du mardi au samedi de 7h30 à 13h et de 15h30 à 19h30.
Bienvenue chez Alain Combes, qui dirige l'une des plus belles adresses tripières de Paris, née avant la seconde guerre mondiale. Il est le digne représentant de la troisième génération d'artisans dans la famille. Veau, agneau, bœuf, porc, ils sont tous là avec les meilleurs abats. Langues, museaux, pieds, oreilles, ris, rognon, cervelle, os à moelle. En fin de semaine, des volailles fermières et des rôtis de volaille farcis. Tout ici est goûteux, parfaitement préparé, et l'on vous conseillera avec grand plaisir sur la meilleure recette à réaliser, selon vos goûts et votre aptitude de cuisinier. Y a qu'à demander !

VINS ET ALCOOLS

Alcools

VERT D'ABSINTHE
11, rue d'Ormesson (4e) ✆ 01 42 71 63 73
www.vertdabsinthe.com – M° Saint-Paul. Ouvert du mardi au samedi de12h à 19h.
La petite histoire dit que l'absinthe rend fou… Vrai ou faux ? En tout cas, longtemps interdite, elle est revenue sur les tables depuis quelques années, pour le plus grand plaisir des amateurs. Cette boutique qui lui est entièrement dédiée propose des variétés d'absinthe très différentes. La dernière-née : la Coquette, une recette historique de 1899 utilisée pour recréer cette absinthe herbacée et florale. On trouve aussi quelques antiquités liées à l'absinthe et des objets comme ces fameuses cuillères percées ainsi que des carafes pour accomplir le rituel dans les règles de l'art, ou encore une fontaine individuelle qui permet de préparer une absinthe sans effort. Car il ne faut pas oublier que la préparation de l'absinthe est tout un art…

ARMAGNAC CASTAREDE
140, boulevard Haussmann (8e)
✆ 01 44 05 15 81
Site Internet : www.armagnac-castarede.fr – M° Miromesnil. Ouvert du lundi au vendredi de 9h à 18h.
A deux pas du musée Jacquemard-André, la boutique est en réalité un show-room, drapé de tentures et de rideaux anciens pour recréer l'ambiance feutrée des lieux de dégustation. Le domaine de la famille Castarède est situé en plein coeur du Bas Armagnac, à Mauléon d'Armagnac dans le Gers. Spécialiste dans le négoce d'armagnacs et de produits du terroir, la maison propose une collection de bouteilles millésimées. Il y a là de quoi satisfaire un amateur d'armagnac, grâce à de très belles séries limitées de 30 ans d'âge – 150 € –, ou pour un budget plus restreint, un assemblage de 10 ou 20 ans d'âge. Tout ici est fait pour que vos cadeaux, si vous le désirez, soient les plus singularisés possibles. Pour que votre message soit éternel, vous pouvez, par exemple, demander une étiquette personnalisée, que le personnel se fera un plaisir de réaliser sur place dans le quart d'heure. Et si vous voulez aller encore plus loin dans la symbolique, demandez une année en particulier, selon une date de naissance ou de mariage. Une intention qui restera d'une manière ou d'une autre dans les annales.

LA MAISON DU WHISKY
20, rue d'Anjou (8e) ✆ 01 42 65 03 16
Site Internet : www.whisky.fr M° Madeleine. Ouvert le lundi de 9h30 à 19h, du mardi au vendredi de 9h30 à 20h et le samedi de 9h30 à 19h30.
Véritable conservatoire du whisky, cette boutique ouverte en 1968 ne compte pas moins d'un millier de références, présentées dans moins de 70 mètres carrés ! Tous les grands pays producteurs sont représentés, avec des bouteilles plus ou moins vieilles, des plus courantes aux plus exceptionnelles. Single malt écossais, japonais, whisky breton élaboré à partir de blé noir. Chacun y trouvera son bonheur, et si vous venez ici pour dénicher le whisky qui saura faire plaisir ou qui vous conviendra à vous, vous trouverez toujours quelqu'un qui saura déterminer avec vous vos attentes et votre goût, pour vous prodiguer les meilleurs conseils et vous guider devant ce choix immense. Quels que soient votre budget et votre connaissance, vous trouverez flacon à votre palais ! Et depuis une douzaine d'années, la Maison du Whisky abrite un club qui se réunit tous les mois pour des dégustations.

Cavistes

LAVINIA
3, boulevard de la Madeleine (1er)
✆ 01 42 97 20 27
M° Madeleine. Ouvert du lundi au samedi de 10h à 20h.
Lavinia Paris a su s'imposer comme le nouveau temple du vin de la capitale ! Les chiffres parlent d'eux-mêmes : 1 500 mètres carrés de superficie, plus de 6 000 vins référencés, dont 2 000 vins en provenance de 43 pays, plus de 500 livres et accessoires de cave, un millier de spiritueux, un espace bar-dégustation et restauration. Les bouteilles sont toutes conservées et présentées dans le plus grand respect de l'intégrité de leur contenu, le conseil est présent du rez-de-chaussée au 2e étage. La grande nouveauté c'est «La tour de dégustation». Muni d'une carte à puces, on choisit parmi 24 vins français et étrangers qui changent tous les mois (en général 8 blancs et 16 rouges). On appuie sur le bouton et une dose de dégustation de 3 cl apparaît. Le prix de la carte varie de 10 € à 50 € en fonction du nombre de dégustations. L'intérêt, c'est qu'on goûte avant d'acheter mais aussi qu'on s'amuse à découvrir des vins, seul ou entre amis.

CAVE BERNARD MAGREZ
43, rue Saint-Augustin (2e) ✆ 01 49 24 03 11
Site : www.boutique-bernard-magrez.fr M° Opéra. Ouvert du lundi au samedi de 10h30 à 19h30.
Une boutique «classieuse», une devanture gris sombre, des lustres noirs signés Starck, des casiers de bois précieux, on s'attend à du haut de gamme. Le propriétaire des lieux, Bernard Magrez, qui possède 35 vignobles en France et dans le monde, a voulu offrir une vitrine à ses 110 références. Il aime les produits rares, dont les siens, mais sa boutique est ouverte à tout le monde même si temps en temps Gérard Depardieu ou Alain Ducasse font une apparition. Malgré le luxe de l'écrin, toutes les bouteilles ne sont pas

inabordables, sauf si l'on va chercher dans les plus époustouflantes ou dans les magnums de grands crus. Gilles Mouligneaux, sommelier, conseille et donne des cours de dégustation sur rendez-vous. Le propriétaire organise également des circuits dans ses châteaux classés.

CAVESTEVE
10, rue de la Cerisaie (4e) ✆01 42 72 33 05
Site : www.cavesteve.com – M° Bastille. Ouvert du mardi au samedi de 10h à 20h, le lundi de 16h à 20h.
Imaginez une cave où l'on achèterait du vin un peu comme on achète du parfum ou un objet de luxe. Fini les murs en pierre, les casiers en métal ou réalisés avec d'anciennes caisses en bois récupérés dans des châteaux bordelais. Cavestève est un tout autre concept. Le décor est ultra design : tables en bois clair pour lire ou discuter, chaises transparentes de Philippe Starck, sol, plafonds et murs gris pâles pour mettre en valeur les divins flacons. Les bouteilles, éclairées soit de l'intérieur, soit de l'extérieur, un peu comme des livres dans une bibliothèque, sont couchées dans des alcôves et classées par région. On se dit que dans un tel décor c'est le coup de bambou. Pas vraiment. Le choix est éclectique et les Petrus ou Dom Perignon côtoient des vins de jeunes producteurs. On trouve également l'une des plus belles sélections de crus étrangers. Chaque mois la cave sélectionne 10 vins et tous les samedis, l'un d'entre eux est proposé à la dégustation. **Autre adresse :** 15, rue de Longchamp (16e) ✆01 47 04 01 45.

BACCHUS ET ARIANE
4, rue Lobineau (6e) ✆01 46 34 12 94
Site Internet : www.bacchus-ariane.com – M° Mabillon. Ouvert du mardi au samedi 9h30 à 13h et de 16 à 20h et le dimanche matin de 9h30 à 13h.
Située sous le marché couvert, la cave de Georges Casellato présente une large gamme de vins. Toutefois, s'il met l'accent sur la Bourgogne où la complexité et la diversité des sols l'ont amené à rechercher en profondeur et privilégier certains grands domaines familiaux, il ne néglige pas d'autres terroirs et cherche régulièrement des nouveautés à des prix toujours très raisonnables.

L'ANNEXE RICHARD
15, rue Chevert (7e) ✆01 45 55 16 29
Site Internet : www.richard.fr M° Latour-Maubourg. Ouvert du lundi au samedi de 10h à 19h.
On connaît la maison Richard pour ses cafés, beaucoup moins pour sa cave. Pourtant elle fournit depuis longtemps des professionnels, et son lieu dédié aux vins s'ouvre aux particuliers. Dans un ancien garage, la décoration de l'Annexe se veut brute de décoffrage, à mi-chemin entre le dépôt et la boutique. Ce côté style loft post-industriel, très tendance, procure une ambiance décontractée. 200 références, dont une vingtaine en permanence en dégustation, comportent aussi bien des vins de propriétaires que des vins bio ou insolites. Ce grossiste pratique des prix très intéressants, aussi il a une seule exigence : les bouteilles sont vendues par caisse de trois minimum. Comme le plaisir du vin passe aussi par l'accessoire, l'Annexe propose toute une sélection d'objets dont un bar à vins. Chaque samedi un cépage, un producteur, une région sont à découvrir gratuitement.

LES CAVES AUGE
116, boulevard Haussmann (8e)
✆09 75 42 97 27
M° Saint-Augustin. Ouvert du lundi midi au samedi soir, de 9h à 19h30.
La vénérable maison au décor d'exception a su cultiver sa longue histoire, sans jamais se figer dans une tradition dont le nombril serait le Bordelais. Ici, les vedettes sont incontestablement les vins naturels, faits en bio-dynamie, ou en tout cas dans le respect de la nature et du terroir. Les quelque 3 000 références en vente ici sont passées au test de la dégustation de la formidable équipe des Caves Augé. Dans un cadre parfait avec ses casiers en bois qui rappellent que la boutique existe depuis 1850, l'équipe de Marc Sibard (un grand défenseur des vins naturels) savante, curieuse et passionnée, conseille parfaitement parmi un large choix de vins triés sur le volet. Il ne manque rien à ce grand caviste, pas même quelques dégustations qui viennent ponctuer l'année. Un grand nom de la capitale.

LES CAVES TAILLEVENT
199, rue du Faubourg-Saint-Honoré (8e)
✆01 45 61 14 09
Site Internet : www.taillevent.com M° Saint-Philippe-du-Roule. Ouvert du mardi au samedi, de 10h à 19h30.
Un nom connu de tous à Paris et bien au-delà, hors les murs de la capitale et même de l'Hexagone ! Taillevent, c'est un grand restaurant réputé depuis plus de 60 ans, un deuxième établissement, L'Angle du Faubourg et une cave qui a su se tailler un nom en une vingtaine d'années. Sur les rayonnages de la boutique au design d'aujourd'hui, plus de 1 200 références qui ont fait l'objet d'une sélection rigoureuse et qui bénéficient ensuite des meilleures conditions de garde ! Une des forces des Caves Taillevent est de ne pas jouer le snobisme : un certain nombre de petits prix sont référencés, qui mettent en avant le travail formidable de vignerons encore méconnus, et ils n'ont pas à rougir devant des bouteilles plus renommées et au coût bien plus élevé. Toutes les régions ont ici de beaux ambassadeurs, servis par une équipe tout simplement impeccable. Côté champagne, Taillevent a le très bon goût de proposer la sublime cuvée S de Salon, et pas son dernier millésime commercialisé, le 1996. Une grande et belle cave.

AME ET ESPRIT DU VIN
22, rue Cadet (9e) ✆01 42 47 00 38
Site Internet : www.aevin.com – M° Cadet. Ouvert du mardi au samedi de 10h30 à 13h30 et de 16h à 20h. Le dimanche de 10h30 à 13h.
Une première boutique rue de Maubeuge et la dernière-née rue Cadet. «Ame et Esprit du vin» porte bien son nom car c'est précisément ce que renferme cette adresse. L'accueil est agréable, le patron ne vous laissera jamais dans le doute pour le choix d'un vin. Il personnalise le conseil, notamment dans les accords mets et vins qui font souvent partie du casse-tête de la cuisinière. On repart avec en général la bonne solution même si parfois on a dû mettre un peu plus cher que prévu, car on vous oriente quand même vers le haut de gamme. La cave renferme quelques petits bijoux que l'on déniche assez difficilement chez la plupart des cavistes, autant dans le vin que dans les alcools. **Autre adresse :** 59, rue de Maubeuge (9e) ✆01 45 96 35 59.

LES DOMAINES QUI MONTENT
136, boulevard Voltaire (11e)
✆01 43 56 89 15
Site Internet : www.lesdomainesquimontent.com M° Bastille.
Les Domaines qui montent, ce sont 150 viticulteurs de toutes les régions de France qui se sont regroupés en association pour faire découvrir leurs vins. Et pour les faire goûter, quoi de mieux que de mettre les clients à table ? A l'heure du déjeuner, ils ont donc créé un concept cave-table d'hôte où des cavistes sont là en permanence pour vous conseiller. Mais le but de ces viticulteurs est aussi de vendre. Ils ont des bag-in-box de 3,5 litres et 10 litres à emporter et cela aussi bien pour du vin des Cévennes que pour du Crozes Hermitage. Ils proposent aussi des champagnes. Les Domaines qui montent ont plusieurs boutiques à Paris, dont une à Montmartre, rue Véron, ouverte tous les jours qui offre même une animation musicale le dimanche après-midi. Autres adresses sur le site Internet.

LA CAVE A MILLESIMES
180, rue Lecourbe (15e) ✆01 48 28 22 62
Site Internet : www.cave-millesimes.com – M° Vaugirard. Ouvert du mardi au vendredi de 9h30 à 13h et de 14h30 à 19h30. Le samedi de 9h30 à 20h.
Une jolie vitrine toujours décorée sur un thème précis abrite une cave un peu confidentielle. La maison livre les professionnels, mais elle ouvre aux particuliers ses rayons bien rangés, chargés de très bonnes bouteilles ouvertes sur toutes les régions, et les vins bio. On trouve des millésimes récents, une belle sélection de vins arrivant à maturité, et même de vieux millésimes ce qui est de plus en plus rare à Paris. Les deux cavistes, assez calés, proposent également une petite sélection de vins du monde : Hongrie, USA, Australie, et le fameux Cidre de glace. C'est une boisson liquoreuse, très concentrée et pas du tout pétillante, venue droit sortie du Québec. En revanche, les prix ne nous laissent pas de glace.

LE VIN EN TÊTE
30, rue des Batignolles (17e)
✆01 44 69 04 57
Site Internet : www.levinentete.net Ouvert du lundi au samedi de 10h à 21h et le dimanche de 10h30 à 13h30 et de 16h30 à 20h.
L'aventure a commencé en 2002 et, très vite, Le Vin en Tête s'est fait remarquer. Tenue par Laurent Lemoigne et sa jeune équipe pleine de foi et d'audace, l'enseigne est une bête à plusieurs têtes, puisqu'elle compte déjà deux caves et un bar à vin, le Oh Bigre ! situé 4, rue Bridaine, dans le 17e. Des vins de pays les plus confidentiels aux plus grands crus de l'Hexagone, en passant par des trouvailles étrangères, le Vin en Tête ne se contente pas de proposer sa très judicieuse sélection. Cours d'œnologie, dégustation régulière avec des vignerons les vendredi soir et samedi après midi, événements pour les entreprises. Les idées surgissent, rebondissent, s'échangent et donnent soif ! **Autre adresse :** 48, rue Notre-Dame-de-Lorette (9e) ✆01 53 21 90 17.

LA VIGNE DU XXe
163, rue Bagnolet (20e) ✆01 40 31 30 70
Site Internet : www.lavigneduxxe.com – M° Porte-de-Bagnolet. Ouvert du lundi au samedi, de 10h à 13h et de 14h à 21h.
Fort de ses expériences dans l'hôtellerie et la restauration haut de gamme comme cuisinier, Frédéric Tauvel est devenu caviste un peu de façon naturelle après avoir suivi une formation d'œnologue. Une bonne idée car les caves ne sont pas nombreuses dans ce quartier de Paris. Il a fait le choix de ne travailler qu'avec des propriétaires-récoltants. Ici ne cherchez pas de grands châteaux, sauf sur commande. Frédéric Tauvel organise très souvent des dégustations en terrasse pour faire découvrir de nouveaux vins qu'il accompagne de tapas, charcuteries et fromages. Et comme la mode est aux accessoires, il a élargi son choix notamment aux caves à vin.

AROMES
5, rue Pierre-Leroux – ALFORTVILLE (94)
✆01 56 29 16 90
Site : www.aromes.com – E-mail : fredl.vins@wanadoo.fr – M° Maisons-Alfort-Ecole-Vétérinaire. Situé à 3 minutes de la porte de Bercy A4 première sortie Alfortville. Ouvert du lundi au vendredi de 9h à 18h non-stop. Tous les 1ers samedis de chaque mois ouvert de 10h a 18h non-stop avec une dégustation gratuite de grands vins.
Un véritable bon plan pour les amateurs de belles bouteilles. Installée dans un caveau de 600 m², cette maison propose un choix à faire pâlir les

passionnés de vins. Avec environ 30 000 flacons dont une grande partie en vieux millésimes, vous ne saurez plus où donner de la tête. Le terroir français est à l'honneur avec une superbe sélection de bordeaux du XXe siècle, de belles références en XIXe sans oublier le XVIIIe : Pétrus, Mouton, Lafite Rothschild... Tous les grands noms sont là ! Les bourgognes ne sont pas en reste avec des têtes d'affiches comme Romanée Conti, Rousseau, Lafon, Roumier, Ramonet, Jayer... Vous découvrirez aussi d'autres régions françaises et si vous ne trouvez pas votre bonheur on partira à la chasse pour vous. Les prix sont doux avec des tarifs 50 % à 80 % moins chers qu'ailleurs : des millésimes années 70 autour de 20 €, mais aussi des Savigny 1er Cru 2006 à 9 €. Une adresse en or pour ceux qui cherchent un millésime particulier : idéal pour un cadeau d'anniversaire. Un service pro, des conseils avisés, la maison peut aussi racheter votre cave et réaliser des estimations.

AMÉNAGEMENT

ARCHEA – AS DU PLACARD
93, boulevard Raspail (6e)
✆01 45 44 90 99
Site Internet : www.archea.fr – M° Saint-Placide. Ouvert du lundi au samedi de 10h à 13h et de 14h à 19h.
Le slogan maison ? "Archea réinvente vos espaces à vivre". Cette enseigne vous propose ainsi des solutions multiples pour aménager vos intérieurs de la meilleure des manières. De superbes bibliothèques sur mesure s'intègrent ainsi à votre séjour et vous permettent de loger plusieurs centaines de livres sur un seul pan de mur. Archéa s'occupe aussi de réorganiser votre bureau, votre dressing et votre chambre, avec, entre autres, des placards à portes coulissantes ou battantes. Du sur-mesure complet, avec des conseillers qui viennent à votre domicile vérifier vos dimensions, découvrir votre cadre de vie et optimiser le rangement. **Autre adresse :** 107, avenue du Maine (14e) ✆01 40 47 00 66. M° Gaité. Ouvert du lundi au samedi de 10h à 13h et de 14h à 19h.

AMEUBLEMENT

Enseignes généralistes

CONFORAMA
2, rue du Pont-Neuf (1er)
✆01 42 33 78 58
Site Internet : www.conforama.fr – M° Pont-Neuf. Ouvert du lundi au samedi de 10h à 19h30 et le dimanche de 11h à 19h.
Numéro un de l'ameublement en France mais également numéro deux du secteur au niveau mondial, Conforama dispose dans tous ses espaces de vente – deux magasins à Paris mais également dix-huit autres en Ile-de-France – absolument tous les produits nécessaires pour équiper son chez-soi. La palette de choix est incroyablement large, vraiment tous les types de mobilier semblent ici réunis, et vous trouverez assurément votre bonheur dans des domaines tels que les accessoires de rangement, la téléphonie, les luminaires et la déco, le multimédia, la literie, le mobilier pour le salon, le séjour, la chambre, la cuisine, la salle de bains, le bureau mais aussi tout le nécessaire pour le gros et le petit ménager. **Autre adresse :** 73-75, avenue Philippe-Auguste (11e) ✆01 55 25 28 10. Ouvert du lundi au samedi de 10h à 19h30.

DAISY MEUBLES
15, rue Guy-Moquet (17e)
✆01 42 28 27 02
E-mail : daisymeubles@club.fr – M° Brochant. Ouvert du lundi au vendredi de 10h30 à 18h30 (possibilité de téléphoner en dehors des horaires au 06 63 14 70 55).
L'adresse qu'il vous faut pour transformer vos désirs et besoins en réalité : un simple appel téléphonique avec des références en literie, canapés, clic-clac, BZ... et Daisy vous indiquera le meilleur prix possible (jusqu'à – 30 % de remise !) Elle peut équiper entièrement votre maison avec tous types de meubles : classiques, contemporains voire très «design» et satisfait tous les budgets. Profiter aussi de ses conseils en passant au magasin. De la chambre à coucher au salon et pourquoi pas pour un meuble d'appoint tout ou presque est possible en grandes marques ou chez de petits fabricants européens avec toujours la recherche d'un très bon rapport qualité-prix. Daisy connait parfaitement ses produits et ses fournisseurs et vous découvrirez que le mode de commande par catalogue associé à de judicieux conseils donne d'excellents résultats lorsqu'il est pratiqué avec sérieux. Délais de livraison et SAV garantis ; livraison sur toute la France. Le crédit est gratuit jusqu'à 9 mois.

MEUBLES.COM
✆0 800 638 253
Site Internet : www.meubles.com
Plus de 20 000 meubles de tous styles pour la maison sur le Net avec une seule devise : "la garantie du prix le plus bas". En quelques clics, vos envies de meubles sont chez vous en 48 heures sur une sélection de produits – disponibles. Du canapé au meuble de bureau en passant par des meubles de rangements, Meubles.Com satisfera toutes vos envies ou besoins. Livraison gratuite. Meubles.Com c'est aussi des conseils gratuits par téléphone et l'assurance de modes de paiements sécurisés.

Autour de Paris

IKEA
Centre commercial Grand-Plaisir – 202, rue Henri-Barbusse – (78) PLAISIR
✆0 825 10 30 00
Site Internet : www.ikea.com – Ouvert du lundi au dimanche de 10h à 20h, nocturnes jeudi et vendredi jusqu'à 22h.
Est-il encore véritablement nécessaire de présenter les magasins Ikéa ? La firme suédoise créée il y a aujourd'hui une soixantaine d'années propose une très vaste gamme d'articles d'ameublement à la

fois esthétiques et fonctionnels à des prix toujours suffisamment compétitifs de façon à pouvoir être acheté par le plus grand nombre. Absolument toutes les pièces de votre domicile peuvent ainsi être meublées de façon esthétique, sans faire hurler de douleur votre porte-monnaie. Etant donné l'incroyable quantité de meubles vendus dans tous les magasins, nous n'allons évidemment pas vous dresser une liste exhaustive, mais sachez tout de même, à titre indicatif, que vous trouverez ici environ 120 modèles de canapés et fauteuils en tissu, une cinquantaine de canapés et fauteuils en cuir, une bonne cinquantaine également de modèle de lits ou encore autant de tables de salle à manger. Vous découvrirez que chez Ikéa, les beaux articles de décoration ne sont pas réservés à une minorité de gens aisés. Les quatre autres adresses de l'enseigne sur le site Internet.

BUT
140, rue de Sartrouville – (92) NANTERRE
✆01 46 13 13 13
Site Internet : www.but.fr – Ouvert tous les jours de 10h à 19h, fermeture à 19h30 le samedi.
But dispose en région parisienne d'une série de magasins où l'on vient pour trouver du mobilier à des prix très abordables, l'une des formules bien connue de la maison étant qu'il existe pour chaque produit un prix juste : le juste prix. Et le catalogue est sacrément bien doté ! Vous y trouverez notamment un très intéressant choix de literie avec un coin réservé aux ensembles de relaxation ainsi que des canapés fixes, d'angle ou convertibles. Beaucoup de petits meubles destinés aux rangements également ainsi que de nombreuses tables basses. Les magasins disposent de toutes façons d'à peu près tout ce dont vous pouvez avoir besoin pour (ré)aménager votre chez-vous. Sachez que vous trouverez également des espaces hi-fi, multimédia et électroménager en venant à ces adresses. Vous pourrez retrouver toutes les implantations de l'enseigne en région parisienne sur le site Internet.

FLY
Carrefour Pompadour RN6 – (94) CRETEIL
✆01 45 13 29 00
Site Internet : www.fly.fr – Ouvert du lundi au vendredi de 10h à 12h30 et de 14h à 19h30, sans interruption le samedi jusqu'à 19h30 et le dimanche jusqu'à 19h.
L'enseigne compte deux autres magasins dans le Val-de-Marne et un autre à Bondy, en Seine-Saint-Denis. Toutes les adresses et horaires d'ouvertures sont consultables sur le site Internet. Pas moins d'une douzaine de magasins Fly en Ile-de-France – nous ne vous donnons ci-dessous que les plus proches de la capitale – où vous dégoterez à coup sûr de bons plans d'ameublement sans débourser des sommes indues. Cette enseigne vise en effet absolument toutes les bourses, et vous pouvez, par exemple, acheter de belles armoires pour votre chambre aux alentours de 200 €. De tels tarifs intéressants sont ainsi pratiqués dans toute les parties du magasin, qu'il s'agisse de votre chambre donc, mais aussi de votre cuisine, de votre salon, de votre salle de bains ou de votre bureau. Si beaucoup de styles sont présents en magasin, vous noterez tout de même une prédominance de mobilier à la fois fonctionnel, passe-partout et moderne. Pour tous les goûts et toutes les bourses.

Enseignes haut de gamme

HABITAT
Forum des Halles – 202, porte de Rambuteau (1er) ✆08 26 107 207 (0,15 €/mn)
Site Internet : www.habitat.fr – M° Les Halles. Ouvert du lundi au samedi de 10h à 19h30 sans interruption.
On ne présente plus ce qui est devenu en quelques années une véritable référence en termes d'ameublement de qualité destiné au grand public. Affichant des prix abordables tout en étant à la pointe des tendances, Habitat propose un très large éventail de meubles à sa clientèle, dans toutes les gammes et tous les styles. Canapés, fauteuils, tables basses, étagères pour le salon, tables, chaises ou étagères pour la salle à manger, bureaux, meubles de cuisine, literie, armoires, commodes, buffets, rien ne manque à l'appel ici, à tel point que l'on peut venir meubler sa maison de l'entrée aux combles en venant ici. Egalement présent dans les 1er, 9e, 11e, 15e et 17e arrondissements, autres adresses sur le site Internet.

CINNA
91, boulevard Sébastopol (2e)
✆01 40 26 99 32
Site Internet : www.cinna.fr – M° Réaumur-Sébastopol. Ouvert le lundi de 14h à 19h et du mardi au vendredi de 10h à 19h.
Près de 400 mètres carrés pour découvrir toutes les innovations d'une marque de précurseurs. Chez Cinna, on peut ainsi observer les très belles collections d'une trentaine de créateurs, originaires du monde entier. Canapé Câlin de Pascal Mourgue avec oreiller repliable et inclinable, canapé classique de Claude Brisson ou canapé Opium hyper sobre de Didier Gomez, le choix est difficile, au même titre qu'en ce qui concerne les fauteuils au dessin rigoureux de Nuel ou à l'esthétique irréprochable et à l'assise exceptionnelle des modèles de Pascal Mourgue. Une grande série de tables remarquables ne manquera pas non plus d'attirer votre attention, tout comme les gammes de chaises, de bahuts, de lits ou de commodes. Cinna est également implanté dans les 7e, 9e, 11e, 12e et 14e arrondissements, tous les horaires et adresses sur le site Internet.

ROCHE-BOBOIS
92-98 et 105-107, boulevard de Sébastopol (3e) ✆ 01 42 78 10 50

Site Internet : www.roche-bobois.com – M° Réaumur-Sébastopol. Ouvert du lundi au vendredi de 10h à 19h, jusqu'à 19h30 le samedi.

Cette grande marque de meubles haut de gamme dispose de trois points de vente dans la capitale, eux-mêmes divisés en trois pôles bien distincts – Contemporain, Voyage et Provincial. Du côté Contemporain, Roche-Bobois imagine et crée des meubles dans le but de jouer avec toutes les tendances de la décoration d'intérieur, tandis que la collection Voyage invite à découvrir des meubles empreints d'influences lointaines et de cultures différentes. La collection baptisée Provinciale, née de l'inspiration d'artisans ébénistes régionaux, tente de réinventer le charme du style français actuel pour l'adapter à la vie d'aujourd'hui. Retrouvez la marque dans ses autres magasins parisiens dans les 7e, 12e et 17e arrondissements.

BO CONCEPT
61, rue de Rennes (6e)
✆ 01 45 48 49 89

Site Internet : www.boconcept.fr – M° Saint-Sulpice. Ouvert du lundi au samedi de 10h à 19h30.

BO Concept, leader des magasins de mobilier au Danemark offre une flexibilité étonnante d'aménagements. La firme dispose en effet de 500 mètres carrés d'exposition afin de vous aider à trouver les meilleures combinaisons de mobilier. Vous trouverez, par exemple, un large choix de combinaisons murales par le biais de modules se combinant de nombreuses façons afin de correspondre à vos besoins de rangement ou des meubles de différentes profondeurs pour adapter leur composition au volume de votre pièce. Le magasin dispose également d'un large choix de meubles très élégants, comme des canapés, des tables basses et d'appoint, des chaises, des lits, des penderies ou encore des bibliothèques. **Autres adresses :** 8, boulevard de Sébastopol (4e) ✆ 01 42 78 66 66 - 39-41, avenue de Wagram (17e) ✆ 01 40 68 70 73. Ouvert du lundi au samedi de 10h à 20h, dimanche de 14h à 19h.

LIGNE ROSET
85, rue du Bac (7e)
✆ 01 45 48 54 13

Site Internet : www.ligneroset.fr – M° Rue du Bac. Ouvert le lundi de 11h à 19h et du mardi au samedi de 10h à 19h. Quatre autres adresses dans les 8e, 11e, 1e et 15e arrondissements.

Créée en 1973, Ligne Roset dispose depuis 2003 d'une magnifique boutique de pas moins de 800 mètres carrés où l'on trouve toute sa collection de mobilier. Le choix ici est énorme et toujours certifié haut de gamme, Ligne Roset développant ses produits dans ses propres sites industriels, afin de toujours être en mesure d'en contrôler la qualité. Cinq «familles» bien distinctes sont répertoriées ici. Côté séjour, on trouve des canapés, des fauteuils, des tables basses, de petits meubles, des meubles de séjour ainsi que des bibliothèques, tandis qu'une partie repas rassemble les tables de repas, les bahuts et les chaises. La chambre n'est pas en reste et regroupe toute la literie ainsi que des meubles de rangements. Deux autres groupes enfin sont constitués, d'une part de tapis, textiles, éléments de décoration, luminaires et arts de la table, d'autre part de meubles hi-fi-vidéo et de bureaux. **Autres adresses :** 5, avenue Matignon (8e) ✆ 01 42 25 94 19 • 25, rue du Faubourg-Saint-Antoine (11e) ✆ 01 40 01 00 05 • 94, avenue du Maine (14e) ✆ 01 43 21 65 70 • 147, rue Saint-Charles (15e) ✆ 01 45 71 68 41.

LIGNE ROSET
85, rue du Bac (7e)
✆ 01 45 48 54 13

Site Internet : www.ligneroset.fr – M° Rue du Bac. Ouvert le lundi de 11h à 19h et du mardi au samedi de 10h à 19h.

Une magnifique boutique de pas moins de 800 mètres carrés où l'on trouve toute sa collection de mobilier. Le choix ici est énorme et toujours certifié haut de gamme, Ligne Roset développant ses produits dans ses propres sites industriels, afin de toujours être en mesure d'en contrôler la qualité. Cinq «familles» bien distinctes sont répertoriées ici. Côté séjour, on trouve des canapés, des fauteuils, des tables basses, de petits meubles, des meubles de séjour ainsi que des bibliothèques, tandis qu'une partie repas rassemble les tables de repas, les bahuts et les chaises. La chambre n'est pas en reste et regroupe toute la literie ainsi que des meubles de rangements. Deux autres groupes enfin sont constitués, d'une part de tapis, textiles, éléments de décoration, luminaires et arts de la table, d'autre part de meubles hi-fi-vidéo et de bureaux. **Autres adresses :** 5, avenue Matignon (8e) ✆ 01 42 25 94 19 • 2-10, rue des Mathurins (Lafayette Maison) (9e) ✆ 01 42 82 32 23 • 25, rue du Faubourg-Saint-Antoine (11e) ✆ 01 40 01 00 05 • 94, avenue du Maine (14e) ✆ 01 43 21 65 70 • 147, rue Saint-Charles (15e) ✆ 01 45 71 68 41.

CONCEPTUA
184 bis, rue de la Convention (15e)
✆ 01 48 28 10 08

Site Internet : www.conceptua.com – M° Convention. Ouvert du lundi au samedi de 10h à 20h, dimanche de 15h à 19h.

Un des hauts lieux de la tendance en matière de mobilier et de déco plutôt design. On y trouve un très large choix de meubles de style contemporain, issus du travail de designers puisant leur inspiration dans l'exotisme des pays du Moyen et Extrême-Orient. Canapés et sièges, étagères et bibliothèques, tables basses, armoires, commodes, buffets, consoles et petits meubles, en tout plus de 100 000 références disponibles. Les modèles sont renouvelés régulièrement, et suivent ou anticipent souvent les modes en évitant leurs excès pour toujours rester confortables, élégants et fonctionnels. Notez que les magasins du boulevard Sébastopol et des Ternes proposent un service de conseils à domicile gratuit pour vous guider dans vos choix de décoration intérieure. Egalement présent dans les 11e, 14e, et 17e, 18e arrondissements, voir sur le site Internet.

Boutiques « chic »

HOME CONTEMPORAIN
19, rue des Halles (1er)
✆01 42 33 41 57
Site Internet : www.home-contemporain.fr – M° Châtelet. Ouvert du lundi au samedi de 10h à 19h.
Fana de mobilier contemporain haut de gamme, cette belle adresse vous ravira à coup sûr. Ce show-room est en effet spécialisé dans les meubles aux lignes ultra modernes et dépouillées, idéal pour se concocter un intérieur très tendance. Vous découvrirez en venant ici un très large choix de tables basses, tables, chaises, tabourets, consoles, lits, chevets, commodes, armoires et dressings, ainsi que des ensembles composables afin de trouver des solutions pour réduire ses encombrements et trouver des ouvertures astucieuses. Tout cela en bénéficiant toujours des conseils avisés de conseillers décorateurs. Que demander de plus ?

AARON'S
23, rue du Faubourg-Saint-Antoine (11e)
✆01 40 01 01 10
M° Bastille. Ouvert du lundi au vendredi de 10h à 19h et le dimanche de 15h à 19h.
Ce superbe magasin haut de gamme vous propose une impressionnante collection de mobilier pouvant prendre place dans toutes les pièces de votre habitat. Vous y trouverez, par exemple, de très nombreux canapés et fauteuils aux lignes à la fois chics et sobres. Quelques canapés-lits également dans ce domaine ainsi que des chaises de salon. Un large choix de tables basses vous est également proposé, en verre notamment avec les superbes modèles Twin, Meridian et Foto. L'espace repas n'est pas oublié, vous y trouverez là encore de très nombreuses tables en verre. Un espace consacré à la chambre enfin vous permettra d'allier confort et esthétique.

VUE SUR TABLES
89, avenue Paul-Doumer (16e)
✆01 45 27 87 59
M° La Muette. Ouvert du lundi au samedi de 10h à 19h.
Est-il encore nécessaire de la présenter ? Créée en 1943, cette boutique est depuis fort longtemps la référence des tables de toutes les tendances et de tous les styles, mais répondant toujours au mot d'ordre de l'élégance. Les matériaux utilisés laissent entendre que nous ne sommes pas ici n'importe où, le bois, la pierre, le fer forgé, le métal ou le fer sont ainsi utilisés afin de réaliser des tables carrées, rectangulaires, rondes ou ovales. Les déclinaisons de modèles semblent ici infinies car l'on trouve des tables de salle à manger, des tables basses, des tables d'ordinateur ou encore des tables roulantes très diverses. Une telle variété alliée à une telle qualité n'existe assurément pas ailleurs.

Galeries de créateurs

LIEU COMMUN
5, rue des Filles-du-Calvaire (3e)
✆01 44 54 08 30
Site Internet : www.lieucommun.fr – M° Filles du Calvaire. Ouvert du mardi au samedi de 11h à 13h et de 14h à 19h30.
Une boutique très originale où l'on trouve notamment le mobilier designé par Matali Crasset. Refusant de s'engoncer dans les formes classiques, elle nous offre un univers différent et surprenant à travers ses poufs-banquettes de bureau Do not disturb, ses fauteuils Interface en skaï ou encore son lit Quand Jim monte à Paris. Ne soyez pas surpris de trouver autre chose que des meubles en venant dans ce magasin, Lieu Commun se faisant également le relais de l'éditeur Blonde Music, des chaussures Vega ou encore des vêtements Misericordia.

CATHERINE MEMMI
11, rue Saint-Sulpice (6e) ✆01 44 07 02 02
Site Internet : www.catherinememmi.com – M° Saint-Sulpice. Ouvert du mardi au samedi de 10h30 à 19h.
Catherine Memmi, créatrice, styliste, directrice artistique et architecte d'intérieur présente un certain style de vie, un esprit, une élégance particulière qui se traduit par des meubles exceptionnels, au design à la fois original et très esthétique. Lit à la structure gainée de cuir pleine fleur, armoire à l'italienne en chêne, table de repas en chêne brossé, canapé panoramique avec pieds de hêtre ou canapé New-York tendu de toile épaisse de coton noir, tout ici est réussi, et l'on se surprend à imaginer la façon dont on placerait chez soi ce mobilier unique. Notez que Catherine Memmi vend également de somptueux luminaires et du linge de maison.

CHRISTOPHE DELCOURT
47, rue de Babylone (7e)
✆01 42 71 34 84
Site Internet : www.christophedelcourt.com – M° Saint-François-Xavier. Ouvert du lundi au vendredi de 9h30 à 13h et de 14h à 18h. Il est préférable d'appeler avant de se rendre au showroom.
Plus qu'un showroom, un véritable univers où l'on se promène au milieu de meubles magnifiques, fruits du talent et de l'expérience de Christophe Delcourt, créateur et designer de meubles et architecte d'intérieur. Beau mais loin d'être limité, le choix est ici étendu, et il convient de prendre le temps d'observer, ici un fauteuil en acier laqué, lin et velours de coton, là une table basse en acier ciré et ébène ou encore des meubles de rangements, comme cette superbe commode en noyer, ou ce meuble bas en chêne et acier ciré. L'élégance à l'état pur.

VITRA
40, rue Vilolet (15e)
✆01 56 77 07 77
Site Internet : www.vitra.com – M° Emile-Zola ou La Motte-Picquet Grenelle. Ouvert du lundi au jeudi de 9h à 18h, fermeture à 17h le vendredi.
A marque exceptionnelle, show-room exceptionnel. Vitra dispose en effet d'un incroyable espace de démonstration de pas moins de 1 000 mètres carrés, destiné à présenter l'ensemble de ses meubles et systèmes d'aménagement. Proposant des produits aussi bien pour l'habitat que pour les bureaux, Vitra cherche à systématiquement disposer d'un mobilier qui stimule, inspire et motive, tout en offrant dans le même temps confort et sécurité. Canapés, fauteuils, tables basses, tabourets et banquettes, rangements, sièges pivotants, bureaux, la liste est très étoffée et remplie de surprises, comme avec ce fauteuil Lounge Chair de Charles et Ray Earnes de 1956 ou cette Heart Cone Chair de Verner Panton datant de 1959.

ASTER A PARIS
99, rue des Rosiers – Marché Vernaison allée n°1 stand 9 (93) Saint-Ouen
✆06 12 47 23 71
Site Internet : www.astercreation.com – M° Porte de Clignancourt. Ouvert samedi de 9h à 18h, dimanche de 10h à 18h et lundi de 11h à 17h.
En plein cœur des Puces de Saint-Ouen, la société Aster crée et commercialise du mobilier contemporain en acier, acier/béton et acier/chêne. Tous les modèles sont élaborés avec des designers inspirés par ces matériaux dans un esprit de récupération industrielle très original. Aster réalise ses pièces dans son atelier et les diffuse en séries limitées. Toutes les réalisations peuvent être faites sur mesure et personnalisées.

Boutiques "vintage"

DAISY SIMON
43 bis, boulevard Henri-IV (4e)
✆01 48 87 88 55
Site Internet : www.daisy-simon.fr – M° Bastille. Ouvert du lundi au samedi de 10h à 19h ainsi que sur rendez-vous.
Ce magasin est en réalité, lorsque l'on y regarde de plus près, un véritable créateur d'intérieur spécialiste de l'Art Déco qui réédite pour vous des modèles des plus grands maîtres des années 1930. Magasin à la renommée désormais mondiale, Daisy Simon dispose d'un choix assez incroyable de mobilier issu de cette période faste, comme cette bibliothèque avec halogène ou ce canapé Cosy Atlantic en essence ronce de noyer. Difficile également de ne pas craquer pour cet incroyable lit Cosy Loft avec étagères et bureau intégré. Une véritable mine d'or à découvrir d'urgence.

SPREE
16, rue la Vieuville (18e)
✆01 42 23 41 40
M° Abbesses. Ouvert du mardi au samedi de 11h à 19h30, dimanche et lundi de 15h à 19h.
Beaucoup de mobilier très différent à cette belle adresse située dans un loft de 130 mètres carrés environ. La styliste Roberta Oprnadi et le plasticien-décorateur Bruno Hadjadj réunissent depuis cinq ans une sélection de créateurs et de designers des années 1950 aux années 1980. Des chaises, par exemple, comme cette chaise scandinave, un kukapuro ou encore un siège signé Friso Kramer datant de 1958. Des tables gigognes anglaises également, comme cet ensemble anglais de 1960, ainsi que de très nombreux luminaires, notamment cette grande lampe fluo de 1980, une lampe Castiglioni de 1950 ou une suspension Venini de 1970.

GALERIE DE CASSON
45, boulevard Vincent-Auriol (13e)
✆01 45 86 94 76
Site Internet : www.galeriedecasson.com – M° Chevaleret. Ouvert du mardi au vendredi de 14h à 19h et le samedi de 11h à 19h.
Une galerie absolument exceptionnelle à visiter comme un témoin de l'art de la seconde partie du siècle passé. On y trouve de belles choses, pas franchement banales, comme cette paire de fauteuils Elysée datant de 1971 ou ce fauteuil ruban, un cru 1965, tout deux dessinés par Pierre Paulin. Doué pour les fauteuils, Paulin l'était aussi pour les canapés, comme en témoigne le modèle ABCD de 1969. On appréciera également la superbe table avec plateau en bois laqué noir et pieds recouverts d'acier-inox, imaginé par Michel Boyer en 1970.

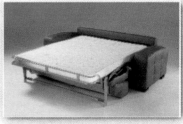

GALERIE CHRISTINE DIEGONI
47 ter, rue d'Orsel (18e) ✆ 01 42 64 69 48
Site Internet : www.christinediegoni.fr – M° Anvers. Ouvert du mardi au vendredi de 14h à 19h, le samedi de 11h à 19h.
Exclusivement des choses splendides dans cette superbe boutique de 150 mètres carrés. Christine Diegoni est en effet spécialisée dans le mobilier des années 1930 et 1950 et notamment un vaste choix de luminaires très originaux, qu'il s'agisse de lampes à suspension, de lampes à poser ou de lampadaires. On y trouve également des cadres ainsi que du petit mobilier. Un lieu où l'on a vraiment envie de craquer pour tout.

Meubles anciens et régionaux

TAILLARDAT
44, avenue Marceau (8e) ✆ 01 47 20 17 12
Site Internet : www.taillardat.fr – M° Alma-Marceau. Ouvert le lundi de 14h à 18h30, du mardi au vendredi de 10h à 13h et de 13h30 à 18h30, le samedi sur rendez-vous uniquement. En été, du lundi au vendredi de 11h à 13h30 et de 14h à 18h.
Fondée en 1987, cette maison fabrique et distribue directement du mobilier haut de gamme. Inspirées du XVIIIe siècle, ces différentes collections réunissent plus de 200 pièces. Canapés, tables commodes, coiffeuses, marquises, chevets, lits, bergères, duchesses brisées – fauteuil à position allongée modulable –, chaises ou bureaux, on navigue ici à vue en plein siècle des lumières. Notez que l'ensemble du mobilier présenté est entièrement de fabrication française et artisanale, les meubles étant réalisés à l'ancienne et les sculptures exécutées à la main.

MAISON STROSSER
85, avenue Ledru-Rollin (12e)
✆ 01 43 43 28 76
Site Internet : www.maisonstrosser.com – M° Ledru-Rollin. Ouvert du mardi au vendredi de 9h à 12h30 et de 13h30 à 19h et le samedi de 9h à 19h, fermeture annuelle en août.
Une adresse pas tombée de la dernière pluie puisque Georges Nicolas Strosser a fondé la maison du même nom en 1874. L'atelier de l'époque sert aujourd'hui de show-room, mais l'on y vient toujours chiner un mobilier régional authentique, de bonnetières vendéennes à de simples chaises paillées. L'offre s'est tout de même largement diversifiée depuis et on trouve aussi d'étonnant meubles de métiers et de voyages ainsi que des créations de meubles fonctionnels aux lignes épurées.

LES MEUBLES DU TRONE
19-21, place de la Nation (11e)
✆ 01 43 73 11 64
M° Nation. Ouvert du lundi au samedi de 10h à 12h30 et de 14h à 19h.
Vous ne pouvez pas rater cette immense boutique qui trône sur la place de la Nation. Les trois niveaux mettent en scène un large choix de meubles de style Directoire et Louis-Philippe. Sans oublier le mobilier aux allures plus contemporaines et les modèles à l'esprit Colonial ou Marine. Les Parisiens en manque de moments de détente apprécieront forcément les nombreux fauteuils de relaxation de la marque Zerostress. Autre point fort des Meubles du Trône : la vente de grandes marques telles que Treca ou encore Diva. Un accueil personnalisé et préférentiel sera réservé aux lecteurs du Petit Futé. Une visite s'impose !

Autour de Paris

MOBILIER DE FRANCE
87-89, avenue Edouard-Vaillant (92) – BOULOGNE-BILLANCOURT
✆ 01 46 20 41 44
Site Internet : www.mobilierdefrance.com – M° Marcel-Sembat. Ouvert du lundi au samedi de 10h30 à 19h.
Un grand magasin proposant des meubles se déclinant en quatre «familles», à savoir le mobilier d'Aujourd'hui, le mobilier d'Evasion, le mobilier de Charme et le mobilier de Rêve. Le mobilier d'Aujourd'hui présente ainsi des canapés, des tables basses ou des meubles hi-fi aux lignes contemporaines, qui réinventent le rapport à l'espace et à la lumière, tandis que le mobilier d'Evasion emmène à la croisée des cultures en présentant de nombreux meubles pour le jardin. Amateur de teintes classiques et de formes traditionnelles, la collection baptisée mobilier de Charme est faite pour vous, tandis que la série Mobilier de Rêve présente de nombreux lits et des meubles pour les chambres à coucher. **Autre adresse :** 1 bis, rue Barbès – (94) IVRY-SUR-SEINE ✆ 01 46 72 20 10.

Design italien

ARREDAMENTO
18, quai des Célestins (4e)
✆ 01 42 78 71 77
Site Internet : www.arredamento.it – M° Sully-Morland. Ouvert du mardi au samedi de 10h30 à 13h et de 14h30 à 19h.
Une adresse à classer dans le must du must concernant le design issu de l'autre côté des Alpes. On navigue ici dans des eaux calmes et raffinées, entre canapés à la fois superbes et donnant envie de s'allonger pour ne plus en sortir, fauteuils classiques ou aux positions plus inclinées toujours plus originales ou tables aux lignes fines et épurées. Un coup de cœur aussi pour les remarquables tables basses «slash fiam» avec plateau biseauté très réussi. Chaises, meubles de rangement et lits viennent compléter la collection.

ARMANI CASA
195, boulevard Saint-Germain (7e)
✆01 53 63 39 50
Site Internet : www.armanicasa.com – M° Rue du Bac. Ouvert de 11h à 19h du lundi au samedi.
Vous connaissez évidemment son nom en tant que pierre angulaire du monde de la mode, synonyme de luxe et d'élégance. Mais saviez-vous qu'Armani se décline également, désormais dans le domaine de l'ameublement avec ses propres créations, vous projetant dans un univers de design épuré, élégant et minimaliste ? La maison italienne vous propose ainsi plusieurs magnifiques canapés au confort insoupçonnable aux côtés d'une série de lits aux lignes, là encore très sobres. Notez que les nombreuses tables proposées sont également de véritables œuvres d'art.

VERONESE
184, boulevard Haussmann (8e)
✆01 45 62 67 67
M° Saint-Philippe-du-Roule. Ouvert le lundi de 10h15 à 12h30 et de 14h à 18h, du mardi au samedi de 9h à 12h30 et de 14h à 18h. Fermé le samedi en été.
Une adresse en tout point exceptionnelle. Fondée en 1931, sa spécialité consiste à fabriquer, créer ou rééditer des luminaires et des miroirs, en collaborant systématiquement avec des artisans façonniers du métal et les maîtres verriers de Murano. Les clients viennent ici pour commander un modèle singulier, au gré de leur inspiration, ou pour sélectionner directement une référence dans le catalogue, pour également demander la modification d'un modèle présélectionné parmi les références de la maison. A partir d'échantillon, de tissu, de peinture ou de papier peint, Véronèse vous propose ensuite 32 coloris opaques ou pas. Tout le reste est entièrement géré par le magasin, qui travaille selon un processus généralement réservé aux architectes et aux entreprises.

ARTEMIDE
52, avenue Daumesnil (12e)
✆01 43 44 44 44
Site Internet : www.artemide.com – M° Daumesnil. Ouvert du mardi au samedi de 10h30 à 13h et de 14h à 19h.
Nous aurions pu la classer dans les magasins de luminaires, c'est la spécialité de la maison, mais la marque est tellement emblématique du design italien qu'elle trouve toute sa place ici. Si Artemide est bientôt cinquantenaire, son nom continue de rimer avec innovation, qualité et créativité. On trouve toujours en se rendant ici des luminaires d'exception en tous genres : projecteurs encastrés à incandescence, systèmes d'éclairages architecturaux, boîtiers fluorescents pour plafonds ou encore projecteurs à très basse tension.

Design anglais

A ET C DÉCORATION
9, rue des Lavandières-Sainte-Opportune (1er)
✆01 40 41 03 13
M° Châtelet. Ouvert le lundi de 14h à 19h et du mardi au samedi de 10h30 à 19h.
Une adresse à retenir si l'on souhaite meubler son chez-soi à la manière d'un véritable petit cottage du Sussex. On trouve en effet à cette adresse de décoration, 100 % Made in England, un large choix de mobilier en pin massif au côté duquel le mobilier en bois d'acajou se taille une place de plus en plus importante. Sachez que cette boutique vend également des objets de décoration en provenance de l'autre côté de la Manche, comme des plaids, des voilages ou des tissus.

LAWRENS & CO
12, rue Lagrange (5e) ✆01 43 26 04 29
Site Internet : www.lawrens.fr – M° Maubert-Mutualité. Ouvert le lundi de 14h à 19h et du mardi au samedi de 9h30 à 19h.
Une enseigne et deux points de vente qui invitent au voyage puisque l'on y trouve depuis une vingtaine d'années des meubles anciens en pin, des meubles peints et des meubles pour enfants en provenance du Royaume-Uni, de Scandinavie et d'Europe de l'Est. Le tour d'horizon ne s'arrête pas là, puisque l'on trouve également des meubles exotiques en hévéa, en palissandre ou en acacia originaires d'Inde et d'Asie du Sud-Est. Cocorico, l'Hexagone n'est pas mis de côté car ces boutiques disposent également de meubles de style en merisier ou en chêne. Une gamme complète de mobilier est donc disponible ici : tables, consoles, bureaux, vaisseliers, buffets, meubles de cuisine, bibliothèques, armoires, bancs, chaises, fauteuils, canapés… **Autre adresse :** 2, rue de l'Abbaye (6e) ✆01 40 46 09 05. Ouvert le dimanche et de lundi de 14h à 19h et du mardi au samedi de 10h30 à 19h.

LE GRENIER ANGLAIS
73, rue du Cherche-Midi (6e)
✆01 45 48 75 70
Site Internet : www.legrenieranglais.com – M° Saint-Placide ou Sèvres-Babylone. Ouvert du mardi au samedi de 11h à 19h.
Un magasin, qui comme son enseigne l'annonce clairement, est spécialisé dans tout le mobilier d'outre-Manche, et qui vous permettra de transformer votre intérieur en vrai «british home» ultra cosy. Qu'il s'agisse des bibliothèques et des buffets en acajou et en merisier ou des lits, armoires, scribans ou compositions de pin en angle, tous les meubles vendus ici témoignent d'un certain art de vivre, fait de confort et de chaleur. Notez que vous trouverez aussi, en vous rendant ici, une offre étendue de canapés Chesterfield et de fauteuils clubs en cuir. Des odeurs de Grande-Bretagne au cœur de Saint-Germain.

Traditions d' Asie, d'Afrique et d'Amérique

ITINERAIRES

120, rue Rambuteau (1er) ✆ 01 40 13 95 95

M° Châtelet-Les-Halles. Ouvert du lundi au samedi de 11h à 20h et parfois le dimanche.

Un magasin spécialisé dans le mobilier et les objets de décoration où vous trouverez de nombreux articles fabriqués dans le teck et le palissandre, les sources d'inspiration de la maison proviennent d'Inde comme d'Indonésie, pays d'où sont importés les produits vendus ici. Côté déco, on y trouve de nombreux objets liés aux arts de la table ainsi que de nombreux luminaires, des textiles ou des senteurs. Dans la catégorie mobilier, on retrouve également des tables basses, des consoles, des buffets ou encore des bibliothèques.

UMAE

1, passage du Grand-Cerf (2e)

✆ 01 42 06 92 40

Site Internet : www.umae.fr – M° Etienne Marcel. Ouvert du mardi au samedi de 10h à 19h30.

Umaé c'est l'histoire d'une rencontre entre des designers occidentaux et des artisans africains et indonésiens. Le résultat est surprenant grâce à des créations qui ont su allier la fabrication traditionnelle et les lignes contemporaines comme en témoignent les tabourets imaginés par Joël Biet, avant d'être travaillé à la main par des sculpteurs camerounais. Chaque tabouret est sculpté dans une seule pièce de manguier et le procédé ne laisse pas de place à l'erreur...

LE ROYAUME DE BOUDDHA

7, rue Legoff (5e) ✆ 01 43 26 63 81

Site Internet : www.royaumedebouddha.com – M° Cluny-La Sorbonne. Ouvert du lundi au samedi de 10h à 19h, fermeture à 20h le samedi.

Le Royaume de Bouddha, grâce à un réseau de collecteurs présents dans toute la Chine, le Tibet et la Mongolie trouve pour vous de très élégants meubles anciens, pour la plupart des époques Ming et Qing. Tous les meubles sont systématiquement restaurés avec le plus grand soin et de façon artisanale par des ébénistes locaux. Et le catalogue est très fourni ! Armoires, buffets, coffres, lits, bureaux et tables, chaises et fauteuils, rangements, objets de décoration ou bronzes, l'arrivage est permanent, et pas moins de 1 500 articles sont en permanence en stock. Pour compléter, un grand choix de tapis. **Autre adresse :** 9, rue du Débarcadère (17e) ✆ 01 45 72 44 11. Ouvert du lundi au samedi de 10h à 19h, fermeture à 20h le samedi.

HOME TROTTER

81-83, rue du Cherche-Midi (6e)

✆ 01 42 22 23 93

Site Internet : www.hometrotter.com – M° Sèvres-Babylone. Ouvert le lundi de 14h à 19h et du mardi au samedi de 10h à 19h.

Un superbe magasin de plus de 400 mètres carrés répartis sur deux étages où l'on trouve de magnifiques meubles de type oriental. On y trouve, par exemple, de superbes lits japonais à sommiers à lattes ou tatamis, des podiums en hévéas massif, des meubles de rangement escalier ou encore des armoires thaï. Les séries de meubles se déclinent en trois collections : Sérénité, Essentiel et Evasion. Ce magasin est également réputé pour ses nombreux modèles de cloisons japonaises. On trouve à ce propos plusieurs motifs et notamment un cercle composé de deux panneaux aux côtés des modèles plus classiques. Vous noterez que le magasin dispose également d'un espace dédié à l'Asie et à l'Afrique. **Autres adresses :** 13, rue Daval (11e) ✆ 01 48 06 09 21. Ouvert du mardi au samedi de 10h30 à 19h30 • 77, rue Legendre (17e) ✆ 01 42 29 03 61. Ouvert du mardi au samedi de 10h à 13h et de 14h à 19h.

BOCORAY

72, rue du Faubourg-Montmartre (9e)

✆ 01 48 78 88 88

M° Notre Dame-de-Lorette. Ouvert du lundi au vendredi de 10h30 à 19h30, le samedi de 10h30 à 20h et en été, pour Noël et les soldes le dimanche de 11h30 à 19h30.

Difficile de passer à côté de cet îlot de l'exotisme de bon goût sans y entrer. Lumière douce et chaude, ambiance balançant entre la déco d'une Asie millénaire et le design très contemporain de meubles et de bibelots. Sur trois étages, les amateurs de décoration et d'ameublement n'ont que l'embarras du choix pour dénicher un petit cadeau – bougies parfumées et senteurs, bijoux fantaisie tendance, boîtes et cadres... De belles lampes de jeunes créateurs, d'élégants vases, et la touche du propriétaire philippin, qui se retrouve dans le choix de ces grandes statues de bouddhas ou encore de ces chevaux en terre cuite. Mille autres objets artisanaux attirent l'attention : un mélange de styles et d'influences d'un ailleurs où le patron vous entraîne volontiers en discussions animées. Des canapés cosy, modèles très tendance et des meubles d'appoint et de rangement. La vaisselle traduit l'esprit de la maison : couleurs vives et formes originales ou au contraire teintes douces et lignes simples. Un accueil convivial et chaleureux qui a fait aussi tout le succès de l'autre adresse située dans le 18e arrondissement et qui a ses inconditionnels. Beaucoup d'objets exotiques, du miroir aux luminaires et des petits meubles exotiques eux aussi, bref un côté caverne d'Ali Baba où l'on trouvera l'introuvable ailleurs. **Autre adresse :** 64, rue de Clignancourt (18e) ✆ 01 42 59 44 11. Ouvert du mardi au samedi de 10h30 à 19h.

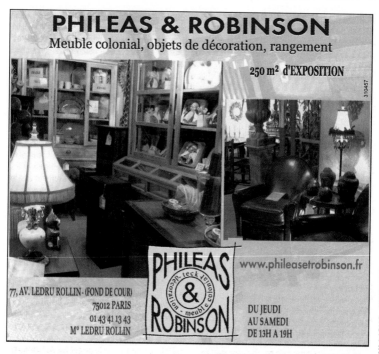

PHILEAS ET ROBINSON
77, avenue Ledru-Rollin (12e)
✆01 43 41 13 43
Site Internet : www.phileasetrobinson.fr – M° Ledru-Rollin. Ouvert du jeudi au samedi de13h à 19h.
Ouverte depuis 1994, suite à un voyage en Indonésie des deux patrons, la boutique a fonctionné jusqu'en février 2009. Mais Suzanne et Pierre ont décidé de recentrer leurs activités dans leur local situé dans l'arrière-cour. Il suffit de passer par la porte cochère du 77 pour pénétrer dans le show room qui était déjà ouvert aux visiteurs depuis une dizaine d'années. L'arrivage de meubles est permanent, cela vaut vraiment la peine de s'y rendre régulièrement d'autant que l'accueil est toujours aussi charmant ! On trouve ici un très large choix de meubles récents de moyenne et haut de gamme en teck, bambou ou acajou d'Indonésie en provenance de l'archipel, et qui sait s'harmoniser aux intérieurs, mais aussi de nombreux objets de décoration de très bon goût. Une adresse qui privilégie la qualité, tout en pratiquant des prix vraiment intéressants avec des promotions et des soldes à ne pas rater.

LA TIBETAINE
49, rue Saint-Georges (9e) ✆01 42 81 06 95
M° Saint-Georges. Ouvert du lundi au samedi de 11h à 14h et de 15h à 19h.
Un lieu très original et dépaysant, à situer entre le magasin de meubles classiques et le magasin d'antiquités. Tout le mobilier que l'on y trouve ici vient d'Asie en général, mais essentiellement de cinq pays de ce grand continent : la Chine, le Tibet, le Japon, la Thaïlande et la Birmanie. Dans cette boutique insolite, vous découvrirez que les nombreuses statues côtoient les meubles, dont toute une série de superbes coffres au bois vieilli. Notez que des expositions sont fréquemment organisées ici.

ALTER MUNDI
41, rue du Chemin-Vert (11e)
✆01 40 21 08 91
Site : www.altermundi.com – M° Saint-Ambroise ou Richard-Lenoir. Ouvert du mardi au samedi de 11h à 19h30, le dimanche de 14h à 19h.
Une boutique de décoration qui ne se cantonne pas à cela car Alter Mundi est également une galerie d'art, un salon de thé et un espace culturel et pédagogique. On y trouve une offre étendue de meubles et d'objets de décoration à la fois originaux et très design, réalisés par des artisans ou de petites entreprises des pays dit «du Sud», cette boutique atypique ayant pour but de favoriser le commerce équitable. On y trouve ainsi, à prix doux, des lampes originaires du Brésil, des bols en bambou du Vietnam, le Négocio, un jeu de société péruvien, des boîtes gigognes originaires du Honduras, des vases en céramique de Colombie, des bougeoirs fabriqués en Indonésie ou encore des lampes en nylon tressé du Burkina Fasso.

MAISON D'ASIE

51, rue Saint-Maur (11e) ✆01 48 07 06 15

Site Internet : www.maisondasie.com – M° Saint-Maur ou Saint-Ambroise. Ouvert du mardi au samedi de 11h à 13h et de 14h à 19h30.

Vous trouverez dans ce superbe magasin plusieurs gammes de meubles en provenance de nombreux pays d'Asie et notamment d'Indonésie, de Chine, de Mongolie et du Tibet. Le choix est assez extraordinaire et l'on ne sait plus où donner de la tête entre les tables basses et hautes, les chaises, les fauteuils, les bureaux, les étagères, les armoires, les bibliothèques, les buffets, les commodes, les escaliers et les consoles en ce qui concerne les meubles indonésiens. Chine, Mongolie et Tibet sont de leur côté représentés à travers des armoires, des tables, des sellettes, des autels, des buffets, des coffres, des sièges et des tabourets.

MATA-HATI

26, boulevard Beaumarchais (11e)

✆01 58 30 77 20

Site Internet : www.matahati.fr – M° Bastille. Ouvert du mardi au samedi de 10h30 à 13h et de 14h30 à 19h.

Une adresse spécialisée dans la création de meubles exotiques mais négociant également de nombreuses antiquités indonésiennes. On peut donc se rendre à cette belle adresse dans le but de dénicher des antiquités javanaises de haute qualité issues de l'artisanat traditionnel ou des articles de style colonial. Avec des équipes en France et en Indonésie, Matahati ne travaille que des matériaux nobles comme le teck, l'arenc, les bois rares recyclés, le bronze, les marbres italiens et indonésiens, la pierre, le bambou ou encore les fibres végétales. Au niveau des accessoires de déco, le choix est très étendu. On trouve, par exemple, une offre importante d'art de la table en bois d'arenc – couverts, bols, sets de tables, salières… –, de superbes lampes et bougeoirs, et des objets divers comme des vases ou des louches en noix de coco.

Autour de Paris

SALON MARHABA

104, rue de Paris – (93) MONTREUIL

✆01 43 63 87 34

Site Internet : www.salonmarhaba.com – M° Croix-de-Chavaux. Ouvert toute la semaine (dimanche compris) sauf le mardi de 10h à 19h30 sans interruption.

Si vous souhaitez orientaliser votre intérieur, transformer vos souvenirs de riads marocains en réalité ou tout simplement donner une touche plus chaude à votre salon, vous êtes à la bonne adresse ! Salons, tapis, tissus, rideaux, artisanat... tous les produits sont de bon goût attirant une clientèle éclectique : les parisiens originaires du bassin méditerranéen et nostalgiques d'une culture, les «bobos» naviguant entre world food et déco d'ailleurs, enfin tous ceux à la recherche d'un intérieur déclinant charme, raffinement et confort. Des Salon des Mille et une Nuits aux banquettes plus sobres aux coloris monochromes : le choix est vaste et les prix pratiqués par ce fabricant distributeur permettent de réaliser de très bonnes affaires. Des conseils judicieux donneront à votre intérieur une harmonie nouvelle tenant compte de votre mobilier pré-existant. On trouvera aussi des fontaines ouvragées, des bureaux, des tables basses ainsi que des paravents et des miroirs... jamais du «tout venant» mais des produits soigneusement choisis. **Autre adresse :** Dounia Salon 21, avenue de la Gare – COIGNIERES (78) ✆01 30 49 03 16.

Magasins pour enfants

BALOUGA

25, rue des Filles-du-Calvaire (3e)

✆01 42 74 01 49

Site Internet : www.balouga.com – M° Filles du Calvaire. Ouvert du mardi au vendredi de 12h30 à 19h, le samedi de 14h à 19h.

Cette galerie de mobilier design présente toute une série d'objets à la fois très réussis esthétiquement parlant et souvent ludiques. Parents et enfants seront à coup sûr conjointement ravis de venir faire des acquisitions ici. Les parents pour l'aspect déco, les enfants pour le côté amusant. Comme pour cette petite chaise cylindrique avec galette ou ce tabouret à siège et plan de travail intégré, version futuriste des bureaux d'écolier d'autrefois. Coup de cœur également pour le coffre à linge transformé en coffre à jouets ou les caissons emboîtables.

SERENDIPITY

17, rue des Quatre-Vents (6e)

✆01 40 46 01 15

Site Internet : www.serendipity.fr – M° Odéon. Ouvert du mardi au samedi de 11h à 19h.

Loin de la déco enfantine un peu mièvre, Serendipity privilégie les tons sobres et doux – anis, mauve, gris souris, violine… – et des formes chics mais ludiques pour des meubles vintage customisés. Le must de la collection, c'est le lit en tuyaux d'échafaudage, le bureau modulable en Meccano de chez Sandrine et les Ferrailleurs ou le lit de bébé à roulettes en carton. On adore aussi les accessoires de créateurs… on rêve, puis les prix nous font brusquement retomber sur terre. Une adresse pour chérubins argentés ou pour se faire plaisir avec un luminaire, un coussin…

KIDS GALLERY

8, avenue de Villars (7e) ✆01 45 55 10 34

M° Saint François-Xavier. Ouvert du mardi au samedi de 10h à 19h.

Beaucoup de mobilier pour vos petits chérubins dans ce magasin où l'on reçoit un accueil très sympathique. Beaucoup d'armoires et de bibliothèques convenant particulièrement à des styles de décoration pour enfants, mais également des bureaux, des commodes et des étagères murales. Le sommeil n'est pas en reste puisque l'on ne trouve pas moins de cinq exemples destinés à meubler entièrement des chambres d'enfants. On peut ainsi choisir des couleurs et des tons différents et l'on trouve à chaque fois des lits à barreaux, des matelas spécial enfant, des commodes, des armoires ou des bibliothèques.

PETIT BLANC D'IVOIRE
104, rue du Bac (7e) ✆ 01 42 22 87 12
M° Rue du Bac. Ouvert le lundi de 12h30 à 19h, du mardi au samedi de 10h30 à 19h.
Ces trois boutiques parisiennes dédiées aux chambres d'enfants se divisent chacune en trois parties bien distinctes : naissance – 0-2 ans –, enfance – 2-7 ans – et jeune – 7-14 ans. Les parents viennent y dénicher toutes sortes de mobilier, des armoires aux commodes en passant par des tables de chevet, des lits, des matelas ou du petit mobilier. Vous trouverez également un large choix de textiles pour la chambre. Des oreillers, des édredons, des tours de lits, des parures de couettes, des parures de draps, des draps-housses, des draps à langer ou des rideaux viennent ainsi compléter le tableau. **Autres adresses :** 7, rue Guichard (16e) ✆ 01 45 27 02 30. Ouvert le lundi de 12h30 à 19h, du mardi au samedi de 10h30 à 19h. • 142, rue de Courcelles (17e) ✆ 01 42 27 10 82. Ouvert le lundi de 12h30 à 19h, du mardi au samedi de 10h30 à 19h.

SAUVEL NATAL
25, rue Desnouettes (15e) ✆ 01 42 50 47 47
Site Internet : www.sauvel.com – M° Convention. Ouvert du mardi au vendredi de 10h à 19h et le samedi de 9h30 à 18h30.
Vous trouverez chez Sauvel tous les articles pour le bien-être de l'enfant à des prix très attractifs avec en plus sur place les conseils de professionnels. Le bain, la sécurité, la promenade, le repas, l'hygiène, la protection, le textile, les sièges auto, transats, parcs, barrières de sécurité, berceaux, biberons, chauffe-biberons, stérilisateurs, baignoires… Tout est là ! Côté marques, citons Bébéconfort, Britax, Maclaren, Peg-Perego, Graco, Tomy, Chicco, Avent, Beaba, Babybjorn, Remond, Terraillon… Vous trouverez dans ce supermarché de la puériculture tout pour meubler les chambres d'enfants : lits, commodes, armoires, bonnetières, coffres à jouets avec de nombreux modèles exposés de chez Sauthon, Kangourou, Gautier, Poyet Laguelle, Pic Epeiche, Mathy by Bols…

MONDOMIO
149, rue de Longchamp (16e)
✆ 01 42 94 88 35
Site Internet : www.mondomio.fr – M° Porte Dauphine. Ouvert le lundi de 14h à 19h, et du mardi au samedi de 10h à 19h.
Parce que les parents n'ont pas le monopole du design, et les enfants celui du moderne désincarné, «Mondomio» propose des meubles et luminaires contemporains, spécialement conçus pour la chambre des enfants. Et le petit veinard en culottes courtes qui se verra offrir ce décor à la pointe de la tendance pour grandir n'aura aucune excuse pour ne pas intégrer une brillante école d'art juste après le bac ! Le complice involontaire de cet ambitieux projet parental est l'architecte italien Andrea Di Vita. Lui se contente de faire rêver à travers ses différents univers colorés, épurés de toute fantaisie inutile, s'enchaînant dans l'espace comme des tableaux de la vie. Frais et bourré d'imagination. Prix variables, plutôt élevés.

ANTOINE ET LILI
95, quai de Valmy (10e) ✆ 01 40 37 41 55
Site Internet : www.antoineetlili.com – M° République ou Gare de l'Est. Ouvert du mardi au vendredi de 11h à 20h, le samedi de 10h à 20h et le dimanche et lundi de 11h à 19h.
Si vous souhaitez équiper branché la chambre de la petite – car il y a de fortes chances que le petit boude le style girly de la plupart des créations –, relever vos standards de puériculture d'une pincée de loufoquerie ou simplement faire un petit cadeau, jouez la carte Antoine et Lili ! On adore le sofa chinois – 75 € –, la chaise africaine tressée multicolore – 65 € –, le fauteuil plastifié de chaise haute aux motifs ultra kitch – 24 € –, le canard de bain géant qui fait «pouêt pouêt» – 15 € –, la grosse veilleuse grenouille hippie – 65 € – et le tambourin stylé en bois – 10 €. Tout est à taille de petit bout et respire la gaieté, de quoi vous donner des tas d'idées à réaliser vous-même si vous décidez de ne pas céder à la tentation… Le plus : les petites barrettes et autres accessoires pour les cheveux des fillettes – à partir de 3 €.

ATELIER BULLE
8-10, passage Bullourde (11e)
✆ 01 58 30 96 37
Site Internet : http://bullelesite.free.fr – M° Bastille. Ouvert du mercredi au vendredi de 11h à 19h, le samedi de 14h à 19h et sur rendez-vous.
Les meubles rétros chinés puis rénovés avec une attention particulière portée sur le choix des couleurs font un malheur auprès des familles de l'est parisien. Loin des prétentions d'un certain 11e bobo, les prix sont établis selon le temps passé à peaufiner la pièce. Comptez 120 € pour un lit bébé, 70 € pour un coffre à jouets, 90 € pour un petit bureau et 25 € pour la chaise qui va avec. Possible également de confier son projet de décoration aux créatrices – recherche et personnalisation d'une pièce bien précise, rénovation d'un meuble de famille, etc. Ecoute, talent et féminité caractérisent ainsi cette pétillante «bulle», où l'art de vivre transpire des meubles et des objets gaiement ressuscités.

ARTS DE LA TABLE

ASTIER DE VILLATTE
173, rue Saint-Honoré (1er) ✆ 01 42 60 74 13
Site Internet : www.astierdevillate.com – M° Palais-Royal ou Pyramides. Ouvert du lundi au samedi de 11h à 19h30.
Un magasin à la fois superbe, où l'on y trouve exclusivement des produits de qualité irréprochable, et très agréable, car l'atmosphère qui s'en dégage nous met tout de suite à l'aise. On peut notamment y acheter de superbes céramiques – plats, coupes, ornements, théières, vases, de très nombreuses sortes de plats... –, un large choix de couverts argentés, mats ou brillants. Les cadres et miroirs valent également le détour, comme les luminaires, les présentoirs, les verres et les moulages.

BODUM HOME STORE
Forum des Halles – 103, rue Rambuteau (1er)
✆ 01 42 33 01 68
Site Internet : www.bodum.fr – M° Châtelet. Ouvert tous les jours de 10h à 20h.
Si la marque danoise est bien connue pour ses nombreuses théières exceptionnelles, on trouve également dans ce grand show-room un large choix d'accessoires culinaires au design épuré, tous fabriqués dans des matières nobles, comme le verre translucide, le bois naturel ou l'acier. Boîtes à râper, casse-noix, cloches à fromages, pichets-doseurs, pieds de sapins, planches à découper ou pinces à café, c'est ici tout l'univers de la table qui se décline en produits de qualité.

KITCHEN BAZAAR
Centre commercial des Trois-Quartiers – 23, boulevard de la Madeleine (1er)
✆ 01 42 60 50 30
Site Internet : www.kitchenbazaar.fr – M° Madeleine. Ouvert du lundi au samedi de 10h à 19h.
Une boutique pour ceux qui aiment la cuisine sous toutes ses formes, qu'il s'agisse de la faire, de la déguster ou de la décorer. Vous trouverez, en effet, dans ces quatre adresses parisiennes absolument tout ce qu'il faut, de manière exhaustive, pour cette pièce si particulière de la maison. Evidemment, chaque article vendu ici ne se contente pas de sa fonction utilitaire mais devient également un objet de décoration à part entière, cultivant sa forme propre d'originalité. Minuteurs à œuf, presse-agrumes, pinces à arrêtes, peleurs, balances de cuisine, bouilloires diverses, boules à thé, accessoires de cuisson ou encore tire-bouchons professionnels, tout ici est pensé pour le plus grand bonheur des cuisiniers. **Autres adresses :** 50, rue Croix-des-Petits-Champs (1er) – M° Bourse ou Palais Royal ✆ 01 40 15 03 11. Ouvert du lundi au vendredi de 10h30 à 19h et le samedi de 10h à 19h • 4, rue de Bretagne (3e) ✆ 01 44 78 97 04. Ouvert du mardi au samedi de 10h à 19h • 11, avenue du Maine (15e) ✆ 01 42 22 91 17. Ouvert du lundi au samedi de 10h à 19h. • 31, avenue Raymond Poincaré (16e) ✆ 01 56 26 04 23. Ouvert du lundi au vendredi de 10h30 à 19h et le samedi de 10h à 19h.

POTIRON
57, rue des Petits-Champs (1er)
✆ 01 40 15 00 38
Site Internet : www.potiron.com – M° Pyramides. Ouvert du lundi au samedi de 10h à 19h30.
Vous aimez la couleur, l'originalité et les objets de décoration de bon goût ? Vous serez servi en vous rendant ici, Potiron disposant d'un nombre incalculable d'articles fréquemment renouvelés pour mettre du peps et de la joie chez soi. Pour ce qui est des arts de la table, la vaisselle de toutes les couleurs est particulièrement bien représentée, notamment les verres, même si les bols, tasses à café et mugs se taillent également une belle part du gâteau. De nombreux objets sortant toujours plus de l'ordinaire sont également présents en magasin, comme ces coussins, photophores, arrosoirs, bougies ou sets de tables. **Autres adresses :** 5, rue Gay-Lussac (5e) ✆ 01 43 26 12 79 • 3, avenue Mozart (16e) ✆ 01 45 27 41 26 • 3, cours de Vincennes (20e) ✆ 01 43 79 23 70. Ouvert du lundi au samedi de 10h à 19h30.

A. SIMON
48-52, rue Montmartre (2e) ✆ 01 42 33 71 65
Site Internet : www.asimon.fr – M° Les Halles. Ouvert le lundi de 13h30 à 18h30, du mardi au samedi de 9h à 18h30.
Fournisseur depuis 1884 des restaurateurs et des hôtels en France et à l'étranger, A. Simon ouvre également ses portes aux particuliers recherchant du matériel de cuisine et de pâtisserie ainsi que des arts de la table. Vous trouverez ainsi de nombreux articles de vaisselle en porcelaine ainsi que de très beaux verres en cristal. Il faut également prendre le temps d'aller jeter un coup d'œil au rayon coutellerie. Un lieu fait pour tous les amoureux de la tradition et de l'innovation culinaire.

HB-HENRIOT
84, rue Saint-Martin (4e) ✆ 01 42 71 93 03.
M° Hôtel-de-Ville – Ouvert du lundi au samedi de 11h à 19h.
Depuis la fin du XVIIe siècle, la faïencerie HB-Henriot perpétue la tradition de la faïence entièrement façonnée et décorée à la main. La boutique parisienne de cette entreprise basée à Quimper présente de nombreuses pièces originales. Des arts de la table à la décoration, succombez à la faïence !

LA CARPE
14, rue Tronchet (8e) ✆ 01 47 42 73 25
M° Madeleine. Ouvert le lundi de 14h à 18h45, du mardi au samedi de 10h à 18h45.
Présent dans la capitale depuis 1921, La Carpe

propose une impressionnante collection d'articles de cuisine et d'art de la table. En venant chiner dans les parages, il est ainsi possible de rentrer chez soi les bras chargés, par exemple, de robots ménagers, d'ustensiles de cuisine divers, de saladiers, de plateaux à fromages, de tasses, de bols, de mugs, de couteaux de cuisine, de balances ou de poêles. Vous noterez que l'on a également dans ces rayons du petit électroménager ainsi que des éléments de décoration pour la cuisine.

PUIFORCAT
48, avenue Gabriel (8e)
✆01 45 63 10 10
Site Internet : www.puiforcat.com – M° F.-D.-Roosevelt. Ouvert du lundi au samedi de 10h15 à 18h30, en été du mardi au samedi de 10h15 à 13h et de 14h à 18h30.
Fondée en 1820 dans le Marais, cette maison d'orfèvrerie absolument exceptionnelle a pris toute sa notoriété pendant l'entre-deux-guerres sous l'impulsion de Jean Puiforcat, le fils de Louis-Victor, le fondateur. On trouve ici des collections extraordinaires en argent massif, en métal argenté et en acier. Si de nombreuses pièces d'orfèvrerie du XVIe siècle sont rééditées, suivant de très hautes exigences de qualité, tout comme des dessins datant de l'époque Art Déco, des modèles contemporains sont également créés par cette maison bientôt bicentenaire. Couverts, accessoires et porcelaine de table, services à thé et à café, bougeoirs, vases, coupes, bonbonnières ou objets de bureau sont ainsi disponibles.

LA MAISON DE LA PORCELAINE
21, rue de Paradis (10e) ✆01 47 70 22 80
Site Internet : www.maisonporcelaine.com – M° Poissonnière. Ouvert du lundi au samedi de 10h à 18h30.
La porcelaine blanche jouit d'un prestige inégalé depuis des siècles. La Maison de la Porcelaine perpétue cette tradition en proposant de la marchandise de qualité. De la vaisselle bien sûr, mais aussi du verre, du cristal et de la coutellerie. Vos tables se verront parées de mille atours élégants. Un atelier de décoration intégré permet de personnaliser des services, par exemple, en reproduisant des décors Chantilly du XVIIIe siècle. Dans la cave, un stock de fin de séries permet de faire des affaires pour celles ou ceux qui ont tendance à casser facilement ou qui aiment changer de décor régulièrement. Visites gratuites et commentées toute l'année, du lundi au vendredi à 9h30 et à 19h à la maison mère, lieu de fabrication à Aixe-sur-Vienne. En juillet et août visites supplémentaires tous les jours à 11h, 16h et 17h. **Autre adresse :** Manufacture 14, avenue Président Wilson – (87) AIXE-SUR-VIENNE ✆05 55 70 14 68.

SHOPPING

L'ATELIER DES ARTS CULINAIRES
111, avenue Daumesnil (12e)
✆ 01 43 40 20 20
Site Internet : www.atelier-culinaire.fr – M° Gare de Lyon. Ouvert du lundi au samedi de 10h à 19h.
Un magasin qui perpétue la tradition des ustensiles de cuisines en cuivre, un matériau noble très utilisé autrefois mais aujourd'hui délaissé. Suivant l'adage qui stipule que c'est la casserole qui fait la sauce et non le fourneau, Etienne Dulin s'est installé sous le Viaduc en 1995 pour maintenir en vie ces techniques de fabrication ancestrales, et présente des articles produits à Villedieu-les-Poêles, la fabrique historique des matériaux en cuivre et en argent. On vient donc ici pour trouver des casseroles de toutes tailles, des bouilloires, des salières et poivrières, des couverts ou différentes sortes de pots.

COTE MAISON
44, cour Saint-Emilion (12e) ✆ 01 43 44 12 12
Site : www.cotemaison.com – M° Cour-Saint-Emilion. Ouvert tous les jours de 11h à 21h.
Au cœur de Bercy village, le magasin Côté Maison est le seul du périmètre consacré à la maison, au savoir-vivre et au savoir-recevoir en proposant de nombreux articles de qualité. Dans un décor chaleureux, on y trouve un large choix de vaisselle, des ustensiles de cuisine ou encore des accessoires de salle de bains. En chinant, on trouve également des objets de décoration classique à l'instar d'une pendule noire aux chiffres irréguliers et originaux ou d'un porte-revues façon pochoir.

VUES SUR CUISINE
56, rue des Entrepreneurs (15e)
✆ 01 45 75 02 60
M° Charles-Michel. Ouvert du mardi au vendredi de 10h à 13h et de 14h à 19h, le samedi de 11h à 13h et de 14h à 19h.
Les beaux objets font désormais partie du quotidien dans la cuisine, les designers se sont emparés des presse-ails, bouchons à vins, plats de présentation, couverts, etc., pour les transformer en de véritables petits chefs-d'œuvre de création. Dans cette boutique vert anis et chocolat, Sophia a sélectionné les meilleurs produits – Peugeot, Alessi, Le Creusot, Magimix, etc. – comme les plus insolites ou astucieux qui étonneront vos amis : la clef du vin de Screwpull, par exemple, est un procédé révolutionnaire qui fournit par simple trempage une connaissance précise de l'évolution prévisible du vin et de son vieillissement. Mais d'autres articles ludiques ou utiles, souvent hauts en couleur, donnent envie de cuisiner aux plus rétives de la casserole.

JOY
Palais des Congrès – 2, place de la Porte-Maillot (17e) ✆ 01 40 68 22 27
M° Porte-Maillot. Ouvert du lundi au samedi de 10h30 à 20h sans interruption.
Attention, magasin d'exception. On se rend ici pour trouver des articles sortant de l'ordinaire et notamment de somptueux verres en cristal. De nombreuses collections sont ainsi disponibles, que l'on soit à la recherche de verres transparents ou colorés. Les amateurs de services sortant de l'ordinaire seront également comblés en se rendant à cette adresse, Joy disposant de nombreuses assiettes et services à thé en porcelaine. Ne pas oublier non plus de faire un tour au rayon œnologie !

BALCON ET JARDIN

Jardineries

DELBARD
16, quai de la Mégisserie (1er)
✆ 01 44 88 80 20
Site Internet : www.delbard.com – M° Châtelet ou Pont-Neuf. Ouvert tous les jours de 9h30 à 19h, jusqu'à 19h30 de mi-mars à fin août. Fermeture à Noël et le Jour de l'An.
Fondé par Georges Delbard en 1935, le groupe Delbard compte aujourd'hui parmi les grands horticulteurs mondiaux. Le groupe a rapidement intégré les activités de création variétale, production et distribution. Opérant à la fois sur le marché du jardinage amateur et sur celui des professionnels, Delbard occupe une place unique en France. Les magasins Delbard proposent : une pépinière, un espace consacré aux plantes d'extérieur, une animalerie, différents accessoires pour le jardinage, un patio qui s'anime, selon le calendrier, d'ateliers pédagogiques, de dégustations, d'expositions ou de soirées de fête, une boutique décoration loisirs, une librairie et des produits du terroir, une bouqueterie (bottes, bouquets de jardin, fleurs, fruits) et un espace dédié aux plantes d'intérieur. Un endroit où les jardiniers en herbe devraient s'épanouir comme tournesols au soleil. Notez que les jardineries Delbard sont bien sûr présentes en Ile-de-France, toutes les adresses et horaires d'ouverture sont sur le site Internet.

TRUFFAUT
85, quai de la Gare (13e) ✆ 01 53 60 84 50
Site Internet : www.truffaut.com – M° Quai de la Gare. Ouvert tous les jours de 10h à 20h.
Truffaut a marqué l'histoire du jardin avec plus de deux siècles de passion pour la nature. 180 ans consacrés à l'horticulture et au jardinage. Déjà, au XVIe siècle, des «Trouffots» cultivaient la truffe de terre, c'est-à-dire la pomme de terre. Le nom s'est ensuite transformé en Truffaut, et vers 1750, on retrouve la trace d'un Claude Truffaut, collaborateur d'un botaniste et jardinier. Depuis, les membres de la famille Truffaut ont constamment

cherché, créé et inventé pour amener l'art et le plaisir du jardin à la portée de tous. Les magasins Truffaut comptent généralement : une animalerie, des bassins, une fleuristerie, un marché aux fleurs, un jardin d'extérieur, du matériel à moteur, des abris et serres, des aménagements en bois, des grillages et clôtures, un espace multimédia, des barbecues, du mobilier de jardin, des articles de cheminées, de loisirs créatifs... La liste n'est pas exhaustive et s'étend, selon les magasins. La liste complète des magasins Truffaut est disponible sur le site Internet de l'enseigne.

Décoration extérieure

UNOPIU

Place du Marché-Saint-Honoré (1er)

✆01 55 35 00 42

Site Internet : www.unopiu.fr – M° Pyramides. Ouvert le lundi de 14h30 à 18h, du mardi au samedi de 10h30 à 18h30, de 10h à 19h de mars à juillet.

Le mobilier de jardin ne doit pas se limiter aux jardins, bien au contraire. Elégants, fins, dotés de finitions superbes, les meubles Unopiu ont toute leur place dans votre salon. Fabriqués dans les règles de l'art, les canapés en rotin ou en aluminium, les chaises en teck, les fauteuils en fibres, les fauteuils de repos en pulut ou les nombreuses tables et tables basses conviennent en effet tout à fait à de nombreux types de décorations épurées. Pour bien prendre conscience de l'offre immense qui existe en catalogue, sachez que vous avez affaire ici à la plus riche collection au monde de meubles et décoration d'extérieur.

ESPACE BUFFON

27, rue Buffon (5e) ✆01 47 07 06 79

Site Internet : www.espacebuffon.com – M° Gare d'Austerlitz. Ouvert du lundi au vendredi de 9h à 12h et de 14h à 19h, le samedi de 14h à 19h.

Un lieu exceptionnel puisque le magasin Buffon se situe sous une verrière datant du XIXe siècle et où s'épanouissent de splendides plantes luxuriantes. On se rend à l'Espace Buffon à la quête de jardinières, de meubles de jardin en fer, en bois ou en zinc ou encore de pots en terre cuite. Vous trouverez ici toutes les idées utiles pour décorer et aménager votre terrasse ou votre jardin en optimisant votre espace.

JARDIN D'ULYSSE

9, boulevard Malesherbes (8e)

✆01 42 65 28 01

Site Internet : www.jardindulysse.fr – M° Madeleine. Ouvert du lundi au samedi de 10h à 19h sans interruption.

La superbe boutique Jardin d'Ulysse dispose d'une offre très étendue d'objets de décoration et d'articles pour la décoration du jardin, mais également d'un grand nombre de meubles. Vous trouverez en effet, en vous rendant ici, du superbe mobilier adaptable indifféremment à l'intérieur comme à l'extérieur. Peu courant, de jolis bancs en manguier sont notamment disponibles, au même titre que quelques bureaux et qu'un large choix de chaises en bois ou en fer forgé. Beaucoup de fauteuils, consoles et miroirs également ainsi que quelques tables. Tout cela dans des tons clairs, très art de vivre provençal. Les têtes de lits sont également très appréciées.

SABZ

22, rue Rottembourg (12e) ✆01 40 21 30 05

Site Internet : www.sabz.fr – M° Porte-Dorée ou Michel-Bizot. Ouvert du lundi au samedi de 10h à 19h.

L'enseigne vous accueille depuis avril 2008 dans un magasin de 750 m² – dont un jardin de 250 m² –, un endroit très lumineux qui met en valeur la quantité de chaises de jardins, parasols et autres accessoires design et colorés que vous trouverez ici. Ce magasin spécialisé dans la décoration d'extérieur est en effet truffé de bons plans pour trouver des sources d'inspiration très originales pour son balcon, mais aussi pour sa maison ou son appartement. De superbes lanternes équipées de bougies cubiques designées par José A. Gandia sont ainsi disponibles. Très originales également, des pommeaux de douchettes de plusieurs couleurs ou «A fleur de pot», un très astucieux pot de fleur constitué d'une simple feuille de polypropylène à monter soi-même et à ventouser sur une vitre. La liste de bonnes idées paraît ici infinie tant les surprises sont nombreuses, mais nous ne pouvons pas ne pas évoquer l'Ice Cube, un bac à fleurs avec éclairage intégré dans le bac ou les arrosoirs Pipe Dreams semblant sortir tout droit des Télétubbies. Sabz a lancé sa première boutique en ligne en mai 2009.

FERMOB

81-83, avenue Ledru-Rollin (12e)

✆01 43 07 17 15

Site Internet : www.fermob.com/fr – M° Ledru-Rollin. Ouvert du lundi au samedi de 10h à 19h.

A tous ceux qui rêvent d'aménager à domicile son petit coin de verdure, Fermob prononce un grand «bienvenue». On est ici en effet au paradis des meubles d'extérieur voués à la décoration. Chaises pliantes en acier ou fauteuils en toile indéchirable, tables en tôle acier ou en acier étiré disponibles avec ou sans trou de parasol, fauteuils d'extérieur en toile ou bars portatifs, tout est pensé pour le jardin, la terrasse ou le – grand – balcon, même si tous les produits présentés en magasin peuvent également tout à fait convenir à des intérieurs au style un peu hétéroclite. Certaines séries sont même limitées comme les créations pour Fermob de Jean-Charles de Caslbajac pour l'été 2009. A noter, le site Internet de la marque propose une interface fonctionnelle permettant de mettre en scène et de visualiser en 3D les produits à le vente.

PACIFIC COMPAGNIE
20 bis, avenue Mac-Mahon (17e)
✆ 01 44 09 85 55
Site Internet : www.pacific-compagnie.net – M° Charles-De-Gaulle-Etoile. Ouvert du lundi au samedi de 10h à 20h.
Vous trouverez dans ce grand magasin de 600 mètres carrés un choix assez extraordinaire de meubles, notamment en teck, ou diverses essences exotiques pour la maison et le jardin, qu'il s'agisse de mobilier contemporain ou asiatique. En parallèle de cela, la boutique vend également un large choix de pièces anciennes asiatiques ainsi que des tableaux et des sculptures de la même origine. Côté meubles, on vous l'a dit, le choix est vaste et l'on vient ici pour s'équiper en armoires, commodes, bibliothèques, canapés, fauteuils, lits, tables ou miroirs. Notez que les sièges en racines de jacinthe d'eau sont particulièrement appréciés. Vous pourrez également «gâter» votre jardin avec des bancs, des canapés, des transats, des chaises longues ou encore des parasols.

BRICOLAGE

Grandes enseignes

BHV
14, rue du Temple (1er) ✆ 01 42 74 90 00
Site Internet : www.bhv.fr. – M° Hôtel-de-Ville. Ouvert du lundi au samedi de 9h30 à 19h30, fermeture à 21h le mercredi.
Connu et reconnu pour son grand savoir-faire dans le domaine du bricolage et de l'aménagement de la maison, le Bazar de l'Hôtel de Ville dispose d'immenses rayons de bricolage, quincaillerie et jardinerie, tout fraîchement remis à neuf : après neuf mois de travaux, le sous-sol et une partie du 4e étage présentent 9 000 mètres carrés de rayons entièrement rénovés ! Bricolage général, amélioration de la maison, aménagements divers, décoration, carrelages, parquets, moquettes, quincaillerie, outillage – du plus simple au plus perfectionné – et bien d'autres domaines encore sont disponibles ici. Dans ce qui est par beaucoup considéré comme la «Mecque» du bricolage dans la capitale, vous disposez également d'une intarissable source de conseils pratiques et de trucs et astuces par le biais des vendeurs spécialisés – au moins un vrai spécialiste par rayon, de nombreux kiosques et points conseils –, qui ne sont pas les derniers à fonder la renommée de la maison. Vous ne connaissez pas grand-chose à la préparation de l'enduit ou à la pose de plancher ? Pas de panique, quels que soient vos besoins, le magasin peut vous venir en aide afin de réussir vos projets de bricolage. Par le biais de vendeurs bien sûr, mais également en consultant les fiches-conseils proposées par le magasin – toutes téléchargeables sur le site officiel. Vous avez aussi la possibilité de bénéficier des «services Pro» proposés en magasin pour venir à bout des tâches les plus ardues, difficilement réalisables chez soi, comme la coupe de verre sur mesure, de bois, de mousse, de baguettes d'encadrement, de stores ou encore de tringles à rideaux. Un autre bon plan en magasin, la possibilité de faire réaliser des peintures à la teinte en fonction de vos envies. Dernière chose : le BHV est un magasin vivant, proposant tout au long de l'année des remises et offres produits. **Autre adresse :** 119-127, avenue de Flandre (19e) ✆ 01 42 74 99 00. Ouvert du lundi au samedi de 9h à 20h.

GEDIMAT SEFOR
3-9, rue Bailly (3e) ✆ 01 42 78 08 18
Site Internet : www.gedimat.fr – M° Arts et Métiers. Ouvert du lundi au vendredi de 7h30 à 12h30 et de 13h30 à 17h, le samedi de 8h30 à 12h30.
Vous trouverez ici absolument tout ce qu'il vous faut pour la maison, des fondations aux finitions. Ce magasin est en effet spécialisé dans la vente de matériaux divers – à prix très compétitifs –, comme la menuiserie, le carrelage, les sanitaires ou le nécessaire pour l'extérieur. Une large gamme de produits vous est proposée quelles que soient vos recherches en termes de bricolage. Notez que ce magasin est très bien fourni en bois en tous genres. Point appréciable, vous trouverez toujours des vendeurs à votre écoute pour vous proposer conseils et solutions. Attention, ce magasin vend des matériaux uniquement mais pas d'outillage. **Autre adresse :** 221, rue Noisy-le-Sec – (93) LES LILAS ✆ 01 43 62 08 63. Ouvert de 7h30 à 12h et de 13h30 à 17h du lundi au vendredi.

LEROY MERLIN
52, rue Rambuteau (3e) ✆ 01 44 54 66 66
Site Internet : www.leroymerlin.fr – M° Rambuteau. Ouvert du lundi au samedi de 9h à 20h.
Le seul magasin de cette célèbre chaîne de distribution situé dans Paris intra-muros ne pouvait pas être plus central, l'adresse se trouvant sur la place même du Centre Georges-Pompidou. Véritable paradis pour le bricoleur, ce grand magasin permet de s'équiper pour tous ses besoins, pour l'intérieur comme pour l'extérieur. La liste des outils disponibles ici est franchement impressionnante, de même que le matériel d'atelier. Complet sur toute la ligne, le magasin donne aussi la possibilité de s'équiper en menuiserie, électricité, plomberie-traitement de l'eau, chauffage-traitement de l'air, sécurité, rangement, traitement des sols, décoration, peintures ou encore éclairage. Des rayons spécifiques sont également prévus pour certaines pièces particulières comme la salle de bains ou la cuisine. Vous êtes du genre à aimer bichonner votre terrasse ? Tout le nécessaire pour le jardin, la construction et les aménagements extérieurs sont également disponibles. En bref, une

adresse fiable et complète où l'on dispose de toutes les clés pour améliorer, restaurer ou transformer son habitation en accord avec sa personnalité, et où l'on est toujours aiguillé par des vendeurs sympathiques et compétents. Attention néanmoins à surcharge du samedi, l'attente aux caisses est parfois interminable malgré une certaine organisation…

AMBIANCE CERAMIQUE
2, place du Marché-Sainte-Catherine (4e)
✆01 42 77 26 44
Site Internet : http://pro.pagesjaunes.fr/ambiance-ceramique – M° Saint-Paul. Ouvert du mardi au samedi de 11h à 19h.
Près de la ravissante place du Marché Sainte-Catherine dans le Marais, cette petite boutique de carrelages est atypique : créée par un architecte d'intérieur, cette «carreauthèque» propose depuis huit ans, hormis un choix étonnant et extrêmement varié de carrelages, pierres, bois et verre, une activité reconnue de Bureau d'Etudes. Son activité ? La création d'espaces allant de la conception à la réalisation complète des projets de sa clientèle. La prise en charge des clients et le conseil y sont à l'image de l'équipe qui vous y accueille, sympathique et professionnelle. Quelle que soit la taille de votre projet, vous serez reçu par des décorateurs qui sauront canaliser vos idées et vos choix. Très prisé de nombreux architectes et recommandé à leur clientèle par les enseignes parisiennes de design sanitaire les plus haut de gamme, ce petit lieu où cohabitent la céramique et la décoration vous séduira à coup sûr. La preuve : la réputation d'Ambiance Céramique s'est notamment faite grâce au bouche à oreille.

ASAT – FORUM DU BATIMENT
89, boulevard Richard-Lenoir (11e)
✆01 49 29 46 48 / 08 825 29 29 29
Site Internet : www.auforumdubatiment.com – M° Saint-Ambroise. Ouvert du lundi au vendredi de 7h30 à 19h sans interruption et le samedi de 7h30 à 13h.
Un magasin, ouvert aussi bien aux professionnels qu'aux particuliers, spécialisé dans la vente d'articles ayant trait à la plomberie, au chauffage, à l'électricité et à la climatisation. Les prix sont donc plus élevés que dans les magasins «tout public», mais la qualité est toujours de mise. De la filasse au nécessaire à soudure en passant par la robinetterie et aux raccords, tout ce qu'il faut pour le plombier donc. Egalement pour celui cherchant à refaire de A à Z ou à bricoler sa salle de bains ou sa cuisine. Au Forum du Bâtiment, vous trouverez également un large rayonnage d'outils à main et électroportatifs ainsi que des articles de serrurerie et de quincaillerie au détail. ASAT est également présent dans les 12e, 15e, 17e, 18e, 19e, 20e arrondissements et son stock est situé à Saint-Ouen. Toutes les adresses sur le site Internet.

BANCO DIRECT
37, boulevard Voltaire (11e) ✆01 48 05 25 42
Site Internet : www.banco-direct.com – M° Oberkampf. Ouvert le lundi de 14h à 19h et du mardi au samedi de 10h à 12h30 et de 13h30 à 19h.
Bon à savoir si vous n'avez plus besoin de certains de vos outils ou si vous ne savez plus quoi en faire ou que ceux-ci vous encombrent, les magasins Banco Direct reprennent vos articles de bricolage et d'outillage d'occasion au détail, après expertise et avec paiement immédiat, pour leur donner une seconde vie. Il n'est pas inutile non plus d'aller chiner à cette adresse pour trouver ce que l'on recherche, le magasin étant très fourni en outils à main et électroportatifs d'occasion. Notez que l'adresse de ce magasin du 11e est l'adresse «historique», la boutique du boulevard Voltaire, inaugurée en 1996, ayant été la première du réseau.

MR BRICOLAGE
169, rue Saint-Maur (11e) ✆01 49 23 73 00
Site Internet : www.mr-bricolage.fr – M° Goncourt.
Ouvert du lundi au samedi de 9h30 à 19h.
Une chaîne de magasins que l'on n'a plus besoin de présenter. Ici vous trouverez tout pour la décoration et le bricolage : électricité, outillage, quincaillerie, jardinage, quelques meubles d'appoint, le bois et le verre à la découpe, et des conseils en plus lorsque vous séchez sur une question. **Autres adresses :** 34, rue de Reuilly (12e) ✆01 40 02 02 04 • 55, rue de Meaux (19e) ✆01 53 19 80 90 • 21-25, rue de Ménilmontant (20e) ✆01 46 36 75 75.

BRICOLEX
84, avenue Ledru-Rollin (12e)
✆01 44 74 06 06
Site Internet : www.bricolex.fr – M° Ledru-Rollin.
Ouvert du lundi au samedi de 9h15 à 12h45 et de 14h à 19h15.
Les deux magasins Bricolex parisiens – l'autre est situé dans le 15e arrondissement – proposent en rayon tout le nécessaire pour bricoler, rénover, réparer et décorer. Pas moins de 13 000 références en bricolage, décoration, ménage, électricité, plomberie et jardin sont disponibles ici ainsi que tous les produits nécessaires pour réaliser l'entretien et les travaux courants dans une maison, un appartement ou un jardin. On s'y retrouve vite dans ce lieu à l'aménagement bien pensé, divisé en plusieurs rayons : peintures et papiers peints, électricité, chauffage et climatisation, quincaillerie, plomberie et sanitaires, outillage et électroportatif, ménage, petit électroménager, jardinage, bois et verre au détail. Notez simplement pour éviter les déplacements inutiles que la maison ne commercialise ni plantes vivaces ni matériaux de construction. Sachez enfin qu'il est possible ici de faire faire ses découpes de bois et de louer du matériel. L'enseigne Bricolex est également

Bricoleur du dimanche

Pour une urgence de bricolage dominical, direction les Mr Bricolage des environs de Paris, souvent ouverts le dimanche ! Pour vous renseigner sur les adresses et les horaires d'ouvertures, consultez le site Internet : www.mr-bricolage.fr

présente dans le 15e arrondissement, ainsi qu'en périphérie parisienne.

BRICORAMA
154, boulevard Vincent-Auriol (13e)
✆01 45 86 56 56
Site Internet : www.bricorama.fr – M° Nationale. Ouvert du lundi au samedi de 9h (9h30 le lundi) à 19h30 sans interruption, le dimanche de 9h30 à 12h30.
Une grande surface spécialisée, comme son nom l'indique, dans le bricolage et tout le nécessaire pour les travaux de la maison. Disposant d'un choix complet et bien présenté, on vient donc ici pour faire le plein dans le domaine de la décoration, de l'aménagement, de l'outillage, de l'électricité, des sanitaires, du jardin, du bois et du bâtiment. L'accueil est sympathique et l'on trouve facilement des vendeurs disponibles pour se laisser guider dans ses achats en fonction de ses besoins. Les autres magasins de la marque, en banlieue parisienne et dans les 13e, 18e et 19e arrondissements fournissent le même choix et les mêmes services. Toutes les adresses sur le site Internet.

CATENA
332, rue Lecourbe (15e)
✆01 40 60 45 45
Site Internet : www.catena.fr – M° Lourmel. Ouvert du lundi au samedi de 9h à 19h30.
Une adresse bien pratique lorsque vous avez besoin d'articles pour vos activités de bricolage, de décoration ou de jardinage. On trouve ici une équipe de spécialistes très accueillants, toujours prêts à vous venir en aide et à vous conseiller. Côté rayons, vous trouverez ici tout le nécessaire concernant la décoration, la peinture, les luminaires, l'électricité, la plomberie, l'outillage, le bois, le verre, et plus généralement pour l'entretien et le rangement de la maison, et bien d'autres choses encore. Le côté jardin et le plein air n'ont bien entendu pas été oubliés. **Autre adresse :** 133, rue de l'Abbé-Groult (15e) ✆01 45 31 45 00. Ouvert du lundi au samedi de 9h à 19h30.

CASTORAMA
9, cours de Vincennes (20e)
✆01 55 25 14 14
Site Internet : www.castorama.fr – M° Nation. Ouvert du lundi au samedi de 9h à 20h.
Tout, le bricoleur en herbe ou le vieux briscard plein d'expériences seront en mesure de trouver absolument tout ce qu'ils recherchent pour l'aménagement ou l'amélioration de leur foyer au sein des magasins de cette vaste chaîne de grandes surfaces spécialisées dans le bricolage. Que vous cherchiez à réinstaller votre cuisine ou votre salle de bains, à remplir votre boîte à outils, à devenir plombier, électricien, carreleur ou menuisier amateur, les rayons de Castorama ne vous décevront pas. Les chanceux disposant d'espaces extérieurs ne seront pas en reste, une grande gamme liée au jardinage étant proposée. Peur de s'y perdre ? Les vendeurs sont ici très sympathiques et savent toujours vous conseiller afin de ne pas perdre les pédales. Sachez enfin que ces magasins proposent une série de services comme les découpes de bois et de verre, l'encadrement ou la location de matériel et de camionnette. A noter, il est désormais possible de choisir ses produits sur le site Internet puis de les faire livrer à domicile ou d'aller les chercher au magasin de La Défense. **Autre adresse :** Centre commercial Les 4 Temps – (92) LA DEFENSE – Grande Arche. ✆01 44 45 07 07. Ouvert du lundi au samedi de 9h à 20h • Centre commercial les Arcades – Place de Clichy (18e) ✆01 53 42 42 42.

Magasins de quartiers

AUX TENAILLES D'OR
158, rue Montmartre (2e) ✆ 01 42 36 35 73
M° Rue Montmartre. Ouvert du lundi au vendredi de 10h à 19h sans interruption, le samedi de 11h30 à 18h30.
Une adresse à noter dans votre répertoire si vous habitez le quartier ou si vous passez régulièrement par là. Cette quincaillerie, à l'ancienne comme on les aime, dispose en effet d'un large choix d'outillage à main ainsi que d'une offre assez étendue d'outillages électriques. A côté de cela, du classique avec des produits d'ébénisterie, de la peinture, du bois au détail, des vitres, de la boulonnerie et de la visserie ainsi que des articles électriques.

TARTAIX
13-15, rue du Pont-aux-Choux (3e)
✆ 01 42 72 02 63
M° Saint-Sébastien-Froissart. Ouvert du lundi au vendredi de 9h à 12h et de 14h à 17h. Fermeture annuelle en août.
Ouvert depuis 1919, Tartaix est un magasin d'outillage général mais qui possède néanmoins la spécificité d'être spécialisé dans les laitons et l'acier. On trouve ces métaux sous forme de plaques et de tubes, Tartaix stockant au total pas moins de 650 références. Les professionnels comme les particuliers se rendent à cette adresse où l'on trouve une équipe jeune et dynamique venant vous aider dans vos choix. Côté outils, le grand classique côtoie les outils plus spécialisés dans les métaux comme les pinces, limes ou outils de découpes.

OBRECHT SIEGRID
24, rue des Patriarches (5e) ✆ 01 47 07 36 61
M° Censier-Daubenton. Ouvert du lundi au samedi de 10h15 à 13h et de 14h30 à 19h, le dimanche de 10h15 à 13h.
Siegrid compte parmi ces personnes à la bonne humeur communicative chez qui il est agréable d'aller faire ses emplettes. Elle dispose de tous les outils à main dont on peut avoir besoin chez soi ainsi que de nombreux produits d'entretien, et notamment des produits de nettoyage bios comme de l'étamine de Lys. Envie de changer de couleurs ? Vous trouverez ici un bon stock de peintures et de pinceaux. Ampoules, fusibles et autres articles électriques complètent le tableau.

BONNEFOY BERNARD
21, rue Fleurus (6e) ✆ 01 45 48 04 04
M° Saint-Placide. Ouvert du lundi au samedi de 9h à 13h et de 14h à 19h30, fermeture le samedi à 19h. Fermé en août.
Bernard Bonnefoy vous accueille dans la bonne humeur et n'hésitera pas à vous guider afin de vous aider dans votre choix en outillage. La maison dispose de l'essentiel avec les classiques marteaux, pinces, scies et clefs à molettes. Vous apprécierez également le large assortiment de clous et de vis ainsi que tous les articles liés au domaine électrique. Cette grande quincaillerie dispose évidemment de produits d'entretien ainsi que d'un bon stock de peintures.

SPQR
9, rue Roy (8e) ✆ 01 45 22 83 87
M° Saint-Augustin. Ouvert du lundi au vendredi de 9h à 19h sans interruption, fermeture à 18h30 le samedi.
Une véritable quincaillerie à l'ancienne comme il en existait dans les années 50-60 avec pas moins de 5000 références en stock. On y trouve un large choix d'outillage à main mais aussi de nombreux outils électroportatifs. Ce n'est pas compliqué, le sous-sol de la maison ayant été aménagé en réserve, on y trouve tout ce que l'on veut, qu'il s'agisse de plâtre, de tasseaux de bois, de vitres, de produits d'entretien, d'ampoules classiques ou basse tension, de visserie, de boulonnerie, ou encore de peintures. Vous noterez aussi l'importante présence de produits d'ébénisterie. Pour ne rien gâcher, l'accueil est toujours très chaleureux à cette adresse ouverte depuis quatre-vingts ans.

RYSS TOURAINE
66, rue Rodier (9e) ✆ 01 40 26 61 76
Site Internet : http://rysstouraine.fr – M° Anvers.
Une adresse bien particulière travaillant pour les sociétés et les copropriétés mais permettant également aux particuliers de bénéficier de prestations dans de nombreux domaines comme le bricolage, la maintenance, le dépannage, la peinture, les travaux d'intérieur, les espaces verts ou encore le montage de mobilier, le tout dans des délais très rapides. Notez que l'établissement de devis est gratuit.

BRICOROUX
34, rue de Dunkerque (10e) ✆ 01 48 78 54 89
M° Gare du Nord. Ouvert du lundi au samedi de 8h30 à 19h.
Ce grand magasin spécialisé dans tous les articles de bricolage vend également en gros de très nombreux matériaux – plâtre, ciment, enduits… De nombreuses sortes de bois au détail aussi, qu'il est bien évidemment possible de faire découper sur place. En terme d'outillage, rien ne fait défaut dans la liste et vous trouverez assurément votre bonheur, que ce soient des outils à main ou des outils électroportatifs. Plomberie, électricité ou peinture complètent le tout ainsi qu'un service de découpe de vitre.

MARCOUTY OUTILLAGE
107, avenue de la République (11e)
✆ 01 43 57 94 09
Site Internet : www.marcouty.fr – M° Père-Lachaise. Ouvert le lundi matin de 14h à 12h, du mardi au vendredi de 9h à 12h et de 14h à 17h30.
Une adresse ayant fait ses preuves puisque

Marcouty Outillage est présent depuis un demi-siècle et pourtant n'a pas pris une ride. La maison propose un très large choix d'outillage dernier cri. Destiné initialement aux professionnels, le magasin voit aussi passer des particuliers qui viennent ici à la recherche de bons conseils et de prix défiant toute concurrence. En rayon : de l'outillage à main et électroportatif, des échelles, des échafaudages ainsi qu'un peu de quincaillerie et de matériel électrique.

BRICOLAGE DE A À Z
72, rue Crozatier (12e) ✆01 46 28 24 97
M° Ledru-Rollin. Ouvert du mardi au samedi de 9h30 à 19h30 sans interruption, le dimanche de 9h30 à 13h30.
Une vraie droguerie à l'ancienne comme on les aime, un peu fourre-tout mais où le bricoleur du quartier est à peu près certain de trouver ce qu'il recherche pour ses travaux. De la quincaillerie – vis, clous, prises électriques –, des produits d'entretien mais aussi une bonne liste au rayon outillage avec beaucoup d'outils à main d'une part et un bon choix d'outils électroportatifs d'autre part – perceuse, scie sauteuse, perforateur. Sur commande, la liste d'outils disponible peut également s'allonger.

BALMAR SPU
46, boulevard Arago (13e) ✆01 43 31 97 08
Site Internet : www.annuairemultimedia.com/demoweb/balmar – M° Gobelins. Ouvert du lundi au samedi de 9h à 12h30 et de 15h à 19h30.
Une adresse de quartier très conviviale ouverte depuis plus d'un quart de siècle. En plus de proposer de très nombreux articles à la vente dans le domaine du bricolage, de l'outillage, d'articles de droguerie, de peintures et de vernis ou de la quincaillerie au détail, Balmar Spu, qui délivre des devis gratuits, vous permet de bénéficier d'un grand nombre de prestations comme les dépannages urgents à domicile, notamment de serrurerie, la pose de vitres, l'installation de matériel de protection contre le vol ou encore la reproduction de clefs. L'adresse dispose également de tout le nécessaire pour la plomberie ou l'électricité. Une adresse à noter absolument.

BRICOZIK
94, avenue Denfert-Rocherau (14e)
✆01 43 35 11 99
M° Denfert-Rochereau. Ouvert du lundi au samedi de 9h à 19h.
Une autre quincaillerie située dans cet arrondissement du sud parisien. On y trouve évidemment tous les articles de quincaillerie possibles et imaginables ainsi qu'un grand rayon orienté outillage. Egalement au menu tout le nécessaire concernant l'électricité ainsi que des produits d'entretien. Les jardiniers noteront que le magasin dispose également de plusieurs outils leur étant destiné. Vous trouverez aussi un service de découpe de verre et de bois – contreplaqué, médium, aggloméré, tablettes mélanisées, bois et couleur...

MULIN
173-175, rue du Château (14e)
✆01 43 22 16 17
Site Internet: www.mulin.org – M° Pernety ou Mouton-Duvernet. Ouvert du lundi au vendredi de 7h à 16h, le samedi de 7h à 12h.
Chez Mulin, une entreprise familiale fondée en 1945, on a pour devise "toute question a une réponse". Et l'équipe du magasin n'économise pas ses conseils ! On cherche avec vous des solutions pour vos travaux de peinture, de revêtement des sols et des murs, de décoration... En stock : plus de 400 papiers peints, 1000 moquettes et parquets massifs, stratifiés ou rustiques. Les peintures se déclinent ici de multiples manières selon vos besoins : blanches ou teintées, à l'eau ou au solvant, brillantes ou mates, antirouille ou anti-feu, anti-acarien, anti-humidité, sans jaunissement et sans odeurs, pour ravalement, pour toiture ou pour appartement, multicouches ou semi-épaisses... Mais le nec plus ultra reste les machines à teinter qui vous donnent la possibilité de créer la teinte que vous désirez. Cette adresse est incontournable pour les Parisiens qui veulent se lancer dans le bricolage. On y trouve enfin du stuc, de la chaux, mais aussi des produits d'entretien appropriés ainsi que des outils de pose spécifiques.

SHOPPING

ZOLA COLOR
64-70, avenue Emile-Zola – 92-96, rue Saint-Charles (15e) ✆01 43 92 43 92
Site Internet : http://zola-color.com – M° Emile-Zola. Ouvert du lundi au samedi de 9h15 à 19h30.
Grand spécialiste du bricolage, Zola Color, ouvert en 1948, offre à ses clients 4 000 mètres carrés d'articles à la manière d'une grande surface, mais en ayant gardé l'esprit d'un commerce de proximité. La maison est remarquablement dotée : outillage, électricité, plomberie, quincaillerie, droguerie, revêtement de sol, électroménager, encadrement, ou encore découpe de bois et verre, rien ne fait défaut ici pour le bricoleur en quête de l'objet manquant. Vous pouvez également venir chez Zola Color afin de louer des articles plus ou moins volumineux comme des carrelettes, tables à encoller ou escabeau de sept marches.

BRICO VAUGIRARD
247, rue de Vaugirard (15e)
✆01 45 32 99 42
M° Volontaires. Ouvert de 9h à 19h du mardi au samedi.
Ce grand magasin très bien fourni est à noter d'urgence si vous comptez vous installer dans le quartier. Un grand rayon droguerie vous permet de trouver facilement tous les produits d'entretien dont vous pouvez avoir besoin, tandis que dans la partie outillage vous mettrez facilement la main sur les outils dont vous aurez l'usage, qu'ils soient à main ou électriques. Une fuite dans la salle de bains ou la cuisine ? Les parties plomberie et robinetterie ne sont pas en reste, de même que les rayons électricité ou peinture. A l'arrivée des beaux jours, pensez à venir faire un tour par ici pour peaufiner votre jardinet ou votre terrasse, de l'outillage de jardin et du terreau étant vendus. Sachez enfin que des meubles de salle de bains et de cuisine sont également proposés.

BRICOLAGE 119
119, avenue de Clichy (17e) ✆01 46 27 22 39
M° Brochant. Ouvert le lundi de 14h à 19h30 et du mardi au samedi de 9h30 à 19h30.
Une grande boutique très complète où l'on trouve le nécessaire pour effectuer ses travaux. Des produits de protection à la peinture en passant par une large gamme d'outillage de qualité, les bricoleurs évoluent ici comme des poissons dans l'eau. Bien fourni en quincaillerie et en matériaux électriques, le magasin dispose aussi d'un service de découpe de bois sur mesure et vend également des petits meubles d'appoint à destination notamment de la cuisine et de la salle de bains. Notez que l'accueil et les conseils se font ici toujours avec le sourire.

ROYER MONTMARTRE
6, rue du Poteau (18e)
✆01 46 06 05 85
Site Internet : www.royermontmartre.fr – M° Jules-Joffrin. Ouvert du mardi au vendredi de 10h à 13h et de 14h30 à 19h15, le samedi en continu de 9h30 à 19h15 et le dimanche de 10h à 12h45.
Située directement au pied de la butte Montmartre, cette grande boutique comme on les aime, à la convivialité jamais démentie offre un très grand choix – 16 000 références ! – au sein de ses quatre pôles. Dans la droguerie, vous trouverez des produits d'entretien, des articles de vannerie, du petit électroménager ainsi que des accessoires de salle de bains. Côté bricolage, l'outillage, l'électricité, la plomberie, la quincaillerie ou encore les peintures tiennent une bonne place, tandis qu'une autre partie est réservée au bois et à la vitrerie. Un coin déco vient enfin compléter le quatuor avec notamment du mobilier et des luminaires. Notez que Royer Montmartre propose également aux habitants du 18e arrondissement toute une série de travaux à domicile dans le domaine de l'électricité, de la plomberie ou de la vitrerie.

MARTEL BRICOLAGE
15, rue de Meaux (19e)
✆01 42 41 26 61
M° Bolivar. Ouvert du mardi au samedi de 9h à 13h et de 14h à 19h30.
Un magasin de quartier très pratique et où le patron vous accueille avec le sourire. On trouve ici un large choix d'outillage, que celui-ci soit à main ou

électrique. Les clients viennent également ici pour faire leurs emplettes au rayon peinture ou pour trouver l'objet de leur recherche en quincaillerie. Les éléments de plomberie et d'électricité ne sont pas oubliés non plus. Un service de découpe de bois et de vitre sur demande vous est également proposé. On trouve également des produits d'entretien et de nettoyage au rayon droguerie.

SAUER
17, rue d'Alsace (92) ASNIÈRES-SUR-SEINE
✆01 47 93 37 25
Site Internet : www.sauer.fr
Voici une entreprise familiale spécialisée dans la vente et la pose de revêtements de sol souples depuis 1949. Forte d'une équipe de 15 personnes, la maison s'occupe autant des moquettes collées ou tendues, que des revêtements plastiques et du parquet collé ou flottant. On apprécie l'accent mis sur les produits écologiques et naturels comme la moquette en laine, le linoléum, le coco ou le jonc de mer. Après avoir discuté avec vous de vos projets par téléphone, M.Sauer se rend à votre domicile avec les échantillons correspondant le mieux à vos désirs. N'hésitez pas à lui demander des conseils car il baigne dans le milieu depuis 1971. Une expérience précieuse mise à la disposition des entreprises, mais également des particuliers.

CHAMBRES ET SALONS

Canapés

PICK'UP
11, rue de l'Ecole-de-Médecine (6e)
✆01 44 07 17 16
Site Internet : www.boutique-pickup.com – M° Odéon ou Saint-Michel. Ouvert du lundi au samedi de 11h à 19h, à partir de 14h le lundi. Forfait livraison sur Paris : 66 €. Site Internet en préparation.
On trouve ici de tout pour décorer la maison, même si Pick'Up est connu avant tout pour ses canapés. A mille lieues de la tendance de la déco jetable, on vient ici chercher de beaux meubles, des pièces qui donnent du caractère à une maison. Sur deux étages, la boutique située dans le quartier estudiantin propose de nombreux objets de décoration ainsi qu'un choix de meubles en import direct, principalement d'Asie et d'Inde. On apprécie la collection qui change régulièrement et la possibilité du sur-mesure. En prime, l'accueil est très aimable et aidant, et plein de conseils avisés. Au rez-de-chaussée, beaucoup de bibelots, souvent charmants et coquets et à prix doux : boîtes en bois (5 €), bols, mangeoire à oiseaux (20 €), cadres photo, boutons de porte en céramique peinte (3 € l'unité), angelots marque-place de table, vaisselle… Le mobilier y est aussi très présent, avec notamment des suspensions et luminaires de Pescatore, gais et colorés. Fauteuils club en cuir chocolat (890 €), superbe bibliothèque en palissandre à 16 casiers (1 000 €), et bien sûr présentation de canapés : canapé 2 places couleur terracotta, canapé d'angle 4/5 places de couleur crème… Lignes chic et pures et très belle qualité du tissu (couleur au choix). L'étage est consacré aux meubles : tables basses gigognes, coiffeuses, fauteuils club, canapés, buffets asiatiques. Les amateurs de cuir et de bois trouveront ici leur bonheur. A noter, de très belles pièces, comme ce lit à baldaquin démontable en bois sombre (1 200 €). **Autre adresse :** 135, avenue Emile-Zola (15e) ✆01 45 77 06 07.

PARIS CANAPES
137-139, rue du Faubourg-Saint-Denis (10e)
✆01 44 72 92 48
Site Internet : www.paris-canapes.fr – M° Gare du Nord. Ouvert tous les jours sauf le samedi de 10h à 19h.
L'unique super spécialiste du petit canapé à Paris. Vous trouverez des modèles de faible encombrement et de faible largeur– à partir de 120 centimètres – et de faible profondeur – à partir de 75 centimètres. Les modèles vendus ici sont réalisables en cuir, tissu ou microfibre alcantara. Tous les mécanismes de convertibles pour lit quotidien ou de dépannage sont également disponibles. En parallèle, vous trouverez un large choix de canapés modernes, classiques ou Art Déco, dont la fabrication française est garantie. Une indication de prix ? Ce sont les moins chers de Paris.

LA MAISON DU CONVERTIBLE
37, avenue de la République (11e)
✆08 00 88 11 13
Site Internet : www.lamaisonduconvertible.fr – M° Parmentier. Ouvert du lundi au samedi de 10h à 19h et le dimanche de 14h à 19h.
Spécialiste reconnu du canapé et de l'armoire-lit depuis plus de vingt ans, La Maison du Convertible dispose d'un très impressionnant éventail de canapés convertibles, de banquettes de lits, de canapés fixes, d'armoires-lits ainsi que d'éléments de dressing de tous les styles et dans toutes les gammes. Cette offre très diversifiée permet également au client de choisir non seulement le style de son meuble mais également sa forme, ses dimensions, ses revêtements, sa finition ainsi que le principe du mécanisme. Notez que de très nombreuses tables pliables ou relevantes sont également vendues en magasin. Sachez aussi que le magasin du boulevard Vincent Auriol est spécialisé dans les armoires-lits, tandis que les autres adresses vendent essentiellement des canapés. Deux autres magasins dans les 13e et 15e arrondissements.

CANAPELI
162, rue Saint-Maur (11e)
✆01 55 28 85 00
Site Internet : www.canapeli.com – M° Goncourt ou Belleville. Ouvert du lundi au samedi de 10h à 19h.
Canapeli : une pointure dans le vaste domaine du confort et plus spécifiquement des banquettes, des canapés, des fauteuils, et de la literie (matelas et sommiers sans oublier oreillers et poufs). L'offre est ici très étendue en produits de tous styles répondant à tous les goûts dans le moyen et haut de gamme. On trouve donc de très nombreux canapés convertibles dont ceux de la marque Rapido qui permettet de laisser le lit fait, mais aussi des modèles en cuir de deux ou trois places, des canapés d'angle et des fauteuils dont la gamme se décline en difféents modèles tels que Bridge et relaxation ou encore des fauteuils coffres élégants, des poufs et de la literie. Les tables basses de salon peuvent être relevables ou fixes, et un choix de luminaires contemporains complète la décoration du salon.

MOBECO
50, avenue d'Italie (13e)
✆01 42 08 71 00
Site Internet : www.mobeco.com – M° Place d'Italie. Ouvert tous les jours de 10h à 19h.
Chez Mobeco, vous aurez à coup sûr un choix énorme parmi toutes les plus grandes marques à des prix très compétitifs – mieux que des soldes : de 30 % à 40 % moins cher qu'ailleurs ! – et plus de 1 000 tissus différents. Cette «grande surface» – plus de 5 500 mètres carrés – du canapé propose beaucoup de convertibles en se positionnant plutôt dans le moyen et le haut de gamme – avec des marques comme Duvivier, Casanova, Steiner, Bournas. De la literie également avec la marque Tempur et des canapés de marque Diva. Très bon rapport qualité-prix sur des clic-clac ainsi que sur les fauteuils de relaxation et de massage. Livraison gratuite dans toute la France et débarras possible de l'ancien canapé. Possibilité de commander par téléphone. **Autres adresses :** 148-152, avenue de Malakoff (16e) ✆01 45 00 21 15. Ouvert du lundi au samedi de 10h à 19h • 239-247, rue de Belleville (19e) ✆01 42 08 71 00. Ouvert tous les jours de 10h à 19h.

STEINER
2, rue Frémicourt (15e)
✆01 45 75 29 98
Site Internet: www.steiner-paris.com – M° Motte-Piquet ou Cambronne. Ouvert tous les jours de 10h à 19h.
Dans les années 20, Charles Steiner se lance dans l'édition de fauteuil, faubourg Saint-Antoine. Inspirés du club anglais, ses premiers modèles insufflent à la marque tout le confort. Avec le fils Hugues, Steiner prend le tournant du design. Il fait évoluer le mobilier en utilisant des techniques de pointe. L'atelier de recherche plastique de la maison crée des modèles élégants et inédits tout en restant simples, esthétiques, fonctionnels toujours dans la mouvance de l'époque. Des modèles intemporels voire futuristes sont encore réédités aujourd'hui. **Autres adresses :** 67, boulevard Raspail (6e) ✆01 45 48 94 61 • 152, avenue de Malakoff (16e) ✆01 40 67 11 14.

Literie

LA COMPAGNIE DU LIT
28, avenue de la Motte-Picquet (7e)
✆01 47 05 00 07
Site Internet : www.lacompagniedulit.com – M° Ecole-Militaire. Ouvert du mardi au samedi de 10h à 19h. Le lundi de 14h à 19h.
«Les grandes marques à petits prix», un slogan justifié par des prix clairement affichés, cassés entre - 20 % et - 40 %. Cette adresse copieusement fournie, avec plus de 2 000 références permanentes, est l'une des plus grandes expositions à Paris de matelas et de sommiers. Beaucoup de marques telles que : Epéda, Bultex, Pirelli, Simmons, Sealy, Treca, Lattoflex... Un service après-vente irréprochable et une livraison rapide sous 48 heures. A Paris, La Compagnie du Lit est également présente dans les 12e et 17e arrondissements, ces adresses ainsi que celles des boutiques situées en Ile de France sont à retrouver sur le site Internet.

LAMY LITERIE
3, rue du Commandant-Lamy (11e)
✆01 47 00 73 55
Site Internet : www.lamyliterie.fr – M° Voltaire. Ouvert du lundi au jeudi de 10h à 19h, le vendredi de 10h à 14h, le dimanche de 10h à 12h30 et de 15h à 19h. Fermé le samedi.
Quand on sait que l'on passe la moitié de sa vie à dormir, mieux vaut être exigeant sur le choix de son lit ! Dépositaire de grandes marques comme Epéda, Tréca, Mérinos, Simmons, cette maison est reconnue pour son savoir-faire : qualité et innovations sont les maîtres mots de ce fabricant depuis soixante-dix ans. Des articles jusqu'à 50 % moins chers que leurs équivalents griffés. De nombreux matelas, un point fort du magasin, avec, par exemple, des modèles en latex naturel et des mémothermiques qui s'adaptent à la forme de votre corps. Sont également proposés à la vente à prix «d'Amy» des banquettes, clic-clac, futons, couettes, lits électriques. Fabrication de matelas en mousse de toutes dimensions sur commande, réfection de sièges. Dépôt d'usine, vente directe et devis gratuit, beaucoup d'atouts auxquels il faut ajouter la gentillesse et la pertinence du conseil.

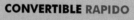

AUX MATELAS CHOISIS
107 bis, avenue d'Italie (13e)
✆01 45 84 46 77
Site Internet : http://matelas-choisis.com – M° Maison-Blanche. Ouvert du lundi au samedi de 9h à 12h et de 14h à 19h.
Une gamme étonnamment diversifiée de grandes marques à des prix souvent sacrifiés : Bultex, Epéda, Dunlopillo, Simons, Merinos, etc. La livraison intervient dans les 24h en fonction des stocks disponibles qui sont très importants. Et si vous n'arrivez pas à vous défaire de votre vieux matelas de laine, la réfection se fait dans la journée.

DAISY MEUBLES
15, rue Guy-Moquet (17e)
✆01 42 28 27 02
M° Brochant. Ouvert du lundi au vendredi de 10h30 à 18h30 (possibilité de téléphoner en dehors des horaires au 06 63 14 70 55.
Ici point de show-room ou de présentation clinquante de la literie mais une adresse incontournable pour réaliser de très bonnes affaires ! Daisy excelle pour vous trouver sur catalogues le matelas ou le sommier qu'il vous faut et au meilleur prix (jusqu'à – 40 % de remise !) Venez en toute confiance : vous ne serez pas déçu : bien connue dans le quartier, elle a su fidéliser sa clientèle au fil des ans en conseillant, proposant des produits classiques ou innovants et en répondant à tous les budgets. Relevez aussi des références et Daisy vous indiquera par téléphone un prix défiant toute concurrence ! Les grandes marques sont disponibles : Dunlopillo, Pirelli Simmons, Epéda ou encore Bultex mais aussi des modèles de petits fabricants à prix Top ! Un bon choix en «gain de place» avec des lits, coffres et lits à deux ou quatre tiroirs, mais aussi des lits gigognes et des lits superposés. Pour une chambre d'adulte ou une chambre d'activité pour enfants avec lit évolutif ou tout simplement pour un meuble d'appoint, c'est encore l'adresse qu'il vous faut. Délais de livraison et SAV sont garantis et la livraison est possible sur toute la France. Le crédit est gratuit jusqu'à 9 mois.

CENTRALE LITERIE
2-8, boulevard Bessières (17e)
✆01 46 27 97 58
M° Porte de Saint-Ouen. Ouvert le lundi de 13h à 19h30, du mardi au samedi de 10h à 19h30.
Sommeil et Santé vous propose depuis 1980 un très large choix de matelas et sommiers de très grande qualité et au meilleur prix. Toutes les grandes marques sont ici représentées et vous trouverez des produits Epeda, Treca, Merinos, Dunlopillo, Simmons, Belle Literie ou Bultex en toutes dimensions et même sur mesure. Vous découvrirez également une profusion de banquettes ou de clic-clac à petit prix. Sachez que la maison commercialise également un large choix de couettes et d'oreillers.

MATELSOM
✆0800 00 30 30
Site Internet : www.matelsom.com
Avec Matelsom, changer de literie n'est plus un cauchemar ! Ce site Internet vous propose le meilleur de la literie à des prix défiant toute concurrence – l'enseigne est prête à vous rembourser la différence si vous trouvez moins cher ailleurs ! – et surtout un conseil personnalisé pour vous aider à trouver la literie idéale, en fonction de votre morphologie et de vos habitudes de couchage. N'hésitez pas à consulter le coin des promos sur le site Internet et faites de bonnes affaires. En plus des sommiers et des matelas, vous trouverez aussi des accessoires et des encadrements de lits, et un choix considérable de canapés et de fauteuils. Bref, tout le couchage est disponible sur ce site. Des arguments forts pourront décider les récalcitrants à l'achat en ligne : 30 % d'économie sur des marques telles qu'Epéda, Simmons, Dunlopillo... et pour tester votre couchage en toute tranquillité vous disposez de trente nuits à l'essai «satisfait ou échangé»... Faites-vous livrer gratuitement – sous 24 à 48 heures – une des 5 000 références disponibles, et disposez de facilités de paiement. Bénéficiez d'offres tout compris avec sommier, matelas, couette, draps et oreillers qui vous simplifient la vie à des prix très intéressants.

Autour de Paris

DREAM LITERIE
254, avenue Aristide Briand, RN3
(93) LES PAVILLONS-SOUS-BOIS
✆01 48 48 58 58
Site Internet : www.dream-literie.fr – Ouvert du mardi au dimanche de 10h à 12h30 et de 14h à 19h.
«Le sommeil est pour l'ensemble de l'homme ce que le remontage est à la pendule». Cette citation de Schopenhauer est l'un des adages de cette maison très sérieuse disposant de ce qui se fait de mieux en matière de literie. Si Dream Literie dispose évidemment de packs «tout compris» composés de diverses sortes de sommiers et de matelas, la maison vend également tous ses articles séparément. Que vous soyez à la recherche de matelas à ressorts, de matelas 100 % latex, de matelas alvéolaires ou, en ce qui concerne les sommiers, de lattes ou de ressorts, vous trouverez ici votre bonheur. Vous noterez également l'espace spécialement réservé à la relaxation. Des chambres en pin ou en merisier ainsi que des lits superposés et des mezzanines complètent le tableau.

Luminaires

BAZAR DE L'ELECTRICITE
34, boulevard Henri-IV (4e) ✆01 48 87 83 35
Site Internet : www.bazarelec.fr – M° Bastille.

Ouvert du mardi au vendredi de 9h30 à 19h, le samedi de 10h à 19h.

Un immense magasin vendant tous types de luminaires et situé à deux pas de la place de la Bastille. Des lampes de style et contemporaines donc mais aussi un grand choix d'ampoules et de matériel électrique. Au total, ce ne sont pas moins de dix-huit vendeurs spécialisés dont quatre électriciens professionnels qui vous aideront à vous y retrouver au milieu des fils, disjoncteurs, interrupteurs et domotiques, des abat-jour vessie, couture, parchemin ou plissés ainsi que des lampadaires, lampes à suspensions ou appliques diverses.

DOBDECK
87, rue Monge (5e)
✆01 43 37 59 96

Site Internet : www.dobdeck.com – M° Censier-Daubenton. Ouvert du mardi au samedi de 11h à 19h.

Fan d'Art déco et d'Art nouveau, cette adresse est faite pour vous. Chez Dobdeck Paris, fondée en 1977, on est en effet spécialisé dans la réédition de luminaires du début du XXe siècle. Fidèle à la tradition, cette entreprise travaille donc avec les matériaux que l'on utilisait déjà à l'époque, comme le bronze, le fer forgé, la pâte de verre et le vitrail. Et ça marche ! Que l'on soit à la recherche d'un lustre, d'une lampe à pied ou d'appliques murales vous trouverez forcément de quoi vous plonger dans l'ambiance des Années folles.

EPI LUMINAIRES
30-34, cours de Vincennes (12e)
✆01 43 46 11 36

Site Internet : www.epiluminaires.fr – M° Nation. Ouvert de 9h à 18h du lundi au vendredi et de 10h à 18h le samedi.

Des lampes multicolores, des lampes à poser, des lampes sur pied, à suspendre, des appliques, des spots, des produits scintillants, des luminaires de jardin … Epi Luminaires réunit les créations les plus brillantes avec une mention spéciale sur le design et un vaste choix, avec notamment des luminaires assez originaux, voire parfois totalement délirants ! S'étendant sur une surface de 1 500 mètres carrés, le magasin propose également des tables de salon, des petits canapés, des fauteuils ainsi que des miroirs... Du beau, rien que du beau allant de 30 € à 3 000 €, pour des produits en provenance d'Europe. Découvrez des exclusivités et des créations inédites de grands designers. Vous serez séduit par l'endroit et conquis par le personnel qui ne lésine pas sur les conseils.

ELECTRORAMA
11, boulevard Saint-Germain (5e)
✆01 40 46 78 10

Site Internet : www.electrorama.fr – M° Cardinal-Lemoine ou Maubert-Mutualité. Ouvert du lundi au vendredi de 9h à 19h, fermeture à 22h le mercredi.

Peut-être la référence parisienne en termes de luminaires. Que l'on soit à la recherche de lampes classiques ou modernes, on trouve ici forcément son bonheur, toujours suivant des critères de qualité et de bon goût. Lampes à poser, lampes sur pied, suspensions ou appliques, tous les articles en vente ici reflètent les dernières créations des meilleurs designers. De très nombreuses marques sont également représentées. Sachez que l'on trouve aussi ici des lampes absolument exceptionnelles, comme ces étonnantes lampes flottantes waterproof rechargeables ou ce joli lunasol, à la fois lampadaire d'extérieur et parasol.

Mobilier gain de place

ESPACE LOGGIA
30, boulevard Saint-Germain (5e)
✆01 46 34 69 74

Site Internet : www.espace-loggia.com – M° Maubert-Mutualité. Ouvert du mardi au samedi de 11h à 19h.

Spécialiste des aménagements de type «gain de place», Espace Loggia est même à l'origine, il y a de cela une bonne vingtaine d'années, des mezzanines en France. Il est donc assez logique que vous y trouviez aujourd'hui encore un large choix avec différents types de meubles associés. Le modèle jeune couple, par exemple, dispose d'un bureau intégré faisant également office de table pour le déjeuner, tandis que le modèle salon permet plus facilement d'installer un coin détente sous un vaste lit à deux places. Le modèle couple permet, pour sa part, d'optimiser réellement l'espace en installant non seulement un bureau mais également un grand dressing sous le couchage. **Autres adresses :** 92, rue du Bac (7e) ✆01 45 44 44 49. Ouvert du lundi au vendredi de 10h30 à 19h, le samedi de 10h à 19h • 253, rue des Pyrénées (20e) ✆01 40 33 91 90. Ouvert du mardi au vendredi de 10h30 à 14h et de 14h45 à 19h, le samedi de 10h30 à 14h et de 14h30 à 19h.

GRIFFON
43, rue Lecourbe (15e)
✆01 43 06 62 52

Site Internet : www.griffonmeuble.com – M° Sèvres-Lecourbe. Ouvert du mardi au samedi de 10h à 12h et de 14h à 19h.

C'est le grand spécialiste et le numéro un français du lit escamotable, et les magasins de la marque en distribuent plus de 2 500 versions différentes. Les produits vendus ici sont tous de grande qualité, et une fois refermés, les systèmes laissent rarement imaginer que tel pan de votre bibliothèque dissimule en réalité un lit. Les modèles contemporains, par exemple, disposent d'un matelas en latex de 14 centimètres sur sommier à lattes, et existent en quatre largeurs de couchage. Diverses finitions sont disponibles, en acajou, chêne cérusé, merisier ou laque ivoire. Le top du top en la matière. **Autre adresse :** 116-120, rue Legendre (17e) ✆01 46 27 40 40. Ouvert du lundi au samedi de 9h à 18h30.

MEZZALINE
171, rue Saint-Maur (11e)
M° Goncourt
✆01 43 57 11 79

Site Internet : www.mezzaline.com Ouvert du lundi au samedi de 10h à 19h en continu.

Une adresse qui n'a plus franchement besoin de faire ses preuves puisque cette enseigne spécialisée dans la distribution de mobilier «gain de place» pour adultes, enfants ou ados à la recherche d'un peu d'autonomie, officie depuis plus d'un quart de siècle. Vous trouverez donc ici un très large choix de lits mezzanines dans des designs et des tons plutôt contemporains. Mezzaline vous permet également d'optimiser vos espaces avec des lits à tiroirs de très belle facture en pin massif scandinave, une très belle gamme de lits gigognes ou encore des lits mobiles rabattables. La literie en matelas et sommiers de grandes marques est à prix «canon», ainsi que le couchage, d'ailleurs. Notez que ce magasin dispose également de bureaux et meubles de rangement.

LUNDIA
57, avenue des Gobelins (13e)
✆01 43 36 36 36

Site Internet : www.lundia.fr – M° Gobelins. Ouvert du mardi au samedi de 10h à 13h et de 14h à 19h.

Lundia dispose de trois antennes parisiennes vendant un très large choix de mobilier modulable en épicéa massif pour chaque espace de la maison. On se rend donc ici lorsque l'on souhaite personnaliser son intérieur, que l'on soit à la recherche de meubles pour vivre, travailler ou dormir. On trouve ainsi un large choix de bibliothèques, des rangements hi-fi et télévision, des vaisseliers et des meubles de cuisine. Des sièges très originaux sont également disponibles. Le magasin dispose aussi de bureaux pour les enfants et les adultes, qu'il s'agisse de bureaux d'angle, asymétriques ou en épi. La chambre n'est pas oubliée, et vous trouverez ici des dressings, des penderies, des tablettes coulissantes ainsi que différents modèles de lits pour adultes et enfants. **Autres adresses :** 146, avenue Emile-Zola (15e) ✆01 45 75 63 55. Ouvert du mardi au samedi de 10h à 13h et de 14h à 19h • 6, rue de Fourcroy (17e) ✆01 42 67 62 42. Ouvert du mardi au samedi de 10h à 13h et de 14h à 19h.

TOUTAN'FOLIE
26, rue de Ménilmontant (20e)
✆01 46 36 16 94
Site Internet : www.toutanfolie.fr – M° Ménilmontant. Ouvert du lundi au samedi de 9h à 19h.
Vivre à Paris veut bien souvent dire déborder d'imagination pour réussir à ranger le plus de choses possibles dans un espace des plus réduits ! Plutôt que d'empiler ses vêtements jusqu'au plafond ou d'installer son lit au-dessus… du frigidaire, mieux vaut faire un tour chez Toutan'Folie, le spécialiste en matière de rentabilisation des petits intérieurs ! Vous trouverez absolument tout pour le rangement à cette adresse : mezzanines, armoires, tout un choix de petits meubles et tout le couchage – banquettes-lits, BZ, sommiers, canapés fixes et convertibles déclinés dans une grande variété de couleurs. Vu, par exemple, une banquette BZ Diva modèle Julia, très astucieuse avec un coffre de rangement et un matelas Simmons pour un confort maximal. En exposition, des salles à manger et des salons.

CUISINE ET SALLE DE BAINS

Cuisine

CASA ET CUCINE
16, rue de Richelieu (1er) ✆01 42 61 91 90
Site Internet : www.casacucine.com – M° Pyramides ou Palais-Royal. Ouvert du mardi au samedi de 10h à 12h30 et de 14h à 19h.
Une adresse à connaître au cas où l'on recherche des cuisines d'exception. Vous aurez compris que l'on est spécialisé ici dans les cuisines très haut de gamme, utilisant des matériaux peu courants, comme de la fibre optique, des surfaces de travail hydrofuges ou des verres antireflets. Que l'on désire se doter de cuisines dites classiques ou résolument contemporaines, les solutions sont toujours là avec un nombre impressionnant de modèles, eux-mêmes se déclinant en plusieurs options. Idéal pour retrouver une ambiance de cuisine de grand-mère – high-tech tout de même ou pour s'immerger dans le futur.

HARDY INSIDE
72, boulevard Raspail (6e) ✆01 42 84 03 38
Site : www.hardy-paris6.com – M° Rennes. Ouvert du mardi au samedi de 10h à 12h30 et de 13h30 à 19h.
Hardy Inside est un espace dédié à l'aménagement personnalisé pour votre cuisine comme pour votre salle de bains. En vous rendant ici, vous découvrirez des expositions et des équipements ouvrant à de très nombreuses possibilités. Les cuisines proposées ici se déclinent en deux grandes familles : le Contemporain et l'Héritage. Du côté Contemporain, on assiste à un véritable festival de couleurs au milieu d'un univers de verre laqué ou sérigraphié. Très fonctionnelle, il s'agit là d'espaces conçus à la fois pour leur praticité et leur esthétique. Plus sobres, les cuisines de la collection Héritage jouent avec vos souvenirs et votre nostalgie, sans se couper néanmoins du meilleur de l'innovation réfléchie.

VOGICA
91, boulevard Raspail (6e) ✆01 44 39 35 00
Site Internet : www.vogica.fr – M° Rennes. Ouvert du lundi au samedi de 10h à 19h30.
La marque Vogica vous propose au cœur du 6e arrondissement un espace destiné à la découverte de l'ensemble de ses offres en matière de cuisines et de salles de bains aménagées. De nombreux styles se côtoient ici, des influences contemporaines aux parfums d'antan en passant par des cuisines d'inspiration classique ou du charme intemporel. Dans des lignes très actuelles, on trouve, par exemple, la cuisine Sushi, aux lignes très pures, tandis que la ligne Papyrus et son placage chêne vous propose deux coloris extrêmes, clairs ou foncés. Plus classique, la ligne Lazarine vous propose un plan snack en verre trempé et des vitrines de grande hauteur. Nostalgique des cuisines anciennes, les modèles Bocage, Campagne ou Pavois raviront les amateurs de bois.

MONDIAL KIT
76, rue de Lourmel (15e) ✆01 45 77 34 31
Site Internet : www.mkparis.com – M° Charles-Michels. Ouvert du lundi au samedi de 9h30 à 12h30 et de 14h à 19h.
La cuisine de vos rêves est enfin une réalité ! Mondial Kit est fort de plus de vingt années d'expérience dans le domaine. Grâce aux conseils de son équipe de professionnels, Mondial Kit vous propose une étude personnalisée de vos projets en 3 D, et apporte la solution en matière d'installation. Son mot d'ordre : l'exigence pour le meilleur rapport qualité-prix. Sur un large espace d'exposition, cette enseigne vend aussi bien aux professionnels qu'aux particuliers en pratiquant des prix très compétitifs sur les plus grandes marques d'électroménager : Neff, Rosières, Bosch, Gaggenau, Liebherr… On y trouve de tout : des éviers aux appareils ménagers intégrables, encastrables ou posables : Blanco, Franke, Luisina…, et des promotions toute l'année à des prix imbattables. Garantie NF sept ans, devis gratuit, au choix : cuisine emportée, livrée ou installée. Un magasin au goût du jour, qui propose chaque année un choix renouvelé de produits vraiment tendance. En effet, outre des matériaux tels que le mélaminé, le polymère, le bois massif, c'est le stratifié brillant qui est plus que jamais en vedette cette année. Un choix de couleurs sur mesure : plus de 30 nouveaux coloris. Autant de nuances harmonieuses et tellement contemporaines ! Autant de plaisirs pour les yeux qui portent aux nues les plaisirs de la table… A noter : les cuisines "astucieuses" fonctionnelles et élégantes spécialement aménagées pour les petits espaces.

BULTHAUP
9, rue Villersexel (7e)
✆01 45 49 10 05
Site Internet : www.bulthaup-paris7.com – M° Solférino. Ouvert du lundi au samedi de 10h à 13h et de 14h à 19h.
L'aménagement des cuisines ne convient jamais, même lorsqu'il s'agit de sur mesure. Plan de travail pas assez grand, tiroirs qui gènent le passage, placards venant buter ici ou là… Chez Bulthaup, fini les soucis. Parce qu'ici votre cuisine se pense sans contrainte, en fonction de vos envies les plus précises, grâce à un système fonctionnel permettant de modeler cet espace exigeant une praticité toujours plus réfléchie. En suivant un processus de concertation bien défini entre le client et l'architecte, votre cuisine adopte des configurations nouvelles et impossibles à concevoir ailleurs. Un must ! **Autres adresses :** 25 bis, rue Benjamin-Franklin (16e) ✆01 56 90 19 19. Ouvert du lundi au samedi de 10h à 13h et de 14h à 19h • 64, avenue Ledru-Rollin (12e) ✆01 56 90 19 12. Ouvert du lundi au samedi de 10h à 13h et de 14h à 19h.

SCHIFFINI
224, boulevard Saint-Germain (7e)
✆01 45 48 55 69
Site Internet : www.schiffiniparis.com – M° Solférino. Ouvert du lundi au samedi de 10h à 12h30 et de 14h à 19h.
Un superbe show-room tout de blanc vêtu pour découvrir l'ensemble des cuisines d'exception présentées par la firme italienne. Constituées essentiellement d'acier et d'aluminium, celles-ci se déclinent, bien évidemment, au gré de vos envies pour s'adapter au mieux à vos souhaits. Difficile de ne pas succomber à l'élégance à la fois dépouillée et audacieuse de ces cuisines fonctionnelles, qui atteignent des sommets en terme de design. Car nous ne sommes pas ici dans les gammes de belles cuisines, mais bien au royaume de l'exceptionnel où le rêve rejoint le savoir-faire.

VENETA CUCINE
43, avenue de Friedland (8e)
✆01 53 75 10 00
Site Internet : www.venetacucine.it – M° Charles-De-Gaulle–Etoile. Ouvert du lundi au samedi de 10h à 19h30.
A quelques encablures de la place de l'Etoile, ce beau show-room de 300 mètres carrés présente un large choix de cuisines aménagées en bois, de style d'inspiration classique, à des modèles résolument contemporains. Il faut prendre le temps de venir s'immiscer au cœur de ces cuisines d'exception aux noms évocateurs. Britannia pour les ladies et gentlemen, California pour la west coast attitude, Daylight pour les amateurs de tons clairs ou encore Meridiana pour des aspects plus méditerranéens.

JEAN-CLAUDE D'ARMANT
79, avenue Ledru-Rollin (12e)
✆01 43 44 89 87
Site Internet : www.jcdarmant.fr – M° Ledru-Rollin. Ouvert du lundi au samedi de 9h30 à 13h et de 14h à 19h.
La société Jean-Claude d'Armant est spécialisée dans la conception et la réalisation de cuisines et de salles de bains. Un vaste show-room de 200 mètres carrés vous permet de découvrir l'ensemble de la gamme offerte par la maison, des références les plus contemporaines aux modèles les plus classiques. Vous l'aurez compris, les modèles de cuisines présentés ici vont des plus épurés, c'est le cas, par exemple, de la ligne Duepiu avec sa façade stratifiée, aux franchement rétros, dans le bon sens du terme, comme le prouve la cuisine Canova avec ses portes en freine massif. Amateur de design, vous pouvez également choisir de conférer un look futuriste à votre cuisine en optant pour le modèle Lerici. Notez que pour la salle de bains, cette entreprise vous aide à trouver vos pièces parmi plus de 100 fabricants.

ARTHUR BONNET – COMETE CUISINE
62, avenue de Wagram (17e)
✆01 42 27 71 30
Site Internet : www.comete-cuisines.com Ouvert du mardi au samedi de 10h à 19h.
Les magasins Arthur Bonnet comme celui-ci vous proposent des cuisines d'une grande qualité, adaptées à l'espace et au budget dont vous disposez. Une garantie de dix ans s'applique à tous les meubles de cette marque qui met particulièrement le matériau bois en valeur. **Autres adresses :** JPC Cuisines 66, boulevard Raspail (6e) ✆01 42 22 66 89. Site Internet : www.arthur-bonnet.com • Chartier 39, avenue d'Eylau (16e) ✆01 47 27 32 86. Site Internet : www.cuisines-chartier.com

Salle de bains

ALLIA
44, rue Berger (1er)
✆01 45 08 83 57
Site Internet : www.allia.fr – M° Les Halles. Ouvert le lundi de 10h30 à 19h, du mardi au vendredi de 9h30 à 19h et le samedi de 10h à 19h.
Les salles de bains Allia vous ouvrent leurs portes en plein cœur de la capitale en vous recevant dans un grand espace conseil permettant de faciliter la réalisation de vos projets de salle de bains. Vous découvrirez rapidement en vous rendant ici que les salles de bains Allia ne sont pas seulement belles mais sont également très fonctionnelles. Et il y en a pour tous les goûts et tous les styles ! Minimaliste, la ligne Agora se contente de deux cubes pour soutenir vos lavabos tandis que du côté de Preciosa, on joue, là encore, la carte de la sobriété, mais dans des tons plus exotiques. Envie

d'une touche «so british», le modèle Charming vous transportera en un jet d'eau de l'autre côté de la Manche. Notez que la maison dispose d'un très grand nombre de baignoires ergonomiques.

TOTAL CONSORTIUM CLAYTON
31, rue Buffon (5e)
✆01 47 07 12 89
Site Internet : www.total-consortium-clayton.com – M° Gare d'Austerlitz. Ouvert du mardi au samedi de 10h à 19h.
Ce grand spécialiste des cuisines et des salles de bains n'a plus franchement de preuves à faire avec ses 120 000 cuisines installées en une trentaine d'années. Total Consortium Clayton, ce n'est d'ailleurs pas moins d'une dizaine de magasins à Paris et en région parisienne, tous voués à vous aider pour trouver la cuisine ou la salle de bains haut de gamme de vos rêves. N'y connaissant pas grand-chose, vous craignez de ne pas vous y retrouver ? Des décorateurs diplômés de l'Ecole Boule vous conseilleront en prenant en compte l'agencement de votre maison avant de vous soumettre leurs suggestions. Notez que les modèles présentés ici sont fréquemment renouvelés. **Autres adresses :** 204, boulevard Saint-Germain (7e) ✆01 45 44 24 43. Ouvert du lundi au samedi de 10h à 19h • 42-44, boulevard du Temple (11e) ✆01 43 38 76 78. Ouvert du lundi au samedi de 10h à 19h • 47, rue de Boulainvilliers (16e) ✆01 42 15 23 46. Ouvert du lundi au samedi de 10h à 19h • 25, boulevard Exelmans (16e) ✆01 45 24 62 81. Ouvert du mardi au samedi de 10h à 19h.

B'BATH
108 bis, rue du Cherche-Midi (6e)
✆01 53 63 17 00
Site Internet : www.bbath.fr – M° Vaneau ou Falguière. Ouvert du mardi au samedi de 10h à 19h.
Un superbe espace entièrement dédié aux marques les plus prestigieuses concernant le mobilier de salle de bains. Vous trouverez ici des architectes, architectes d'intérieurs, artisans ou techniciens spécialisés dans l'agencement de salles de bains, et prêts à évaluer avec vous les meilleures solutions en fonction de vos besoins. Grâce à une présélection pointue effectuée par le magasin, vous y trouverez un très large choix de lavabos classiques ou en béton, de robinetterie, d'accessoires, de carrelages, mosaïques et céramiques ou même tout le nécessaire pour se faire fabriquer son propre hammam !

BOFFI BAINS
12, rue de la Chaise (7e)
✆01 45 49 93 46
Site Internet : www.boffibains.com – M° Rue du Bac ou Sèvres-Babylone. Ouvert du mardi au samedi de 10h30 à 13h et de 14h à 19h, uniquement l'après-midi le lundi.
Un lieu très fréquenté par les architectes, souçieux de contenter leur clientèle recherchant des configurations de salle de bains originales et d'exceptionnelle qualité, mais où les particuliers sont également les bienvenus. Bien éclairé par une grande verrière datant du XIXe siècle, ce superbe show-room permet de découvrir dans de très bonnes conditions les créations de Marcel Wanders, Jeffrey Bernett, Neunzing Design et bien sûr Pierre Lissoni, également à l'origine de l'aménagement du show-room. Robinetteries, lavabos, baignoires ou meubles pour salles de bains haut de gamme, rien ne manque pour faire de son coin toilette un lieu à part.

JEAN-CLAUDE DELEPINE
152, boulevard Haussmann (8e)
✆01 44 20 09 20
Site Internet : www.delepine.com – M° Miromesnil. Ouvert du lundi au vendredi de 9h à 13h et de 14h à 19h.
Ce nouvel espace, un grand show-room inauguré en janvier 2008, permet de découvrir de nouveaux horizons pour votre salle de bains. Vous trouverez ici de nombreux univers avec une douzaine d'ambiances se déclinant des salles de bains les plus traditionnelles aux plus contemporaines, toujours en restant dans les critères du luxe et de l'élégance. Le but de la maison ? Toujours laisser filtrer le bien-être et la sérénité. En 2009, Chantal Thomass a créé en exclusivité pour JCD une robinetterie féminine et élégante en porcelaine fine délicatement capitonnée et Lalique a inventé une robinetterie au «masque de femme», un mariage harmonieux du cristal et de l'émail, parsemée de 20 sphères de cristal, dans toute l'élégance Art Déco.

SOPHA INDUSTRIES
44, rue Blanche (9e) ✆ 01 42 81 25 85
Site Internet : www.sopha.fr – M° Blanche. Ouvert du lundi au vendredi de 9h à 18h.
Une adresse très spécialisée puisque vous y trouverez absolument tout pour la décoration de votre salle de bains. Des porte-serviettes, des sèche-serviettes muraux, des bacs pour lavabos en inox, les lavabos design, des pare-douches, des miroirs, du mobilier pour les rangements, des lampes murales, des robinets en tous genres et même des baignoires, toilettes ou bidets, tous plus originaux les uns que les autres. Et aussi de nombreux accessoires pour transformer votre salle de bains en véritable petite galerie. L'hydromassage se décline dans une baignoire dessinée par Jaime Hayon en acrylique avec structure en bois laqué blanc ou noir, c'est très cher mais sublime…

CASCADE SALLE DE BAINS
26, boulevard Richard-Lenoir (11e)
✆ 01 48 06 14 79
Site : www.cascade-bain.com – M° Bréguet-Sabin. Ouvert du lundi au vendredi de 9h à 13h et de 14h à 19h et le samedi de 10h à 19h.
Trois show-rooms (Cascade Déco, Cascade Design et Cascade High-tech) sont dédiés à tous ceux qui aiment prendre leur douche dans un décor classieux. Amateur d'ambiance futuriste, vous opterez pour Cascade Design, boulevard de la Bastille, qui propose en effet tous le nécessaire pour meubler votre salle de bains de la manière la plus avant-gardiste qui soit. Douches fonctionnant avec des jets lumineux, baignoires très high-tech en inox ou plus exotiques en bois, spas très sophistiqués ou robinetterie très épurée, les amateurs d'anticipation et d'élégance seront assurément aux anges rue de l'Université. Envie de plus de sobriété mais d'autant de prestance ? Allez donc chez Cascade Déco, boulevard Richard-Lenoir, pour des modèles d'un grand classicisme. **Autres adresses :** Cascade Design 32, boulevard de la Bastille (12e) tel.) 01 44 68 10 60. Ouvert du lundi au vendredi de 9h à 13h et de 14h à 19h, le samedi de 10h à 13h et de 14h à 19h • Cascade High-tech 50, rue de l'Université (7e) ✆ 01 53 63 44 50. Ouvert du lundi au vendredi de 9h30 à 18h30, le samedi à partir de 10h.

AUX SALLES DE BAINS RETROS
27, rue Benjamin-Franklin (16e)
✆ 01 47 27 14 50
Site Internet : www.sbrparis.com – M° Trocadéro. Ouvert du mardi au samedi de 11h à 18h.
A la recherche d'une salle de bains luxueuse comme on les faisait autrefois ? Nicolas Beboutoff, spécialiste depuis plus de trente ans en restauration de robinetteries anciennes, propose aux nostalgiques et aux amateurs d'art des pièces d'antiquité de bain et de toilette afin de reconstituer une véritable salle de bains à l'ancienne, avec tout de même tous les attributs du confort moderne. Un bon plan pour les amateurs de lavabos en porcelaine émaillée ou les porte-serviettes victoriens.

BATH SHOP
3, rue Gros (16e) ✆ 01 46 47 50 58
Site Internet : www.bathshop.fr – M° Ranelagh. Ouvert du mardi au vendredi de 10h à 18h30, le samedi de 10h à 13h et de 14h à 18h30.
Ce précurseur dans le domaine des salles de bains haut de gamme vous offre la possibilité de réaliser de A à Z votre salle de bains en choisissant votre ameublement parmi une sélection de marques très réputées, comme Fantini, Dornbracht, Attamarea, Keuco, Brot, Hansgrohe, Samule Heath ou encore Stocco. Dans ce show-room de 100 mètres carrés, vous trouverez donc de nombreux meubles et rangements, des accessoires, des miroirs et des luminaires, tous les éléments sanitaires, des parois de douches ou encore un très large choix de robinetteries.

LA MAISON DU BAIN
1, rue du Général-Lanrezac (17e)
✆ 01 44 09 50 95
Site Internet : www.lamaisondubain.com – M° Charles-de-Gaulle Etoile. Ouvert du mardi au samedi de 10h30 à 19h.
Vous trouverez à cette splendide adresse une gamme complète dédiée au bien-être et à l'univers de votre salle de bains. Bains et douches au design futuriste et high-tech, robinetteries haut de gamme, radiateurs et sèche-serviettes, sanitaires, vous trouverez absolument tout le nécessaire pour faire de votre salle de bains plus seulement une pièce fonctionnelle mais également un endroit magnifié. Vous trouverez également en vous rendant ici un large choix de mobilier pour ranger vos serviettes ainsi que de très nombreux accessoires – porte-savons, miroirs, pots pour brosses à dents… Un must !

DÉCORATION

Grands magasins

BHV
14, rue du Temple (1er) ✆ 01 42 74 90 00
Site Internet : www.bhv.fr – M° Hôtel-de-Ville. Ouvert du lundi au samedi de 9h30 à 19h30, fermeture à 21h le mercredi.
Paradis des bricoleurs, le BHV est également une mine d'or pour tous les amateurs de décoration d'intérieur. En ce domaine, le choix est tout aussi étoffé, et vous n'éprouverez absolument aucune peine à trouver un rideau ou un voilage prêt à poser dans de très nombreux coloris, à moins que vous ne soyez à la recherche d'un mini-vase, de photophores, de cadres en jonc naturel, de coussins de sol ou de branches décoratives. Les arts de la table occupent également une place généreuse dans

le magasin, avec un choix très étendu d'assiettes, de bols, mugs ou saladiers. Mais côté déco au BHV, le meilleur est peut-être du côté des luminaires. Que vous soyez à la recherche de simples lampes à poser, de lampadaires peu banals ou de lampes à suspension multicolore, l'adresse mythique de l'Hôtel de Ville est celle qu'il vous faut.

PRINTEMPS MAISON
64, boulevard Haussmann (9e)
✆01 42 82 50 00
Site Internet : www.printemps.fr – M° Chaussée-d'Antin. Ouvert du lundi au samedi de 9h35 à 19h, 22h le jeudi.
Si un grand nombre d'articles disponibles changent au gré des saisons, cette adresse bien connue des grands boulevards dispose de nombreux objets destinés à la décoration intérieure. Vous trouverez ainsi un très large rayon dédié aux arts de la table contemporains, non loin de celui consacré à la cuisine au sens large. Egalement en rayon, de nombreux modèles de luminaires contemporains ainsi que des tableaux, des objets de décoration traditionnels ou du tissu d'ameublement. Une bonne adresse pour remplir son panier de choses diverses à des prix accessibles.

LAFAYETTE MAISON
40, boulevard Haussmann (9e)
✆01 42 82 34 56
Site Internet : www.galerieslafayette.com – M° Chaussée-d'Antin. Ouvert du lundi au samedi de 9h30 à 19h30, fermeture à 21h le jeudi.
Les Galeries Lafayette disposent depuis quelques années d'un magasin spécialement tourné vers l'univers de la maison et l'art de vivre en proposant tout ce qu'il faut pour décorer son chez-soi et le rendre plus vivant et agréable. Mobilier, linge, couvertures, accessoires de rangement, vaisselle, luminaires, articles de décoration divers, tout ici est pensé pour que plus aucunes pièces de votre maison ou de votre appartement ne puissent manquer de quoi que ce soit. Vous trouverez aussi dans ce magasin de cinq étages bien pensé un large choix d'ameublement de diverses tailles, avec des meubles contemporains ou de style plus rétro, pour toutes les pièces, de l'entrée à la chambre.

LE BON MARCHE
22, rue de Sèvres (7e) ✆01 44 39 80 00
Site Internet : www.treeslbm.com – M° Sèvres-Babylone. Ouvert de 9h30 à 19h le lundi, mardi, mercredi et vendredi, le jeudi de 10h à 21h et le samedi de 9h30 à 20h.
Ici ce n'est pas compliqué, il y a de tout, partout et pour tous. Mais pas n'importe quoi. Des objets toujours choisis pour leur qualité et leur élégance, fidèles à la tradition de la maison. Tout le deuxième étage du célèbre magasin est ainsi dédié aux arts de la maison, qu'il s'agisse de design, de décoration ou de cadeaux. Des coupelles de fruits sortant de l'ordinaire aux vases affichant des formes toujours plus surprenantes, d'horloges de toutes les couleurs aux verres à pied les plus insolites, vous trouverez forcément votre bonheur dans cet antre du savoir-vivre et du savoir-recevoir.

Autour de Paris

DOMUS CENTRE COMMERCIAL
16, rue de Lisbonne – (93) ROSNY-SOUS-BOIS
✆01 48 12 18 60
Site : www.domusparis.com – Ouvert toute l'année, 7j/7 de 10h à 20h sauf 1er janvier, 1er mai et le 25 décembre. Accès par l'A3 et l'A86 direction Rosny-sous-Bois ou RER E, arrêt Rosny-Bois-Perrier. Parking gratuit. Service garderie et prêt de poussettes. Accessibles aux personnes handicapées.
Domus est devenu le centre commercial incontournable en matière de décoration d'intérieur. La déco est très à la mode, et les créateurs et les marques l'ont bien compris ! Pour re-décorer votre «home sweet home» de la cave au grenier ou plus simplement changer de canapé, de rideaux, de parasol, ou pour aménager la future chambre du bébé, tous les goûts et tous les budgets trouveront de quoi rhabiller leur intérieur. L'enseigne regroupe une centaine de magasins sur trois étages, et couvre tous les domaines : mobilier, textiles, cuisines et salles de bains, literie, électroménager, jardinerie, arts de la table, déco et cadeaux... 62 000 m², autant dire une mine d'idées et un faiseur d'envies ! Comparez : qualité, prix, couleurs, etc. et repartez avec ce qui correspond à vos goûts et vos besoins. Pour s'inspirer, Domus propose une bibliothèque d'ouvrages de décoration que l'on peut emprunter gratuitement. Qui plus est, l'endroit, conçu par un duo d'architectes anglais, est lumineux, agréable et très moderne. A noter, onze restaurants accueillent les clients, et Domus propose de nombreux services et notamment la livraison et le montage, et de nombreux conseils pour faire les bons choix.

Boutiques insolites

L'ECLAT DE VERRE
10, rue André-Chénier – (78) VERSAILLES
✆01 30 83 27 70
Site Internet : www.eclatdeverre.com – Ouvert le lundi de 9h30 à 13h et de 14h15 à 18h30, du mardi au vendredi de 9h30 à 18h30 et le samedi de 9h30 à 19h. En été, ouvert de 10h à 13h et de 14h15 à 18h du mardi au vendredi et jusqu'à 19h le samedi. **Autres adresses :** *2 bis, rue Mercœur (11e) ✆ 01 43 79 23 88. Ouvert le lundi de 14h15 à 18h30, du mardi au vendredi de 9h30 à 18h30 et le samedi de 9h30 à 19h • 26, rue Vercingétorix (14e) ✆ 01 43 22 93 60. Ouvert le lundi de 14h15 à 18h30, du mardi au vendredi de 9h30 à 18h30 et le samedi de 9h30 à 19h.*
Voir aussi rubrique Beaux-arts, page 216.

LE FACTEUR N'EST PAS PASSE
26, rue Richelieu (1er) ✆01 42 61 11 22
Site : www.lefacteurnestpaspasse.com – M° Palais-Royal ou Pyramides ou Bourse. Ouvert du mardi au vendredi de 11h à 19h, le samedi de 14h30 à 19h.
On se sent tout de suite très bien dans cette belle boutique où règne une ambiance pleine de douceur et de raffinement. Vous y trouverez une sélection d'objets quotidiens ou rares et parfois même très insolites. Notez que tous les articles vendus ici le sont en série limitée et à des prix abordables. Coussins en lin et soie et lin et sequin, bougeoirs, sets de tables, vaisselle colorée, plateaux, cadres à photos ou un grand choix de stickers sont ainsi disponibles à cette adresse.

PERIGOT
Carrousel du Louvre – 99, rue de Rivoli (1er)
✆01 42 60 10 85
Site Internet : www.perigot.fr – M° Palais-Royal-Musée-du-Louvre. Ouvert du lundi au samedi de 10h à 19h30.
Ici, tout est pliable, design et pratique. La marque s'est rendue célèbre grâce à son sac à provisions sur roulettes aux coloris tendance : rouge verni, gris métal ou encore arborant les fameuses canettes anciennes, vous avez le choix dans les couleurs pour offrir ce sac à toutes celles qui veulent être fashion en faisant leur marché. Le reste de la gamme Périgot recèle d'excellentes trouvailles en termes d'accessoires d'intérieurs et d'équipement. Pour les nostalgiques, un porte-savon mural, comme à l'école, pour 24,50 €. A noter également la grande armoire à pharmacie bicolore en forme de gélule, très ludique pour ceux qui ne veulent pas dénaturer la déco de leur salle de bains – 200 €. Et pour les grands voyageurs, un ensemble d'accessoires à ne surtout pas oublier dans l'avion, comme l'oreiller gonflable ou le masque assorti. **Autres adresses :** 16, boulevard des Capucines (9e) ✆01 53 40 98 90. Ouvert du lundi au samedi de 10h à 19h • 15, rue du Dragon (6e) ✆01 45 44 01 73. Ouvert du lundi au samedi de 10h à 19h.

LA CORBEILLE
5, passage du Grand-Cerf (2e)
✆01 53 40 78 77
Site : www.lacorbeille.fr – M° Etienne-Marcel ou Sentier. Ouvert du mardi au vendredi de 10h à 12h30 et de 13h à 19h30, samedi de 11h à 19h30.
Une véritable caverne d'Ali Baba du design. Voilà probablement une des meilleures façons de résumer cet endroit insolite, où le choix, très large, se fait toujours pour des articles à l'esthétique réussie. Que vous soyez à la recherche de portemanteaux, d'articles pour les arts de la table, de mugs, de coquetiers, de thermomètres, de carafes, de verres, de chaussettes originales, de gobelets, d'horloges, de luminaires, de stickers, de boîtes, de serre-livres ou de créations diverses, vous trouverez toujours ici l'objet de vos rêves. Avec la double garantie de toujours dénicher quelque chose de design et à des prix abordables.

PM CO. STYLE
5, passage du Grand-Cerf (2e)
✆01 55 80 71 06
Site : www.pmcostyle.com – M° Etienne-Marcel ou Sentier. Ouvert du mardi au samedi de 11h à 19h.
Architecte d'intérieur et scénographe, Pierre-Marie Couturier jongle avec les styles et les époques. De créations personnelles en coups de cœur trouvés aux quatre coins de la planète, il vous propose également toute une série d'objets uniques. Boules, crucifix, vases, flacons ou jarres en porcelaine, têtes de bouddhas, de moines, de Shivas ou de Moaï en pierre, coupes, vases, appliques ou suspensions en cuivre, bougeoirs, têtes de mort, kiwis ou fruits en bronze peuvent ainsi être trouvés ici. D'autres accessoires tels que des lampes mercurisées cylindriques, des vases en résine ou des vases Fossil en béton teinté sont également disponibles à cette adresse.

DOM CHRISTIAN KOBAN
21, rue Sainte-Croix-de-la-Bretonnerie (4e)
✆01 42 71 08 00
M° Hôtel-de-Ville. Ouvert du lundi au samedi de 11h à 20h, le dimanche de 14h à 21h.
Eh non, le design n'est pas forcément synonyme de porte-monnaie qui grince des dents et de carte bleue qui hurle, cette chouette adresse ouverte depuis une dizaine d'années en est la preuve. Les objets sont à la portée de toutes les bourses dans ce bric-à-brac coloré, que l'on soit à la recherche d'articles utiles ou amusants. Bon évidemment, c'est très branché, esprit classique s'abstenir, les objets de décoration en question allant de la petite table basse au sex-toy.

FIESTA GALERIE
24, rue Pont-Louis-Philippe (4e)
✆01 42 71 53 34
Site Internet : www.fiesta-galerie.fr – M° Hôtel-de-Ville ou Saint-Paul. Ouvert du lundi au samedi de 12h à 19h, le dimanche de 14h à 19h.
Besoin d'objets de décoration sortant de l'ordinaire ? Rendez-vous à la nouvelle adresse de Fiesta Galerie, tout juste ouverte en septembre. La Fiesta Galerie dispose forcément du luminaire le plus improbable ou d'un modèle de vieille horloge que vous croyiez de longue date disparue. Parce qu'ici, on va continuellement de surprises en découvertes. Les collections de micros anciens se mélangent avec des trompe-l'œil éclairant en forme de Cadillac, les statuettes publicitaires anciennes côtoient des Empire State Building lumineux de 70 centimètres, et les espadons taxidermisés américains des années 50 dissimulent de vieux globes en métal noir.

CHERCHEMINIPPES
102, rue du Cherche-Midi (6e)
✆01 45 44 97 96 – 114, rue du Cherche-Midi (6e) ✆01 42 84 37 26
Site : www.chercheminippes.com – M° Duroc ou Vaneau. Ouvert du lundi au samedi de 11h à 19h et pour les dépôts du lundi au samedi de 10h30 à 17h.
Voir aussi rubrique Mode, page 310.

INCIDENCE
36, boulevard Saint-Germain (6e)
✆01 44 07 10 11
Site : www.incidence.fr – M° Maubert-Mutualité. Ouvert du lundi au samedi de 10h30 à 14h et de 15h à 19h.
Un magasin très sympathique qui s'évertue depuis une vingtaine d'années à transformer les objets du quotidien dans le but de les rendre à la fois plus originaux, plus esthétiques mais aussi plus fonctionnels. De la décoration classique au rangement via les arts de la tables ou les luminaires, le choix est ici très étoffé et toujours plus surprenant. Côté déco, on trouve, par exemple, de nombreux objets usuels relookés, comme ce grille-pain orné d'une tête de grenouille, ce réveil à l'ancienne avec deux gros boutons-oreilles et fiché d'un slogan «Nuit gravement au sommeil» ou ce casier à verres façon service à café affichant la couleur avec son imposant «SOS apéritif».

3 PAR 5
25, rue des Martyrs (9e)
✆01 44 53 92 67
Site Internet : www.3par5.com – M° Saint-Georges ou Notre-Dame-de-Lorette. Ouvert le lundi de 14h à 19h30, du mardi au samedi de 11h à 19h30.
La boutique s'est récemment agrandie en s'installant rue des Martyrs – elle couvre maintenant 40 mètres carrés –, mais reste plus que jamais dans l'esprit d'un lieu vivant, truffé d'objets déco dénichés chez des créateurs. Ce que vous trouverez là est donc souvent une pièce unique ou en série très limitée. Et chaque chose mettra une touche colorée et originale dans vos intérieurs : corbeille en papier recyclé pour être toujours plus écolo – 23 € –, fleur de lotus en laine pour des coussins qui sortent du lot – 15 € –, lampe en cerceau métallique aux coloris vifs pour ne pas éclairer sa pièce comme tout le monde – 49 €. A coup sûr, vous offrirez un objet atypique, qui saura donner une petite touche artistique et terriblement séduisante.

PA DESIGN
2 bis, rue Fléchier (9e)
✆01 42 85 20 85
Site Internet : www.pa-design.com – M° Notre-Dame-de-Lorette ou Le Peletier. Ouvert du mardi au vendredi de 11h à 14h et de 15h à 19h, et le samedi de 10h30 à 13h et de 14h à 19h.
Des objets ingénieux et créatifs, pour toutes les pièces de la maison. Pour ceux qui aiment que l'organisation et le rangement soient aussi une source de créativité, optez pour l'Octopus de salle de bains : en lieu de la traditionnelle étagère de douche, une pieuvre à huit «tentacules» en élastomère – plusieurs coloris au choix – permet de suspendre shampoing, gel douche et autres produits quotidiens – 30 €. Vous trouverez également une collection de vases aux multiples formes, qui ont fait la notoriété de la boutique, mais aussi un coussin de sol en forme de plaque d'égout – 59 € –, et un dessous de plat en forme de bonhomme appelé Hotman, qui porte à bout de bras toutes vos préparations culinaires – 18 €. Le but étant pour PA Design que chaque objet soit une idée, vous êtes sûr de ne pas en manquer pour vos cadeaux déco.

BROC2BARS
11, rue Chanzy (11e) ✆06 09 31 63 24
Site : www.broc2bars.com – M° Rue des Boulets. Ouvert de 11h à 18h sauf le jeudi et le dimanche.
On trouve absolument de tout dans cet espace conçu pour farfouiller et chiner en toute tranquillité. Des objets d'exception, de décoration, de collection mais aussi d'usage courant ou encore divers types de bibelots, de la vaisselle, des miroirs, des lustres ou des lampes. Adresse dans l'esprit très bistrot du coin, vous ne serez ainsi pas surpris d'y trouver une gamme très variée d'objets de collection, comme des capsules de champagne, des sous-bocs, des porte-clés, des décapsuleurs et tire-bouchons, des objets publicitaires ou encore des statuettes en tous genres.

TEMOA
75, rue Oberkampf (11e) ✆01 43 57 63 03
Site Internet: www.temoa.fr – M° Parmentier ou Oberkampf. Ouvert du mardi au samedi de 10h30 à 14h30 et de 15h30 à 20h et le dimanche de 9h30 à 14h.
Voir la rubrique Traditions d'Asie, d'Afrique et d'Amérique page 419.

L'ENTREPOT
50, rue de Passy (16e)
✆01 45 25 64 17
Site Internet : www.lentrepot.com – M° Passy ou La Muette. Ouvert du lundi au jeudi de 10h30 à 19h, le vendredi et le samedi de 10h à 19h.
Une petite entrée donnant sur un escalier, qui vous mènera à un immense espace conçu dans un ancien hangar industriel sous verrière. Mis en scène dans des ambiances multiples et toujours différentes, des objets et éléments de mobilier de tous horizons se côtoient et se mélangent pour vous permettre de choisir le cadeau le plus en affinité avec ce que vous cherchez. Mais vous pouvez tout aussi bien vous laisser surprendre, puisque sont mélangés linge de maison, meubles, gadgets, luminaires, carterie, bagages, ou vêtements... dans une grande diversité de styles. On passe du noir et blanc aux couleurs, et des bougeoirs baroques à la vaisselle aux accents ethniques. En tout cas, une mine d'idées pour vos cadeaux déco.

NE LE DITES A PERSONNE
44, rue des Abbesses (18e) ✆01 42 23 06 02
M° Abbesses. Ouvert tous les jours, sauf le mercredi, de 11h à 13h et de 14h à 20h, le samedi et le dimanche de 10h à 13h et de 14h à 20h.
Ce tout jeune magasin vous propose toute une collection de boîtes insolites. Boîtes à secrets, boîte à ranger, boîte à bijoux, ou boîte pour décorer. Vous serez accueilli par le sympathique Jérémie, qui se fera un plaisir de vous expliquer en rimes les différentes cachettes de ses boîtes magiques. En bois, cousues de perles, en céramique, de toutes les formes et de tous les horizons géographiques. De quoi faire plaisir aux cachotiers qui aiment garder leur secret au chaud dans un joli objet de décoration.

Boutiques branchées

COLETTE
213, rue Saint-Honoré (1er) ✆01 55 35 33 90
Site Internet : www.colette.fr – M° Tuileries ou Pyramides. Ouvert du lundi au samedi de 11h à 19h.
Même si le magasin Colette s'est rénové en 2009, ce magasin reste toujours aussi atypique. Son but depuis sa création en 1997 est de tenter de réinventer la notion de shopping. Et pour y parvenir, Colette ne lésine pas sur les moyens et dispose d'un show-room de 700 mètres carrés étalé sur trois niveaux. Pour ce qui nous concerne, autrement dit les articles de décoration au sens large, tout est concentré au rez-de-chaussée, l'étage étant consacré aux vêtements et baskets. En entrant, on trouve donc un choix très étonnant de gadgets, de jouets collectors, ou le high-tech dernier cri, tout cela dans un bazar savamment organisé.

PERSONA GRATA
38, rue Croix-des-Petits-Champs (1er)
✆01 42 97 44 44
Site Internet : www.persona-grata.com. – M° Palais-Royal. Ouvert du lundi au samedi de 11h à 19h30.
Un univers totalement futuriste dans ce magasin, où l'on navigue de surprises en découvertes. Les luminaires notamment sont particulièrement étonnants, comme ces lampes Yoya qui ne sont pas sans rappeler des soucoupes volantes ou ces lampes caves tables, en forme de drôles de planètes encore inexplorées. Notre priorité irait néanmoins en direction de l'horloge projetée cubique qui permet d'afficher l'heure sur 50 centimètres à 1,50 mètre. Effet garanti. Plus classique, l'horloge Stirpe en aluminium et en verre est très réussie également.

SENTOU
29, rue François-Miron (4e) ✆01 42 78 50 60
Site Internet : www.sentou.fr – M° Saint-Paul. Ouvert le lundi de 14h à 19h, du mardi au samedi de 10h à 19h.
Qu'est-ce que l'on en trouve des idées déco dans ces magasins ! En manque d'inspiration ? Venez donc faire un tour dans l'une des adresses Sentou, vos neurones se remettront à coup sûr en marche. Les chineurs à la recherche de quelque chose de précis noteront tout de même les spécificités de chaque adresse. On trouve ainsi surtout des luminaires rue François-Miron tandis que la rue du Pont-Louis-Philippe est consacrée aux arts de la table, aux textiles et aux petits luminaires. Mais c'est l'adresse du boulevard Raspail qui est avant tout spécialisée en déco à proprement parler. Cette boutique est en effet un véritable concentré de design où l'on trouve des vases et de la vaisselle, de très nombreuses lampes, du textile ou du petit mobilier. **Autre adresse :** 26, boulevard Raspail (7e) ✆01 45 49 00 05. Ouvert le lundi de 14h à 19h, du mardi au samedi de 10h à 19h.

PICK'UP
11, rue de l'Ecole-de-Médecine (6e)
✆01 44 07 17 16
Site Internet: www.boutique-pickup.com – M° Odéon ou Saint-Michel. Ouvert du lundi au samedi de 11h à 19h, à partir de 14h le lundi. Forfait livraison sur Paris: 66€. Site Internet en préparation.
On trouve ici de tout pour décorer la maison, même si Pick'Up est connu avant tout pour ses canapés. A mille lieues de la tendance de la déco jetable, on vient ici chercher de beaux meubles, des pièces qui donnent du caractère à une maison. Sur deux étages, la boutique située dans le quartier estudiantin propose de nombreux objets de décoration ainsi qu'un choix de meubles en import direct, principalement d'Asie et d'Inde. On apprécie la collection qui change régulièrement et la possibilité du sur-mesure. En prime, l'accueil est

très aimable et aidant, et plein de conseils avisés. Au rez-de-chaussée, beaucoup de bibelots, souvent charmants et coquets et à prix doux : boîtes en bois (5 €), bols, mangeoire à oiseaux (20 €), cadres photo, boutons de porte en céramique peinte (3 € l'unité), angelots marque-place de table, vaisselle... Le mobilier y est aussi très présent, avec notamment des suspensions et luminaires de Pescatore, gais et colorés. Fauteuils club en cuir chocolat, superbe bibliothèque en palissandre à 16 casiers (1 000 €), et bien sûr présentation de canapés : canapé 2 places couleur terracotta, canapé d'angle 4/5 places de couleur crème... Lignes chic et pures et très belle qualité du tissu (couleur au choix). L'étage est consacré aux meubles : tables basses gigognes, coiffeuses, fauteuils club, canapés, buffets asiatiques. Les amateurs de cuir et de bois trouveront ici leur bonheur. A noter, de très belles pièces, comme ce lit à baldaquin démontable en bois sombre (1 200 €). **Autre adresse :** 135, avenue Emile-Zola (15e) ✆ 01 45 77 06 07. Ouvert du mardi au samedi de 11h à 19h.

THE CONRAN SHOP
117, rue du Bac (7e) ✆ 01 42 84 10 01
Site Internet : www.conranshop.fr – M° Rue du Bac. Ouvert du lundi au samedi de 10h à 19h, 19h30 le samedi.
Un lieu ouvert depuis une quinzaine d'années et qui s'est rapidement imposé comme un lieu incontournable pour tous les amoureux du design et des objets de qualité. Outre des meubles, on trouve au sein de ce grand espace – 1 700 mètres carrés – un très large choix de luminaires et d'accessoires de décoration très régulièrement renouvelé. Sortant de l'ordinaire par leur beauté ou particulièrement utiles et pratiques, tous les objets sélectionnés par Conran Shop ne manqueront pas d'attirer votre attention, qu'il s'agisse d'un meuble design miniature ou d'un vase en opaline. Conran Shop, c'est aussi le paradis des enfants avec toute une partie leur étant spécifiquement dédiée. Un lieu où se rendre seul ou en famille, à la recherche de la perle rare ou pour le simple plaisir des yeux.

Boutiques bien-être

CARAVANE
6, rue Pavée (4e) ✆ 01 44 61 04 20
Site Internet : www.caravane.fr – M° Saint-Paul. Ouvert du mardi au samedi de 11h à 19h.
Caravane, ce sont trois magasins à Paris, chacun ayant une spécialité propre. A l'adresse «historique» du 4e arrondissement ouverte par Françoise Dorget vous trouverez des meubles mais aussi de nombreux textiles ainsi qu'un large choix de luminaires. Le 19, rue Saint-Nicolas est un lieu spécialisé dans la détente et le bien-être chez soi. Enfin la boutique située au 22, rue Saint-Nicolas, est quant à elle dédiée aux objets anciens ou contemporains et aux textiles usuels, à transformation sans limite comme des couvre-lits, serviettes, coussins, couvertures d'été ou rideaux. **Autre adresse :** 19 et 22, rue Saint-Nicolas (12e). M° Bastille ou Ledru-Rollin ✆ 01 53 02 96 96 / 01 53 17 18 55. Ouvert du mardi au samedi de 11h à 19h.

KIRIA
108, boulevard Saint-Germain (6e)
✆ 08 26 46 00 06
Site Internet : www.kiria.com – M° Odéon ou Saint-Michel. Ouvert du lundi au samedi de 10h à 20h.
Dédié au bien-être, l'espace Kiria se concentre principalement sur le design et l'origine naturelle de ses produits et services. Tout semble fait pour que la nature reprenne ses droits dans nos vies polluées par le stress. Pas étonnant alors que les enfants y trouvent une place de choix, et leurs parents avec, bien sûr ! Ce qui plaît d'emblée, c'est la sérénité du lieu et la sélectivité vraisemblable dans les produits. Pas cinquante transats en exposition, mais LE transat noir, chic et facile, Pepita de Baby Bjorn à 99 € ! Jolie et plutôt utile quand viennent les premiers cauchemars, la veilleuse bleue Barbidule ou rose Barbapapa, souriante, affiche un petit 15 €. Mais on trouve aussi le coussin d'allaitement Doomoo, 42 €, le thermomètre de bain numérique Philips, 23,50 €, la poussette Mac Laren sport, 149 €...

ATELIER N'O
21, rue Daumesnil (12e) ✆01 43 46 26 26
M° Gare de Lyon ou Ledru-Rollin. Ouvert du mardi au samedi de 11h à 19h.
En pénétrant dans l'Atelier N'O, on s'immerge sans attendre dans le monde de la nature et du voyage. Ce magasin de plus de 250 mètres carrés créé en 1997 propose en effet un dépaysement total en plein cœur de Paris, sa démarche consistant à prouver que la décoration peut être effectuée par le biais de produits entièrement naturels. Vous y trouverez ainsi des résines d'encens venant des quatre coins de la planète, un petit marché de graines et de fleurs exotiques séchées ou encore une vingtaine de variétés de sables de couleurs naturelles, à partir desquels il est possible de créer des jardins zen miniatures, des bouquets ou toutes sortes de décors personnalisés. Autres curiosités disponibles – entre autres : les galets gravés et les fioles à messages.

Adresses "fantaisie" pour enfants

NIOU
11, rue Saint-Paul (4e) ✆01 48 87 24 21
M° Saint-Paul ou Sully-Morland. Ouvert du mardi au samedi de 11h à 13h et de 14h à 19h, le dimanche de 14h à 19h.
Une petite boutique-galerie absolument géniale, théoriquement destinée aux enfants, l'endroit est avant tout consacré aux jouets originaux, mais où les adultes trouvent aussi très souvent des objets coup de cœur. Plein de choses pour les enfants de tous âges donc, comme ces petites voitures ou hochets très rigolos pour les plus petits. Etonnants aussi ce morpion surprise, cette balançoire swingueuse ou ces dominos tout en couleur. Les parents seront sans doute plus attirés par un robot portemanteaux, les cintres-singes ou la jolie bougie à senteur de clafoutis.

PETIT PAN
39 et 76, rue François-Miron (4e)
✆01 42 74 57 16
Site : www.petitpan.com – M° Saint-Paul. Ouvert du lundi au samedi de 10h30 à 14h et de 15h à 19h30.
Un univers entièrement dédié aux enfants et réparti en deux boutiques. S'inspirant d'objets trouvés sur les marchés de petites villes chinoises, les créations maison sont ornées de vieux motifs de la région du Shadong que les grands-mères cousaient pour leurs petits-enfants. On trouve ici des vêtements pour les plus petits, mais également des plaids, du linge de lit, des matelas d'appoint, des coussins, des boîtes ou des cerfs-volants ornés de motifs souvent géométriques, bariolés de couleurs vives. Notez que les magasins Peter Pan attachent une grande importance à l'éthique des ateliers chinois avec lesquels ils travaillent. **Autre adresse :** 7, rue de Prague (12e) ✆01 43 41 88 88. Ouvert du lundi au samedi de 10h à 14h et de 15h à 19h.

SUCRE D'ORGE
48, rue Saint-Placide (6e) ✆01 44 39 13 88
Site Internet : www.sucredorge.com – M° Saint-Placide. Ouvert le lundi de 12h à 19h, et du mardi au samedi de 10h à 19h.
De la «Guinguette» au «Petit Monde de Marie», en passant par «Le château de Bébé Hippo», l'univers de Sucre d'Orge est comme son nom l'indique : gourmand ! Gourmand de pastel et de tendres dessins, mais également gourmand d'économies, avec des prix qui font le bonheur des petites bourses ! Imbattable notamment, le tour de lit 100 % coton avec son dessous de matelas insoulevable par bébé – 28 €. Pour le bain, on aime le large choix de capes de bain et de peignoirs – de 15 € à 26 €. Et pour les déplacements avec bébé, on sent que l'on ne va plus pouvoir se passer du sac à langer Baladin, un sac imperméable pour ranger tout le nécessaire et un matelas à langer incorporé qui se referme en un clin d'œil – 45,40 €. Pas mal !

BONTON BAZAR
122, rue du Bac (7e) ✆01 42 22 77 69
Site : www.bonton.fr – M° Rue du Bac ou Sèvres-Babylone. Ouvert du mardi au samedi de 10h à 19h. Fermeture durant la première quinzaine d'août.
A l'origine marque dédiée aux enfants, Bonton s'est depuis peu ouverte à la décoration d'intérieur en inaugurant un nouvel espace à cet effet, mais toujours orienté vers l'univers des plus petits. Ce grand magasin – plus de 250 mètres carrés – est divisé en plusieurs pièces de façon à retrouver plus clairement tel article correspondant le mieux à tel endroit. Ainsi dans la cuisine on retrouve une sélection d'arts de la table, classiques ou plus originaux, comme ces bols et verres avec paille intégrée. La chambre, le plus grand espace du magasin, regorge d'accessoires de décoration ou utilitaires. Séparée en deux, garçons et filles ne risquent pas de s'y emmêler les pinceaux. Un petit coin bibliothèque n'est pas oublié, tout comme la salle de bains où l'on retrouve de nombreux jeux en plastique. **Autres adresses :** 118, rue Vieille-du-Temple ✆01 42 72 34 69. Ouvert le lundi de 12h à 19h, du mardi au samedi de 10h à 19h • 82, rue de Grenelle ✆01 44 39 09 20 / 01 44 39 12 01. Ouvert du lundi au samedi de 10h à 19h.

ASTIE CO
198, quai de Jemmapes (10e)
✆01 40 18 52 00
M° Jaurès. Ouvert le mardi de 14h à 18h et du mercredi au samedi de 12h30 à 19h15, le dimanche de 14h à 19h.
Astie Co, c'est un magasin fait pour dénicher des objets de décoration toujours plus surprenants, adaptés aux chambres de vos enfants. On y trouve, par exemple, des miroirs en forme de chat, de

girafe, de grenouille, de vache ou d'abeille, des bavoirs bariolés dans tous les tons, des lampes et loupiotes en papier ou en dur, en forme d'animaux ou de fleur... Beaucoup de doudous très originaux pour les plus petits également, comme Benoît le Loup, Coco l'Hippo, la cocotte, le canard ou des boîtes à musique cale-bébé. Les jeunes mamans apprécieront aussi les nombreux tapis à langer.

Traditions d'Asie, d'Afrique et d'Amérique

COMPAGNIE DU SENEGAL ET DE L'AFRIQUE DE L'OUEST
9, rue Elzévir (3e) ✆01 42 71 33 17
Site : www.csao.fr – M° Saint-Paul. Ouvert du lundi au samedi de 11h à 19h et le dimanche de 14h à 19h.
Tous les trésors de l'Afrique de l'Ouest sont au cœur du Marais. Grâce à la CSAO, vous pouvez en effet trouver un grand nombre de produits de couleurs, formes et matières très différentes. Pour cela, l'association sillonne sans relâche cette immense région, en collaboration avec près de 400 artistes et artisans ainsi qu'avec des villages organisés en coopératives. Dans cette boutique, on vient donc trouver des objets et des matériaux issus de l'artisanat traditionnel, mais provenant aussi de matières de consommation courante en Occident, mais détournées, remaniées et réinventées. Ainsi naissent assiettes, théières, plats, valisettes et malles en boîtes de conserve, tapis, verres, bouilloires et bidons en plastique de toutes les couleurs.

LES TROIS SINGES
2, rue de Franche-Comté (3e)
✆01 44 59 22 16
Site Internet : www.les3singes.com – M° République. Ouvert du mardi au samedi de 11h à 19h sans interruption.
Un avant-goût d'Orient à Paris. On trouve en effet dans cette boutique de nombreux meubles et objets de décoration originaires d'Iran, d'Inde et d'Indonésie. Tous les produits sont entièrement fabriqués à la main et achetés directement aux artisans. Pièces uniques, coffres, vases, lampes, paniers, on trouve ici des objets décoratifs en tout genre et pour tous les goûts. Un véritable paradis pour tous les amateurs de bois exotiques, ce matériau étant ici remarquablement mis en valeur à travers la plupart des pièces vendues. Retrouvez facilement tous les meubles et objets sur leur site Internet grâce à l'efficace moteur de recherche.

TEMOA
75, rue Oberkampf (11e) ✆01 43 57 63 03
Site Internet : www.temoa.fr – M° Parmentier ou Oberkampf. Ouvert du mardi au samedi de 10h30 à 14h30 et de 15h30 à 20h et le dimanche de 9h30 à 14h.
En plein cœur du «village quartier» d'Oberkampf, ce magasin est une invitation au rêve et au voyage. Mais pas n'importe lesquels. Ici on respecte un certain art de vivre et la nature. Les mots éthiques et bio ne sont pas vains. Monique Jost, l'instigatrice franco-mexicaine de ce lieu un peu magique a vendu du thé, du café et des cosmétiques avant de se lancer dans cette belle aventure. Elle a cherché (c'est ainsi que se traduit «temoa» en «nahuatl» –un dialecte mexicain) de par le monde de l'artisanat contemporain que l'on ne retrouve pas dans toutes les boutiques ethniques de la place. Arts de la table, bijoux, accessoires, articles de commerce équitable mais aussi thé ou cosmétiques bio, les clients peuvent trouver l'objet qui personnalisera la maison, la tenue ou même qui sera un cadeau sans aucun doute très apprécié. L'accueil de Monique est très chaleureux et elle prend le temps d'expliquer l'origine de tout ce qu'elle a déniché.

SHOPPING

ITHEMBA SHOWROOM
Viaduc des Arts – 67, avenue Daumesnil (12e)
✆01 44 75 88 88
Site Internet : www.ithemba.fr – M° Gare de Lyon ou Ledru-Rollin. Ouvert du mardi au samedi de 11h à 13h et de 14h à 19h.
Rares sont les adresses de «design solidaire» comme ce beau show-room présentant les créations de Cyrille Varet. Les objets présentés sont en effet originaires d'Afrique du Sud, du Mozambique ou du Swaziland, et permettent à bon nombre de femmes originaires de ces pays de bénéficier de revenus. Ainsi ces ampoules décorées à la main par des femmes issues des townships du Cap. Plus originales les unes que les autres, ces séries limitées ne se bornent pas à leur pouvoir éclairant mais sont aussi des témoins de l'espoir de toutes les populations du Sud. Autre exemple avec des coussins brodés portant le message «I love You Positive or Negative».

THEME
56, boulevard de l'Hôpital (13e)
✆01 43 31 37 75
Site Internet : www.marchanddecuriosites.com – M° Saint-Marcel. Ouvert du mardi au samedi de 11h30 à 19h30.
Jean-Michel aime voyager et rapporte de chacun de ses périples des idées de décoration qu'il vous laisse découvrir au sein de son magasin. Véritable caverne d'Ali Baba, on y déambule en rêvant aux pays d'origine de tous les objets présentés. Chez ce marchand de curiosités, on va ainsi de statuettes de bouddhas en pipes à eau à opium en passant par les cases marionnettes, jouets en métal, lampes remarquables, éléphants miniatures ou narguilés. Sachez que ce magasin vend aussi de très nombreux meubles asiatiques.

LA MAISON COLONIALE
94, avenue du Maine (14e)
✆01 56 80 12 60
Site Internet : www.lamaisoncoloniale.com – M° Montparnasse-Bienvenue. Ouvert du lundi au samedi de 10h à 19h.
Bien connus pour leurs meubles, ces beaux magasins disposent de nombreux accessoires originaires de plusieurs pays du monde. Mains de bouddha en bois exotique, sculpté à la main et patiné, miroirs «after» avec encadrement en teck, lampes en céramique patinée avec abat-jour tissé ou en papier, le choix est étendu et toujours de bon goût. Un coup de cœur pour les très poétiques «dream keaper». Réalisé en teck massif, ces silhouettes fantomatiques sont fines et légères au point de sembler s'envoler. Plus contemporains, ces beaux coussins imprimés de photos d'enfants chinois sont également très réussis, au même titre que les lanternes en bambou. Enfin, l'éventail ne serait pas complet sans l'évocation de ces surprenants poteaux de parcs à buffles en teck ancien brut. **Autre adresse :** 176, boulevard de Charonne (20e) ✆01 44 93 01 05. Ouvert du lundi au samedi de 10h à 19h.

OCRE
90, rue du Château (14e) ✆01 43 20 54 50
M° Pernety. Ouvert du mardi au vendredi de 10h30 à 14h et de 15h15 à 19h30, le samedi de 10h30 à 13h et de 14h15 à 19h30.
Une adresse 100 % déco pour trouver une foultitude d'idées afin d'habiller son chez-soi, à partir d'objets en bois exotique, en fer forgé, en céramique ou même en laine de Turquie. On y trouve, par exemple, de nombreuses lampes à poser ainsi que divers lustres, des petits meubles comme des tables de chevet, des tables basses, des consoles ou des bibliothèques. Le plus de cette boutique réside aussi dans le grand choix de cadeaux très originaux, comme des bougies japonaises, des personnages en trois dimensions ou des suspensions colorées en fibres de verre. Notez que les collections présentées varient très régulièrement.

LA BOUTIQUE D'AMERIQUE LATINE
64-68, boulevard Pasteur (15e)
✆01 43 20 91 91
Site Internet : www.amelatine.com – M° Pasteur. Ouvert du lundi au samedi de 10h à 19h.
A quelques pas de la tour Montparnasse, voilà une bonne adresse pour se retrouver en un passage de porte sous des latitudes plus clémentes, au milieu de produits divers, originaires de tous les pays d'Amérique du Sud. Poteries, masques en terre cuite et idoles du Mexique, crèches du Pérou, vases, cendriers et plats en terre cuite du Brésil, textiles de Bolivie ou accessoires divers du Guatemala, le choix est vaste et il est tentant de se laisser enivrer par des parfums d'ailleurs. Original et dépaysant.

Parfums d'intérieur

L'ARTISAN PARFUMEUR
2, rue de l'Amiral-de-Coligny (1er)
✆01 44 88 27 50
Site Internet : www.artisanparfumeur.com – M° Louvre-Rivoli. Ouvert du lundi au samedi de 10h à 19h30.
L'Artisan Parfumeur crée depuis plus de trente ans des parfums d'ambiance et des collections d'objets parfumés exclusifs avec le désir toujours renouvelé d'explorer de nouveaux territoires olfactifs. Si vous considérez qu'il n'y a rien de plus délicieux qu'une maison parfumée, vous serez obligatoirement séduit par les bougies parfumées, les vaporisateurs d'ambiance, les parfums à diffuser ou les boules d'ambre en terre cuite proposées en magasin. Vous ne passerez pas non plus à côté des nombreux sachets parfumés, des curiosités et autres objets enchanteurs. L'Artisan Parfumeur dispose d'une autre adresse dans le 1er, ainsi que dans les 3e, 4e,

9e et 16e arrondissements. Voir les autres adresses sur le site Internet.

ESTEBAN

49, rue de Rennes (6e) ✆01 45 49 09 39

Site Internet : www.esteban.fr – M° Saint-Germain-des-Prés. Ouvert tous les jours de 11h à 19h.

Des parfums d'intérieurs élégants, entre la Méditerranée et le Japon. Ici, les senteurs d'intérieurs se déclinent non seulement en parfums, bougies et encens, mais aussi en objets décoratifs comme les pierres en céramique ou les coquillages parfumés. Selon le type d'univers que vous préférez, vous avez le choix entre des senteurs naturelles, comme le figuier, le lilas, la rose, mais aussi avec des parfums aux noms évocateurs : aube irisée, balade créole, maison gourmande, jardin d'ailleurs, sous les feuilles. A vous de choisir celui qui correspond le mieux à la personne à qui vous voulez faire plaisir. Une chose est sûre, quelques vaporisations de parfum dureront plusieurs heures, et sauront vous transporter dans une ambiance des plus raffinées. **Autre adresse :** 20, rue des Francs-Bourgeois (3e) ✆01 40 27 04 16. Ouvert tous les jours de 11h à 19h.

L'OCCITANE EN PROVENCE

1, rue d'Arcole (4e) ✆01 55 42 06 11

Site Internet : http://fr1.loccitane.com – M° Cité. Ouvert tous les jours de 10h30 à 19h30 et jusqu'à 20h le samedi et dimanche.

Depuis plus de trente ans, L'Occitane décline dans différentes gammes les bienfaits des huiles et des plantes provençales. La boutique propose, outre une quantité d'accessoires, de délicieuses senteurs à l'huile d'olive, à la cannelle, au rameau d'olivier, à la lavande, à la verveine, au miel de sapin, qui stimuleront vos pièces, sous forme de parfums, d'encens, de savons et de bougies. Chaque présentoir de la boutique met en avant des coffrets tout prêts et joliment emballés, pour un budget très raisonnable – de 15 € à 40 €. Pensez également à offrir des senteurs d'intérieurs traditionnelles, avec les sachets parfumés, les eaux pour le linge, et surtout la brume d'oreiller, best-seller de la marque aux vertus reposantes. L'Occitan possède de nombreuses boutiques dans Paris. Autres adresses sur le site Internet.

DIPTYQUE

34, boulevard Saint-Germain (5e)
✆01 43 26 77 44

Site Internet : www.diptyqueparis.com – M° Maubert-Mutualité. Ouvert du lundi au samedi de 10h à 19h.

Bien connues du monde de la décoration, les bougies parfumées Diptyque sont de vrais produits d'artisanat de luxe. Dans la boutique du boulevard Saint-Germain, aux airs de boudoir, les bougies sont exposées un peu comme des bijoux, sur de beaux présentoirs en bois. Leurs appellations évoquent la nature, les fleurs, les effluves boisés, les fruits, les herbes. Vous y trouverez les senteurs les plus connues : feu de bois, figuier ou tubéreuse. Si vous souhaitez offrir l'une de ces ravissantes et délicieuses bougies – 38 € –, elle vous sera enveloppée dans un beau papier de soie, pour une présentation des plus exquises. **Autre adresse :** 8, rue des Francs-Bourgeois (3e) ✆01 48 04 95 57. Ouvert le dimanche et le lundi de 12h à 19h, du mardi au jeudi de 11h à 19h, le vendredi et le samedi de 10h30 à 19h30.

CIRE TRUDON

78, rue de Seine (6e) ✆01 43 26 46 50

Site Internet : www.ciretrudon.com – M° Odéon. Ouvert du lundi au samedi de 10h à 19h.

Depuis 1643, la manufacture de cires de très haut de gamme nous offre son savoir-faire en matière de bougies parfumées. L'élégance des bougies rejoint le raffinement des senteurs : feuilles de tomate pour la cuisine, graines de figuier pour le salon ou encore fleurs de coton pour la chambre, chaque bougie trouvera aisément sa place dans la maison – 22,50 € pièce ou 7,50 € pour une petite taille. Il existe également une gamme exceptionnelle de bougies présentées dans un verre soufflé à l'italienne, dont les senteurs recréent véritablement une ambiance historique : Trianon, Révolution, Abd el Kader, Carmélite, Empire. Vous n'offrirez pas seulement un parfum d'intérieur, mais un véritable moment historique à 50 € pièce. Au sous-sol de la très jolie boutique, rue de Seine, se trouve une vaste collection de bougies fantaisie, mises en scène de façon ludique, parmi lesquelles un plateau à fromages, un panier à fruits ou encore des bougies en forme d'animaux ou de fleurs. Comme quoi, on peut être un cirier d'exception et être toujours plus original.

LE BON MARCHE

24, rue de Sèvres (7e) ✆01 44 39 80 00

Site Internet : www.lebonmarche.fr – M° Sèvres-Babylone. Ouvert du lundi au vendredi de 9h30 à 19h, le jeudi nocturne jusqu'à 21h, ouvert le samedi de 9h30 à 20h.

Au premier étage du Bon Marché, vous trouverez un corner dédié aux parfums d'intérieurs. On y retrouve bien sûr les grandes marques déjà implantées à Paris, mais aussi des enseignes internationales et françaises très peu distribuées, qui d'ordinaire se font rares dans les magasins. L'Américain Paddy Wax, les Anglais True Grace et Natural Magic ou encore Zenadora et Archipelage, autant de marques qui fabriquent des bougies élégantes, design, et très originales, non seulement dans les senteurs mais aussi dans leurs présentations. Les unes sont griffées d'une lettre de l'alphabet, les autres ont des couleurs un peu psychédéliques ou au contraire d'une sobriété so british. Un cadeau qui saura aussi être un bel objet de décoration.

RESONANCES
3, boulevard Malesherbes (8e)
✆ 01 44 51 63 70
Site Internet : www.resonances.fr – M° Madeleine. Ouvert du lundi au samedi de 10h à 19h30.
Un très grand espace fait pour prendre soin de soi au sens large du terme : soin de tout et de tous, de la maison, de soi, de la décoration. Les senteurs d'intérieurs, déclinées sous toutes les formes, sont présentées non pas par arôme mais par thème : séduire, aimer, rêver, méditer, flotter ou tonifier. Ces bougies et ces encens sont complétés un peu plus loin par un grand rayonnage aromathérapie, pour un bien-être total chez soi. **Autres adresses :** 9-11, cour Saint-Emilion (12e) ✆ 01 44 73 82 82. Ouvert tous les jours de 11h à 21h • Carrousel du Louvre – 99, rue de Rivoli (1er) ✆ 01 42 97 06 00. Ouvert tous les jours de 10h à 20h.

NATURE ET DECOUVERTES
8-10, cour Saint-Emilion (12e)
✆ 01 53 33 82 40
Site : www.natureetdecouvertes.com – M° Cour-Saint-Emilion. Ouvert du lundi au vendredi de 11h à 21h, samedi et dimanche de 10h à 21h.
Depuis sa création, le concept Nature et Découvertes est connu pour son vaste choix de senteurs d'intérieurs : encens, bougies, huiles parfumées, parfums et diffuseurs de toutes sortes. Proposés majoritairement sous forme de coffret prêt à offrir – à partir de 19,90 € –, les encens se choisissent en fonction de l'ambiance que l'on souhaite recréer, qu'elle évoque les vendanges, la paresse, la nature, la sieste, l'enfance, les fleurs, les goûters, la veillée, un soir d'été, ou bien l'océan. A cette gamme classique s'ajoute tout un panel de diffuseurs programmables, réceptacles de la très convoitée aromathérapie, ou le bien-être par les senteurs et les plantes. Vous avez le choix tant pour le diffuseur – programmable, humidificateur, électrique, nomade, de 20 € à 100 € –, que pour les huiles essentielles. Celles-ci proposent un programme spécifique, aux vertus affichées : anti-stress, désinfectant, ambiance d'été ou respiratoire. Un cadeau à la fois utile et agréable. Autres adresses sur le site Internet.

BOUTIQUE ZEN
175, rue de Tolbiac (13e) ✆ 01 45 88 24 09
Site Internet : www.boutiquezen.com – M° Tolbiac. Ouvert du mardi au samedi de 10h30 à 19h.
Spécialiste de l'encens traditionnel japonais, cette adresse offre aussi un univers complet autour de «l'esprit zen» grâce à des livres sur la méditation et le bouddhisme, et des accessoires artisanaux pour pratiquer les arts japonais – calligraphie, art du thé, ikebana, zazen. Vous trouverez des déclinaisons infinies d'encens, sous la forme traditionnelle de bâtonnets ou de cônes, mais aussi sous forme de granules pour purifier l'air. Les senteurs traditionnelles sont d'une grande diversité, bois de santal, bois de rose, épices, jasmin, pin, cyprès, mais il existe aussi d'autres mélanges exotiques aux vertus zénifiantes. Celui-ci invitera à la méditation et régénérera le corps et l'esprit, celui-là favorisera l'apaisement des tensions et des émotions. De quoi offrir un voyage intérieur des plus édifiants.

POINT A LA LIGNE
67, avenue Victor-Hugo (16e)
✆ 01 45 00 87 01
M° Victor-Hugo. Ouvert du lundi au samedi de 10h30 à 19h.
Plus qu'une simple boutique, Point à la Ligne est un véritable concept d'art de vivre et de décorer dans la maison, articulé autour de la bougie, de la flamme et du parfum proposant, outre ses bougies, de très nombreuses références parfumées. Vous trouverez ici pas moins d'une soixantaine de parfums différents, fruités, fleuris, aromatiques, gourmands, boisés ou encore ambrés. Vous l'aurez compris, la palette olfactive proposée est large et permet à chaque odorat de retrouver ses préférences et ses ambiances.

ÉLECTROMÉNAGER

DARTY
Forum des Halles – 2, porte du Pont-Neuf (1er) ✆ 0821 082 082 (0,12 €/min)
Site : www.darty.com – M° Les Halles. RER Châtelet-Les Halles. Ouvert du lundi au samedi de 10h à 20h.
Il n'est plus besoin de présenter cette enseigne et son célèbre «contrat de confiance». Au-delà de la qualité du service, ce qui plaît chez Darty, c'est le choix. En effet, de l'électroménager à l'électronique, le magasin offre une variété d'appareils considérable. Cela va du réfrigérateur au baladeur numérique, en passant par les fours, les machines à laver le linge ou la vaisselle, les réfrigérateurs, les aspirateurs, les ordinateurs, les télévisions, les chaînes hi-fi, les téléphones – fixes et mobiles... Consommables, accessoires et certaines pièces détachées sont également disponibles. Autres adresses sur le Site Internet.

CONFORAMA
2, rue du Pont-Neuf (1er) ✆ 01 42 33 78 58
Site Internet : www.conforama.fr – M° Pont-Neuf. Ouvert du lundi au samedi de 10h à 19h. Cette enseigne est bien connue de celles et de ceux qui cherchent des meubles et des éléments de décoration à prix avantageux. Elle est aussi à visiter pour ses produits électroménagers – cuisson, froid, linge, sèche-cheveux, rasoirs, aspirateurs, climatiseurs... – et ses rayons hi-fi, MP3, GPS, télévisions, homes cinémas, téléphonie, PC, appareils photo, caméscopes et accessoires. **Autre adresse :** 73-75, avenue Philippe-Auguste (11e) ✆ 01 55 25 28 10. M° Rue-des-Boulets ou Alexandre-Dumas. Ouvert du lundi au samedi de 10h à 19h30.

FRANCE MENAGER
23, rue des Lombards (4e) ✆01 48 87 73 37
Site Internet: www.francemenager.com – M° Châtelet. Ouvert du lundi au samedi de 9h30 à 13h et de 14h à 19h.
Electromust dispose de cinq points de vente dans la capitale où l'on trouve absolument tous les types d'appareils électroménagers et où on a la possibilité de faire quelques bonnes affaires. Ils sont divisés en trois axes principaux – lavage, froid et cuisson –, dans lesquels on se retrouve aisément au milieu des lave-linge, lave-vaisselle, congélateurs, cuisinières, micro-ondes ou hottes aspirantes. Vous trouverez également de nombreux robots pour la cuisine, des aspirateurs, des fers à repasser ou encore des climatiseurs. **Autres adresses :** • 18, rue de la Voûte (12e) ✆01 43 41 33 00. Ouvert du lundi au vendredi de 8h30 à 12h et de 14h à 18h30, le samedi de 10h à 13h et de 14h à 19h • 60, avenue Daumesnil (12e) ✆01 40 19 91 54. Ouvert du mardi au samedi de 10h à 12h et de 14h à 19h • 4, place Violet (15e) ✆01 45 77 55 49. Ouvert du mardi au samedi de 9h30 à 13h et de 14h à 19h • 42-44, rue Guersant (17e) ✆01 55 37 22 44. Ouvert du mardi au samedi de 9h45 à 13h et de 14h à 19h.

CUISINES-DESTOCKAGE – TOTAL CONSORTIUM CLAYTON
31, rue Buffon (5e) ✆01 47 07 12 89
Site Internet : www.cuisines-destockage.com – M° Gare-d'Austerlitz. Ouvert du mardi au samedi de 10h à 19h.
Des cuisines haut de gamme à moitié prix ? C'est possible ici et dans huit autres adresses dans Paris. Ce réseau met en vente des cuisines et des salles de bains d'exposition que les décorateurs maison se proposent d'adapter à vos besoins.

COMPAGNIE ET CLINIQUE DE L'ASPIRATEUR
79, rue Monge (5e) ✆01 42 17 02 18
Site Internet : www.compagniedesaspirateurs.com – M° Place-Monge. Ouvert du lundi au samedi de 10h à 19h.
Trente ans d'expérience en matière de machines à avaler la poussière ! Cette chaîne de magasins spécialisés se propose de vous offrir son expérience. On peut y trouver le dernier cri de l'aspi, ainsi que de quoi s'équiper pour le repassage et plusieurs sortes de nettoyeurs vapeur. **Autres adresses :** 55, rue Cler (7e) ✆01 45 51 61 65 • 254, avenue Daumesnil (12 e) ✆01 40 02 06 28 • 15, rue Daguerre (14e) ✆01 43 20 04 34 • 199 bis, rue de la Convention (15e) ✆01 48 56 23 44 • 57, avenue Mozart (16e) ✆01 42 15 15 32 • 54, rue de Levis (17e) ✆01 47 64 04 37 • 259, rue des Pyrénées (20e) ✆01 47 97 67 13.

GALERIE LA CORNUE
18, rue Mabillon (6e) ✆01 46 33 84 74
Site Internet : www.lacornue.com – M° Mabillon. Ouvert du lundi au samedi de 10h30 à 18h30.
Les cuisinières de La Cornue, nommées «Châteaux» et «Cornuchef», sont fabriquées uniquement sur commande, à l'unité et de façon artisanale. Autant dire que l'on se trouve dans le haut de gamme ! Si les technologies employées sont modernes, les matériaux utilisés, choisis pour leur qualité et leur longévité, sont du genre à avoir fait leur preuve : fonte, acier, laiton massif, nickel, émail. **Autre adresse :** GRANGE 116, boulevard Haussmann (8e) ✆01 45 22 07 77. Site Internet : www.grange.fr Ouvert lundi de 14h à 19h, du mardi au samedi de 10h à 19h.

GALERIE MIELE
55, boulevard Malesherbes (8e)
✆0 892 685 220 (0,34 €/min)
Site Internet : www.miele.fr – M° Saint-Augustin. Ouvert du mardi au samedi de 10h à 19h.
Ici tout n'est qu'aspirateurs, lave-vaisselle, machines à café, appareils de cuisson – fours, hottes, tables –, réfrigérateurs, congélateurs, caves à vin, lave-linge, sèche-linge, repasseuses... Vous pouvez découvrir à cette adresse l'ensemble des produits de cette marque haut de gamme réputée pour la robustesse de ses produits. Vous les retrouverez également chez une petite trentaine de revendeurs dans Paris.

ATM – AUDIO TELE MENAGER
8-10-12, place Félix-Eboué (12e)
✆01 43 43 82 83
M° Daumesnil. Ouvert du mardi au samedi de 10h à 12h30 et de 14h30 à 19h.
Dans cet espace étendu sur trois adresses contiguës, on trouve tout ce qui concerne la hi-fi, la vidéo, le home cinéma, la téléphonie ou l'électroménager à des prix toujours intéressants. ATM, c'est d'abord un grand choix de marques et de modèles, du standard au high-tech. Mais, c'est surtout une longue expérience dans le conseil. Ici, pas de vendeurs «minutés» pour vendre un produit ! On n'hésite pas à vous fournir toutes les informations nécessaires pour réaliser l'achat qui vous convient vraiment. Bref, voilà une enseigne particulièrement futée.

GROSBILL
60, boulevard de l'Hôpital (13e)
✆0 892 02 21 21
Site Internet : www.grosbill.com – M° Saint-Marcel. Ouvert du lundi au vendredi de 10h30 à 19h, samedi de 9h30 à 19h.
Des ordinateurs portables ou de bureau, des homes cinémas, des télévisions... Il y a le choix chez Grosbill où l'on trouve aussi du petit et du gros électroménager – froid, cuisson, lavage. Originalité de ce magasin : on vous y incite à commander et à payer vos produits à partir de bornes, avant d'aller les retirer à un guichet. En temps normal, il faut compter environ un quart d'heure pour effectuer la démarche.

A LA CENTRALE DES AFFAIRES
157, rue Vercingétorix (14e) ✆01 45 45 00 77
Site Internet : www.alacentraledesaffaires.fr – M° Plaisance. Ouvert du mardi au samedi de 8h30 à 19h et le lundi à partir de 13h30.
L'endroit porte bien son nom. Se retrouvent ici quantité d'articles – de marques aussi prestigieuses que Bosch et Thomson — provenant de déstockages d'usines à très bons prix. En exposition, tout ce dont vous avez toujours rêvé dans le domaine de l'électroménager, avec des réductions allant de 30 % à 50 %. Du réfrigérateur au congélateur bahut, de la plaque de cuisson au climatiseur mobile, les affaires sont omniprésentes ! Notez que l'on peut aussi faire de très bonnes affaires dans le domaine du plasma ou du LCD en se rendant ici. Le plus : la garantie d'un an sur les articles neufs. A savoir : des réductions supplémentaires – de l'ordre de 5 % – sont réservées aux lecteurs du Petit Futé. Livraisons sur Paris et proche banlieue. Facilités de paiement. Toutes les adresses parisiennes de la Centrale des Affaires sont disponibles sur le site Internet de l'enseigne.

DAUMAL
21, rue de la Pompe (16e) ✆01 45 03 13 52
Site Internet : www.daumal-cuisines.com – M° Rue de la Pompe. Ouvert du mardi au samedi de 8h à 12h et de 14h à 19h.
Attention, marque atypique. On ne vient pas chez Daumal pour se fournir en matériel électroménager lambda mais bien pour trouver des appareils d'exception, designés et de style contemporain. Ici, un four vapeur «haute pression» ressemble à une œuvre d'art, les lave-vaisselle sont entièrement dissimulés, les modèles «fresh unit» servent à la fois de congélateur et de cave à vin, et les combinés lave-linge-sèche-linge semblent sortis de «La Guerre des Etoiles». Un coup de cœur également pour les étonnants tiroirs chauffants.

EXTRA
74, rue Marx-Dormoy (18e)
✆01 46 07 44 35
Site : www.extra.fr – M° Marx-Dormoy. Ouvert du mardi au samedi de 9h30 à 12h30 et de 14h30 à 19h.
Si vous cherchez à équiper entièrement votre foyer, voici un magasin où vous trouverez à peu près tout ce dont vous avez besoin. Son catalogue comprend soixante grandes marques en électroménager, image et son, lave-linge, sèche-linge, lave-vaisselle, cuisinières gaz, micro-onde, réfrigérateurs, armoires à vin, congélateurs, fours, tables à induction, téléviseurs, lecteurs et/ou enregistreurs de DVD, caméscopes, appareils photo numériques, chaînes hi-fi, radio, baladeurs MP3, téléphones, petits électroménagers, bouilloires, cafetières, autocuiseurs, friteuses, rasoirs, fers à repasser, aspirateurs, climatiseurs, ventilateurs… et quantités d'accessoires et de mobiliers allant avec les appareils. Et cela en vous proposant les meilleurs prix. Livraison gratuite pour le gros électroménager d'une valeur égale ou supérieure à 300 €.

ESPACE MENAGER 2000
278, rue de Belleville (20e) ✆01 43 61 16 00
M° Porte-des-Lilas. Ouvert du mardi au dimanche de 10h à 19h30.
Les plus grandes marques – Bosch, Siemens, Brandt… – à prix discount vraiment chocs, allant jusqu'à – 50 %. Il y a là 160 mètres carrés couverts d'appareils bien exposés et de bonnes affaires sur le neuf, retour d'expos, second choix, bénéficiant d'une garantie de un à cinq ans. Du réfrigérateur à la plaque cuisson vitrocéramique, en passant par le téléviseur couleur et l'aspirateur 1 600 watts, plus de quatre cents appareils sont disponibles. Dans ce magasin, on vous offre beaucoup d'avantages dont la possibilité de régler en quatre fois sans frais, la livraison gratuite à partir de 600 € d'achat, réalisée dans la journée, un SAV spécifique au magasin, mais surtout la certitude d'acquérir un appareil vérifié et digne de confiance.

DÉMÉNAGEMENT

TRANSPORTS DU MARAIS
8, rue de la Corderie (3e) ✆01 42 71 01 41
Site Internet : www.transportsdumarais.com – M° République. Ouvert du lundi au vendredi de 9h à 12h30 et de 13h30 à 18h – 17h le vendredi.
Un déménagement est typiquement le genre de situation où l'on souhaite avoir confiance, en ce qui concerne le sérieux, dans les gens à qui l'on a affaire. Avec ses trente années d'expérience, les Transports du Marais vous épargnent les sueurs froides et vous proposent des solutions de déménagement adaptées à vos besoins. Vous pouvez également vous rendre à cette adresse très centrale dans le but de louer directement un monte-meubles. Notez qu'en parallèle de ces activités, les Transports du Marais vous proposent un service de garde-meubles.

SPEED COURSE MASTER
57, rue Vaneau (7e) ✆01 53 63 02 29
Site Internet : www.demscm.com – M° Rue du Bac. Ouvert du lundi au vendredi de 9h à 17h.
Cette société vous propose des solutions de déménagement adaptées à vos besoins, du tout compris aux prestations de base. SCM peut, par exemple, simplement mettre à votre service un camion capitonné et un chauffeur déménageur pour charger et décharger, mais offre également des prestations très complètes, comme en témoigne la solution baptisée Première Catégorie, avec son service de démontage et de remontage de mobilier, son service d'emballage de mobilier et d'objets, la manutention et les assurances. Les devis sont évidemment gratuits. Notez que vous pouvez aussi vous rendre ici afin de louer un monte-meuble et

SCM possède un garde-meuble sécurisé. **Autre adresse :** 28, rue des Bâtisseurs – (91) CROSNES ✆01 60 47 83 74.

ALLO ACTION
29, rue du Faubourg-Montmartre (9e)
✆01 45 23 06 05
Site Internet : www.allo-action.fr – M° Le Peletier. Permanence le samedi et dimanche de 9h à 11h30 et le reste du temps sur rendez-vous.
Vous trouverez dans toutes les agences parisiennes de ce groupe d'excellentes prestations en matière de déménagement. En tant que particulier, vous pouvez vous rendre à cette adresse afin de faire réaliser tous vos gros transports, mais également de bénéficier d'un service de garde-meubles haute sécurité. Notez qu'Allo Action peut vous fournir, si besoin est, divers types d'emballages afin de transporter dans les meilleures conditions possibles tous vos effets personnels. Des objets volumineux à transporter ? Des solutions adaptées pour les pianos ou les coffres-forts sont mises en place. Notez que les visites et les devis sont entièrement gratuits. **Autres adresses :** 12, rue des Boulets (11e) ✆01 43 56 16 12. Ouvert de 9h à 18h • 6, rue Myrha (18e) ✆01 42 57 20 11. Ouvert de 9h à 12h • 75, rue de Ménilmontant (20e) ✆01 43 58 40 90. Ouvert de 8h à 19h.

AGENCE ODOUL
8, boulevard de la Bastille (12e)
✆01 43 40 34 66
M° Bastille. Ouvert du lundi au vendredi de 9h à 12h et de 14h à 18h.
Cette maison fondée en 1830 dispose aujourd'hui de trois adresses parisiennes. Les agences Odoul sont affiliées à Déméco et vous proposeront des devis gratuits afin d'étudier au mieux les prix de vos déménagements. En vous reposant sur l'expérience et la maîtrise des déménageurs de cette entreprise, vous laisserez dans votre ancienne demeure l'anxiété inhérente à ce type de journée pour trouver une grande sérénité. Plusieurs formules vous sont proposées, de la Class Access pour la manutention et le transport à la Class Optimum où les déménageurs se chargeront d'absolument tout, du démontage au remontage, de l'emballage au déballage. **Autres adresses :** 43, avenue de Versailles (16e) ✆01 45 24 77 48. Ouvert du lundi au vendredi de 9h à 12h et de 14h à 18h • 30, avenue Simon-Bolivar (19e) ✆01 42 08 10 30. Ouvert du lundi au vendredi de 9h à 12h et de 14h à 18h.

VIR DEMENAGEMENTS
11, avenue de Saint-Mandé (12e)
✆01 43 67 32 32
Site : www.vir.fr – M° Nation. Ouvert du lundi au vendredi de 9h à 12h30 et de 13h30 à 18h.
Forte de son expérience, cette entreprise vous garantit des déménagements réalisés en toute quiétude. Sur simple rendez-vous, vous bénéficierez d'un devis gratuit, afin que les déménageurs maison vous proposent une solution adaptée et personnalisée. Le jour J, toute l'étendue du savoir-faire est rapidement démontrée : un emballage minutieux, un conditionnement bien étudié, une manutention soignée et un transport à la fois rapide et sûr. Pour personnaliser ses services de déménagement, Vir prend en compte le volume de vos meubles, la distance ou encore les conditions d'accès. Notez que cette adresse vous propose également un service de garde-meubles.

LA BOUTIQUE DU DEMENAGEMENT
10, rue d'Alésia (14e) ✆01 40 47 09 10
Site Internet : www.abde.fr – M° Alésia ou Saint-Jacques. Ouvert du lundi au vendredi de 9h30 à 13h et de 14h à 18h30, le samedi de 9h à 13h.
Voici une boutique idéale pour s'équiper avant d'affronter son déménagement ! Vous ressortirez muni du kit du parfait petit déménageur avec cartons de toutes tailles, adhésifs, housses de protection, sangles, marqueurs permanents, bull-pack, chariot ou diable loué à la journée (12 € ou au week-end 20 €), etc. Reste, ensuite, à se retrousser les manches… Garde-meubles sécurisé.

DEMENAGEMENT BOUSSENOT
45, rue Ampère (17e) ✆01 46 22 07 60
Site : www.demenagement-boussenot.com – M° Wagram. Ouvert du lundi au vendredi de 8h30 à 12h30 et de 13h30 à 18h, fermeture à 17h le vendredi.
En cinquante ans, la société a forgé une véritable expertise dans le domaine du déménagement. Stressé par la perspective de devoir tout emballer puis redéballer ? Boussenot s'en charge ! On vous proposera toutes les fournitures nécessaires à un déménagement, le conseil en plus : des cartons au papier à bulles en passant par le scotch. L'équipe, très professionnelle et souriante, n'est pas avare de conseils et permet ainsi de relativiser la difficulté du déménagement. Boussenot opère à la fois pour les particuliers et pour les entreprises, selon plusieurs formules – assurances en option. Le plus : demande de devis en ligne via le site Internet et 5 % de réduction offerts aux internautes ou aux lecteurs du Petit Futé – offre non cumulable. Possibilité de garde-meubles.

SYT
15, rue Hermel (18e)
✆0810 000 966 / 01 55 79 90 24
Site Internet : www.syt-demenagement.com – M° Jules-Joffrin. Ouvert du lundi au vendredi de 8h à 19h, le samedi de 9h à 15h.
Une bonne adresse en cas de déménagement urgent à mettre en place. Vous pouvez accorder toute votre confiance à cette équipe de professionnels très compétents, s'engageant à se charger de tous les détails. Cette maison vous propose un service de garde-meubles ainsi qu'un service de vente d'emballages et de matériel de déménagement. Syt permet aussi de louer directement un camion avec chauffeur ou un monte-charge.

ETABLISSEMENT BIGUET
170, rue Marcadet (18e)
✆01 42 58 18 36
Site Internet : www.demenagementbiguet.com – M° Lamarck-Caulaincourt. Ouvert du lundi au vendredi de 9h à 19h, le samedi de 9h à 12h et de 14h à 17h.
Ici, les devis se font par téléphone et simulateur expérimental : on donne sa superficie, la dimension de ses meubles… A partir de là, de nombreuses formules s'offrent à vous. De la plus classique à la location de camion – 20 mètres cubes avec deux transporteurs pour 8 heures à 478 €, supplément piano 119 €. Toutes taxes comprises – ou encore celle qui comprend trois déménageurs. Emballage possible sur demande ainsi que vente de matériel d'emballage. La maison est spécialisée dans les déménagements de pianos et effectue également des déménagements à l'étranger.

ABDE – TRANSPORT ECONOMIQUE
116-118, rue de Pelleport (20e)
✆01 43 64 17 17
Site Internet : www.abde.fr – M° Pelleport. Ouvert du lundi au vendredi de 9h à 13h et de 14h à 18h.
Une société à recommander pour effectuer des déménagements à petits prix, les prestations de service restant de très bonne qualité. Gage de sérieux : les devis peuvent se faire en ligne sous 48 heures avant le passage d'un technicien pour finaliser le coût. Plusieurs formules sont proposées : gros mobilier, clef en main – réalisation de A à Z des déménagements –, formule emballage vaisselle, démontage et remontage des meubles et mise en penderie, et la formule la plus économique : le client fait lui-même ses cartons, ses démontages et les déménageurs prennent en charge le déplacement et le transport jusqu'au nouveau domicile. L'entreprise est équipée pour déplacer des pièces spéciales comme les pianos, le marbre ou les coffres-forts. En cas de besoin de cartons, la maison dispose aussi d'une boutique spécialisée dans les matériaux «spécial déménagement». Une adresse idéale pour un déménagement en toute tranquillité.

DÉPANNAGE ET RÉPARATION

Plombiers-électriciens

LA PLOMBERIE DU MARAIS
27, rue Vieille-du-Temple (4e)
✆01 42 72 95 92
M° Hôtel de Ville. Ouvert tous les jours de 8h à 22h, 21h en été.

Les établissements Richard réalisent tous vos travaux de dépannage et de plomberie pour vos salles de bains et cuisine, même dans les cas les plus urgents depuis plus de 50 ans. Vos problèmes de fuite d'eau et de gaz, de robinetterie, de toilettes, de chauffe-eau, de ballons d'eau chaude électriques ou de cabine de douche peuvent ainsi être résolus dans les plus brefs délais. Vous pouvez également appeler à ce numéro pour tous vos travaux de débouchage, de dégorgement, de pompage et de vidange de canalisation. Toutes les marques vous sont proposées. Notez que cette entreprise ne se limite pas aux interventions de plomberie mais intervient également pour vos problèmes d'électricité et de serrurerie. **Autres adresses :** 53, rue Olivier-de-Serres (15e) ✆ 01 45 33 08 26. Ouvert tous les jours de 8h à 22h • 40, rue de Vouillé (15e) ✆ 01 45 33 08 26.

ABREU ARTISAN SERVICE
34, rue Beaunier (14e)
✆ 01 40 44 77 30 / 0800 11 88 68
Site Internet : http://abreuartisan.net – M° Porte d'Orléans. Ouvert du lundi au samedi de 9h à 18h. Horaires d'intervention : du lundi au dimanche de 7h à minuit.
Ces trois magasins situés sur la rive gauche vous garantissent des interventions pour toutes vos urgences pour la plomberie, l'électricité, la serrurerie et la vitrerie. En cas de dégorgement, de problème de toilettes et de fuites d'eau urgente, vous trouverez toujours un service rapide et compétent. Notez que cette entreprise peut également vous installer tous les types de robinetteries, pour douches de salle de bains ou de cuisines. **Autres adresses :** 42, rue Grégoire-de-Tours (6e) ✆ 01 45 49 16 61. Horaires d'intervention : du lundi au dimanche de 7h à minuit • 139 bis, rue de Vaugirard (15e) ✆ 01 40 56 30 30. Horaires d'intervention : du lundi au dimanche de 7h à minuit.

PLOMBERIE NESS
48, rue Notre-Dame-de-Lorette (9e)
✆ 01 44 91 97 15
M° Notre-Dame-de-Lorette. Horaires d'intervention : du lundi au vendredi de 7h à minuit.
Vous trouverez à cette adresse une équipe disponible et très efficace. Les deux plombiers de la maison effectuent dans l'heure des dépannages dans Paris et la banlieue, quels que soient les problèmes rencontrés. Fuites d'eau et de gaz, robinetterie, etc., les réparations sont toujours effectuées avec des matériaux de qualité. Notez que vous pouvez également appeler à ce numéro afin de résoudre vos problèmes de serrurerie.

AUX ETABLISSEMENTS BAUDIN
25, rue Voltaire (11e)
✆ 01 49 29 73 73 / 0805 11 10 10
Site Internet : www.aux-etablissements-baudin.com – M° Voltaire. Horaires d'intervention : tous les jours de 7h à minuit.
Les Etablissements Baudin peuvent résoudre dans de très brefs délais tous vos problèmes de serrurerie, plomberie, chauffage, vitrerie et électricité. Qu'il s'agisse de rechercher et de réparer une fuite ou de dégorger des canalisations, de mettre en conformité votre réseau électrique, de rechercher une panne ou de régler vos problèmes de tension ou encore de faire entretenir votre installation de chauffage, les Etablissements Baudin répondront à l'appel. L'atelier est situé au 12, rue Rieux – Boulogne-Billancourt ✆ 01 55 60 27 80.

BRUNI SANITAIRES
125, rue de Picpus (12e)
✆ 01 43 43 87 11
Site Internet : www.brunisanitaire.com – M° Michel-Bizot. Horaires d'intervention : tous les jours de 7h à minuit.
Bruni Sanitaires, c'est une équipe de spécialistes à votre service vous garantissant des dépannages en moins d'une heure ou dans la demi-journée dans Paris et la région parisienne. Pour vos problèmes de plomberie, de chauffage, de sanitaires et autres fuites de gaz, les établissements Bruni Sanitaires est l'adresse qu'il vous faut.

ALLO SANYRAPID
80, rue des Entrepreneurs (15e)
✆ 01 45 77 04 61
Site Internet : www. allosanyrapid.fr – M° Commerce. Horaires d'intervention : tous les jours de 7h à minuit.
Cette entreprise fondée en 1973 vous propose toute son expérience de professionnel pour vos réparations urgentes à domicile. Pour tous vos problèmes de plomberie, d'électricité, de chauffage, de dégorgement ou de serrurerie. Le service est efficace et le travail est fait avec le sourire.

LA PLOMBERIE DU RUISSEAU
35, rue du Ruisseau (18e)
✆ 01 42 23 05 40
Site Internet : www.la-plomberie-du-ruisseau.fr – M° Jules-Joffrin. Horaire d'intervention : du lundi au vendredi de 9h à minuit.
La Plomberie du Ruisseau est une entreprise artisanale sérieuse et de qualité capable d'intervenir 6j/7 dans tout Paris. En cas de besoin, cette entreprise se rend sur place pour rechercher les fuites, établir des devis de dégâts des eaux et gérer tous vos problèmes de plomberie, chauffe-eau, chaudière, ballon d'eau chaude, sanitaire et fuite d'eau en salle de bains, cuisine, toilettes, chasse d'eau et robinetterie. L'entreprise dispose également d'un magasin pour vos équipements. Notez que la Plomberie du Ruisseau ne pratique pas la majoration des factures pour les interventions du week-end.

DAMIPE
2, passage Penel (18e)
✆ 01 42 54 19 33
M° Lamarck-Caulaincourt. Ouvert du lundi au vendredi de 8h30 à 12h30 et de 14h à 18h, fermeture à 17h le vendredi.
Damipe vous assure un service après-vente pour toutes les grandes marques d'électroménager comme Arthur Martin, Whirlpool, Laden, Scholtès, Ariston, Bosch ou encore Siemens. Ouvert depuis 1974, cette entreprise vous propose ses prestations sous 48 heures pour mettre un terme à vos problèmes de machine à laver, lave-vaisselle ou sèche-linge.

Réparateurs hi-fi

TV GHS
5, rue Basse-des-Carmes (5e)
✆ 01 43 54 33 29
M° Maubert-Mutualité. Ouvert du mardi au samedi de 10h à 12h30 et de 15h à 19h.
Une boutique très efficace pour tout ce qui concerne les soucis que vous êtes susceptible de rencontrer avec votre matériel hi-fi et vos appareils électroménagers de grandes marques. Que vous possédiez un antique téléviseur à tube cathodique comme cela se faisait au siècle dernier ou des appareils de nouvelle technologie comme des écrans plasmas, TGS est en mesure de résoudre vos problèmes. Les réparations sont effectuées rapidement même s'il convient bien entendu de patienter un peu plus longtemps si des pièces sont à commander.

PARIS TELE SECOURS
28, rue d'Alésia (14e)
✆ 01 43 27 17 17
Site Internet : www.e-pts.com – M° Porte d'Orléans. Ouvert du lundi au vendredi de 9h à 12h et de 13h30 à 18h30.
Paris Télé Service assure depuis trente ans un service de dépannage à domicile de télévison, hi-fi et vidéo. Même dans les cas d'urgence, cette enseigne sera en mesure de venir en temps et en heure afin de trouver la solution à votre problème. PTS s'engage également à vous prêter gracieusement une télévision sur simple demande lorsque votre appareil doit être gardé quelques temps en magasin.

BATLEC SERVICE RAPIDE
18, rue Lally-Tollendal (19e)
✆ 08 00 89 35 20
Site Internet : http://batlec.com – M° Stalingrad. Ouvert du lundi au vendredi de 9h à 19h, le samedi de 9h à 13h et de 15h à 18h.
Batlec Service Rapide, c'est une expérience professionnelle à votre service pour vous aider, vous conseiller, vous dépanner et résoudre vos problèmes de télévision, de vidéo, de hi-fi et d'antenne. Quel que soit le type de votre installation, individuelle ou collective, hertzienne ou satellitaire, vous pouvez faire appel aux services de cette entreprise compétente, réparant toutes les marques et vous proposant des devis avant réparation.

Chauffage

ESTRADA
43, rue Saint-Georges (9e) ✆ 01 48 78 18 61
Site Internet : www.estrada.fr – M° Saint-Georges. Ouvert du lundi au vendredi de 9h à 12h et de 14h à 18h, samedi de 9h à 12h.
Un professionnel pour toutes vos nouvelles envies de chaleur ! Une équipe compétente, très à l'écoute et incollable sur tous les systèmes de chauffage, notamment sur le chauffage électrique. On appréciera ici, vous l'aurez compris, les conseils avisés des vendeurs, mais aussi les prix qui peuvent afficher jusqu'à 25 % de réduction. De nombreuses marques sont représentées : Acova, Campa, Noirot, Applimo, Airélec… Le plus : possibilité de livraison et de pose à domicile. Une maison très sérieuse que nous vous recommandons.

DSG
11, rue de la Fidélité (10e) ✆ 01 48 01 95 81
Site Internet : http://depannage-service-gaz.com – M° Gare de l'Est. Ouvert du lundi au vendredi de 8h à 12h30 et de 13h30 à 17h.
Dépannage Service Gaz vous propose depuis une trentaine d'années une équipe de professionnels pour vos installations de chauffage. La vente et l'installation donc, mais également l'entretien et les réparations en cas de besoin. Ici, vous trouverez toujours des spécialistes à votre disposition, garants d'un travail sérieux et de qualité.

CYBAT
132, rue de Picpus (12e)
✆ 01 43 40 84 22
Site Internet : www.cybat.fr – M° Bizot. Ouvert sur rendez-vous uniquement.
Cybat est une entreprise proposant de nombreuses prestations – climatisation, plomberie, sanitaire, ventilation… – dont tous les services liés au chauffage de votre domicile. Quel que soit votre désir en termes de chauffage, la maison pourra le combler, Cybat proposant tous les types d'installations, toutes les énergies, et plus globalement tout l'ensemble de production de chauffage. Si la maison travaille avec de nombreux professionnels, elle accueille également les particuliers à bras ouverts, du simple conseil ou renseignement technique à la réalisation de vos projets.

SANI-ROQ
4, avenue de la Porte-de-Brancion (15e)
✆ 01 42 50 07 65
Site Internet : www.sani-roq.com – M° Porte de

Vanves. Ouvert du lundi au vendredi de 8h à 19h sans interruption.

Plus de risque de frissonner aux premières baisses de température automnales. Cette adresse très sûre dans le domaine du chauffage au fuel et à gaz vous propose de sérieux services allant de l'étude à l'installation en passant par l'entretien et le dépannage, même dans les cas les plus urgents. Les services sont assurés par une équipe jeune et dynamique mettant toutes ses compétences à votre disposition.

Isolation

AU LIEGEUR
17, avenue de la Motte-Picquet (7e)
✆01 47 05 53 10
M° La Motte-Picquet – Grenelle. Ouvert du mardi au samedi de 9h30 à 12h30 et de 14h à 19h – 18h le samedi. Fermé en août.

Cette adresse est en réalité l'adresse parisienne d'une fabrique de liège naturel. On y trouve donc du liège commercialisé en agglos, en plaques et en rouleaux, sous toutes les formes et toutes les dimensions. Excellent isolant thermique et acoustique, le liège vendu en rouleaux peut être utilisé dans toutes les pièces de la maison. De nombreuses dimensions sont disponibles et vous noterez que l'on trouve ici du liège aggloméré mais aussi du liège expansé noir.

JC TAPIA
38, rue Notre-Dame-de-Lorette (9e)
✆01 47 36 99 03
M° Notre-Dame-de-Lorette. Ouvert du lundi au samedi de 7h à 19h.

Cette société générale de bâtiment, à votre disposition pour tous les corps d'états, vous garantit un travail soigné et de qualité dans les domaines de la vente et de la création de cloisons. Cette entreprise vous propose également son savoir-faire en isolation thermique et acoustique. Sachez enfin qu'il est possible de se rendre ici pour faire réaliser des doublages ainsi que des faux plafonds.

AFH
26, rue des Rigoles (20e)
✆01 43 49 00 00
M° Jourdain. Ouvert du lundi au vendredi de 9h à 12h et de 14h à 17h.

L'Agence Française de l'Habitat met à votre disposition tout son savoir-faire en matière d'isolation phonique en mettant en œuvre des procédés isolants phoniques performants pour les habitations parisiennes. Vos sols, murs et plafonds pourront ainsi bénéficier d'une parfaite isolation acoustique, notamment si vous cherchez à vous fabriquer un véritable petit studio de musique.

Dératisation, désinsectisation et hygiène

EUROPE HYGYENE SERVICE
43, rue Marx-Dormoy (18e) ✆01 42 05 58 55
Site : www.ehs-hygiene.fr – M° Marx-Dormoy. Ouvert du lundi au vendredi de 9h30 à 18h30.
Cette entreprise est l'adresse qu'il vous faut afin de régler tous les problèmes que vous pouvez rencontrer chez vous en matière d'insectes et de rongeurs, EHS étant spécialisé en désinfection, désinsectisation et dératisation. Ce magasin dispose de tous les produits performants nécessaires à l'éradication de ces types de gêneurs. On trouve en rayon de nombreux insecticides pour ne plus être indisposés par les mouches, les cafards ou les blattes. Des produits vous sont également proposés pour tuer les souris. Sachez qu'une équipe de professionnels peut intervenir à votre domicile ou commerce afin de régler directement vos soucis en la matière. **Autre adresse :** 69-71, boulevard Davout (20e) ✆01 43 67 55 96

INS (INTER NETTOYAGE SERVICE)
221, rue Championnet (18e) ✆01 42 28 63 47
Site Internet : www.ins-hygiene.com – M° Guy Moquet. Ouvert du lundi au vendredi de 8h30 à 12h30 et de 14h à 17h.
Plus de 30 ans qu'INS s'occupe de régler les problèmes de dératisation et désinsectisation à Paris. La pose d'appâts rodonticides ou insecticides a le double avantage d'être efficace et sans odeur. Certains insectes ne se traitent que par pulvérisation ou nébulisation. Acariens, puces, fourmis, blattes, guêpes etc. seront d'abord repérés puis toutes les zones traitées avec le produit ad hoc. Notez qu'il est possible de demander une intervention sous 24h pour les urgences. Comptez 45 € pour le traitement anti-rats d'un appartement. INS s'occupe également du nettoyage – en urgence ou non – des colonnes vide-ordures et des dégâts des eaux en sous-sol.

Contre les insectes : le S.M.A.S.H. !

Le Service Municipal d'Actions de Salubrité et d'Hygiène (S.M.A.S.H.) est en quelque sorte la brigade anti-rongeurs et insectes de la ville de Paris. S'il est chargé de gérer l'hygiène des bâtiments municipaux, sachez qu'il répond également aux demandes des propriétaires d'immeubles qui constateraient une invasion fâcheuse de rats ou autres nuisibles dans les parties communes. Le SMASH vous orientera alors vers une entreprise privée qui veillera à traiter le bâtiment.
11, rue George-Eastman (13e) – M° Tolbiac ✆01 44 97 87 87.

LOCATION DE MATÉRIEL

KILOUTOU
37, rue Claude-Bernard (5e) ✆01 55 43 05 05
Site Internet : www.kiloutou.fr – M° Censier-Daubenton. Ouvert du lundi au samedi de 7h – 8h le samedi – à 12h et de 14h à 18h30.
Fondé en 1980, Kiloutou a pour but de mettre à disposition de tous à la location – les professionnels comme les particuliers – tous les outils nécessaires pour mener à bien ses travaux, rénover ou même déménager. Vous avez donc la possibilité de venir ici afin de louer absolument toutes sortes d'outils pour le bricolage ou le gros œuvre. De l'agrafeuse manuelle à la bétonnière en passant par la ponceuse à parquet, la visseuse électrique ou le rabot électrique, ces adresses sont la réponse aux bricoleurs du dimanche ayant besoin d'outils spécifiques de façon ponctuelle. Dans Paris, presque tous les arrondissements ont un magasin. Autres adresses sur le site Internet.

OUTILA SERVICE
11, rue Henri-Monier (9e) ✆01 42 85 15 42
M° Saint-Georges. Ouvert du lundi au vendredi de 8h à 12h et de 14h à 18h30.
Une adresse de location d'outillage classique où absolument rien ne manque à l'appel. Vous trouverez ici du petit outillage électroportatif comme des machines plus volumineuses. La maison entretient très bien ses produits et les clients ne risquent pas d'avoir de mauvaises surprises.

LOCATION SERVICE PLUS
48, boulevard Richard-Lenoir (11e) ✆01 48 06 40 44
M° Richard-Lenoir. Ouvert du lundi au vendredi de 7h30 à 12h et de 13h30 à 18h, le samedi de 8h à 12h.
Tout, mais alors vraiment tout l'outillage à cette adresse. De la petite scie sauteuse pour vos découpes les plus anodines aux outils les plus encombrants comme les grosses ponceuses à parquet, vous ne pourrez que trouver outil à votre main en vous rendant ici. On vous reçoit avec le sourire et vous bénéficierez de conseils adaptés à vos besoins.

RS LOCATION
95, rue de Charonne (11e) ✆01 43 71 45 35
Site Internet : www.rslocation.com – M° Charonne. Ouvert du lundi au samedi de 7h30 à 12h et de 14h à 18h – fermeture à 17h30 le samedi.
Une adresse à connaître pour tous vos gros œuvres,

RS Location permettant en effet de louer toute une série d'outils performants. Ici, vous trouverez donc tout le nécessaire en matière d'outillage lié au bâtiment, au bricolage, à la décoration, au nettoyage et au chauffage. Le matériel proposé est de qualité et les mauvaises surprises sont à exclure, toutes les machines étant systématiquement testées et contrôlées après chaque utilisation. Venir ici c'est s'offrir également le bénéfice des conseils avisés de collaborateurs et de techniciens toujours à l'écoute. Au total, ce ne sont pas moins de 1 500 machines – perforation, sciage, ponçage, nettoyage, peinture, plomberie, décoration, terrassement, chauffage, pompage, ravalement de façade, toiture – qui sont mises à votre disposition, à des tarifs comptant parmi les plus bas du marché de la location. RS Location est également implanté dans les 15e, 18e, 19e et 20e arrondissements et à Ivry-sur-Seine (94). Autres adresses sur le site Internet.

LOCAMAINE
55, rue Didot (14e) ✆ 01 43 20 00 98
Site : www.locamaine.com – M° Plaisance. Ouvert du lundi au vendredi de 7h30 à 12h et de 13h30 à 18h, le samedi de 8h à 16h et de 13h30 à 17h.
Cette entreprise de location d'outillage où l'on reçoit un accueil très sympathique vous permet de venir louer absolument tout ce dont vous pouvez avoir besoin pour vos travaux domestiques. On se rend donc dans cette boutique afin de se doter, le temps nécessaire, par exemple, de scies sauteuses, de perceuses ou de scies circulaires. Notez cependant que la maison est spécialisée dans la location de ponceuse à parquet, de décolleuse et de shampouineuse à moquette. Sachez enfin que l'on vient aussi ici pour trouver des outils de gros œuvre comme des marteaux piqueurs.

MATÉRIAUX ET REVÊTEMENTS

Bois

AU BOIS BLANC – BRICOBOIS
9, rue Claude-Bernard (5e) ✆ 01 43 37 63 44
M° Censier-Daubenton. Ouvert le lundi de 15h à 19h et du mardi au samedi de 9h30 à 19h.
En plein cœur du Quartier latin, voilà un magasin bien pratique, spécialisé comme son nom l'indique dans le matériau bois mais commercialisant également toute une série d'articles dans des domaines plus larges. Côté bois, on dispose donc d'un choix étendu en ce qui concerne le détail – stratifié, contreplaqué, laqué, médium... – ainsi que d'un service de découpe de bois et de verre à la demande. La maison fabrique également des meubles sur mesure afin de s'adapter aux besoins de sa clientèle. Pour dépanner les bricoleurs du quartier, cette adresse, où l'on trouve de bons conseils, vend aussi des articles de quincaillerie, d'électricité, de bricolage et d'entretien.

LA SILE
11, place Auguste-Métivier (20e)
✆ 01 46 36 71 40
M° Père-Lachaise. Ouvert du lundi au vendredi de 9h à 13h et de 14h30 à 19h, le samedi de 9h à 13h et de 14h30 à 17h.
Une adresse à connaître absolument pour tous ceux qui cherchent leur bonheur dans le rayon du bois dans l'est de Paris. La Sile est en effet spécialisée dans la vente de panneaux de bois à découper de toutes sortes, de tasseaux ou encore de bois massif. En bref, tout le bois à travailler au détail. Ce magasin de menuiserie vend également un peu de vernis et de pâte à bois, pas en grosse quantité, mais avec le souci d'être capable de dépanner ses clients. Notez que La Sile, spécialisée dans la vente de matériaux, vend également des outils de bricolage. Sachez enfin que des petits meubles, notamment des étagères, sont également en vente dans ce magasin.

Carrelage

LAPEYRE LA MAISON
15, rue des Halles (1er) ✆ 01 58 16 21 00
Site : www.lapeyre.fr – M° Les Halles. Ouvert du lundi au samedi de 10h à 19h sans interruption.
Les magasins Lapeyre, au nombre de trois dans Paris intra-muros, disposent d'un très large choix de carrelages pour les salles de bains, les cuisines et tous les sols de la maison en général. Classé par thème – tendance, élégance, charme, campagne, évasion, etc. ainsi qu'une partie pour les terrasses et les balcons –, vous pouvez ainsi vous rendre compte aisément des produits qui correspondront le mieux à votre style. Des conseillers compétents sont de toute façon toujours présents pour vous guider au mieux dans vos achats. **Autres adresses :** 93, rue d'Amsterdam (8e) ✆ 01 56 02 65 30 • 66, rue Stendhal (20e) ✆ 01 58 53 51 80.

CARRELAGES DU MARAIS
46, rue Vieille-du-Temple (4e)
✆ 01 42 78 17 43
Site Internet : www.carrelagesdumarais.com – M° Hôtel de Ville. Ouvert le lundi de 14h à 18h30, du mardi au samedi de 10h à 18h30.
Vous trouverez ici de superbes créations de carreaux réalisés «dans le respect de la tradition française». A cette adresse, qui fabrique de la céramique, des mosaïques, des carrelages et du dallage, vous trouverez une impressionnante série de produits entre carrelages, carreaux de ciment, terre cuite, faïence, grès cérame, émaux faits mains, azulejos, zellige, pierres diverses, plans en schiste, ardoise ou marbre. Notez que l'on trouve aussi du parquet en bois massif.

CHAMPIONNET CARRELAGES
12, villa Championnet – au niveau du 198, rue Championnet (18e) ✆01 53 06 80 90
Site Internet : www.championnet-carrelages.fr – M° Guy-Moquet. Ouvert du lundi au vendredi de 7h30 à 18h – 20h le jeudi –, le samedi de 8h30 à 12h.
Présents à Paris depuis pas loin d'un quart de siècle, cette entreprise propose sur plus de 300 mètres carrés d'exposition pas moins de 5 000 références en carrelages. Des professionnels sont toujours présents, à votre écoute, afin de vous guider dans vos projets de rénovation. Toutes les gammes de carrelages donc, mais également un large choix de mosaïques vendues au poids et tout l'outillage professionnel.

Chauffage

ESTRADA
43, rue Saint-Georges (9e)
✆01 48 78 80 59
Site Internet : www.estrada.fr – M° Saint-Georges. Ouvert du lundi au vendredi de 9h à 12h et de 14h à 18h, samedi de 9h à 12h.
Un professionnel pour toutes vos nouvelles envies de chaleur ! Une équipe compétente, à l'écoute et incollable sur tous les systèmes de chauffage, notamment sur le chauffage électrique. On appréciera ici, vous l'aurez compris, les conseils avisés des vendeurs, mais aussi les prix qui peuvent afficher jusqu'à 25 % de réduction. De nombreuses marques sont représentées avec, entre autres, des références comme Acova, Campa, Noirot, Applimo et Airélec. Parmi les dernières nouveautés en date, citons les cheminées au bioéthanol et des radiateurs très design comparables à des œuvres d'art signés Cinier. Le plus : possibilité de livraison et de pose à domicile. Une maison sérieuse que nous vous recommandons.

Peinture

G.DORISON
11, rue Augereau (7e)
✆01 45 55 47 50
Site Internet : www.g-dorison.fr – M° Ecole-Militaire. Ouvert du lundi au vendredi de 8h30 à 12h30 et de 13h30 à 18h30.
Ce magasin de peinture et plus généralement de décoration dispose d'un impressionnant choix de peintures en stock. A des prix très attractifs, on trouve ici de la peinture décorative, à l'ancienne et des produits de ravalement. Le magasin Dorison, qui commercialise également des revêtements de sol et de murs, réalise aussi dans l'immédiat tous vos choix de couleurs.

PEINTURES DE PARIS
210, rue Saint-Maur (10e) ✆01 42 02 22 03
Site Internet : www.peinturesdeparis.com – M° Goncourt. Ouvert du lundi au vendredi de 7h à 18h et le samedi de 8h30 à 12h30.
Un très grand choix de peintures en tous genres dans les quatre magasins parisiens. Peintures d'intérieur et d'extérieur, mates, satinées, laques, peintures décoratives, les Peintures de Paris semble disposer de réserves illimitées… Tous les outils du peintre trônent également dans les rayons de ce magasin vendant également tous les articles de décoration générale. **Autres adresses :** 81-83, boulevard Diderot (12e) ✆01 43 79 07 32 • 44, rue Letellier (15e) ✆01 45 79 77 47. M° Avenue Emile-Zola ou Cambronne • 3, avenue de la Porte-de-Montreuil (20e) ✆01 43 73 39 93.

DECOR PLUS
1, place des Fêtes (19e)
✆01 42 49 22 26
Site Internet : www.decorplus.fr – M° Place des Fêtes. Ouvert du lundi au vendredi de 7h30 à 18h, le samedi de 8h à 12h30 et de 14h à 18h.
Les peintres seront comblés dans ce grand magasin de peinture, travaillant aussi bien avec des peintres et des décorateurs professionnels qu'avec des particuliers. En plus de vendre bien évidemment toutes les gammes de peintures ainsi que le matériel nécessaire, Décor Plus vous propose également de réaliser immédiatement vos couleurs et vous conseille dans les choix de vos produits les plus appropriés.

Papier peint

ROCROY PAPIERS PEINTS
4, rue de Rocroy (10e)
✆01 42 80 16 16
Site Internet : www.papierspeintsrocroy.com – M° Poissonnière ou Gare-du-Nord. Ouvert le lundi de 8h à 12h et de 13h30 à 17h30, du mardi au vendredi de 8h à 17h30 sans interruption et le samedi de 9h à 13h.
Depuis 1933, ce magasin propose aux Parisiens les plus grandes marques de papiers peints. Et le choix des motifs est lui aussi au rendez-vous avec des modèles à rayures, à fleurs, classiques ou contemporains. Les bambins vont adorer les papiers peints aux couleurs du cirque ou de l'espace. Bon à savoir : la maison vend également de la moquette, des revêtements de sol et de la peinture. Avec notamment toute une gamme de peintures écologiques en satin, impression ou mat certifiées par le label écologique de l'Union Européenne. Tous les budgets trouveront ici le bonheur tant la gamme de prix est large. Cette enseigne se distingue enfin grâce à sa très perfectionnée machine à teinter qui permet de réaliser la couleur de vos rêves parmi plus de 1 500 teintes. Le staff expérimenté est à votre disposition pour vous conseiller. Une très bonne adresse où vous pouvez profiter des prix d'entreprise même si vous êtes un particulier.

Revêtement de sol

MR BRICOLAGE

34, rue de Reuilly (12e) ✆ 01 40 02 02 04

Site Internet : www.mr-bricolage.fr – M° Goncourt. Ouvert du lundi au samedi de 9h à 19h30.

Les magasins Mr Bricolage proposent revêtements stratifiés, linos et moquettes, généralement aux rayons bois situés en sous-sol. L'adresse du 12e est la mieux fournie en parquets stratifiés. **Voir aussi rubrique "Bricolage – Grandes enseignes".**

MONDIAL MOQUETTE

65, quai de la Gare (13e) ✆ 01 45 84 72 38

Site Internet : www.mondialmoquette.fr – M° Quai de la Gare. Ouvert du lundi au samedi de 10h à 19h.

Un magasin pour trouver tous les types de revêtements de sol à poser dans n'importe quelle pièce de la maison. On découvre évidemment de nombreuses sortes de moquettes – velours, bouclées, structurées, aspects naturels, fibres végétales, imprimées, en dalles ou spécial escalier. Mondial Moquette vend aussi quatre sortes de sols en vinyles imitant plusieurs revêtements classiques – imitation parquet, couleurs et nuances, imitation carrelage et couleur, et fantaisie. Cinq familles de tapis sont également disponibles : classiques, contemporains, fantaisie, naturels et enfant. Autre possibilité : les sols stratifiés imitant parfaitement le bois. Dernière chose, Mondial Moquette vend désormais du parquet. Vous retrouverez toute leur gamme de produits dans les autres boutiques situées dans les 14e, 15e, 18e et 19e arrondissements. Autres adresses sur le site Internet.

LA MOQUETTERIE

334, rue de Vaugirard (15e)

✆ 01 48 42 42 62

Site Internet : www.lamoquetterie.fr – M° Convention. Ouvert du lundi au samedi de 9h30 à 12h et de 14h à 19h.

Le paradis de la moquette dans Paris intra-muros. Le choix est en effet ici extraordinairement élevé et les moquettes et tapis sont vendus à très bons prix. Gros avantage, on bénéficie toujours facilement des conseils d'une équipe de professionnels compétents et accueillants. Les raisons de tarifs aussi compétitifs ? La Moquetterie va se fournir là où ne vont pas les autres, dans les surplus de fabrication d'usines de 1er choix et les faillites d'usines ou de grossistes. Un bon plan pour trouver toutes les grandes marques à prix cassés.

Parquet

PRÉMIBEL

78, boulevard Voltaire (11e) ✆ 01 47 00 62 67

Site Internet : www.premibel-parquet.com et www.premibel-acoustique.com – M° Saint-Ambroise. Ouvert du lundi au samedi de 9h à 13h et de 14h30 à 19h. Devis gratuit.

Si vous trouvez ici des prix au plancher, c'est que Prémibel importe directement ses parquets. L'enseigne, connue auparavant sous le nom de Dinasol, fournit d'ailleurs aussi bien les particuliers que les professionnels, signe que le choix des revêtements de sol et les tarifs sont ici un must. Dans le grand showroom en plein cœur de Paris, vous trouverez une large sélection de parquets en chêne et bois exotiques (une trentaine d'essences). Les paramètres sont nombreux à envisager : humidité du sol, intensité d'utilisation, type de chauffage… L'équipe sait parfaitement s'adapter à toutes les demandes grâce au stock permanent, et conseille les clients selon leurs besoins et attentes pour trouver le parquet répondant aux exigences de chacun. Et l'enseigne ne néglige rien : Prémibel propose notamment des solutions très performantes pour l'isolation phonique et thermique, que vous choisissiez un parquet collé ou flottant. Enfin, et c'est important, Prémibel s'est engagé auprès du réseau Forêt et Commerce du WWF pour une exploitation durable des espaces forestiers. **Autres adresses :** 170, rue de la Roquette (11e) ✆ 01 43 79 92 80. Ouvert du lundi au samedi de 9h à 13h et de 14h30 à 19h • 7, rue Dailly – SAINT-CLOUD ✆ 01 47 71 67 73. Ouvert du lundi au samedi de 9h à 13h et de 14h30 à 19h et le dimanche de 11h à 17h.

SHOPPING

DECOPLUS
59, boulevard Sébastopol (1er)
✆ 01 42 36 10 00
Site Internet : www.decoplus-parquet.com – M° Etienne-Marcel. Ouvert du lundi au samedi de 9h à 19h.
Si vous trouvez moins cher, on vous rembourse la différence ! Une devise maison qui ne peut qu'intéresser les bricoleurs futés que nous sommes. Vous trouverez dans les sept show-rooms de la capitale et sur le site Internet des prix bas sur toutes les gammes de parquets européens ou exotiques. Poser un parquet nécessite quelques précautions : choix du bois, type de pose, entretien… Tout est fait pour vous faciliter la vie et l'achat : depuis les conseils avisés des conseillers jusqu'à la livraison. Dans tous les magasins, des experts sont à votre service et vous proposent des devis immédiats. Une fois le bon parquet choisi, vous choisissez la date de livraison qui vous convient (3 à 5 jours minimum). Decoplus stocke gratuitement vos parquets dans l'attente de vos travaux. On apprécie également de pouvoir passer commande directement via Internet (www.decoplus-online.com). En plus des conseils, des fiches techniques et de l'envoi d'échantillons, le site propose un simulateur assez malin qui permet de visualiser le rendu final. Votre sol revêtu, reste à vêtir le reste de la maison ! A découvrir, le site Internet axé sur la décoration intérieure avec, toujours dans l'esprit de l'enseigne, un choix de milliers d'articles de déstockage (canapés et fauteuils, chaises, commodes, consoles, luminaires, vaisselle, linge de maison,…), très tendance et des tarifs exceptionnels : www.decoplus-home.com. Le magasin de la rue du Faubourg-du-Temple est ouvert le dimanche. Autres adresses dans le 11e, 14e et 17e sur le site Internet.

LE FORUM POINT P
11-13, rue Boursault (17e) ✆ 01 44 10 20 30
Site Internet : www.leforum-pointp-paris.fr – M° Rome. Ouvert du lundi au samedi de 9h30 à 19h (10h à 18h30 en août).
Ce lieu est à la fois le lieu d'information, de documentations et d'exposition-vente du Groupe Point. P. On retrouve donc sur 2 800 mètres carrés des expositions avec une large place consacrée aux différents parquets. C'est l'endroit où aller pour disposer tout de suite d'excellents conseils sur les essences qui correspondent le mieux à ses besoins.

BEMART PARQUETS
156, rue des Pyrénées (20e)
✆ 01 40 33 86 86
Site Internet : www.bemart.com – M° Gambetta. Ouvert du lundi au vendredi de 8h30 à 12h et de 14h à 18h, le samedi de 10h à 19h sans interruption.
Bemart Parquet a fêté son 50e anniversaire en 2008. Cinq décennies de professionnalisme et de conseils avisés, c'est une somme d'expérience. Cette maison est restée fidèle à sa mission : offrir un service adapté aux besoins de sa clientèle, aussi pointus puissent-ils être. Découpes complexes, poses délicates, nouveaux matériaux très décoratifs comme le Célénio qui résiste même à une partie de pétanque, rien ne fait peur aux équipes expertes et attentives de Bémart Parquets. Avant de commander, faites votre choix en déambulant dans les 1 000 mètres carrés répartis en deux sites voisins, l'un dédié à l'exposition, le second au stock. Pas évident de s'y retrouver parmi les 200 références présentes, dont certaines exceptionnelles (des lames jusqu'à 5 mètres !) Mais pas de panique ! Ici, on saura vous guider vers le produit qui convient le mieux à votre intérieur et à votre usage. Possibilité de devis de pose à domicile par un personnel technique expérimenté. Le stock de l'enseigne est situé au : 82, rue de Bagnolet (20e) ✆ 01 40 33 86 85. Ouvert du lundi au vendredi de 8h à 12h et de 13h30 à 17h30, le samedi jusqu'à 16h30.

Multimédia

ENSEIGNES GÉNÉRALISTES

DARTY
Forum des Halles – 2, porte du Pont-Neuf (1er) ✆ 0821 082 082 – 0,12 €/min
Site Internet : www.darty.com – M° Les Halles. RER Châtelet-Les Halles. Ouvert du lundi au samedi de 10h à 20h.
Il n'est plus besoin de présenter cette enseigne et son célèbre «contrat de confiance». Au-delà de la qualité du service, ce qui plaît chez Darty, c'est le choix. En effet, de l'électroménager à l'électronique, le magasin offre une variété d'appareils considérable. Cela va du réfrigérateur au baladeur numérique, en passant par les ordinateurs, les télévisions, les chaînes hi-fi, les téléphones – fixes et mobiles… Consommables, accessoires et certaines pièces détachées sont également disponibles. Toutes les autres adresses sont sur le site Internet.

FNAC
136, rue de Rennes (6e)
✆ 0825 020 020 – 0,15 €/min
Site Internet : www.fnac.com – M° Montparnasse ou Saint-Placide. Ouvert du lundi au samedi de 10h à 19h30.
A la Fnac, l'offre est complète en matière de hi-fi, télévisions, vidéo, ordinateurs, appareils photo, caméscopes, téléphonie, MP3, GPS, logiciels et accessoires. Au cas où vous l'auriez oublié, notez que les magasins Fnac sont également bien fournis en livres, CD, DVD et jeux vidéo – voir adresse plus loin pour la Fnac Digitale.

ATM – AUDIO TELE MENAGER
8-10-12, place Félix-Eboué (12e)
✆ 01 43 43 82 83
M° Daumesnil. Ouvert du mardi au samedi de 10h à 12h30 et de 14h30 à 19h.
Dans cet espace étendu sur trois adresses contiguës, on trouve tout ce qui concerne la hi-fi, la vidéo, le home cinéma, ou la téléphonie à des prix toujours intéressants. ATM, c'est d'abord un grand choix de marques et de modèles, du standard au high-tech. Mais, c'est surtout une longue expérience dans le conseil. Ici, pas de vendeurs «minutés» pour vendre un produit ! On n'hésite pas à vous fournir toutes les informations nécessaires pour réaliser l'achat qui vous convient vraiment. Bref, voilà une enseigne particulièrement futée.

GROSBILL
60, boulevard de l'Hôpital (13e)
✆ 0 892 02 21 21
Site Internet : www.grosbill.com – M° Saint-Marcel. Ouvert du lundi au vendredi de 10h30 à 19h, samedi de 9h30 à 19h.
Des ordinateurs portables ou de bureau, des cartes graphiques, des disques durs externes, des imprimantes, des moniteurs LCD, ainsi que des baladeurs MP3, des jeux et des logiciels des homes cinémas, des télévisions… il y a le choix chez Grosbill ! Originalité de ce magasin : on vous y incite à commander et à payer vos produits à partir de bornes, avant d'aller les retirer à un guichet. En temps normal, il faut compter environ un quart d'heure pour effectuer la démarche.

EXTRA
74, rue Marx-Dormoy (18e) ✆ 01 46 07 44 35
Site Internet : www.extra.fr – M° Marx-Dormoy. Ouvert du mardi au samedi de 9h30 à 12h30 et de 14h30 à 19h.
Si vous cherchez à équiper entièrement votre foyer, voici un magasin où vous trouverez à peu près tout ce dont vous avez besoin. Son catalogue comprend soixante grandes marques en électroménager, image et son, téléviseurs, lecteurs et/ou enregistreurs de DVD, caméscopes, appareils photo numériques, chaînes hi-fi, radio, baladeurs MP3, téléphones, petits électroménagers,… et quantités d'accessoires et de mobiliers allant avec les appareils. Et cela en vous proposant les meilleurs prix.

INFORMATIQUE

MICROMANIA
Forum des Halles – 210, porte Lescot (1er)
✆ 01 55 34 98 20
Site Internet : www.micromania.fr – M° Les Halles ou Châtelet RER Châtelet-Les-Halles. Ouvert du lundi au samedi de 10h à 19h.
Play Station, X Box et Nintendo : les trois grands fabricants de consoles de jeux sont représentés dans les rayons de ce magasin membre d'une chaîne bien présente dans tout Paris. Les consoles portables sont également en vente : PSP et Nintendo DS, de même que Game Boy Advance. Bien évidemment les jeux qui vont avec ces machines, ainsi que ceux que l'on installe sur PC, sont disponibles chez Micromania, qu'il s'agisse des dernières nouveautés ou des grands succès qui ont la vie dure.

VIRGIN MEGASTORE
Galerie du Carrousel du Louvre – 99, rue de Rivoli (1er) ✆ 01 44 50 03 10
Site Internet : www.virginmegastore.fr – M° Palais-Royal. Ouvert lundi et mardi de 10h à 20h, du mercredi au dimanche de 10h à 21h.

La visite des lecteurs, mélomanes et cinéphages aux rayons livres, disques et DVD, se doit d'être complétée ici du côté des espaces dédiés aux jeux vidéo et aux appareils numériques portables – lecteurs MP3... On y trouve toutes les dernières nouveautés. Les autres Mégastores sont aussi bien fournis que celui-ci – des téléphones mobiles vous attendent en outre au magasin des Champs-Elysées.

ICLG BEAUBOURG
26, rue du Renard (4e)
✆ 01 44 43 16 65
Site Internet : www.iclg.com – M° Rambuteau ou Hôtel-de-Ville. Ouvert du lundi au samedi de 10h à 19h.

Les adeptes du Mac se sentent souvent victimes d'ostracisme dans la plupart des magasins d'informatique ! Celui-ci, ainsi que les trois autres portant la même enseigne, sont donc autant d'oasis pour qui ne jure que par les produits Apple. Toute la gamme d'ordinateurs frappés du sceau de la petite pomme croquée est ici en vente, de même que les composants, périphériques, consommables et logiciels qui permettent d'ignorer avec superbe le monde du PC ! En plus de cela, ces boutiques vous proposent aussi des modèles d'Ipod et quelques caméscopes et appareils photo numériques. **Autres adresses :** 107, avenue Parmentier (11e) ✆ 01 44 43 16 71. Ouvert du lundi au vendredi de 10h à 19h, samedi de 10h à 13h et de 14h à 19h • 35, avenue du Général-Leclerc (14e) ✆ 01 44 43 16 71. Ouvert du lundi au vendredi de 10h à 19h, samedi de 10h à 13h et de 14h à 19h • 15, avenue de la Grande-Armée (16e) ✆ 01 44 43 16 71. Ouvert du lundi au vendredi de 10h à 19h, samedi de 10h à 13h et de 14h à 19h.

CARTOOOCHE
84, avenue de la République (11e)
✆ 01 43 55 01 01
Site Internet : www.cartoooche.fr – M° Saint-Maur. Ouvert le lundi de 14h à 19h, du mardi au samedi de 10h à 19h.

«La Station service de votre cartouche d'imprimante», tel est le slogan de cette enseigne qui permet d'économiser jusqu'à 60 % sur une cartouche d'encre. On reprend votre cartouche vide et on la remplit comme par magie pour 2 fois moins cher avec une encre de qualité équivalente à celle d'origine. Suivant les modèles, une cartouche peut-être recyclée jusqu'à huit fois. Lorsqu'elle arrive en bout de course, il suffit de la rapporter au magasin qui l'envoie dans des circuits spécialisés de recyclage, une solution très écologique. Cartoooche a toutes les marques et toutes les couleurs dont vous avez besoin. Et en plus d'être pro, ils sont charmants !

SHOPPING

La rue Montgallet

Dites «rue Montgallet» à un passionné d'informatique et vous verrez ses yeux s'illuminer. Dans cette rue du 12e arrondissement, ainsi que tout autour, notamment sur une portion de l'avenue Daumesnil et de la rue de Charenton, les enseignes spécialisées se sont multipliées depuis une dizaine d'années. Les medias s'étant emballés, ce qui était connu des seuls initiés est devenu un lieu de visites et d'achats pour de nombreux adeptes du multimédia. Attention tout de même de savoir précisément ce que vous voulez avant de vous lancer dans un achat auprès d'une de ces boutiques, plus soucieuses de vendre vite et pas cher qu'à vous conseiller longuement. Cela dit, pour ceux qui ne veulent pas acheter sur Internet mais souhaitent bénéficier de prix compétitifs, la rue Montgallet peut être une alternative intéressante. Avant de descendre au métro Montgallet et de vous lancer dans l'exploration des boutiques, n'hésitez pas à consulter le site Internet www.rue-montgallet.com, il vous donnera des comparatifs de prix.

FNAC DIGITALE
77, boulevard Saint-Germain (6e)
✆ 0825 020 020 – 0,15 €/min
Site Internet : www.fnac.com – M° Odéon. Ouvert du lundi au samedi 10h à 20h.
Vous avez ici le dernier cri en matière d'ordinateurs, d'imprimantes, de disques durs, de clés USB, d'accessoires divers et variés. Cette Fnac spécialisée propose aussi une large offre de baladeurs MP3 : Apple, Creative, Archos, Neonumeric et bien d'autres. L'intérêt des lieux est que l'on peut les toucher, pour bien se rendre compte de l'aspect pratique de ce petit accessoire où la miniaturisation extrême n'est pas forcément le meilleur choix. Notez que les autres Fnac possèdent elles aussi des rayons consacrés à l'informatique.

SURCOUF
139, avenue Daumesnil (12e)
✆ 0 892 707 620 (0,34 €/min)
Site Internet : www.surcouf.com – M° Reuilly-Diderot, Gare-de-Lyon ou Dugommier. RER Gare-de-Lyon. Ouvert du lundi au samedi de 9h à 20h, les jours fériés de 10h à 19h.
Surcouf est connu pour être LE supermarché multimédia informatique de la capitale : 6 000 mètres carrés sur trois étages, plus de vingt mille références produits… La profusion de stands et la forte fréquentation peuvent effrayer lors d'une première visite, mais une fois que l'on a trouvé son rayon après avoir arpenté quelques couloirs, on se retrouve bien face à des prix attractifs qui rivalisent sans rougir avec ce que l'on trouve sur Internet. Un conseil : rendez-vous dans cette grande surface avec un(e) ami(e) qui s'y connaît afin de ne pas passer pour un ballot et faire le bon choix. **Autre adresse :** 21, boulevard Haussmann (9e) ✆ 0 892 707 620 – 0,34 €/min. Ouvert du lundi au samedi de 10h à 20h, jeudi jusqu'à 21h.

LCDI
192, rue de Charenton (12e)
✆ 01 43 43 24 40
Site Internet : www.lcdi.fr – M° Dugommier, Montgallet ou Reuilly-Diderot. Ouvert du mardi au samedi de 10h à 13h et de 14h à 19h
Bien situé dans le quartier des fondus d'informatique, ce magasin vous propose d'innombrables solutions à vos recherches d'équipement numérique. Des composants pour configurer son installation PC, des éléments de connectique, des périphériques, des logiciels, des cartes mère, mémoire, graphique, des graveurs… Impossible de tout détailler tellement il y a de quoi faire ! En plus de cela, vous trouverez tout ce qui a un lien avec les ordinateurs et qui est également à portée de main : wi-fi, photo, vidéo, son, téléphonie, assistants personnels, GPS… **Autre adresse :** 199-207, rue des Pyrénées (20e) ✆ 01 43 15 02 03. Ouvert du mardi au samedi de 10h à 13h et de 14h à 19h.

TÉLÉPHONIE

PHONE HOUSE
96, rue de Montorgueil (2e)
✆ 01 40 13 89 85
Site Internet : www.phonehouse.fr
M° Sentier. Ouvert du lundi au samedi de 10h30 à 19h30.
Vous trouverez des boutiques Phone House dans chaque arrondissement de la capitale – voir adresses sur le site Internet. Il y en a une quarantaine dans tout Paris ! Leur point fort est de proposer plus de cent références de mobiles et les services de quinze opérateurs de téléphonie et Internet. En s'y rendant régulièrement, vous avez aussi l'occasion de découvrir les dernières nouveautés présentées parfois en exclusivité. Phone House voulant se singulariser en matière de prix, si vous trouvez moins cher dans une autre boutique, dans les trente jours suivant votre achat, on vous rembourse la différence. Autre avantage : en cas de panne, la boutique met à votre disposition un téléphone de prêt. Si le délai de réparation dépasse quinze jours ouvrés, Phone House vous offre 50 € de remise.

FRANCE TELECOM-ORANGE
13, place de la République (3e)
✆01 40 29 99 07
Site Internet : www.francetelecom.fr – M° République. Ouvert du lundi au samedi de 10h à 19h.
A cette adresse, ainsi que dans la trentaine d'autres agences situées dans Paris, vous aurez toutes les informations nécessaires que vous cherchez sur les offres d'abonnements et de services Orange, ainsi que les modèles de marques diverses – Alcatel, Samsung, Nokia… – associés à ces derniers. Ralliant 46 % des adeptes du mobile en France, Orange est le Numéro 1 du marché.

CLUB BOUYGUES TELECOM
33, rue de Rivoli. (4e)
✆01 44 54 94 81
Site Internet : www.bouyguestelecom.fr – M° Châtelet. Ouvert du lundi au samedi de 10h30 à 19h.
Bouygues Telecom est le dernier grand opérateur en date à être arrivé sur le marché de la téléphonie mobile en 1994. Dans cette boutique vous sont proposés tous les abonnements et appareils de la filiale du groupe Bouygues qui a dépassé les dix millions d'abonnés en 2008. Autres adresses sur le site Internet.

ESPACE SFR
15, rue Soufflot (5e)
✆01 43 26 09 79
Site Internet : www.sfr.fr – M° RER Luxembourg. Ouvert du lundi au samedi de 10h à 19h.
SFR compte une quarantaine de boutiques dans Paris. Téléphones, abonnements, options : vous avez ici tout ce qu'il faut pour vous y retrouver dans les offres de cet opérateur qui, avec ses près de dix-neuf millions d'abonnés, est le Numéro 2 du marché français du mobile.

GISCOM
160, rue Oberkampf (11e)
✆01 48 07 21 29
Site Internet : www.giscom.fr – M° Ménilmontant. Ouvert du lundi au samedi de 10h à 20h.
Boutique spécialiste du GSM existant depuis plus de quinze ans, Giscom est une de ces adresses indépendantes où l'on peut recevoir des conseils de professionnels sur les meilleures offres. Elle propose une large gamme de téléphones portables avec ou sans abonnement, relaie les offres spéciales des opérateurs et propose des promotions toute l'année, ainsi que de nombreux accessoires.

POINT SERVICE MOBILES
1, rue de l'Arc-de-Triomphe (17e)
✆01 45 74 74 00
Retrouvez toutes les adresses sur le site www.allopsm.fr
Un problème de mobile juste avant le grand départ à l'autre bout du monde ? Point Service Mobiles vous sauvera la mise avec son nouveau concept : la réparation immédiate de portable, quelle que soit le modèle et la marque. Un technicien réalise le diagnostic et répare votre mobile, gratuitement s'il est sous garantie, et sur devis si votre mobile est hors garantie, cassé ou oxydé. Pas de soucis concernant vos données personnelles puisque l'enseigne vous propose de les protéger en les sauvegardant. Plus de 8 téléphones sont 10 sont réparés sur place en moins de 40 minutes. Et si votre téléphone a besoin de réparations plus poussées, Point Service Mobiles vous prête un portable le temps de son immobilisation. Avec une quarantaine d'adresses, Point Service Mobiles est présent partout : Paris, Lyon, Marseille, Lille, Bordeaux… Heureux voyageurs, partez tranquilles, muni de votre mobile !

HI-FI, VIDÉO

PRESENCE AUDIO CONSEIL
10, rue des Filles-du-Calvaire (3e)
✆01 44 54 50 50
Site Internet : www.presence-audio.com – M° Filles-du-Calvaire. Ouvert du mardi au samedi de 10h30 à 19h30.
Présence Audio Conseil est un spécialiste de la haute fidélité dans le son et l'image. Dans ce magasin, on ne se soucie pas seulement de la restitution des effets les plus spectaculaires, on parle fidélité, qualité de timbre, nuances, autant de notions primordiales pour optimiser son choix. Vous pouvez vous constituer ici une chaîne ou un home cinema de grande qualité. Parmi les marques présentes ici, il y en a de fameuses – Panasonic, Pioneer… –, mais aussi de moins connues qui savent séduire les spécialistes, comme le Suédois Primare ou encore les Français YBA et Micromega. Salons d'écoute, salles de démonstration et rayon occasion complètent le paysage pour votre plus grande satisfaction.

LYRIQUE
6, passage de la Vierge (7e)
✆01 47 05 15 46
Site Internet : www.lyrique.fr – M° Ecole-Militaire. Ouvert du mardi au samedi de 11h à 13h et de 14h à 19h, jusqu'à 20h le jeudi.
Vous trouverez dans ce magasin de la très haute qualité. La maison distribue en effet un système Panasonic, utilisé en studio par des professionnels, afin de répondre aux aspirations des clients les plus exigeants. Difficilement trouvable ailleurs, cet ensemble compte parmi ce qui se fait de mieux en termes de définition d'image et de son. Un must ! En parallèle, vous pouvez néanmoins commander d'autres systèmes issus des plus grandes marques.

BANG & OLUFSEN
142, avenue des Champs-Elysées (8e)
✆01 56 43 60 50
Site Internet : www.bang-olufsen.com – M° George-V. Ouvert du lundi au samedi de 10h30 à 19h30.
Réputé pour la qualité de ses produits, Bang & Olufsen propose des appareils audio et vidéo haut de gamme répondant à des critères de design et de formidable reproduction des sons et des images – enceintes, homes cinémas et même téléphones sont aussi disponibles. L'aluminium est souvent utilisé dans leur fabrication. Ils sont splendides, notamment parce que Bang & Olufsen fait systématiquement appel à des designers indépendants et leur laisse carte blanche, se fiant avant tout à leur intuition et à leur inventivité. Autres adresses sur le site Internet.

ILLEL
86, boulevard de Magenta (10e)
✆01 40 34 68 69
Site Internet : www.illel.fr – M° Gare-du-Nord. Ouvert le lundi de 15h à 19h et du mardi au samedi de 10h30 à 19h.
Ce magasin vous propose d'excellents prix sur toute la hi-fi, le home cinéma et quelques produits électroménagers – fours, aspirateurs... On retrouve ici toutes les plus grandes marques du marché – Panasonic, Philips, Sony, Pioneer, Thomson... Véritable roi des lieux, le home cinéma trône en maître avec près de trois mille articles représentant une trentaine de marques, entre enceintes, caissons de graves, vidéos projecteurs, écrans plasmas, rétroprojecteurs, écrans LCD, amplis audio-vidéo ou lecteurs-enregistreurs DVD. Mais les amateurs de son de qualité ne sont pas oubliés, Illel distribue tout le nécessaire pour écouter sa musique dans des conditions optimales. Notez que des opérations de déstockage permettent de faire régulièrement de belles affaires. **Autre adresse :** 3, rue Vasco-de-Gama (15e) ✆01 45 54 09 22. Ouvert du mardi au samedi de 10h30 à 19h.

EUROP PHOTO CINE SON
18, rue du Faubourg-Poissonnière (10e)
✆01 47 70 67 62
Site Internet : www.prichoc.com – M° Bonne-Nouvelle. Ouvert du lundi au samedi de 9h à 19h.
Cette boutique vous propose des prix comptant parmi les plus bas du marché pour tout ce qui concerne les téléviseurs, les homes cinémas, les systèmes de son ou encore les appareils photo numériques. Vous trouverez, par exemple, un important choix de systèmes de vidéos projecteurs parmi une quinzaine de très grandes marques ou un nombre considérable d'amplificateurs audio-vidéo de différentes puissances, ainsi que des platines CD, des enceintes acoustiques...

COBRA
66, avenue Parmentier (11e) ✆08 25 30 10 80 (0,125 €/min depuis un poste fixe)
Site Internet : www.cobrason.com – M° Parmentier. Ouvert du mardi au samedi de 10h à 19h.
Tout, il y a tout, ou presque, ce que vous recherchez en matériel de haute-fidélité, de télévision, de vidéo, de home cinema, de vidéo projection et de photo numérique dans ce magasin. Il y en a pour tous les budgets, mais votre choix étant dépendant de vos besoins et de vos envies, on ne saura trop vous conseiller de discuter avec un vendeur pour bien comprendre ce qui fait la différence entre tel ou tel produit.

HI-FI CABLES ET COMPAGNIE
77, avenue de la République (11e)
✆01 47 00 46 47
Site Internet : www.hifi-cables.net – M° Saint-Maur. Ouvert le lundi de 14h à 19h, du mardi au vendredi de 10h à 19h et le samedi de 10h à 13h.
Un lieu un peu à part, entièrement dédié aux câbles et à la connectique de chaînes hi-fi et de systèmes home cinéma. On vient donc ici afin de trouver une solution à tous ses problèmes de branchements. Cette entreprise est née de la passion de Jean-Claude Tornior pour la reproduction sonore qui, grâce au contact quotidien avec des clients mélomanes s'est rendu compte que les câbles existant sur le marché ne comblaient pas les attentes des audiophiles exigeants. Vous trouverez ainsi ici une gamme de très haute qualité pour des conditions d'écoute optimale. Le must pour parfaire ses installations à domicile.

AUDIO SYNTHESE
8, rue de Prague (12e) ✆01 43 07 07 01
Site Internet : www.audio-synthese.fr – M° Ledru-Rollin. Ouvert du mardi au vendredi de 12h30 à 19h30, samedi de 11h à 19h30.
L'équipe d'Audio Synthèse s'attache à sélectionner les meilleurs appareils du marché en se basant à la fois sur leur performance, leur fiabilité et la pérennité des constructeurs qui leur donnent naissance. En venant ici, vous bénéficierez des avis de conseillers spécialisés, vous aidant à déterminer la composition et le niveau de qualité que vous attendez du système de votre choix. Une fois votre choix de platine, d'ampli ou de home cinema effectué, Audio Synthèse se charge de votre installation à domicile, afin d'optimiser les performances en fonction de la disposition et de l'acoustique de votre intérieur.

MUSIC-HALL
8, rue de l'Abbé-Groult (15e) ✆01 45 30 06 44
Site Internet : http://musichall.free.fr – M° Commerce. Ouvert du mardi au samedi de 11h à 13h et de 14h à 19h.
On peut trouver chez Music-Hall tout ce qui touche à l'audio et à la vidéo, avec un seul mot d'ordre : le

service sur mesure, trop souvent absent lors d'achat de ce type de produits, ce qui conduit parfois à des aberrations au moment de l'installation. Cette spécialisation passe par un service à la vente, un service après-vente, une grande écoute des besoins du client, afin de répondre au mieux à son attente. Music-Hall fait aussi de l'intégration – systèmes cachés, télécommandes… **Autres adresses :** 5, cour de Petites-Ecuries (10e) ✆01 48 01 06 14 • 67 bis, rue de Rome (8e) ✆01 42 94 21 32.

AVANCE VIDEO HD
17, rue Charles-Lecocq (15e)
✆01 40 43 97 02
Site Internet : www.avancevideopro.com – M° Commerce ou Convention. Ouvert du lundi au vendredi de 10h à 13h et de 14h à 20h.
Dans le marché en pleine expansion du home cinéma, ce magasin se positionne dans le très haut de gamme. Vous trouverez exclusivement des produits de grande qualité, de quoi vous faire une installation digne d'un professionnel. Les professionnels en question ne boudent d'ailleurs pas les lieux et viennent également trouver du matériel ici.

ACOUSTIC GALLERY
8, rue Gounot (17e) ✆01 47 66 10 14
Site Internet : www.acousticgallery.fr – M° Wagram. Ouvert du mardi au samedi de 11h à 19h.
Ce superbe show-room est une véritable galerie audio et vidéo de prestige vous permettant, avec son grand auditorium principal de 50 mètres carrés, d'apprécier les produits dans les meilleures conditions acoustiques possibles, en reproduisant une scène sonore grandeur nature pour un plus grand confort d'écoute. Une salle est également dédiée aux produits vidéos avec de nombreux écrans plats. Elle vous permet de découvrir ce qui se fait de mieux en matière de vidéo haute définition. Vous noterez l'excellent référencement des produits d'exception vous permettant de comparer, afin de sélectionner le produit correspondant le mieux à vos attentes.

MOVIE STORE ESPACE PRESTIGES
78, rue Jouffroy-d'Abbans (17e)
✆01 43 55 07 15
Site Internet : www.moviestore.fr – M° Wagram. Ouvert du mardi au samedi de 11h à 19h.
Ce magasin, à la fois concepteur et installateur de systèmes home cinema vous permet de bénéficier à domicile d'installation n'ayant strictement rien à envier aux salles de cinéma de votre quartier. Ici, une équipe s'occupe absolument de toute la pose de votre installation, écran, branchements, et même si nécessaire de l'installation des meubles. En terme de produits, le choix est très large et vous n'aurez que l'embarras du choix en ce qui concerne les écrans plasmas, les vidéos projecteurs ainsi que les systèmes de son. On trouve également des DVD et des Blue Ray.

TELE ROYAL
81, avenue de Clichy (17e) ✆01 46 27 05 89
M° La Fourche. Ouvert le lundi de 14h à 19h et du mardi au samedi de 11h à 13h et de 14h à 19h.
Une maison qui a plus de trente ans, voilà qui devrait rassurer sur son savoir-faire. Les prix très serrés sont régulièrement pimentés de quelques bonnes promotions. Sont disponibles beaucoup de télévisions, matériels vidéo et hi-fi, homes cinémas, téléphones portables, appareils photo numériques, caméscopes numériques et du petit matériel comme les discmen… Il y a donc là de quoi s'équiper intégralement à petit budget en bénéficiant toujours de judicieux conseils.

AUTO

Accessoires

SEBASTO AUTO-RADIO
60, boulevard Sébastopol (3e)
✆ 01 42 77 42 78
Site Internet : www.sebastoautoradio.net – M° Etienne Marcel. Ouvert du lundi au samedi de 10h à 19h.
Spécialiste reconnu de la pose d'autoradios, d'alarmes, de chargeurs cd ou encore de systèmes de navigation GPS, Sebasto Auto-Radio propose un vaste choix de matériels au meilleur prix, allant des modèles standard jusqu'aux dernières innovations GPS. Très bon service après-vente et promotions régulières tout au long de l'année. Le montage et la pose des différents modèles peuvent s'effectuer avec ou sans rendez-vous selon la difficulté de la tache. **Autre adresse :** 27, avenue de la République (11e) ✆ 01 43 57 16 98.

Achat neuf et occasion

C42 CITROEN
42, avenue des Champs-Elysées
✆ 0 810 42 42 00
Site Internet : www.c42.fr – M° F.D. Roosevelt. Ouvert du lundi au samedi de 10h à 22h.
Depuis 1927 sur les Champs-Elysées, la marque aux chevrons affiche clairement son identité sur la façade où le thème des V renversés est magnifiquement stylisé. Cela vous incite à entrer dans ce showroom-musée où modèles anciens (Traction Avant, 2 CV, DS...) et nouveaux sont présentés sur des plates-formes pivotantes et où l'on peut découvrir des concept cars. Un ascenseur panoramique vous conduit au dernier étage où vous avez une vue formidable sur la Tour Eiffel. Tout en hauteur, ce lieu est incontournable pour les passionnés de voiture et les futurs clients de la marque qui trouveront dans Paris 18 vendeurs de voitures neuves ou d'occasion, de garages spécialisés (voir sur paris.citroen.fr).

ATELIER RENAULT
53, avenue des Champs-Elysées (8e)
✆ 08 11 88 28 11
Site Internet : www.atelier.renault.com – M° F.D. Roosevelt. Ouvert du dimanche au jeudi de 10h30 à 0h30, vendredi et samedi de 10h30 à 2h30.
Prestigieux espace de présentation de la gamme Renault, cet «atelier» voit son implantation sur les Champs remonter à 1910. Un temps baptisé Pub Renault, l'endroit s'est modernisé, notamment en organisant des expositions sur l'histoire et l'actualité du constructeur automobile. Vous pouvez ici voir des modèles superbement mis en valeur – certains sont présentés en exclusivité –, avant ou après avoir déjeuner, dîner ou «bruncher» au restaurant gastronomique ou plus modestement au bar. Pour les accros, une boutique leur permet d'acheter des voitures miniatures et des objets divers (montre, casquette...). Enfin notez qu'en plus de cette vitrine de la marque, vous avez 14 concessionnaires (voitures neuves et occasion) et ateliers Renault dans Paris.

PEUGEOT AVENUE
136, avenue des Champs-Elysées (8e)
✆ 01 42 89 30 20
Site Internet : www.peugeot.fr – M° George V. Ouvert du dimanche au mercredi de 10h30 à 20h, du jeudi au samedi de 10h30 à 23h.
Le Lion de Sochaux montre ses nouveaux modèles dans ce lieu où sur les murs on retrace l'histoire de la marque, notamment en ce qui concerne les victoires sportives. La présentation de documents (maquettes de voitures, photos, écrans vidéo, objets...) complète cette évocation. Il y a aussi une boutique pour les fans et des expositions thématiques sont régulièrement organisées. Notez que vous trouverez 14 concessionnaires (neuf et occasion) et réparateurs Peugeot dans Paris.

CAREXEL
8, rue Albert (13e) ✆ 01 45 85 61 00
Site Internet : www.buffetauto.com – M° Porte d'Ivry ou RER Boulevard-Masséna. Ouvert du lundi au vendredi de 9h à 12h30 et de 13h30 à 18h30, samedi de 9h30 à 12h30.
Officiant depuis plus de trente ans, Buffet Automobile est un des spécialistes de la voiture d'occasion. De six mois à dix ans, toutes les voitures vendues présentent l'avantage d'être relativement en bon état. Le plus : le choix d'automobiles est assez régulièrement renouvelé.

SMART CENTER
27-33, avenue Paul-Doumer (16e)
✆ 01 56 91 50 00
Site Internet : www.como.fr – M° Trocadéro. Ouvert du lundi au vendredi de 8h30 à 19h et le samedi à partir de 10h.
Fortwo, Forfour ou roadster : la Smart est devenue l'incontournable petite voiture que l'on gare partout dans Paris. Un large choix de modèles vous attend au Smart Center. Neuf ou d'occasion, vous trouverez votre bonheur. **Autres adresses :** 185, rue de Bercy (12e) ✆ 01 53 44 70 50. • 8-10, boulevard du Montparnasse (15e) ✆ 01 47 34 50 00. • 30, rue Rennequin (17e) ✆ 01 56 33 50 00.

NEUBAUER
9, boulevard Gouvion-Saint-Cyr (17e)
✆01 46 22 73 39
Site Internet : www.neubauer.fr – M° Porte Maillot. Ouvert du lundi au samedi de 9h à 18h30.
C'est un géant de la vente automobile qui distribue les plus grandes marques : Peugeot, Fiat, Nissan, Volkswagen, BMW, Mini, Land Rover, Lotus, Daihatsu, Alfa Romeo, Lancia, Maserati, Ferrari, Jaguar, Rolls Royce. En tout, neuf adresses principalement situées dans la partie ouest de Paris sont là pour vous proposer des modèles neufs ou d'occasion, ainsi que les accessoires des marques. Dans celle-ci, vous pouvez opter pour une Peugeot, une Nissan, une Daihatsu ou une Jaguar.

Auto-écoles

RENNES AUTO-ECOLE
79, rue de Rennes (6e)
✆01 45 48 86 12
Site Internet : www.rennes-autoecole.com – M° Saint-Sulpice. Cours de conduite de 7h à 20h et cours de code du lundi au vendredi de 10h30 à 19h30. Agence ouverte de 10h à 13h et de 14h à 19h, samedi de 10h à 13h sur RV.
Une auto-école qui ne fait pas que pour les autos puisque ici on peut passer son permis moto et même son permis bateau. On peut aussi faire la conduite accompagnée ! Plus de 30 ans d'expérience au service de ceux qui ne veulent plus tout faire en transport en commun ou à pied ! **Autre adresse :** 113, rue Monge (5e) ✆01 45 35 55 92 – M° Censier-Daubenton. Mêmes horaires.

AS FORMATION
18, rue Oberkampf (11e)
✆01 48 05 47 92
M° Oberkampf. Ouvert du lundi au vendredi de 10h à 12h et de 14h à 19h.
AS Formation mérite votre confiance puisqu'en plus de la formation de base au permis B, elle propose aussi les permis C, D, et E, forme des moniteurs et dispose de cours de perfectionnement pour les métiers de conducteur – livreurs, camion-grue… Une quinzaine d'adresses de ce réseau se trouvent dans Paris.

ECOLE DE CONDUITE FELIX-EBOUE
55, boulevard de Reuilly (12e)
✆01 43 07 32 14
Site Internet : www.autoecolefelixeboue.com – M° Daumesnil. Ouverture du bureau le lundi, le mardi, le jeudi et le vendredi de 10h à 12h et de 14h à 20h, le mercredi de 14h à 20h, et le samedi de 10h à 12h. Leçons de conduite de 7h à 20h du lundi au vendredi et le samedi de 7h à 16h.
Le forfait pour le permis B inclut l'évaluation, le forfait code, l'inscription au code, les leçons de conduite – 21 heures –, l'inscription à l'examen de conduite et les frais de dossier. Réputée pour la compétence de ses moniteurs spécialisés dans la formation de la conduite auto et moto, cette auto-école se distingue surtout pour le service qu'elle offre aux malentendants. Ceux-ci seront accompagnés d'un traducteur lors des leçons.

ECOLE DE CONDUITE PLAISANCE
180, rue d'Alésia (14e)
✆01 45 43 01 94
Site Internet : www.cer-paris14.com – M° Plaisance. Ouvert du lundi au vendredi de 10h à 13h et de 14h à 20h, samedi de 10h à 13h.
Avec plus de vingt ans d'expérience, l'Ecole de conduite routière attire un public nombreux. Aussi pro avec les quatre roues qu'avec les deux roues, ce centre est un lieu de passage incontournable pour devenir un as du volant. Un centre modernisé et un savoir-faire inégalé. **Autres adresses :** 49, rue Pernety (14e). • 92, rue Daguerre (14e).

Carrossier

AXIAL – SEDILLOT
108, rue de Cambronne (15e)
✆01 47 34 74 93
Site Internet : www.axial.org – M° Vaugirard. Ouvert du lundi au vendredi de 8h à 12h30 et de 13h30 à 18h, samedi de 9h à 12h.
Les carrossiers Axial vous garantissent des réparations sur les véhicules de toutes marques et de tous âges, quelle que soit la nature du choc. Ils assurent aussi le changement d'éléments vitrés d'optiques et la réparation des pare-brises et peuvent également s'occuper de votre climatisation (recharge, remplacement, filtre...). **Autre adresse :** Baudelot Monneraye. 23-25, rue de l'Ourcq (19e) ✆01 42 08 70 18.

Centres de contrôle technique

DEKRA – AUTO-BILAN COURCELLES
59, boulevard de Courcelles (8e)
✆01 47 63 59 59
Site Internet : www.controletechnique-automobile.com – M° Courcelles. Ouvert du lundi au vendredi de 9h à 18h, samedi de 9h à 12h30.
Un centre de contrôle technique rapide et efficace, membre du réseau Dekra. Le contrôle technique de votre véhicule se fera ici en 30 minutes chrono. Une solution rapide et efficace pour les véhicules de tourisme, les 4x4, les voitures de collection et les utilitaires. Les techniciens vérifient les 125 points de contrôle définis par la réglementation et sans démontage : châssis, suspension, freinage, éclairage, signalisation, pollution, direction, transmission, équipement. Vous pouvez arriver sans prévenir rue de Citeaux, dans les deux autres centres il vaut mieux prendre rendez-vous. **Autres adresses :** 22, rue de Châteaudun (9e) ✆01 45 26 66 68. • 13-15, rue de Citeaux (12e) ✆01 43 47 32 13.

SECURITEST – BAUCHAT AUTO BILAN
35, rue du Sergent-Bauchat (12e)
✆01 43 41 91 89
Site Internet : www.securitest.fr – M° Nation ou Mongallet. Ouvert du lundi au jeudi de 8h30 à 12h30 et de 14h30 à 18h, vendredi de 8h30 à 12h30 et de 14h30 à 17h30 et samedi de 9h à 12h et de 13h à 16h.
Prenez soin de votre voiture et restez en règle en la confiant à ce centre Sécuritest qui affiche sa totale indépendance avec le commerce ou la réparation automobile. Les organes principaux de votre véhicule seront vérifiés. Savoir-faire, qualité, travail soigné et service clientèle sans reproche. **Autre adresse :** 28 bis, rue Lacordaire (15e) ✆01 40 59 07 61 • 10, rue Julien-Lacroix (20e) ✆01 58 70 00 01.

AUTOSUR – CENTRE DE CONTROLE ROSNY
34, rue Abel-Hovelacque (13e)
✆01 47 07 12 63
Site Internet : www.autosur.com – M° Place d'Italie. Ouvert du lundi au vendredi de 8h à 17h30, samedi de 9h à 13h.
Dans ce centre, comme dans tous ceux qui sont membres du réseau Autosur, on vous garantit sérieux et attention. N'importe quel véhicule peut être ici contrôlé. Si vous le voulez, on effectue aussi un contrôle de votre moteur en effectuant une analyse physico-chimique de l'huile moteur afin de déceler les dysfonctionnements éventuels ou d'anticiper certaines pannes. Autre plus : vous pouvez demander à votre centre de vous relancer pour votre prochain contrôle technique. **Autres adresses :**

Action Contrôle Technique. 1, rue de la Porte-d'Issy (15e) ✆01 40 60 90 90

Auto Contrôle Paris 16. 60, rue Chardon-Lagache (16e) ✆01 42 15 07 07

Action Contrôle Technique. 113, boulevard Bessières (17e) ✆01 42 29 94 94

Contrôle Technique Stephenson. 5-7, rue Stephenson (18e) ✆01 46 06 46 85

Auto Bilan Contrôle Technique. 82, rue Petit (19e) ✆01 42 38 24 17. Site Internet : www.tuv-dcta.com

Contrôle Technique Pyrénées. 346, rue des Pyrénées (20e) ✆01 43 66 85 61

AUTOVISION – AB AUTOBILAN ABA
91, rue de Meaux (19e) ✆01 40 18 40 54
Site Internet : www.autovision-pl.fr – M° Laumière. Ouvert du lundi au vendredi de 8h30 à 18h30.
Les centres de contrôle du réseau Autovision comme celui-ci mettent en avant leur savoir-faire et leur exigence de qualité. Deux bons points à contrôler ici, avec ou sans rendez-vous, en compagnie de votre véhicule ! **Autres adresses :** K.A.R.S. 1-3, boulevard de Ménilmontant (11e) ✆01 43 73 53 73 • Etablissements Therrey. 77, rue de Lagny (20e) ✆01 40 09 20 00.

Dépannage 24h/24

DAN DEPANN
Parking Meyerbeer. 4, rue de la Chaussée d'Antin (9e) ✆01 40 06 09 64 ou 0800 25 1000 (appel gratuit depuis un fixe)
Site Internet : www.dandepann.fr – M° Madeleine. Ouvert toute l'année, 7j/7 et 24h/24.
Des dépanneuses parfaitement équipées interviennent où que vous soyez dans Paris et en Ile-de-France. Si la réparation ne peut s'effectuer sur place, le véhicule endommagé est rapatrié et le client a la possibilité de louer une voiture de remplacement. Autres services : réparations et entretiens divers directement à l'atelier.

Entretien et réparation

VAYSSE
33, boulevard Bourbon (4e) ✆01 42 72 01 12
Site Internet : www.profilplus.fr – M° Bastille. Ouvert du mardi au vendredi de 9h à 12h30 et de 13h30 à 19h, samedi de 9h à 12h30 et de 13h30 à 18h.
Véritable institution en matière de pneumatiques et de mécanique, la société Vaysse a gagné ses lettres de noblesse dès les débuts de l'automobile. Aujourd'hui, elle étend son savoir-faire et couvre désormais tous les services liés à la moto et au quad, comme c'est le cas à cette adresse, mais aussi aux caravanes, remorques, utilitaires et poids lourds. Des offres «prix spéciaux», ainsi que diverses remises ont lieu régulièrement toute l'année. Pour plus de sécurité, l'ensemble des centres Vaysse procèdent gratuitement à un contrôle «bilan santé» des véhicules légers sur une vingtaine de points sensibles essentiels. Le réajustement de pression des pneus, trop souvent négligé, est lui aussi offert. Travail et conseils professionnels, que demander de plus ? **Autres adresses :** 29, boulevard Diderot (12e) ✆01 43 07 46 46. Pour les 4 roues. • 185, rue de Tolbiac (13e) ✆01 45 89 59 06. Pour les 4 roues. • 21, rue Violet (15e) ✆01 45 79 69 13. Pour les 2 roues et quads.

YOUNA PNEUS – LE RELAIS DE LA BATTERIE
126, rue Saint-Maur (11e) ✆01 48 05 14 52
Site Internet : www.youna-pneus.fr – M° Parmentier. Ouvert du lundi au vendredi de 8h à 12h30 et de 13h30 à 18h30.
Au départ spécialiste du pneu, cette équipe de mécaniciens s'occupe également de tout ce qui touche à la mécanique liée à la liaison au sol. Plaît-il ? C'est-à-dire qu'ils s'occupent de la vente, réparation et pose de cardans, d'amortisseurs, pots d'échappement, batteries. Mais n'oublions

pas la prestation principale, le pneu que ce soit pour utilitaire, 4x4, véhicule de ville ou tout terrain. On peut également effectuer sa vidange ici. A noter que cette adresse fait partie des 7 stations de montage parisiennes partenaires du réseau spécialisé 123 Pneus (www.123pneus.fr) et de 11 autres, également situées dans Paris, agréées par Allopneus (www.allopneus.com).

POINT S – GMG AUTO
1-3, rue Paul-Bourget (13e) ✆ 01 45 89 99 85
Site : www.points.fr – M° Porte d'Italie. Ouvert lundi de 14h à 18h30, du mardi au vendredi de 8h30 à 12h et de 14h à 18h30, samedi de 8h30 à 12h30.
Point S est un spécialiste du pneu qui met en avant son souci de vous assurer une bonne tenue de route. Outre un grand choix de pneumatiques, cet établissement assure des services liés à l'installation et l'entretien régulier : montage, équilibrage, pression, contrôle du système de freinage, des amortisseurs, du parallélisme. Il s'occupe aussi d'entreprendre vidange et révision de votre auto.

EUROMASTER
181 ter, avenue de Clichy (17e)
✆ 01 53 06 67 00
Site Internet : www.euromaster.fr – M° Porte de Clichy. Ouvert du lundi au vendredi de 9h à 19h, samedi de 9h à 17h.
Vous êtes propriétaire d'une voiture, d'un 4x4 ou d'une camionnette qui souffre ou menace de vous lâcher au niveau des pneus, des freins, des amortisseurs, de l'échappement, de la batterie ? Ou bien votre véhicule a besoin d'une vidange ? Cet établissement membre d'un réseau international vous garantit un service du plus grand sérieux.

MIDAS LA CHAPELLE
56, rue de La Chapelle (18e) ✆ 01 40 38 49 89
Site Internet : www.midas.fr – M° Porte-de-La-Chapelle ou Max-Dormoy. Ouvert du lundi au vendredi de 8h30 à 19h, samedi de 8h à 19h.
Cette agence du groupe Midas disposant d'une vaste gamme de pneumatiques est particulièrement recommandable pour son savoir-faire : pose en 30 minutes, contrôle et réglage de la géométrie. Midas c'est aussi tout une gamme de services : échappements, freins, amortisseurs et climatisation. Notez que la facture de chaque travail est toujours égale au devis. 13 autres adresses Midas se trouvent dans Paris.

SPEEDY
114 ter, rue des Pyrénées (20e)
✆ 01 40 24 23 88
Site : www.speedy.fr – M° Maraîchers. Ouvert du lundi au vendredi de 8h à 19h, samedi de 8h à 17h.
Pneus, moteur, freins, amortisseurs, échappement, vitrage, climatisation, batterie : tout ou presque se répare ou s'entretient dans les centres Speedy, cela sans rendez-vous et le plus rapidement possible. Tel est l'engagement de ces enseignes. A votre arrivée, un mécanicien entreprend un diagnostic avec 12 points de contrôle, puis vous explique ce qui ne va pas. Ensuite, un devis vous est soumis et on vous dit combien de temps les réparations vont prendre. Vous avez la possibilité d'assister aux travaux effectués sur votre véhicule et on vous montre les pièces usagées. Vous pourrez même les conserver si vous le souhaitez ! 14 autres adresses Speedy sont situées dans Paris.

Lavage

AUTOBELLA CENTRE FRIEDLAND
Parking Friedland. Face au 31, avenue Friedland (8e) ✆ 01 42 89 69 64
Site Internet : www.autobella.net – M° George-V. Ouvert du lundi au vendredi de 7h à 16h.
Plutôt que de gâcher des centaines de litres d'eau pour laver l'extérieur de votre voiture, cet établissement en utilise seulement un quart de litre, cela grâce à un produit nettoyant et exclusif, le Cristalcar. D'autres stations de nettoyage Autobella se trouve dans des parkings parisiens. **Autres adresses :** Parking Forum des Halles (1er). • Parking Lobau (4e). • Parking Baudoyer (4e). • Parking de l'Hôtel de Ville (4e). • Parking Gare du Nord (9e). • Parking Saint-Emilion (12e). • Parking du Centre Commercial Italie 2 (13e).

ELEPHANT BLEU
Avenue de la Porte-de-Clichy (17e)
Site Internet : www.elephantbleu.com – M° Porte de Clichy. En libre service 24h/24, 7j/7.
Cette station de lavage pour tous véhicules à moteur, y compris les bateaux, les motos et les tondeuses (et que peuvent aussi utiliser les propriétaires de vélos ou de caravanes) emploie sur ses 6 pistes couvertes un système de nettoyage à haute pression. Vous maniez une lance légère et ergonomique qui permet d'insister là où c'est nécessaire. Le lavage haute pression consomme 50 à 60 litres d'eau par véhicule contre 150 à 350 litres dans les lavages aux rouleaux et 100 à 500 litres ou plus à domicile. **Autre adresse :** Porte de La Chapelle (18e), vers Saint-Denis.

Pare-brise et vitrage

GLASTINT
128, rue de la Convention (15e)
✆01 45 58 15 18
Site Internet : www.glastint.fr – M° Boucicaut. Ouvert du lundi au samedi de 9h à 13h et de 14h à 18h30.
Afin de protéger votre voiture de la chaleur estivale et des rayons du soleil qui détériorent et blanchissent l'intérieur, cette société a mis au point une série complète de traitements de vitrage en polyester multicouches. En plus de faire écran aux ultraviolets, ces derniers présentent l'avantage de renforcer la solidité et la résistance aux chocs de vos vitres. Thermoformables, ces traitements sont prévus pour s'adapter parfaitement à toutes les courbes de vitrages modernes. Pour ceux qui ont un simple souci d'esthétisme et qui désirent passer incognito, la maison propose un modèle de vitrages foncés pour n'importe quel véhicule. **Autre adresse :** 27 bis, boulevard Pereire (17e) ✆01 42 67 78 78.

CARGLASS
8-10, avenue du Président-Kennedy (16e) ✆0 800 800 223 (gratuit sauf appel d'un portable ou surcoût de l'opérateur, 24h/24, 7j/7)
Site Internet : www.carglass.fr – Ouvert du lundi au vendredi de 8h à 18h30, samedi de 8h à 17h30.
Chez ce spécialiste, on remplace tout type de vitrage quels que soient la marque, le modèle ou l'âge du véhicule. L'un de ses engagements est, dans la mesure du possible, de toujours réparer les impacts de pare-brise. Notez que les techniciens peuvent venir jusqu'à vous si vous êtes bloqué pour une raison ou une autre. **Autres adresses :** 214, boulevard Mac-Donald (19e) • 75, boulevard Davout (20e). **Autres réseaux du même type dans Paris :** France Pare-Brise. 3 adresses : ✆0 800 400 200. Site Internet : www.franceparebrise.fr – Mondial Pare Brise. 3 adresses : ✆0 826 16 60 00 (0,15 €/min). Site Internet : www.mondialparebrise.fr

MOTO ET DEUX-ROUES

Achat, entretien, réparations

MONDIAL CITY
11, rue Saint-Augustin (2e)
✆01 42 61 72 92
Site Internet : www.mondialcity.com – M° Quatre-Septembre. Ouvert du lundi au vendredi de 8h30 à 12h15 et de 13h45 à 18h15, vendredi jusqu'à 17h15.
Ce magasin fait partie d'un réseau multimarques de distribution en France de deux-roues urbains, Mondial City propose une centaine de modèles GT ou sportif allant du 50 cm³ au 650 cm³, avec petites ou grandes roues. Onze autres adresses se trouvent dans Paris où vous avez le choix entre des modèles neufs ou d'occasion et où on exerce des taches d'entretien des véhicules.

ATS HARLEY DAVIDSON
43-47-49, boulevard Beaumarchais (3e)
✆01 48 04 07 07
Site Internet : www.harleydavidson-bastille.com – M° Chemin-Vert. Ouvert le lundi de 12h à 19h et du mardi au samedi de 9h à 19h.
Concessionnaire de la célèbre marque à l'aigle déployé, cette société vend – modèles neufs ou d'occasion –, répare et entretien votre cheval d'acier et vous propose toute une gamme de produits dérivés pour compléter votre look de biker. **Autres adresses :** 1, rue Rosenwald (15e) ✆01 55 76 55 04. Site Internet : www.harley-davidson-shop-paris.fr • 30, avenue de la Grande-Armée (17e) ✆01 45 74 13 14. Site Internet : www.harleydavidson-etoile.fr

Stations service ouvertes 7j/7 et 24h/24

Mince, il faut faire le plein ! Et il est bien tard... Pas de panique, vous avez 10 stations service ouvertes en permanence dans et aux portes de Paris. Pratique !
10, rue Bailleul (1er) • 336, rue Saint-Honoré (1er) • 34, rue des Fossés-Saint-Bernard (5e) • 6, boulevard Raspail (7e) • 168, rue du Faubourg-Saint-Martin (10e) • 56, avenue du Maine (14e) • 2, avenue de la Porte-de-Saint-Cloud (16e) • 37, avenue de la Porte-de-Clichy (17e) • 30, avenue de la Porte-de-Clignancourt (18e) • Place de la Porte-de-Montreuil (20e)

CHALLENGE 75

21, avenue Parmentier (11e) ✆01 43 55 25 34

Site Internet : www.challenge75.com – M° Voltaire Ouvert du lundi au samedi de 10h à 19h.

Les passionnés du tout-terrain ont trouvé à qui parler. Ici, on vend des motos qui roulent dans la boue et dans la forêt ! L'exposition des modèles vaut le coup d'œil. Pour votre protection, il y a aussi des casques et des bottes.

PATRICK PONS

25-27, boulevard Richard-Lenoir (11e)

✆01 55 28 38 68

Site Internet : www.patrickpons.com – M° Bréguet-Sabin. Ouvert du mardi au samedi de 9h30 à 19h. Atelier ouvert du mardi au samedi de 9h à 12h30 et de 14h à 18h.

Comme dans un rêve de fan, toute la gamme Yamaha est ici exposée à la vente (neuf et occasion) : scooters, moto, quad, cross et enduro. Les motards exigeants seront assurément servis comme des rois. Accessoires au sous-sol, service après-vente, réparations, entretien. **Autres adresses :** 224-226, avenue du Maine (14e) ✆01 45 40 97 72 • 43-47, avenue de la Grande-Armée (17e) – ✆01 45 00 50 50.

MOTO BASTILLE

76, boulevard Beaumarchais (11e)

✆01 47 00 60 50

Site Internet : www.motobastille.fr – M° Chemin-Vert. Ouvert du lundi au samedi de 9h30 à 13h et de 14h à 18h30, jusqu'à 18h le samedi. Atelier ouvert du mardi au samedi aux mêmes horaires.

Concessionnaire Honda, ce magasin propose toute la gamme de cette marque, ainsi que de nombreux accessoires, mais elle met également en vente une sélection de motos d'occasion de toutes marques.

PARIS SUD MOTOS

137, boulevard de l'Hôpital (13e)

✆01 44 24 10 30

Site Internet : www.go2rent.fr/www.paris-sud-motos.com – M° Place d'Italie. Ouvert du mardi au vendredi de 9h à 13h et de 14h à 19h, samedi de 9h à 13h et de 14h à 18h.

En plus de toute la gamme Honda présente ici, on trouve des motos et des scooters d'occasion et bien sûr un service après-vente efficace pour résoudre tous les petits tracas imprévus. Une adresse à retenir également pour ces promotions à prix «canons». Une fois votre scooter ou votre moto achetés neufs ou d'occasion, il ne faut pas hésiter à revenir à cette adresse pour s'équiper et choisir parmi un vaste choix d'accessoires moto et d'équipements pour le pilote afin de rouler en toute sécurité – casque, blouson, pantalon, gants, bottes, porte-bagages – le tout à des prix attractifs. Notez que vous pouvez louer un scooter ou une moto, le casque et l'anti-vol étant fournis.

Equipement

SPEED WEAR

47, boulevard Beaumarchais (3e)

✆01 42 72 01 95

Site : www.speed-wear.net – M° Chemin-Vert ou Bastille. Ouvert du lundi au samedi de 10h à 19h30.

Spécialiste de l'équipement du motard, cette enseigne tient à votre disposition blousons homme et femme, bottes, casques moto et scooter, gants, pantalons homme et femme, protections... **Autre adresse :** 41, avenue de la Grande-Armée (16e ✆01 45 00 45 03.

DAFY MOTO

47, boulevard Voltaire (11e) ✆01 48 05 15 30

Site Internet : www.dafy-moto.fr – M° Oberkampf ou Saint-Ambroise. Ouvert lundi de 15h à 19h, du mardi au samedi de 10h à 13h et de 14h à 19h.

Ce magasin propose une gamme complète d'accessoires pour la moto et l'équipement du pilote. Il distribue en exclusivité les produits des marques maison (DMP, All One et Travel Bags), ainsi que ceux des grandes marques incontournables du monde de la moto comme Alpinestars, Furygan, Nolan, Shoeï, Michelin, Dunlop… Plus de 150 000 références sont disponibles sur place ou sur commande. **Autre adresse :** 11, avenue de la Grande-Armée (16e) ✆01 45 00 28 38. Ouvert lundi de 15h à 19h, du mardi au samedi de 10h à 13h et de 14h à 19h.

S DEESSE

2, rue Amelot (11e) ✆01 48 06 20 98

Site Internet : www.sdeesse.com – M° Bastille. Ouvert mardi de 12h à 20h, mercredi, vendredi et samedi de 10h30 à 20h, jeudi de 12h à 21h.

Il n'y a pas que les hommes qui chevauchent des deux-roues ! Cette boutique a pour originalité de vendre tout l'équipement nécessaire aux motardes et aux conductrices de scooters : casques, gants, vestes, combinaisons, bottes… En plus de cela, on y trouve ce qu'il faut pour les enfants qui eux ne tiennent pas le guidon mais sont des passagers dont il faut prendre soin et on peut même louer un équipement à la semaine !

Scooter

ACADEMY SCOOTERS

42, boulevard Beaumarchais (11e)

✆01 48 05 19 35

Site Internet : www.academyscooters.fr – M° Chemin Vert ou Bastille. Ouvert du mardi au vendredi de 8h30 à 19h, samedi de 8h30 à 18h.

Dans cette Académie du Scooter, dépositaire de la marque Peugeot, on bichonne, on embellit et sécurise votre engin avec une vaste gamme d'accessoires. Pour la réparation le service est rapide et efficace. Si vous êtes accros du lion, courez à cette adresse découvrir les nouveautés comme les promos.

LES ANNEES SCOOTER
23, rue Faidherbe (11e)
✆01 46 59 47 90
Site Internet : lesanneesscooter.over-blog.com – M° Faidherbe-Chaligny. Ouvert du lundi au vendredi de 10h à 19h, coupure déjeuner vers 14h.
Vespa, Lambretta, Rumi, Maicomobil… Ici on vend, achète et retape les modèles de scooters anciens. C'est un rendez-vous obligé des collectionneurs et des amoureux de ces deux-roues légendaires. Notez que vous pouvez laisser votre engin en dépôt-vente si vous le souhaitez.

URGENCE SCOOTERS
72, boulevard Beaumarchais (11e)
✆01 47 00 52 52
Site Internet : www.urgence-scooters.com – M° Chemin-Vert. Ouvert du lundi au samedi de 9h à 20h.
Gilera, Vespa, Piaggio : ces trois grandes marques de scooters sont vendues sous cette enseigne, en neuf ou en occasion. C'est l'endroit qui convient pour faire d'utiles comparaisons avant d'opter pour tel ou tel modèle. Pratique : on y effectue aussi des réparations. **Autres adresses :** 137-139, boulevard de Grenelle (15e) ✆01 45 67 99 00 • 10 bis, avenue de la Grande-Armée (17e) ✆01 43 80 48 40.

Moto-école

ZEBRA
10, avenue Gambetta (20e) ✆08 20 20 20 45 (prix d'un appel local)
Site Internet : www.zebra.fr – M° Père-Lachaise. Ouvert du mardi au samedi de 12h à 19h.
Difficile de rêver meilleur circuit d'apprentissage que le fameux circuit Carole, près de Paris ! Sur une piste parfaitement adaptée, vous serez encadré pendant cinq jours de formation intensive par une équipe de moniteurs diplômés d'Etat. Plus qu'à un simple examen, ils vous prépareront à la route et vous expliqueront comment déjouer ses pièges et ses dangers. Les motos des élèves sont quasiment neuves – le parc des deux-roues est changé tous les quatre mois – et casques et habits de pluie leur sont également prêtés. La formation classique comporte un minimum de 20 heures de cours et inclut le code – possibilité de le travailler en agence et de suivre les tests et les cours –, le code spécifique à la moto – qui se passe sous forme d'épreuve orale le jour du «plateau» – et la formation pratique tout en douceur. Les plus pressés peuvent effectuer des stages intensifs de 3, 5 ou 7 jours où les pilotes pratiquent à la fois sur le plateau et en pleine circulation. **Autre adresse :** 221, rue Championnet (18e) ✆08 20 20 20 45 choix n°3 (prix d'un appel local).

PARIS PRATIQUE

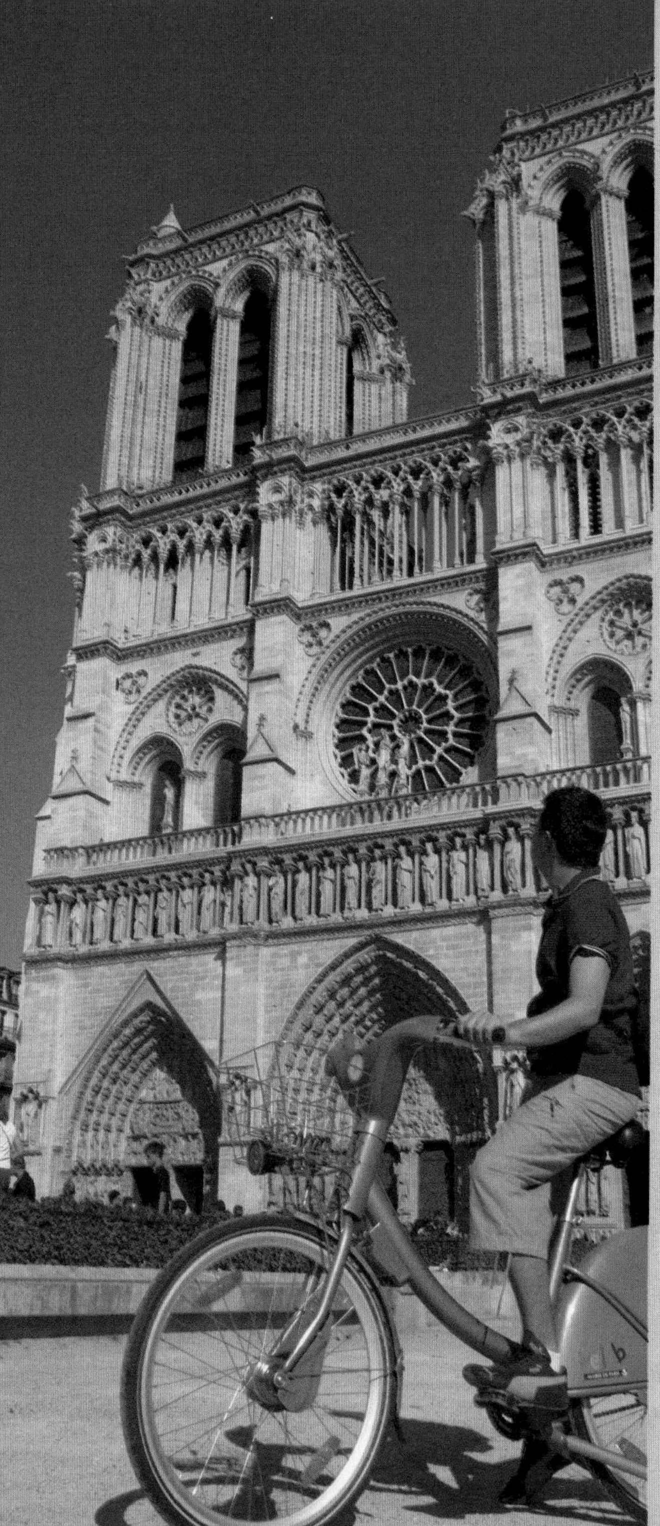

Devant la cathé-drale Notre-Dame

Hôtels et hébergement

AUBERGES ET HÔTELS POUR JEUNES

Avec les Auberges de Jeunesse, c'est tout un réseau d'établissements confortables et économiques qui s'offre à vous à condition d'avoir leur carte de membre. Le site Internet www.fuaj.fr recense toutes les auberges de jeunesse de France et permet de faire des réservations en ligne. La carte d'adhésion aux auberges de jeunesse donne accès à 4 200 auberges dans le monde (elle coûte 11 € pour les moins de 26 ans, 16 € pour les plus de 26 ans et 23 €pour les familles). Elles offrent des dortoirs de 4, 6 ou 8 lits avec sanitaires communs. Le confort est simple mais il est possible d'avoir un petit déjeuner, parfois des repas. Il y a une consigne pour laisser son sac et quelques établissements possèdent des chambres à 2 lits. Ces établissements ne sont pas mixtes et la durée de séjour est généralement limitée en haute saison pour que tout le monde en profite. La fédération possède deux auberges sur Paris, le d'Artagnan dans le 20e et Jules Ferry dans le 11e. Antenne nationale : 27, rue Pajol (18e) ✆ 01 44 89 87 27 – M° Marx Dormoy ou La Chapelle. Ouvert du mardi au vendredi de 13h à 17h30.

Il existe également des centres d'hébergement pour jeunes qui sont d'anciens hôtels réaménagés. Ils accueillent généralement des groupes d'étudiants et ne nécessitent pas de carte d'adhésion. Vous pourrez y prendre votre café du matin, profiter d'un repas en self-service, avoir accès à une cuisine commune équipée, participer aux animations organisées, et tout cela à des prix très compétitifs et dans une ambiance conviviale. Renseignez-vous bien avant de réserver. L'association CHEAP (Centre d'Hébergement Économique à Paris) en regroupe un certain nombre (www.cheaphostel.com).

Les MIJE (Maisons Internationales des Jeunes et des Étudiants) proposent 3 hôtels dans Paris dans d'anciennes demeures aristocratiques du quartier du Marais : Le Fauconnier, Fourcy et Maubuisson. Téléphone commun aux trois adresses ✆ 01 42 74 23 45.

Enfin, les jeunes pratiquent de plus en plus le CouchSurfing (www.couchsurfing.org). Le principe est de trouver un canapé chez un particulier pour dormir gratuitement ou moyennant une faible participation notamment pour le petit déjeuner.

LE FAUCONNIER

11, rue du Fauconnier (4e) ✆ 01 42 74 23 45

Fax : 01 40 27 81 64. Site Internet : www.mije.com – M° Saint-Paul ou Pont Marie. Hébergement en chambre de 4 personnes ou plus, par personne : 30 €, en chambre triple : 32 €, en chambre double : 36 € et en chambre single : 49 €. Le petit déjeuner et les draps sont compris. Douche et lavabo dans chaque chambre. Toilettes à l'étage. Adhésion annuelle : 2,50 €. Borne Internet.

En pénétrant dans cet ancien hôtel du XVIIe siècle, on croit rêver. Longues tables en bois, rampe d'escalier superbement travaillée, petite cour pavée pour prendre le petit déjeuner, on se sentirait comme hors du temps si les allers et venues des autres locataires – 129 lits quand même – ne nous ramenaient pas à la réalité, à savoir un super bon plan pour les jeunes, mais aussi pour ceux qui ont su le rester ! utres adresses dans le 4e arrondissement : 6, rue de Fourcy et 12, rue des Barres.

YOUNG AND HAPPY HOSTEL

80, rue Mouffetard (5e) ✆ 01 47 07 47 07

Fax : 01 47 07 22 24. Site Internet : www.youngandhappy.fr – M° Place Monge. Chambres doubles à partir de 56 €. Dortoir à partir de 24 €. Douches à l'étage.

Ouvert il y a plus de quinze ans avec un nom prometteur, c'est une auberge de jeunesse indépendante conviviale, un melting-pot de jeunes venus de tous horizons. Cet établissement, dont les chambres sont assez rudimentaires, se situe au centre de Paris, au cœur d'une des rues les plus animées de la capitale, bon à savoir pour ceux qui préfèrent un sommeil paisible. L'Hostel propose une cuisine et une salle commune pour se préparer à manger, un accès Internet, une bagagerie, tout pour permettre aux petits budgets de profiter sans souci de Paris le plus facilement possible. Révisez votre anglais, il vous servira sûrement car l'endroit est propice aux rencontres.

WOODSTOCK HOSTEL

48, rue Rodier (9e) ✆ 01 48 78 87 76

Fax : 01 48 78 01 63. Site Internet : www.woodstock.fr – M° Anvers. Chambres à 19 € la nuit dans un dortoir de 4 ou 6 personnes, 22 € l'été. 22 € pour 1 nuit en chambres doubles – lits superposés –, 25 € l'été. Petit déjeuner compris. Location de drap : 2,50 €.

Non, il n'est pas organisé de grands concerts mythiques dans cet hôtel, situé près du Sacré

Cœur, mais l'ambiance ressemble à celle du mythique festival. On ne peut que conseiller ce bed & breakfast aux petits budgets qui aiment les atmosphères chaleureuses. Coccinelle encastrée dans le mur et lanternes marocaines confirment l'internationalisation du lieu et de ses clients. Un coin cuisine permet de préparer des repas sur place. Rencontres cosmopolites assurées. Accès Internet payant à l'accueil. Couvre-feu à 2h du matin.

AUBERGE INTERNATIONALE DES JEUNES
10, rue Trousseau (11e) ✆01 47 00 62 00
Fax : 01 47 00 33 16. Site Internet : www.aijparis.com – M° Ledru-Rollin. Chambres de 3 ou 4 lits de 14€ à 18€ et chambres à 2 lits de 16€ à 20€ selon la période de l'année. Petit déjeuner compris.
Située près de la place de la Bastille, quartier animé le jour comme la nuit, l'auberge internationale des jeunes, d'une capacité de 160 lits, accueille les jeunes voyageurs dans des chambres pour 2 à 4 personnes. Toutes les chambres à 4 lits sont équipées de douche et de toilettes, des sanitaires communs existent également à chaque étage. Ouvert 24h/24, ce centre d'hébergement possède une salle commune avec distributeur de boissons et micro-ondes, une bagagerie, un coffre à la réception et met également à disposition une borne Internet. Attention, la limite d'âge est de 35 ans.

JULES FERRY
8, boulevard Jules-Ferry (11e)
✆01 43 57 55 60
Fax : 01 43 14 82 09. Site Internet : www.fuaj.fr Ouvert toute l'année. Réception 24h/24. M° République. Chambres de 2, 4 ou 6 personnes : 22,50€. Petit déjeuner inclus. Douches et toilettes à l'étage.
Située le long du canal Saint-Martin, cette auberge, d'une capacité de 100 lits, vous accueille dans son hôtel du Nord typique en pierre taillée. A votre disposition, deux bornes Internet, une laverie, des casiers et un petit espace pour cuisiner.

DUCKS HOSTEL
6, place Etienne-Pernet (15e)
✆01 48 42 04 05
Site Internet : www.3ducks.fr – M° Commerce. 19€ en dortoir en semaine et 23€ le week-end – vendredi et samedi – et en haute saison. De 21€ à 25€ pour 1 chambre de 3 personnes et de 23€ à 26€ en chambre double. Dortoir de 4 à 8 lits de 19€ à 23 €. Petit déjeuner inclus.
Au cœur d'un quartier chaleureux dans une atmosphère de petit village, cette auberge proche de la tour Eiffel offre un visage très sympathique. Installée dans d'authentiques anciennes écuries royales, avec ses poutres apparentes, elle ne manque pas de charme. 27 chambres avec une capacité de 120 lits sur deux étages.

LE VILLAGE HOSTEL
20, rue d'Orsel (18e)
✆01 42 64 22 02
Fax : 01 42 64 22 04.
Site Internet : www.villagehostel.fr
E-mail : bonjour@villagehostel.fr
M° Abbesses ou Anvers. Chambre double de 64 € à 90 €, chambre triple à 96 €, chambre pour 4 à 112 € et de 28 € à 32 € en dortoir, petit déjeuner compris.
Le Village Hostel a su garder une ambiance montmartroise avec une décoration typique. Toutes les chambres sont équipées de douche et de toilettes. Une cuisine, un service de fax et connexion Internet, une consigne à bagages sont à disposition. Le café et le living, ouverts tous les jours jusqu'à 2h du matin, sont des espaces de convivialité où vous pouvez échanger les bons plans ou vous détendre en disposant de la bibliothèque. La terrasse offre une vue imprenable sur le Sacré Cœur. Le Village Hostel est membre de CHEAP (Site Internet : www.cheaphostel.com).

AUBERGE DE JEUNESSE LE D'ARTAGNAN
80, rue de Vitruve (20e) ✆01 40 32 34 56
Site Internet : www.fuaj.fr – E-mail : paris.le-dartagnan@fuaj.org – M° Porte de Bagnolet. Ouvert toute l'année, 24h/24. Réception de 8h à 1h. Chambre à partir de 23 €, petit déjeuner compris, déjeuner ou dîner à 9,30 €, plat unique à 4,65 €.
L'auberge s'est vue attribuer 4 sapins (le maximum sur l'échelle de notes). 443 couchages, accès aux handicapés, trois salles de réunion dont un amphithéâtre de 100 places, un bar ouvert de 20h à 2h30 (happy hour de 21h à 22h), 6 bornes Internet (2 € la demi-heure), un cinéma gratuit, des lockers, une boutique de souvenirs et une laverie automatique.

CHAMBRES D'HÔTES

La chambre d'hôtes est un mode d'hébergement bien plus personnalisé que l'hôtel, où visiteurs comme amphitryons privilégient la convivialité, les échanges et le relationnel. Reçu en ami plutôt qu'en client, le visiteur bénéficie, au-delà d'un accueil chaleureux, de l'assistance et des connaissances de son hôte, mais aussi d'échanges de points de vue, une façon d'enrichir considérablement son séjour. De menus services personnalisés lui sont rendus, tels des horaires d'arrivée et de départ sur mesure, le dépôt et la garde de bagages, l'horaire et les ingrédients du petit déjeuner, des renseignements sur Paris. Loger en chambre d'hôtes, c'est un peu comme être chez soi loin de chez soi ou chez des amis. L'hôte aime faire du séjour de ses visiteurs un moment qui restera inoubliable pour chacun. Divers sites proposent une sélection de chambres sur Paris :

FLEURS DE SOLEIL
Site Internet : www.fleursdesoleil.fr
Guide des chambres d'hôtes, bed & breakfast, labellisées Fleurs de Soleil en France.

UNE CHAMBRE EN VILLE
Site Internet : www.chambre-ville.com
Centrale de réservation de chambres d'hôtes à Paris. Se loger chez l'habitant en chambre meublée ou en studio.

DENISE ET JEAN-LUC MARCHAND
63, rue Charlot (3e) ✆01 42 71 73 91 / 06 72 35 90 75
Site Internet : www.bonne-nuit-paris.com – E-mail : jean.luc@bonne-nuit-paris.com – M° République ou Temple. Chambre à 150 € petit déjeuner inclus pour 2 personnes. 145 € pour 1 personne supplémentaire. Petit déjeuner inclus.
Au cœur du Marais, dans un quartier calme dans une belle et chaleureuse maison construite sous Henri IV, avec ses poutres d'origine, un parquet de Versailles, une cheminée Louis XIV, ce couple, elle psychanalyste et lui consultant, passionné d'histoire et d'apiculture, propose 3 grandes chambres indépendantes – possibilité de chambres communicantes pour deux d'entre elles –, à la décoration rustique, fraîche et fleurie, avec un grand lit en fer forgé et une salle de bains privative avec toilettes. Pas de table d'hôtes mais de nombreux conseils pour vos sorties et dîners à Paris.

CHAMBRE D'HÔTES RIVOLI
Rue de Rivoli (4e) ✆06 19 91 58 28
Site Internet : http:// chambrerivoli.parisathome.fr – E-mail : chambrerivoli@noos.fr – M° Saint-Paul. 70 € pour 1 personne et 85 € pour 2 personnes, petit déjeuner compris.
En plein cœur du Marais dans un bel édifice du XVIIe siècle, récemment restauré, desservi par un ascenseur, la chambre pour 1 ou 2 personnes se trouve dans un bel appartement parisien au 4e étage. La chambre a beaucoup de charme et de caractère avec une belle hauteur sous plafond, des moulures, une cheminée de marbre, un grand miroir et du parquet au sol, elle est meublée sobrement d'un lit double, d'un bureau et d'une penderie et équipée d'une télévision (salle de bains et toilettes communs). De la fenêtre donnant au sud, s'offre une vue plongeante sur l'hôtel de Beauvais et sur la rue. Les draps et le linge de toilette sont fournis. L'appartement est aussi composé d'un joli salon et d'une salle à manger où est servi le petit déjeuner (jus d'orange, café, thé, croissant, tartines). Accès Internet en Wi-Fi. Accueil franco-québécois sympathique.

PARVIN ET OLIVIER OET
Bateau Johanna, port de Solférino (7e)
✆01 45 51 60 83
Site Internet : www.bateau.johanna.free.fr – E-mail : bateau.johanna@free.fr
Ce couple d'artistes ouvre son bateau-logement amarré sur la Seine au cœur de Paris, proche du Musée d'Orsay, du Jardin des Tuileries et du Louvre et propose à la location (à partir de 2 nuits), une chambre avec douche et toilettes (90 € pour une personne, 100 € pour 2 personnes et 130 € pour 3 personnes, petit déjeuner compris). Un frigidaire et de quoi vous faire du thé et du café sont à votre disposition. Attention on ne sert pas de repas. L'accueil est chaleureux.

ALAIN CARLIER ET RITA LEYS
Péniche de plaisance Pythéas, Port des Champs-Élysées (8e) ✆01 42 68 05 85 / 06 88 84 47 92
Site Internet : www.bed-breakfast-paris.eu – E-mail : agcarlier@orange.fr
Vous avez envie d'un séjour original dans un cadre exceptionnel ? Éditeur de métier, Alain vous accueille dans sa péniche « Pythéas-Vivas », au cœur de Paris, entre la place de la Concorde et la Chambre des Députés. Il dispose de chambres joliment décorées et fort douillettes avec salle de bains privée (douche et toilettes) pour 1 ou 2 personnes à 150 €, petit déjeuner compris – servi entre 8h45 et 9h30 – avec réduction pour un séjour de plus de 3 nuits.

COULEUR SOLEIL
19, rue Oberkampf (11e) ✆01 43 38 91 04
Site Internet : http://hotescouleursoleil.free.fr – E-mail : sylvie.flender@free.fr – M° Oberkampf. Chambres 60 € pour 1 personne, 85 € pour 2 personnes. Prix à la semaine : 400 € pour 1 personne et 590 € pour 2. Lit d'appoint et lit de bébé disponibles. Les tarifs incluent le petit déjeuner.
Coup de cœur pour cette adresse où vous serez accueilli par une artiste-peintre amateur, passionnée de voyages. Situé au cœur du quartier branché de Oberkampf, au 2e étage (sans ascenseur) d'un immeuble du XIXe siècle, les 2 chambres aux jolis noms de Senteurs d'Afrique et Saveurs d'Asie se trouvent dans un grand appartement refait à neuf en 2004, qui a beaucoup de charme avec ses parquets, ses moulures au plafond, sa cheminée et ses fenêtres fleuries. Chaque chambre a son style, avec des meubles et des objets rapportés de voyages et dispose de la télévision avec chaînes câblées, et d'un lecteur DVD. Le linge de toilette est fourni (serviettes, drap de bain, peignoir). Le petit déjeuner est servi à discrétion dans la salle à manger et comporte plusieurs sortes de cafés, divers thés et chocolats, du lait, des viennoiseries, du pain frais, du beurre et des confitures. Le soir, une tisane est offerte parmi un choix varié de saveurs. Sur réservation tables d'hôtes : le soir à 15 € et dîners gastronomiques. Parking couvert et gardé : 20 € les 24h. Location de vélo. Internet gratuit, Wi-Fi. Téléphone international sur demande. A noter : votre hôtesse possède deux chiennes et une chatte ; elles sont sages et l'accès aux chambres et à la salle de bains leur est interdit.

MARIE ET GÉRARD CHANAT
46, rue de Fécamp (12e) ✆01 40 19 06 40 / 06 98 07 68 19
Site Internet : www.aparisbnb.com – E-mail : g.chanat@voila.fr – M° Michel Bizot. Chambres à 85 € pour 1 personne, 90 € pour 2 personnes, supplément de 40 € pour la troisième personne – petit déjeuner inclus. Possibilité de lit de bébé : supplément de 20 € pour l'ensemble du séjour. Un kir est offert à nos lecteurs.
A 50 m du métro Michel Bizot, dans le quartier Daumesnil, non loin de la coulée verte qui rejoint la place de la Bastille, 3 chambres au rez-de-chaussée d'un immeuble moderne. La capacité d'accueil maximale est de 7 personnes pour 3 chambres dont 2 louées en suite avec une salle de bains (4 personnes). L'autre chambre dispose d'une douche et de toilettes privatives. Salon et chambres donnent sur jardin. Pas de service de repas. Le Label Fleurs de Soleil Iso 9001 assure une qualité irréprochable à ces chambres d'hôtes au cœur de Paris.

ROXANE ET JACKY FLAMANT
57, rue de l'Ouest (14e)
✆01 43 22 53 61
Site Internet : www.chambredhotes-montparnasse.com – E-mail : roxane.jacky@wanadoo.fr M° Gaité. Chambres à 68 € pour 1 personne, 73 € pour 2 personnes – petit déjeuner inclus.
Dans une rue calme au cœur du quartier de Montparnasse, à 5 minutes du métro, ce couple (lui ingénieur et elle artiste peintre et medium), passionné d'histoire et d'art, propose une chambre claire, confortable et bien décorée dans un immeuble moderne. Rangement, lit king size et salle de bains privative avec toilettes. Bouilloire et fer à repasser à disposition. Pas de table d'hôtes.

MARIE-JOSE LEUNG
33, rue Guy-Môquet (17e)
✆06 12 20 12 32
E-mail : 33gm75@gmail.com – M° Guy Môquet. Chambre pour 1 personne à 69 € ou pour 2 personnes à 83 € et une junior suite pouvant accueillir 5 personnes à 98 €, petit déjeuner compris.
Dans ce ravissant immeuble haussmannien situé près du métro et des commerces, vous aurez tout le confort et l'intimité de deux belles chambres rénovées, claires et reposantes, avec douche et toilettes privatifs. Accueilli dans une atmosphère conviviale, vous pourrez à votre guise découvrir le charmant quartier des Batignolles et Montmartre par la même occasion.

Gîte

GITE CLÉS VACANCES
39, rue Edgar-Quinet – (93) LA COURNEUVE
✆ 01 42 92 02 44/ 06 23 37 24 24

Site Internet: www.amivac.com/site11252 – M° RER B Aubervilliers-La Courneuve. De 300€ à 550€ la semaine, selon la saison et pour 4 personnes maximum. 3 Clés Vacances.

Mella Izri a aménagé dans une maison particulière indépendante un gîte à deux pas de Paris avec tout le confort (lave-vaisselle, lave-linge, four, etc.), piscine chauffée et privée au milieu d'un jardin arboré. On est au calme, loin de l'agitation parisienne. Sur place, on trouve tous les commerces et des restaurants. Le Stade de France est à 5 minutes tout comme le grand parc de La Courneuve où l'on peut faire du vélo, pratiquer l'équitation, etc. Un bus passe devant la porte et la ligne 7 ou le RER B ne sont pas très loin. On peut même garer une voiture ou une camionnette en toute tranquillité car l'espace est entièrement clos. Idéal pour le tourisme comme pour ceux qui participent à des salons au Bourget, à Villepinte, etc.

CENTRALE DE RÉSERVATION

« ALL-PARIS-APARTMENTS.COM- LES SPÉCIALISTES SUR PARIS ».
✆ 0870 447 374
✆ +34 93 467 3781 (international)
Fax +34 934 673 762

www.all-paris-apartments.com – info@all-paris-apartments.com.

Ce site simple à utiliser et au design clair permet de réserver facilement un logement à Paris. Ils ont un catalogue de plus de 850 appartements, hôtels et Bed & Breakfast, avec des informations détaillées sur chaque logement pour vous aider à trouver exactement ce que vous cherchez. Vous pouvez vérifier les prix (très compétitifs) et la disponibilité en temps réel, et effectuer la réservation par téléphone ou sur le site web. Toutes les réservations en ligne sont garanties 100 % sécurisées.

HÔTELS

1er arrondissement

3 étoiles

GRAND HOTEL DE CHAMPAIGNE
17, rue Jean-Lantier ou 13, rue des Orfèvres
✆ 01 42 36 60 00

Fax : 01 45 08 43 33. Site Internet : www.hoteldechampaigneparis.com – M° Châtelet. Chambres simples à 189€, doubles de 236€ à 247€, triples à 247€ et suites de 341€ à 399€, en haute saison. Petit déjeuner-buffet 13,50€. Taxe de séjour : 1€ par jour et par personne. Promotions et réservations sur le site Internet.

Occupant l'emplacement de l'ancien hôtel des Tailleurs des compagnons du tour de France (1647), le Grand Hôtel offre un large éventail de styles pour ses 43 chambres. Situé à proximité de l'île de la Cité et à 10 minutes à pied du Louvre, cet établissement récemment rénové s'habille de pierres et de poutres apparentes, autour d'un mobilier de style Louis XIII, Louis XV et Louis XVI. Les chambres standard et supérieures (12 m²) sont neuves, chacune est différente mais toutes sont chaleureuses et douillettes, avec balcon fleuri pour certaines. 2 suites sont également proposées, avec une décoration raffinée et un lit à baldaquin. Accueil sympathique et bon service.

HOTEL AGORA
7, rue de la Cossonnerie
✆ 01 42 33 46 02

Fax : 01 42 33 80 99. Site Internet : www.hotel-paris-agora.com – M° Etienne Marcel ou Les Halles. Chambres simples de 81€ à 107€, doubles de 107 € à 61€ et triple à 174€. Petit déjeuner : 10,50€. Taxe de séjour : 0,78€ par jour et par personne. Tarifs attractifs en basse saison ou en dernière minute.

Situé dans une rue piétonne, à proximité de Beaubourg, cet hôtel propose 30 chambres à thème à des prix tout à fait abordables. Décoration indienne pour la n°54 aux murs rouges, vénitienne pour la n°51 avec ses fresques d'angelots à la Michel-Ange et son mobilier de bois travaillé. Aux 2e et 5e étages, vous bénéficierez d'un petit balcon et d'une jolie vue sur Saint-Eustache. Le tout donne un endroit charmant.

HOTEL BRITANNIQUE
20, avenue Victoria ✆ 01 42 33 74 59

Fax : 01 42 33 82 65. Site Internet : www.hotel-britannique.fr – E-mail : mailbox@hotel-britannique.fr – M° Châtelet. Chambres individuelles à 155€, chambres doubles de 185€ à 215€, suites juniors de 1 à 4 personnes de 271€ à 315€. Lit supplémentaire enfant : 30€, lit bébé : gratuit. Petit déjeuner : 13€. Taxe de séjour incluse.

Situé à proximité de l'île de la Cité, cet hôtel de 67 chambres insonorisées et bien équipées (accès Internet ADSL, coffre-fort, écran plat, minibar) joue la carte de l'élégance à l'anglaise. Soieries, velours, bois précieux, guéridons, l'ambiance feutrée, « so british », n'est pas sans évoquer les romans d'Agatha Christie. Les éclairages subtils et tamisés donnent une note intime à cet établissement, mais à l'heure du petit déjeuner, c'est la tradition française qui reprend le dessus avec café, viennoiseries et jus de fruits.

HOTEL DUMINY VENDÔME
3-5, rue du Mont-Thabor
✆01 42 60 32 80

Fax : 01 42 96 07 83. Site Internet : www.hotelduminyvendome.com – E-mail : dv@duminy-vendome.com – M° Tuileries. Chambres simples de 159 € à 229 €, doubles pour 1 ou 2 personnes de 174 € à 329 €, supplément 3e personne : 30 €. Taxe de séjour incluse. Petit déjeuner-buffet ou en chambre : 17 €.

Entre le Louvre et la Concorde, voilà un hôtel chargé d'histoire, construit au XIXe siècle sur l'emplacement des jardins de l'ancien couvent des Feuillants. Entièrement rénové, il abrite 78 chambres élégantes, actuelles, toutes climatisées et bien équipées (téléphone direct, télévision, coffre-fort, presse-pantalon, minibar, et room service, climatisation Wi-Fi dans tout l'hôtel). Il y règne une atmosphère chaleureuse et conviviale. Promotions et réservations sur le site Internet.

HOTEL LOUVRE BONS ENFANTS
5, rue des Bons-Enfants
✆01 42 61 47 31

Fax : 01 42 61 36 85. Site Internet : www.hotellouvrebonsenfants.com – M° Palais Royal-Musée du Louvre. Chambres simples à de 95 € à 140 €, doubles ou twin de 100 € à 170 €, triples de 170 € à 220 €. Petit déjeuner continental : 10 €. Air conditionné. Accès internet et Wi-Fi gratuit dans tout l'hôtel.

L'hôtel Louvre Bons Enfants est l'une de ces adresses tout aussi discrètes que surprenantes. Une enclave sereine à l'ombre du Palais Royal et de ses jardins, à deux pas du Louvre. Les 31 chambres climatisées et toutes rénovées récemment jouent la carte du classicisme et de la qualité. Certaines donnent sur la rue, d'autres sur le patio verdoyant, certaines encore sont avec douche, d'autres avec salle de bains (sèche-cheveux, minibar, télévision LCD par satellite). Des possibilités à combiner selon votre budget.

HOTEL DE LA PLACE DU LOUVRE
21, rue des Prêtres-Saint-Germain-l'Auxerrois ✆01 42 33 78 68

Fax : 01 42 33 09 95. Site Internet : www.esprit-de-france.com – M° Louvre-Rivoli. Chambres simples de 100 € à 150 €, doubles ou twin de 110 € à 196 €, duplex à partir de 140 €. Petit déjeuner continental : 12 €. Taxe de séjour incluse.

Depuis cette ancienne maison (à quelques pas du pont des Arts et de l'île de la Cité), la vue plongeante qui s'offre à vous sur la colonnade du Louvre et sur les ogives et les flèches de l'église de Saint-Germain-l'Auxerrois, mérite à elle seule le détour. Préférez donc les chambres sur rue – celles sur cour sont sans doute plus calmes mais moins attrayantes. Chacune d'entre elles porte le nom d'un peintre moderne dont les lithographies ornent les murs. Elles sont très agréables dans les tons de beige et blanc ; elles sont fonctionnelles et climatisées (Wi-Fi). Les petits déjeuners sont servis dans une magnifique salle voûtée (la salle des Mousquetaires) qui, à une époque, permettait de rallier le Louvre.

2 étoiles

HOTEL SAINT-ROCH
25, rue Saint-Roch ✆01 42 60 17 91

Fax : 01 42 61 34 06. Site : www.hotelsaintroch-paris.com – E-mail : st.rochparis@orange.fr – M° Tuileries ou Pyramides. Chambres simples de 85 € à 110 €, doubles et twin de 116 € à 126 €, triples à 145 €, quadruples à 160 €. Petit déjeuner : 9 €. Taxe de séjour : 0,78 € par jour et par pers. Internet en Wi-Fi dans toutes les chambres. Etablissement partiellement climatisé. Berceau à 16 € et garde sur demande, chiens acceptés 16 €.

Proche du Châtelet, l'hôtel s'abrite dans un édifice du XIXe et la réception aux poutres apparentes donne le ton : confort chaleureux et convivialité. 10 des 21 chambres sont climatisées. Préférez les chambres mansardées qui, avec un petit air de campagne, ne manquent pas de charme. Nos amis les animaux sont acceptés avec un supplément de 16 € par nuit.

HOTEL FLOR RIVOLI
13, rue des Deux-Boules
✆01 42 33 49 60

Site Internet : www.hotel-paris-florrivoli.com M° Châtelet. Chambres simples à 70 € – sans toilettes privés – et 75 €, doubles et twin de 80 € à 90 €. Petit déjeuner continental : 6 €. Accès internet Wi-Fi à la réception.

Extrêmement central, ce petit hôtel dispose de 20 chambres fonctionnelles mais gaies, toutes insonorisées, avec bain ou douche, toilettes, sèche-cheveux, coffre-fort, télévision satellite téléphone direct. Dans certaines chambres, les poutres apparentes rajoutent une note de chaleur. Le petit déjeuner est servi en salle en sous-sol ou en chambre. Pas de souci pour vos sorties nocturnes, la réception reste ouverte 24h/24.

2e arrondissement

4 étoiles

HOTEL VICTOIRES OPÉRA
56, rue de Montorgueil
✆01 42 36 41 08

Fax : 01 45 08 08 79. Site Internet : www.hotelvictoiresopera.com – E-mail :hotel@victoiresopera.com – M° Sentier et Réaumur-Sébastopol. Chambres standards à 214 €, supérieures à 244 €, luxes à 275 € et suites juniors à 335 €. Petit déjeuner : 12 €. Taxe de séjour : 1,50 € par jour par personne. Room service, blanchisserie. Les 24 chambres disposent d'une télévision satellite, du téléphone direct, d'un sèche-cheveux et d'une connexion Wi-Fi. Réduction de 15 % sur les réservations via Internet.

Idéalement situé en plein cœur de la pittoresque rue Montorgueil, dans un quartier animé qui a le vent en poupe, cet hôtel représente le nec plus ultra de ces lieux chics et branchés dans l'air du temps. Avec sa déco stylée d'esprit new-yorkais, l'endroit s'impose comme une référence pour les amateurs de contemporain. Meubles bas en bois foncé, consoles, teintes harmonieuses et apaisantes (blanc cassé et camel, parme). Seul le prix pourrait éventuellement vous empêcher de succomber.

HOTEL DE NOAILLES
9, rue de la Michodière ✆01 47 42 92 90

Fax : 01 49 24 92 71. Site Internet : www.hotelnoailles.com – M° Opéra. Chambres simples à 265 €, doubles de 280 € à 345 €, twin de 3455 € à 365 € et suites juniors à 520 €. Petit déjeuner : 15 €. Taxe de séjour incluse.

Non loin du Louvre, de l'Opéra et des grands magasins, cet hôtel très japonisant s'articule autour d'un joli jardin et de la terrasse du second étage. La décoration contemporaine a un côté lisse et efficace, sans être pour autant froide et impersonnelle. Les 59 chambres sont climatisées, très confortables et bien équipées – connexion Wi-Fi payante –, certaines voient leurs murs revêtus de lamelles de teck, de verre, s'ouvrent sur la terrasse, celles du dernier étage ont un balcon. A chaque étage sa couleur, gris noir, bleu nuit, jaune. Bibliothèque avec cheminée, sauna, salle de gymnastique complètent les services de l'hôtel.

3 étoiles

HOTEL DE L'ÎLE-DE-FRANCE
26, rue Saint-Augustin ✆01 47 42 40 61

Fax : 01 40 17 02 72. Site Internet : www.iledefrance-paris-hotel.com – E-mail : hoteliledefrance@wanadoo.fr – M° Opéra ou Quatre Septembre. Chambres simples à 130 €, doubles de 150 € à 160 €, triples à 180 €. Possibilité de chambres communicantes. Petit déjeuner : 10 €. Taxe de séjour : 1 € par jour et par personne.

Situé entre l'Opéra Garnier et le Musée du Louvre, cet hôtel de charme tire son cachet de son histoire. Il est l'ancien hôtel particulier de Madame de La Vallière, favorite du roi Louis XIV. Si la réception est résolument moderne, les 24 chambres conjuguent élégance classique (lits juponnés, harmonie de bleu et de jaune) et confort actuel. Personnalisées et climatisées, elles sont équipées de douche et bain, sèche-cheveux, coffre individuel, minibar, snacks, téléphone direct, télévision satellite et connexion Wi-Fi. Parking privé payant : 24 € les 24h. Si l'on réserve par Internet, la chambre simple peut coûter 75 € et la double 110 €

HOTEL TRYP FRANÇOIS
3, boulevard Montmartre
✆01 42 33 51 53

Fax : 01 40 26 29 90. Site Internet : www.solmelia.com – E-mail : tryp.françois@solmelia.com M° Grands Boulevards. Chambres doubles à partir de 121 €, chambres supérieures premium à partir de 151 €, suites juniors à partir de 181 €. Petit déjeuner : 17 €, taxe de séjour : 1 € par jour et par personne. Accès Wi-Fi et connexion ADSL. Promotions et réservations sur le site Internet.

Récemment rénové, cet hôtel situé sur les Grands Boulevards, tout proche de l'Opéra et des grands magasins, vous propose le confort de ses 71 chambres – dont 9 suites juniors – avec air conditionné, téléphone, connexion Internet, minibar, télévision par satellite, room service. L'établissement est adapté aussi bien aux voyages d'affaires qu'aux séjours touristiques, dans un environnement sobre et fonctionnel. Accueil charmant et professionnel.

2 étoiles

HOTEL VIVIENNE
40, rue Vivienne ✆01 42 33 13 26

Fax : 01 40 41 98 19. Site Internet : www.hotel-vivienne.fr – E-mail : paris@hotel-vivienne.com M° Bourse. Chambres pour 1 ou 2 personnes avec douche à 90 €, avec bain à 95 €. Chambres twin

à 120 €. Petit déjeuner : 9 €. Taxe de séjour : 1 € par jour et par personne.
Voilà un petit hôtel simple et sympathique dont le principal atout est l'excellente localisation. Les 45 chambres sont accueillantes et douillettes, avec une décoration personnalisée de bon ton. Certaines se démarquant par des plafonds à la française, ou un coin sofa, d'autres disposent d'un agréable balcon. Elles sont toutes équipées de télévision satellite, téléphone direct et sèche-cheveux. Les clients peuvent accéder à Internet depuis la salle de réception.

TIMHOTEL PALAIS ROYAL-LOUVRE
3, rue de la Banque ✆ 01 42 61 53 90
Fax : 01 42 60 05 39. Site Internet : www.timhotel.fr – E-mail : palaisroyal@timhotel.fr
M° Bourse ou Palais Royal. Chambres simples de 99 € à 160 €, doubles de 109 € à 170 €, triples de 129 € à 190 €. Réception 24h/24, téléphone direct, télévision câble et satellite, télécopie. Petit déjeuner en salle : 10 €. Animaux bienvenus.
A l'ombre du Palais Royal et au début de la rue Étienne-Marcel, jouxtant la Galerie Vivienne, cet hôtel est idéalement situé pour votre circuit « Paris shopping ». Les 46 chambres sont calmes et discrètes, équipées de la climatisation pour les catégories supérieures et d'un accès Wi-Fi (payant). Préférez les chambres sur rue, qui donnent sur les toits et la place des Petits-Pères et n'oubliez pas de découvrir la galerie Vivienne, l'un des plus jolis passages couverts.

Hôtel de tourisme

HOTEL APPI
158, rue Saint-Denis ✆ 01 42 33 35 16
Site Internet : www.appihotel.com
M° Châtelet. Chambres simples entre 30 € et 40 €, doubles de 50 € à 65 €, triples à 80 €. Petit déjeuner : 6 € ou 8 €.
Au cœur de Paris, ce récent petit hôtel « low cost » accueille une clientèle jeune dans le quartier piétonnier des Halles Montorgueil, à deux pas des musées, monuments historiques et du grand centre commercial du Forum des Halles. Les 19 chambres calmes et toutes simples sont lumineuses, équipées de double-vitrage, réparties sur 6 étages sans ascenseur (réserver à l'avance pour les étages inférieurs). Accès Internet gratuit à la réception. Restaurants à proximité de l'hôtel.

3e arrondissement

3 étoiles

HOTEL ÉCOLE CENTRALE
3, rue Bailly
✆ 01 48 04 77 76
Fax : 01 42 71 23 50. Site Internet : www.hotelecolecentrale.fr – E-mail : resa@h.e.c.fr
M° Arts et Métiers. Chambres conforts de 140 € à 170 €, supérieures de 155 € à 185 €, luxes de 170 € à 200 €. Petit déjeuner-buffet : 12 €. Taxe de séjour : 1 € par jour et par personne.
En plein cœur de Paris, l'hôtel de l'École Centrale a été totalement rénové. Les chambres modernes sont agrémentées d'œuvres d'art et la luxe possède son propre jacuzzi. La réception très chaleureuse, vient également d'être refaite et l'accueil qu'on vous y réserve est très sympathique. Les 22 chambres climatisées, dont près de la moitié mansardées ou avec des poutres apparentes, sont bien équipées (télévision satellite, coffre-fort individuel, minibar, sèche-cheveux, et Wi-Fi gratuit). Les salles de bains affichent un visage résolument actuel. Le petit déjeuner se prend dans une salle sous verrière.

HOTEL DU PETIT MOULIN
29, rue de Poitou
✆ 01 42 74 10 10
Site Internet : www.hoteldupetitmoulin.com – E-mail : contact@hoteldupetitmoulin.com
M° Filles du Calvaire. Chambres conforts à 190 €, supérieures à 350 €, exécutives à 290 €, luxes à 350 €. Petit déjeuner complet : 15 €. Wi-Fi : 5 € les 30 min. Coffre fort individuel, écran plat LCD, lecteur DVD sur demande. Accès handicapés. Réduction des tarifs le dimanche, se renseigner.
Un hôtel entièrement décoré par Christian Lacroix, ça vous dit ? Le célèbre créateur s'est en effet laissé tenter par cette aventure, et a eu carte blanche pour aménager une par une les 17 chambres et les parties communes de cet hôtel établi dans un immeuble du XVIIe. Le résultat est un magnifique mélange de baroque et de contemporain, où chaque chambre – grand genre, kitsch ou zen, pop, rustique ou années soixante – évoque une des facettes du Marais tout en conservant l'esprit du lieu : la façade est celle d'une ancienne boulangerie classée monument historique, et le bar a gardé son côté brasserie 1900.

HOTEL SAINTONGE
16, rue de Saintonge
✆ 01 42 77 91 13
Fax : 01 48 87 76 41. Site Internet : www.hotel-saintonge.com – E-mail : hotelsaintonge@hotmail.com
M° Filles du Calvaire. Chambres simples à 115 €, double à 115 € et suites à 170 €. Petit déjeuner : 10 €. Taxe de séjour incluse. Wi-Fi gratuit.
On se sent comme à la maison dans cet hôtel de caractère situé au cœur du Paris historique, dans une rue paisible. Ses vieilles pierres et poutres apparentes lui confèrent une certaine noblesse, la salle voûtée pour les petits déjeuners est inattendue, tout comme son patio à ciel ouvert sur lequel donnent les chambres 1 et 2 (très agréable en été). Les 23 chambres – certaines mansardées, d'autres décorées de poutres au plafond – dans les tons pastel sont soignées et reposantes.

LITTLE PALACE HOTEL
4, rue Salomon-de-Caus ✆ 01 42 72 08 15
Fax : 01 42 72 45 81. Site Internet : www.littlepalacehotel.com
M° Réaumur Sébastopol. Chambres simples de 170 € à 230 €, doubles de 190 € à 265 €, suites de 280 € à 335 €. Petit déjeuner : 14 €. Réduction de 10 % à 15 % en réservant via Internet.
Créé en 1912, le Little Palace Hôtel a été entièrement relooké, dans le respect des moulures, stucs et colonnes Art déco : meubles en bois aux lignes épurées, fauteuils années trente qui, recouverts de daim violine, prennent une allure contemporaine, immense bibliothèque et somptueuse verrière classée, distillant la lumière à travers son décor de rosiers grimpants. Les 53 chambres sont équipées de tout le confort : climatisation, insonorisation, coffre-fort, Wi-Fi payant, accès handicapés. N'hésitez pas à prendre le petit déjeuner sur l'une des 8 terrasses de l'hôtel. Possibilité de déjeuner et de dîner au restaurant, le In Square, ouvert du lundi au vendredi midi de 12h à 14h et le soir du lundi au jeudi de 19h à 20h30 (dernière commande).

2 étoiles

LE RELAIS DU MARAIS
76, rue de Turbigo ✆ 01 42 72 78 88
Fax : 01 40 27 93 69. Site Internet : www.hotel-paris-relaisdumarais.com
M° Temple ou République. Chambres simples de 86 € à 99 €, doubles ou twin de 109 € à 139 €. Petit déjeuner-buffet : 10 €.
Situé entre le Marais et la place de la République, le Relais du Marais est tout proche du Centre Pompidou et à quelques minutes du Louvre et de la place des Vosges. Chaleureux, cet hôtel au cœur de Paris offre le confort douillet d'une maison familiale, et une parfaite facilité d'accès pour les affaires, le shopping, et les spectacles. Cet établissement propose 36 chambres aux couleurs chaudes et boiseries, dotées d'un bon niveau de confort (insonorisation, climatisation, Wi-Fi gratuit, télévision avec chaînes câblées). Le copieux petit déjeuner se présente sous forme de buffet dans une jolie salle. Parking public à proximité immédiate.

Hôtel de tourisme

HOTEL DU SÉJOUR
36, rue du Grenier-Saint-Lazare
✆ 01 48 87 40 36
M° Rambuteau ou Etienne Marcel. Chambres doubles à 50 € avec lavabo, et 62 € avec toilettes et douche. Pas de télévision, pas de petit déjeuner.
Cet hôtel de 20 chambres bien rénovées sont propres et confortables, il n'y a vraiment rien à redire. Idéalement situé au cœur de Paris, ce petit établissement sans prétention, tenu par les mêmes propriétaires depuis plus de trente ans, conviendra aux amateurs de petits prix capables de se passer de télévision et de faire quelques pas jusqu'au café du coin pour prendre le petit déjeuner.

4e arrondissement

3 étoiles

HOTEL BEAUBOURG
11, rue Simon-Lefranc ✆ 01 42 74 34 24
Fax : 01 42 78 68 11. Site Internet : www.hotelbeaubourg.com – E-mail : sa.beaubourg@wanadoo.fr – M° Rambuteau. Chambres doubles ou twin de à 150 €. Possibilité d'ajouter un lit à 25 €. Réductions en réservant sur Internet. Petit déjeuner continental : 9 €. Télévision Canal + et satellite. Chambres climatisées, accès Wi-Fi gratuit et ordinateur mis à disposition à la réception.
Entièrement rénové – même les tableaux ont été changés – l'hôtel Beaubourg a tout de l'hôtel de charme avec poutres apparentes et décoration classique soignée, ponctuée de quelques touches de modernité. Installé dans un bâtiment construit à la fin du XVIe siècle, cet établissement présente surtout le grand avantage d'être à quelques pas à peine du centre Beaubourg. Faites-vous plaisir et prenez la chambre 4, installée au rez-de-chaussée, calme et spacieuse, elle bénéficie d'une terrasse privée (140 €).

HOTEL CARON DE BEAUMARCHAIS
12, rue Vieille-du-Temple ✆ 01 42 72 34 12
Fax : 01 42 72 34 63. Site Internet : www.carondebeaumarchais.com – E-mail : hotel@carondebeaumarchais.com – M° Hôtel de Ville ou Saint-Paul. Chambres doubles de 130 € à 170 €, triples à 185 €. Petit déjeuner : 12 €. Taxe de séjour incluse. Wi-Fi gratuit dans l'hôtel. Climatisation
Rénové chaque année, cet hôtel où histoire et hôtellerie se rencontrent est situé en plein cœur du Marais. L'endroit est une reconstitution fidèle d'une maison bourgeoise du XVIIIe, à l'image de celle qu'aurait pu habiter Beaumarchais l'insolent qui vécut dans cette rue : murs de tissus brodés d'après des originaux, sols en pierres de Bourgogne, mobilier et documents anciens. Les 19 chambres sont raffinées, très agréables et climatisées. Les salles de bains sont en faïences inspirées de modèles de Rouen et de Nevers. Le salon avec feu de bois est très chaleureux. Incontournable pour ceux qui désirent voyager dans le temps et renouer avec l'esprit des Lumières.

HOTEL DE LUTÈCE
65, rue Saint-Louis-en-l'Ile ✆ 01 43 26 23 52
Fax : 01 43 29 60 25. Site Internet : www.paris-hotel-lutece.com – M° Pont-Marie. Chambres simples à 155 €, doubles à 195 €, triples à 230 €. Petit déjeuner : 13 €. Taxe de séjour : 1 € par jour et par personne.
Dans cette belle rue du vieux Paris, tout invite à pénétrer dans cet hôtel de caractère abrité dans

un édifice du XVIIe. Avec son feu de cheminée dans le hall de réception et son éclairage intimiste, il est romantique à souhait. Les chambres, avec poutres apparentes, sont meublées avec soin, et décorées de manière personnalisée – miroir, lithographie, tissus imprimés. Elles disposent de la climatisation et du Wi-Fi gratuit. Comme souvent dans les vieilles demeures parisiennes le dernier étage est mansardé. Le patio fleuri ajoute une note d'intimité. Service impeccable et très sympathique.

HOTEL SAINT-MERRY
78, rue de la Verrerie ✆ 01 42 78 14 15
Fax : 01 40 29 06 82. Site Internet : www.hotelmarais.com – E-mail : hotelstmerry@wanadoo.fr 11 – M° Châtelet. Chambres simples, doubles ou triples de 90€ à 230€, une suite pour 2, 3 ou 4 personnes, de 250€ à 335€. Pas d'ascenseur ni de télévision – sauf dans la suite. Petit déjeuner servi en chambre : 11€. Wi-Fi – payant – dans toutes les chambres.
Situé dans le Marais, au centre du triangle Châtelet, Hôtel de ville, Centre Pompidou, cet hôtel au cachet certain, s'abrite dans l'ancien presbytère de l'église Saint-Merry. Ses chambres sont toutes dans le plus pur style gothique, avec plafonds à la française et mobilier d'époque où voisinent boiseries travaillées et fers forgés. Certaines chambres sont mansardées, d'autres jouent avec le système de construction complexe de l'édifice, laissant apparaître des piliers de pierre qui traversent l'espace. Un hôtel qui conviendra aux amateurs de Moyen Age !

JARDINS DE PARIS MARAIS-BASTILLE
14, rue Neuve-Saint-Pierre ✆ 01 44 59 28 50
Fax : 01 44 59 28 79. Site Internet : www.hotelsjardinsdeparis.com – E-mail : maraisbastille@hotelsjardinsdeparis.com – M° Bastille et Saint-Paul. Chambres simples ou doubles à 165€ en haute saison, petit déjeuner inclus. Wi-Fi payant.
Situé en plein cœur du quartier du Marais dans un ancien hôtel particulier, entièrement rénové en 2006, cet hôtel assez chic vous accueillera dans l'une de ses 20 chambres climatisées, calmes et lumineuses, très fonctionnelles (téléphone direct, télévision Canal + et satellite, minibar). Vous pourrez vous balader à la découverte des nombreux hôtels particuliers du coin et profiter de l'ambiance festive des bars qui entourent la place de la Bastille. Les chiens sont acceptés moyennant un supplément de 10€. Le cadre est sympathique et l'accueil ne vous décevra pas.

2 étoiles

GRAND HOTEL JEANNE-D'ARC
3, rue de Jarente ✆ 01 48 87 62 11
Fax : 01 48 87 37 31. Site Internet : www.hoteljeannedarc.com – E-mail : information@hoteljeannedarc.com – M° Saint-Paul. Chambres pour 1 personne de 62€, pour 2 personnes de 78€ à 116€, pour 3 personnes à 146€ et pour 4 personnes à 160 €. Lit enfant à disposition. Petit déjeuner continental : 6€. Taxe de séjour incluse. Accès Wi-Fi – payant – au rez-de-chaussée uniquement.
Dans la partie la plus calme du Marais, cet hôtel aux airs de nid douillet affiche des allures de maison de famille avec sa façade habillée de lanternes. Les 36 chambres sont assez sobres et épurées mais très agréables, certaines ont des murs en pierres apparentes. La plupart donnent sur des cours intérieures pavées ou sur les toits, gage de tranquillité. Mieux vaut réserver trois mois minimum à l'avance pour profiter pleinement de cet hôtel au charme discret mais très attachant.

HOTEL DE NICE
42 bis, rue de Rivoli ✆ 01 42 78 55 29
Fax : 01 42 78 36 07. Site Internet : www.hoteldenice.com – E-mail : contact@hoteldenice.com – M° Hôtel de Ville. Chambres simples à 80€, doubles à 110€ et triples à 135€. Petit déjeuner : 8€. Taxe de séjour incluse. Réductions en basse saison.
Voilà un hôtel d'atmosphère ! Tenu par des amoureux d'antiquités, l'Hôtel de Nice, récemment climatisé, est décoré avec un goût certain et on se sent à son aise dans le petit salon, qui sert aussi de salle de petit déjeuner. Il s'imprègne d'un style éclectique très recherché avec son mobilier ancien, ses tableaux du XIXe siècle, ses couvertures du Petit Journal encadrées et ses moelleux tapis. Les 23 chambres sont toutes décorées dans des styles différents, qui sont le reflet des coups de cœur des propriétaires. A noter, l'hôtel possède une chambre familiale mansardée au dernier étage – jusqu'à 4 personnes, à 145€. Les parties communes ont été rénovées en 2007, pour encore plus de confort.

1 étoile

SULLY HOTEL
48, rue Saint-Antoine ✆ 01 42 78 49 32
Fax : 01 44 61 76 50. Site Internet : www.sullyhotelparis.com – E-mail : sullyhotel@orange.fr – M° Bastille ou Saint-Paul. Chambres simples à 48€, doubles avec douche, toilettes et télévision à 60€, pour 3 personnes à 80€, pour 4 personnes à 90 €. Chambres avec douche et télévision – toilettes sur le palier – pour 3 ou 4 personnes à 60€. Pas de petit déjeuner.
En plein cœur de Paris, dans le quartier du Marais, voici un hôtel confortable et sans prétention. Au fond d'un long couloir, vous serez accueilli par Mr. Zeroual, le propriétaire, qui vous amènera à votre chambre située dans les étages. Les 21 chambres sont toutes équipées de télévision, sèche-cheveux, téléphone direct et double-vitrage. Les travaux de rénovation laissent un hôtel tout neuf à la décoration simple, un peu kitch mais et chaleureuse.

Hôtel de tourisme

GRAND HOTEL DU LOIRET

8, rue des Mauvais-Garçons ✆ 01 48 87 77 00

Fax : 01 48 04 96 56. Site Internet : www.hotel-loiret.fr – E-mail : hotelduloiret@hotmail.com

M° Hôtel de Ville. Chambres simples avec lavabo, télévision et téléphone sans toilettes à 50 €, simples ou doubles avec douche et toilettes à 70 €. Chambres simples avec bain ou douche et toilettes à 80 €, doubles à 70 €, triples à 90 €. Petit déjeuner : 7 €. Taxe de séjour incluse.

Cet établissement sympathique propose 27 chambres soigneusement rénovées dans un style moderne. Elles sont équipées du téléphone, de télévision plasma, d'un sèche-cheveux et d'un coffre de sécurité. Wi-Fi et fax disponibles à la réception. On aime bien les chambres mansardées aux portes cérusées. Très bon rapport qualité-prix pour cette adresse située au cœur de Paris. On appréciera surtout d'être à proximité des lieux hautement touristiques pour un tarif plus que raisonnable.

5e arrondissement

3 étoiles

ACTE V

55, rue Monge ✆ 01 43 26 87 90

Fax : 01 43 54 47 25. Site Internet : www.hotel-actev.com – M° Place Monge ou Cardinal-Lemoine. Chambres simples à partir de 81 € à 135 €, doubles à partir de 90 € à 180 € en fonction du nombre de nuits. Petit déjeuner buffet : 11 €.

Anciennement l'Hôtel Monge, ce charmant établissement a été rénové en janvier 2008. Situé à 10 m des arènes de Lutèce au cœur du quartier latin, l'Acte V sera votre refuge idéal pour un séjour parisien. Un ascenseur dessert les six étages. Certaines des 36 chambres ont vue sur les arènes et toutes sont climatisées, spacieuses et calmes. Elles sont équipées d'un écran LCD, d'un sèche-cheveux, d'un minibar, d'un accès Wi-Fi et d'un coffre-fort. Un bar-salon de thé au rez-de-chaussée est également ouvert depuis le mois de janvier à des clients extérieurs à l'hôtel. Une bibliothèque et une vidéothèque sont également à la disposition. Pour vous restaurer, le propriétaire possède, à 10 minutes de l'hôtel, un restaurant aux spécialités corses. Le Cosi : 9, rue Cujas. ✆ 01 43 29 20 20.

THE FIVE

3 rue Flatters ✆ 01 43 31 52 31

Site Internet : wwwthefive.com – 24 chambres et 2 suites avec salle de bain, climatisation, télévision LCD, téléphone, wi-fi. Tarifs des chambres : de 165 à 350 €. Tarif des suites : de 350 à 990 € (avec jacuzzi). Petit déjeuner : 15 € en chambre, 12 € en salle. Animaux acceptés.

Ouvert depuis maintenant deux ans, le five est un hôtel au design bien atypique en plein cœur de ce quartier d'histoire qu'est le quartier latin. A deux pas de la Sorbonne et de Notre-Dame, son équipe vous accueille dans un cadre à l'esthétique moderne très inspirée de la décoration asiatique. Peintures laquées élégantes, jeux de lumière, voire pétales de rose sur votre lit… Toutes les chambres on été pensées pour avoir une identité propre et originale. Chacune est ainsi une agréable surprise. Et ça n'est pas la grande suite et son lit flottant, conçue par Philippe Vaurs et Sandrine Alouf, qui prouvera le contraire. Un lieu étonnant, à découvrir…

ONE BY THE FIVE

3, rue Flatters ✆ 01 43 31 52 31

Site Internet : www.onebythefive.com - E-mail : contact@onebythefive.com – M° Les Gobelins Une suite unique composée de 6 pièces, pouvant accueillir jusqu'à 4 personnes : de 790 à 990 € par nuit, selon le nombre de nuitées. Petit-déjeuner inclus. Réception 24h/24, air conditionné, accès Internet gratuit, coffre, salle de bain toute équipée, kitchenette.

Philippe Vaurs vous accueille dans ce somptueux hôtel, unique en son genre. The One by the five est plus qu'une invitation : c'est un rêve à lui seul. Pour créer ce lieu de charme, composé de six pièces pour une suite unique, Philippe Vaurs a fait appel à Sandrine Alouf. Pièce après pièce, l'artiste nous raconte l'histoire d'une rencontre amoureuse où les sens se dévoilent les uns après les autres. Admirez, dés l'entrée, des corps sculptés peints sur du satin et des éclats de miroirs qui créent des reflets improbables ; attardez-vous également dans le salon qui offre une vue sur le pont des Arts. Et puis, enfin, pénétrez dans la chambre : découvrez dans cette pièce le lit suspendu, flottant dans l'infini du ciel et sur la légèreté des nuages. Idéal pour une étape romantique d'exception à Paris.

HOTEL DACIA LUXEMBOURG

41, boulevard Saint-Michel ✆ 01 53 10 27 77

Fax : 01 44 07 10 33. Site Internet : www.hoteldacia.com – M° Cluny-La Sorbonne et RER Luxembourg. Chambres simples de 122 € à 140 €, doubles ou twins à 160 €. Petit déjeuner : 11 €.

En plein centre de Paris, cet hôtel propose 38 chambres. La décoration de cet hôtel discret est classique et soignée – meubles en bois et tissus chaleureux – et l'accueil est efficace. Certaines chambres sont un peu petites, mais cette exiguïté est compensée par le soin tout particulier apporté à la literie. Les chambres sont climatisées et disposent d'une connexion Internet Wi-Fi. L'ambiance feutrée et cosy aux tons pastel, invite au repos les hommes d'affaires et les touristes qui profiteront de ce havre de paix pour se ressourcer.

HOTEL DES GRANDES ÉCOLES

75, rue du Cardinal-Lemoine

✆ 01 43 26 79 23

Site Internet : www.hotel-grandes-ecoles.com –

E-mail : hotel.grandes.ecoles@wanadoo.fr
M° Cardinal-Lemoine. Chambres simples et doubles de 115€ à 140€. Lit supplémentaire à 20€. Possibilité de chambres pour 4 personnes : 180€. Petit déjeuner : 9€. Parking privé : 30€ les 24h.
L'hôtel, abrité dans un hôtel particulier du XVIIe siècle, s'ouvre sur un beau jardin arboré dans lequel vous pourrez prendre votre petit déjeuner, petit luxe bien appréciable en plein cœur de la capitale. Il compte 51 chambres qui donnent sur la verdure. Équipées du confort moderne, (Wi-Fi payant) elles ont un petit air de bonbonnière champêtre au charme suranné. Quelques prestations sont mises à disposition, parking intérieur : 30€ les 24h, baby-sitting, coffre ou encore room service. Les animaux sont les bienvenus. L'hôtel compte une clientèle d'habitués, ce qui est la meilleure des recommandations.

HOTEL DU LEVANT
18, rue de la Harpe ✆01 46 34 11 00
Site Internet : www.hoteldulevant.com
M° Saint-Michel. Chambres simples à 73€, 2 personnes de 100€ à 160€, twin 160€, triples de 175€ à 215€, chambres familiales de 235€ à 320€. Petit déjeuner inclus.
Descendre à l'Hôtel du Levant, c'est se laisser séduire par le charme du vieux Paris. Au cœur du Quartier latin, c'est un hôtel familial plus que centenaire, un havre de paix. Les 47 chambres toutes climatisées séduisent par leur décoration classique, et personnalisée par une œuvre d'art, (télévision satellite, coffre-fort, minibar, Wi-Fi et téléphone, mention spéciale pour les salles de bains très modernes). Elles donnent côté cour pour le calme ou côté rue pour l'animation du quartier. Le petit déjeuner peut être servi en chambre ou dans la salle à manger, très actuelle, entre 7h15 et 10h30. Journaux, magazines ou jeu d'échec, le salon invite à une pause détente dans une atmosphère chaleureuse.

HOTEL DE NOTRE-DAME
19, rue Maître-Albert ✆01 43 26 79 00
Fax : 01 46 33 50 11. Site : www.hotel-paris-notredame.com – M° Maubert-Mutualité ou Saint-Michel. Chambres avec 1 grand lit à 155€, avec 2 lits à 165€ selon la saison. Petit déjeuner : 7€. Taxe de séjour : 1€ par jour et par personne. Accès Wi-Fi.
Au calme d'une ruelle typique du Quartier latin, se trouve l'Hôtel de Notre-Dame. Un petit havre de paix avec 33 chambres au décor personnalisé et pour certaines, aux poutres et pierres apparentes. Elles sont toutes équipées de sèche-cheveux, coffre-fort, téléphone direct, télévision avec câble et satellite, et minibar. Un lieu de charme où vous recevrez un accueil très sympathique et chaleureux.

MINERVE HOTEL
13, rue des Ecoles ✆01 43 26 26 04
Fax : 01 44 07 01 96. Site Internet : www.hotel-paris-minerve.com / www.parishotelminerve.com – M° Maubert-Mutualité, Jussieu et Cardinal-Lemoine. Chambres de 79€ à 145€. Petit déjeuner-buffet copieux : 8€. 1 salle de séminaire. Climatisation dans tout l'établissement.
On repère l'établissement au premier coup d'œil grâce à ses balconnets de verdure et l'intérieur ne déçoit pas. L'ambiance y est à la fois cosy, fleurie et raffinée, toutefois l'accueil par téléphone est à la limite de l'amabilité. Tout. Les 54 chambres dont 10 avec balcons, mobilier d'inspiration classique, tapis anciens, poutres apparentes et toit cathédrale, sont ornées de fresques polychromes ou sépia, et portent des noms évocateurs : Mont Saint-Michel, château Josselin ou Chambord. Pour un petit supplément, vous pouvez opter pour un petit balcon ou un patio privé et l'hôtel est climatisé. Accès wi-fi, écran plasma, satellite. L'hôtel dispose aussi de 5 places de parking à 50 m : 20€ les 24h.

LE NOTRE-DAME HOTEL
1, quai Saint-Michel ✆01 43 54 20 43
Fax : 01 43 26 61 75. Site Internet : www.hotelnotredameparis.com
M° Saint-Michel. Chambres individuelles ou doubles avec vue sur cour à 150€. Chambres individuelles ou doubles avec vue sur la Seine ou Notre-Dame à 199€. Petit déjeuner continental : 7€. Taxe de séjour : 1€ par jour et par personne. Accès Internet Wi-Fi. Promotions et réservations sur le site Internet.
En plein cœur du Quartier latin et situé face au joyau gothique parisien, à savoir la cathédrale Notre-Dame, cet hôtel est idéal pour s'immerger dans Paris. Une atmosphère douillette et reposante accueille les visiteurs qui trouveront ici le lieu idéal pour se détendre. Les meubles anciens ajoutent un certain cachet à l'endroit. L'équipe qui fait fonctionner les lieux est jeune et dynamique. Les chambres en plus d'êtres confortables, ont un décor personnalisé avec poutres et pierres apparentes et offrent une vue sur la Seine ou Notre-Dame. Important à Paris : les chambres sont climatisées et ont le double vitrage.

All-Paris-Apartment.com

Avec 850 appartements et hôtels disponibles, ce spécialiste de la réservation en ligne propose, depuis plus de 10 ans, des logements dans pratiquement toute la ville, proches à la fois du centre et des lieux à visiter. Leur site clair et pratique a aussi un système de réservation simple et sécurisé où l'on peut voir la disponibilité en temps réel.

2 étoiles

LES ARGONAUTES

12, rue de la Huchette ✆ 01 43 54 09 82

Fax : 01 44 07 18 84. Site Internet : www.hotel-les-argonautes.com – M° Saint-Michel. Chambres simples de 50 € à 80 €, doubles de 65 € à 90 €, triples à 90 €. Petit déjeuner continental : 6 €.

Situé dans la rue piétonnière de la Huchette, abrité dans un bâtiment du XVIIIe siècle, cet hôtel a conservé un côté rétro et osé. Dès la réception, le ton est donné : ce n'est pas un hôtel comme les autres. Vous êtes ici chez vous, sans chichi et avec le sourire. Le réceptionniste, artiste dans l'âme, a concocté un univers décoratif fait de recyclage de sachets de thé – étonnant. Les 25 chambres, simples et propres, sont équipées de douche ou baignoire, téléphone, sèche-cheveux. Dernier aménagement en date, une belle terrasse fleurie pour accueillir les clients et l'accès au Wi-Fi dans tout l'hôtel.

FAMILIA HOTEL

11, rue des Ecoles ✆ 01 43 54 55 27

Fax : 01 43 29 61 77. Site Internet : www.familiahotel.com – M° Jussieu, Cardinal-Lemoine ou Maubert-Mutualité. Chambres simples à 90 €, doubles de 107 € à 127 €, triples de 176 €, quadruples à 194 €, petit déjeuner inclus.

Le Familia Hôtel, construit en 1865 dans le style Haussmann, est un hôtel de charme où les 30 chambres, boiseries, poutres apparentes et tons reposants, sont confortables – air conditionné dans toutes les chambres – et bien équipées – douche ou salle de bains, toilettes, insonorisation, télévision plasma câblée, sèche-cheveux, minibar, Wi-Fi. Un coup de cœur pour les chambres avec balcon – aux 2e, 5e et 6e étages –, munies de tables et chaises avec vue sur Notre-Dame et ses tours et les toits de Paris. Les lieux sont agrémentés de fresques sépia réalisées par un artiste issu de l'école des Beaux-Arts, représentant des monuments parisiens. L'hôtel dispose aussi de 5 places de parking à 20 € les 24h. Sur cour, les chambres ont une vue sur une fresque murale représentant de grands impressionnistes : Sisley, Van Gogh et d'autres encore que nous vous invitons à découvrir !

HOTEL CUJAS PANTHEON

18, rue Cujas ✆ 01 43 54 58 10

Fax : 01 43 25 88 02. Site Internet : www.hotelcujaspantheon.com – M° Cluny-La Sorbonne. Chambres simples à partir de 74 €, doubles à 97 €, twin à 102 €, triples à partir de 138 €. Petit déjeuner continental : 8,50 €. Tarifs privilégiés en réservant sur Internet.

Situé quasiment en face du jardin du Luxembourg et à deux pas de la Sorbonne, cet établissement offre la convivialité d'une hôtellerie familiale. On a su marier harmonieusement le charme des vieilles pierres et le style ancien au confort moderne. Les 48 chambres, décorées sobrement avec des couvre-lits de couleurs vives disposent de tout le confort moderne (douche ou bain, toilettes, téléphone direct, télévision satellite). Le petit déjeuner est servi de 7h à 10h – 7h30 à 10h30 le week-end – dans le joli cadre d'une ancienne cave voûtée aux murs de pierre, inondée par la lumière du soleil. On s'installe volontiers dans le salon ancien orné de tableaux et de plantes vertes pour s'y détendre.

HOTEL MAXIM QUARTIER LATIN

28, rue de Censier ✆ 01 43 31 16 15

Fax : 01 43 31 93 87. Site Internet : www.hotelmaxim.fr – E-mail : info@hotelmaxim.fr M° Censier-Daubenton. Chambres simples de 125 € à 135 €. Chambres doubles à 150 €, twin à 155 €. Petit déjeuner : 10 €. Tarifs privilégiés en réservant sur Internet. Ascenseur.

Le principal atout de cet hôtel est son excellente situation. Derrière une façade très classique, les 36 chambres toutes climatisées, à la décoration entièrement refaite en 2009, sont modernes, fonctionnelles et chaleureuses, dans des tons de bruns et beiges ; elles bénéficient de tout le confort (télévision câblée, téléphone, double vitrage, accès au Wi-Fi gratuit). Pour un calme optimum les chambres sur cour sont à privilégier. Service de fax, bagagerie, coffre-fort, complètent les services de l'hôtel.

HOTEL DE LA SORBONNE

6, rue Victor-Cousin ✆ 01 43 54 58 08

Fax : 01 40 51 05 18. Site Internet : www.hotelsorbonne.com – E-mail : reservation@hotelsorbonne.com – M° Cluny-La Sorbonne ou RER Luxembourg. Chambres de 100 € à 350 € en fonction de la catégorie. Petit déjeuner : 11 € (viennoiseries bio).

L'hôtel a été entièrement rénové en 2008, et cette décoration résolument design est une totale réussite. Salle de petit déjeuner, couloirs, salon, chambres, c'est un vent de couleurs et d'élégance qui a soufflé ici, et le résultat est un hôtel chic, pas anodin, au charme intense. Nouveau look et nouvelle catégorie de chambres supérieures, l'hôtel joue la carte de la modernité chic. Ceux qui veulent passer des nuits studieuses trouveront leur bonheur dans cet hôtel situé en face de la Sorbonne. Petit plus pour les chambres des 5e et 6e étages qui donnent sur les toits de la Sorbonne et du Panthéon. Toutes les chambres ont été équipées d'un ordinateur IMac et l'accès Wi-Fi est proposé gratuitement dans tout l'établissement. Ces différents atouts rendent l'établissement assez prisé et souvent complet, d'autant qu'il propose des réductions lorsque l'on réserve longtemps à l'avance ou par Internet.

HOTEL SAINT-JACQUES

35, rue des Ecoles ✆ 01 44 07 45 45

Fax : 01 43 25 65 50. Site Internet : www.paris-hotel-stjacques – E-mail : hotelsaintjacques@wanadoo.fr – M° Maubert-Mutualité ou Saint-

Michel. Chambres individuelles à 97€, doubles de 110€ à 189€ et triples à 176€. Petit déjeuner continental : 10€. Borne Internet.

Ceux qui apprécient les ambiances Belle Époque et l'esthétique d'antan seront ravis par cet hôtel de charme récemment rénové (connexion Internet). Les 38 chambres à la décoration romantique et cosy (tissus fleuris, peintures murales, fresques en trompe-l'œil, moulures au plafond, etc.) ont un petit côté XVIIIe siècle, certaines donnent sur Notre-Dame. En fin de journée on se repose dans le salon Toulouse-Lautrec, agrandi d'un bar en zinc et d'une charmante salle du petit déjeuner de style cabaret, où l'on peut céder à la curiosité d'un verre d'absinthe. Petit clin d'œil pour les amoureux de cinéma : Cary Grant et Audrey Hepburn ont tourné ici des scènes de Charade. L'accueil est particulièrement courtois.

HOTEL SUNNY
48, boulevard de Port-Royal ✆ 01 43 31 79 86
Fax : 01 43 31 36 02. Site : www.hotel-sunny.com – M° Les Gobelins et RER Port-Royal. Chambres simples douche 75€, et bain 77€, doubles 85€ et 88€, twin 89€ et 91€, triples avec bain à 122€. Petit déjeuner : 6,20€. Réception 24h/24h.

A la limite du 5e et du 13e arrondissement, cet hôtel familial, sans prétention mais très chaleureux, séduit par sa décoration sobre, colorée et son accueil amical. Les chambres sont simples mais accueillantes avec des tonalités pastel et bien équipées (douche ou bain, télévision câblée et Canal +, téléphone, prise modem et Wi-Fi). A conseiller pour ceux qui aiment les ambiances douillettes et le calme.

AU ROYAL CARDINAL HOTEL
1, rue des Ecoles ✆ 01 46 33 93 62
Fax : 01 44 07 22 32. Site Internet : www.hotelroyalcardinal.com – M° Jussieu et Cardinal-Lemoine. Tarifs Haute et Basse saison : chambres simples et doubles de 90 à 101€, twins de 105 à 121€, triples de 119 à 135€, quadruples de 124 à 140€. Petit déjeuner : 6€. Taxe de séjour à 1€. Tarifs réduits à partir du site Internet.

Sur la rue des Écoles, ce Royal Cardinal Hôtel occupe une place stratégique dans un quartier central de Paris. Cette localisation bien appréciable n'a pas pour autant fait grimper les prix en flèche, et les tarifs raisonnables attirent chaque année une foule de clients. Les 36 chambres joliment décorées possèdent l'avantage de disposer du double vitrage, d'un sèche-cheveux, et du Wi-Fi gratuit. Une bonne adresse avec un accueil particulièrement chaleureux. Si vous vous y prenez à l'avance, réservez une chambre avec un petit balcon.

1 étoile

HOTEL EXCELSIOR
20, rue Cujas ✆ 01 46 34 79 50
Fax : 01 43 54 87 10. Site Internet : www.excelsior-paris-hotel.com – M° Cluny-La Sorbonne. Chambres simples sans toilettes à partir de 68€ ou à partir de 85€, doubles à partir de 95€, twin à partir de 100€, quadruples à partir de 135€. Petit déjeuner : 7€. Coffre-fort, borne Internet et Wi-Fi payant à la réception.

Entre le jardin du Luxembourg et l'université de la Sorbonne, l'Hôtel Excelsior ne pouvait rêver meilleur emplacement dans le Quartier latin. La volonté des propriétaires est de faire de cet hôtel une étape chaleureuse et familiale où l'on se mettra en quatre pour rendre votre séjour agréable. Les 65 chambres sont plutôt spacieuses et bien ensoleillées, la décoration est sobre et légèrement fleurie. Les murs de pierre et les poutres apparentes ajoutent du charme et de l'authenticité. Dès les beaux jours, demandez à ce que l'on vous serve le petit déjeuner dans le patio fleuri.

Hôtels de tourisme

HOSPITEL
1, place du Parvis-Notre-Dame – Galerie B2
6e étage ✆ 01 44 32 01 00
Fax : 01 44 32 01 16. Site Internet : www.hotel-hospitel.fr – E-mail : hospitelhoteldieu@wanadoo.fr – M° Cité ou Hôtel de Ville. Chambres simples à 115 €, doubles à 126 €. Lit supplémentaire à 11 €. Petit déjeuner à 8 €. Plateaux repas à partir de 10 €. Accès Wi-Fi dans toutes les chambres.
Une originalité que cet hôtel dans un hôpital ! Il occupe le dernier étage de l'Hôtel-dieu, monument historique, sur l'île de la Cité, à côté de Notre-Dame. Cet établissement est très prisé par les familles de malades, mais aussi par les touristes séduits par l'emplacement, le charme et la convivialité du lieu. Les 14 chambres mansardées, dernier étage oblige, sont toutes équipées d'une salle de bains privée, d'une télévision – écran plat dans la plupart des chambres –, d'un téléphone, d'un coffre-fort et de l'air conditionné. Les petits déjeuners et plateaux repas à la carte sont servis en chambre. Le personnel est très disponible : du sèche-cheveux au fer à repasser en passant par les bons plans du quartier, ils auront réponse à tout. Un hôtel atypique, aux accents de pension de famille qui met tout en œuvre pour vous faire passer un agréable séjour dans la capitale.

HOTEL DU COMMERCE
14, rue de la Montagne-Sainte-Geneviève
✆ 01 43 54 89 69
Fax : 01 43 54 76 09. Site Internet : www.commerceparishotel.com – M° Maubert-Mutualité. Chambres simples à 39 € – cabinet de toilette ou douche et toilettes –, chambres doubles de 49 € à 99 €, chambres triples à 69 €, quadruples à 99 €. Petit déjeuner, distributeur de boissons chaudes et de gâteaux. Accès Internet gratuit.
Cet hôtel est situé en plein cœur du Quartier latin, à quelques minutes de Notre-Dame et de la place de la Sorbonne. Les chambres aux couleurs chaudes et aux tissus colorés ont un petit air de Provence. Les chambres quadruples permettent aux familles d'être à l'aise. Un coin cuisine équipé avec four micro-ondes et réfrigérateur est mis à disposition des hôtes pour le petit déjeuner. L'accueil y est excellent, le confort et la simplicité des lieux alliés à des prix très abordables en font une excellente adresse pour les petits budgets.

6e arrondissement

4 étoiles

L'HOTEL
13, rue des Beaux-Arts ✆ 01 44 41 99 00
Fax : 01 43 25 64 81. Site Internet : www.l-hotel.com – E-mail : reservation@l-hotel.com M° Saint-Germain-des-Prés. Chambres de 280 € à 640 €, suites à 640 €, appartements à 740 €. Petit déjeuner : 18 €. Connexion Wi-fi. Animaux de compagnie de petite taille acceptés.
L'Hôtel est un havre discret et chargé d'histoire. Le lieu accueillit de nombreuses célébrités et fut le théâtre de scènes extraordinaires, des amours secrètes de la reine Margot à la mort d'Oscar Wilde, qui disparut en laissant une dette et une phrase célèbre : « Je meurs au-dessus de mes moyens ». Jacques Garcia l'a décoré comme une maison bourgeoise, enrichie au fil des générations de meubles rapportés de voyages lointains. Chacune des 20 chambres, articulées autour d'un somptueux puits de lumière, a son univers, hérité du passage d'un hôte de marque : Arts Déco (chambre Mistinguett, 36), gothique flamboyant (chambre Viollet-le-Duc, 32), extrême-oriental (chambre Marco Polo, 26), boudoir (chambre Reine Hortense, 54), ottoman (suite Loti, 40), etc. L'adresse s'impose comme une expérience décorative unique. Hammam et piscine offrent une pause détente. L'hôtel dispose aussi d'un restaurant, intitulé Le Restaurant. C'est un étoilé Michelin Ouvert tous les jours sauf le dimanche et le lundi – à l'atmosphère de salon privé et d'un bar Ouvert tous les jours jusqu'à1h du matin.

3 étoiles

LE CLOS MEDICIS
56, rue Monsieur-le-Prince ✆ 01 43 29 10 80
Site Internet : www.closmedicis.com
M° Odéon. Chambre simple avec douche à 175 €, double avec douche à 215 €, supérieure à 245 €, de luxe à 270 €. Triple ou en duplex à 310 €. La suite à 495 €. Petit déjeuner à 13 €.
Ce charmant hôtel vous accueille pour votre escapade parisienne. Situé entre le quartier de Saint-Germain-des-Prés et le quartier Latin, l'hôtel donne sur une rue calme. Toutes les chambres sont très confortables et toutes équipées de la Wi-Fi. Le soir, prenez une petite pause bien méritée et venez boire un verre dans le salon meublé d'antiquités près de la cheminée.

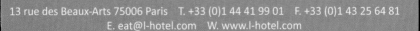

HOTEL AVIATIC
105, rue de Vaugirard ✆ 01 53 63 25 50
Fax : 01 53 63 25 55. Site Internet : www.aviatic.fr – E-mail : welcome@aviatic.fr M° Falguière-Montparnasse. Chambres traditions à partir de 169 €, supérieures à partir de de 195 €, de luxe à partir de 245 €, suites à partir de 345 €. Petit déjeuner : 14 €. Parking : 27 € les 24h.
Entre Saint-Germain-des-Prés et Montparnasse, cet hôtel « vintage » datant de 1856 a connu ses heures de gloire durant les Années folles, lorsque les aviateurs d'Issy-les-Moulineaux y logeaient, et le nom « Aviatic » sera adopté en leur honneur. Il conjugue à merveille élégance classique et originalité avec ses objets chinés aux puces. Le salon est animé par une atmosphère feutrée, ponctuée, tandis que les chambres, affichent un décor chaleureux avec une salle de bains décorée de mosaïque à l'ancienne (télévision satellite, double-vitrage, air conditionné, coffre-fort, minibar, sèche-cheveux). Le petit déjeuner est servi en chambre, avec le journal ou dans la salle de style bistrot 1900. Animaux acceptés avec un supplément de 20 € par nuit.

HOTEL FERRANDI SAINT-GERMAIN
92, rue du Cherche-Midi ✆ 01 42 22 97 40
Fax : 01 45 44 89 97. Site Internet : www.hotel-ferrandi-paris.com – E-mail : hotel.ferrandi@wanadoo.fr
M° Vaneau ou Sèvres-Babylone. Chambres simples de 70 € à 190 €, doubles de 80 € à 320 €, suite à 390 €. Chambres communicantes à 460 €. Petit déjeuner : 12 €. Hôtel climatisé. Parking : 25 € les 24h. Accès Wi-Fi gratuit. Tarifs réduits quotidiens sur certaines chambres.
A elle seule, l'adresse définit l'ambiance de l'hôtel : la rue du Cherche-Midi est l'une des rues les plus courues du quartier, mélange de bohème chic et de classicisme. Cet hôtel de charme fort élégant se cache derrière la belle façade, restauration d'un hôtel cossu du XIXe siècle. Les 42 chambres toutes différentes et harmonieuses, sont spacieuses et marient habilement meubles de style et confort moderne dans un style Empire, mobilier d'acajou, lits à baldaquin ou surmontés d'un dais à la polonaise, alcôves, rideaux damassés, trompe-l'œil de marbre jaune et roux. Une adresse chic et raffinée.

HOTEL DES MARRONNIERS
21, rue Jacob ✆ 01 43 25 30 60
Fax : 01 40 46 83 56. Site Internet : www.hoteldesmarronniers.com – E-mail : hotel-des-marronniers@wanadoo.fr
M° Saint-Germain des Prés ou Mabillon. Chambres simples à 135 €, doubles de 175 € à 190 €, twins à 280 €. Petit déjeuner : 12 € en salle, 14 € en chambre. Taxe de séjour incluse. Wi-Fi dans tout l'hôtel payant. Promotions et réservations sur le site Internet.
Dissimulé en retrait de la très chic rue Jacob, cet hôtel cultive un extraordinaire jardin à l'anglaise, au cœur du quartier des antiquaires et des éditeurs. La décoration est donc soignée, chambres cossues, mansardées, avec poutres apparentes, murs tendus de riches tissus, celles avec vue sur le jardin et le clocher de l'église Saint-Germain sont les plus prisées (climatisation, téléphone, télévision et satellite, sèche-cheveux).

HOTEL SAINTE-BEUVE
9, rue Sainte-Beuve ✆ 01 45 48 20 07
Site Internet : www.hotelsaintebeuveparis.com – E-mail : saintebeuve@wanadoo.fr
M° Vavin ou RER Port-Royal. Chambres de 180 € à 310 € et 1 suite à 365 €. Taxe de séjour : 1 € par jour et par personne. Petit déjeuner continental : 15 € servi en chambre ou au salon. Climatisation, minibar, coffre-fort, télévision satellite, séchoirs, accès Wi-Fi payant. Promotions et réservations sur le site Internet.
A deux pas du jardin du Luxembourg, cet hôtel de charme aux allures de maison particulière est un véritable havre de paix. Le propriétaire n'a qu'une seule optique, faire de cet endroit « votre chez vous » parisien ! La décoration a été laissée aux bons soins de David Hicks, décorateur d'intérieur anglais. Larges poufs, canapés moelleux, fauteuils à oreilles, tapis de sisal, tableaux et sculptures modernes, salon avec cheminée, il y règne une atmosphère chaleureuse et intime baignée d'une lumière filtrée. Dans les chambres lumineuses et reposantes, les antiquités et les meubles design font bon ménage, les ambiances classique ou contemporaine sont orchestrées avec un goût très sûr. On aime le panier de courtoisie et ses produits d'accueil !

2 étoiles

GRAND HOTEL DES BALCONS
3, rue Casimir-Delavigne ✆ 01 46 34 78 50
Fax : 01 46 34 06 27. Site Internet : www.hotelgrandsbalcons.com – E-mail : hotelbalcons@aol.com – M° Odéon. Chambres simples de 90 € à 95 €, doubles et twins à 125 €, triples de à 220 €. Petit déjeuner-buffet : 12 €. Taxe de séjour incluse. Internet Wi-Fi. Animaux domestiques acceptés sans supplément.
Très bien situé dans le quartier Saint-Germain-des-Prés, ce grand hôtel de 50 chambres arbore une décoration très Art Nouveau, mise en scène par un jeu de lumières entre les vitraux d'époque et les luminaires style 1900. Vous pourrez choisir la tonalité de votre chambre, bien équipée au demeurant. L'accueil du propriétaire est chaleureux et l'ambiance conviviale.

VILLA DES PRINCES SAINT-GERMAIN
19, rue Monsieur-le-Prince ✆ 01 46 33 31 69
Fax : 01 43 26 30 04. Site Internet : www.villa-des-princes.com – E-mail : villadesprinces@wanadoo.fr

– M° Odéon. Chambres simples à 130 €, doubles à 150 €. Petit déjeuner à 10 €. Taxe de séjour : 0,78 € par jour et par personne. Internet Wi-Fi.
Récemment rénové, cet hôtel de charme s'est posé dans un immeuble en pierre de taille construit au XVIIe siècle et acquis par le prince de Condé en 1612. Cet établissement distingué et accueillant a mis en scène une décoration aux accents contemporains. La décoration des 12 chambres se conjugue avec celle du salon, résolument claire et moderne. Le petit déjeuner est servi dans une authentique cave voûtée du XVIIe. Le sauna est idéal pour se ressourcer avant d'affronter la vie nocturne tumultueuse du quartier.

WELCOME HOTEL
66, rue de Seine ✆ 01 46 34 24 80
Fax : 01 40 46 81 59. Site Internet : www.hotelwelcomeparis.com – E-mail : welcome-hotel@wanadoo.fr – M° Odéon ou Saint-Germain-des-Prés. Chambres simples à partir de 85 €, doubles à partir de 122 € et twin à partir de 129 €. Petit déjeuner : 11 €. Taxe de séjour incluse. Télévision et téléphone, Accès Wi-Fi dans tout l'hôtel. Ascenseur.
Le Welcome Hôtel est un hôtel de caractère au charme certain, qui cultive une atmosphère conviviale. Il occupe les 5 derniers étages d'un immeuble à l'angle de la rue de Seine et du boulevard Saint-Germain. La décoration rustique à l'ancienne est si chaleureuse que l'on se sent comme chez soi. On aime beaucoup les chambres insonorisées donnant sur la rue de Seine, animée et typique. A noter, une petite chambre mansardée – n°62 – très sympathique qui offre une vue en angle sur le boulevard et de jolies salles de bains. L'hôtel est partiellement climatisé et équipé de doubles vitrages.

1 étoile

HOTEL SAINT-ANDRÉ-DES-ARTS
66, rue Saint-André-des-Arts
✆ 01 43 26 96 16
Fax : 01 43 29 73 34. Site Internet : www.123france.com – E-mail : hsaintand@wanadoo.fr M° Odéon. Chambres simples à 71 €, doubles à 91 €, twin à 96 €, triples à 115 €, quadruples à 127 €. Petit déjeuner offert.
L'Hôtel Saint-André-des-Arts est l'une de ces adresses où l'on aime se poser. Sa situation est idéale au cœur d'un Saint-Germain-des-Prés nostalgique et authentique. Cet hôtel de charme se niche dans une vieille maison dont la façade à l'ancienne tient toutes ses promesses : vous aurez vraiment l'impression de rentrer après vos balades dans une maison de famille. Recoins, pierres et poutres apparentes, colombages, les grandes chambres confortables un brin rétro sont toutes différentes et équipées de salle de bain. Accès Internet. L'accueil souriant et cette atmosphère familiale sont les gages d'un séjour réussi.

Hôtel de tourisme

HOTEL LE PETIT TRIANON
2, rue de l'Ancienne-Comédie
✆ 01 43 54 94 64
M° Odéon, Saint-Michel ou Mabillon. Chambres simples de 50 € à 70 €, doubles à 65 € à 125 €, triples à 75 €. Pas de petit déjeuner.
Un hôtel authentique au cœur d'un Saint-Germain-des-Prés. Petits prix pour un petit hôtel – 13 chambres, ça porte bonheur – niché dans les étages d'un immeuble typiquement parisien, juste au-dessus d'une des terrasses les plus fréquentées, celle du café de Conti. C'est un point de départ idéal pour découvrir Paris à pied : au bout de cette rue, passez la Seine et vous êtes déjà rive droite. Faites votre choix parmi les chambres (douche, toilettes) de style provençal, anglais ou oriental. Si vous faites escale au Petit Trianon, attendez-vous à une ambiance très familiale.

7e arrondissement

3 étoiles

DUQUESNE EIFFEL HOTEL
23, avenue Duquesne
✆ 01 44 42 09 09
Fax : 01 44 42 09 08. Site Internet : www.duquesneeiffel.com – M° Ecole Militaire. Chambres simples de 132 € à 158 €, doubles ou twins de 145 € à 170 €, triple à 199 €. Petit déjeuner-buffet : 11 €.
Cet immeuble du XVIIIe siècle offre 40 chambres élégantes et récemment rénovées. Décoration contemporaine avec des harmonies de couleurs chaudes, elles sont bien équipées (air conditionné, téléphone, accès Internet en Wi-Fi, réveil automatique, coffre-fort individuel et minibar, télévision et satellite). Certaines chambres ont un balcon agréable, demandez la n°55 si vous souhaitez voir la tour Eiffel scintiller depuis votre lit ! Les salles de bains en marbre sont très soignées. On peut se relaxer dans un agréable coin salon aux poutres apparentes aménagé de profonds sofas.

HOTEL DES 2 CONTINENTS
25, rue Jacob ✆ 01 43 26 72 46
Site Internet : www.hoteldes2continents.com M° Saint-Germain-des-Prés. Chambres single à partir de 165 €, doubles et twin à partir de 185 € avec ascenseur et 165 € sans ascenseur, triples à partir de 230 €, petit déjeuner : 12 € en salle, 13 € en chambre. Accès Internet et Wi-Fi payant. Promotions et réservations sur le site Internet.
Cet hôtel de charme à l'ombre de l'église de Saint-Germain-des-Prés sera une pause oxygénante lors de votre séjour à Paris. L'atmosphère feutrée et conviviale mêle harmonieusement les tendances des deux continents. Dans une ambiance cosy, on aime les salles de bains résolument modernes.

HOTEL DE SEINE
52, rue de Seine
✆01 46 34 22 80
Fax : 01 46 34 04 74. Site Internet : www.hoteldeseine.com – E-mail : hotel-de-seine@wanadoo.fr – M° Mabillon ou Odéon. Chambres simples à partir de 175 €, doubles à partir de 195 €, twin à partir de 205 € et triple à partir de 220 €. Petit déjeuner à 12 €. Accès Wi-Fi partout dans l'hôtel. Promotions et réservations sur le site Internet.
C'est un point de départ idéal pour découvrir les antiquaires parisiens et autres galeristes. Une halte est obligatoire à l'angle de la rue de Seine et de la rue Buci, on y découvrira « le Paris authentique ». Cet hôtel de style est un havre de paix, une enclave magique et charmante. Les chambres sont toutes traitées différemment et l'on découvrira des atmosphères tout aussi chaleureuses, à dominante de jaune ou de rouge. Une déco classique et soignée et un service irréprochable : ici on vous accueillera tout sourire.

HOTEL LINDBERGH
5, rue Chomel
✆01 45 48 35 53
Fax : 01 45 49 31 48. Site Internet : www.hotellindbergh.com – E-mail : infos@hotellindbergh.com
M° Sèvres-Babylone. Chambres simples de 116 € à 136 €, doubles de 136 € à 160 €, triples de 156 € à 180 €. Petit déjeuner : 8 €. Bain ou douche, sèche-cheveux, téléphone, télévision et satellite, espace Wi-Fi, prise Modem dans les chambres et un ordinateur en libre accès au salon.
Cet hôtel affiche un style très contemporain avec une décoration chic, design et sobre aux harmonies de couleur crème et de boiseries foncées. Les 26 chambres sont lumineuses et ont choisi des tonalités pourpres, bleues, vert mousse ou marron glacé. Atmosphère « comme à la maison » dans le salon, avec ses larges canapés, ses lampes et ses beaux livres. De plus, les propriétaires sont sympathiques et très chaleureux.

HOTEL TRIANON RIVE GAUCHE
1 bis et 3, rue de Vaugirard
✆01 43 29 88 10
Fax : 01 43 29 15 98. Site Internet : www.hoteltrianonrivegauche.com – E-mail : trianon.rg@wanadoo.fr – M° Cluny, Odéon ou RER Luxembourg. Chambres simples à partir de 165 €, doubles ou twins à partir de 198 €, «king size» à partir de 208 € et triples à partir de 245 €. Lit supplémentaire : 25 €. Petit déjeuner-buffet 14 €. Borne Internet payante dans le hall et Wi-Fi dans le salon. Promotions et réservations sur le site Internet.
A deux pas du jardin du Luxembourg, idéal pour un jogging matinal, cet hôtel affiche une décoration aux allures Empire. Une atmosphère cosy et flamboyante, parfumée de fleurs colorées. 110 chambres au confort raffiné, affichent un charme authentique, et chacune se distinguera par ses variations ! Téléphone et TV satellite. Service de blanchisserie Ouvert tous les jours sauf le dimanche.

HOTEL DE LA TULIPE
33, rue Malar ✆01 45 51 67 21
Fax : 01 47 53 96 37. Site Internet : www.paris-hotel-tulipe.com – E-mail : hoteldelatulipe@wanadoo.fr – M° La Tour-Maubourg ou Invalides. Chambres simples ou doubles de 125 € à 165 €. Appartements – 2 chambres doubles réunies – de 240 € à 290 €. Lit supplémentaire : 20 €. Petit déjeuner : 10 €. Taxes de séjour incluses.
Il est une enclave magique au cœur du 7e arrondissement… Passez les portes de cet hôtel de charme pour laisser le brouhaha de la rue et découvrir calme et sérénité dans un jardin intérieur, follement végétal, rappelant les terrasses italiennes. La végétation court sur les murs et déborde des fenêtres pour entrer dans la chambre et la salle de bains. Le jardin s'invite presque à l'intérieur, un intérieur plutôt rustique, rehaussé de belles poutres en bois apparentes. Un mélange de styles détonnant, puisque le papier peint japonais côtoie les couvre-lits provençaux. Une chose est sûre : vous aurez du mal à quitter cet ancien couvent ! Accès à Internet en Wi-Fi.

HOTEL PALAIS BOURBON
49, rue de Bourgogne ✆ 01 44 11 30 70
www.bourbon-paris-hotel.com Chambres simples ou doubles avec salle de bains et petit déjeuner inclus à 150 €, triples à 185 € et quadruples à 199 €. Air conditionné, TV, coffre-fort, mini-bar et téléphone direct dans chaque chambre, Wi-Fi gratuit. Promotions sur le site Internet.
L'Hôtel Palais-Bourbon est situé dans un quartier historique, calme et ultra-sécurisé - de nombreuses institutions politiques y sont implantées. La rue de Bourgogne débouche sur l'Assemblée nationale et se trouve près des Invalides, du musée Rodin et du musée d'Orsay. C'est l'adresse idéale pour découvrir un Paris historique, politique et culturel. Une atmosphère empreinte de classicisme à la française règne dans ces chambres spacieuses et lumineuses. Au terme de grands travaux de rénovation, l'entrée est épurée et claire, et la cave XVIIIe voûtée toute en pierre de taille, réaménagée, sert maintenant de salle de petit déjeuner. Un établissement très bien tenu.

2 étoiles

APARIS HOTEL EIFFEL RIVE GAUCHE
6, rue du Gros-Caillou ✆01 45 51 24 56
Fax : 01 45 51 11 77. Site Internet : www.hotel-eiffel.com – E-mail : rivegauche@hotel-eiffel.com
M° Ecole-Militaire. Chambres simples de 95 € à 155 €, chambres doubles et twin de 105 € à 155 €, chambres triples de 115 € à 175 €, chambres

quadruples de 135 € à 205 €. Petit déjeuner-buffet américain à 12 €. Taxes de séjour : 0,80 €. Bains ou douche, télévision satellite, accès Wi-Fi gratuit, réveil automatique, coffre-fort, sèche-cheveux, téléphone.

Cet hôtel est l'adresse idéale où séjourner à Paris. La tour Eiffel, les Invalides et les Champs-Élysées ne sont qu'à quelques minutes à pied. Très central et pourtant à l'abri du bruit, il y plane une atmosphère familiale et chic à la fois. Les chambres de style néo-classique sont décorées avec goût. Les salles de bains ont été entièrement rénovées. Certaines chambres donnent sur un magnifique patio, très agréable en été. L'accueil y est excellent et on se fera un plaisir de vous communiquer tous les bons plans pour découvrir la capitale. Le tout pour un excellent rapport qualité-prix. Un tas de bonnes raisons pour faire de cet hôtel votre pied-à-terre parisien.

GRAND HOTEL DES BALCONS
3, rue Casimir-Delavigne
✆ 01 46 34 78 50

Fax : 01 46 34 06 27. Site Internet : www.balcons.com – E-mail : grandhoteldesbalcons@orange.com – M° Odéon. Chambres simples de 90 € à 95 €, doubles ou twins à 125 €, triples à 220 €. Petit déjeuner-buffet à volonté 12 €. Taxe de séjour incluse. Accès Wi-fi payant.

Animaux domestiques acceptés sans supplément. Au hasard d'une balade dans la capitale, Jean-François André vous accueille au sein du Grand Hôtel des Balcons de la manière la plus chaleureuse et la plus conviviale qui soit. Voici l'une de ces adresses où il fait bon se poser le temps d'un séjour. Ce grand hôtel vous charmera par sa décoration très Art nouveau, mise en scène par un jeu de lumières entre les vitraux d'époque et les luminaires style 1900. A noter : de nombreuses offres sur le site Internet.

HOTEL AMELIE
5, rue Amélie ✆ 01 45 51 74 75

Fax : 01 45 56 93 55. Site Internet : www.hotelamelie-paris.com – E-mail : contact@hotelamelie-paris.com – M° La Tour-Maubourg ou RER Invalides. Chambres simples de 90 € à 120 €, doubles et twin de 110 € à 130 €. Petit déjeuner : 9 €.

Un petit hôtel charmant au cœur de Paris et dans un quartier idéal pour vos excursions touristiques : à mi-chemin entre la tour Eiffel et les Invalides et près des Champs-Élysées. Vous serez accueilli dans l'une des 16 chambres à l'atmosphère cosy et chaleureuse. Un accueil sympathique et efficace.

HOTEL DE LILLE
40, rue de Lille ✆ 01 42 61 29 09

Fax : 01 42 61 53 97. Site Internet : www.hotel-paris-lille.com – E-mail : hotel-de-lille@wanadoo.fr – M° Rue du Bac. Chambres simples à 110 €, doubles à 137 €, twin de 137 € à 155 €, triple à 170 €. Taxes de séjour : 1 € par personne et par jour. Petit déjeuner : 8 €. Télévision, radio, Wi-Fi et téléphone direct.

Cet hôtel de charme entièrement climatisé présente un décor d'inspiration Art déco caractérisé par des lignes sobres et intemporelles. Du côté des chambres, petites et chaleureuses, c'est la même tendance : confort et raffinement des meubles en loupe, éclairages indirects. Un style cependant aux antipodes de la salle de petit déjeuner, voûtée et en pierre de taille. A noter : l'emplacement idéal à deux pas de Saint-Germain-des-Prés.

HOTEL MUGUET
11, rue Chevert
✆ 01 47 05 05 93

Fax : 01 45 50 25 37. Site Internet : www.hotelmuguet.com – E-mail : muguet@wanadoo.fr – M° Ecole Militaire ou La Tour-Maubourg. Chambres simples à 106 €, doubles à 140 €, triples à 190 €. Chambres doubles et triples vue tour Eiffel à partir de 165 €. Petit déjeuner-buffet : 9,50 €. Taxe incluse. Accès Wi-Fi gratuit et Internet à la réception.

Situé au cœur du 7e arrondissement, bastion de la bourgeoisie parisienne, cet hôtel harmonise un zeste de chic et une pincée de sagesse et ravira toutes les âmes friandes de quiétude. Traversez le hall aux panneaux de bois délicatement travaillés, pour arriver dans une mignonne cour intérieure où quelques tables en fer forgé blanc vous attendent pour tout moment de détente. Les chambres, toutes climatisées et sans chichi, déclinent des harmonies de tons roux et bois, elles sont spacieuses et cultivent à merveille cette élégance discrète, les salles de bains sont très soignées.

HOTEL PRINCE
66, avenue Bosquet ✆ 01 47 05 40 90

Fax : 01 47 53 06 62. Site Internet : www.hotelparisprince.com – E-mail : paris@hotel-prince.com – M° Ecole Militaire. Chambres individuelles à 89 €, chambres doubles de 109 € à 117 €, twin à partir de 111 € et triples à 129 €, lit supplémentaire à 20 €. Petit déjeuner de 8 €. Taxe de séjour : 0,78 € par jour et par personne. Accès handicapés. Promotions et réservations sur le site Internet.

Le monde entier vient voir la tour Eiffel, mais si vous logez à l'hôtel Prince, c'est elle qui vous regarde. Avec ses jardinières tombant des fenêtres, ses boiseries et ses pierres apparentes, cet hôtel cultive une atmosphère « country chic », jusque dans les 30 chambres, aux harmonies de bois blond. Insonorisées, climatisées, elles sont équipées d'une télévision par satellite, téléphone direct, air climatisé, douche ou bain, minibar et coffre-fort. Préférez les chambres dotées d'un balcon. La salle de bains joue la carte du marbre. Un havre de paix très agréable.

HOTEL SAINT-DOMINIQUE
62, rue Saint-Dominique
✆01 47 05 51 44
Fax : 01 47 05 81 28. Site Internet : www.hotelstdominique.com – E-mail : saint-dominique.reservations@wanadoo.fr – M° Invalides ou La Tour-Maubourg. Chambres simple de 85 € à 117 €, doubles de 101 € à 158 €, triples de 132 € à 178 €. Petit déjeuner : 10 € en salle, 12 € en chambre. Taxe de séjour incluse. Salle de bains ou douche, télévision câble, téléphone direct, accès Wi-Fi payant et minibar. Tarifs réduits à partir du site Internet.
Cet hôtel, très attachant et douillet, niché dans un couvent du XVIIIe siècle, affiche un charme certain avec son mobilier de bois blond, ses plafonds aux poutres apparentes et son charmant patio fleuri. Les 37 chambres de caractère champêtre arborent des murs habillés de tissus en toile de Jouy ou à motifs fleuris. La nouvelle salle de petit déjeuner aux grandes baies vitrées est une bonne entrée en matière le matin, et la courtoisie de l'accueil est sans faille. Une parenthèse magique en plein cœur d'une rue très animée.

HOTEL DE TURENNE
20, avenue de Tourville
✆01 47 05 99 92
Fax : 01 45 56 06 04. Site Internet : www.123france.com – E-mail : hotel.turenne.paris7@wanadoo.fr M° Ecole-Militaire. Chambres simples à 66,50 €, doubles à 82 €, twin à 93 € et triples à 115 €. Lit supplémentaire à 10 €. Petit déjeuner : 9 €. Climatisation, télévision et satellite.
Un petit hôtel où l'on aime se retrouver. Les 34 chambres offrent un confort appréciable pour un bon rapport qualité-prix. Lumineuses, elles affichent des tonalités de rose et un décor épuré. De plus, les chambres doubles et twin ont toutes été rénovées en 2007. L'hôtel dispose d'un bar et d'un chaleureux salon où l'on peut prendre un café dans la journée ou l'apéritif avant une virée nocturne.

8e arrondissement

4 étoiles

HOTEL MARRIOTT PARIS CHAMPS-ÉLYSÉES
70, avenue des Champs-Élysées
✆01 53 93 55 00
Fax : 01 53 93 55 01. Site Internet : www.marriott.com – E-mail : france.reservations@marriott.com – M° George V. Chambres standards de luxe de 355 € à 555 €, executive – plus spacieuse– de 395 € à 630 €, suites juniors de 795 € à 1 700 €, suite Elysées View de 500 € à 830 €, suites vice-présidentielles de 1 800 € à 2 700 € et suites présidentielles de 2 400 € à 3 700 €. Restaurant, piano-bar, salle de fitness et sauna. Petit déjeuner continental : 22 €, américain : 29 €.
Seul hôtel implanté sur les Champs-Élysées, le Marriott assure un pied-à-terre de prestige pour bourses fortunées. Les 192 chambres – compter 110 € de plus pour la vue sur les Champs-Élysées – et 18 suites réparties sur 7 étages, cosy et classiques, jouent la carte de l'harmonie entre des tonalités de vert et de bordeaux. Au menu : du luxe et un service impeccable. L'hôtel propose en outre des chambres accessibles aux personnes en fauteuil.

HOTEL DE LA TREMOILLE
14, rue de la Trémoille ✆01 56 52 14 00
Fax : 01 40 70 01 08. Site Internet : www.hotel-tremoille.com – M° Alma-Marceau. Chambres standards de 485 € à 630 €, suites de 700 € à 1 150 €. Petit déjeuner continental : 28 €, buffet : 38 €.
Décoration très réussie, tendance et très raffinée, pour ce magnifique hôtel abrité dans un édifice haussmannien, qui offre une vue imprenable sur la tour Eiffel. Les 93 chambres suréquipées aux harmonies fauve, marron, gris, soies et fausses fourrures y font bon ménage, dans un décor contemporain très sophistiqué. Le « hatch », service en chambre au travers d'un sas d'une discrétion à toute épreuve, respecte scrupuleusement l'intimité des hôtes. Pour une remise en forme, direction le centre de fitness, le spa, le sauna et une offre de massages très riche. Le Louis 2, nouveau bar-restaurant lounge agencé en 2007, propose une cuisine de saison authentique de très bonne tenue.

3 étoiles

CONCORTEL HOTEL
21, rue Pasquier ✆01 42 65 45 44
Fax : 01 42 65 18 33. Site Internet : www.hotelconcortel.com – E-mail : concortel@wanadoo.fr – M° Saint-Lazare ou Madeleine. Chambres simples à 160 €, doubles de 175 € à 245 €, twins à 245 €, triples à 269 €. Taxe de séjour incluse. Petit déjeuner continental : 10 €. Air conditionné, accès Wi-Fi, télévision, climatisation, minibar, coffre-fort, sèche-cheveux. Service baby-sitting. Tarifs réduits à partir du site Internet.
Le Concortel offre confort et calme à deux pas des boutiques de luxe du faubourg Saint Honoré, des grands magasins et de l'Opéra. Les chambres insonorisées sont spacieuses et s'harmonisent autour de jaunes, d'orangers et de rouges lumineux, rehaussés de notes blanches. Une décoration simple et chic, dans l'air du temps. Une adresse à garder pour toutes séances de shopping effrénées, pour se ressourcer, un patio extérieur vous offrira une halte privilégiée.

PETIT MADELEINE
22, rue Roquepine ✆01 42 65 14 36
Fax : 01 42 65 77 87. Site Internet : www.petitmadeleine.com – M° Miromesnil ou Madeleine.

Chambres standards, doubles et triples de 105€ à 180€, selon la disponibilité et les périodes. Petit déjeuner-buffet : 12€. Parking payant à 200 m. Climatisation. Télévision satellite. Accès Internet et Wi-Fi gratuit.

Niché entre tout ce qu'on aime à Paris : Place de la Madeleine, Faubourg-Saint-Honoré, le Louvre, le Jardin des Tuileries, le Palais Royal, le Grand et Petit Palais ; le Petit Madeleine Hôtel vous permet d'avoir Paris à vos pieds. L'hôtel, où l'on cultive soins attentifs et convivialité, offre 23 chambres toutes classées non fumeur. Equipements : mini bar, coffre fort, télévision satellite, climatisation, wifi gratuit, business corner. Les nouvelles chambres club disposent d'un agencement et d'un confort supplémentaire : grand lit King size, insonorisation, double vitrage et télévision avec écran plat. Au petit déjeuner, buffet à volonté, sont servis viennoiseries, jus de fruits frais, salade de fruits frais, yaourts... Rien en manque pour des réveils gourmands.

HOTEL QUEEN MARY
9, rue Greffulhe
✆01 42 66 40 50

Fax : 01 42 66 94 92. Site Internet : www.hotelqueenmary.com – E-mail : reservations@hotelqueenmary.com – M° Madeleine ou Havre Caumartin. Chambres simples à 185€, doubles de 209€ à 239€ et suites à 319€, lit supplémentaire à 95€. Taxe de séjour incluse. Petit déjeuner-buffet : 19€. Accès Wi-Fi payant. Animaux acceptés sans supplément.

L'hôtel Queen Mary est protégé, dans une rue pleine de quiétude, de l'effervescence des grands boulevards tout proches. La façade extérieure nous transporterait presque à Londres, mais la décoration intérieure est résolument parisienne. Du côté des 36 chambres, on joue l'harmonie entre meubles de style Empire et tentures aux rouges et jaunes chaleureux, joliment coordonnées aux sièges et aux couvre-lits. Charmant aussi le patio fleuri avec sa terrasse en teck et ses treillages. Une chaleureuse intimité se dégage du bar aux fauteuils profonds et de la salle de petit déjeuner ornée d'une fresque en trompe l'œil. « So chic », la carafe de sherry offerte en guise de bienvenue !

HOTEL RELAIS MONCEAU
85, rue du Rocher
✆01 45 22 75 11

Fax : 01 45 22 30 88. Site Internet : www.relais-monceau.com – E-mail : info@relais-monceau.com – M° Villiers. Chambres doubles 170€ et 180€. Suites 195€. Petit déjeuner-buffet : 12€.

Situé dans un immeuble du XIXe siècle avec deux petits jardins intérieurs, à proximité du Parc Monceau, cet hôtel de charme de 51 chambres – insonorisées – dispose de belles parties communes et d'une décoration intérieure design. Meubles et jardinières en rotin animent le coin salon, les murs étant décorés d'une série de photos en noir et blanc. La spacieuse salle du petit déjeuner, prolongée par une véranda, permet de profiter du petit jardin toute l'année. Dans chaque chambre bien aménagée : coffre-fort, air conditionné, minibar, accès Wi-Fi payant dans tout l'hôtel.

2 étoiles

HOTEL D'ALBION
15, rue de Penthièvre
✆01 42 65 84 15

Fax : 01 49 24 03 47. Site Internet : www.hotelalbion.net – E-mail : info@hotelalbion.net – M° Miromesnil. Chambres simples ou doubles standard de 85€ à 130€, supérieures de 115€ à 185€, triples de 140€ à 185€ et suites familiales de 210€ à 300€. Petit déjeuner : 10€. Taxe de séjour incluse. Promotions selon périodes ou saisons ! Accès Wi-Fi gratuit dans tout l'hôtel, borne Internet à la réception. Parking privé à 100 m : 27€ les 24h.

Tranquillement installé à quelques minutes à pied des Champs-Élysées et de la place de la Madeleine, cet hôtel de charme, installé dans le prestigieux quartier du Faubourg-Saint-Honoré, a le bon goût de posséder un adorable petit jardin où vous pourrez vous délasser aux beaux jours, entre un bassin, un châtaignier et des nids à oiseaux. Très confortables, les chambres, récemment rénovées, sont toutes personnalisées et décorées selon différents thèmes : l'enfance, la nature, la musique, la poésie et la danse. Certaines sont mansardées avec poutres apparentes. Excellent rapport qualité-prix pour cet établissement, sans oublier la gentillesse de l'équipe qui mettra un point d'honneur à rendre votre séjour agréable. D'ailleurs, personne ne vous reprochera ici de préférer prendre le petit déjeuner à midi ! Et pour l'été, ventilateur dans toutes les chambres.

HOTEL MARIGNY
11, rue de l'Arcade
✆01 42 66 42 71

Fax : 01 47 42 06 76. Site Internet : www.hotelmarigny.com – E-mail : marigny@paris-hotel-capital.com – M° Madeleine. Chambres standards à partir de 180€, supérieures à partir de 220€. Une chambre au rez-de-chaussée accessible aux personnes handicapées. Petit déjeuner : à partir de 15€. Petits animaux acceptés sans supplément. Taxe de séjour incluse.

L'hôtel, tout proche de la place de la Madeleine et ses boutiques luxueuses, de la place de la Concorde, de l'Opéra et des grands boulevards a été entièrement rénové. L'occasion n'est que remise de visiter cet établissement au charme discret et à la décoration contemporaine très soignée. Les 32 chambres (télévision, téléphone, minibar et Wi-Fi payant) sont assez spacieuses avec des salles de bains flambant neuves. L'accueil et le service chaleureux sont les gages d'un séjour agréable.

HOTEL NEW ORIENT

16, rue de Constantinople ✆ 01 45 22 21 64

Fax : 01 42 93 83 23. Site Internet : www.hotelneworient.com – E-mail : new.orient.hotel@wanadoo.fr – M° Villiers ou Europe. Chambres simples à partir de 65 €, doubles à partir de 80 € twins à partir de 90 €, familiales à partir de 130 €. Petit déjeuner : 11 €. Wi-Fi gratuit et borne Internet à la réception. Animaux acceptés sans supplément.

Pour découvrir Paris, des Batignolles aux grands magasins, en passant par le parc Monceau, voici un point de départ idéal. Cet hôtel aux accents nostalgiques et bucoliques, avec son carrelage noir et blanc, son hall d'accueil verdoyant et fleuri rehaussé de boiseries anciennes, affiche un orientalisme contemporain. Les 30 chambres discrètes et toutes personnalisées avec des meubles anciens et des tissus fleuris, ont un petit air rustique de bon aloi. Reste à choisir parmi ces ambiances aux tonalités de rouge et de jaune. Accueil franchement avenant.

NEW HOTEL SAINT-LAZARE

53, rue d'Amsterdam ✆ 01 48 74 79 74

Fax : 01 48 74 83 00. Site Internet : www.new-hotel.com/saint-lazare – E-mail : saintlazare@new-hotel.com – M° Liège. Chambres simples de 100 € à 145 €, chambres doubles de 110 € à 160 €. Petit déjeuner : 7 €. Taxe de séjour : 0,78 € par jour et par personne. Animaux acceptés : 10 €. Tarifs réduits à partir du site Internet.

A deux pas de la gare Saint-Lazare, cet hôtel est à l'image des autres hôtels du groupe, à savoir : moderne, bien conçu et équipé pour un confort optimum. Le hall d'entrée et la réception ont été rénovés cette année. La direction a changé il y a près d'un an, et la qualité de séjour et d'accueil est au beau fixe. Dès les beaux jours, vous pourrez profiter du jardin intérieur fleuri de l'hôtel. Les 58 chambres sont classiques et fonctionnelles, choix entre baignoire ou douche, télévision avec Canal + et satellite, téléphone direct et accès Internet Wi-Fi. Les services sont nombreux, bagagerie, coffre-fort, distributeur de boissons, presse à la réception. Une proximité idéale avec le quartier Saint-Lazare, très animé, et ses nombreux magasins.

OUEST HOTEL

3, rue du Rocher ✆ 01 43 87 57 49

Site Internet : http://ouest-hotel-paris.com

M° Saint-Lazare. Chambres 1 ou 2 personnes de 98 € (douche) à 110 € (bain). Chambres twin à 118 €. Lit supplémentaire : 19,50 €. Petit déjeuner : de 9 € à 9,50 €. Tarifs réduits à partir du site Internet.

Chouette escapade dans un hôtel au charme rétro, situé dans un endroit stratégique de Paris, à deux pas des grands magasins, de l'Opéra, de la Madeleine, de Concorde et des Champs-Élysées. Les inconditionnels du genre apprécieront les boiseries – un petit air des années soixante-dix. On accède aux chambres par un escalier d'époque en fer forgé. Certaines sont d'une authenticité raffinée soulignée par de jolies poutres apparentes, d'autres aux tonalités orangées misent sur une atmosphère plus intimiste. Dans les 51 chambres spacieuses et lumineuses, vous trouverez sèche-cheveux, téléphone direct, télévision avec Canal +, accès Wi-Fi et coffre-fort. L'accueil dans cet établissement de tradition familiale est sympathique et chaleureux. Pour l'anecdote, sachez que seuls les chiens sont acceptés dans l'établissement – avec un supplément de 5 €. Ce n'est pas que Madame la patronne n'aime pas les chats mais elle y est allergique !

ROYAL HOTEL COLISEE

7, rue du Colisée ✆ 01 43 59 32 40

Site Internet : www.royalhotelcolisee.com

M° F.D. Roosevelt ou Charles-de-Gaulle. Chambres simples de 134 € à 146 €, doubles ou twins de 166 € à 196 €, et la chambre spacieuse à 230 €. Petit déjeuner : 10 €. Taxe de séjour : 1,56 € par jour et par personne.

A deux pas des Champs-Élysées et des principaux sites touristiques de la capitale, cet établissement est idéalement situé pour vos périples parisiens. Les 32 chambres sont toutes équipées de douche ou de bain, toilettes, télévision, minibar, téléphone et coffre-fort individuel. Vous passerez une confortable nuit dans l'une de ces chambres spacieuses et lumineuses. Depuis janvier 2008, accès Wi-Fi dans tout l'hôtel et la réception a été refaite en 2009.

9e arrondissement

3 étoiles

HOTEL DE CHÂTEAUDUN

30, rue de Châteaudun ✆ 01 49 70 09 99

Fax : 01 49 70 06 99. Site Internet : www.chateaudun-paris-hotel.com – E-mail : hotel.chateaudun@wanadoo.fr – M° Notre-Dame de Lorette ou Le Peletier. Chambres simples à 100 €, doubles ou twins de 120 € à 195 €, triples de 165 € à 250 €. Des chambres communicantes sont également disponibles. Petit déjeuner continental : 10 €. Tarifs réduits à partir du site Internet.

La devanture bleue le laissait deviner : l'hôtel de Châteaudun affiche un côté art déco revisité design avec un mélange de bois et de couleurs. Les tapis sont d'Hilton Mc Connico, les fauteuils de Charles Eames. Les amateurs du genre ne manqueront pas d'être séduits. Le hall, la salle du petit déjeuner et les chambres au mobilier original constituent autant d'endroits « à voir ». Accès Wi-Fi payant et ordinateur à disposition. Un conseil : demandez la chambre mansardée, tellement charmante !

HOTEL DE LAUSANNE

13, rue Geoffroy-Marie ✆ 01 47 70 07 15

Site Internet : www.hotel-lausanne.fr – E-mail : contact@hotel-lausanne.fr – M° Grands-Boulevards. Chambres simples de 110 € à 190 €, doubles et twin de 130€ à 210€, triples de 160€ à 200€, suites juniors de 180€ à 240€ et la suite Montmartre de 210€ à 280€. Petit déjeuner-buffet : 14€.

Situé au cœur d'un quartier animé proche de l'Opéra, le personnel de l'hôtel vous accueille dans un endroit confortable et chaleureux. Rénovées chaque année, les 31 chambres sur sept étages sont accessibles par un ascenseur aux portes originales. Toutes avec une ambiance et une décoration personnalisées, elles sont équipées d'un écran plat LCD, d'un minibar, d'un sèche-cheveux, d'un coffre-fort et sont toutes climatisées. Le plus de l'hôtel : un bar ouvert à toute heure du jour et de la nuit pour vous rafraîchir ou vous décontracter.

HOTEL ROYAL FROMENTIN
11, rue Fromentin ✆ 01 48 74 85 93
Fax : 01 42 81 02 33. Site Internet : www.hotelroyalfromentin.com – M° Pigalle ou Blanche. Chambres simples à 139€, doubles à 159€, triples à 207€, quadruples à 248€, lits supplémentaires à 34€. Petit déjeuner : 10€.

Si vous cherchez une ambiance montmartroise authentique, vous l'avez trouvée ! Ceux qui ont repris ce cabaret, appelé dans les années trente « Le Don Juan », ont su le rénover tout en lui conservant son cachet : poutres, boiseries peintes, tableaux, ascenseur d'époque, vitraux des années 30, couleurs verte et bordeaux, grandes cheminées. Les 47 chambres très soignées gardent un style traditionnel, quand les salles de bains s'habillent de modernité. Prenez une chambre à l'étage, cela vous donnera une bonne raison d'emprunter l'ascenseur d'époque aux vitraux d'origine. Une ambiance cosy à ne manquer sous aucun prétexte !

NEW HOTEL OPERA
4, rue de Liège ✆ 01 56 02 66 00
Fax : 01 40 16 44 84. Site Internet : www.new-hotel.com/opera – M° Liège et RER Auber ou Saint-Lazare. Chambres simples de 135€ à 180€, doubles de 145€ à 205€, triples de 175€ à 235€ selon la saison. Petit déjeuner-buffet : 10€. Taxe de séjour : 1€ par jour et par personne.

Cet ancien hôtel particulier appartenait au duc de Morny, demi-frère de Napoléon III. Le New Hotel est idéalement situé à deux pas de l'Opéra et des grands magasins. Les 41 chambres climatisées sont classiques, fonctionnelles, et très lumineuses. Toutes ont à disposition la télévision par satellite et par câble et une connexion Wi-Fi (payante). La nouvelle direction continue des travaux de rénovation et de redécoration. Le plus : journaux à disposition à l'accueil, service lingerie et pressing, et un personnel d'accueil tout à fait charmant.

PARIS HOTEL
23, rue Henri-Monnier ✆ 01 42 85 43 43
Fax : 01 45 26 98 96. Site Internet : www.parishotel.fr – M° Pigalle ou Saint-Georges. Chambres simples, doubles et twin à 140€, triples à 180€. Petit déjeuner à 10€. Téléphone direct, minibar, coffre, télévision, sèche-cheveux. Réductions depuis le site Internet. Tarifs réduits à partir du site Internet.

Entre Montmartre et Opéra, un hôtel discret aux 31 chambres spacieuses, épurées et encadrées de larges rideaux fleuris de rouge, certaines plus classiques d'autres plus contemporaines. Une discrétion qu'on aime, une cave voûtée aux pierres apparentes pour les petits déjeuners, un bar apaisant et un jardin privé pour profiter de pauses ensoleillées. Cette année, les 8 chambres triples ont été entièrement rénovées. Parmi les aménagements : un troisième vrai lit et un ventilateur au plafond. Le plus : Wi-Fi gratuit dans l'hôtel et télévision à écran plat dans toutes les chambres.

2 étoiles

ALL SEASONS PARIS LAFAYETTE OPERA
3-5, rue de Trévise ✆ 01 42 46 12 06
Fax : 01 48 01 09 82. Site Internet : www.conforthotel.com – M° Grands Boulevards ou Cadet. Chambres simples à 130€, doubles ou twins à 145€, petit déjeuner inclus. Tarifs réduits à partir du site Internet. Salle des séminaires.

Toute la diversité de Paris aux alentours du Confort Hôtel Opéra enchantera votre séjour. Des rues qui cheminent jusqu'au Sacré Cœur à l'activité des Boulevards où les Grands Magasins seront toujours la vitrine du chic parisien, vous pourrez aussi flâner dans les nombreux passages qui agrémentent le quartier et découvrir de galerie en galerie un Paris atypique. Le soir, vous pourrez vous divertir dans les fameux théâtres qui ont fait la réputation des Grands Boulevards, où des acteurs se donnent la réplique, si toutefois vous n'avez encore succombé au lyrisme de l'Opéra Garnier qui nous fait découvrir depuis plus d'un siècle les grandes pièces du répertoire classique. Ce bel hôtel convivial et particulièrement chaleureux, aux chambres calmes, décorées d'un mobilier contemporain, vous accueillera au cœur du quartier des affaires et à deux pas de l'Opéra.

HOTEL CHOPIN

46, passage Jouffroy – Entrée du passage au 10, boulevard Montmartre ✆ 01 47 70 58 10

Fax : 01 42 47 00 70. Site Internet : www.hotelbretonnerie.com – M° Richelieu-Drouot. Chambres simples de 76 € à 84 €, doubles de 92 € à 106 € et triples à 125 €. Petit déjeuner : 7 €.

Niché dans le plus pittoresque des passages de la capitale – le quartier en regorge –, ouvert en 1846, l'hôtel Chopin, est une véritable invitation à un voyage dans le temps. Dès l'entrée, le charme est au rendez vous : derrière la façade de bois à l'ancienne, un piano et deux portraits de George Sand et Chopin attendent des clients qui auront le privilège de passer la nuit à côté des stars en cire du musée Grévin. Ambiance XIXe siècle mais aménagement d'aujourd'hui : les 36 chambres calmes et coquettes, décorées de couleurs vives et équipées de télévision, téléphone et coffre-fort. L'accueil est chaleureux. C'est l'endroit rêvé pour se replonger dans le Montmartre de 1800.

HOTEL DE LA CITE ROUGEMONT

4, cité Rougemont ✆ 01 47 70 25 95

Fax : 01 48 24 14 32. Site Internet : www.hotel-paris-rougemont.com – M° Grands Boulevards. Chambres simples de 76 € à 122 €, doubles et twin à de 92 € à 133 €, triples de 124 € à 169 €, quadruples de 148 € à 198 €. Petit déjeuner inclus. Tarifs réduits à partir du site Internet.

Un hôtel aux allures pittoresques, une pause idéale pour s'imprégner d'un Paris plus authentique. Très bien situé pour découvrir les quartiers les plus sympas de la capitale, à deux pas des grands boulevards et des Folies Bergères, et à deux enjambées de République. 33 chambres d'une simplicité exemplaire, mais confortables et bien tenues, avec douche ou salle de bains, avec ou sans télévision. Une chose est sûre, vous serez ici séduit par la tranquillité et charmé par l'accueil, l'écoute et les bons conseils de toute l'équipe, toujours prête à vous rendre le séjour plus agréable. A noter : des promotions au fil des saisons !

VILLA FENELON

23, rue Buffault ✆ 01 48 78 32 18

Fax : 01 48 78 38 15. Site Internet : www.villa-fenelon.net – M° Cadet et Notre-Dame de Lorette. Chambres simples de 70 € à 120 €, doubles de 95 € à 130 € et triples de 110 € à 145 €. Petit déjeuner inclus. Internet à l'accueil et dans toutes les chambres.

Conçue comme une grande maison très parisienne, la Villa Fénelon affiche un mélange de styles, bourgeois baroque avec des touches de modernité, qui lui donne un charme certain. Ajoutez à cela l'accueil soigné, la douce luminosité des chambres raffinées, le souci des détails et surtout un petit jardin absolument divin pour se délasser, et vous obtiendrez un hôtel fort plaisant à des prix abordables.

1 étoile

HOTEL AMOUR

8, rue Navarin ✆ 01 48 78 31 80

Site Internet : www.hotelamourparis.fr – M° Saint-Georges. Chambres simples à 105 €, standards à 140 €, grandes doubles à 165 €, supérieures à 210 € chambres duplex à 250 €. Petit déjeuner à 12 €.

Eh oui, vous ne rêvez pas. Cet hôtel affiche, à travers son nom, son objectif : offrir aux amoureux un lieu de calme. Pour preuve, vous pouvez louer une chambre à la demi-journée pour faire quelques galipettes ou bien pour toute la nuit. De plus, certaines des 20 chambres ont été décorées par des artistes contemporains tels Sophie Calle, les M-M's et le designer Marc Newson. En outre, l'hôtel dispose d'un bistrot, d'un bar et d'un jardin noyé sous la verdure. Pour le restaurant, compter environ 35 € à la carte.

10e arrondissement

3 étoiles

ALL SEASONS PARIS GARE DE L'EST – CHÂTEAU LANDON

1-3, rue de Châteaud-Landon
✆ 01 44 65 33 33

Fax : 01 44 65 33 20. Site Internet : www.all-seasons-hotels.com – E-mail : H2730@accor.com – M° Gare de l'Est ou Château-Landon. Chambres simples à partir de 95 €, doubles à partir de 105 €, petit déjeuner à volonté et Wi-Fi inclus.

L'hôtel All Seasons Gare de l'Est Château-Landon est situé à proximité du RER B qui dessert l'aéroport de Roissy-Charles de Gaulle et le parc des expositions de Villepinte. Vous pourrez également rejoindre le centre de Paris en quelques minutes. L'hôtel est équipé de 160 chambres confortables (avec les fameux oreillers et couettes anti-stress de la chaîne) et joliment décorées dont 5 sont destinées aux personnes à mobilité réduite. Les chambres disposent de la climatisation, d'un coffre-fort, d'une radio, d'un téléphone, d'une télévision (câble et satellite) avec écran géant LCD, et de la Wi-Fi. Idéal pour un passage éclair dans la capitale ou un séjour plus long à la découverte de Paris.

2 étoiles

ALL SEASONS PARIS GARE DE L'EST MAGENTA

87, boulevard de Strasbourg ✆ 01 42 09 12 28

Fax : 01 42 09 48 12. Site Internet : www.all-seasons-hotels.com E-mail : H2753-GM@accor.com – M° Gare de l'Est. Chambres simples à partir de 85 €, doubles à partir de 95 € (hors périodes de salons), petit déjeuner à volonté et Wi-Fi inclus dans le prix.

Situé en plein centre de Paris l'hôtel All Seasons

Gare de l'Est dispose d'une position idéale à 3 km du parc de la Villette, des grands magasins et de Montmartre. Vous trouverez confort et détente dans ses 32 chambres douillettes et chaleureuses, avec bien sûr les fameux oreillers et couettes anti-stress de la chaîne. Elles sont toutes équipées d'une baignoire ou de douche, de la Wi-Fi, de la télévision par câble avec écran géant LCD et satellite et d'un téléphone. Idéal pour une visite de Paris ou un séjour d'affaires.

ALL SEASONS PARIS REPUBLIQUE
9, rue Léon-Jouhaux ✆ 01 42 40 40 50
Fax : 01 42 40 11 12. Site Internet : www.all-seasons-hotels.com – M° République. Chambres simples à partir de 85 €, doubles à partir 95 €, petit déjeuner à volonté et Wi-Fi inclus dans le prix. Parking public payant à 200 m.
En plein cœur de Paris, à proximité des gares de Lyon, du Nord et de l'Est, desservi par 5 lignes de métro, l'hôtel All Seasons Paris République vous permettra de profiter pleinement de votre séjour dans la capitale. Il dispose de 67 chambres climatisées et bien sûr des fameux oreillers et couettes anti-stress de la chaîne !

L'ANNEXE
4, rue Taylor ✆ 01 42 08 23 91
Fax : 01 42 08 03 30. Site Internet : www.annexe-paris-hotel.com – M° Jacques-Bonsergent ou République. Chambres simples à 105 €, doubles et twin à 130 €, triples à 150 €. Petit déjeuner : 12 €. Tarifs réduits à partir du site Internet.
Dans une petite rue à sens unique à la circulation réduite, entre République et les gares du Nord et de l'Est, à proximité des grands boulevards, ce petit hôtel offre un luxe réel : le calme ! Dans un immeuble fin XIXe siècle, une atmosphère paisible et conviviale se dégage des chambres modernes, rénovées et bien équipées (ligne directe, réveil automatique et télévision), insonorisées avec double vitrage. Point fort : le soin apporté au client par un personnel attentif. Les petits plus qui font la différence : l'accès Wi-Fi et Internet gratuit dans l'hôtel. L'hôtel propose désormais des chambres doubles supérieures, luxueuses et douillettes dans des tons gris et beiges avec télévision à écran plat.

HOTEL ALTONA
166, rue du Faubourg-Poissonnière
✆ 01 48 78 68 24
Fax : 01 49 95 07 17. Site Internet : www.hotelaltona.com – E-mail : reservation@hotelaltona.com
M° Barbès-Rochechouart. Chambres simples à 65 €, doubles à 75 €, triples à 90 €. Taxe de séjour : 0,86 € par jour et par personne. Petit déjeuner continental : 5,30 €.
Près des gares du Nord et de l'Est, à cheval entre le 10e et le 9e arrondissement, cet hôtel se tient dans un édifice très parisien. Le décor allie le charme ancien et le confort contemporain. Vous y retrouverez des chambres standard impeccables, insonorisées, avec télévision, dont certaines avec balcon donnant sur la rue et toutes les salles de bains ont été entièrement refaites. Borne Internet et salon de détente. Les messieurs à l'accueil sont d'une amabilité rare.

HOTEL D'ENGHIEN
52, rue d'Enghien ✆ 01 47 70 56 49
Site Internet : www.hoteldenghien.com
M° Bonne-Nouvelle. Chambres simples de 74 € à 88 €, doubles de 92 € à 112 €, triples de 113 € à 133 €, quadruples de 135 € à 152 €, lit supplémentaire à 21 €. Petit déjeuner à 7 €. Accès Wi-Fi et télévision Canal + et Canal Satellite.
Ce joli petit hôtel situé au cœur d'un quartier animé séduira par son côté chaleureux et typiquement parisien. Proche des grands boulevards, de l'Opéra et des grands magasins et surtout, à proximité du Musée du Louvre, il est idéal pour le shopping, les visites culturelles en famille mais aussi les voyages d'affaires. Avec ses 25 chambres aux couleurs chatoyantes entièrement rénovées et ses fenêtres à double vitrage, la maison vous semblera un havre de paix. Pour les petites soifs à toute heure : distributeur de boissons dans la salle du petit déjeuner.

HOTEL PARISIANA
21, rue Chabrol ✆ 01 47 70 68 33
Fax : 01 48 00 00 67. Site Internet : www.parisiana-hotel.com – E-mail : hotel.parisiana@wanadoo.fr
M° Gare de l'Est. Chambres simples et doubles à 95 €, triples à 115 €. Petit déjeuner : 6 €. Tarifs réduits à partir du site Internet. Animaux acceptés.
Un hôtel simple, pratique et fonctionnel qui affiche 65 chambres desservies par un ascenseur. Celles-ci sont toutes insonorisées et équipées de douche ou baignoire et toilettes, de la télévision avec satellite, du téléphone direct, d'un sèche-cheveux et d'un coffre-fort. Le petit déjeuner-buffet est pris dans le petit patio lumineux qui donne directement sur une cour intérieure, ou servi en chambre. Accueil sympathique.

Hôtels de tourisme

HOTEL DU TERRAGE
25, rue du Terrage ✆ 01 46 07 42 33
Fax : 01 46 07 46 72. M° Gare de l'Est ou Château Landon. Chambres simples à 46 € avec toilettes, douche, téléphone et télévision. Chambres doubles à 50 €, triples à 65 € avec une baignoire. Pas de petit déjeuner. Taxe de séjour incluse. Ascenseur.
Face à la gare de l'Est, donc bien placé, proche aussi du quai de Jemmapes et du canal Saint-Martin, un petit hôtel de 25 chambres très bon marché, tenu comme il faut avec simplicité et convivialité par des gens vraiment sympathiques.

HIPOTEL PARIS BELLEVILLE
21, rue Vicq-d'Azir
✆01 42 08 06 70
Fax : 01 42 08 06 80. Site Internet : www.hipotel.fr – E-mail : hipotelbelleville@hipotel.com
M° Colonel Fabien. Chambres simples – avec lavabo ou douche et toilettes – de 30 € à 40 €. Chambres doubles de 36 € à 46 €. Chambres familiales 4 ou 5 personnes avec baignoire à 119 €.
Proche du canal Saint-Martin, de la gare de l'Est et du parc des Buttes-Chaumont, la rue Vicq-d'Azir est calme et bien située. L'hôtel dispose de 70 chambres dont certaines prises à temps complet. Les chambres doubles donnent toutes sur un petit jardin intérieur où fleurit un lilas. Les peintures sont fraîches et les rideaux et dessus-de-lit en tissus provençaux. Les douches communes sont utilisables de 8h à 22h, les toilettes entre les étages sont à la turque qui sont en cours de changement. Le petit déjeuner à 4,50 € se prend dans la salle du resto mitoyen, avec lequel l'hôtel entretient de très bons rapports. Une clientèle d'habitués qui se disputent les chambres, tant l'accueil y est amical et chaleureux. Une adresse de rêve pour les petits budgets.

11e arrondissement

3 étoiles

CLASSICS HOTEL
131, rue de Charonne
✆01 44 64 34 34
Site Internet : www.classics-hotel.com
M° Charonne. Chambres doubles standards de 85 € à 115 €, triples à partir de 155 €. Petit déjeuner-buffet : 12,50 €. Tarifs réduits à partir du site Internet.
Le Classics Hôtel Bastille est situé entre la Bastille devenue en quelques années un endroit incontournable des soirées parisiennes et le Père Lachaise. Les 35 chambres de l'hôtel, réparties sur six étages, sont sans surprise, très fonctionnelles, et offrent tout le confort moderne : coffre-fort, téléphone direct, télévision satellite, sèche-cheveux, Wi-Fi payant. Certaines chambres ont un balcon donnant sur la rue de Charonne ou sur un petit jardin privatif. La salle de petit déjeuner est agréable avec ses grandes baies vitrées qui donnent sur le jardin. Parking privé : 13 € les 24h. Parfait pour profiter de l'ambiance chaleureuse des petites rues pavées, des boutiques tendance et des bars branchés.

GRAND HOTEL FRANÇAIS
223, boulevard Voltaire
✆01 43 71 27 57
Fax : 01 43 48 40 05. Site Internet : www.grand-hotel-francais.fr – M° Nation ou Rue des Boulets. Chambres 1 ou 2 personnes à 130 €, chambres doubles standards à supérieures de 130 € à 250 €, suites à 250 €. Petit déjeuner-buffet : 10 €.
Dans ce quartier toujours en mouvement, le Grand Hôtel Français affiche un certain art de vivre. Les 40 chambres ont chacune un décor personnalisé et offrent une ambiance feutrée. Leur insonorisation protège le sommeil et leurs équipements rendent la vie agréable : téléphone direct, réveil automatique, radio, accès Internet Wi-Fi dans les chambres, télévision, sèche-cheveux, possibilité de personnalisation de ligne directe avec numéro privé, boîte vocale en cinq langues, prise modem. Le bar chaleureux, habillé de chêne massif et de cuir rouge, est idéal pour prendre un verre et se détendre.

HOTEL BEAUMARCHAIS
3, rue Oberkampf
✆01 53 36 86 86
Fax : 01 43 38 32 86. Site Internet : www.hotelbeaumarchais.com – M° Filles du Calvaire ou Oberkampf. Chambres individuelles de 75 € à 90 €, doubles et twin de 110 € à 130 €, suites juniors de 150 € à 170 €, triples de 170 € à 190 €. Petit déjeuner-buffet : 10 €, servi en chambre : 12 €.
L'Hôtel Beaumarchais est une valeur sûre qui jouxte le Cirque d'Hiver et qui est à proximité du quartier vivant d'Oberkampf et de celui tout aussi animé de Bastille. Un salon accueillant, un patio fleuri et 31 chambres confortables, aménagées dans un style à la fois coloré, tonique et contemporain. Les clients bénéficient en outre de l'air conditionné dans tout l'hôtel, de double-vitrage, de coffres individuels, de la télévision satellite, de Canal +, et de l'accès au Wi-Fi. Les salles de bains en mosaïque sont équipées soit de douche soit de baignoire. Le petit déjeuner est servi dans le patio habillé de lierre grimpant.

2 étoiles

HOTEL DE NEMOURS
8, rue de Nemours ✆01 47 00 21 08
Fax : 01 47 00 01 53. M° Parmentier ou Oberkampf. Chambres simples à 80 €, doubles ou twins à 100 €, triples à 140 €. Petit déjeuner : 7 €. Taxe de séjour : 0,80 € par jour et par personne.
Les chambres au décor contemporain sont réparties sur six étages desservis par un ascenseur. Elles sont toutes équipées de bains ou douche et de toilettes, d'un écran de télévision plasma LCD, du téléphone direct et d'un réveil automatique. Services proposés : dactylographie et photocopies, fax, traductions diverses, réservations, taxis. Un quartier vif et gai, proche de tous commerces, vivant le soir et animé le jour. Une adresse idéalement située pour ceux qui découvrent Paris.

AUX TROIS PORTES
44, boulevard Richard-Lenoir
✆01 47 00 52 77
Fax : 01 47 00 00 71. Site Internet : www.hotel-aux3portes.com – E-mail : aux3portes@wanadoo.

fr – M° Richard-Lenoir ou Saint-Ambroise. Chambres simples ou doubles de 80 € à 120 €, triples de 95 € à 140 € et quadruples de 110 € à 150 €. Petit déjeuner : 7 €. Réception ouverte 24h/24.

Vous profiterez d'une halte méritée de votre escapade parisienne dans cet hôtel charmant et confortable. Ses 21 chambres sont spacieuses et lumineuses. Elles sont toutes équipées d'une télévision avec écran plat et satellite, parquet, minibar, coffre-fort, sèche-cheveux et téléphone. Le personnel sera à votre écoute pour satisfaire votre moindre demande et pour que votre séjour se passe le mieux possible.

HOTEL DU NORD ET DE L'EST
49, rue de Malte
✆ 01 47 00 71 70

Fax : 01 43 57 51 16. Site Internet : www.hotel-nord-est.com – M° République ou Oberkampf. Chambres doubles ou twins à 100 €, suites à 200 €. Petit déjeuner continental : 8,50 €. Taxe de séjour : 0,80 € par jour et par personne.

A quelques mètres du métro République, vous bénéficiez d'une situation centrale pour accéder à des lieux stratégiques tels qu'Opéra, Bastille, à quelques minutes à pied des magasins et des grands boulevards, sans oublier les rues Oberkampf et Jean-Pierre Timbaud, nouvelles adresses de la vie nocturne parisienne. Lumineux et épuré, l'hôtel est accueillant. Il propose 45 chambres rénovées de grand confort : télévision satellite et accès Wi-Fi payant, climatisation individuelle sur demande, coffre-fort personnel. A proximité d'un parking. Le plus : vous pourrez prendre votre petit déjeuner dans la petite cour intérieure fleurie et rafraîchie à l'ombre d'une fontaine.

HOTEL DU PRINCE EUGÈNE
247, boulevard Voltaire
✆ 01 43 71 22 81

Fax : 01 43 71 24 71. Site Internet : www.hotel-prince-eugene.com – M° Nation ou Rue des Boulets. Chambres simples de 66 € à 71 €, doubles de 73 € à 79 €, twin de 79 € à 84 €. Lit supplémentaire : 21 € – gratuit pour les moins de 12 ans. Petit déjeuner : 8 €. Taxe de séjour : 0,80 € par jour et par personne.

Idéalement situé entre Bastille et le quartier Oberkampf, l'hôtel du Prince Eugène vous accueille dans une ambiance sympathique, calme et détendue. Les 35 chambres climatisées sont propres, agréables et insonorisées (double vitrage), elles sont également équipées de tout le confort moderne : télévision couleur, satellite, Canal +, minibar, téléphone direct, réveil automatique, sèche-cheveux et accès Wi-Fi (payant). Un très bon pied-à-terre pour descendre sur la capitale à des prix très raisonnables.

MODERN HOTEL
121, rue du Chemin-Vert ✆ 01 47 00 54 05

Fax : 01 47 00 08 31. Site Internet : www.modern-hotel.fr – M° Père Lachaise ou Saint-Maur. Chambres simples de 54 € à 86 €, doubles de 59 € à 105 €, twin de 59 € à 109 €, triples de 81 € à 121 €. Petit déjeuner compris.

Un petit nid douillet au cœur du 11e arrondissement fraîchement rénové où les 38 chambres spacieuses, rénovées récemment, sont confortables (télévision satellite, téléphone avec modem intégré) et habillées de couleurs tendres et reposantes. Chacune par son mariage de couleurs et son agencement est différente des autres. 38 façons de redécouvrir l'hôtel pour ceux qui deviendront des familiers. L'accueil sympathique et chaleureux, on peut même y laver, sécher et repasser votre linge !

Hôtels de tourisme

LES CHANSONNIERS
113, boulevard de Ménilmontant
✆ 01 43 57 00 58

Fax : 01 48 05 03 78. Site Internet : www.leschansonniers.fr – E-mail : reservation@leschansonniers.fr – M° Ménilmontant ou Père Lachaise. Chambres simples ou doubles à 46 € (toilettes et douche extérieurs), et de 59 € (douche) à 68 € (bain). 2 grandes chambres avec jacuzzi de 82 € et 89 €. Lit supplémentaire : 9 €. Petit déjeuner : 6 €. Formules demi-pension et pension complète.

C'est une famille qui gère cet hôtel, il est donc naturel que l'ambiance y soit familiale et conviviale. Les chambres sont bien tenues, équipées du confort moderne comme la télévision satellite, le téléphone et le Wi-Fi gratuit, des machines à laver le linge, un coffre et un service de baby-sitting sont également proposés. Un parking public à 150 m. L'hôtel possède un bar-restaurant de cuisine italienne et française Ouvert tous les jours sauf le samedi midi et le dimanche.

HOTEL MONDIA
22, rue du Grand-Prieuré ✆ 01 47 00 93 44

Fax : 01 43 38 66 14. Site Internet : www.hotel-mondia.com – M° Oberkampf ou République. Chambres simples à 65 € à 75 €, doubles et twin de 73 € à 85 €, triples de 82 € à 95 €. Lit supplémentaire : 13 €. Petit déjeuner : 6 €.

Proche du Marais, adossé au quartier Oberkampf, à deux pas de la place de la République, l'hôtel s'abrite dans un immeuble 1900 avec de faux airs Art nouveau. La réception et la salle à manger marient avec bonheur modernité chaleureuse et éléments d'époque comme les vitraux. Les 23 chambres sont rénovées dans un souci de confort optimum et possèdent bains et toilettes, sèche-cheveux, coffre individuel, téléphone direct, télévision avec Canal +. Un accueil de qualité et prix très étudiés.

HOTEL VOLTAIRE RÉPUBLIQUE
10, boulevard Voltaire
✆01 47 00 21 47

Fax : 01 47 00 88 28. Site Internet : www.hvr-paris.com – M° République ou Oberkampf. Chambres simples à partir de 62 €, doubles à partir de 69 €, twin de 98 € à 100 €, triples à 105 €, quadruple à 130 €. Petit déjeuner à 6 € en salle et 7 € dans la chambre. Animaux acceptés.

Idéalement situé à 200 mètres de la place de la République, l'hôtel Voltaire République se trouve à proximité des quartiers de Belleville, du Marais, Oberkampf et Bastille. Toutes les chambres sont équipées de double vitrage, téléphone direct, télévision et pour certaines : d'un balcon, d'un minibar et d'un sèche-cheveux. Borne Internet à la réception. Accueil très sympathique.

12e arrondissement

3 étoiles

ALL SEASONS PARIS BERCY
77, rue de Bercy
✆01 53 46 50 50

Fax : 01 53 46 50 99. Site Internet : www.all-seasons-hotels.com – E-mail : H0941@accor.com – M° Bercy. Chambres simples à partir de 115 €, doubles à partir de 129 €. Petit déjeuner à volonté et Wi-Fi illimité inclus dans le prix de la chambre. Tarifs réduits à partir du site Internet. Parking public couvert : 22 € les 24h. Bar, restaurant, 4 salles de séminaires.

A deux pas de la gare de Bercy, à 5 minutes de la gare de Lyon et de Bercy Village et à moins de 10 minutes de nombreux sites touristiques, l'hôtel All Seasons Bercy est idéalement situé pour visiter Paris. 361 chambres équipées tout confort vous attendent : air conditionné, coffre-fort, Wifi, radio, téléphone, messagerie vocale, télévision avec câble et satellite (avec écran géant LCD) et même des oreillers et couettes anti-stress… avec en plus de nombreux services mis à disposition pour votre séjour dans la capitale. 7 chambres sont également aménagées pour les personnes à mobilité réduite. Vous pourrez déjeuner à la terrasse du restaurant de l'hôtel, sur le parc de Bercy avant de flâner dans les grands magasins, à seulement 10 minutes de l'hôtel.

CORAIL HOTEL
23, rue de Lyon ✆01 43 43 23 54

Fax : 01 43 43 82 55. Site Internet : www.hotel-paris-corail.com – M° Gare de Lyon. Chambres 1 personne à 81 €, chambres doubles ou twin avec douche ou bain à 96 €. Lit supplémentaire à 15 €. Petit déjeuner-buffet de 8 € à 8,30 € servi de 6h30 à 10h30 en chambre. Tarifs réduits à partir du site Internet.

Taxe de séjour incluse. Avec ascenseur, double-vitrage, Wi-Fi gratuit, télévision satellite et Canal +, téléphone, sèche-cheveux et coffre-fort individuel. Réductions pour le week-end, la basse saison, les familles et les longs séjours.

Bien situé à proximité de la gare de Lyon, cet hôtel propose une cinquantaine de chambres récemment rénovées. Elles sont meublées de façon moderne et cosy. Un accueil chaleureux : on apprécie particulièrement toutes les informations fournies pour rendre votre séjour parisien agréable. De plus, tout l'hôtel est climatisé.

JARDIN DE PARIS NATION-BERCY
61, rue de la Voûte
✆01 43 45 41 38

Fax : 01 43 43 04 11. Site Internet : www.hotelsjardinsdeparis.com

M° Porte de Vincennes. Chambres simples à 105 €, doubles ou twin à 115 €, triples à partir de 130 €, quadruples à 155 €. Petit déjeuner : 9 €. Les animaux sont acceptés, compter 10 € supplémentaires.

Cet hôtel du groupe Jardin de Paris vous propose 47 chambres dans l'est parisien à proximité du parc floral et du château de Vincennes. Au cœur du pôle de Bercy, l'hôtel est proche de la place de la Nation et de la gare de Lyon. L'ambiance générale est agréable et les chambres sont spacieuses, confortables, et décorées de façon moderne (téléphone direct, Internet en Wi-Fi, télévision avec Canal +, minibar). Tout y a été pensé pour un confort optimum et fonctionnel.

2 étoiles

HOTEL KYRIAD
17, rue Baron-Le-Roy ✆01 44 67 75 75

Site Internet : www.bercykyriad.com – E-mail : reservations@bercykyriad.com – M° Cour Saint-Émilion. Chambres simples, doubles ou twins à partir de 102 €, triples à partir de 127 €. Petit déjeuner : 8,50 €. Parking : 12 € la nuit. Tarifs réduits à partir du site Internet.

L'hôtel est idéalement situé dans un des quartiers montants de la capitale, cour Saint-Émilion. Il est abrité dans d'anciens chais qui ont été restaurés et où sont maintenant installés de nombreux restaurants et cafés qui déploient leurs terrasses l'été. Les 201 chambres sont fonctionnelles et sans surprise, mais douillettes et agréables, avec salles de bains – douche ou bain –, télévision avec Canal + et chaînes câblées, téléphone, réveil automatique, et accès Wi-Fi payant. Le petit plus agréable : le plateau de courtoisie – avec bouilloire à thé, verveine, café. Le restaurant est ouvert jusqu'à 23h, le bar jusqu'à minuit.

HOTEL ROYAL BEL AIR
10, avenue du Bel-Air ✆01 43 45 26 00

Fax : 01 43 45 98 88. Site Internet : www.hotel-paris-royalbelair.com – E-mail : hotelroyalbelair@hotmail.com – M° Nation ou Picpus. Chambres simples – douche et petit lit – à 64 €, doubles de 75 € à 77 €, twin à 77 €. Lit supplémentaire à 15 €. Petit déjeuner : 8 € ou 9 € en chambre. Taxe de séjour incluse. Ascenseur, room service.

Au milieu d'une avenue résidentielle calme, un hôtel discret et entièrement rénové de 24 chambres, qui affiche une élégance sobre et de bon goût. Les chambres sont spacieuses et aérées, avec télévision satellite, téléphone direct, accès Internet en Wi-Fi gratuit, sèche-cheveux. Une préférence pour celles donnant sur la cour intérieure privée aux accents bucoliques.

HOTEL VIATOR
1, rue Parrot
✆ 01 43 43 11 00

Site Internet : www.paris-hotel-viator.com – E-mail : info@hotelviator.com – M° Gare de Lyon. Chambres simples à partir de 70 €, doubles à partir de 80 €, twins à partir de 125 €. Petit déjeuner : 8 €. Tarifs réduits à partir du site Internet.

Construit en 1907, l'hôtel est situé à deux pas de la gare de Lyon entre le centre d'affaires de Bercy et La Bastille. 45 chambres flambant neuves, à la décoration soignée, avec une pointe de sobre modernité aux couleurs chaudes sont insonorisées et confortables ; elles possèdent télévision, téléphone, minibar, télécopie, télex et un petit balcon pour certaines. L'équipe dynamique et sympathique assure un accueil chaleureux et convivial.

LUX HOTEL
8, avenue de Corbera
✆ 01 43 43 42 84

Fax : 01 43 43 14 45. Site Internet : www.hotelux-paris.com – E-mail : hotelux@wanadoo.fr – M° Gare de Lyon ou Reuilly-Diderot. Chambres simples à 65 €, doubles à 75 € et twins à 85 €, triples à 90 €. Réduction de 10 € par chambre en juillet et août. Le petit déjeuner continental copieux est à 6 € en salle, 7 € pour le service en chambre. Télévision câblée, sèche-cheveux et coffre-fort dans toutes les chambres.

Cet hôtel, idéalement placé pour les touristes près de la gare de Lyon et bien desservi par les lignes de métro, a été rénové. 30 chambres, 7 étages et un bon vieil ascenseur d'époque dont les touristes se souviendront. La cage d'escalier blanche irradie de lumière, et, bonheur, vous n'entendrez pas un bruit. Certaines chambres jouissent d'une double exposition et sont pour le coup très claires, d'autres ont un minibar. Le polisseur de chaussures emporte notre adhésion, comme la qualité de l'accueil.

1 étoile

HOTEL DE LA PORTE DORÉE
273, avenue Daumesnil
✆ 01 43 07 56 97

Fax : 01 49 28 08 18. Site Internet : www.hotelportedoree.com – M° Porte Dorée. Chambres simples de 70 € à 72 €, doubles à 95 € à 110 €, twin à 108 € à 110 €, triples à 120 €. Lit supplémentaire : 15 €, petit déjeuner à 10 € en salle ou en chambre. Tarifs réduits à partir du site Internet.

L'entrée élégante de ce petit hôtel de charme est coquette : moquette, rideaux à embrases, bel escalier en bois. Parfaitement tenues et refaites, les chambres offrent un décor soigné où les meubles anciens sont réchauffés de tissus aux tons soutenus, cheminées, niches, tableaux, on est dans une maison bourgeoise confortable et intime. Chaque chambre offre toilettes, douche ou bains, téléphone, télévision, sèche-cheveux, coffre-fort et elles sont toutes climatisées. Wi-Fi et bornes Internet dans le hall. La salle de petit déjeuner, entièrement remise au goût du jour, est très agréable avec ses tables en fer forgé. Pour une bouffée de verdure, le bois de Vincennes est au bout de l'avenue.

13e arrondissement

3 étoiles

LA DEMEURE
51, boulevard Saint-Marcel
✆01 43 37 81 25
Fax : 01 45 87 05 03. Site Internet : www.hotellademeureparis.com – M° Les Gobelins ou Saint-Marcel. Chambres doubles de 170€ à 210€, twins à 210€, triple à 235€, suites à 310€. Petit déjeuner : 13€. Tarifs réduits à partir du site Internet.
Très bien placé, entre la manufacture des Gobelins et la rue Mouffetard, cet hôtel convivial et intimiste est tenu par une famille. Chacune des 43 chambres ou suites possède une décoration personnalisée aux contours épurés, offrent un confort optimum : double-vitrage, climatisation, télévision à écran LCD, satellite, sèche-cheveux, téléphone direct et Wi-Fi gratuit. On fait tout ici pour que vous vous sentiez à l'aise. L'hôtel convient aussi bien aux familles qu'aux cadres souhaitant disposer d'un espace privé – salon individualisé de la chambre.

LA MANUFACTURE
8, rue Philippe-de-Champagne
✆01 45 35 45 25
Fax : 01 45 35 45 40. Site Internet : www.hotel-la-manufacture.com – M° Place d'Italie. Chambres doubles de 120€ à 145€, supérieures de 165€ à 195€, top floor de 195€ à 230€, familiale à 310€. Petit déjeuner-buffet : 12€. Tarifs réduits à partir du site Internet.
Situé dans le quartier des Gobelins, proche du Panthéon et des gares, l'établissement est abrité dans un édifice 1880 a misé sur une modernité élégante toute en finesse. La réception, ouverte sur le salon-bar lounge, est avenante, et les 56 chambres sont confortables (Wi-Fi et écran LCD); à vous de choisir votre ambiance, dans les tons de rose, jaune, céladon ou ivoire. Au 7e étage les chambres top floor, plus spacieuses, offrent une superbe vue sur les toits de Paris, la n°74, mansardée, donne sur la tour Eiffel. Certaines possèdent un balcon et on peut se faire servir le petit déjeuner dans les chambres.

LE VERT GALANT
41-43, rue Croulebarbe
✆01 44 08 83 50
Fax : 01 44 08 83 69. Site Internet : www.vertgalant.com – E-mail : hotel.vert.galant@gmail.com
M° Les Gobelins ou Corvisart. Chambres simples et doubles de 90€ à 170€. Petit déjeuner : 9€. Parking : 15€ les 24 h. Accès Wi-Fi payant.
Avec seulement 15 chambres ce petit hôtel de charme, une adresse romantique, joue sur l'intimité des lieux. Les chambres fort douillettes aux couleurs chaudes, donnent sur un jardin privatif, les kitchenettes permettent de se cuisiner un petit repas en tête à tête mais si vous voulez vous sentir vraiment à l'hôtel et vous faire servir n'hésitez pas à vous rendre à l'auberge Etchegorry (spécialités du Sud-ouest) qui jouxte l'hôtel et qui appartient aux mêmes propriétaires. L'hôtel se situe tout près de la Butte aux Cailles et du jardin des Plantes.

2 étoiles

HOTEL DE LA PLACE DES ALPES
2, place des Alpes
✆01 42 16 92 93
Fax : 01 45 86 30 06. Site Internet : www.hotelplacedesalpes.com – E-mail : hotelhpa@wanadoo.fr – M° Place d'Italie. Chambres simples de 56€ à 60€, doubles – douche, toilettes – de 60€ à 68€, twin de 68€ à 75€, petit déjeuner : 6€. Accès internet payant. Parking fermé face à l'hôtel mais indépendant de celui-ci.
Très bien placé, juste derrière la place d'Italie et à proximité du 5e arrondissement, du Jardin des Plantes, du Panthéon ou de la Sorbonne, cet hôtel réussit à offrir à ses clients la tranquillité de la place des Alpes. Atout majeur que les propriétaires ont su exploiter en aménageant une quarantaine de chambres lumineuses, confortables, préservées de l'agitation des alentours et qui, de surcroît, affichent un rapport qualité-prix irréprochable. Des petits plus vraiment intéressants : l'Internet dans les chambres pour 5€ par jour.

HOTEL DES ARTS
8, rue Coypel
✆01 47 07 76 32
Fax : 01 43 31 18 09. Site Internet : www.escapade-paris.com – E-mail : arts@escapade-paris.com
M° Place d'Italie. Chambre simples de 65€ à 83€, doubles de 69€ à 83€, twin de 75€ à 96€, triples de 90€ à 110€. Petit déjeuner continental : 7,50€. Wi-Fi gratuit dans tout l'hôtel.
Un accueil très chaleureux pour cet hôtel qui se trouve dans une petite rue calme derrière la place d'Italie. Ce qui fait que beaucoup de clients deviennent des habitués des lieux. Les 37 chambres ont été récemment rénovées du sol au plafond et offrent, en plus d'une décoration très cosy, un confort irréprochable. Confortable, lumineux et bien agencé, l'hôtel est idéal pour une excursion parisienne en famille.

1 étoile

HOTEL STHRAU
1, rue Sthrau
✆01 45 83 20 35
Fax : 01 44 24 91 21. E-mail : hotelsthrau@free.fr – M° Bibliothèque François-Mitterrand. Chambres simples avec coin lavabo de 26€ à 33€, avec douche et TV à 38 €, avec douche + toilettes + TV à 44€. Chambres doubles avec coin lavabo à 39€, avec douche et TV à 45€, avec douche

HOTEL STHRAU
LA NUIT PARISIENNE
A PRIX FUTÉ
De 26 à 58 € Chambre simple à triple suivant confort
1, rue Sthrau
75013 Paris
M° Olympiades
Tél. 01 45 83 20 35
Fax 01 44 24 91 21
hotelsthrau@free.fr
328777

+ toilettes + TV à 48€. Chambres triples + 1 lit pliant avec coin lavabo à 46€, avec douche et TV à 55€, douche + TV + toilettes à 58€. Petit déjeuner complet 5€.

Cet hôtel est idéal pour les personnes désirant se rendre à Paris ayant un petit budget. Beaucoup de jeunes mais aussi des familles se retrouvent dans cet hôtel bien tenu et convivial. Internet à l'accueil. Avec la ligne 14 vous êtes en moins de 10 min dans le cœur de Paris, prêt à visiter la plus belle ville du monde et à dépenser l'argent économisé en cadeaux et souvenirs !

Hôtels de tourisme

HOTEL TOLBIAC
122, rue de Tolbiac
© 01 44 24 25 54
Fax : 01 45 85 43 47. Site Internet : www.hotel-tolbiac.com – M° Tolbiac. Chambres simples de 30€ (lavabo) à 49 € (lavabo, douche, toilettes), doubles de 44€ (lavabo) à 55€ (lavabo, douche, toilettes), twins à 59€. TV dans les chambres (sauf chambre à 30 €). Lit supplémentaire : 6€. Petit déjeuner formule buffet à 6€.

Outre les prix très compétitifs qui font de cet hôtel une adresse prisée des petits budgets, ici l'ambiance familiale et décontractée fait que l'on se sent bien. Le petit déjeuner se prend dans la salle commune ou dans le patio fleuri lorsque le temps le permet. L'accueil est sympathique, l'emplacement, dans le sud de Paris, est situé en plein carrefour de l'avenue d'Ivry et de Tolbiac. L'adresse a gagné en coquetterie depuis la rénovation des 47 chambres, design, colorées, gaies et pratiques. Les toilettes sont situées à chaque étage, les douches sont au 1er et 4e étage.

Au-delà du périphérique

HOTEL DU CENTRE
7, rue Roger-Salengro – (94) LE KREMLIN-BICETRE ✆01 46 58 87 70

M° Kremlin-Bicêtre ou T3 Porte d'Italie. Chambres simples avec lavabo à 34 €, doubles de 39 € à 42 €, doubles avec douche et sans toilettes à 48 €, simples avec douche et toilettes à 51 € et doubles à 53 €. Grande chambre avec douche et toilettes à 56 € pour deux et 62 € pour 3 ou 4 pers. Petit déjeuner à 6 €.
L'avantage de ce petit hôtel de 31 chambres est qu'il est à deux pas du périphérique sud et donc de Paris. Le confort est certes modeste avec une douche au rez-de-chaussée et un toilettes par palier (il y a trois étages en tout) mais c'est propre et bien tenu. Les prix sont attrayants vu l'emplacement. De plus, l'accueil est vraiment très agréable.

14e arrondissement

3 étoiles

HOTEL DAGUERRE
94, rue Daguerre
✆01 43 22 43 54 / 01 56 80 25 80

Fax : 01 43 20 66 84. Site Internet : www.hotelmontparnassedaguerre.com – E-mail : hoteldaguerre@wanadoo.fr – M° Gaîté. Chambres simples de 75 € à 89 €, doubles de 85 € à 140 €, triples – suite – de 95 € à 160 €. Petit déjeuner : 10 €. Taxe de séjour : 1 € par jour et par personne.
La décoration soignée – pierres apparentes, sculptures en marbre, tableaux– complète le bon accueil réservé à la clientèle. Outre le fait que les 30 chambres classiques bénéficient de tout le confort moderne, l'hôtel vous propose de réserver, si vous le souhaitez, les billets pour vos spectacles et vos dîners. Accès Wi-Fi gratuit dans tout l'hôtel. De petits plus fort agréables !

HOTEL DE L'ORCHIDÉE
65, rue de l'Ouest ✆01 43 22 70 50

Fax : 01 42 79 97 46. Site Internet : www.escapade-paris.com – E-mail : orchidee@escapade-paris.com – M° Gaîté et Pernety. Chambres simples de 80 € à 140 €, doubles de 90 € à 160 €, triples de 110 € à 190 €. Petit déjeuner : 12,50 €. Accès Wi-Fi gratuit, coffres-forts individuels à la réception.
Au cœur du quartier Montparnasse, à proximité des célèbres brasseries et théâtres de la rue de la Gaîté, voilà une adresse pleine de fraîcheur et d'exotisme. Cet hôtel de charme à la décoration coloniale porte bien son nom puisqu'il est rempli de fleurs. Outre cet atout qui lui confère une atmosphère tropicale, vous apprécierez la quiétude et l'intimité du lieu, la véranda et le jardin fleuri d'orchidées. Les 40 chambres à la décoration moderne et très douillette, sont fort accueillantes. Si vous souhaitez vous détendre, vous pourrez en outre profiter du sauna ou de la baignoire relaxation.

ISTRIA
29, rue Campagne-Première
✆01 43 20 91 82

Fax : 01 43 22 48 45. Site Internet : www.istria-paris-hotel.com – E-mail : hotel.istria@wanadoo.fr – M° Raspail. Chambres simples à 150 €, doubles à 160 €, twin à 165 €. Petit déjeuner : 10 €. Parking privé : 30 € les 24h. Taxe de séjour : 1 € par jour et par pers. Promotions et réservations sur le site Internet.
A seulement quelques pas de Montparnasse, l'Istria Saint-Germain, un hôtel au charme discret, propose 30 chambres. De nombreux hôtes illustres y ont laissé leur empreinte, Elsa Triolet et Louis Aragon, Man Ray, Fernand Léger, Joséphine Baker et bien d'autres encore. L'hôtel a été rénové et propose tout le confort moderne. Les 30 chambres, lumineuses et confortables, quoique un peu petites, sont toutes climatisées et comprennent une salle de bains ou une douche privée avec toilettes et sèche-cheveux, téléphone, télévision satellite câblée, Wi-Fi et minibar. Agréable salon bourgeois et jolie salle voûtée à l'ambiance chaleureuse pour le petit déjeuner.

2 étoiles

CECIL HOTEL
47, rue Beaunier ✆01 45 40 93 53

Fax : 01 45 40 43 26. Site Internet : www.cecilhotel.

net – E-mail : cecil-hotel@wanadoo.fr M° Porte d'Orléans ou Alésia. Chambres simples à partir de 90€, doubles et twin à partir de 98€, triples à 110€, lit supplémentaire : 15€. Animaux acceptés avec un supplément de 5€. Lit et équipement bébé à disposition. Petit déjeuner-buffet : 9€. Wi-Fi gratuit.

Entièrement rénové et tenu par un nouveau propriétaire depuis juillet 2007, situé dans une rue calme, l'hôtel a le charme d'une maison très actuelle où l'on se sent immédiatement chez soi, avec le privilège de posséder un jardin terrasse où l'on sert les petits déjeuners dès les beaux jours. Les 25 chambres dont les meubles et objets ont été chinés chez des brocanteurs, déclinent le thème du voyage : la romantique avec sa coiffeuse 1900, la Marrakech, l'île de Ré, la Kenya... Les chambres sont équipées de douche ou de bain, de la télévision, du câble, et d'un sèche-cheveux. Excellent rapport qualité-prix pour cet établissement très bien tenu.

HOTEL DU LION
1, avenue du Général-Leclerc
✆ 01 40 47 04 00

Fax : 01 43 20 38 18. Site Internet : www.hotel-lion.com – E-mail : hotel.du.lion@wanadoo.fr
M° Denfert-Rochereau. Chambres simples de 60€ à 72€, doubles de 72€ à 82€, twin de 82€ à 95€, lit supplémentaire de 15€ à 20€. Petit déjeuner : 8€ en salle et 10€ en chambre.

Voici l'un de ces endroits où l'on se sent reçu en ami. On apprécie cet hôtel pour le charme de ses chambres, équipées de télévision satellite, téléphone, double-vitrage, presse-pantalon, sèche-cheveux et air climatisé pour les chambres des 4 derniers niveaux. Wi-Fi dans tout l'hôtel. De plus, 10 chambres possèdent un balconnet avec une vue imprenable sur les toits parisiens. Le plus : l'équipe sympathique qui fera tout pour vous rendre le séjour agréable et vous conseiller les bonnes adresses du quartier.

CHATILLON HOTEL
11, square Châtillon ✆ 01 45 42 31 17

Fax : 01 45 42 72 09. Site Internet : www.hotelchatillon.fr – E-mail : chatillon.hotel@wanadoo.fr Ouvert toute l'année – M° Alésia. Chambres simples ou doubles de 110€ à 130€, twin de 130€ à 160€ Lit supplémentaire : 20€. Petit déjeuner 7€ en salle, 8€ en chambre. Taxe de séjour : 0,80€ par jour et par personne. Tarifs réduits à partir du site Internet. Ascenseur, accès Wi-Fi gratuit, télévision à écran plat avec Canal satellite et coffre-fort dans toutes les chambres. Parking payant à proximité.

Idéalement situé, cet hôtel de charme propose des chambres spacieuses et d'un très bon niveau de confort. C'est avant tout un savoir faire familial dans l'hôtellerie que Monsieur Rey, nouvellement propriétaire de cet établissement, met au service de sa clientèle. Avec gentillesse et convivialité, il met un point d'honneur à vous faire profiter de ses services et de sa connaissance de la capitale. Beaucoup d'atouts donc, et notamment un excellent rapport qualité-prix.

HOTEL ARCADIE
71, avenue du Maine ✆ 01 43 20 91 11

Fax : 01 42 79 87 15. Site Internet : www.hotel-paris-arcadie.com – E-mail : hotel.arcadie@wanadoo.fr – M° Gaîté. Chambres simples à 90€, doubles de 115€ à 120€, triples à 140€. Petit déjeuner : 7€. Minibar, douche, sèche-cheveux, télévision satellite – écran plat –, Wi-Fi payant.

Un hôtel de charme, aux couleurs blondes et chaleureuses, régulièrement rénové, pour une halte bucolique au cœur de Paris. Passé le hall d'accueil sobre et élégant, les 27 chambres personnalisées, insonorisées, sont délicatement réchauffées par des boutis jetés sur les lits. Une décoration soignée et élégante pour une véritable bouffée d'oxygène au cœur d'un quartier en constante ébullition.

HOTEL DU PARC MONTSOURIS
4, rue du Parc-Montsouris ✆ 01 45 89 09 72

Fax : 01 45 80 92 72. Site Internet : www.hotel-parc-montsouris.com – E-mail : hotel-parc-montsouris@wanadoo.fr – RER Cité Universitaire et M° Porte d'Orléans. Chambres simples de 69€ à 79€, doubles de 75€ à 79€, triples de 85€ à 89€ et appartements de 105€ à 109€– 2 grands lits avec douche. Petit déjeuner continental : 8€. Taxe de séjour : 0,78€ par jour et par personne. Tarifs réduits à partir du site Internet. Borne Internet à la réception en libre-service et accès Internet et Wi-Fi dans toutes les chambres.

L'établissement construit en 1930 se situe entre le parc Montsouris et la cité universitaire, soit entre nature et savoir. La décoration soignée des 35 chambres, ainsi que l'accueil chaleureux attirent une clientèle internationale, dont de nombreux habitués. Demandez de préférence une chambre avec vue sur le parc, havre de sérénité.

TIPI HOTEL
75, rue Daguerre ✆ 01 43 20 02 37

Fax : 01 43 22 21 80. Site Internet : www.tipihotelparis.com – E-mail : tipi-hotel@wanadoo.fr – M° Gaîté. Chambres simples avec lavabo de 55€ à 75€ et doubles de 75€ à 90€. Petit déjeuner-buffet : 7€.

Cet hôtel sans prétention, dont la réception et la salle de petit déjeuner sont particulièrement agréables, offre 34 chambres confortables, simples et bien tenues. Insonorisées, certaines donnent sur une courette. L'accueil est chaleureux et les prix très doux par rapport à la situation – la rue Daguerre, en partie piétonnière, étant l'une des plus en vue de l'arrondissement, au cœur du bouillonnant quartier Montparnasse. A recommander aux petits budgets qui veulent goûter aux joies du quartier.

15e arrondissement

4 étoiles

LE MARQUIS SUFFREN

15, rue Dupleix ✆ 01 43 06 31 50

Fax : 01 40 56 06 78. Site Internet : www.lemarquisparis.com – E-mail : lemarquis@inwoodhotel.com – M° La Motte-Picquet-Grenelle ou Dupleix. Chambres doubles : classique à partir de 129 €, supérieure à partir de 159 €, luxe à partir de 185 €. Petit déjeuner continental : 10 €, buffet : 19 €. Promotions et réservations sur le site Internet.

Dans un cadre raffiné, intime et intemporel, Le Marquis Suffren propose 36 chambres imaginées par le décorateur Paul Sartres, dans un esprit très rive gauche avec des éléments de décor importés d'Italie. Chaque chambre, aux couleurs chaleureuses et matières nobles, arbore un tableau d'art abstrait assorti à sa tonalité dominante. Les chambres sont équipées pour assurer un maximum de confort (télévision, satellite, minibar, lecteur DVD, téléphone, fax, coffre-fort, Wi-Fi gratuit). 2 sont accessibles aux personnes à mobilité réduite. Détente à l'heure du thé, devant la cheminée, dans le salon bibliothèque ou sur la terrasse dès les premiers beaux jours. Concierge, room service 24h/24, bar, messagerie, parking et service limousine.

3 étoiles

ABEROTEL MONTPARNASSE

24, rue Blomet ✆ 01 40 61 70 50

Fax : 01 40 61 08 31. Site Internet : www.aberotel.com – M° Sèvres-Lecourbe ou Volontaires. Chambres simples à 115 €, doubles et twins à 125 €. Lit supplémentaire : 18 €. Taxe de séjour : 1 € par jour et par personne. Petit déjeuner : 8 €. Animaux acceptés avec un supplément de 6 €. Promotions et réservations sur le site Internet.

Vous serez ici à deux pas du quartier Montparnasse et du parc des Expositions de la porte de Versailles. Dès le hall d'entrée, on se rend compte que l'on sait ici ce qu'esthétisme veut dire. L'hôtel respire le calme et le bien-être. Les 28 chambres sont toutes climatisées et bien équipées – coffre-fort, téléphone, télévision satellite, Wi-Fi gratuit –, toutes en harmonies blondes, certaines sont mansardées, avec des poutres apparentes qui rajoutent une note de chaleur. Couleurs, mobilier et tissus participent à cette impression immédiate de quiétude. Le patio intérieur, planté de bonzaïs et fleuri à la belle saison, est un petit paradis pour des petits déjeuners ensoleillés. Le métro est tout proche, et tout le monde sait être charmant, avenant et disponible.

HOTEL ALIZE GRENELLE TOUR EIFFEL

87, avenue Emile-Zola ✆ 01 45 78 08 22

Fax : 01 40 59 03 06. Site Internet : www.hotelbeaugralize.com – E-mail : info@alizeparis.com – M° Charles Michels. Chambres simples à 130 €, doubles à 136 €, twins à 137 €. Petit déjeuner-buffet : 12 €. Hébergement gratuit pour les enfants de moins de 12 ans dans une chambre avec 2 adultes. Promotions et réservations sur le site Internet.

Prix basse saison valable toute l'année pour nos lecteurs. Situé dans un quartier commerçant et sympathique, cet hôtel de 7 étages dispose de 50 chambres insonorisées et climatisées, meublées dans un style contemporain. Elles sont équipées de tout le confort d'un 3 étoiles : Wi-Fi dans toutes les chambres, borne Internet dans le hall, télévision câblée, téléphone, minibar, sèche-cheveux, bureau, prise modem et presse-pantalon. Excellent rapport qualité-prix et accueil incomparable.

HOTEL CONVENTION MONTPARNASSE

41, rue Alain-Chartier

✆ 01 48 28 43 00

Fax : 01 44 19 84 96. Site Internet : www.hotel-convention-montparnasse.com – E-mail : hotelconvention@free.fr – M° Convention. Chambres simples à partir de 76 €, doubles à partir de 91 €, twins et doubles supérieures à partir de 99 € et triples à partir de 116 €. Petit déjeuner : 7 €. Taxe de séjour : 1 € par jour et par personne.

Entièrement rénové avec goût dans de belles harmonies de tons brun et ocre, et idéalement situé en plein cœur du 15e arrondissement, cet hôtel vous propose 37 chambres ravissantes avec salles de bains privées toutes très bien équipées : téléphone direct, sèche-cheveux, télévision avec écran LCD, climatisation double vitrage, et accès Internet en Wi-Fi gratuit. De plus, l'accueil est très sympathique.

HOTEL MONTCALM

50, avenue Félix-Faure ✆ 01 45 54 97 27

Fax : 01 45 54 15 05. Site Internet : www.montcalmhotel.com – M° Boucicaut. Chambres simples de 131 € à 161 €, doubles de 146 € à 179 €, une suite à 240 €. Petit déjeuner-buffet : 12 €. Taxe de séjour : 1 € par jour et par personne. Promotions et réservations sur le site Internet.

Derrière sa façade soignée, le Montcalm dissimule une agréable surprise : un ravissant jardin entièrement réaménagé en jardin minéral, véritable bouffée d'oxygène dans cet environnement urbain, ainsi qu'une véranda. Les 41 chambres insonorisées sont toutes identiques, bien équipées (minibar, sèche-cheveux, télévision par satellite, prise modem, coffre-fort individuel et climatisation) mais loin d'être impersonnelles avec leurs murs en tissu jaune orangé et leurs couvre-lits madras. Choisissez en priorité celles qui donnent sur le jardin. La petite maison du jardin aménagée en suite convient aux familles. La salle à manger, fort plaisante elle aussi, donne sur le jardin. Le salon au confort feutré invite à la détente.

HOTEL DE LA PAIX

43, rue Duranton ✆ 01 45 57 14 70

Site Internet : www.hotelpaixparis.com – E-mail : hoteldelapaixparis@wanadoo.fr M° Boucicaut ou Convention. Chambres simples de 64 € à 98 €, doubles de 71 € à 112 €, triples de 92 € à 140 €. Petit déjeuner-buffet : 8 €. Taxe de séjour : 1 € par jour et par personne. Parking à proximité.

Tout proche de l'hôpital Georges Pompidou, cet hôtel vient d'être entièrement rénové. Beaucoup de goût dès la réception, décorée de meubles en bois cérusé et agrémentée d'une chaleureuse cheminée. Les chambres sont extrêmement bien tenues, classiques et très coquettes, climatisées et équipées de télévision par satellite, sèche-cheveux, coffre-fort, téléphone direct et accès Wi-Fi gratuit. Petit déjeuner servi dans une agréable salle à manger donnant sur un patio. Une salle de réunion est à disposition des clients. Un excellent rapport qualité-prix pour cet hôtel 3 étoiles.

HOTEL YLLEN EIFFEL

196, rue de Vaugirard ✆ 01 45 67 67 67

Fax : 01 45 67 74 37. Site Internet : www.regetel.com – E-mail : hotelylleneiffel@wanadoo.fr M° Volontaires. Chambres simples de 153 € à 184 €, doubles de 169 € à 194 €, twin de 179 € à 204 €, triples de 204 € à 241 €, quadruples de 235 € à 265 € et une suite de 255 € à 296 €. Petit déjeuner-buffet : 14 €. Promotions et réservations sur le site Internet.

Cet établissement au luxe discret, idéalement situé entre Montparnasse, la tour Eiffel et la porte de Versailles, est un ancien mont-de-piété, reconverti en hôtel. Il en a conservé une magnifique façade néoclassique qui lui confère beaucoup de charme. Les 38 chambres au confort moderne sont toutes climatisées, munies d'une salle de bains en marbre et équipées de sèche-cheveux, téléphone direct, télévision avec écran LCD, satellite et coffre-fort. Le petit déjeuner est servi dans une salle chaleureuse sur fond musical. Borne Internet à la réception, accès Wi-Fi payant et parking à proximité.

2 étoiles

HOTEL DE L'AVRE

21, rue de l'Avre ✆ 01 45 75 31 03

Fax : 01 45 75 63 26. Site Internet : www.hoteldelavre.com – E-mail : hotel.delavre@wanadoo.fr – M° La Motte-Picquet-Grenelle. Chambres simples de 65 € à 73 €, doubles ou twin de 80 € à 98 €, twin de 85 € à 94 €, triples sur jardin à 130 €. Petit déjeuner continental : 8 €. Taxe de séjour incluse. Accès Wi-Fi gratuit – ordinateur disponible à la réception –, sèche-cheveux, coffre-fort, télévision par satellite, téléphone, fax. Animaux acceptés.

Ce petit hôtel cosy de 26 chambres ouvre sur un vrai jardin, gage de calme, où l'on peut d'ailleurs prendre le petit déjeuner aux beaux jours. Chaque étage bénéficie d'une couleur : blanc pour le 1e, bleu pour le 2e, jaune et bleu pour le 3e et jaune pour le 4e. Les chambres sont fort coquettes et décorées avec un grand soin, elles s'accompagnent de grandes salles de bains. Très bon rapport qualité-prix, mais pensez à réserver.

HOTEL BEAUGRENELLE SAINT-CHARLES TOUR EIFFEL

82, rue Saint-Charles ✆ 01 45 78 61 63

Fax : 01 45 79 04 38. www.hotelbeaugralize.com – E-mail : info@alizeparis.com – M° Charles Michels. Chambres simples à 119 €, doubles de 122 € à 124 €, twins à 129 €. Promotions et réservations sur le site Internet. Hébergement gratuit pour les enfants de moins de 12 ans dans une chambre avec 2 adultes. Petit déjeuner-buffet à 11,50 €. Prix basse saison valable toute l'année pour les lecteurs du Petit Futé.

Situé à deux pas de la tour Eiffel et du parc des Expositions de la porte de Versailles, cet hôtel ne manque pas de charme avec sa façade extérieure en briques. Ici, on mise sur le confort et le bien-être. Une vaste et lumineuse salle de petit déjeuner décorée dans une tonalité de jaune orangé, ainsi qu'une petite cour calme sur laquelle donnent la moitié des chambres de l'hôtel, renforcent cette impression. Les 51 chambres, tout confort, insonorisées et climatisées, sont équipées de télévision câblée, téléphone, messagerie, minibar, Wi-Fi, prise modem et presse-pantalons. Celles du petit pavillon au fond de la cour sont particulièrement agréables car plus calmes. Les propriétaires ont le souci du bien-être du client et aucun détail n'est négligé. Si vous avez une voiture pensez à réserver une place de parking facile d'accès et proche de l'hôtel.

HOTEL CARLADEZ CAMBRONNE

3, place Général-Beuret ✆ 01 47 34 07 12

Fax : 01 40 65 95 68. Site Internet : www.hotelcarladez.com – E-mail : carladez@club-internet.fr – M° Vaugirard. Chambres simples à 68 €, doubles de 73 € à 89 €, twins à 75 € et quadruples à 146 €. Taxe de séjour : 0,78 € par jour et par personne. Petit déjeuner : 8 €. Promotions et réservations sur le site Internet.

L'hôtel dispose aussi d'un meublé pour 1 à 4 personnes, avec 2 chambres communicantes donnant sur un patio, idéal pour une famille. Chaque chambre, insonorisée, dispose d'une décoration personnalisée, d'une salle de bains, de toilettes, de la TV avec Canal + et le satellite ainsi que d'un mini-bar, d'une prise Internet, d'un sèche-cheveux et d'un coffre-fort individuel. Il est situé dans un quartier vivant et très agréable, non loin de la tour Eiffel et de la porte de Versailles. Point fort : les chambres sont régulièrement rénovées, y compris le mobilier. Très bien tenu, par des gens sympathiques qui sauront rendre votre séjour agréable. Une adresse que nous vous recommandons.

HOTEL LECOURBE
28, rue Lecourbe ✆ 01 47 34 49 06
Fax : 01 47 34 64 65. Site : www.hotel-lecourbe-eiffel.com – M° Sèvres-Lecourbe. Chambres simples à 85 €, doubles à 101 € et triples à 121 €, quadruples à 135 €. Petit déjeuner : 8 €.
Cet hôtel au charme certain se trouve en plein cœur de Paris. Il séduit par sa décoration contemporaine sobre. Son patio joliment arboré fait oublier l'agitation de la capitale. Ses 47 chambres rénovées récemment optimisent l'espace et offrent un décor blanc rehaussé de rouge ou de gris. Elles sont équipées de tout le confort : télévision, Wi-Fi, salle de bains, sèche-cheveux (coffre-fort individuel à la réception), téléphone direct. Une équipe attentive est à votre service.

HOTEL SÈVRES-MONTPARNASSE
153, rue de Vaugirard ✆ 01 47 34 56 75
Fax : 01 40 65 01 86. Site Internet : www.hotel-sevres-montparnasse.com – E-mail : hotel.sevresmontparnasse@wanadoo.fr – M° Falguière. Chambres simples de 64 € à 110 €, doubles de 70 € à 130 €. Petit déjeuner à 7,50 €. Ascenseur et accès Wi-Fi gratuit au rez-de-chaussée.
Situé à proximité de la gare Montparnasse, à deux pas des cafés et des brasseries qui ont fait la renommée du quartier Montparnasse, ce sympathique hôtel bénéficie d'un emplacement idéal et offre le service attentionné des petites structures. Ses 35 chambres entièrement réaménagées sont accueillantes et offrent tout le confort nécessaire. Les clients apprécieront la décoration très douce de la grande réception et le patio arboré.

HOTEL VILLA GARIBALDI
48, boulevard Garibaldi ✆ 01 56 58 56 58
Fax : 01 40 56 31 33. Site Internet : www.hotel-eiffel.com – E-mail : villagaribaldi@easynet.fr M° Ségur ou Cambronne. Chambres simples de 85 € à 155 €, doubles ou twin de 95 € à 155 €, triples de 115 € à 175 €, quadruples de 135 € à 205 €. Lit supplémentaire à 20 €. Petit déjeuner-buffet : 11 €. Taxe de séjour : 0,80 € par jour et par personne.
Facilement localisable à l'extrémité d'une enfilade d'immeubles, la Villa Garibaldi est implantée de façon idéale dans le triangle Montparnasse-Tour Eiffel-Invalides, et à 10 minutes du parc des Expositions de la porte de Versailles. Les 23 chambres, entièrement rénovées, sont accueillantes, bien tenues, décorées aux couleurs ensoleillées et chaleureuses de la Provence – tons rouge, bleu ou jaune –, et équipées de télévision câblée, téléphone, Wi-Fi gratuit, douche, toilettes, radio et réveil automatique. En outre, pour ceux qui ont du mal à trouver le sommeil ou qui désirent prendre un dernier verre avant de tomber dans les bras de Morphée, le bar de l'hôtel reste ouvert jusqu'à 2h du matin. Accueil très convivial, établissement conseillé.

TIM HOTEL TOUR EIFFEL
11, rue Juge ✆ 01 45 78 29 29
Fax : 01 45 78 60 00. Site Internet : www.timhotel.fr – E-mail : tour-eiffel@timhotel.fr – M° Dupleix. Chambres simples ou doubles à partir de 90 €, exclusives à partir de 130 €. Petit déjeuner-buffet : 10 €. Promotions et réservations sur le site Internet. Coffre-fort individuel à la réception.
Dans cet hôtel situé à deux pas de la tour Eiffel et du Trocadéro, tout est aménagé avec un grand souci du détail. Les chambres sont décorées avec des murs de couleur ivoire et des meubles en bois, bien qu'assez petites, elles sont lumineuses et bénéficient d'un aménagement très fonctionnel (télévision câble-satellite, prise modem, sèche-cheveux), l'accueil est professionnel. Les chambres «exclusives » bénéficient en outre de la climatisation et d'une belle vue sur la tour Eiffel. La salle du petit déjeuner vous plonge dans une ambiance très bistrot, sol parqueté de bois clair et grandes baies vitrées, il donne sur un patio dont on profite aux beaux jours.

1 étoile

FIRST HOTEL
2, boulevard Garibaldi ✆ 01 43 06 93 26
Fax : 01 47 34 05 71. M° Cambronne. Chambres de 37 € à 60 €. Petit déjeuner : 5 €.
Une adresse Petit Futé que nous vous recommandons depuis plusieurs années, parfaitement adaptée pour les petits budgets. Juste en face du métro aérien, cet hôtel propose des chambres à des prix sans équivalent pour le quartier. Plusieurs ont même vue sur la tour Eiffel et sont donc à réserver en priorité. Laissez-vous séduire par son ambiance pension de famille. L'accueil est vraiment très convivial et l'équipe à vos petits soins.

16e arrondissement

4 étoiles

LES JARDINS DU TROCADÉRO
35, rue Benjamin-Franklin
✆ 01 53 70 17 70
Fax : 01 53 70 17 80. Site Internet : www.jardintroc.com – E-mail : jardintroc@aol.com M° Passy ou Trocadéro. Chambres double à 229 €, de luxe king ou twin à 279 €, suite Napoléon à 309 €, chambres familiales ou appartement à 329 €. Taxe de séjour en sus. Petit déjeuner-buffet à 15 €. Parking privé : 25 € les 24h. Promotions et réservations sur le site Internet.
Surplombant la place du Trocadéro, cet hôtel de luxe au style Napoléonien propose un accueil charmant. La majorité des chambres, dais surmontant le lit, draperies, fresques murales, mobilier de style, ont vue sur la place du Trocadéro et la tour Eiffel. Le confort est absolu : climatisation, jacuzzi, salle de bains en marbre, minibar, télévision avec

écran plat, satellite et TNT, Wi-Fi gratuit, service de blanchisserie, room service. Le restaurant se transforme en un agréable salon de thé, « La Petite muse » l'après-midi.

3 étoiles

HOTEL DU BOIS

11, rue du Dôme ✆ 01 45 00 31 96

Fax : 01 45 00 90 05. Site : www.hoteldubois.com – E-mail : reservations@hoteldubois.com M° Charles de Gaulle-Etoile, Kléber ou Victor Hugo. Chambres classiques de 117 € à 195 €, supérieures avec bain de 135 € à 225 €, prestiges avec bain de 165 € à 275 €. Petit déjeuner-buffet : 15 €. Wi-Fi, télévision par satellite, téléphone direct, minibar, coffre-fort dans toutes les chambres et ascenseur.

La rue du Dôme nous ramène au Paris pittoresque. Pourtant nous sommes bien dans l'un des quartiers les plus chics et luxueux de la capitale. Dans des tonalités printanières, l'Hôtel Du Bois, classique et élégant, propose 41 chambres chaleureuses à motifs géométriques. Le petit déjeuner buffet est servi dans une salle à manger au mobilier géorgien. Salon et bibliothèque sont également à disposition. Les prestations de cette adresse douillette sont de qualité et l'accueil est impeccable.

HOTEL ETOILE RÉSIDENCE IMPÉRIALE

155, avenue de Malakoff ✆ 01 45 00 23 45

Site Internet : www.bestwestern-etoile-imperiale.com – E-mail : res.imperiale@wanadoo.fr M° Porte Maillot. Chambres single de 110 € à 199 €, doubles de 125 € à 259 €, petit déjeuner : 14 €.

Situé entre la Défense et les Champs-Élysées, en face du palais des Congrès de la porte Maillot, voilà un hôtel totalement insonorisé et climatisé avec beaucoup de caractère qui séduit par sa sérénité, son atmosphère raffinée et sa décoration contemporaine et chaleureuse. Les 37 chambres sont fort accueillantes, bien équipées (télévision, coffre-fort, minibar, Wi-Fi payant, sèche-cheveux), à la décoration moderne, sobre et chaleureuse. Petit déjeuner buffet servi en salle.

HOTEL KLÉBER

7, rue de Belloy ✆ 01 47 23 80 22

Fax : 33 01 49 52 07 20. Site Internet : www.kleberhotel.com – E-mail : kleberhotel@wanadoo.fr – M° Kléber, Boissière et Charles de Gaulle Etoile. Chambres standard à 229 €, De luxe à 299 €, Executive à 259 € twins et suites à 299 €. Petit déjeuner-buffet à 14 €. Parking : 23 € les 24h. Promotions et réservations sur le site Internet.

L'hôtel Kléber est tout ce qu'il y a de plus classique : style second Empire avec boiseries, marbre, pierres apparentes et mobilier d'époque. Situé au cœur du triangle d'or, à proximité des Champs-Élysées, il offre luxe et tranquillité. L'hôtel propose de nombreuses chambres avec jacuzzi et douche à hydro-massage. Elles sont toutes équipées de minibar, coffre-fort, télévision HD LCD avec satellite et TNT, téléphone avec ligne directe et accès Internet Wi-Fi.

2 étoiles

HOTEL AMBASSADE

79, rue Lauriston ✆ 01 45 53 41 15

Fax : 01 45 53 30 80. Site Internet : www.hotelambassade.com – E-mail : paris@hotelambassade.com – M° Victor Hugo ou Boissière. Chambres simples de 105 € à 125 €, doubles de 113 € à 142 €. Petit déjeuner-buffet : 14 €. Climatisation, télévision par satellite, téléphone, sèche-cheveux, minibar et Internet en Wi-Fi – payant – dans toutes les chambres.

L'Hôtel Ambassade, situé dans une rue paisible entre la tour Eiffel et l'Étoile, offre une décoration soignée et stylée. Il propose 38 chambres d'une luminosité exceptionnelle, tout confort, de style Art nouveau, rénovées régulièrement, avec salle de bains en marbre, Pou commencer la journée le petit déjeuner buffet est servi dans une salle charmante décorée de photos de Paris.

HOTEL BOILEAU

81, rue Boileau ✆ 01 42 88 83 74

Fax : 01 45 27 62 98. Site : www.hotel-boileau.com – M° Exelmans. Chambres simples de 72 € à 81 €, doubles de 85 € à 125 €, twin à partir de 95 € à 125 €, triples de 125 € à 150 €. Petit déjeuner en salle : 9 € – 11,50 € en chambre. Taxe de séjour inclue. Télévision, câble, Wi-Fi. Une chambre en rez-de-chaussée avec accès – et normes – pour handicapés. Parking sur demande : 16 € les 24h.

Réputé pour son charme, l'hôtel Boileau est à la hauteur de nos espérances. Sol en tomettes, boiseries et grandes verrières : l'ambiance est cosy. Chambres lumineuses qui donnent pour certaines sur un joli patio fleuri. Rien ne manque à ce petit hôtel installé dans un quartier réputé pour sa tranquillité et son standing. A noter : une réduction de 20 % pour les lecteurs du Petit Futé entre mi-juillet et fin août – se renseigner.

HOTEL HAMEAU DE PASSY
48, rue de Passy
✆ 01 42 88 47 55

Fax : 01 42 30 83 72. Site Internet : www.hameaudepassy.com – E-mail : hameau.passy@wanadoo.fr – M° La Muette ou Passy. Chambres individuelles à 132 €, doubles à 146 €, twins à 152 €, triples à 173 €, quadruples à 193 €, chambres communicantes à 298 €. Petit déjeuner offert, Wi-Fi gratuit. Taxe de séjour : 0.78 € par jour et par personne.

Il faut pousser les grilles d'une impasse donnant sur un extraordinaire jardin pour découvrir cet hôtel de charme dissimulé au cœur du village de Passy. Les 32 chambres ont un charme contemporain – murs crépis, moquette couleur myrtille et fauteuils acidulés, fenêtres ouvrant sur les arbres – et comprennent des salles de bains toutes neuves. Celles situées sous les toits sont les plus jolies, mais il faut grimper trois étages pour les mériter. Dès les beaux jours, on prend son petit déjeuner au jardin.

HOTEL VILLA D'AUTEUIL
28, rue Poussin
✆ 01 42 88 30 37

Fax : 01 45 20 74 70. Site Internet : www.hotel-villa-dauteuil.com – E-mail: villadauteuil@wanadoo.fr M° Michel Ange-Auteuil ou Porte d'Auteuil. Chambres simples à 68 €, doubles de 72 à 78 €, triples à 88 €. Petit déjeuner : 6 €. Taxe de séjour incluse. Téléphone, télévision, Wi-Fi gratuit.

La Villa d'Auteuil a tout pour séduire. Tout proche du bois de Boulogne, de Roland Garros et du parc des Princes, cet ancien hôtel particulier, très bien desservi par les bus et les métros, offre une belle situation dans un quartier tranquille tout en restant vivant. Les 17 chambres, décorées avec simplicité, sont coquettes et spacieuses, certaines ont même vue sur le jardin. Pour les sportifs, levez-vous de bon matin et rejoignez les Parisiens en plein jogging au bois de Boulogne. Son excellent rapport qualité-prix en fait un incontournable du 16e arrondissement.

1 étoile

HOTEL RÉSIDENCE CHALGRIN
10, rue Chalgrin
✆ 01 45 00 19 91

Fax : 01 45 00 95 4. Site Internet : www.hotel-chalgrin.com – E-mail : residencechalgrin@yahoo.fr – M° Argentine. Chambres simples de 70 € à 75 €, doubles à 86 €, suites à 115 €. Lit supplémentaire : 20 € Petit déjeuner : 9 €. Télévision câblée, Internet haut débit, accès Wi-Fi, téléphone direct, sèche-cheveux.

Situé à deux pas de l'Étoile, cet hôtel datant de 1870, où séjourna Anatole France, est une adresse

de charme à la décoration stylée et à l'atmosphère feutrée. Récemment refait dans le respect du style d'une maison bourgeoise du XIXe, il propose 20 chambres très agréables, toutes personnalisées, soigneusement décorées, alliant nostalgie et confort moderne.

HOTEL RIBERA
66, rue La Fontaine
✆ 01 42 88 29 50

Fax : 01 42 24 91 33. Site Internet : www.hotel-ribera.fr – M° Jasmin. Chambres simples à 79 €, doubles à 89 €, triples à 95 €. Petit déjeuner : 8 €.

L'hôtel Ribera est un des très bons plans de la capitale. Situé dans un quartier calme et résidentiel, il est bien desservi par les transports en commun et tout près de Roland Garros. L'accueil est chaleureux et convivial, et le personnel met tout en œuvre pour que vous soyez à l'aise. 25 chambres confortables vous sont proposées avec une baignoire, téléphone, télévision et coffre-fort et Wi-Fi gratuit. A l'image de ces pensions de famille, l'hôtel Ribera donne envie d'y retourner.

17e arrondissement

RENAISSANCE PARIS ARC DE TRIOMPHE
39, avenue de Wagram ✆ 01 55 37 55 37 ou 0800 90 83 33 (appel gratuit, réponse en français)

Site Internet :www.renaissancearcdetriomphe.com – M° Charles-de-Gaulle ou Ternes. Chambres à partir de 299 €, suites à partir de 790 €. Petit déjeuner buffet : 28 €.

C'est le tout dernier-né des grands hôtels parisiens, construit sur l'ancien Théâtre de l'Empire. 118 chambres au décor très contemporain, grand chic pour les espaces publics et concept très innovant pour le restaurant où se marient cuisine française et cuisine indonésienne traditionnelle. La façade en forme de vagues de verre est la signature et emblème de cet l'hôtel. Parmi les services : un accès direct et exclusif à la Salle Wagram, célèbre lieu d'évènements construit en 1865, qui a été totalement restauré, en harmonie avec le design de Portzamparc et que surplombe une terrasse de plus de 200 mètres carrés, un fitness de 70 mètres carrés et un business center ouvert 24h/24. Dans tout l'hôtel accès Internet Wireless et dans les chambres téléphones VoIP, accès Internet Wired et Wireless, haute définition, téléviseurs LCD et une commande connective numérique permettant de se raccorder à un ordinateur portable, caméscopes, caméras numériques, jeux vidéo etc.

HIDDEN HOTEL****
28, rue de l'Arc de Triomphe
✆ 01 40 55 03 57

Site Internet : www.hidden-hotel.com - E-mail : contact@hidden-hotel.com. – M° Charles de Gaulle – Etoile – chambres doubles, de 240 à 460 €. Salle de bain (baignoire ou douche), Parkings payants souterrains à 200 mètres de l'hôtel, Réception 24h/24, Accès handicapés, Bar, Air conditionné, Accès Internet gratuit, Coffre, Salle à manger et cuisine privative sur demande, Prêt d'ordinateurs portables à la réception.

Ouvert depuis Juin 2009, le Hidden Hotel se situe au cœur de Paris, aux pieds de l'Arc de Triomphe. Résolument novateur, cet endroit hors du commun met en valeur les matières les plus nobles, travaillées artisanalement, et la confection manuelle. Lin, ardoise, bois marbre, céramique : chaque chambre conjugue parfaitement les audaces du design et l'authenticité des savoir-faire. Caché de l'agitation des grandes avenues, vous profiterez de ces cocons douillets, dans une ambiance à la fois contemporaine et hors du temps, aux influences bio, éthiques et modernes.

3 étoiles

HOTEL DE BANVILLE
166, boulevard Berthier ✆ 01 42 67 70 16
Fax : 01 44 40 42 77. Site Internet : www.hotelbanville.fr – E-mail : info@hotelbanville.fr M° Porte de Champerret. Chambres simples ou doubles à 310 €, doubles ou twin supérieures à 350 €. Petit déjeuner à 20 €. Accès Internet ADSL gratuit.
L'hôtel de Banville est à la fois reposant, chaleureux et calme. S'il reste quelques traces du style Art déco d'origine, notamment l'escalier magistral avec sa rampe en fer forgé travaillé, l'hôtel arbore aujourd'hui une décoration résolument design, sobre et haut de gamme. Les chambres, spacieuses et intimes, jouent la carte de la diversité et d'une élégance personnalisée, chacune ayant son caractère et son style (minibar, télévision écran LCD, insonorisation et climatisation, coffre-fort.). L'appartement de Marie est une invitation à un voyage romantique à souhait. L'hôtel doit beaucoup à son personnel très accueillant. Le charme de cette demeure vous fera d'autant plus apprécier la capitale. Tous les mardis soirs, savourez un verre au piano-bar.

HOTEL NIEL
11, rue Saussie-Leroy ✆ 01 42 27 99 29
Fax : 01 42 27 16 96. Site Internet : www.paris-hotel-niel.com – E-mail : hotelniel.arcdetriomphe@wanadoo.fr – M° Ternes. Chambres simples à 150 €, doubles et twin à 170 € et triples à 250 €. Petit déjeuner-buffet : 8 €. Taxe de séjour incluse.
Situé à un point stratégique de la capitale, l'hôtel est proche des Champs-Élysées, de l'Arc de Triomphe et du quartier Poncelet. Sa façade haussmannienne donne du caractère à cet endroit typiquement parisien. Entièrement refait récemment, habile mariage de modernité et de rustique, l'hôtel propose des chambres simples et harmonieuses : tons chaleureux et boiseries claires. Les chambres sont toutes bien équipées : téléphone, coffre-fort, accès Wi-Fi et télévision. Les salles de bains modernes sont tout bonnement superbes. Au rez-de-chaussée une magnifique cheminée auprès de laquelle il fait bon bouquiner ou paresser. L'accueil est à l'image de l'hôtel : charmant. Le personnel est à l'écoute et se mettra en quatre pour rendre votre séjour le plus agréable possible.

HOTEL PALMA
46, rue Brunel ✆ 01 45 74 74 51
Fax : 01 45 74 40 90. Site Internet : www.hotelpalma-paris.com – E-mail : info@hotelpalma-paris.com – M° Argentine. Chambres simples à partir de 115 €, doubles ou twins à partir de 145 €, triples à partir de 185 €. Petit déjeuner : 12 €. Taxe de séjour : 1 € par jour et par personne. Possibilité de parking dans la rue. Wi-Fi gratuit dans le hall. Promotions et réservations sur le site Internet.
L'hôtel est situé à proximité du palais des Congrès et de la place de l'Étoile. Il a été récemment rénové et offre un cadre chaleureux. Les 37 chambres sont gaies, claires, élégantes et spacieuses, celles avec mansardes sont particulièrement charmantes avec un petit air campagnard, fauteuils en rotin, meubles en bois blanc décorés au pochoir, tissus frais et elles sont climatisées. Elles sont équipées de salles de bains ou de douches, sèche-cheveux, téléphone avec prise Internet et télévision par câble. Le salon affiche quant à lui un esprit colonial très dépaysant.

2 étoiles

HOTEL RIVIERA
55, rue des Acacias ✆ 01 43 80 45 31
Fax : 01 40 54 84 08. Site Internet : www.hotelriviera-paris.com – E-mail : hotel.riviera@wanadoo.fr
M° Ternes ou Argentine. Chambres individuelles de 54 à 70 €. Chambres doubles et twins à de 760 à 90 €. Chambres triples de 105 à 125 €. Petit déjeuner continental : 7 €. Promotions et réservations sur le site Internet.
Cet hôtel à deux pas des Champs-Élysées a l'avantage d'être situé dans un quartier commerçant vivant, tout proche du Palais des Congrès et à deux encablures de la Défense. L'accueil est ici chaleureux et personnalisé, et le cadre agréable. Si chacune des 26 chambres est différente, elles ont pour trait commun un esprit douillet et élégant,

un décor aux finitions très féminines qui vise le confort et l'élégance, à l'image de la salle de petit déjeuner ornée d'une grande fresque représentant l'allée centrale du Jardin des Tuileries. Pied-à-terre parisien idéal pour les hôtes en séjour d'agrément ou de travail, l'hôtel est bien sûr équipé de toutes les commodités nécessaires : un ascenseur dessert les 7 étages, et chaque chambre est équipée d'une douche et d'une télévision et d'un coffre-fort. Climatisation – dans 20 chambres – et Wi-Fi gratuit dans tout l'hôtel.

HOTEL DES 2 AVENUES

38, rue Poncelet ✆ 01 47 66 76 71

Fax : 01 47 63 95 48. Site Internet : www.hotel-des-deux-avenues.com – E-mail : hotel-des-deux-avenue@wanadoo.fr – M° Ternes. Chambres simples de 115 € à 130 €, doubles de 130 € à 147 €, triples de 150 € à 180 €, twin à 147 € et 3 duplex de 180 € à 210 €. Petit déjeuner-buffet : 10 €. Ascenseur.

L'hôtel est situé en plein cœur de la très animée rue Poncelet, où commerces, marchés et bars de la rue n'auront plus de secrets pour vous, si vous vous fiez aux bons conseils de l'équipe. L'hôtel est très contemporain et a été entièrement rénové récemment. Les 38 chambres disposent d'un confort très actuel (bains ou douche, minibar, toilettes, sèche-cheveux, téléphone direct, réveil automatique, télévision couleur, Canal + et Canal Satellite, accès Wi-Fi payant). Une adresse pratique entre quartier des affaires et tourisme.

18e arrondissement

4 étoiles

LE TERRASS-HOTEL

12, rue Joseph de Maistre ✆ 01 46 06 72 85

Site Internet : www.terrass-hotel.com – M° Blanche ou Place de Clichy. 98 chambres. Classique (280 €), Deluxe (330 €) et Junior Suite (380 et 410 €). Petit-déjeuner buffet : 17 €. Salles de bain privées avec balnéo selon les chambres. Service conciergerie.

Accroché à la Butte, cet hôtel de grand standing a su marier style classique aux couleurs vives et décoration contemporaine épurée. De ces 98 chambres élégantes, beaucoup proposent une vue imprenable sur la ville-lumière. Accès Internet gratuit, air conditionné, télévision satellite...Toutes les chambres offrent des prestations de haut-niveau, largement dignes des quatre étoiles de ce petit palace de la butte à l'ambiance feutrée et discrète. Le restaurant n'est pas en reste : millefeuille de crabe sur son tartare de légumes à l'huile de noisette... La terrasse, située au 7e étage, offre une vue splendide. Vous pouvez toujours en profiter le temps d'un verre !

3 étoiles

HOLIDAY INN GARDEN COURT PARIS-MONTMARTRE

23, rue Damrémont ✆ 01 44 92 33 40

Fax : 01 44 92 09 30. Site : www.ichotelsgroup.com – M° Lamarck-Caulaincourt. Chambres simples à 170 €, doubles à 190 € et catégorie supérieure à 220 €. Accessible aux personnes handicapées. Petit déjeuner-buffet américain à 13 €. Wi-Fi payant. Taxe de séjour : 1 € par jour et par personne. Parking privé : 20 € les 24h.

Du côté nord de la butte Montmartre, l'hôtel a été entièrement rénové. Pas de surprise chez Holiday Inn, confort standard et équipements sont au rendez-vous (insonorisation, Internet, coffre-fort, blanchisserie). Les 54 chambres sont réparties sur 7 étages, certaines, mansardées et avec poutres sont plus personnalisées. Les prestations justifient largement le coût des chambres, tout comme la qualité du petit déjeuner et le cadre : jardin très agréable et surprenant trompe-l'œil dans le hall. L'accueil et le service sont excellents.

HOTEL DES ARTS

5, rue Tholozé ✆ 01 46 06 30 52

Fax : 01 46 06 10 83. Site Internet : www.arts-hotel-paris.com – E-mail : hotel.arts@wanadoo.fr
M° Blanche ou Abbesses. Chambres simples à 95 €, doubles à 140 €, doubles supérieures à 165 €. Petit déjeuner : 8 €. Promotions et réservations sur le site Internet.

En plein cœur de Montmartre, cette jolie adresse, nouvellement auréolée d'une troisième étoile et entièrement rénovée ne déçoit jamais. Les 50 chambres sont impeccables (télévision à écran plat avec satellite, téléphone, coffre-fort, Wi-Fi), sobrement décorées dans des teintes ensoleillées. Les quatre chambres des deux derniers étages offrent une vue sur toute la ville. Si elle est libre, demandez la chambre n°63, qui dispose de la plus belle vue. La salle des petits déjeuners, bien qu'en sous-sol, est accueillante, grâce au soin apporté à la décoration et au charme des murs en pierre apparente. Le personnel est particulièrement agréable.

2 étoiles

ERMITAGE HOTEL

24, rue Lamarck ✆01 42 64 79 22

Fax : 01 42 64 10 33. Site : www.ermitagesacrecoeur.fr – M° Lamarck-Caulaincourt. Chambres simples de 81 € à 85 €, doubles de 96 € à 110 €, triples à 120 € et quadruples à 145 €. Taxe de séjour et petit déjeuner continental servi en chambre inclus.

Les amateurs d'intimité seront séduits par ce petit hôtel de grand charme qui se loge dans une maison de famille Napoléon III, au grand calme. Il ne compte que douze chambres, toutes de style différent, moderne, Louis XV ou Louis XVI, selon vos goûts (avec salle de bain). Deux d'entre elles – les chambres 11 et 12 – ont la chance de donner sur le joli jardin de la maison avec terrasse privée, idéale pour le petit déjeuner au printemps, tandis que quatre autres donnent sur les toits de Paris. Vous pourrez garer votre véhicule dans le garage situé à proximité – 15 € les 24 heures. On s'y sent comme chez soi, grâce à l'accueil fort sympathique des propriétaires.

HOTEL DAMRÉMONT

110, rue Damrémont ✆01 42 64 25 75

Fax : 01 46 06 74 64. Site : www.damremont-paris-hotel.com – E-mail : hotel.damremont@wanadoo.fr – M° Jules-Joffrin. Chambres simples ou doubles à 140 €, triples à 170 €. Lit supplémentaire : 15 €. Petit déjeuner-buffet : 7 €. Taxe de séjour : 0,76 € par jour et par personne. Promotions et réservations sur le site Internet.

L'hôtel se repère de loin à 5 étages ornés de balconnières fleuries qui donnent le ton de cette étape coquette. Les 35 chambres sont modernes, chaleureuses et lumineuses. Toutes insonorisées et équipées d'une salle de bains complète, de télévision par satellite, Internet et téléphone. Le petit déjeuner buffet est servi dans une salle cosy et sereine, bref un hôtel très agréable.

HOTEL ROMA

101, rue Caulaincourt ✆01 42 62 02 02

Fax : 01 42 54 34 92. Site Internet : www.hotelroma.fr – E-mail : hotel.roma@wanadoo.fr – M° Lamarck-Caulaincourt. Chambres simples de 75 € à 160 €, doubles ou twins de 90 € à 200 €, triples de 135 € à 250 €. Petit déjeuner continental: 9 € et buffet : 12 €. Taxe de séjour : 0,78 € par jour et par personne. Animaux acceptés sans supplément.

Très bon rapport qualité-prix pour cet hôtel entièrement rénové. Les étages sont desservis par un ascenseur, mais les chambres restent difficilement accessibles aux handicapés, du fait des petites marches disséminées de-ci de-là. L'hôtel offre 57 chambres dont les équipements varient avec la catégorie, Montmartre (standard) ou Artist Club (supérieure) : télévision, téléphone, minibar, radio, climatisation et Internet, si vous souhaitez profiter d'un balcon-terrasse, demandez les chambres 701, 702, 703 et 704. Le petit déjeuner est servi dans une salle colorée et tonique, de quoi partir d'un bon pied dès le matin.

HOTEL REGYN'S MONTMARTRE

18, place des Abbesses ✆01 42 54 45 21

Fax : 01 42 23 76 69. Site Internet : www.paris-hotels-montmartre.com – E-mail : hrm18@club-internet.fr – M° Abbesses. Chambres standards doubles de 79 € à 99 €, doubles de 91 € à 120 €. Taxe de séjour incluse. Petit déjeuner à 8 € en salle et à 9 € en chambre.

Si vous souhaitez poser vos valises dans un hôtel charmant et confortable au cœur du quartier montmartrois, voilà l'adresse idéale. Les 22 chambres sont accueillantes et joliment décorées dans un style rétro, toutes de toile de Jouy tapissées. Elles sont équipées (téléphone, télévision à écran plat, Canal +, Wi-Fi, coffre-fort et sèche-cheveux). Pour un petit supplément, choisissez l'une de celles qui offrent une vue plongeante sur la belle place des Abbesses, ou en étages supérieurs sur les toits de Paris, nous vous recommandons les chambres 56 et 58.

HOTEL UTRILLO

7, rue Aristide-Bruant ✆01 42 58 42 58

Fax : 01 42 23 93 88. Site : www.hotel-paris-utrillo.com – E-mail : bonjour@montmartre-hotel.com M° Abbesses ou Blanche. Chambres simples à partir de 74 €, doubles ou twin à partir de 84 € (avec douche) à 90 € (avec bain) et triples à partir de 100 €. Lit supplémentaire : 14 €. Petit déjeuner : 7 €.

Situé à deux pas du Moulin Rouge, de la place du Tertre et du Sacré-Cœur, cet établissement qui bénéficie d'un emplacement stratégique à l'abri des nuisances sonores est un pied-à-terre idéal pour visiter les trésors de Montmartre. Entièrement relooké avec sa devanture aux couleurs pastel, l'Hôtel Utrillo propose 30 chambres douillettes et reposantes – les mansardées sont charmantes – à des prix accessibles dans le quartier très prisé des Abbesses. La salle du petit déjeuner est fort agréable avec ses murs de pierre peints en blanc et ses appliques aux couleurs vives. Deux bornes d'accès gratuit à Internet à la réception et Wi-Fi dans toutes les chambres. Accueil fort sympathique.

TIMHOTEL MONTMARTRE

11, rue Ravignan – Place Emile-Goudeau ✆01 42 55 74 79

Fax : 01 42 55 71 01. Site Internet : www.timhotel.com – M° Abbesses. Chambres conforts simples et doubles à 130 €, supérieures à 145 € et supérieures «vue» à 160 €. Chambres triples conforts à 170 €, supérieures à 180 € et supérieures «vue» à 210 €. La suite à 250 €. Petit déjeuner-buffet : 10 €.

Perché sur les hauteurs de la butte Montmartre, voisin du bateau lavoir, le Tim hôtel situé sur une charmante place plantée et piétonne, jouit d'un emplacement royal. Les 60 chambres rendent hommage aux artistes peintres, puisque chaque étage est dédié à un grand nom : Renoir au rez-de-chaussée, Utrillo au 1e étage, Dali au second, Picasso au troisième, Monet au quatrième et Matisse au cinquième et dernier étage. Bien sûr, les chambres situées dans les plus hauts étages offrent une belle vue sur Paris. Parmi les plus jolies, la chambre 417 et la 517 – la suite –, qui donnent sur Paris, mais aussi sur les terrasses animées du haut de la rue Ravignan.

1 étoile

HOTEL SOFIA
21, rue de Sofia ✆ 01 42 64 55 37
Fax : 01 46 06 33 30. Site Internet : www.hsofia.com – E-mail : sofia.hotel@wanadoo.fr M° Anvers. Chambres simples à 53 €, doubles à 64 €, triples à 77 € et quadruples à 88 €. Lit supplémentaire : 10 €. Petit déjeuner continental : 4,50 €. Parking : 16 € les 24h. Connexion Wi-Fi dans tout l'hôtel.
Un hôtel facile d'accès, proche de Montmartre, situé dans une rue calme à quelques minutes des gares du Nord et de l'Est. Les 24 chambres sont simples et confortables, toutes équipées de douches, toilettes, sèche-cheveux, téléphone direct, réveil automatique, Wi-Fi gratuit et télévision pour certaines. La cour intérieure est pleine de charme, idéale pour commencer la journée par un petit déjeuner en terrasse aux beaux jours.

HOTEL VICTORIA
1, boulevard Ornano ✆ 01 42 64 51 39
Fax : 01 42 64 56 68. Site Internet : www.hotel-victoria-montmartre.com M° Marcadet-Poissonniers. Chambres simples de 50 € à 65 € et doubles de 60 € à 65 €, twin à 68 € à 75 €, triples de 75 € à 95 €. Pas de petit déjeuner. Parking privé à 100 m de l'hôtel de 18 € à 24 € les 24h.
A deux pas de Pigalle et du Sacré-Cœur, cet hôtel jouit d'une situation géographique particulièrement intéressante. Également accessible par la rue Ordener, l'établissement dispose de 25 chambres agréables et confortables, toutes équipées de double-vitrage, douche, toilettes, télévision et téléphone. Toutes ont été rénovées très récemment : coquettes, lumineuses et bien agencées. Wi-Fi accessible dans toutes les chambres. Le quartier, vivant et très sympathique, profite de la proximité de nombreux commerces. L'enseigne est également située à quelques stations de métro de la gare du Nord et de la gare de l'Est.

Hôtel de tourisme

HOTEL BONSÉJOUR MONTMARTRE
11, rue Burq ✆ 01 42 54 22 53
Fax : 01 42 54 25 92. Site Internet : www.hotel-bonsejour-montmartre.fr – E-mail : hotel-bonsejour-montmartre@wanadoo.fr – M° Abbesses ou Blanche. Chambres simples avec lavabo de 38 € à 48 € – douche extérieure à 2 €, chambres doubles avec lavabo à 58 €, doubles avec douche à 65 € à 69 € avec balcon. Chambre twin – 2 grands lits séparés – à 69 €. Petit déjeuner : 6 €. Chèques-vacances et cartes de crédit acceptés. Pas d'ascenseur. Accès Internet gratuit avec un ordinateur à disposition à la réception.
Sans conteste le meilleur rapport qualité-prix de ce quartier très prisé. L'hôtel, très simple, affiche une propreté impeccable. Les 34 chambres, confortables, offrent des espaces et des vues variés. 5 d'entre elles les n°14, 23, 33, 43 et 53 réparties sur 5 étages sont équipées de douches et ont le bonheur d'être dotées d'un petit balcon offrant une vue superbe sur le Montmartre typique, tandis que l'on voit le Sacré-Cœur depuis la 55. Au rez-de-chaussée, cabine téléphonique à carte et douche – 2 €. Le Bonséjour offre l'intérêt d'être situé à deux pas de la place très branchée des Abbesses.

19e arrondissement

3 étoiles

HOTEL FOREST HILL PARIS LA VILLETTE
28, avenue Corentin-Cariou ✆ 01 44 72 15 30
Fax : 01 44 72 15 80. Site Internet : www.foresthill-hotels.com – E-mail : villette@foresthill.tm.fr M° Porte de la Villette. Chambres simples à 220 €, doubles à 230 €, supérieures simples ou doubles à 240 €. Petit déjeuner buffet : 13 €.
L'Hôtel Forest Hill Paris la Villette est à deux pas de la Cité des Sciences et de l'Industrie. Si le coeur vous en dit, visitez en bateau le Paris pittoresque, grâce à une balade sur le Canal de l'Ourcq, embarquement à la Rotonde de Ledoux. Les 260 chambres dont 11 suites, sont climatisées et dotées d'un confort moderne : TV satellite, Canal Plus, Pay TV, mini-bar. Les salles de bains sont toutes équipées de sèche-cheveux et de baignoire.

2 étoiles

ABRICOTEL
15, rue Lally-Tollendal ✆ 01 42 08 34 49
Fax : 01 42 40 83 95. Site Internet : www.abricotel.fr – E-mail : abricotel@wanadoo.fr M° Stalingrad ou Jean-Jaurès. Chambres simples à 55 €, doubles à 65 €. Petit déjeuner : 7 €. Taxe de séjour incluse.
Un hôtel calme et confortable, bien situé, à mi-chemin de la cité des Sciences et du Zénith, non loin du parc des Buttes-Chaumont. Rien à dire sur les 39 chambres, entièrement rénovées récemment, coquettes, colorées et fonctionnelles. Elles sont insonorisées et équipées de téléphone avec connexion Internet et d'une télévision câblée avec Canal +. La salle de petit déjeuner est agréable. Accueil chaleureux des réceptionnistes toujours prêts à vous renseigner.

HOTEL LE LAUMIÈRE
4, rue Petit ✆ 01 42 06 10 77
Fax : 01 42 06 72 50. Site Internet : www.hotel-lelaumiere.com – M° Laumière. Chambres simples de 60 € à 72 €, doubles de 61 € à 75 € selon exposition (rue ou jardin) et équipement. Petit déjeuner : 8,50 €. Télévision, double-vitrage sur rue. Accès Wi-Fi gratuit à la réception. Parking payant : 8,50 € les 24 h.
Au pied de la station Laumière, cet hôtel familial propose 54 chambres. Son grand point fort est son adorable petit jardin très agréable où l'on prend le petit déjeuner aux beaux jours. Les chambres ont été rénovées récemment et sont agréables mais sans originalité. Les moins chères donnent sur rue et sont vraiment plus petites, aussi, si vous avez le choix, privilégiez les chambres avec balcon qui donnent sur le petit jardin à l'arrière de l'hôtel. Propreté, accueil, conseil, environnement, Le Laumière offre un excellent rapport qualité-prix.

HOTEL DE LA PERDRIX ROUGE
5, rue Lassus ✆ 01 42 06 09 53
Fax : 01 42 06 88 70. Site Internet : www.hotel-perdrixrouge-paris.com – E-mail :hotel-perdrixrouge@wnadoo.com
M° Jourdain. Chambres simples de 69 € à 79 €, doubles de 75 € à 90 €, twins de 85 € à 95 €, chambres triples de 97 € à 112 €. Petit déjeuner-buffet : 7,50 €. Promotions et réservations sur le site Internet.
Accolé à un restaurant japonais, face à l'église du Jourdain, à quelques pas des Buttes Chaumont et encerclé de commerces, cet hôtel traditionnel paraît avoir été construit dans un village. Si les clients peuvent profiter pleinement de cette vie de quartier, ils pourront aussi rallier le centre de Paris en moins de 7 minutes, via la ligne 11 du métro dont l'arrêt se situe juste en bas de l'hôtel. Les 30 chambres offrent un confort fonctionnel et sont bien équipées, avec bains-toilettes ou douche-toilettes, sèche-cheveux, minibar, télévision par satellite et Canal +, téléphone direct, double-vitrage. Espace Internet gratuit à la réception.

Hôtels de tourisme

ETAP HOTEL
57-63, avenue Jean-Jaurès ✆ 08 92 68 08 91
Site Internet : www.etaphotel.com – E-mail : h4982@accor.com Accueil permanent 7j/7 et 24h/24. M° Jaurès ou Laumière. Chambres simples de 58 € à 61 € et supplément de 3 € pour 2 ou 3 personnes le week-end. Petit déjeuner à volonté à 4,70 €.
Le concept a fait ses preuves : la fonctionnalité avant tout. Chacune des 292 chambres peut accueillir 1, 2 ou 3 personnes avec un grand lit et un lit superposé, une salle de bains et la télévision. Parking souterrain payant : 8 € les 24h.

HOTEL DE PARIS
188, avenue Jean-Jaurès ✆ 01 42 39 41 37
Fax : 01 42 39 07 76. Site Internet : www.hotel-de-paris.org – E-mail : info@hotel-de-paris.org
M° Porte de Pantin. Chambres simples de 45 € à 55 €, doubles de 55 € à 65 €, triples à 75 €, selon l'équipement – douche et toilettes sur le palier pour les moins chères. Petit déjeuner : 5 €. Wi-Fi gratuit.
Les 44 chambres de cet hôtel sympathique et sans prétention sont réparties sur 5 étages desservis par un ascenseur. Plutôt spacieuses, elles offrent un bon niveau de confort fonctionnel (télévision) et s'adaptent à tous les budgets. Elles donnent au choix coté cour ou rue et sont bien isolées. Un bon point : la petite cour qui se transforme en terrasse où l'on prend son petit déjeuner dès les beaux jours.

PARIS PARK HOTEL
4, rue Hassard ✆ 01 42 06 67 67
Fax : 01 42 03 52 57. E-mail : nouveauparisparkhotel@yahoo.fr – M° Buttes-Chaumont. Chambres simples avec douche à 70 €, chambres doubles avec douche à 80 €, chambres simples avec bain à 85 €, chambres doubles avec bain à 95 €, chambres triples avec douche à 110 €, chambres triples avec bain 130 €. Petit déjeuner : 7 €. Lit supplémentaire : 16 €. Taxe de séjour : 1 € par jour et par personne.
Les 30 chambres, (salle de bains et toilettes), réparties sur 5 étages desservis par un ascenseur,

sont plus fonctionnelles que charmantes ; elles sont néanmoins équipées avec télévision, téléphone direct, Wi-Fi, radio réveil, sèche-cheveux et minibar. On ne parlera pas de charme mais de la fonctionnalité qui est parfaite. Le parc des Buttes-Chaumont est au bout de la rue.

Résidence hôtelière

APPART'CITY CAP AFFAIRES
157, avenue Jean-Jaurès ✆ 0 820 881 881/01 40 03 67 52
Fax : 01 40 03 67 62. Site Internet : www.appartcity.com – E-mail : paris@appartcity.com M° Ourcq. Appartements T1 de 47 € à 99 € par jour, selon la durée du séjour. Parking à 8 € la nuit et Wi-Fi à 2 € par jour.
Située à proximité de la Cité des sciences et de l'industrie, des gares de l'Est et du Nord, cette résidence dispose d'un atout géographique intéressant pour un séjour professionnel ou touristique dans la belle capitale. Elle propose à la location, pour quelques jours ou quelques mois, des appartements pour 1 à 2 personnes entièrement meublés et équipés (cuisine avec micro-ondes, salle de bains tout confort, Internet, etc.). Vous y trouverez un accueil sympathique, et surtout de nombreux services à la carte (petit déjeuner buffet, blanchisserie, fourniture de linge de maison, etc.). Ce concept de résidences a donc des atouts indéniables pour séduire. Soulignons qu'il s'adresse aussi bien à un public touristique qu'à des étudiants, femmes et hommes d'affaires souhaitant privilégier un hébergement au cœur de Paris tout en profitant d'un excellent rapport confort/prix. Futé en somme.

20e arrondissement

3 étoiles

SUITE HOTEL
22, avenue du Professeur-André-Lemierre
✆ 01 49 93 88 88
Fax : 01 49 93 88 99. Site Internet : www.suite-hotel.com – M° Porte de Montreuil. Suite à partir de 91 €, 10 € de plus pour une 3e personne. 2 enfants gratuits dans la chambre des parents. Petit déjeuner : 12 € en salle et à 15 € en chambre. 5 chambres adaptées aux personnes handicapées. Parking : 8 € les 24 h. Certaines chambres sont équipées d'un accès Wi-Fi. Cartes en vente à la réception.
Les 166 suites (30 m²) climatisées sont de véritables espaces de vie avec chambre double pouvant accueillir une 3e personne, coin cuisine et salle de bains. L'espace est modulable grâce à des parois coulissantes. Un espace de remise en forme, un espace affaires avec Internet et ordinateurs en libre-service, une salle de repassage, un bar ouvert de 6h à 1h, et un coin traiteur pour les petites faims sont à disposition. A souligner, des formules sympathiques, le café-cake offert tous les matins et les séances de relaxation par une masseuse offerts chaque jeudi soir. De plus, une petite voiture et un appareil photo vous sont prêtés pour un séjour à partir de quatre jours.

2 étoiles

HOTEL PALMA
77, avenue Gambetta
✆ 01 46 36 13 65
Site Internet : www.paris-hotel-palma.com – E-mail :hotel.palma@wanadoo.fr – M° Gambetta. Ouvert tous les jours 24h/24. Chambres simples à partir de 70 €, doubles à partir de 80 €, twin à partir de 84 € et triples à partir de 112 €. Parking : 15 € les 24h. Petit déjeuner continental : 7 €.
Situé à deux pas de la place Gambetta, cet hôtel dispose de 32 chambres insonorisées avec climatisation, Wi-Fi, télévision Canal + et satellite, douche ou bains, toilettes, côté rue ou côté cour selon vos envies. Sans être trop spacieuses – de 10 m² à 14 m² –, les chambres sont agréables, claires et fonctionnelles avec une décoration simple et moderne. Toutes les salles de bains ont été refaites à neuf. Cet établissement est correctement isolé des bruits de la rue qui ne vous empêcheront donc pas de faire la grasse matinée !

HOTEL TAMARIS
14, rue des Maraîchers © 01 43 72 85 48
Fax : 01 43 56 81 75. Site Internet : www.hotel-tamaris.fr – E-mail : tamarishotel@free.fr M° Porte de Vincennes. Chambres simples de 85 € à 88 €, doubles de 100 € à 105 €, twin à 115 € à 160 € – toutes avec douche et toilettes. Petit déjeuner de 7,50 € à 8,50 €. Wi-Fi et borne Internet dans le salon gratuit. Service de télécopie et photocopie.
Récemment refait, cet hôtel aux allures d'auberge traditionnelle est une halte futée lors de votre séjour à Paris. Bordé d'une rue calme, proche de la porte de Vincennes, le Tamaris affiche simplicité et authenticité. Les chambres sont fort accueillantes et affichent un décor de bon goût, telles des chambres d'amis d'une maison conviviale – télévision avec satellite, sèche-cheveux, minibar. De menus services en plus tels que le fer à repasser sont disponibles à la demande.

LILAS GAMBETTA
223, avenue Gambetta © 01 40 31 85 60
Fax : 01 43 61 72 27. Site : www.lilas-gambetta.com – E-mail : info@lilas-gambetta.com – M° Saint-Fargeau ou Porte des Lilas. Chambres simples avec douche et toilettes à 66 €, chambres doubles avec bain ou douche et toilettes à 75 €, chambres twin à 79 €, avec lit supplémentaire à 17 €. Petit déjeuner en salle à 6,90 € et à 7,30 € en chambre. Supplément à 7,20 €. Taxe de séjour incluse.
Situé non loin du cimetière du Père-Lachaise, l'hôtel compte 34 chambres décorées avec un mobilier de style contemporain fonctionnel et bien équipées (téléphone direct, télévision Canal Sat et TPS, réveil automatique, minibar, salles de bains très bien conçues avec sèche-cheveux). Une salle pour les petits déjeuners et une véranda sont à votre disposition.

SUPER HOTEL
208, rue des Pyrénées © 01 46 36 97 48
Fax : 01 46 36 26 10. E-mail : superhotel@wanadoo.fr – M° Gambetta. Chambres simples à 85 €, doubles à 95 €, triples à 120 €. Taxe de séjour : 1 € par jour et par personne. Petit déjeuner à 8 €. Parking gardé à 50 m : 15 € les 24 h. Wi-Fi gratuit.
Entièrement rénové et climatisé, cet hôtel est situé au cœur du 20e à quelques mètres de la mairie et tout proche des quartiers animés République-Bastille-Opéra-Nation. Il propose 30 chambres (double et triple vitrage, télévision, Canal satellite, téléphone, coffre-fort, sèche-cheveux) au style kitch. Un petit tour au bar et vous découvrirez quelques rares pièces d'un mobilier très seventies : banquettes, luminaires, encadrements.

Hôtel de tourisme

NADAUD HOTEL
8, rue de la Bidassoa © 01 46 36 87 79
Fax : 01 46 36 05 41. Fermé en août.
M° Gambetta sortie Martin Nadaud. Chambres avec cabinet de toilette pour 1 ou 2 personnes à 52 €. Chambres avec douche ou bains et toilettes à 62 €. Petit déjeuner à la demande servi exclusivement en chambre à 7,50 €. Possibilité de chambres communicantes. Télévision avec Canal + et satellite, Wi-Fi gratuit et coffre-fort électronique dans toutes les chambres. Climatisation.
Petit hôtel en brique situé dans un charmant quartier de Paris, tout près de la verdure du cimetière du Père-Lachaise, un peu à l'écart du brouhaha de la capitale. Accueil plaisant et chambres parfaitement entretenues. Un ascenseur ajoute à la fonctionnalité de l'endroit. Prendre une chambre à l'hôtel Nadaud, c'est comme vivre dans un petit immeuble. Rien à redire sur la propreté. Certaines chambres en angle bénéficient d'un soleil radieux et d'une vue dégagée sur Paris à ne pas rater.

PALACES MYTHIQUES

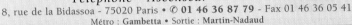

Ils nous font rêver avec leurs légendes et leurs anecdotes, leurs décors somptueux, leur service irréprochable, leurs hôtes de marque. Vitrines du luxe et temples de l'élégance, les palaces parisiens s'inscrivent dans le patrimoine de la capitale. Mecques du raffinement, ils nous invitent également à franchir leur seuil pour prendre un verre dans leurs bars cossus, pour un petit déjeuner ou un brunch dominical, petit luxe finalement accessible ! Parmi ces palaces, certains viennent d'être classés en catégorie 5 étoiles : Renaissance Paris Vendôme (1er), Meurice, (1er), Ritz Paris (1er), Park Hyatt Paris Vendôme (2e), Marriott Champs-Elysées (8e), Le Fouquet's Barrière (8e), Le Hyatt Regency Paris Madeleine (8e) et le Square (16e).

1er arrondissement

HOTEL DE VENDOME

1, place Vendôme ✆ 01 55 04 55 00

Fax: 01 49 26 97 89. Site Internet: www.hoteldevendome.com – E-mail: reservations@hoteldevendome.com – M° Tuileries. 19 chambres de 450 € à 865 € et 10 suites de 830 € à 1525 €, suite présidentielle de 1950 € à 5100 €.

Tout comme Versailles, la place Vendôme est le témoin des périodes les plus glorieuses de l'histoire de France: le règne de Louis XIV. Le n°1 lui donne son nom puisqu'il est le site de l'ancien Hôtel de la famille Vendôme construit en 1723. Aujourd'hui c'est un somptueux établissement qui offre à ses résidents le luxe, le confort et la technologie d'un palace international, alliés à la discrétion d'une demeure privée. Chaque chambre ou suite est unique, avec un décor particulier: des meubles anciens ou de style reflétant l'une des plus belles époques des arts décoratifs français, de belles tentures, des capitons et soieries. Les salles de bains sont ornées de marbres du monde entier qui en font des pièces uniques. Le restaurant et son bar ont été revisités par le designer italien Michele Bönan.

LE MEURICE

228, rue de Rivoli ✆ 01 44 58 10 10

Fax : 01 44 58 10 15. Site Internet : www.meuricehotel.fr – E-mail : reservations@lemeurice.com – M° Tuileries. 120 chambres de 640 € à 980 € et suites juniors de 1050 € à 1650 €, suites de 1700 € à 3600 €, petit déjeuner de 36 € à 48 €. Wi-Fi dans toutes les chambres.

Face aux Tuileries, sous les arcades de la rue de Rivoli, le discret « hôtel des rois » continue d'émerveiller avec sa splendide décoration dans le style du 18e siècle, très récemment modernisée avec grand talent par Philippe Starck. Les têtes couronnées d'Europe comme les créateurs les plus tendances apprécient ce cadre somptueux à l'abri des regards indiscrets. Oasis de calme et d'espace, les 121 chambres et 39 suites décorées dans un style Louis XVI sont réparties sur 7 étages. Parfaitement isolées, climatisées, elles offrent coffre-fort, minibar, télévision interactive, Internet haut-débit, plusieurs lignes téléphoniques, lecteur DVD, chaîne stéréo, ordinateur portable et télécopieur sur demande. Au premier étage se succèdent les appartements présidentiels, alors qu'au septième, la suite Belle Etoile offre le spectacle de Paris à 360°. Pour les repas, rendez vous au somptueux restaurant au chef Yannick Alleno triple étoilé « Le Meurice » dans une ambiance château de Versailles, ou au Dali pour un repas ludique et diététique sous la toile monumentale signée Ara Starck. Incontestablement, Le Meurice est le palace où se croisent l'Histoire et les tendances les plus contemporaines.

LE RITZ

15, place Vendôme ✆ 01 43 16 30 30

Fax : 01 43 16 36 68. Site Internet : www.ritzparis.com – E-mail : resa@ritzparis.com – M° Concorde. 105 chambres de 550 € à 870 € et 56 suites de 800 € à 13000 € (suite impériale). Petit déjeuner de 36 € à 67 €.

Le seul nom du Ritz est un hommage au raffinement, à la littérature, à la ville lumière. L'hôtel particulier du XVIIIe, restructuré sous la houlette de César Ritz a ouvert ses portes en 1898.

Sa réputation est plus que légendaire : vue sur la plus belle place de Paris, appartements meublés dans le pur style XVIIIe, sublime et très exclusive piscine intérieure, déployant ses courbes harmonieuses sous un ciel peint soutenu par une enfilade de colonnes, école de cuisine internationalement réputée. Ernest Hemingway y laissa en héritage quelques recettes de cocktails et l'âme de l'écrivain plane encore dans le bar qui porte son nom. « Lorsque je rêve de l'au-delà, du paradis, je me retrouve au Ritz à Paris », disait-il. Coco Chanel y a élu domicile pendant plus de trente ans, Marcel Proust, Rudolph Valentino, Charlie Chaplin, Jean Cocteau, Scott Fitzgerald, Greta Garbo étaient des visiteurs réguliers, comme Woody Allen aujourd'hui. C'est ici que résidaient Dodi Al-Fayed, dont le père est propriétaire de l'hôtel depuis 1979, et Diana Spencer, lors de leur accident au tunnel du Pont de l'Alma. Les suites de luxe sont baptisées des noms de leurs illustres occupants. Chaque chambre a sa personnalité : matériaux nobles, soies, brocarts, bois précieux, tapis persans, objets d'art, les meubles d'époque ponctuent l'espace et des tableaux de maîtres habillent les murs. Tout au Ritz respire le luxe jusqu'aux salles de bains de marbre aux robinets dorés à l'or fin. Le bar Hemingway, aux allures de club privé, avec ses boiseries et ses profonds fauteuils de cuirs, est toujours le repère favori des gens de la presse et des lettres. Vous pourrez y savourer les cocktails inédits de Colin Field, élu meilleur barman du monde en 2001.

6e arrondissement

LE LUTÉTIA
45, boulevard Raspail
✆ 01 49 54 46 46

Fax : 01 49 54 46 00. Site Internet : www.lutetia-paris.com – M° Sèvres-Babylone. Chambres à partir de 550 €, suites à partir de 800 €. Petit déjeuner : 26 €. Parking privé : 28 € les 24h. Promotions et réservations sur le site Internet. Air conditionné, doubles-vitrages, téléphone direct, sèche-cheveux, coffre-fort, prises ordinateur, Wi-Fi, minibar, radio, télévision par satellite, etc. Animaux domestiques acceptés.

Construit en 1910, Le Lutétia est le premier hôtel Art Déco de Paris. Au cœur de Saint-Germain-des-Prés, il fut un témoin privilégié du renouveau artistique de l'entre-deux-guerres, accueillant peintres et écrivains tels Picasso, Matisse ou André Gide. On y croisait Joséphine Baker accompagnée de ses enfants, et le général de Gaulle y passa sa nuit de noces. Les chambres cultivent ce luxe des années 30, en y associant de nouvelles harmonies aux couleurs miel et acajou créant une ambiance très contemporaine. Pour une nuit de folie, préférez la suite Arman, mise en scène par le sculpteur, dédiée à la musique et à l'art africain, avec son lit violon et ses notes qui s'envolent dans les tissus. Dans la suite littéraire, inspirée de l'atmosphère de Saint-Germain-des-Prés, vous disposez d'un bureau bibliothèque et d'une vue unique sur la tour Eiffel. Le bar de l'hôtel est un des rendez vous branchés de la capitale, sans formalisme excessif. Le Lutétia est toujours un endroit qui fait rêver, à la fois majestueux et discret, rétro et moderne.

8e arrondissement

LE CRILLON
10, place de la Concorde
✆ 01 44 71 15 00

Fax : 01 44 71 15 02. Site Internet : www.crillon.com – E-mail : crillon@crillon.com
M° Concorde. 107 chambres de 770 € à 950 € et 40 suites de 1 220 € à 8 220 €. Petit déjeuner continental : 38 € et américain : 49 €.

Élevé au XVIIIe siècle, donnant sur la place de la Concorde, le jardin des Tuileries et l'Assemblée Nationale, ce palace de légende, monument classé, possède certainement la plus belle vue de Paris. Il fut conçu, dès son origine sous Louis XV, pour recevoir les ambassadeurs extraordinaires. Désormais, l'Élysée y loge les hôtes officiels de la République et Hollywood ses plus grandes stars. Sonia Rykiel a revisité les 105 chambres et 52 suites parfaitement équipées (minibar, coffre-fort individuel, Internet et courrier électronique à partir de la télévision, fax) dont 5 avec vue sur la place de la Concorde, dans le style Louis XV. Les plus belles suites sont raffinées jusqu'au moindre détail : lustres en cristal de Bohême, mobilier Régence, tapis d'Aubusson, parquet en points de Hongrie. La suite 103 est l'ancienne chapelle de la famille de Crillon. Nec plus ultra, la mythique suite « Leonard Bernstein » et sa fantastique terrasse s'ouvrant sur l'Obélisque, l'Assemblée, les Tuileries dont le tarif grimpe jusqu'à 8220 € en haute saison, de quoi donner le tournis ! Au bar du Crillon, beaucoup de rouge et de velours pour un décor très chic où se côtoient hommes d'affaires et célébrités.

FOUR SEASONS HOTEL GEORGE-V
31, avenue George V
✆ 01 49 52 70 00

Fax : 01 49 52 70 10. Site Internet : www.fourseasons.com/paris – E-mail : reservation.paris@fourseasons.com
M° George-V. Chambres de 770 € à 1040 € et suites juniors à 1520 € et suites de 1 995 € à 11 500 €.

Dès sa création dans les années folles, l'hôtel est devenu l'un des mythes de l'hôtellerie parisienne. Derrière la façade de l'immeuble Art déco, l'hôtel, récemment refait, offre une décoration française classique. D'Eisenhower aux Rolling Stones, il a toujours compté d'illustres fidèles. Les 245 chambres et suites (certaines avec terrasses privées) sont toutes personnalisées dans un style classique avec antiquités et œuvres d'art. Une superbe piscine, une salle de remise en forme et un spa luxueux – également accessible aux personnes de l'extérieur – dans des tonalités reposantes de beige et blanc sont réservés aux clients. La cour intérieure faite de marbre est un endroit calme et discret pour prendre un verre.

HOTEL PARK HYATT
5, rue de la Paix
✆ 01 58 71 12 34

Fax : 01 58 71 12 35. Site Internet : www.paris.vendome.hyatt.com – E-mail : vendome@hyattintl.com – M° Opéra. Chambres à partir de 600 €, suites de 900 € à 8 100 €. Petit déjeuner continental : 35 €, américain : 45 €.

Cet hôtel récemment rénové cultive un classicisme à la française. Le très prisé Ed Tuttle a imaginé un espace hors du commun en travaillant subtilement styles et matériaux traditionnels à la manière contemporaine. Un savant dosage entre les différents styles français, de Louis XIV aux années trente. L'enfilade de colonnes sans chapiteaux laisse entrevoir des œuvres d'art parsemées dans tout l'hôtel. Ce lieu unique s'anime au rythme du bar, et l'on se love au coin de la cheminée résolument contemporaine ou dans le patio intérieur. C'est une véritable bouffée d'oxygène au cœur de cette rue de la Paix si légendaire. A noter : le package « Paris lifestyle » propose entre autres une dégustation de cigare et de cognac pour Monsieur et une heure de massage pour Madame. Existe aussi le package « Family » incluant notamment 3 h de baby-sitting et le « Art Lover » offrant des pass pour les musées de la capitale. Ces packages donnent droit à un surclassement. Mais le grand luxe a un prix : comptez environ 110 € supplémentaires pour bénéficier de ces petits plus qui font la différence.

PLAZA ATHÉNÉE
25, avenue Montaigne
✆ 01 53 67 66 65
Fax : 01 53 67 66 66. Site Internet : www.plaza-athenee-paris.com – E-mail : reservation@plaza-athenee-paris.com – M° Alma-Marceau. 146 chambres de 595 € à 860 € et 45 suites de 1 000 € à 20 000 €. Petit déjeuner : 38 € et 50 €.
Entre glamour et gastronomie, au croisement du luxe, de la mode et des médias, le « Plaza » compte ses inconditionnels depuis 1911 : intellectuels, top-modèles, comédiens, journalistes, couturiers ou hommes d'affaires, comme jadis Marlène Dietrich. Thème magique de l'hôtel les « Rouges Plaza » sont déclinés dans la décoration, la gastronomie et le style. Les 6 premiers étages arborent un mobilier style Louis XV, Régence et Louis XVI, et les 2 derniers étages affichent un style Art déco. On aime les fresques classées, la cour jardin hors du monde, une des plus courues de Paris à l'heure du déjeuner, le restaurant d'Alain Ducasse, où le chef étoilé déploie toute sa maestria, la brasserie Le Relais à la déco Art Déco avec ses soirées jazz, la Galerie des Gobelins pour le « tea time », le bar pour ses cocktails dans un décor revu et corrigé par le designer Patrick Jouin où boiseries d'époque côtoient les fauteuils aux lignes épurées, et le fumoir pour ses havanes. Le Plaza Athénée a récemment ouvert sa prestigieuse cave aux amateurs de vins avec un atelier de dégustation. D'autres grands aménagements sont à noter : un spa pour une petite pause bien-être, un manège et une patinoire sont installés tour à tour à la fin de l'année dans la cour de l'hôtel pour que petits et grands s'amusent ensemble.

LE BRISTOL
112, rue du Faubourg-Saint-Honoré
✆ 01 53 43 43 00
Fax : 01 53 43 43 01. Site Internet : www.hotel-bristol.com – M° Miromesnil. Chambres de 750 € à 900 €, suites juniors à partir de 1040 € à 1370 €, suites à partir de 1850 € et suites Prestige à partir de 2300 €. Petit déjeuner continental : 38 €, américain : 55 €.
Le charme du vrai luxe, c'est sa discrétion. Au Bristol, pas d'ostentation. Derrière une façade discrète, ce magnifique palais de style XVIIIe construit dans les années 20, cultive l'ambiance d'une demeure privée, avec ses collections de meubles Louis XVI, de tapisseries des Gobelins et de toiles de maîtres, et son vaste jardin « à la française ». Le Bristol propose 161 chambres et suites très spacieuses, au décor personnalisé et harmonieux où les boiseries sont réchauffées d'étoffes précieuses, de gravures anciennes, de lustres de cristal, de tapis persan. Les suites présidentielles disposent d'un hammam privé et les suites terrasses, d'un jardin suspendu. Au 6e étage, le Fitness Center est une véritable nef de verre en plein ciel, avec vue sur les toits de Paris, avec une piscine habillée de teck. Dans le centre de beauté Anne Sémonin, récemment embelli, les voyageurs apprécieront entre autres soins le traitement « Jet Lag » et la nouvelle cure « Haute Couture ». De 16h à 18h30, c'est l'heure du « Thé du Bristol ». Au-dessus de tout cela flotte le souvenir des hôtes du passé : Ava Gardner, Marilyn Monroe, Grace Kelly, Orson Welles. Cette année l'hôtel procède à des travaux d'agrandissements : 26 nouvelles chambres et suites décorées de tissus aux tonalités douces signés des plus grandes maisons (Pierre Frey, Nobilis, Canovas) et meublées dans le même esprit que les autres chambres avec de vastes salles de bains en marbre rose du Portugal... D'autre part le Bristol a été doublement honoré en 2009 : il a été désigné «Meilleur hôtel du monde 2008» par le magazine Institutional Investor. Quant à son chef Eric Fréchon il a reçu sa troisième étoile au Michelin en 2009.

S'informer

LA PRESSE

Kiosques ouverts 7j/7 et 24h/24

• 32 et 58, avenue des Champs-Élysées (8e). M° Franklin Roosevelt
• 14-16, boulevard de la Madeleine (9e). M° Madeleine
• 2, boulevard Montmartre (9e). M° Grands Boulevards
• 16, boulevard de Clichy (18e). M° Pigalle

Les quotidiens

LE PARISIEN
25, avenue Michelet – (93) Saint-Ouen
✆ 01 40 10 30 30
Site Internet : www.leparisien.fr Tarif : 0,90 €.
Le Parisien s'est donné pour mission d'informer, de distraire et de rendre service, trio qu'il enrichit avec le triptyque : Révéler, Etonner et Raconter. Forte de plus de 300 journalistes, de ses pigistes et de ses correspondants locaux présents sur tout le territoire national mais aussi à l'étranger, la rédaction du Parisien se donne ainsi les moyens d'être quotidiennement au plus près de l'actualité.

Les hebdomadaires

L'OFFICIEL DES SPECTACLES
17, rue du Colisée (8e)
✆ 01 42 25 57 84
Tarif : 0,35 €
Magazine, qui recense toutes les sorties culturelles et sportives de Paris et sa banlieue. Une foule d'informations pratiques évitant de perdre temps et argent : horaires, tarifs, situation sur le plan de métro, accès aux handicapés, genre et durée du spectacle, etc. Il donne aussi plein d'idées de balades, d'activités pour les enfants, une liste des cabarets et cafés-théâtres incontournables.

L'EXPRESS MAGAZINE
29, rue de Châteaudun (9e)
✆ 01 75 55 10 00
Site Internet : www.lexpress.fr
Tarif : 3 €. Régulièrement L'Express – Le Magazine propose un supplément (au centre du journal) consacré à l'un des nombreux quartiers de Paris dans lequel sont recensées les meilleures adresses heure par heure. Idéal pour savoir où acheter les croissants du petit déjeuner, quel itinéraire emprunter pour le jogging matinal, ou bien encore boire son café en lisant le journal, prendre l'apéro, dans quel coin se promener à pied, ou encore chiner, goûter, prendre des cours de danse… et ainsi de suite jusqu'à minuit et plus. En dernière page, des renseignements pratiques (parkings, bornes de taxis, prix de l'immobilier, etc.) et quelques infos historiques viennent compléter ces dossiers toujours bien ficelés.

LE FIGAROSCOPE
14, boulevard Haussmann (9e)
✆ 01 57 08 50 00
Site Internet : www.figaroscope.fr
Tarif 1,10 €. Le Figaroscope est vendu le mercredi en supplément de l'édition quotidienne. C'est un guide d'environ 60 pages qui a été créé en septembre 1987. La rédaction met en perspective l'ensemble de l'actualité culture, loisirs et sorties à Paris et en Ile de France. Depuis, cet hebdomadaire n'a cessé de suivre l'air du temps et a su s'adapter aux différentes demandes de son lectorat. Plus moderne, plus clair, plus élégant, le Figaroscope a aujourd'hui l'allure d'un magazine culturel.

PARISOBS – LE NOUVEL OBSERVATEUR
10-12, place de la Bourse (2e)
✆ 01 44 88 34 34
Site : http://obsdeparis.nouvelobs.com Tarif : 3,20 €.
Toute l'actualité de l'Ile de France se trouve dans ce supplément Paris-Ile de France du Nouvel Observateur qui paraît le jeudi. A la une, un dossier complet sur un sujet d'actualité. A l'intérieur, des rubriques actus, people, événements, shopping mais aussi tout ce qui participe aux sorties, expositions, nouveaux lieux qui bougent et restaurants parisiens sans oublier les pages tendances, les sélections littéraires, musicales, etc.

PARISCOPE
151, rue Anatole-France (92)
– LEVALLOIS-PERRET
✆ 01 41 34 73 47
Site Internet : www.pariscope.fr Tarif : 0,40 €.
Paraissant le mercredi, il tient dans la poche et c'est la Bible de nombre de Parisiens. Grâce à lui, vous saurez tout sur les spectacles, concerts, séances de ciné, dans votre quartier ou à l'autre bout de la ville. De l'info donc, des critiques mais aussi des coups de cœur et de belles images pour ce concurrent de l'Officiel des Spectacles.

TELERAMA
8, rue Jean-Anatole-de-Baïs (9e)
✆ 01 55 30 55 30
Site Internet : www.telerama.fr Tarif : 2 €.
Chaque mercredi, Télérama propose un supplément «Sortir» qui met en avant les événements de la capitale à ne pas manquer, et un grand dossier urbain. Télérama, c'est aussi un hors-série par mois naviguant entre tous les arts, musique, littérature, peinture, sculpture ou bien encore design. Avec plus de 100 pages, chaque numéro est une vraie source de documentation inédite et passionnante.

DIRECT MATIN – DIRECT SOIR
31-32, quai de Dion-Bouton – (92) PUTEAUX
✆ 01 46 96 31 00
Site Internet : www.directsoir.net
Le premier gratuit du soir à la criée ! Direct Soir, publication du groupe Bolloré (chaîne Direct 8 sur la TNT), est le premier quotidien gratuit du soir qui a ainsi vu le jour en France. Diffusé à 500 000 exemplaires dans plus de cinquante villes de France dont Paris bien sûr, Direct Soir se consacre aussi bien à l'actualité qu'aux loisirs, à la culture et aux people. Direct Soir, c'est 28 pages couleurs, tel un «picture magazine», dont la maquette laisse une large place à l'image et adopte le principe d'une lecture zapping avec un ton décalé et positif. Direct Soir se veut un quotidien populaire pour séduire aussi bien les actifs, hyper sollicités, que le plus grand public. Le quotidien renoue ainsi avec la grande tradition de la criée puisque distribué tous les jours à partir de 17 heures par une équipe de plus de 300 personnes aux cœurs des flux urbains et plus de 150 dépôts supplémentaires.

SPORT
16-18, rue Rivay – (92) LEVALLOIS-PERRET
✆ 01 41 27 89 79
Site Internet : www.myfreesport.fr
Gratuit paraissant le vendredi, Sport fait la part belle aux photos en s'intéressant immanquablement aux grands sports médiatiques que sont le rugby, le foot ou encore le tennis ou la formule 1. Une constante cependant : des rubriques axées sur le bien-être, la santé et des portraits de jeunes femmes que l'on préfère vous présenter légèrement vêtues plutôt que dans leur tenue de sport. Du glamour, de la glisse, de l'actu, le tout servi par la couleur et un grand format qui met bien en valeur une maquette contemporaine.

MATIN PLUS
31-32, quai de Dion-Bouton – (92) PUTEAUX
✆ 01 46 96 31 00
Site Internet : http://directmatin.directmedia.fr
Le premier quotidien gratuit en collaboration avec Le Monde et Courrier International choisit de vous réveiller à coups de visuels. Un système de portfolio permet de présenter l'essentiel de l'actualité en images, un bon moyen de s'informer pour ceux que la lecture de colonnes rebute de bon matin. On retrouve systématiquement un écho de l'actualité en Ile de France, en France et dans le monde. Enfin, les sujets deviennent plus légers avec des rubriques Sports, Loisirs et Pratique (jeux, télé, météo...) qui clôturent agréablement ce quotidien qui a su trouver son propre style graphique, davantage inspiré des magazines que des journaux. Matin plus se décline à Lille, Lyon, Montpellier, Bordeaux et Marseille.

LES RADIOS

Radios FM nationales

103.1 – RMC INFO
12, rue d'Oradour-sur-Glane (15e)
✆ 01 71 19 11 91 ou 32 16 (0,34 €/min)
Site Internet : www.rmcinfo.fr
RMC Info, c'est la radio d'info de la génération FM. Talk-show en direct, interactivité permanente, etc. Avec Jean-Jacques Bourdin, Luis Fernandez, Alexandre Delpérier, Jean-Michel Larqué, François Sorel, Brigitte Lahaie, etc. Tous les programmes de RMC Info vous informent et vous donnent la parole en direct. RMC Info, c'est aussi la radio n°1 sur le sport avec près de 50 heures d'antenne par semaine. Grâce au «Widget RMC» (en français : «machin»), petit programme graphique, chacun peut désormais écouter RMC au bureau sans avoir pour cela à lancer le site internet. Une l'application téléchargée, vous aurez le «Widget RMC» sur votre bureau que vous pourrez écouter en continu.

96.4 – BFM
12, rue d'Oradour-sur-Glane (15e)
✆ 36 67 (0,34 €/min)
Site Internet : www.radiobfm.com
Actualité générale en continu pour cette radio dont la devise est «l'économie full-time», le « B » signifiant Business. Beaucoup d'économie donc mais aussi une bonne dose de culture avec des chroniques sur la littérature, la gastronomie, les voyages, etc. B'FM se décline désormais à l'écran avec la chaîne BFM TV.

90.4 – NOSTALGIE
22, rue Boileau (16e)
✆ 01 40 71 40 00
Site Internet : www.nostalgie.fr
Nostalgie offre à ses auditeurs une programmation unique en France : de Johnny et Eddy aux Beatles en passant par les Rolling Stones, du début du Rock'n'roll à l'apogée du disco. La programmation de Nostalgie réunit tous les tubes et tous les artistes cultes des années soixante et soixante-dix. Nostalgie, à Paris, c'est le rendez-vous de l'information, des jeux et des événements de légende. Sur Nostalgie, chaque génération se rejoint pour écouter des tubes inoubliables et partager des moments exceptionnels. Nostalgie est la référence des plus grandes légendes françaises et internationales des 60's et 70's.

91.3 – CHERIE FM
22, rue Boileau (16e)
✆ 01 40 71 40 00
Site Internet : www.cheriefm.fr
Chérie FM est devenue la référence de la détente, de l'évasion et du bien-être sur les ondes. Les animateurs installent une relation de séduction avec les auditeurs, et de grandes plages musicales sont associées à ces tête-à-tête quotidiens. Cette intimité avec l'auditeur est encore renforcée dans plus de 40 villes où la matinale propose des informations locales et un programme de proximité, grâce à plus de 100 journalistes et animateurs qui réveillent les auditeurs de Chérie FM. Dès 9h30, le flux musical accompagne les auditeurs avec toutes leurs chansons préférées. La programmation de Chérie FM offre un voyage au cœur des années 1980, 1990 et 2000 avec 45 % de variétés internationales et 55 % de variétés françaises (dont 20 % de nouveautés).

92.1 – LE MOUV'
16, avenue du Président-Wilson (16e)
✆ 08 10 16 18 25
Site Internet : www.radiofrance.fr/chaines/lemouv
Dépendante de Radio France, Le Mouv' est destiné aux moins de 30 ans et propose différents magazines musicaux, d'infos, de conseils pratiques. Le Mouv', c'est donc avant tout «de l'ambiance, de la zique» et tout ce qui est à savoir des spectacles à Marseille, Lyon, Lille, Toulouse ou bien encore Nantes, etc. Histoire de... On ne sait jamais, si vous passez par-là.

106.7 – BEUR FM
89, rue Oberkampf (11e)
✆ 08 92 68 10 67
Site Internet : www.beurfm.net
Beur FM est une radio communautaire à vocation généraliste, laïque et indépendante. Sa langue d'expression est le français, même si des émissions en langue arabe et en langue berbère ponctuent ses programmes. La vocation de Beur FM est triple : informer, divertir, cultiver, de façon laïque et indépendante. Elle donne des repères culturels aux gens issus de l'immigration. La radio se situe dans un espace franco-maghrébin à partir de populations définitivement enracinées en France, quelles que soient les générations, quelle que soit la «couleur culturelle» : arabe, berbère, juive, pied-noir, etc.

100.3 – NRJ
22, rue Boileau (16e)
✆ 01 40 71 40 00
Site Internet : www.nrj.fr
Est-il encore nécessaire de présenter cette radio... La première à s'être imposée sur la bande FM ? Alors que les trentenaires se souviennent avec nostalgie de ces longues heures passées à écouter cette radio jusqu'à tard le soir afin d'être au top de l'actualité musicale, ce sont aujourd'hui leurs enfants qui sont accrocs à NRJ. Toujours à l'affût de l'actualité musicale, NRJ s'impose comme la référence. Et pas seulement pour les teenagers, n'est-ce pas ? NRJ propose aussi de nombreuses manifestations internationales telles les annuels NRJ Music Awards, un centre de formation avec la NRJ Academy et enfin une chaîne TV musicale avec NRJ 12.

97.4 – RIRE ET CHANSONS
22, rue Boileau (8e)
✆ 01 40 71 40 00
Site Internet : www.rireetchansons.fr
Musique distrayante et surtout des sketchs en général très drôles et pas forcément archi-connus. Coluche, Bigard, Devos... Ils sont au programme de Rires & Chansons. On a grand plaisir à réentendre, par exemple, de longs et hilarants extraits des émissions de télévision des Inconnus. En écoutant Rire et Chansons, on peut aussi gagner des invitations aux spectacles de nos comiques préférés.

101.9 – FUN RADIO
20, rue Bayard (8e)
✆ 08 25 08 50 00 (0,15 €/min)
Site Internet : www.funradio.fr
Comme son nom l'indique on s'amuse avec Fun Radio (avec entre autres un certain Cauet... vous connaissez ?). Mais ce qu'on sait faire le mieux sur cette radio, c'est faire danser les auditeurs sur les rythmes les plus tendances : Madonna, David Guetta, Shakira, Bob Sinclar... Ambiance dance floor assurée.

96 – SKYROCK
37 bis, rue Greneta (2e)
✆ 01 44 88 82 00
Site Internet : www.skyrock.fm
Skyrock demeure, au fil des années, la radio spécialisée en rap, hip-hop et dance. Une référence, pour les inconditionnels en somme.

101.1 – RADIO CLASSIQUE
12 bis, place Henri-Bergson (8e)
✆01 40 08 50 00
Site Internet : www.radioclassique.fr
Pour le plaisir des auditeurs avant tout, Radio Classique a choisi de laisser la parole à la musique. En proposant une programmation mêlant harmonieusement chefs-d'œuvre célèbres et compositeurs méconnus, Radio Classique s'adresse aussi bien au mélomane confirmé qu'à l'amateur désireux de découvrir la musique avec un grand « m». Entre deux, la parole est aussi donnée aux experts et aux acteurs de la vie économique et culturelle. Pas étonnant donc que Radio Classique séduise par son caractère unique alliant musique classique et information.

102.7 – MFM
104, avenue du Président-Kennedy (16e)
✆01 55 74 55 70
Site Internet : http://mfm.emotionnelle.fr
Fière descendante de Radio Montmartre, MFM ne cesse de s'imposer dans le paysage radio français. Radio musicale par excellence, elle se veut proche de ses auditeurs et tout particulièrement de la gente féminine, à travers une programmation diversifiée, trans-générationnelle et grand public. Composée à 65 % de succès francophones, la station couvre les années quatre-vingt et quatre-vingt-dix avec de grandes références telles que Natasha Saint-Pier, Laurent Voulzy ou encore Patrick Bruel, Tina Arena, etc. Les jeunes talents y ont également leur place. Tout au long de la journée, des rendez-vous avec l'info locale, nationale et internationale ainsi que des points sur la météo et le trafic. Jeux, chroniques et rubriques pratiques sont également au programme. A noter que MFM s'est doté d'un site tout aussi informatif et dynamique et parsemé d'opérations spéciales.

103.5 – VIRGIN RADIO
28, rue François-Ier (8e)
✆01 47 23 10 00
Site Internet : www.virginradio.fr
Il faut s'y faire, on ne dira plus Europe 2 désormais, mais Virgin Radio. Changement de nom et de logo, certes, mais les bons vieux standards des années 80 et 90 et les bonnes nouveautés, triées sur le volet, sont toujours au programme. Virgin Radio mise toujours sur la qualité, aussi bien en matière de programmation musicale qu'en matière d'animation, depuis nos réveils vitaminés en compagnie de Nagui et Manu, à nos soirées Happy Rock Hours pour écouter la crème du rock.

103.9 – RFM
28, rue François-Ier (8e) ✆01 42 32 20 00
Site Internet : www.rfm.fr
RFM, le meilleur des années 80 à aujourd'hui ! Telle est la devise de cette radio dont la vocation de détente, propose, certes, de la variété internationale, mais aussi quelques bonnes chroniques le tout accompagné de flashs infos récurrents tout au long de la journée. Retrouvez Le Meilleur de la Musique avec Pat Angeli sans oublier Bruno Robles qui vient enchanter vos fins d'après midi tous les jours de la semaine en revisitant les fameuses 80's.

105.9 – RTL 2
22, rue Bayard (8e) ✆32 28 (0,34 €/min), puis faites le 1 pour accéder au standard
Site Internet : www.rtl2.fr
RTL 2 se veut avant tout la radio Pop-Rock de la bande FM et propose à ses auditeurs des tranches musicales en continu, interrompues par des flashs d'information. Régulièrement, la radio retransmet des concerts privés et des sessions acoustiques. Sur son site Internet, RTL2 recommande festivals et concerts. Depuis le départ de Benjamin Castaldi du Grand Bazar, le duo Alessandra Sublet et Christophe Nicolas a repris les commandes de la matinale pour un Grand Morning de 5h à 9h.

107.7 – AUTOROUTE INFO
8, rue Troyon – (92) SEVRES ✆01 46 90 70 00
Radio d'information autoroutière, Autoroute Info couvre aujourd'hui 1 200 km du réseau Cofiroute et réseau SAPN avec une fréquence unique, 107.7 MHz : vous l'écoutez donc sur les axes Paris-Caen, Paris-Rennes, Paris-Nantes, Paris-Poitiers et Paris-Bourges. Sa fonction prioritaire est l'information-trafic pour une meilleure sécurité. Elle permet d'informer les utilisateurs de l'autoroute des éventuelles perturbations (accidents, bouchons, brouillard...) avec réactivité et précision. Son deuxième objectif est d'accompagner les auditeurs tout au long de leur voyage avec un programme agréable et dynamique conciliant musique, chroniques thématiques sur les régions desservies (gastronomie, enfants, automobiles...) et toujours des conseils de sécurité.

Radios FM parisiennes

88.2 – RADIO GENERATIONS
8, boulevard de Ménilmontant (20e)
Site Internet : www.generationsfm.com
Appelez le 3215 code 882 (0,34 !/min) et tapez 6 pour obtenir le Standard. Générations 88.2 est depuis son origine la radio locale parisienne de référence aux programmes ciblés « hip hop ✆ 0soul».

88.6 – RADIO SOLEIL
BP 321 – 57, rue d'Avron (20e)
✆01 43 48 89 74. Antenne : ✆01 43 48 43 43
Site Internet : www.radio-soleil.com
Radio Soleil est une radio associative en direction de la communauté maghrébine et propose de l'information avant tout. A 5h, 7h30, 11h, 12h, 13h, 17h, 18h et 19h30, un flash info est proposé en arabe littéraire. Deux journaux en français à 7h30 et 13h30. On y retrouve aussi des magazines politiques, des émissions culturelles et sportives, et bien évidemment de la musique. Vous pouvez aussi écouter en FM les programmes de Radio Soleil à Marseille (87.7), Nancy (97.9), Saint-Etienne (102.4), et Amiens (107.1).

89.9 – TSF
33, rue du Faubourg-Saint-Antoine (11e)
✆01 53 33 22 80
Site Internet : www.tsfjazz.com
TSF, c'est avant tout du jazz 24 heures sur 24 : il y a la voix rauque d'Armstrong, le sax de Coltrane, le piano de Keith Jarrett, la basse de Ron Carter ou la batterie d'Art Blakey mais pas seulement… le Jazz est si grand ! TSF c'est donc le plaisir de fredonner, c'est aussi, pris dans les embouteillages, tapoter son volant sous le soleil du jazz et sous la pluie du blues, etc. TSF souhaite avant tout convertir ceux qui détestent le jazz et satisfaire les passionnés par des infos musicales de premier ordre.

92.6 – TROPIQUES FM
4, boulevard des Iles – (92) Issy-Les-Moulineaux ✆01 46 48 92 60
Site Internet : www.tropiquesfm.com
En lieu et place de Média Tropical, c'est Tropiques FM que vous retrouvez désormais sur la fréquence 92.6. Tropiques FM se veut la radio d'Outre-mer et de la diversité, comprenez un mélange d'émissions musicales, culturelles, de divertissement et d'information. Le Tropical Show est un carrefour artistique où musiciens, écrivains, personnalités des médias et du cinéma, plasticiens et artistes du monde de la mode viennent faire leur show. Une plage est consacrée chaque jour aux nouveautés zouk, dans l'émission « Zouk la se sel medikaman nou ni ». Le magazine « Ôtrement dit », présenté par Claude Sérillon et Dominique Roederer, se penche quant à lui sur des thèmes d'actualité qui préoccupent les français de métropole et d'Outre-mer.

93.1 – RADIO PAYS
BP136 – (93) Montreuil
✆01 48 59 22 12
Site Internet : www.radiopays.org
Radio Pays est avant tout une association mettant en avant les communautés Corse, Basque, Bretonne, Catalane, Alsacienne, Flamande et Occitane d'Ile de France. Ainsi, Radio Pays propose musiques et chansons françaises régionales, en français ou en langue régionale, musiques traditionnelles collectées ou arrangées sans oublier les musiques régionales actuelles mais aussi des musiques originaires d'autres communautés d'Europe et du monde. Radio Pays, c'est aussi de l'information et surtout de l'information régionale. C'est même un point fort de ses émissions. L'auditeur attend les nouvelles du pays, celles qu'il ne trouve pas dans les médias nationaux ou sur les radios d'Ile de France. Une partie des informations est donnée en direct du pays sous forme de duplex avec les correspondants et radios amies dans les régions. Radio Pays c'est enfin un agenda régulier, réservé à la vie des associations régionalistes en Ile de France et à l'annonce ou à la rétrospective de leurs manifestations.

93.9 – RADIO CAMPUS
50, rue des Tournelles (3e)
✆01 49 96 65 45
Site Internet : www.radiocampusparis.org
Radio Campus Paris émet 24h/24 sur son site Internet, et de 17h30 à 5h30 sur le 93.9.
Le contenu de ses émissions est axé sur le monde étudiant dans sa diversité et sa pluralité et regroupe toutes les intentions d'une future radio FM : promouvoir et faire découvrir toutes les musiques contemporaines (hip-hop, rock indépendant, techno, etc.), donner de l'écho à l'information étudiante et locale, présenter en premier lieu le point de vue, la situation, en un mot, la vie, des étudiants.

93.1 – ALIGRE FM
42, rue de Montreuil (11e)
✆01 40 24 28 28
Aligre FM est une radio associative non commerciale attributaire d'une fréquence partagée à moitié avec Radio Pays. Aligre FM émet du lundi au vendredi de 4h à midi et de 17h à 21h, du samedi 16h au dimanche 14h, et le dimanche soir à partir de 22h. Passant de la musique contemporaine au rock français, du heavy metal au reggae, cette radio n'en oublie par pour autant l'actualité culturelle parisienne.

94.3 – RADIO ORIENT
98, boulevard Victor-Hugo – (92) CLICHY
✆01 41 06 16 39
Site Internet : www.radioorient.com
Radio Orient est née dans la mouvance des radios libres. Après plus de 20 ans de diffusion en France, sur la bande FM, la station a acquis une notoriété certaine auprès de son auditoire : des Français d'origine arabo-musulmane dont le nombre est de six millions de personnes environ, et des Français de souche qui s'intéressent à la culture d'une partie de leurs concitoyens. Première radio communautaire selon les instituts de sondage, son objectif est de promouvoir le message tolérant et moderniste d'un Islam compatible avec le caractère laïc et républicain des institutions et de la société française.

94.8 – RCJ
39, rue de Broca (5e) ✆ 01 42 17 10 11
Site Internet : www.radiorcj.info
RCJ émet tous les jours en direct de 8h à 8h30, de 11h à 14h et de 23h à minuit.
RCJ a été créée par le Fonds Social Juif Unifié, organisme central dans les domaines de la solidarité et de l'identité de la communauté juive. Dès sa création, elle s'est posée pour objectif d'être une sorte de « service public « pour tous ceux qui se reconnaissent dans le judaïsme français et souhaitent s'identifier à lui dans une démarche de rayonnement et d'ouverture. Les premiers pionniers furent un petit noyau de journalistes de la revue l'Arche qui ont parié pour ce nouveau média et se sont lancés dans une aventure qui n'a cessé de se développer au cours des vingt dernières années. La radio s'est imposée depuis comme un lieu central de la vie juive, un lien devenu indispensable entre les auditeurs disparates, un instrument d'information, de culture, de service, un lieu d'identification. Information, culture, services, loisirs, RCJ développe simultanément tous ces secteurs en ayant pour règle, outre la qualité que ses auditeurs veulent bien lui reconnaître, la rigueur, le pluralisme, l'ouverture.

96.9 – VOLTAGE
Site Internet : www.voltage.fr
Voltage est la radio de référence pour tous les jeunes franciliens avec une cible 25-35 ans. Très largement implantée dans la vie parisienne, elle diffuse tous les hits du moment (R'n'B, pop, variétés). La radio s'organise autour des préoccupations de ses auditeurs avec une actu locale développée tout au long de la journée, des flashs en soirée, des infos sur l'emploi, le multimédia, le cinéma, la mode, les sorties, la météo et le trafic. Parfois, un artiste s'installe à l'antenne toute la journée. Enfin, le soir, avec la love line, passez vos messages d'amour à l'antenne.

98.6 – RADIO ALPHA
1, rue Vasco-de-Gama – (94) VALENTON
✆ 01 45 10 98 60
Site Internet : www.radioalfa.info
Depuis 1997 Radio Alpha est l'unique radio des communautés d'expression portugaise couvrant l'ensemble de Paris et de l'Ile de France. Sa programmation se veut généraliste : musique, info (en français et en portugais) avec de nombreux invités, spectacles, sports et infos en direct du Portugal.

99.0 – RADIO LATINA
83, avenue d'Italie – Immeuble Le Périscope (13e) ✆ 01 44 06 99 00
Site Internet : www.latina.fr
Radio parisienne de toutes les musiques latines, Radio Latina se définit comme la radio officielle de la fiesta. Laissez-vous transporter par la chaleur et les rythmes latins… Caliente assurée !

99.9 – SPORT FM
Site Internet : www.sportfm.fr
Attention, ne jamais se fier aux premières impressions ! En voici la preuve avec cette radio qui au-delà d'une actualité sportive de premier ordre mise dorénavant sur l'electro et la dance-music… Etonnant non ?

100.7 – RADIO NOTRE-DAME
11, rue Rosenwald (15e)
✆ 08 92 68 80 30 (0,34 €/min)
Site Internet : www.radionotredame.com
Chaque jour, Radio Notre-Dame vous informe, vous divertit et vous ouvre au monde chrétien par des prières, des temps de méditation ou d'enseignement. Une cinquantaine de personnes assure au quotidien la bonne marche de la radio. Grâce à son important réseau de correspondants, Radio Notre-Dame donne une large place à l'information avec deux éditions matinales accompagnées d'une revue de presse, des flashs horaires toute la journée, les journaux de Radio Vatican et le Grand Journal à 18h30. En effet, si Radio Notre-Dame se donne pour objectif de faire connaître la vie de l'Eglise, d'expliquer et de rendre accessible à tous son message, elle souhaite aussi rendre compte librement de l'actualité du monde, de ses enjeux les plus profonds, en misant sur la proximité. Le tout avec un regard bienveillant mais sans tomber dans l'angélisme.

97.8 – RADIO FG
51, rue de Rivoli (1er) ✆ 01 40 13 88 00
Site Internet : www.radiofg.com
FG s'est au cours de ces dernières années affirmée comme première radio branchée parisienne. Sa diffusion nationale et internationale (Internet, bouquet satellite) poursuit son ascension. De nombreux DJ animent l'antenne de la première DJ Radio d'Europe. FG n'en oublie pas pour autant l'actualité et les plans capitaux pour sortir là où il faut sortir.

101.5 – NOVA
33, rue du Faubourg-Saint-Antoine (11e)
✆ 01 53 33 33 15
Site Internet : www.novaplanet.com
Radio Nova c'est de la pure radio old school. Des choix musicaux guidés par la subjectivité. Chez Nova, les panels s'appellent les oreilles, des oreilles faites pour vous étonner certes, parfois, mais vous garder éveillé le plus souvent.

102.3 – OUI FM
2, rue de la Roquette (11e)
✆ 01 53 36 56 78
Site Internet : www.ouifm.fr
Ouï FM c'est l'info illico et du rock à gogo. Des invités qui jouent pour vous en acoustique, des auditeurs qui prennent les commandes de la station, des bons plans annoncés tous les week-ends, bref tous les ingrédients pour vous donner du tonus

105.1 – FIP
116, avenue Président-Kennedy (16e)
✆01 56 40 22 22
Site Internet : www.fipradio.com
Fip est une radio parisienne d'accompagnement musical qui s'est étendu à d'autres villes de France. Jour et nuit, 365 jours sur 365, toutes les musiques sont présentes sur cette station. Cette radio privilégie en effet la musique, le tout sans parlottes inutiles, excepté l'intervention régulière des animatrices à la voix chaude et sensuelle vous informant de l'état du trafic parisien (toutes les trente minutes). Flashs d'infos à 50 de chaque heure.

107.5 – AFRICA N°1
33, rue du Faubourg-Saint-Antoine (11e)
✆01 55 07 58 01
Site Internet : www.africa1.com
Africa n°1 est la plus importante des radios africaines francophones. Ses programmes sont diffusés dans le monde entier grâce à ses émetteurs ondes courtes. La radio dispose également de relais FM (modulation de fréquence) dans les grandes capitales d'Afrique francophone et à Paris. Africa n°1 propose à ses auditeurs des bulletins d'information à chaque heure entre 5h30 et 23h00 (temps universel) et des grandes éditions le matin (5h30 à 8h30), le midi (12h) et le soir (18h00) composés par sa rédaction située à Libreville et ses correspondants basés dans toute l'Afrique et en Europe.

107.1 – FRANCE BLEU ILE DE FRANCE
116, avenue du Président-Kennedy (16e)
✆01 56 40 22 22
Site Internet : www.bleuiledefrance.com
Depuis bientôt deux ans, l'Ile de France a enfin sa fréquence France Bleu, au même titre que d'autres régions françaises. La programmation est éclectique entre musique, journaux, sports, culture, science, technologie, une bonne petite généraliste qui joue la carte locale. Fréquences des communes environnantes : Corbeil-Essonne 107.1 – Melun 92.7 – Fontainebleau 103.3 – Nemours 101.4 – Provins 92.7 – Chartres 97.3

LES CHAÎNES DE TÉLÉVISION

CAP 24
15, rue Cognacq-Jay (7e) ✆01 49 55 02 90
Site Internet : www. pariscap.com
CAP 24 est la nouvelle chaîne de télévision locale à Paris, qui émet 7j/7, 24h/24. En prise directe avec l'actualité, la programmation est rythmée tous les quarts d'heure par des flashs info («Paris Info Express») et des agendas. Son objectif : donner aux Parisiennes et aux Parisiens actifs l'envie de mieux vivre Paris. Les informations locales pratiques et de services, les bons plans et les rendez-vous insolites distillés tout au long de la journée, la positionnent comme LA chaîne «parisienne» par excellence.

PARIS PREMIERE
89, avenue Charles-De-Gaulle – (92) NEUILLY-SUR-SEINE ✆01 41 92 57 00
Site Internet : www.paris-premiere.fr
Une Parisienne ouverte. Tel est le credo de cette chaîne qui ne cesse de gagner en notoriété. Il faut dire que des grands noms du PAF s'y côtoient : Pierre Lescure et ses chroniqueurs de « Ça balance à Paris », Elisabeth Quin, qui y fait son cinéma, ou encore Melissa Theuriau qui propose « 2, 3 jours avec moi ». Quelques émissions assurent le côté parisien de la chaîne, Paris Dernière faisant partie des plus connues. Le cinéma américain est aussi en bonne place avec les rediffusions du célèbre Actors Studio et Hollywood Stories.

FRANCE 3 PARIS ILE-DE-FRANCE
66, rue Jean-Bleuzen – (92) VANVES
✆01 41 09 33 33
Site Internet : http://paris-ile-de-france-centre.france3.fr
L'édition francilienne de France 3 regroupe l'agglomération parisienne et les sept départements qui l'entourent. Elle propose plusieurs rendez-vous d'information dans la journée : deux journaux régionaux quotidiens : le 12-14 et le 19-20 sans oublier des émissions toutes aussi franciliennes.

LES TRANSPORTS EN COMMUN

Trains et métros

RATP

Sites Internet : www.ratp.fr et www.transilien.com

Des plans du réseau des transports en commun sont remis gratuitement aux guichets des stations, ainsi que dans les différents points d'accueil de l'Office du Tourisme de Paris. Le métro fonctionne tous les jours entre 5h30 et 0h30, voire 1h sur certaines lignes. La fréquence de passages est moins élevée le soir, dimanche et les jours fériés. La nouvelle ligne 14 Météor (automatique) assure une fréquence plus soutenue le dimanche. Le métro et le tramway s'arrêtent à 2h15 au lieu de 1h15 les nuits des samedis et veilles de fêtes. Lors des nuits festives (1er de l'An, Fête de la musique du 21 juin), les métros, bus, RER, tramways et trains fonctionnent toute la nuit. Le RER (Réseau Express Régional) circule de 5h30 à 0h30, sa fréquence de passage est réduite le dimanche (compter 10 à 15 minutes d'attente selon les stations). Les trains de banlieue (Transilien) partent des principales gares parisiennes (Nord, Est, Lyon, Austerlitz, Montparnasse, Saint-Lazare) et possèdent les mêmes zones tarifaires (de 1 à 8) que le RER, ces lignes complètent le réseau RER avec lequel elles partagent de nombreuses connexions.

Bus et tramway

Un numéro unique de service clientèle pour les bus et tramway, de 7h à 21h du lundi au vendredi sauf jours fériés : 32 46 (0,34 €/minute)

ALLO BUS
© 0810 24 24 77
(prix d'un appel local d'un poste fixe)

Site Internet : www.allobus.com

C'est un mode de transport à la demande qui est constitué de six lignes desservant les départements de Seine-Saint-Denis, Val d'Oise et 16 communes. Il permet de rejoindre Roissy Charles de Gaulle et ses zones de fret 24h/24, 7j/7 et 365 jours par an. La nuit ce service est disponible sur réservation téléphonique au moins 1h30 à l'avance.

BUS MOBILIEN

Site Internet : www.stif.info

Si la majorité des lignes de bus ne sont desservies que jusqu'à 20h30 environ, certaines lignes continuent de fonctionner jusqu'à 0h30. La fréquence de leur passage diminue à partir de 21h30, passant plutôt à 20 bonnes minutes d'intervalle.
Lignes : 21, 26, 27, 38, 42, 47, 52, 54, 57, 61, 62, 63, 65, 66, 72, 74, 80, 85, 87 (service partiel entre la porte de Reuilly et Bastille), 91, 92, 95, 96. Au-delà de 0h30, il faut se tourner vers le Noctilien.

NOCTILIEN

Site Internet : www.noctilien.fr

Les noctambules apprécieront le Noctilien (42 lignes), bus de nuit qui fonctionne tous les jours de l'année de 0h30 à 5h30 du matin. Il s'articule autour de cinq grandes stations de correspondance : gare de Lyon, gare Montparnasse, gare Saint-Lazare, gare de l'Est et Châtelet. On y accède à l'aide des titres de transports traditionnels (abonnement Intégrale, Carte Orange, imagine R, Mobilis, Paris Visite et CST (Carte Solidarité Transport), carte Emeraude et Améthyste gratuité. La tarification s'établit à partir de tickets T+ (1,60 €)

TRAMWAY

Site Internet : www.tramway.paris.fr

Depuis la mise en service du tramway T3 le 16 décembre 2006, sa fréquentation élevée incite les pouvoirs publics à développer ce mode de transport, son extension vers l'Est est donc en cours de travaux entre la Porte d'Ivry et la Porte de la Chapelle.

Bateau

COMPAGNIE DES BATOBUS®
Port de la Bourdonnais (7e) © 01 44 11 33 99

Site Internet : www.batobus.com

Horaires 2009 :
10h-19h : du 31 août au 4 novembre
10h30-16h30 : du 5 novembre au 29 décembre
Tarifs : forfait 1 jour : 12 €, 2 jours consécutifs : 16 €, 5 jours consécutifs : 19 €, annuel : 55 €. Les forfaits Batobus® permettent d'effectuer un nombre illimité de trajets pendant une durée déterminée.
Même si ce moyen de locomotion est apprécié des touristes, les parisiens auraient tort de s'en priver, quel pied d'aller faire ses courses après une petite croisière ou d'aller travailler en ayant respiré l'air des rives. La fréquence des bateaux est de 15 à 30 minutes entre huit escales qui permettent de découvrir Paris au fil de la Seine : Tour Eiffel, Port de la Bourdonnais (7e), Champs-Elysées, Port des Champs-Elysées (8e), Musée d'Orsay, Quai Solférino (7e), Louvre, Quai du Louvre (1er), Saint-Germain-des-Prés, Quai Malaquais (6e), Hôtel de Ville, Quai de l'Hôtel de Ville (4e), Notre Dame, Quai de Montebello (5e), Jardin des Plantes, Quai Saint-Bernard (5e).

VOGUEO
✆ 08 26 880 500 (0,35 €/min)
Site Internet : www.vogueo.fr
Tout nouveau, tout beau ! Les Franciliens disposent désormais d'un nouveau mode de transport en commun, la navette fluviale. Voguéo est un système de bateaux-navettes reliant la gare d'Austerlitz à Maisons-Alfort (Val-de-Marne) à une vitesse de 12 km/h dans Paris. Durant sa phase d'expérimentation, la ligne fluviale ne desservira que cinq « Escales » : Gare d'Austerlitz, Bibliothèque François-Mitterrand (à l'aller), Parc de Bercy (au retour), Ivry-Pont Mandela et Ecole vétérinaire de Maisons-Alfort. Les quatre catamarans de la flotte, accessibles aux personnes handicapées, peuvent accueillir jusqu'à 70 usagers (35 places assises). Les usagers peuvent utiliser leurs titres de transport habituels (à noter, la station Ecole vétérinaire de Maisons-Alfort se situant en zone tarifaire 3 est accessible avec les forfaits zones 1 et 2) ou s'acquitter d'un ticket Voguéo en vente à l'unité à bord des navettes au prix de 3 €. Côté fréquence, prévoyez un bateau toutes les 15 minutes en semaine aux heures de pointe, et 20minutes le week-end et en heures creuses. En semaine, la navette fonctionne de 7h à 21h et le week-end, de 10h à 20h30. Si le succès est au rendez-vous, Voguéo ouvrir de nouvelles lignes et étendre ses services vers l'ouest de Paris.

Autopartage : l'alternative individuelle

Alternative à la location de véhicules, l'autopartage met à disposition d'automobilistes, inscirts au préalable, une flotte de véhicules partagés entre plusieurs usagers, facilement accessibles, pour des déplacements courts et occasionnels. Trois entreprises sont labellisées par la Ville de Paris, un bon moyen pour désengorger les parkings : la Caisse Commune (www.caisse-commune.com), Mobizen (www.mobizen.fr) et Okigo (www.okigo.com).

LES TRANSPORTS PARTICULIERS

Covoiturage

ALLOSTOP
30, rue Pierre-Semard (9e)
✆ 01 53 20 42 42
Site Internet : www.allostop.net
Les trajets les plus fréquents proposés par cette association de covoiturage relient Paris à Lyon, Marseille, Aix, Bordeaux, Angers, Nantes et à la Bretagne. Cologne et Düsseldorf en Allemagne sont aussi des destinations fréquentes. La cotisation de 35 € vous donne accès à une carte de 10 trajets utilisables sur 2 ans, 50 € pour 20 trajets sur 3 ans. Si vous ne souhaitez pas vous engager, il est possible de payer une cotisation au trajet. Vous partagerez ensuite avec le conducteur les frais d'essence et de péage. Compter 30 € pour l'aller-retour Paris-Rennes. Le conducteur n'est pas tenu de payer la cotisation. Service très pratique, qui peut être l'occasion de rencontres intéressantes. Un seul problème : ce système ne peut pas garantir qu'un partenaire se manifeste pour la date voulue. Bonne idée pour ceux qui aiment les plans pas chers et qui disposent d'une certaine flexibilité horaire.

CARSTOPS
Site Internet : www.carstops.org
Ses motivations : trouver des solutions alternatives à l'utilisation individuelle de la voiture. Carstops n'est pas une société de location, mais de covoiturage. Une solution des plus économiques en matière de transports. Elle met en relation des personnes ayant un véhicule avec ceux qui n'en ont pas et souhaitant faire le même déplacement. Carstops permet à tous ceux qui ont une voiture, et qui souhaitent partager les frais d'essence et de péage, de trouver un ou plusieurs partenaires qui cherchent un moyen de se rendre pour peu de frais en France ou à l'étranger.

Parkings

- *Site Internet : www.infoparking.com*

La société Infoparking met à disposition une information détaillée sur les parkings publics parisiens dont l'accessibilité est passée au crible, ainsi que sur les parkings à louer ou à vendre.

- *Site Internet : www.parkingsdeparis.com*

Parkings de Paris est la première centrale de réservation de places de parking à Paris. Il s'agit d'un service personnalisé en fonction de vos critères de choix. Cela permet de limiter les frais de parking et de choisir celui qui est le plus proche de votre destination, le site recherchant pour vous le meilleur rapport prix/proximité. Le service de réservation est ouvert sur Internet du lundi au vendredi, de 9h à 19h, hors jours fériés.

Vélo

VELIB'

www.velib.paris.fr – Abonnement : 29 € par an. 1 jour : 1 €. 7 jours : 5 €.

Prendre un vélo dans une station, le déposer dans une autre, Vélib' est un système de location en libre service très simple à utiliser, disponible 24h/24 et 7j/7. Vous pouvez souscrire un abonnement Vélib' 1 an ou acheter des tickets Velib' pour 1 ou 7 jours pour une utilisation illimitée en fonction de l'abonnement. Quelle que soit la formule choisie, les 30 premières minutes de chaque trajet sont toujours gratuites. Le plan des stations de Vélib' est téléchargeable gratuitement sur le site Internet.

Pour plus d'information, voir aussi le chapitre "Se détendre"

INSOLITES

4 ROUES SOUS UN PARAPLUIE
12, rue Chabanais (2e) ✆ 0 800 800 631

Site Internet : www.4rs1p.com A partir de 54 € par personne s'il y a 3 personnes dans la 2 CV. Il est conseillé de réserver 15 jours à l'avance.

Visiter Paris dans une 2 CV menée par un chauffeur cultivé et sympathique, voilà une idée originale de balade à savourer entre amis ou en famille. Avec un charme rétro et un toit décapotable, une atmosphère chaleureuse s'installe rapidement, plusieurs thèmes sont proposés comme la « Matinée câline » qui comprend une virée en 2 CV suivie d'un brunch, le « Déjeuner sur l'herbe» est suiv i d'un pique-nique dans un jardin de Paris de son choix, la « Soirée romantique » se termine par un dîner dans une luxueuse brasserie parisienne. Chaque 2 CV peut accueillir jusqu'à trois personnes, les familles nombreuses pourront vivre l'escapade à plusieurs véhicules, des prestations annexes sont également proposées comme des dégustations de vins et de fromages, des visites insolites de monuments incontournables. Outre les thèmes « Paris éternel », « Paris méconnu », « Paris jardins », « Paris shopping », « Paris cinéma », une balade « Paris à la carte » permet aux passagers de choisir leur propre itinéraire, le thème de leur balade, l'heure et le lieu de départ (entre les 1er et 9e arrondissements) ainsi que la durée de leur escapade.

TAXI KING CLOVIS
✆ 06 65 63 81 61

Site Internet : www.taxikingclovis.com
Pour une course de Châtelet aux Champs-Elysées, comptez 15 €.

Tout le monde connaît le pousse-pousse des pays asiatiques qui se faufile partout. Il fait fureur depuis quelques années à Berlin, Londres, New-York et il arrive à Paris sous la houlette de Clovis Schwinger. Sur un simple coup de fil et votre pousse-pousse débarque pour une course dans Paris intra-muros et c'est aussi rapide qu'un trajet en bus. Un conseil : réservez le plus tôt possible.

SEGWAY TOUR
24, rue Edgar-Faure (15e) ✆ 01 56 58 10 54

Site Internet : www.citysegwaytours.com Ouvert tous les jours, même le dimanche, de 9h à 19h.

Depuis trois ans, le Segway, petit engin électrique écolo tout droit venu des Etats-Unis, a débarqué à Paris. Offrez-vous 4h de balade dans le Paris touristique, Champs de Mars, Invalides, Tuileries, pour 70 €. Balades tous les jours à 10h30 et à 18h30 avec un guide, nocturnes possibles.

AAMERICAN LIMOUSINES
✆ 01 39 35 09 99

Site Internet : www.aamericanlimousines.com
Evénement inoubliable… ce spécialiste de voitures de prestige met à votre disposition Cadillac, berlines, cabriolets ou une limousine. Il n'y a plus qu'à faire son choix

De 250 € (Cadillac) à 400 € (limousine 2004 Magnum dernier modèle) pour un minimum de trois heures de rêve, le chauffeur vous attendra avec la bouteille de champagne. Kilométrages illimités dans Paris, assurance et essence comprises. Des services sont également proposés aux sociétés, avec chauffeurs bilingues professionnels. La voiture de monsieur est avancée… Information et devis de 9h30 à 17h30 du lundi au vendredi. Réservations urgentes 24h/24 au 0 820 090 999.

LOCABUS
19, place Lachambeaudie (12e) ✆ 01 58 78 48 99 ou 49 08

Fax : 01 58 78 49 15 Site Internet : www.ratp.info – E-Mail: bus_stl@ratp.fr

Destiné à une large clientèle, «Locabus» est un service de location de matériels de transport en commun. Des autobus modernes ou anciens datant des années 30, des bus aménagés type «expo» et un vieux tramway restauré peuvent être loués à la journée ou à l'année auprès du service «Transports et Locations» de la RATP. Fêter un anniversaire, faire la fête ou tout simplement avoir envie de visiter Paris autrement, ces bus se louent en moyenne 700 € les deux heures. Les clients choisissent les lieux de départ et d'arrivée et bien sûr l'itinéraire, qui est toujours dans Paris intra-muros. Le bus est livré avec essence et chauffeur pour une virée rétro. La demande est forte, compter minimum un mois de délai de réservation, voire un an pour les périodes très demandées de juin-juillet.

Location de véhicules

Moto

AEROBIKES
Hall d'arrivée, Porte J, Orly Ouest (91)
✆ 01 49 75 85 10

Site : www.motorail.fr Ouvert 7j/7, de 7h à 21h.
Vous descendez de l'avion ou du train et vous avez deux ans de permis au compteur, vous voilà prêt à traverser la capitale en moto ou en scooter. C'est une solution plus rapide que le taxi traditionnel pour éviter que l'avion ne parte sans vous. Gants, casques, combinaisons de pluie et coffre sont fournis sans supplément de prix pour 2 personnes. L'assurance au tiers est comprise dans tous les tarifs. N'oubliez pas de demander la carte d'abonné amortie en trois fois, voire, même sur une seule location de longue durée. **Autre adresse dans la gare de Lyon :** Motorail, 190, rue de Bercy (12e) ✆01 43 07 08 09

Voitures

EASY CAR
Site Internet : www.easycar.fr
Cette centrale de location britannique privilégie Internet pour la réservation. Kilométrage illimité, pas de remboursement si annulation, Easy Car est située à plusieurs points dans Paris et aux aéroports sous l'enseigne Alamo. De la Smart à la Classe A, un parc automobile résolument moderne doublé d'un formidable rapport qualité-prix. Un service fiable qui bénéficie d'une reconnaissance internationale.

LOCABEST
3, rue Abel (12e) ✆01 43 46 05 05
M° Gare de Lyon. Site Internet : www.locabest.fr
Ouvert du lundi au vendredi de 7h30 à 19h30 et samedi de 8h à 12h et de 14h à 19h.
Sortez du train et louez une voiture. Le logo jaune en forme de clé et de volant vous servira de repère. Location de véhicules de tourisme, de transports utilitaires, de poids lourds entre 30 m³ et 55 m³, et de fourgons. Des forfaits pour 2, 3, 5 jours, deux semaines et pour le mois sont proposés, avec différents kilométrages. Pour une Twingo essence, le premier prix, comptez 90 € pour 2 jours et 600 km, 667 € pour le mois (2 000 km). La Renault Megane HDI, ou modèle équivalent est à 134 € pour 2 jours, 883 € pour le mois (2 000 km). Locabest propose désormais également des Twingo diesel ; comptez 99 € pour 2 jours (600km). La Renault Megane HDI, ou modèle équivalent est à 134 € pour 2 jours, 883 € pour le mois (2 000 km). Pour les transports épisodiques ou les petits et les gros déménagements, Locabest a prévu des véhicules utilitaires de 2 m³ à 20 m³. **Autres adresses :** 64, rue du professeur Gosset (18e) ✆01 49 46 20 00 • 47, avenue Marceau – (93) Drancy (tel.) 01 48 31 77 05 • 39, avenue de Fontainebleau – (94) Le Kremlin-Bicêtre (tel.) 01 49 60 20 00. Horaires identiques.

UCAR
✆08 92 88 10 10
Site Internet : www.ucar.fr – Ouvert du lundi dès 8h au vendredi de 8h30 à 12h30 et de 14h à 18h30. Samedi de 9h à 12h et de 16h à 18h.
Ucar s'est fait le spécialiste de la location de voiture courte et longue durée. Il prend tout en charge : la location du véhicule, l'assurance tiers illimité, l'entretien, une garantie pour toute la durée du contrat avec remplacement du véhicule au cas où, une assistance 24h/24, mais aussi, la livraison du véhicule où vous le souhaitez, les frais de carte grise et de mise en route. Son offre en matière de modèle est remarquable : on trouve un large panel pour les plus petits budgets comme pour les voitures de prestige. La citadine se loue 30 € par jour, le monospace 89 € par jour. Nombreuses formules longue durée.

EXCELLUXURY CAR
35, rue Pergolèse (16e) ✆01 45 01 24 24
Site Internet : www.excelluxury.fr – M° Porte Maillot. Ouvert du lundi au vendredi de 10h à 18h.
Vous rêvez d'une virée au volant d'une voiture de sport ? Voilà une bonne adresse pour tous ceux qui souhaitent se faire plaisir avec un cabriolet Ferrari, une Bentley, une Porsche ou encore le massif Hummer… Piloter une Porsche 987 Boxster 2.7 cabriolet vous coûtera 600 €, un Hummer H2 SUT ce sera 1000 € ou pour une Ferrari F430 F1 coupé, comptez 2 400 €, c'est le prix pour un week-end et 600 km.

PARIS PRATIQUE

BUCHARD
99, boulevard Auguste-Blanqui (13e)
✆ 01 45 80 15 15/06 86 00 39 00
M° Corvisart et Glacière. Ouvert du lundi au samedi de 8h à 19h.
Entreprise indépendante, les prix attractifs de Buchard parviennent à concurrencer les grandes sociétés tout en proposant l'accueil d'une plus petite structure. Pour une voiture de type Clio, comptez 30 € les 24 heures pour 100 km, assurance comprise. Si vous partez pour le week-end, le premier prix démarre à 60 €. Espace, minibus et fourgons (de 6 à 20 m³) sont aussi en location, un fourgon de 20 m³ coûte 170 € pour un week-end (200 km). Forfaits intéressants à la semaine.

CARESPACE SERVICES
3, rue Catulle-Mendès (17e) ✆ 01 40 53 82 77
Site Internet : www.carespace.eu – M° Porte de Champerret Ouvert du lundi au vendredi de 8h30 à 12h et de 14h à 18h30, le samedi de 10h30 à 12h.
Spécialiste de la location de monospace 5-7 places et de minibus de 9 places. En vrai spécialiste, de nombreux forfaits économiques sont proposés. Une virée journalière en Renault Espace IV coûte en moyenne 115 € pour moins de 6 jours et 200 km/jour. Pour toute location de 5 jours, la maison offre les sixième et septième jours, ou le sixième jour seulement selon vos convenances. Idéal pour les escapades en groupe ou les familles nombreuses.

Personnes handicapées

INFOMOBI
✆ 0 810 64 64 64
Site Internet : www.infomobi.com
Infomobi est un service d'information sur l'état et l'accessibilité des transports collectifs pour les personnes handicapées en Ile-de-France. Un opérateur fera pour vous une recherche personnalisée d'itinéraire, en tenant compte de l'accessibilité de l'ensemble des étapes du trajet en fonction de votre handicap spécifique. Sachez que 38 lignes de bus sont désormais accessibles aux usagers en fauteuil roulant sur Paris, notamment Orlybus, ainsi que 13 gares du RER E.

TRANSPORTS PARIS ACCOMPAGNEMENT MOBILITE
✆ 0 810 810 75
Site Internet : www.pam.paris.fr
Le service Transports Paris Accompagnement Mobilité (PAM) met à disposition une centaine de véhicules adaptés à tout type de handicap qui assurent un rôle de taxi à Paris et en Ile-de-France. Ce service fonctionne 7j/7, de 7 heures à 20h (sauf le 1er mai). Attention : une carte Cotorep d'invalidité à 80 % est demandée.

Centrales de réservation

ADA ✆ 0 825 169 169 (0,15 €/min.)
Site Internet : www.ada-location.com

AUTOESCAPE ✆ 0 820 150 300 (0,12 €/min.)
Site Internet : www.autoescape.com

AVIS ✆ 0 802 050 505 (0,12 €/min.)
Site Internet : www.avis.fr

EUROPCAR ✆ 0 803 352 352
Site Internet : www.europcar.fr

NATIONAL CITER ✆ 0 800 202 121 (appel gratuit)
Site Internet : www.national.fr

RENT A CAR ✆ 0 891 700 200 (0,22 €/min.)
Site Internet : www.rentacar.fr

BUDGET ✆ 0 825 003 564 (0,15 €/min.)
Site Internet : www.budget-international.com

HOLIDAY AUTOS ✆ 0 892 390 202 (0,34 €/MIN.)
Site Internet : www.holidayautos.fr

Taxis

TAXIS PARISIENS
✆06 07 60 49 14
Site Internet : www.taxi-paris.net
Sachez que le tarif minimum de prise en charge est de 2,20 € et que le tarif minimum d'une course est fixé à 6 €. Par conséquent, il n'est pas normal que certains taxis rechignent à effectuer des courses de petite distance, ce tarif minimum leur étant assuré. Autre point important : un chauffeur de taxi n'a pas le droit de refuser de prendre en charge une personne à mobilité réduite, même lorsqu'il doit l'aider à s'installer à l'intérieur du taxi. Aucun supplément ne peut être demandé pour le transport d'un fauteuil roulant ou d'un chien accompagnant une personne malvoyante. Seuls les bagages ou tout autre objet encombrant sont surtaxés. Pour tous renseignements, le Site Internet : www.taxi-paris.net est très informatif.

TAXIS G7
✆01 47 39 47 39 ou le 36 07 (0,15 €/minute)
Site Internet : www.taxis-g7.fr
Leader sur le marché avec les Taxis Bleus. Issus du septième groupement des fameux Taxis de la Marne, Taxis G7 offre la possibilité aux particuliers de réserver un de ses 5 000 taxis jusqu'à une semaine à l'avance sur le site Internet ou d'un clic à partir d'un iPhone. Des taxis sont aménagés pour des personnes à mobilité réduite, équipés de sièges pivotants ou de rampes d'accès : 01 47 39 00 91. Les familles trouveront aussi des véhicules qui leur sont adaptés. La compagnie de taxis a conçu un service de voitures Espace pouvant emmener cinq personnes et leurs bagages : ✆01 47 39 01 39.

ALPHA TAXIS
✆01 45 85 85 85
Site Internet : www.alphataxis.fr
Une flotte de 1 300 véhicules est au service des Parisiens et des habitants d'Ile de France. Des abonnements annuels dont les prix s'échelonnent de 80 € (seniors et handicapés) à 230 € (privilèges en compte) donnent accès à des services comme la réservation jusqu'à un mois à l'avance ou la facturation mensuelle à domicile. Espèces, chèques ou CB, tous les paiements sont possibles, il suffit d'indiquer celui qui vous convient au standard lors de votre commande de course. Les réservations hors abonnements se font du jour au lendemain en fonctions des disponibilités. (Renseignements auprès du service commercial au ✆01 53 60 63 55).

TAXIS BLEUS
✆0 891 701 010 (0,23 €/minute)
Site Internet : www.taxis-bleus.com
Leader sur le marché avec la G7, ses 2 500 chauffeurs sont des indépendants abonnés facilement joignables grâce à un recours aux technologies de pointe. Relayés par les 120 téléopérateurs, les taxis bleus offrent de nombreuses formules d'abonnements de 25 € à 342 €. Elles offrent un accès prioritaire à des types de véhicules aux niveaux de prestige différents. Dessert toutes les destinations : aéroports, gares, et même la province.

Index général

404 ... 23
1728 ... 55
1 ET 1 FONT 3 ... 283
1 PLACE VENDOME (LE) ... 10
1.2.3 ... 280
10 BAR (LE) ... 144
16 HAUSSMANN – HOTEL AMBASSADOR ... 62
2 SANS 3 ... 119
20 MINUTES ... 503
2001 (LE) ... 176
3 PAR 5 ... 415
4 ROUES SOUS UN PARAPLUIE ... 518
50 (LE) ... 159
58 M ... 296
6 PIEDS TROIS POUCES ... 303

AAA

A ET C DECORATION ... 385
A LA BICHE AU BOIS ... 75
A LA BIERE ... 116
A LA CENTRALE DES AFFAIRES ... 424
A LA CIVETTE ... 338
A LA CLOCHE D'OR ... 63
A LA PIPE DU NORD ... 339
A LA POMPONNETTE ... 113
A LA RENAISSANCE – ARNAUD DELMONTEL ... 357
A LA TETE DU CLIENT ... 257
A LA TOUR DE MONTLHERY ... 17
A LA VILLE DE RODEZ ... 352
A NOUS PARIS ... 503
A. SIMON ... 390
AAMERICAN LIMOUSINES ... 518
AARON'S ... 381
ABDE – TRANSPORT ECONOMIQUE ... 426
ABEILLES (LES) ... 344
ABEROTEL MONTPARNASSE ... 484
ABRAXAS ... 325
ABREU ARTISAN SERVICE ... 427
ABRICOTEL ... 494
ABSINTHE (L') ... 10
ABSOLUMENT DELICIEUSE ... 322
ACADEMIE RIVE DROITE ... 259
ACADEMY SCOOTERS ... 447
ACAJOU (L') ... 96
ACCESSOIRE DIFFUSION ... 297
ACCOLADE (L') ... 102
ACCROC-CUIR ... 308
ACIC ... 177
ACOUSTIC GALLERY ... 441
ACTE V ... 460
ADIDAS PERFORMANCE – STORE CHAMPS ELYSEES ... 302
AEROBIKES ... 518
AFARIA ... 87
AFFICHE CINE ... 328
AFH ... 429
AGAPES ... 33
AGATHA ... 324
AGENCE ODOUL ... 425
AGNES B ... 279
AGNES B HOMME ... 288
AGNES GERCAULT (G.K.O FOURRURES) ... 306
AIGLE ... 284
AIGLE D'OR (L') ... 135
AIGRE DOUX (L') ... 23
ALAIN AFFLELOU ... 314
ALAIN CARLIER ET RITA LEYS ... 453
ALAIN COMBES ... 373
ALBERT MENES ... 350
ALBUM ... 184
ALCAZAR (L') ... 39,144
ALCHIMIE (L') ... 87
ALCHIMISTES (LES) ... 18
ALICE A PARIS ... 289
ALICE PIZZA ... 109
ALIENOR LUTHERIE ... 213
ALIMENTATION GENERALE (L') ... 147
ALIVI ... 28
ALL SEASONS PARIS BERCY ... 478
ALL SEASONS PARIS GARE DE L'EST – CHATEAU LANDON ... 474
ALL SEASONS PARIS GARE DE L'EST MAGENTA ... 474
ALL SEASONS PARIS LAFAYETTE OPERA ... 473
ALL SEASONS PARIS REPUBLIQUE ... 475
ALL TATTOO ... 272
ALLARD ... 39
ALLIA ... 410
ALLO ACTION ... 425
ALLO BUS ... 515
ALLO SANYRAPID ... 427
ALLOBROGES (LES) ... 119
ALLOSTOP ... 516
ALL-PARIS-APARTMENTS.COM- LES SPECIALISTES SUR PARIS ... 454
ALMOST FAMOUS ... 281
ALPHA TAXIS ... 521
ALTER MUNDI ... 387
ALYCASTRE (L') ... 39
AMANA STUDIO ... 225
AMBASSADE D'AUVERGNE (L') ... 23
AMBASSADE DE PEKIN ... 133
AMBIANCE CERAMIQUE ... 395
AMBRE D'OR (L') ... 133
AME ET ESPRIT DU VIN ... 376
AMERICAN APPAREL ... 273
AMERICAN BODY ART ... 272
AMERICAN DREAM CAFE ... 164
AMERICAN GOLF ... 241
AMI JEAN (L') ... 48
AMI PIERRE (L') ... 70
AMUSE-BOUCHE (L') ... 82
ANAMORPHOSE ... 300
ANATOMICA ... 300
ANDASKA ... 239
ANDY WALHOO ... 141
ANGE GARDIEN (L') ... 119
ANGELINA ... 362
ANGELIQUE (L') ... 137
ANIS ... 282
ANNEES SCOOTER (LES) ... 448
ANNEXE (L') ... 475
ANNEXE RICHARD (L') ... 375
ANTECIA ... 244
ANTHONY PETO ... 294
ANTICHAMBRE (L') ... 18
ANTIQUAIRES DU LOUVRE (LES) ... 326
ANTOINE ... 96,294
ANTOINE CAMUS ... 322
ANTOINE ET LILI ... 389
ANTRE AMIS (L') ... 88
AOC (L') ... 33
AOKI ... 362
APARIS HOTEL EIFFEL RIVE GAUCHE ... 468
APPAREMMENT CAFE (L') ... 141
APPART'CITY CAP AFFAIRES ... 495
APPARTEMENT 217 (L') ... 266
ARBRE A LETTRES (L') ... 182
ARCHEA – AS DU PLACARD ... 378
ARCHI-NOIRE ... 326
AREA (L') ... 27,142
ARGONAUTES (LES) ... 462
ARMAGNAC CASTAREDE ... 374
ARMANI CASA ... 385
ARNAUD LARHER ... 361
AROM ... 331
AROMA ... 261
AROMATIK (L') ... 62
AROMES ... 376
AROMES (LES) ... 33
ARREDAMENTO ... 384
ARTCORPUS ... 272
ARTCURIAL ... 185
ARTEMIDE ... 385
ARTHUR ... 66,306
ARTHUR BONNET – COMETE CUISINE ... 410
ARTISAN PARFUMEUR (L') ... 270,42
ARTISHOW (L') ... 167
AS FORMATION ... 443
AS GOLF DE ROSNY-SOUS-BOIS ... 236
ASAT – FORUM DU BATIMENT ... 395
ASSIGNAT (L') ... 143
ASSOCIATION ARCO IRIS ... 235
ASSOCIATION ELIKIA ... 226
ASTER A PARIS ... 382
ASTIE CO ... 418
ASTIER ... 70
ASTIER DE VILLATTE ... 390
ATELIER 102 ... 83
ATELIER BULLE ... 389
ATELIER CATTELAN ... 309
ATELIER DES ARTS CULINAIRES (L') ... 392
ATELIER MAITRE-ALBERT (L') ... 33
ATELIER MOLIERE ... 10
ATELIER N'O ... 418
ATELIER RENAULT ... 442
ATELIERS DE LA MAILLE (LES) ... 280
ATEL'SON ... 285
ATHANAS LE LIVALIN ... 77
ATM – AUDIO TELE MENAGER ... 423,436
ATS HARLEY DAVIDSON ... 446
ATTRAIT PORTRAIT ... 219
AU BŒUF COURONNE ... 116
AU BŒUF GROS SEL ... 120
AU BELL VIANDIER ... 370,373
AU BOIS BLANC – BRICOBOIS ... 431
AU BOUCHON DE LA ROQUETTE ... 72
AU CŒUR DE LA FORET ... 138
AU CHAPON D'ALIGRE ... 373
AU CHIEN QUI FUME ... 10
AU COCO DE MER ... 35
AU DERRICK CATALAN ... 91
AU DIABLE DES LOMBARDS ... 12
AU DOMAINE DES DIEUX ... 185
AU LIEGEUR ... 429
AU MOULIN VERT ... 85
AU NOM DE LA ROSE ... 331
AU NOM DE L'ORCHIDEE ... 332
AU NOUVEAU NEZ ... 73
AU PALAIS DE L'HIMALAYA ... 113
AU PERE LAPIN ... 129
AU PETIT BUDAPEST (HONGROIS) ... 114
AU PETIT MARGUERY ... 81
AU PETIT TONNEAU ... 53
AU PIED DE COCHON ... 16
AU PIED DE FOUET ... 54
AU REFUGE DU PASSE ... 38
AU RENDEZ-VOUS DE LA MARINE ... 118
AU REPARATEUR DE BICYCLETTES ... 242
AU ROND POINT ... 73
AU ROYAL CARDINAL HOTEL ... 463
AU TROC MONTORGUEIL ... 309
AU VIEUX CAMPEUR ... 239
AUBERGE AVEYRONNAISE (L') ... 74
AUBERGE DE JEUNESSE LE D'ARTAGNAN ... 452
AUBERGE DE LA BRIE (L') ... 135
AUBERGE INTERNATIONALE DES JEUNES ... 451
AUBERGES DURET (LES) ... 342
AUDIO SYNTHESE ... 440
AUGUSTE ... 48
AUTO, MOTO ... 442
AUTOBELLA CENTRE FRIEDLAND ... 445
AUTOBUS IMPERIAL (L') ... 11
AUTO-ECOLE (L') ... 335
AUTOSUR – CENTRE DE CONTROLE ROSNY ... 444
AUTOUR DE PARIS ... 123
AUTOUR DU SAUMON ... 28,366
AUTOVISION – AB AUTOBILAN ABA ... 444
AUX 2 OLIVIERS ... 42
AUX BEAUX FRUITS DE FRANCE ... 355
AUX CHARPENTIERS ... 41
AUX DELICES DE MANON ... 12,362
AUX ETABLISSEMENTS BAUDIN ... 427
AUX MATELAS CHOISIS ... 404
AUX NOCTAMBULES ... 157
AUX PETITS OIGNONS ... 122
AUX SALLES DE BAINS RETROS ... 412
AUX TENAILLES D'OR ... 398
AUX TROIS PORTES ... 476
AVANCE VIDEO HD ... 441
AVANT-GOUT (L') ... 77
AVIATION CLUB DE FRANCE ... 177
AXIAL – SEDILLOT ... 443

BBB

BACCHUS ET ARIANE ... 375
BACKGAMMON (LE) ... 146
BAGUE DE KENZA (LA) ... 363
BAGUETTERIE (LA) ... 213
BAINS DE SAADIA (LES) ... 264
BAINS DOUCHES (LES) ... 171
BAINS DU MARAIS (LES) ... 263
BAISER SALE (LE) ... 157
BALAJO (LE) ... 174
BALMAR SPU ... 399
BALOUGA ... 388
BAMBINI'TROC ... 311
BAMBOU (LE) ... 78
BAN SABAI ... 266
BANCO DIRECT ... 395
BANG & OLUFSEN ... 440
BANQUETTES (LES) ... 74
BANYAN (LE) ... 87
BAR A HUITRES (LE) ... 34
BAR A MANGER (LE) ... 11
BAR DE L'HOTEL AMOUR ... 146
BAR SANS NOM (LE) ... 147
BARATIN (LE) ... 119
BARBEZINGUE ... 124
BAROCCO (LE) ... 125
BARON (LE) ... 173
BARON ROUGE (LE) ... 74
BAROURCQ (LE) ... 153
BARRAMUNDI ... 174
BASH ... 278
BASTIDE ODEON (LA) ... 40
BATH SHOP ... 412
BATHROOM GRAFFITI ... 335
BATH'S ... 103
BATLEC SERVICE RAPIDE ... 428
BATOFAR ... 162
BAXO ... 67
BAXO (LE) ... 160
BAZAR DE L'ELECTRICITE ... 404
B'BATH ... 411
BEAU ET BON ... 350
BEAUJOLAIS (LE) ... 127
BEAUKAL (LE) ... 219
BEAUTÉ ... 256
BEL CANTO ... 28
BELLOTA BELLOTA ... 351
BELLOTA-BELLOTA ... 48
BEMART PARQUETS ... 434
BENOIT ... 28
BENSIMON ... 274
BERCY VILLAGE ... 253
BERSHKA ... 276
BESNIER PERE ET FILS ... 357
BEURRE NOISETTE (LE) ... 88
BEXLEY ... 301
BEYROUTH VINS ET METS ... 71
BHV ... 254,394,412
BIBLIOTHEQUE DES ARTS DECORATIFS ... 178
BIBLIOTHEQUE DU FILM ... 179
BIBLIOTHEQUE DU TOURISME ET DES VOYAGES ... 180
BIBLIOTHEQUE FORNEY ... 179
BIBLIOTHEQUE HISTORIQUE DE LA VILLE DE PARIS ... 178
BIBLIOTHEQUE L'HEURE JOYEUSE ... 179
BIBLIOTHEQUE NATIONALE DE FRANCE FRANCOIS MITTERRAND ... 179
BIBLIOTHEQUE PUBLIQUE D'INFORMATION ... 179
BIJOUTERIE MILLER ... 325
BILL TORNADE ... 288
BIO MOI ... 367
BIOCOOP GLACIERE ... 368
BIS DU SEVERO (LE) ... 83
BISTRO DA BASTIANO (LE) ... 96
BIS-TRO VIN SOBRE ... 49
BISTROT 1929 ... 119
BISTROT BEYROUTH ... 71
BISTROT D'A COTE FLAUBERT (LE) ... 103
BISTROT DE L'AMARYLLIS (LE) ... 88
BISTROT DE L'OULETTE ... 28
BISTROT DES CAMPAGNES ... 83
BISTROT DES SOUPIRS (LE) ... 120
BISTROT D'HENRI (LE) ... 40
BISTROT D'HUBERT (LE) ... 88
BISTROT DU 190 ... 117
BISTROT DU 7E (LE) ... 48
BISTROT DU BROC (LE) ... 134
BISTROT DU PALAIS (LE) ... 49
BISTROT DU SOMMELIER (LE) ... 55
BISTROT EN VILLE ... 34
BISTROT MARGUERITE ... 28
BISTROT MONTSOURIS ... 84
BISTROT POULBOT (LE) ... 109
BISTROT VIVIENNE ... 18
BISTROT VOLNAY ... 18
BIZZ'ART ... 160
BLACKBLOCK ... 336
BLE SUCRE ... 363
BLEU PASSION ... 237
BLUE BILLARD ... 176
BLUE ELEPHANT (LE) ... 71
BO CONCEPT ... 380
BOB COOL (LE) ... 143
BOCORAY ... 386
BODUM HOME STORE ... 390
BODY MINUTE ... 260
BOFFI BAINS ... 411

BOFINGER ... 29
BOIS DE BOULOGNE ... 233
BOIS DE VINCENNES ... 233
BOIS VIOLETTE ... 331
BOITE A CIGARES (LA) ... 339
BOITE A SOPHIE (LA) ... 298
BON MARCHE (LE) ... 255,413,421
BONG ... 88
BONHEUR DE CHINE (LE) ... 128
BONNEFOY BERNARD ... 398
BONTENDRIE (LA) ... 62
BONTON BAZAR ... 418
BOOKBINDERS DESIGN ... 330
BOTEQUIM BRASILEIRO ... 35
BOTTLE SHOP (LE) ... 147
BOUCHERIE BECQUEREL ... 370
BOUCHERIE JACKY LESOURD ... 372
BOUCHERIE JEAN-PAUL GARDIL ... 370
BOUCHERIE LE LANN ... 372
BOUCHERIE REGALEZ-VOUS ... 370
BOUCHERIE-TRIPERIE SAINT-MEDARD ... 373
BOUCHERON ... 320
BOUCO (LE) ... 56
BOUDOIR (LE) ... 56
BOUILLON CHARTIER ... 62
BOUILLON DES COLONIES ... 41
BOUILLON RACINE ... 40
BOULANGER DE MONGE (LE) ... 357
BOULANGERIE (LA) ... 120
BOULANGERIE BONNEAU ... 358
BOULANGERIE CONNAN ... 358
BOULANGERIE GOSSELIN ... 356
BOULANGERIE MARTIN ... 367
BOULANGERIE PAR VERONIQUE MAUCLERC (LA) ... 358
BOULEVARD DES BULLES ... 184
BOUQUETS ROSES (LES) ... 292
BOUQUINISTES (LES) ... 41
BOUSSOLE (LA) ... 41
BOUTARDE (LA) ... 127
BOUTICYCLE ... 242
BOUTIQUE 22 ... 340
BOUTIQUE 26 PASSAGE ... 325
BOUTIQUE D'AMERIQUE LATINE (LA) ... 420
BOUTIQUE DU DEMENAGEMENT (LA) ... 425
BOUTIQUE FESTINS ... 370
BOUTIQUE HERVE GAMBS ... 334
BOUTIQUE PSG ... 240
BOUTIQUE ZEN ... 422
BOWLING DE PARIS LA CHAPELLE ... 177
BOWLING DU FRONT DE SEINE ... 176
BOWLING DU MONTPARNASSE ... 176
BOWLING FOCH ... 177
BOWLING MOUFFETARD ... 176
BOY'Z BAZAAR BASICS ... 287
BRASIL TROPICAL ... 167
BRICIOLA (LA) ... 23
BRICO VAUGIRARD ... 400
BRICOLAGE 119 ... 400
BRICOLAGE DE A A Z ... 399
BRICOLEX ... 396
BRICORAMA ... 397
BRICOROUX ... 398
BRICOZIK ... 399
BRIDGEUR (LE) ... 338
BRISTOL (LE) ... 499
BRITISH & AMERICAN SHOES ... 302
BROC2BARS ... 415
BRONTIBAY PARIS ... 290
BRUCE FIELD ... 285
BRULERIE DES GOBELINS (LA) ... 345
BRUNI SANITAIRES ... 427
BUCHARD ... 520
BUCHLADEN ... 189
BULLE (LA) ... 67
BULLES DE SALON ... 185
BULTHAUP ... 410
BUS MOBILIEN ... 515
BUS PALLADIUM ... 174
BUT ... 379
BUTTE GLACEE (LA) ... 344
BUTTE VIDEO (LA) ... 221
BUTTES-CHAUMONT ... 234
BUVEUR DE LUNE (LE) ... 160
BVF CORDONNERIE ... 309

CCC

C42 CITROEN ... 442
CACHE-CACHE ... 282
CADEAUX ... 320
CA'D'ORO ... 11
CADRE D'OLIVIER (LE) ... 327
CAFE (LE) ... 140
CAFE ANIME – LA MER A BOIRE ... 153
CAFE BURQ (LE) ... 109,152
CAFE CHARBON (LE) ... 156
CAFE CHERI (LE) ... 153
CAFE CONSTANT (LE) ... 49
CAFE DE LA PLACE VERTE (LE) ... 149
CAFE DE L'INDUSTRIE (LE) ... 147
CAFE DES TECHNIQUES ... 23
CAFE DU COMMERCE (LE) ... 78
CAFE LE PETIT PONT ... 35
CAFE LE PIQUET ... 89
CAFE MARLY ... 11
CAFE OZ (LE) ... 154
CAFE PENTO ... 123
CAFE QUI PARLE (LE) ... 109
CAFE RENARD ... 11
CAFE SALLE PLEYEL ... 56
CAFE SCOOP ... 343
CAFE TOURNESOL (LE) ... 152
CAGOUILLE (LA) ... 84
CAILLOUX (LES) ... 80
CAIUS ... 103
CAKES DE BERTRAND (LES) ... 363
CALIF DE BELLEVILLE – GROUND ZERO (LE) ... 212
CAMELEON (LE) ... 41
CAMILLE ET LUCIE ... 322
CAMPAGNE A PARIS (LA) ... 351
CAMPER ... 301
CAN TIN'H (LA) ... 123
CANAILLE (LA) ... 29
CANAL BIO ... 368
CANAPELI ... 402
CANELAS ... 365
CANOTIERS DU MARAIS (LES) ... 295
CANTINA MUNDO ... 130
CANTINE DE QUENTIN (LA) ... 67
CANTINE DU TROQUET (LA) ... 84
CAP (LE) ... 88
CAP 24 ... 514
CAP HISPANIA ... 352
CAPPADOCE ... 75
CAPRICES ... 304
CARAVANE ... 417
CARESPACE SERVICES ... 520
CAREXEL ... 442
CARGLASS ... 446
CARHARTT ... 287
CARION SAINT-JAMES & ALBANY ... 226
CAROLL ... 279
CARPE (LA) ... 390
CARRE DES VOSGES (LE) ... 24
CARRELAGES DU MARAIS ... 431
CARSTOPS ... 516
CARTIER ... 321
CARTOOOCHE ... 437
CASA DI SERGIO (LA) ... 103
CASA ET CUCINE ... 408
CASA OLYMPE ... 62
CASCADE SALLE DE BAINS ... 412
CASHMERE STORE ... 295
CASIER A VIN (LE) ... 89
CASINO DE PARIS ... 166
CASTANER ... 296
CASTORAMA ... 397
CATACOMBES DE PARIS ... 206
CATENA ... 397
CATHERINE MEMMI ... 381
CAVE A CIGARES (LA) ... 339
CAVE A MILLESIMES (LA) ... 376
CAVE BERNARD MAGREZ ... 374
CAVE DE L'OS A MOELLE (LA) ... 89
CAVE EST RESTAURANT (LA) ... 131
CAVEAU DE LA HUCHETTE (LE) ... 158
CAVES AUGE (LES) ... 375
CAVES TAILLEVENT (LES) ... 375
CAVESTEVE ... 375
CAZAUDEHORE ... 136
CECIL HOTEL ... 482
CECILE ET JEANNE ... 324
CELINE ROBERT ... 294
CENTRAL TRAIN ... 336
CENTRALE LITERIE ... 404
CENTRE AQUATHERMES COURCELLES ... 263
CENTRE BEAUTY NAILS ... 256
CENTRE CHOPIN ... 214
CENTRE D'ANIMATION MONTGALLET ... 236
CENTRE DE DANSE DU MARAIS ... 224
CENTRE EQUESTRE PONEY-CLUB DE LA VILLETTE ... 235
CENTRE LASER SORBONNE ... 260
CENTRE UMA ... 236
CERCLE CLICHY MONTMARTRE ... 176
CERCLE GAILLON ... 177
CERCLE WAGRAM ... 177
CERISE SUR LE CHAPEAU (LA) ... 295
CHAISE LONGUE (LA) ... 335
CHALBENS ... 120
CHALET D'AVRON (LE) ... 72
CHALET DES ILES (LE) ... 97
CHALET DU PARC (LE) ... 137
CHALLENGE 75 ... 447
CHAMBRE D'H'TES RIVOLI ... 452
CHAMPIONNET CARRELAGES ... 432
CHANSONNIER (LE) ... 68
CHANSONNIERS (LES) ... 477
CHANTEFABLE ... 120
CHANTELIVRE ... 187
CHANTELLE ... 305
CHAPEAU MELON (LE) ... 117
CHARCUTERIE DES FONTAINES ... 372
CHARCUTERIE LYONNAISE ... 352
CHARLIE BIRDY ... 159
CHARTIER ... 126
CHASSE MAREE ... 97
CHAT ET L'AIGUILLE (LE) ... 308
CHATEAUBRIAND (LE) ... 72
CHATILLON HOTEL ... 483
CHAUMET ... 320
CHAUMETTE ... 97
CHEMINS EN PAGES ... 188
CHERCHEMINIPPES ... 310,415
CHERCHEMINIPPES ACCESSOIRES ... 310
CHEVAUX DE MARLY (LES) ... 136
CHEVIGNON ... 287
CHEZ ADEL ... 146
CHEZ ANDRE ... 56
CHEZ BLONDIN ... 78
CHEZ CARETTE ... 364
CHEZ CASIMIR ... 67
CHEZ CHRISTOPHE ... 35
CHEZ CLEMENT BASTILLE ... 29
CHEZ CLEMENT BOUGIVAL ... 136
CHEZ CLEMENT BOULOGNE ... 123
CHEZ CLEMENT ELYSEES ... 57
CHEZ CLEMENT MAILLOT ... 104
CHEZ CLEMENT MARBEUF ... 57
CHEZ CLEMENT MONTPARNASSE ... 84
CHEZ CLEMENT OPERA ... 19
CHEZ CLEMENT PETIT CLAMART ... 128
CHEZ CLEMENT SAINT-MICHEL ... 42
CHEZ CLEMENT VERSAILLES ... 90
CHEZ CLEMENT WAGRAM ... 104
CHEZ ELHAM ... 12
CHEZ FELIX ... 155
CHEZ FLOTTES ... 13
CHEZ GEORGES ... 144
CHEZ GLADINE ... 80
CHEZ GRISETTE ... 111
CHEZ GUDULE ... 151
CHEZ JANOU ... 25
CHEZ JENNY ... 26
CHEZ KATY ... 12
CHEZ LA MERE CATHERINE ... 110
CHEZ LEA ... 143
CHEZ LENA ET MIMILE ... 35
CHEZ LUCIE ... 50
CHEZ MAMAN ... 326
CHEZ MARC ... 90
CHEZ MICHEL ... 67
CHEZ MICHOU ... 170
CHEZ NATHALIE ... 81
CHEZ PAULINE ... 15
CHEZ SERGE ... 131
CHEZ VONG ... 12
CHIARO DI LUNA ... 29
CHIBERTA (LE) ... 57
CHICHAW'AS (LE) ... 24
CHINE MASSENA ... 78
CHOCOLAT MICHEL CLUIZEL ... 341
CHOCOLATERIE GALLER ... 342
CHOCOLATS ROCHOUX ... 341
CHRIS ONGLES ... 256
CHRISTOPHE DELCOURT ... 382
CH'TI CATALAN (LE) ... 62
CHUPI BOOTS ... 303
CIGALE GOURMANDE (LA) ... 134
CIGALE RECAMIER (LA) ... 50
CIGOGNE BENELLI (LA) ... 352
CINNA ... 379
CINQ MARS ... 50
CINQ MONDES ... 265
CINQ SAVEURS D'ANADA (LES) ... 36
CIRE TRUDON ... 421
CIRQUE A PUCES (LE) ... 337
CIRQUE PHOTO VIDEO ... 216
CITADIUM ... 239,287
CITE DE L'ARCHITECTURE ET DU PATRIMOINE ... 207
CITE DES SCIENCES ET DE L'INDUSTRIE ... 211
CITE DES SCIENCES ET DE L'INDUSTRIE (LA) ... 210
CITROUILLE (LA) ... 42
CIVETTE (LA) ... 340
CLARISSE (LE) ... 50
CLASSICS HOTEL ... 476
CLAUDIE PIERLOT ... 276
CLEOR ... 321
CLICHY FACTORY ... 300
CLIN D'ŒIL (LE) ... 90
CLOS BOURGUIGNON (LE) ... 63
CLOS MEDICIS (LE) ... 464
CLOU DE FOURCHETTE (LE) ... 104
CLOWN BAR (LE) ... 72
CLUB 79 (LE) ... 173
CLUB BOUYGUES TELECOM ... 439
CLUB ENERGYM ... 223
CLUB FEYDEAU ... 222
CLUB JEAN-DE-BEAUVAIS ... 222
CLUB MED GYM ... 223,238
COBRA ... 440
COCO & CO ... 42
COCOTTE JOLIE ... 42
COCOTTES DE CONSTANT (LES) ... 52
COIFFURE CREATIVE ... 257
COIN DES ARTISTES (LE) ... 30
COLETTE ... 334,416
COMPAGNIE DES BATEAUX-MOUCHES (LA) ... 245
COMPAGNIE DES BATOBUSÆ ... 515
COMPAGNIE DU LIT (LA) ... 402
COMPAGNIE DU SENEGAL
ET DE L'AFRIQUE DE L'OUEST ... 419
COMPAGNIE ET CLINIQUE DE L'ASPIRATEUR ... 423
COMPERES (LES) ... 90
COMPTOIR CORREZIEN ... 353
COMPTOIR DE LA GASTRONOMIE ... 12,348
COMPTOIR DES COTONNIERS ... 278
COMPTOIR DES ECRITURES ... 328
COMPTOIR DU DESERT ... 286
COMPTOIR DU RELAIS (LE) ... 42
COMPTOIRS RICHARD (LES) ... 345
CONCEPT FLORAL ... 332
CONCEPTUA ... 380
CONCIERGERIE ... 192
CONCIERGERIE (LA) ... 192
CONCORTEL HOTEL ... 470
CONFORAMA ... 378,422
COOLIN ... 159
COP COPINE ... 276
COQ SAINT-HONORE (LE) ... 373
CORAIL HOTEL ... 478
CORBEILLE (LA) ... 414
CORDONNERIE DU REGARD ... 309
CORNEIL ... 63
COROT – HOTEL-LES-ETANGS-DE-COROT (LE) ... 130
CORPUS CHRISTI ... 325
COTE COUR ... 85
COTE DANSE ... 240
COTE MAISON ... 392
COTELETTES (LES) ... 30
COTI'S CAFE ... 123
COTTE ROTI (LE) ... 75
COUDE FOU (LE) ... 30
COULEUR LAVANDE ... 131
COULEUR SOLEIL ... 453
COULISSES (LES) ... 64
COULOIR (LE) ... 157
COUP DE CŒUR (LE) ... 110
COURBALAY ... 372
CRAZY HORSE ... 164
CREMERIE (LA) ... 43
CREPERIE DE PLOUGASTEL ... 85
CREPERIE O'REGAL ... 73
CRILLON (LE) ... 498
CRISTAL DE SEL (LE) ... 91
CROCCANTE ... 91
CROCKETT & JONES ... 301
CROCODILE (LE) ... 155
CROCODILE VERT (LE) ... 157
CUIRS ET FOURRURES DU FRONT DE SEINE ... 308
CUISINE DU BUISSON ARDENT (LA) ... 369
CUISINES-DESTOCKAGE –
TOTAL CONSORTIUM CLAYTON ... 423
CUL DE POULE (LE) ... 64
CULTURE BIERE ... 145
CULTURE ET LOISIRS ... 178
CURIEUX - SPAGHETTI-BAR (LE) ... 30
CURVES PARIS – PASTEUR ... 223
CUSTOM BRIGADE (LA) ... 248
CYBAT ... 428

DDD

DA RITA ... 351
DAFY MOTO ... 447
DAGUERRE MAREE ... 365
DAISY MEUBLES ... 378,404
DAISY SIMON ... 382

DALLOYAU ... 360
DALVA ... 19
DAME BLANCHE (LA) ... 212
DAME DE CANTON (LA) ... 162
DAMIPE ... 428
DAN DEPANN ... 444
DANIEL GUITTAT ... 331
DANS LE NOIR ... 30
DANSE COMPAGNIE NUBA ... 225
DARTY ... 422,436
DARU (LE) ... 57
DARY'S ... 326
DAUMAL ... 424
DECATHLON ... 239
DECOPLUS ... 434
DECOR PLUS ... 432
DÉCOUVRIR PARIS ... 244
DEKRA – AUTO-BILAN COURCELLES ... 443
DELAVEINE ... 286
DELBARD ... 392
DELYAN ... 30
DEMENAGEMENT BOUSSENOT ... 425
DEMEURE (LA) ... 480
DENISE ET JEAN-LUC MARCHAND ... 452
DEPOT-VENTE DEMOURS ... 312
DEPOT-VENTE HOMMES FABIENNE ... 312
DEUX RIVES (LES) ... 131
DI VINO ... 97
DIAMANTAIRES (LES) ... 64
DIAPASON TERRASS HOTEL (LE) ... 110
DIM ... 305
DIPTYQUE ... 271,421
DIRECT MATIN – DIRECT SOIR ... 505
DIRIGEABLE (LE) ... 92
DISHNY ... 68
DIVAN (LE) ... 183
DIVINA CAFE (LA) ... 104
DIVINAMENTE ITALIANO ... 19
DIWALI ... 295
DJOON (LE) ... 175
DOBDECK ... 405
DOCTEUR STRATAGEME ... 338
DOJO DE GRENELLE (LE) ... 235
DOM CHRISTIAN KOBAN ... 414
DOMAINES QUI MONTENT (LES) ... 376
DOME DU MARAIS (LE) ... 31
DOMUS CENTRE COMMERCIAL ... 413
DOOBIE'S (LE) ... 156
DOUDINGUE (LE) ... 110,153
DREAM LITERIE ... 404
DROGUERIE (LA) ... 215
DROUANT ... 19
DRUGSTORE PUBLICIS ... 339
DSG ... 428
DU COTE CUISINE ... 123
DUBOIS ET FILS ... 354
DUBWIZE ... 213
DUC DES LOMBARDS (LE) ... 157
DUCKS HOSTEL ... 451
DUCORNET-RAY ... 364
DUQUESNE EIFFEL HOTEL ... 467
DVD CAFE ... 220

EEE

E DANS L'O ... 318
EASY CAR ... 519
EB'N LODGE ... 43
ECHELLE DE JACOB (L') ... 171
ECLAIREUR (L') ... 288
ECLAT DE VERRE (L') ... 216,413
ECOLE DE CONDUITE FELIX-EBOUE ... 443
ECOLE DE CONDUITE PLAISANCE ... 443
ECOLE DE DANSE NEDJMA ... 225
ECOLE DE DANSES LATINES TROPICALES ... 225
ECOLE DE YOGA BIKRAM ... 239
ECOLE DU TIGRE VOLANT ... 234
ECOLE SWINGTAP ... 224
ECRITOIRE (L') ... 328
EDEN SHOES ... 296
EDITEURS (LES) ... 43
EDITEURS REUNIS (LES) ... 191
EL ALAMEIN ... 162
EL BADIA ... 338
EL BURRO BLANCO ... 34
ELECTRORAMA ... 406
ELEMENT ... 223
ELEPHANT BLEU ... 446
ELYSEES STYLOS MARBEUF ... 328
EMILIO BALATON ... 299
EMILIO ROBBA ... 334
EMMANUELLE ZYSMAN ... 325
ENFANT LYRE (L') ... 187
ENFANTS-ROUGES (LES) ... 24
ENOTECA (L') ... 31
ENTOTO ... 80
ENTREDGEU (L') ... 105
ENTREPOT (L') ... 162,416
EPI DUPIN (L') ... 43
EPI LUMINAIRES ... 405
EPICURISME.COM ... 247
EPIDERM INSTITUT ... 261
EPIGRAMME (L') ... 44
ERIC FILLIAT ... 297
ERMITAGE HOTEL ... 492
ESCALE A SAIGON (L') ... 85
ESCAPADE NATURE ... 248
ESCARBILLE (L') ... 126
ESPACE BUFFON ... 393
ESPACE DALI MONTMARTRE ... 210
ESPACE EPILATION ... 260
ESPACE FORME DE LA BUTTE-AUX-CAILLES ... 236
ESPACE IGN ... 188
ESPACE LOGGIA ... 406
ESPACE MENAGER 2000 ... 424
ESPACE SFR ... 439
ESPACE SOI-MEME ... 269
ESPADON BLEU (L') ... 43
ESPRIT ... 274
ESTAMINET (L') ... 72
ESTAMINET DES ENFANTS-ROUGES (L') ... 24
ESTEBAN ... 421
ESTRADA ... 428,432
ET VOUS ... 277
ETABLISSEMENT BIGUET ... 426
ETAP HOTEL ... 494
ETS LION ... 350
EUROMASTER ... 445
EUROP PHOTO CINE SON ... 440
EUROPE HYGYENE SERVICE ... 430
EXCELLUXURY CAR ... 519
EXPLORADOME ... 207
EXPRESS MAGAZINE (L') ... 500
EXPRESS YOUR TEE ... 286
EXTRA ... 424,436

FFF

FABRIQUE 4 ... 105
FACONNABLE ... 286
FACTEUR N'EST PAS PASSE (LE) ... 414
FAISANDERIE (LA) ... 238
FAMILIA HOTEL ... 462
FAMILY AFFAIR ... 105
FARE TAHITI ... 64
FAUCHON ... 369
FAUCONNIER (LE) ... 450
FEDERATION FRANCAISE DE GYM SUEDOISE ... 236
FEDERATION FRANCAISE DE TENNIS ... 229
FELINE (LA) ... 154
FERME SAINT-AUBIN (LA) ... 354
FERMOB ... 393
FIDELITE (LA) ... 69
FIESTA GALERIE ... 415
FIGAROSCOPE (LE) ... 500
FIN GOURMET ... 31
FIRMIN LE BARBIER ... 51
FIRST (LE) ... 13
FIRST HOTEL ... 486
FLECHE D'OR (LA) ... 163
FLEURS D'AUTEUIL ... 332
FLEURS DE SOLEIL ... 452
FLOR DE CUBA ... 340
FLOTTE FRANCAISE (LA) ... 241
FLUTE ETOILE (LE) ... 152
FLY ... 379
FNAC ... 436
FNAC CHAMPS-ELYSEES ... 212
FNAC DES HALLES ... 180
FNAC DIGITALE ... 216,438
FNAC ETOILE ... 181
FNAC ITALIE ... 181
FNAC MONTPARNASSE ... 180
FNAC SAINT-LAZARE ... 181
FOGON ... 44
FOLIE EN TETE (LE) ... 151
FOLIES BERGERE (LES) ... 167
FONDATION CARTIER POUR L'ART CONTEMPORAIN ... 206
FONDATION PIERRE BERGE - YVES SAINT LAURENT ... 208
FONTAINE GAILLON (LA) ... 20,356
FOOTBAL MONDIAL ... 240
FOOTSIE (LE) ... 140
FORUM (LE) ... 145
FORUM DES HALLES ... 253
FORUM POINT P (LE) ... 434
FOUGERES (LES) ... 105
FOUR SEASONS HOTEL GEORGE-V ... 498
FOURMI AILEE (LA) ... 36
FOURNEE D'AUGUSTINE (LA) ... 358
FRANCE 3 PARIS ILE-DE-FRANCE ... 514
FRANCE MENAGER ... 423
FRANCE TELECOM-ORANGE ... 439
FREDERIC CASSEL ... 365
FRENCH TOUCHE ... 336
FRENCH TROTTERS ... 282
FRERES BISMUTH (LES) ... 317
FRIDAY WEAR ... 284
FROMAGER DU PERE LACHAISE (LE) ... 354
FROMAGERIE (LA) ... 353
FROMAGERIE ALAIN BOULAY (LA) ... 353
FROMAGERIE ANDROUET ... 354
FROMAGERIE MARIE-ANNE CANTIN ... 354
FROMAGERIE QUATREHOMME ... 354
FROMENT LEROYER ... 303
FRUIT DE LA PASSION ... 283
FRUITIER DE MONTMARTRE (LE) ... 355
FUMOIR (LE) ... 140
FUSEE (LA) ... 141

GGG

G.DORISON ... 432
GABRIELA ... 64
GAI MOULIN (LE) ... 31
GALERIE CHRISTINE DIEGONI ... 384
GALERIE DE CASSON ... 382
GALERIE DES GOBELINS ... 205
GALERIE LA CORNUE ... 423
GALERIE MIELE ... 423
GALERIES LAFAYETTE ... 254
GALERIES NATIONALES DU GRAND PALAIS ... 203
GALET BLEU ... 260
GALIGNANI ... 189
GALLOPIN ... 20
GALVACHER (LE) ... 106
GAMBINO ... 13
GANT ... 285
GAP ... 290
GARE (LA) ... 98
GAS BIJOUX ... 324
GAZELLE (LA) ... 106
GAZZETTA (LA) ... 75
GEANT DES BEAUX-ARTS (LE) ... 215
GEDIMAT SEFOR ... 394
GELATI D'ALBERTO ... 343
GENERALE D'OPTIQUE ... 314
GENTLEMAN (LE) ... 144
GEO ANDRE ... 238
GEORGES ET ROSY ... 224
GERARD MULOT ... 361,362
GIBERT JEUNE ... 180
GIBERT JOSEPH ... 181,212
GIBUS (LE) ... 175
GILLES FRANCOIS ... 294
GIRONDINE (LA) ... 80
GISCOM ... 439
GITE CLES VACANCES ... 454
GLASTINT ... 446
GLAZ'ART ... 163
GLOBO (LE) ... 174
GLOU ... 24
GOLF DE COURSON ... 238
GOLF DE SAINT-CLOUD ... 236
GOURMETS D'AFRIQUE ... 24
GRAND CAFE CAPUCINES (LE) ... 65
GRAND HOTEL DE CHAMPAIGNE ... 454
GRAND HOTEL DES BALCONS ... 466,469
GRAND HOTEL DU LOIRET ... 460
GRAND HOTEL FRANCAIS ... 476
GRAND HOTEL JEANNE-D'ARC ... 459
GRAND OPTICAL ... 314
GRAND PAN (LE) ... 91
GRANDE EPICERIE DE PARIS – LE BON MARCHE (LA) 348
GRANDE GALERIE DE L'EVOLUTION ... 197
GRANDE GALERIE DE L'EVOLUTION (LA) ... 197
GRANDES ENSEIGNES ... 253
GRANITE (LE) ... 92
GRENIER ANGLAIS (LE) ... 385
GRIFFON ... 406
GRIFF'TROC ... 310
GRILLE (LA) ... 69
GRIOTTINE (LA) ... 98
GROLLE ... 300
GROM ... 343
GROOVE STORE RECORDS SHOP ... 213
GROSBILL ... 423,436
GUDULE ... 324
GUILO-GUILO ... 110
GUINGUETTE A VAPEUR (LA) ... 117
GUIRLANDE DE JULIE (LA) ... 25
GYROTONIC ... 237

HHH

HAAGEN-DAZS ... 344
HABITAT ... 379
HALL 1900 ... 25
HAMMAM DE LA MOSQUEE ... 263
HANDISPORT ... 237
HARAS LUPIN ... 238
HARDY INSIDE ... 408
HARRY COVER ... 355
HARRY'S BAR ... 158
HB-HENRIOT ... 390
HEDIARD ... 350
HEDONIE ... 368
HERBORISTERIE DE LA PLACE CLICHY (L') ... 348
HERBORISTERIE DU PALAIS-ROYAL ... 345,346
HERBORISTERIE PIGAULT-AUBLANC NATURA ... 348
HERISSON ... 329
HERMES (L') ... 117
HETEROCLITE (L') ... 126
HEUREUX COMME ALEXANDRE ... 25,36
HEUREUX PERE (L') ... 128
HIDDEN HOTEL ... 489
HI-FI CABLES ET COMPAGNIE ... 440
HIPOTEL PARIS BELLEVILLE ... 476
HISTOIRE D'OR ... 321
HOLIDAY AUTOS ... 520
HOLIDAY INN GARDEN COURT PARIS-MONTMARTRE ... 491
HOME CONTEMPORAIN ... 381
HOME STUDIO ... 214
HOME TROTTER ... 386
HOMME BLEU (L') ... 73
HOMME ELEGANT (L') ... 285
HOMME INVISIBLE (L') ... 306
HORS-CIRCUITS ... 220
HORTENSIA LOUISOR ... 282
HOSES ... 297
HOSPITEL ... 464
HOTEL (L') ... 464
HOTEL AGORA ... 454
HOTEL ALIZE GRENELLE TOUR EIFFEL ... 484
HOTEL ALTONA ... 475
HOTEL AMBASSADE ... 487
HOTEL AMELIE ... 469
HOTEL AMOUR ... 474
HOTEL APPI ... 457
HOTEL ARCADIE ... 483
HOTEL AVIATIC ... 466
HOTEL BEAUBOURG ... 458
HOTEL BEAUGRENELLE SAINT-CHARLES TOUR EIFFEL 485
HOTEL BEAUMARCHAIS ... 476
HOTEL BOILEAU ... 487
HOTEL BONSEJOUR MONTMARTRE ... 493
HOTEL BRITANNIQUE ... 454
HOTEL CARLADEZ CAMBRONNE ... 485
HOTEL CARON DE BEAUMARCHAIS ... 458
HOTEL CHOPIN ... 474
HOTEL CONVENTION MONTPARNASSE ... 484
HOTEL CUJAS PANTHEON ... 462
HOTEL DACIA LUXEMBOURG ... 460
HOTEL DAGUERRE ... 482
HOTEL D'ALBION ... 471
HOTEL DAMREMONT ... 492
HOTEL DE BANVILLE ... 490
HOTEL DE CHATEAUDUN ... 472
HOTEL DE LA CITE ROUGEMONT ... 474
HOTEL DE LA PAIX ... 485
HOTEL DE LA PERDRIX ROUGE ... 494
HOTEL DE LA PLACE DES ALPES ... 480
HOTEL DE LA PLACE DU LOUVRE ... 455
HOTEL DE LA PORTE DOREE ... 479
HOTEL DE LA SORBONNE ... 462
HOTEL DE LA TREMOILLE ... 470
HOTEL DE LA TULIPE ... 468
HOTEL DE LAUSANNE ... 472
HOTEL DE L'AVRE ... 485
HOTEL DE LILLE ... 469
HOTEL DE L'CELE-DE-FRANCE ... 456
HOTEL DE L'ORCHIDEE ... 482
HOTEL DE LUTECE ... 458
HOTEL DE NEMOURS ... 476
HOTEL DE NICE ... 459
HOTEL DE NOAILLES ... 456
HOTEL DE NOTRE-DAME ... 461
HOTEL DE PARIS ... 494
HOTEL DE SEINE ... 468
HOTEL DE TURENNE ... 470
HOTEL DE VENDOME ... 497
HOTEL DE VILLE DE PARIS ... 196
HOTEL D'ENGHIEN ... 475
HOTEL DES 2 AVENUES ... 491

HOTEL DES 2 CONTINENTS ... 467
HOTEL DES ARTS ... 480,491
HOTEL DES GRANDES ECOLES ... 460
HOTEL DES MARRONNIERS ... 466
HOTEL DU BOIS ... 487
HOTEL DU CENTRE ... 482
HOTEL DU COMMERCE ... 464
HOTEL DU LEVANT ... 461
HOTEL DU LION ... 483
HOTEL DU NORD ... 69
HOTEL DU NORD ET DE L'EST ... 477
HOTEL DU PARC MONTSOURIS ... 483
HOTEL DU PETIT MOULIN ... 457
HOTEL DU PRINCE EUGENE ... 477
HOTEL DU SEJOUR ... 458
HOTEL DU TERRAGE ... 475
HOTEL DUMINY VEND'ME ... 455
HOTEL ECOLE CENTRALE ... 457
HOTEL ETOILE RESIDENCE IMPERIALE ... 487
HOTEL EXCELSIOR ... 463
HOTEL FERRANDI SAINT-GERMAIN ... 466
HOTEL FLOR RIVOLI ... 456
HOTEL FOREST HILL PARIS LA VILLETTE ... 493
HOTEL HAMEAU DE PASSY ... 488
HOTEL KLEBER ... 487
HOTEL KYRIAD ... 478
HOTEL LE LAUMIERE ... 494
HOTEL LE PETIT TRIANON ... 467
HOTEL LECOURBE ... 486
HOTEL LINDBERGH ... 468
HOTEL LOUVRE BONS ENFANTS ... 455
HOTEL MARIGNY ... 471
HOTEL MARRIOTT PARIS CHAMPS-ELYSEES ... 470
HOTEL MAXIM QUARTIER LATIN ... 462
HOTEL MONDIA ... 477
HOTEL MONTCALM ... 484
HOTEL MUGUET ... 469
HOTEL NEW ORIENT ... 472
HOTEL NIEL ... 490
HOTEL PALAIS BOURBON ... 468
HOTEL PALMA ... 490,495
HOTEL PARISIANA ... 475
HOTEL PARK HYATT ... 498
HOTEL PRINCE ... 469
HOTEL QUEEN MARY ... 471
HOTEL REGYN'S MONTMARTRE ... 492
HOTEL RELAIS MONCEAU ... 471
HOTEL RESIDENCE CHALGRIN ... 488
HOTEL RIBERA ... 489
HOTEL RIVIERA ... 490
HOTEL ROMA ... 492
HOTEL ROYAL BEL AIR ... 478
HOTEL ROYAL FROMENTIN ... 473
HOTEL SAINT-ANDRE-DES-ARTS ... 467
HOTEL SAINT-DOMINIQUE ... 470
HOTEL SAINTE-BEUVE ... 466
HOTEL SAINT-JACQUES ... 462
HOTEL SAINT-MERRY ... 459
HOTEL SAINTONGE ... 457
HOTEL SAINT-ROCH ... 455
HOTEL SEVRES-MONTPARNASSE ... 486
HOTEL SOFIA ... 493
HOTEL STHRAU ... 480
HOTEL SUNNY ... 463
HOTEL TAMARIS ... 496
HOTEL TOLBIAC ... 481
HOTEL TRIANON RIVE GAUCHE ... 468
HOTEL TRYP FRANCOIS ... 456
HOTEL UTRILLO ... 492
HOTEL VIATOR ... 479
HOTEL VICTOIRES OPERA ... 456
HOTEL VICTORIA ... 493
HOTEL VILLA D'AUTEUIL ... 488
HOTEL VILLA GARIBALDI ... 486
HOTEL VIVIENNE ... 456
HOTEL VOLTAIRE REPUBLIQUE ... 478
HOTEL YLLEN EIFFEL ... 485
HÔTELS ET HÉBERGEMENT ... 450
HUITIEME ART (LE) ... 58
HUNE (LA) ... 182

III

IANNELLO ... 98
ICLG BEAUBOURG ... 437
IDEE (L') ... 126
IF ... 331
III O (LES) ... 18
IKEA ... 378
IKKS SHOP ... 287
IL FAIT BEAU ... 261
ILE AUX IMAGES – GALERIE SYLVAIN DI MARIA (L') ... 327
ILIADE (L') ... 117
ILLEL ... 440
INCIDENCE ... 415
INDUSTRIE LINGERIE (L') ... 304
INFOMOBI ... 520
INFRAROUGE ... 503
INNAMORATI CAFFE ... 25
INS (INTER NETTOYAGE SERVICE) ... 430
INSTANTANE (L') ... 216
INSTITUT BERNARD CASSIERE ... 263
INSTITUT BUNTHIYA ... 267
INSTITUT CAPILLAIRE MARRY PASCUAL ... 259
INSTITUT CITRON VERT ... 256
INSTITUT DE BEAUTE PYRENE ... 260
INSTITUT DE FRANCE ... 198
INSTITUT DE LA BEAUTE INGRID MILLET (L') ... 262
INSTITUT DU MONDE ARABE ... 198
INSTITUT OPALIS ... 259
INTIMO ... 306
ISAAC REINA ... 292
ISABEL MARANT ... 279
ISSY GUINGUETTE ... 124
ISTRIA ... 482
ITALIE 2 ... 254
ITHEMBA SHOWROOM ... 420
ITINERAIRES ... 187,386
IZAC ... 286
IZRAEL ... 351

JJJ

J.M WESTON ... 300
JACK GOMME ... 292
JACKY GAUDIN ... 372
JADIS ... 92
JAIME MASCARO ... 298
JAIPUR (LE) ... 146
JAIPUR PALACE ... 121
JARDIN (LE) ... 138
JARDIN DE PARIS NATION-BERCY ... 478
JARDIN DES PLANTES ... 231
JARDIN DES TUILERIES ... 231
JARDIN DU LUXEMBOURG ... 232
JARDIN D'ULYSSE ... 393
JARDINIER (LE) ... 65
JARDINS DE PARIS MARAIS-BASTILLE ... 459
JARDINS D'EPICURE (LES) ... 138
JARDINS DU TROCADERO (LES) ... 486
JARRASSE ... 127
JAVA (LA) ... 174
JAVA BLEUE (LA) ... 334
JC TAPIA ... 429
JE THEÔME ... 92
JEAN-CLAUDE D'ARMANT ... 410
JEAN-CLAUDE DELEPINE ... 411
JEAN-CLAUDE JITROIS ... 308
JEAN-PAUL HEVIN ... 341,361
JEAN-PIERRE FRELET ... 75
JEMMAPES (LE) ... 146
JEROME DREYFUS ... 290
JEROME GRUET ... 292
JEU DE PAUME (LE) ... 202
JEU DE PAUME ET DE SQUASH ... 238
JEU DE QUILLES (LE) ... 86
JEUX DESCARTES ... 338
J'GO ... 44
JM VIDEO ... 220
JO ... 285
JO MALONE ... 270
JODHPUR PALACE ... 76
JOE ALLEN ... 14
JOSEPHINE VANNIER ... 341
JOY ... 281,392
JUDITH LACROIX ... 289
JUJU S'AMUSE ... 282
JULES FERRY ... 451
JULIEN ... 69
JUSSIEU MUSIC ... 212
JUST BE ... 111

KKK

KABUTO ... 234
KAI ... 14
KAMBODGIA ... 98
KARINE ARABIAN ... 298
KHUN AKORN INTERNATIONAL ... 73
KIDS GALLERY ... 388
KIEHL'S ... 271
KIETUD ... 269
KILALI ... 44
KILOUTOU ... 430
KIRIA ... 417
KITCHEN BAZAAR ... 390
KOMPTOIR (LE) ... 142
KOOKAI ... 273
KUSMI-TEA ... 346

LLL

LABO (LE) ... 334
LACOSTE ... 274
LADUREE ... 360,363
LADY MOVING ... 222
LAFAYETTE MAISON ... 413
LAFONT ... 318
LAGARDERE PARIS RACING ... 230
LAI THAI ... 267
LAMFE (LE) ... 14
LAMY LITERIE ... 402
LANCOME FAUBOURG SAINT-HONORE ... 262
LAPEROUSE ... 44
LAPEYRE LA MAISON ... 431
LAPIN AGILE (LE) ... 168
LATITUDE ZEN ... 262
LAUMIERE (LE) ... 117
LAURENT TROCHAIN ... 137
LAVINIA ... 374
LAVOIR MODERNE PARISIEN (LE) ... 163
LAWRENS & CO ... 385
LCDI ... 438
LECUREUIL ... 364
LENOTRE ... 360
LEO LE LION ... 51
LEOPARD (LE) ... 149
LEROY MERLIN ... 394
LESCURE ... 14
LEVANT & CO ... 36,351
LIBRAIRIE 213 ... 185
LIBRAIRIE AVICENNE ... 190
LIBRAIRIE BDNET. COM ... 184
LIBRAIRIE CHAPITRE ... 182
LIBRAIRIE DE L'AVENUE ... 184
LIBRAIRIE DE L'INSTITUT DU MONDE ARABE ... 190
LIBRAIRIE DE PARIS ... 183
LIBRAIRIE DELAMAIN ... 182
LIBRAIRIE DES GALERIES LAFAYETTE ... 181
LIBRAIRIE DES JARDINS ... 185
LIBRAIRIE DU BHV ... 180
LIBRAIRIE DU GLOBE (LA) ... 191
LIBRAIRIE DU QUEBEC ... 190
LIBRAIRIE EYROLLES PRATIQUE ... 187
LIBRAIRIE FONTAINE ... 183
LIBRAIRIE GALLIMARD ... 183
LIBRAIRIE GUTENBERG ... 183
LIBRAIRIE LA GEOGRAPHIE ... 188
LIBRAIRIE L'HARMATTAN ... 188
LIBRAIRIE MAISONNEUVE ET LAROSE ... 188
LIBRAIRIE MUSICALE DE PARIS ... 214
LIBRAIRIE MUSICALE EUROPEENNE ... 215
LIBRAIRIE POLONAISE ... 190
LIBRAIRIE PORTUGAISE ... 190
LIBRAIRIE VOYAGEURS DU MONDE ... 187
LIDO (LE) ... 166
LIEU COMMUN ... 381
LIGHTA ... 282
LIGNE ROSET ... 380,38
LIGUE DE TENNIS DE PARIS ... 230
LILAS GAMBETTA ... 496
LITTLE GEORGETTE ... 14
LITTLE PALACE HOTEL ... 458
LIVRE OUVERT (LE) ... 191
LIZA ... 20
LIZARD LOUNGE (LE) ... 158
LOCABEST ... 519
LOCABUS ... 518
LOCAMAINE ... 431
LOCATION SERVICE PLUS ... 430
LOFT DESIGN BY ... 284
LOGGIA (LA) ... 124
LOISIRS ET CREATIONS ... 215
LOOD JUICE BAR ... 356
LOSCO ... 294
LOTUS BLANC (LE) ... 51
LOUCHEBEM (LE) ... 15
LOUIS PION ... 326
LOUIS VINS (LE) ... 36
LOUISON ... 291
LOU-PASCALOU ... 154
LUC GAIGNARD ... 330
LULU BERLU ... 336
LUNDIA ... 406
LUSH ... 271
LUTETIA (LE) ... 498
LUX BAR (LE) ... 153
LUX HOTEL ... 479
LYRIQUE ... 439
LYS D'OR (LE) ... 76
LYSANDRE ... 240

MMM

M COMME MARTINE ... 106
MA BOURGOGNE ... 29
MACARONS ET CHOCOLATS – PIERRE HERME ... 341,36
MADAM ... 173
MADAME ARTHUR ... 170
MAEGHT EDITEUR ... 328
MAGASIN SENNELIER ... 215
MAGASINS SYMPA ... 290
MAGENTA CHAUSSURE ... 300
MAGNOLIAS (LES) ... 134
MAGNUM (LE) ... 175
MAIRIE DE PARIS ... 248
MAISON ... 378
MAISON BOISSIER ... 342
MAISON BOUVIER ... 369,372
MAISON COLONIALE (LA) ... 420
MAISON D'ASIE ... 388
MAISON DE LA PORCELAINE (LA) ... 391
MAISON DE LA TRUFFE (LA) ... 356
MAISON DE L'AIR ... 211
MAISON DE L'ALSACE (LA) ... 58
MAISON DE LOZERE (LA) ... 45
MAISON DE VICTOR HUGO ... 196
MAISON DES TROIS THES ... 346
MAISON D'ITALIE (LA) ... 121
MAISON DU BAIN (LA) ... 412
MAISON DU CERF-VOLANT (LA) ... 337
MAISON DU CONVERTIBLE (LA) ... 401
MAISON DU LEICA (LA) ... 216
MAISON DU MIEL (LA) ... 344
MAISON DU WHISKY (LA) ... 374
MAISON EUROPEENNE DE LA PHOTOGRAPHIE ... 196
MAISON FABRE ... 293
MAISON GEORGIENNE (LA) ... 45
MAISON NORDIQUE (LA) ... 367
MAISON PERRIN ... 308
MAISON RICHART ... 342
MAISON STROSSER ... 384
MAJE ... 278
MAKASSAR (LE) ... 106
MAKASSAR LOUNGE BAR (LE) ... 152
MAMA SHELTER ... 122
MAMMA FASHION ... 283
MANDALAY (LE) ... 126
MANOUSH ... 277
MANUCURIST ... 256
MANUFACTURE (LA) ... 124,48
MANUFACTURE DE BEAUX VETEMENTS (LA) ... 285
MARC LE BIHAN ... 318
MARC ORIAN ... 321
MARCAB (LE) ... 93
MARCHAND D'ETOILES (LE) ... 289
MARCHE DE LA PLACE BRANCUSI (14E) ... 369
MARCHE DES BATIGNOLLES (8E) ... 369
MARCHES BIO MARCHE BOULEVARD RASPAIL ... 368
MARCOUTY OUTILLAGE ... 398
MARE AU DIABLE (LA) ... 135
MAREE (LA) ... 58
MAREE DU MARAIS (LA) ... 365
MARGUERITE ... 111
MARIAGE FRERES ... 346
MARIE ET GERARD CHANAT ... 453
MARIE-JOSE LEUNG ... 453
MARIETTE (LE) ... 135
MAROQUINERIE (LA) ... 163
MAROQUINERIE PARISIENNE (LA) ... 293
MARQUIS SUFFREN (LE) ... 484
MARTEL BRICOLAGE ... 400
MARTINE LAMBERT ... 344
MASCOTTE (LA) ... 58
MASSIMO DUTTI SOFT ... 304
MATA-HATI ... 388
MATELSOM ... 404
MATIERES A REFLEXION ... 293
MATIN PLUS ... 505
MATY ... 321
MAXAN ... 59
MAZURKA (LA) ... 111
MBC ... 106
MEDIATHEQUE MUSICALE DE PARIS ... 178
MEIJI ... 60
MELLOW YELLOW ... 297
MELODIES GRAPHIQUES ... 328
MEMORIAL DE LA SHOAH ... 196

MEPHISTO ... 302
MERCERIE (LA) ... 160
MESSAGER (LE) ... 52
METAL POINTU'S ... 324
METHODE (LA) ... 37
METRO ... 503
METS GUSTO ... 99
MEUBLES DU TRONE (LES) ... 384
MEUBLES.COM ... 378
MEURICE (LE) ... 497
MEZZALINE ... 406
MICHEL AXEL ... 284
MICHEL BRUNON ... 370
MICROMANIA ... 436
MIDAS LA CHAPELLE ... 445
MIEL ET PAPRIKA ... 76
MIEUX SE DEPLACER A BICYCLETTE ... 247
MILLIARDAIRE (LE) ... 173
MINERVE HOTEL ... 461
MINUTE PAPILLON ... 335
MINZINGUE (LE) ... 93
MIROIR ... 112
MISS JUNE ... 290
MISS SIXTY ... 276
MISTER ICE ... 344
MIYAKO ... 52
MOBECO ... 402
MOBILIER DE FRANCE ... 384
MODA ... 298
MODE ... 273
MODE DE VUE ... 318
MODERN HOTEL ... 477
MOMO NO KI ... 21
MON ONCLE LE VIGNERON ... 118
MON VIEIL AMI ... 31
MONA LISAIT ... 182
MONCEAU FLEURS ... 331
MONDIAL CITY ... 446
MONDIAL KIT ... 408
MONDIAL MOQUETTE ... 433
MONDOMIO ... 389
MONSIEUR POULET ... 284
MONT SAINT-MICHEL (LE) ... 280
MONTECINO ... 257
MONTPARNASSE 1900 ... 45
MONTRE DU MARAIS (LA) ... 326
MOQUETTERIE (LA) ... 433
MOSCA LIBRE ... 65
MOTO BASTILLE ... 447
MOULIN DE LA GALETTE (LE) ... 112
MOULIN-ROUGE (LE) ... 168
MOVIE STORE ESPACE PRESTIGES ... 441
MR BRICOLAGE ... 396,433
MUJI ... 329
MULIN ... 399
MULTIMÉDIA ... 436
MURANO (LE) ... 26
MURIEL ... 294
MUSCADE ... 15
MUSEE BOURDELLE ... 206
MUSEE CARNAVALET ... 194
MUSEE CARNAVALET (LE) ... 194
MUSEE CERNUSCHI ... 203
MUSEE COGNACQ-JAY ... 195
MUSEE DAPPER ... 208
MUSEE D'ART ET D'HISTOIRE DU JUDAISME ... 194
MUSEE D'ART MODERNE DE LA VILLE DE PARIS ... 208
MUSEE DE LA MARINE ... 208
MUSEE DE LA MODE ET DU TEXTILE ... 191
MUSEE DE LA MUSIQUE ... 211
MUSEE DE LA POSTE ... 205
MUSEE DE LA PUBLICITE ... 191
MUSEE DE LA VIE ROMANTIQUE ... 204
MUSEE DE L'ARMEE ... 199
MUSEE DE L'EROTISME ... 210
MUSEE DE L'HOMME ... 208
MUSEE DE L'ORANGERIE ... 193
MUSEE DE MONTMARTRE ... 210
MUSEE DES ARTS DECORATIFS ... 192
MUSEE DES ARTS ET METIERS ... 195
MUSEE DES EGOUTS DE PARIS ... 201
MUSEE D'ORSAY ... 199
MUSEE D'ORSAY (LE) ... 200
MUSEE DU LOUVRE ... 193
MUSEE DU LUXEMBOURG ... 199
MUSEE DU MONTPARNASSE ... 206
MUSEE DU QUAI BRANLY ... 201
MUSEE EDITH PIAF ... 204
MUSEE GREVIN ... 204
MUSEE JACQUEMART-ANDRE ... 202
MUSEE MAILLOL – FONDATION DINA VIERNY ... 201
MUSEE MARMOTTAN-MONET ... 209
MUSEE NATIONAL D'ART MODERNE ... 195
MUSEE NATIONAL DES ARTS ASIATIQUES GUIMET ... 207
MUSEE NATIONAL D'HISTOIRE NATURELLE ... 197
MUSEE NATIONAL DU MOYEN AGE - THERMES ET HOTEL DE CLUNY ... 198
MUSEE NATIONAL EUGENE DELACROIX ... 199
MUSEE NATIONAL GUSTAVE MOREAU ... 204
MUSEE NATIONAL PICASSO ... 195
MUSEE PASTEUR ... 206
MUSEE RODIN ... 201
MUSEE ZADKINE ... 199
MUSIC-HALL ... 440
MUSIC-HALL (LE) ... 59
MYBERRY ... 343

NNN

NABUCHODONOSOR ... 53
NABULIONE (LE) ... 52
NADAUD HOTEL ... 496
NAF NAF ... 273
NATURA BRASIL ... 272
NATURE ET DECOUVERTES ... 422
NE LE DITES A PERSONNE ... 416
NEUBAUER ... 443
NEW AULD ALLIANCE ... 142
NEW HOTEL OPERA ... 473
NEW HOTEL SAINT-LAZARE ... 472
NEW MORNING ... 160
NEXT (LE) ... 155
NIKE ... 303
NIKITA ... 305
N'IMPORTE QUOI (LE) ... 170
NIOU ... 418
NIOUMRE (LE) ... 112
NOCTILIEN ... 515
NODAIWA ... 15
NODUS ... 296
NOMADES ROLLER SHOP ... 242
NONNA INES ... 37
NOTRE-DAME HOTEL (LE) ... 461
NOUVEAU CASINO (LE) ... 160
NOUVEAUTES PARISIENNES (LES) ... 337
NUITS DE SATIN ... 305
NUMAE ... 289

OOO

O COMME TROIS POMMES ... 355
O P'TIT PRINCE ... 128
OBJECTIF BASTILLE ... 216
OBRECHT SIEGRID ... 398
OBRIEN'S ... 145
OCCASERIE (L') ... 312
OCCITANE (L') ... 270
OCCITANE EN PROVENCE (L') ... 421
O'CD ... 211
OCRE ... 420
ODEON OCCASIONS ... 217
OEUF CUBE (L') ... 338
OFFICIEL DES SPECTACLES (L') ... 500
OFR ... 185
OLD ENGLAND ... 286
OLIFANT (L') ... 214
OLIVADES (LES) ... 54
OLIVER ... 288
OLYMPIC (L') ... 163
OMAN ... 335
OMBRES (LES) ... 53
OMIZ ... 283
OMNISENS ... 265
ON CHERCHE ENCORE ... 149
ONE BY THE FIVE ... 460
ONGLERIE (L') ... 256
OPA (L') ... 156
OPERA VISION, L'OPTICIEN DU SPORT ... 317
OPTICAL CENTER ... 319
OPTICAL DISCOUNT ... 318
OPTICIENS MUTUALISTES (LES) ... 319
OPTIQUE LECOURBE ... 314
ORIENTAL (L') ... 65
OSCAR MUSIC ... 214
OSMOSE ... 296
OSTERIA RUGGERA ... 21
OUEST HOTEL ... 472
OUISTITI POP ... 312
OUM EL BANINE ... 100
OURCINE (L') ... 81
OUTILA SERVICE ... 430
OXALIS (L') ... 112
OZU ... 99

PPP

PA DESIGN ... 415
PACHA BOUTIQUE ... 308
PACIFIC ADVENTURE ... 241
PACIFIC COMPAGNIE ... 394
PAIN AU NATUREL (LE) ... 367
PAIN DE SUCRE ... 361
PAIN D'EPICES ... 337
PALACE ELYSEES ... 60
PALAIS DE LA DECOUVERTE ... 203
PALAIS DE LA PORTE DOREE - AQUARIUM TROPICAL ... 205
PALAIS DE TOKYO ... 209
PALAIS OMNISPORTS DE PARIS BERCY ... 237
PALAIS-ROYAL ... 194
PALETTE (LA) ... 145
PAMPHLET (LE) ... 26
PAPAGENO ... 212
PAPETERIE EXELMANS ... 330
PAPETERIES REAUMUR ... 329
PAPIER + ... 329
PAPILLES (LES) ... 37
PARABOOT ... 301
PARADIS D'UNE FEMME ... 262
PARADIS LATIN (LE) ... 164
PARAPHARMACIE DE L'EUROPE ... 269
PARAPHARMACIE SUPRA PHARM ... 270
PARASHOP ... 269
PARC ANDRE CITROEN ... 233
PARC DU CHAMP-DE-MARS ... 232
PARC MONCEAU ... 232
PARC MONTSOURIS ... 233
PARCOURS ... 297
PARFUMS ET SENTEURS DU PAYS BASQUE ... 271
PARIS A VELO C'EST SYMPA ... 247
PARIS BIKE TOUR ... 245
PARIS CANAPES ... 401
PARIS CAPITALE ... 503
PARIS CAVIAR ... 366
PARIS CENTRAL TENNIS ... 229
PARIS CHARMS SECRETS ... 245
PARIS COUNTRY-CLUB ... 230
PARIS HOTEL ... 473
PARIS JAZZ CORNER ... 212
PARIS MAIN D'OR ... 73
PARIS NUIT ... 503
PARIS PANAME ... 503
PARIS PAR RUES MECONNUES ... 244
PARIS PARK HOTEL ... 494
PARIS PREMIERE ... 514
PARIS RANDO VELO ... 248
PARIS STORE ... 352
PARIS SUD MOTOS ... 447
PARIS TELE SECOURS ... 428
PARIS UNIVERSITE CLUB ... 235
PARISCOPE ... 500
PARISIEN (LE) ... 500
PARISOBS – LE NOUVEL OBSERVATEUR ... 500
PARISPARIS (LE) ... 170
PARTIE DE CAMPAGNE ... 76
PARVIN ET OLIVIER OET ... 453
PASCAL LE GLACIER ... 344
PASCALINE ... 298
PASSAGE GOURMET (LE) ... 94
PATES VIVANTES (LES) ... 65
PATISSERIE THEVENIN ... 363
PATISSERIE VIENNOISE ... 363
PATRICK DUMONT – AUX DELICES DE LA FOURCHE ... 364
PATRICK PONS ... 447
PAUL & JOE ... 279
PAUL BEUSCHER ... 214
PAUL SMITH ... 288
PAVILLON DES IBIS (LE) ... 137
PAVILLON MONTSOURIS (LE) ... 86
PEINTURES DE PARIS ... 432
PERE CLAUDE (LE) ... 94
PERE FOUETTARD (LE) ... 140
PERIGOT ... 414
PERLA BAR (LA) ... 142
PERLE (LA) ... 141
PERRAUDIN ... 38
PERSONA GRATA ... 416
PETIT AMPERE (LE) ... 107
PETIT BATEAU ... 274
PETIT BLANC D'IVOIRE ... 389
PETIT BORDELAIS (LE) ... 53
PETIT CHAMPERRET (LE) ... 107
PETIT CURIEUX (LE) ... 26
PETIT DAKAR (LE) ... 26
PETIT MADELEINE ... 470
PETIT PALAIS – MUSEE DES BEAUX-ARTS DE LA VILLE DE PARIS ... 203
PETIT PAN ... 289,418
PETIT PRINCE DE PARIS (LE) ... 37
PETIT RETRO (LE) ... 100
PETITE AUBERGE (LA) ... 94
PETITE CHALOUPE (LA) ... 353
PETITE MENDIGOTE ... 290
PETITES (LES) ... 277
PETITES SORCIERES (LES) ... 86
PETITS MITRONS (LES) ... 364
PETITS PETONS ... 303
PETRELLE (LE) ... 66
PETROSSIAN ... 366
PEUGEOT AVENUE ... 442
PHARAMOND ... 16
PHARMACIE DU SOLEIL ... 269
PHILEAS ET ROBINSON ... 387
PHILIPPE CASTELANNE ... 342
PHONE HOUSE ... 438
PHOTO PRONY CANON ... 217
PHOTO STOCK ... 219
PHOTO VERDEAU ... 217
PIANO VACHE (LE) ... 159
PICK-CLOPS (LE) ... 143
PICK'UP ... 401,416
PICTO BASTILLE ... 219
PIERRE AU PALAIS ROYAL ... 16
PIERRE RICAUD ... 261
PIETREMENT LAMBERT ... 373
PINK PARADISE ... 166,224
PINTEL ... 337
PINXO ... 16
PISCINE BLOMET ... 228
PISCINE CHATEAU-LANDON ... 227
PISCINE D'AUTEUIL ... 228
PISCINE DE LA BUTTE-AUX-CAILLES ... 227
PISCINE DES AMIRAUX ... 228
PISCINE DUNOIS ... 227
PISCINE GEORGES-VALLEREY ... 229
PISCINE JEAN-TARIS ... 226
PISCINE JOSEPHINE BAKER ... 228
PISCINE KELLER ... 228
PISCINE PONTOISE ... 227
PISCINE ROGER-LE-GALL ... 227
PISCINE ROUVET ... 229
PISCINE SUZANNE-BERLIOUX ... 226
PISCINE-PATINOIRE PAILLERON ... 229
PISTON PELICAN (LE) ... 154
PIZZA CHIC ... 45
PLANETE MARS ... 161
PLAZA ATHENEE ... 499
PLOMBERIE DU MARAIS (LA) ... 426
PLOMBERIE DU RUISSEAU (LA) ... 427
PLOMBERIE NESS ... 427
PLONGESPACE ... 241
PLUS QUE PARFAIT ... 309
PM CO. STYLE ... 414
POILANE ... 357
POINT A LA LIGNE ... 422
POINT EPHEMERE (LE) ... 146
POINT S – GMG AUTO ... 445
POINT SERVICE MOBILES ... 439
POISSON ROUGE (LE) ... 69
POISSONNERIE DU DOME ... 365
POISSONNERIE LACROIX ... 365
POISSONNERIE LE SAINT-PIERRE ... 366
POLIDOR ... 45
POP CORNER (LE) ... 155
POP IN (LE) ... 149
POTEMKINE ... 220
POTIRON ... 390
POUILLY-REUILLY (LE) ... 133
POULE AU POT (LA) ... 16
PRAIRIES DE PARIS (LES) ... 281
PREMIBEL ... 433
PREMICES (LES) ... 134
PREMIER SENS ... 264
PRESENCE AFRICAINE ... 188
PRESENCE AUDIO CONSEIL ... 439
PRET A MARCHER ... 299
PRIMFLEUR ... 332
PRINTEMPS ... 255
PRINTEMPS MAISON ... 413
PROCIREP ... 219
PROCURE (LA) ... 182
produits gourmands ... 341
PROPHOT ... 219
PUIFORCAT ... 391
PULL-IN ... 305
PULP'S COMICS ... 184
PUMA STORE ... 302
PUZZLE MICHELE WILSON ... 337
PYLONES ... 336

QQQ

QUAI QUAI ... 17
QUAI WAUTHIER ... 136

QUAIS DU CANAL SAINT-MARTIN 232
QUARTAUTS (LES) 124
QUEDUBON 118
QUENIAU (LE) 94

RRR

RACINES 21
RALPH LAUREN 288
RANDO CYCLES 243
RANI MAHAL 21
RASA YOGA 238
RATP 515
RECIPROQUE 312
RECONFORT (LE) 26
REDLIGHT (LE) 175
REGALADE (LA) 86
REINE ZENOBIE (LA) 114
RELAIS DE PONT-LOUP (LE) 135
RELAIS DU MANDARIN (LE) 129
RELAIS DU MARAIS (LE) 458
RENAISSANCE PARIS ARC DE TRIOMPHE 489
RENDEZ-VOUS DES AMIS (LE) 163
RENNES AUTO-ECOLE 443
REPETTO 240
RESERVOIR (LE) 175
RESONANCES 334,422
RESTAURANT (LE) 114
RESTAURANT DU MARCHE (LE) 95
RESTAURANTS PAR ARRONDISSEMENT 10
REX CLUB (LE) 170
RIBOULDINGUE 38
RICHARD GAMPEL 293
RIGADELLE (LA) 134
RIPAILLE 108
RITUEL DES SENS 264
RITZ (LE) 497
RITZ HEALTH CLUB 226
RIVER CAFE (LE) 125
ROBERT CLERGERIE 298
ROCHE-BOBOIS 380
ROCROY PAPIERS PEINTS 432
ROLAND-GARROS (LE) 100
ROMANTICA (LA) 124
ROMEO JULIETTE 262
ROSEBUD (LE) 151
ROSSO (LE) 161
ROUGE SAINT-HONORE 17
ROUGIER ET PLE 215
ROXANE ET JACKY FLAMANT 453
ROYAL (LE) 66
ROYAL FATA CIM 121
ROYAL HOTEL COLISEE 472
ROYAUME DE BOUDDHA (LE) 386
ROYER MONTMARTRE 400
RS LOCATION 430
RYSS TOURAINE 398

SSS

S DEESSE 447
SABZ 393
SAC A DOS (LE) 54
SAFARI (LE) 114
SALON MARHABA 388
SAMARKAND 32
SAMESA 108
SAMOURAIS DES MERS (LES) 366
SANI-ROQ 428
SANS GENE BATIGNOLLES (LE) 107
SANS-GENE OBERKAMPF (LE) 74
SANTA SED 70
SANZ SANS (LE) 156
SARLADAIS (LE) 59
SATELLIT CAFE 161
SAUER 401
SAUT DU LOUP (LE) 17
SAUVEL NATAL 389
SAVEURS DE FLORA (LES) 60
SCENE BASTILLE (LA) 161
SCHEFFER 101
SCHIFFINI 410
SEBASTO AUTO-RADIO 442
SEBILLON 127
SECRET SQUARE 168
SECURITEST – BAUCHAT AUTO BILAN 444
SEGWAY TOUR 518
SENTOU 416
SERENDIPITY 388
SERENITY PLUS 267
SHERWOOD 158
SHOOT AGAIN 176
SHOWCASE (LE) 173
SHU 46
SHYDE 281
SI TU VEUX 187
SILE (LA) 431
SILENCE DE LA RUE (LE) 213
SINEQUANONE 273
s'informer 500
SMART CENTER 442
SMOKE (LE) 151
SNOWBEACH WAREHOUSE 240
SOCIAL CLUB 171
SOCIAL CLUB (LE) 154
SOIR (LE) 155
SOLEIL (LE) 133
SOLEIL SUCRE 304
SOMMETS DE L'HIMALAYA (LES) 32
SOPHA INDUSTRIES 412
SOPHIE SACS 293
SORMANI 108
SORTIES 140
SOS OPTIQUE 317
SOUPI FRUTTI 356
SOURIRE DE SAIGON (LE) 116
SPA COMFORTZONE 265
SPA NUXE 32 MONTORGUEILÆ 264
SPEED COURSE MASTER 424
SPEED WEAR 447
SPEEDY 445
SPIRIT CAFE 22
SPORT 505
SPORTS 222
SPORTS SYSTEM 242
SPQR 398
SPREE 382
SPRING 66
SQUARE-TROUSSEAU (LE) 76
SQUASH MONTMARTRE 238
STADE JEAN-BOUIN 230
STARPLAYER 338
STEINER 402
STEPHANE SECCO 363
STEPHANE VANDERMEERSCH 358
STEPHANE VERDINO 292
STOCK SACS 291
STRADIVARIUS 276
STUDIO HARCOURT 219
STUDIO PILATES DE PARISÆ 237
STUDIO VIDEO 220
STYLO D'OR (LE) 329
STYLOS WAGRAM 329
SUBITO 17
SUCRE CACAO 364
SUCRE D'ORGE 418
SUITE HOTEL 495
SULLY HOTEL 459
SULTANE DE SABA 265
SUNSET-SUNSIDE (LE) 158
SUPER HOTEL 496
SUR LES QUAIS – PAUL VAUTRIN 350
SUR UN ARBRE PERCHE 22
SURCOUF 438
SURPLUS DU GOLF (LE) 241
SUSHIYA 118
SWATCH 327
SWILDENS 281
SYMPLES DE L'OS A MOELLE (LES) 125
SYSTEMA 234
SYT 425

TTT

TABATIERE ODEON (LA) 339
TABLE D'ANVERS (LA) 66
TABLE DE FES (LA) 46
TABLE D'EUGENE (LA) 116
TABLE LIBANAISE (LA) 95
TAILLARDAT 384
TAMBOUR (LE) 22
TARMAC 77
TARTAIX 398
TASCHEN 185
TASSILI (LE) 81
TASTEVIN (LE) 32
TAXI KING CLOVIS 518
TAXIS BLEUS 521
TAXIS G7 521
TAXIS PARISIENS 521
TCHIP 259
TEA AND TATTERED PAGES 189
TECHNO-IMPORT 213
TELE ROYAL 441
TELERAMA 500
TELLEMENT ZEN 266
TEMOA 324,415,419
TEMPLE (LE) 27
TEMPS DES CERISES (LE) 82
TEMPS LIBRES 128
TEMPS PERDU (LE) 46
TENNIS ACTION 230
TENNIS CLUB DE PARIS 230
TENNISEUM – MUSEE DE ROLAND-GARROS 209
TERRAINS MUNCIPAUX 229
TERRASSE MIRABEAU (LA) 101
TERRASS-HOTEL (LE) 491
TERRE DE TRUFFES 356
TERRE ET SOLEIL 22
TEXIER 292
TEXTE A VENIR 73
THAI HOUSE 66
THAI ROYAL 82
THE ABBEY BOOKSHOP 189
THE AUX TROIS CERISES 101
THE CONRAN SHOP 417
THE COOL 128
THE DES ECRIVAINS (LE) 346
THE FIVE 460
THE FROG AND PRINCESS 144
THE FROG AND ROSBIF 140
THEME 420
THERMES SAINT-GERMAIN (LES) 264
TIBETAINE (LA) 387
TIE-RACK 295
TIM HOTEL TOUR EIFFEL 486
TIMBRE (LE) 46
TIMHOTEL MONTMARTRE 492
TIMHOTEL PALAIS ROYAL-LOUVRE 457
TIN-TIN TATOUAGE 272
TIPI HOTEL 483
TIR BOUCHON 22
TONG MING 101
TONI AND GUY 257
TONKAM 185
TOO MINCE 224
TOTAL CONSORTIUM CLAYTON 411
TOUR DE BABEL (LA) 190
TOURNESOL (LE) 102
TOUTAN'FOLIE 408
TRADITION (LA) 358
TRAIN BLEU (LE) 77
TRAINING JEAN-MARC MANIATIS 259
TRAIT 330
TRAMWAY 515
TRANSPORTS 515
TRANSPORTS DU MARAIS 424
TRANSPORTS PARIS ACCOMPAGNEMENT MOBILITE .. 520
TRIBAL (LE) 146
TRIPERIE VADORIN 373
TROC EN STOCK 311
TROIS MARMITES (LES) 122
TROIS SINGES (LES) 419
TROISIEME LIEU (LE) 143,159
TROQUET (LE) 96
TROUBADOUR (LE) 138
TRUFFAUT 392
TRUMILOU (LE) 32
TRUSKEL (LE) 155
TSCHANN 182
TV GHS 428

UUU

UCAR 519
ULYSSE 187
UMAE 386
UN AMOUR DE LINGERIE 304
UN JOUR A PEYRASSOL 20
UN JOUR UN SAC 291
UNE CHAMBRE EN VILLE 452
UNITED COLORS OF BENETTON 274
UNIVERSAL GUITARS 213
UNOPIU 393
URBAN MUSIC 212
URBANE 70
URGENCE SCOOTERS 448
USINE (L') 222

VVV

VAGENENDE 48
VAN CLEEF & ARPELS 320
VANESSA BRUNO 278
VANS SHOP 302
VAUDEVILLE (LE) 22
VAYSSE 444
VEDETTES DE PARIS (LES) 244
VELAN 351
VELIB' 518
VELO ET CHOCOLAT 243
VELO PARIS 247
VELO SERVICES 242
VENDANGES (LES) 87
VENETA CUCINE 410
VENTILO 280
VENTRE DE L'ARCHITECTE (LE) 118
VERLET 345
VERONESE 385
VERONIQUE MISS 332
VERRE VOLE (LE) 147
VERSANCE (LE) 22
VERT D'ABSINTHE 374
VERT GALANT (LE) 480
VICTOIRE 285
VICTOIRE DE SAMOTHRACE - MUSEE DU LOUVRE (LA)193
VICTOIRE SUPREME DU CŒUR (LA) 32
VIDEOSPHERE 220
VIE FLEURIE (LA) 332
VIEUX CAMPEUR (LE) 188
VIGNE DU XXE (LA) 376
VILEBREQUIN 306
VILLA 9 TROIS 131
VILLA CORSE RIVE GAUCHE (LA) 96
VILLA DEL PADRE 70
VILLA DES PRINCES SAINT-GERMAIN 466
VILLA FENELON 474
VILLA NOTTE (LA) 156
VILLA THALGO TROCADERO 266
VILLAGE (LE) 108
VILLAGE HOSTEL (LE) 452
VILLARET (LE) 74
VIN DES PYRENEES (LE) 32
VIN EN TETE (LE) 376
VIN SOBRE (LE) 38
VINO'S (LE) 18
VIOLON D'INGRES (LE) 55
VIR DEMENAGEMENTS 425
VIRGIN MEGASTORE 180,180,181,181,212,436
VIT'HALLES 223
VITRA 382
VOG EN SCENE 130
VOGICA 408
VOGUEO 516
VOI ELEPHANT 127
VOIES SUR BERGES 231
VUE SUR TABLES 381
VUES SUR CUISINE 392

WWW

WAGG (LE) 171
WAX (LE) 162
WE 283
WELCOME HOTEL 467
WH SMITH 189
WHY NOT (LE) 108
WINCH (LE) 116
WISSAI 266
WOMEN SECRET 304
WOODBRASS 214
WOODSTOCK HOSTEL 450

XXX - YYY - ZZZ

XATO 27
YANNICK VINCENT 330
YELLOW KORNER 327
YOU-FENG 190
YOUNA PNEUS – LE RELAIS DE LA BATTERIE 444
YOUNG AND HAPPY HOSTEL 450
ZADIG & VOLTAIRE 277
ZANGO (LE) 151
ZARA 284
ZEBRA 448
ZEBRA SQUARE 102
ZEBRE (LE) 167
ZEF 289
ZEN GARDEN (LE) 60
ZEPHYR (LE) 122
ZERO ZERO (LE) 149
ZINA ET RAPHAEL 280
ZOE BOUILLON 118
ZOLA COLOR 400
ZOOM 303
ZYGOMATES (LES) 77